KB165871

심리학 연구방법

Research Methods in Psychology

Cengage Learning Korea Ltd.
14F YTN Newsquare 76 Sangamsan-ro
Mapo-gu Seoul 03926 Korea

Cengage is a leading provider of customized learning solutions with
employees residing in nearly 40 different countries and sales in more
than 125 countries around the world. Find your local representative at:
www.cengage.com

To learn more about Cengage Solutions, visit **www.cengageasia.com**

Every effort has been made to trace all sources and copyright holders of
news articles, figures and information in this book before publication, but
if any have been inadvertently overlooked, the publisher will ensure that
full credit is given at the earliest opportunity.

Printed in Korea
Print Number: 05   Print Year: 2024

제9판

심리학
연구방법

Research Methods in Psychology

David G. Elmes ⏐ Barry H. Kantowitz ⏐ Henry L. Roediger III

남종호 옮김

Cengage

Australia • Brazil • Canada • Mexico • Singapore • United Kingdom • United States

옮긴이 소개

남종호
가톨릭대학교 심리학과

심리학 연구방법 —9판—
Research Methods in Psychology 9th Edition

제9판 1쇄 발행 | 2012년 7월 9일
제9판 5쇄 발행 | 2024년 2월 20일

지은이 | David G. Elmes, Barry H. Kantowitz, Henry L. Roediger III
옮긴이 | 남종호
발행인 | 송성헌
발행처 | 센게이지러닝코리아㈜
등록번호 | 제313-2007-000074호(2007.3.19.)
이메일 | asia.infokorea@cengage.com
홈페이지 | www.cengage.co.kr

ISBN-13: 978-89-6218-376-4

공급처 | ㈜사회평론아카데미
주 소 | 서울시 마포구 월드컵북로 6길 56
도서안내 및 주문 | TEL 02) 326-1545 FAX 02) 326-1626
홈페이지 | www.sapyoung.com

값 32,000원

옮긴이 머리말

심리학은 사회과학 중에서 방법론을 가장 중시하고, 이에 대한 발전을 선도해왔다. 그러므로 심리학 전공 커리큘럼의 경우, 대부분의 대학에서 심리학 통계를 전공필수 과목으로 지정하고 있으며, 다음으로 실험심리학 또는 실험과 연계된 기초 심리학 과목을 권하고 있다. 이러한 과목들은 모두 방법론과 밀접한 관련 과목으로 전공 초기에 듣도록 하고 있다. 따라서 심리학을 접하는 사람은 이러한 방법론을 중시하는 심리학의 벽 앞에서 최초의 시련을 겪게 되는 일이 흔하다.

많은 학생들에게 복병으로 등장하는 방법론 관련 과목을 친근하게 만들고 싶다는 생각은 비단 옮긴이 혼자만의 것은 아니라고 믿고 있다. 이를 위해서 적합한 구성과 내용으로 심리학에 대한 흥미를 잃지 않으면서도, 심리학에서 강조하는 연구방법과 논리에 대한 이해를 돕는 교재를 준비해야 하지만 늘 이런 선택이 쉽지 않다고 느낀다. 심리학의 이론과 발견들이 흥미롭기는 하지만, 도달하는 과정을 이해시키는 것도 빠뜨릴 수 없는 일이기 때문이다. 심리학에서 소개된 여러 현상과 이론들은 심리학의 각 세부 분야에서 다루고 있기 때문에 자칫 방법론과 관련된 책은 연구 과정에만 치중하기 쉬운 오류에 빠지기 쉽게 되어 있다. 하지만 심리학에서 발견된 사실들을 계속 배우게 되면, 도대체 어떤 과정과 논리를 근거로 이러한 결론에 도달하게 되었나 하는 궁금증이 커지게 만들고, 또한 연구 논리를 계속 다루게 되면 이런 논리를 통해 어떤 현상을 다룰 수 있을까 궁금하게 만드는 교재가 가장 이상적이라고 생각한다. 마치 심리학의 내용과 형식(연구 과정) 순환 과정을 태극의 음양 조화처럼 따라갈 수 있게 만드는 구성과 형식, 내용을 갖춘 책이 있어야 할 것으로 보인다.

옮긴이는 이 책이 제공하는 내용과 구성이 심리학의 연구법을 배우는 학생들에게 위에 언급한 기대에 부합되어 있다고 본다. 머리말에서 자세히 밝힌 바와 같이 전판에 비해서 내용도 새롭게 갱신하였고 짜임새 있게 구성되었다. 연구법에 관한 강의를 하면서 느꼈던 영문 원서 자체의 구성상의 불편한 점을 개정판에서 거의 완벽하게 수정을 하였다. 또한 최근 국내외 학계에서 강조하는 연구 윤리를 다룬 장이 앞으로 옮겨져서 시대 요구에 부응하고 있다.

옮긴이가 이전 제8판을 번역하는 과정에서 생긴 미흡한 점들을 수정하고, 정확한 내용을 전달하고, 좀더 나은 표현을 찾고자 노력하였다. 이 책을 교재로 택해주신 여러 교수님들과 강의를 들은 대학원생들이 이런 과정에 많은 도움을 주었으며, 이번 번역판에서 좀 더 나은 교재의 면모를 갖추었다고 믿는다.

그럼에도 불구하고 번역본이라는 한계를 옮긴이는 절실하게 느낄 수밖에 없었다. 우리 실정과 우리의 연구가 소개되는, 그런 내용과 형식을 갖추어 책을 내고 싶다는 간절한 마음을 접어야만 했지만, 좋은 책을 선택하고 이를 충실하게 번역하여 방법론에 관심이 있는 학생들의 요구에 부응하는 현실이 더 중요하다고 자위해본다.

이 책이 제 모습을 갖출 때까지 많은 분들의 도움이 있었다. 이전 번역판의 부족한 점을 보완할 수 있도록 격려해주신 학회의 여러 교수님들께 감사드린다. 여러 교수님들의 지적과 격려는 좋은 책을 준비하는 데 큰 힘이 되었다. 그리고 책이 훌륭하게 출판될 수 있도록 최선을 다해주신 센게이지러닝코리아의 김성수 차장님과 출판사의 모든 분들께 감사 드린다.

옮긴이 남종호

머리말

1981년도에 처음으로 출판된 이 책을 벌써 아홉 번째 개정판으로 독자들 앞에 내놓게 되어 지은이들은 기쁘기 그지없다. 여러분이 손에 들고 있는 이 책은 여덟 번째 개정판을 조심스럽게 개선하고, 또 여기저기 손을 본 것이다. 지은이들은 학생들, 동료 교수들, 그리고 책을 개관해보신 분들로부터 받은 수많은 평가와 우리 자신들이 연구방법 과목을 가르치면서 얻게 된 변화된 생각들을 종합해 적합한 개정판을 내려고 노력해왔다. 많은 사람들이 이 책의 이전 판들을 애용해 주어서 아홉 번째 개정판을 낼 수가 있었고, 이 개정판에서 여러분들이 그 결실을 같이 나눌 수 있었으면 하는 것이 지은이들의 바람이다. 우리는 이전에 출판된 책과 마찬가지로, 타당하고 신뢰성 있는 연구 구성에 대한 확고한 이해를 제공하는 목적에 필요한 심리과학의 방법을 제시하고자 한다. 여러분이 연구의 생산자이거나 또는 소비자임에 상관없이 여러분은 연구를 평가하고 그 가치를 따질 수 있어야만 한다.

이 책의 조직

이 책의 첫 번째 부분은 과학적 심리학의 기본을 다루고, 두 번째 부분은 기본 연구방법을 취급하며, 세 번째 부분은 고급 연구 주제들을 논의하며, 네 번째이자 마지막 부분은 독자에게 과학적 심리학의 실제를 제공하고 있다. 첫 네 개 장은 책의 나머지 부분에 대한 토대를 제공하고 있다. 이 장들에서 우리는 연구 프로젝트의 기초를 개관하고, 과학 철학을 논의하고, 심리학 문헌을 탐색하는 법을 알아보고, 그리고 마지막으로 윤리적 연구를 논의하고 있다. 두 번째 부분은 기초 연구방법, 그리고 심리학 연구의 신뢰도와 타당도에 관해서 독립된 장에서 따로 다루는 세 개 장으로 이루어져 있다. 세 번째 부분은 연구 설계에 관해 약간 자세하게 다루고 있다. 실험연구 설계와 유사-실험 설계 모두를 다룬다. 결과 해석과 연구 보고서 제시는 마지막 부분에서 두 가지 주제로 다루어지고 있다. 마지막 부분의 장들은 어떤 순서로 읽어도 좋으므로, 교수가 자신의 강좌의 목표에 중요하고, 또 적합하다고 하는 장을 선택할 수도 있다. 부록에는 기술 통계와 추리 통계를 요약해 놓았다.

강의에 도움이 되는 특징

각 장은 이해를 증진시키고 흥미를 불러일으키도록 고안된 많은 특징들이 담겨 있다. 각 장의 시작은 살펴보게 될 내용들의 요약을 제시하고, 중요한 개념을 학생들이 준비하도록 해주고, 개관에 편리하도록 도움을 주고 있다. 개요는 각 장의 내용을 소개한다. 개념 요약은 장 제목의 끝에 있는데, 중요 개념을 강조하고, 학습과 복습 시에 학생에게 도움이 되도록 되어 있다. 대부분의 장들은 그 장에서 논의된 일부 개념들이 실험실 상황 바깥에서 어떻게 쓰일 수 있는지를 설명해주고 있다. 각 장의 끝부분에는 여러 특징들이 제시되어 있는데 요약, 주요개념, 연습문제, 추천 문헌 자료, 웹 자료, 실험실 자료가 제시되어 있다. 이러한 특징들은 학생들의 이해를 강화하고, 확장시켜줌으로써 그 장에서의 내용으로부터 최대의 혜택을 도출할 수 있도록 한다. 월드 와이드 웹(WWW) 주소는 심리학 연구의 중요한 링크를 가리키고 있다. 또한 Langston(2011)의 *Research Methods Laboratory Manual*에 담겨있는 관련된 장들을 나타낸다. 이러한 자원에는 Wadsworth의 『Workshops in Research Methods and Statistics』 책의 장이 일부 선택된다. 심리학 해보기는 대부분 장의 끝에 있다. 각 부분은 학생이 수행할 수 있는 프로젝트를 제시하고 있다. 우리는 이것들이 학생들이 과학적 심리학에 대한 흥미를 이끌어 주기를 바라고 있다. 이 책의 마지막에 있는 용어해설은 주요개념에 대한 간략한 정의를 담고 있다. 이전 판들과 마찬가지로 책의 다른 부분에서 중요한 개념을 반복해서 논의하고자 많은 개념들이 한 번 이상 논의되었다. 우리는 잘 알려진 분산 연습과 다양한 시연의 혜택에 편승해 독자들의 학습 효율성을 극대화하고자 하였다.

본 개정판의 새로운 변화

아마도 제8판을 사용해본 사람은 제9판에서 많은 변화가 있다는 것을 알게 될 것이다. 개관을 해주신 유능한 분들과 편집자의 조언, 학생들의 제안, 그리고 우리 자신의 경험에 비추어 책의 체제와 내용의 변화가 있었다. 우리는 문헌 탐색, 통계 계산, 실험 통제, 그리고 환경 모사에서 신기술의 역할에 강조를 더하였다. 더욱이 이전에 언급한 대로, 각 장의 끝에 있는 '웹 자료'는 심리학 연구에 관한 중요한 정보를 담고 있는 사이트를 소개하는 많은 새로운 월드 와이드 웹 주소를 담고 있다. 더 나아가 이 책의 독자들은 이 책의 Wadsworth 웹 사이트인 http://psychology .wadsworth.com을 방문할 수 있다. 우리는 여러분이 이 사이트를 방문하여 피드백도 주고 이 책에서 소개된 것 이외의 것들에 대한 자원을 탐색할 수 있기를 바란다.

우리는 시기적절하고, 흥미 있고, 강의에 적합하고, 정확하게 책을 개정하고자 애를 썼다. 우리는 또한 수많은 새로운 참고문헌과 여러 도전할 만한 연습, 그리고 심리학 연구의 수많은 흥미 있는 분야에서 흥미 있는 연구를 반영할 수 있는 예들을 포함시켰다. 개관을 하신 분들의 제언에 근거해서 연구 윤리라는 중요한 주제를 첫 번째 부분으로 이동하였다. 우리는 이제부터 내용 변화를 상세히 언급하겠다.

'심리학 연구에 대한 개관'이라는 제1장의 제목은 연구 프로젝트에서 무엇이 포함되어 있는지에 관한 큰 밑그림을 제시하려는 이 장의 의도를 반영한다. 많은 새로운 참고문헌과 최신 내용의 웹 자료와 더불어, 연구 과정의 이해가 어떻게 학생에게 혜택을 주는지에 관한 강조를 한층 높였다. 그리고 학생의 교육과 직업 선택에 대한 연구 기술의 중요성을 강조하였다. '과학적 심리학에서의 설명'이라는 제2장은 과학 철학에 대한 새로운 작업을 포함하고 있다. 이것은 가설이 어떻게 일반화에서 도출되는지를 설명하고 있는데, 일반화는 이론 또는 일상의 경험에서 도출된다. 이론을 도출하는 접근으로서, 그리고 만족스런 이론이라는 생각으로서 귀추(abduc-tion)를 새로운 주제로 포함시켰다.

제3장, '심리학 문헌 탐색'은 미국심리학회(APA)가 지시하는 최신 유형의 개요를 서술하고 있다. 초보 독자가 어떻게 연구논문을 읽어야 하는지에 관한 과정을 행복에 관한 새로운 논문을 통해서 보여준다.

제4장의 제목은 이제 '윤리적인 연구의 수행'이다. 이 장은 동물연구에 관한 새로운 측면들의 특징을 제시하고 있으며, 윤리적인 연구를 확인하기 위한 기관 심의위원회의 역할에 관하여 광범위한 논의를 포함하고 있다.

제5장, '심리학 연구에서의 관찰'은 생태학에서의 최신 연구를 포함하고 있으며, 아동 발달에 관한 환경 화학물질(환경호르몬)의 역할에 관한 논의도 포함하고 있다.

제6장, '관계연구'는 여전히 수반성과 상관연구에 초점을 두고 있으나, 이제는 가정 내 폭력에서 흉기의 사용을 예측하는 맥락에서 회귀에 관한 논의를 포함하고 있다. 책을 세심하게 읽었던 독자 Uta Wolfe 덕분에 발견된 상관 부분에서의 계산 오류는 수정되었다.

'실험법의 기본'을 다룬 제7장은 우리가 주력한 장의 하나이며, 호오돈 효과에 대하여 최근에 발견된 원 자료에 대한 분석을 기초로 한 흥미로운 논의를 담고 있다.

제8장, '심리학 연구에서의 신뢰도와 타당도'는 이제 집단 심리치료가 노인 내담자에게 효과가 있는지에 관한 메타분석의 논의를 포함하고 있다. 많은 분야에서 사용이 확대되는 정신물리학에 관한 논의도 서술하고 있다.

제9장과 제10장, '실험 설계'와 '복합 설계'는 대규모 개정을 하였다. 이러한 변화에는 상대균형화에 관한 현대적 관점에 관한 광범위한 논의, 그리고 통제집단을 선택할 때 요구 특성을 감안해야 하는 중요성에 관한 고려가 있다.

제11장, '소집단 실험법'은 대규모 개정을 하였다. 9학년 학생의 쓰기 실력을 향상시키

는 것과 관련된 새로운 연구를 다중 기저선 설계를 설명하는 데 도입하였다. 변동 준거 설계에 새로운 변형을 포함시켰다.

제12장, '유사–실험법'은 초점 국소 통제라고 불리는 비동등 비교집단에 대한 새로운 접근을 논의하고, 현장 실험에서 최근의 동향을 조사한다.

제13장, '연구 결과의 해석'은 신뢰도를 알아보는 추가적인 도구로서 신뢰 구간의 사용을 포함하고 있다. 2001. 9. 11의 기억에 관한 새로운 연구를 조사하였다.

제14장, '연구 결과의 제시'는 가장 최신의 APA 매뉴얼에 따라 완전히 개정하였다. 긍정적 자기-서술문과 관련된 새로운 논문으로 최신 스타일을 예시하고 있다.

감사의 글

본 지은이들이 책을 쓰는 데는 독자들, 이전 판들의 사용자, 편집/출판부 관계자들과 협조하고, 여러 능력 있는 검토자의 사려 깊은 조언에 귀를 기울였다. 제8판의 많은 독자와 이 책을 교재로 사용해주었던 교수님들이 소중한 제언을 글로 보내주었다.

다음에 소개하는 검토자들이 이 판의 여러 점들을 세밀하게 조율하는 데 도움을 주었다: Daniel Cerutti, California State East Bay; Harvey Ginsburg, Texas State University; Williams Dragon, Cornell College, Fred Leavitt, California State East Bay; Daniel Dennis, University of Montana; David Horner, California Poly Pomona; Simine Vazire, Washington University in Saint Louis.

검토해 주신 많은 분들께서 허락했던 시간과 노력으로 우리가 좀 더 좋은 책을 출판할수 있게 되었음을 감사 드린다.

우리 학교의 동료들도 조언과 격려를 쏟아 주었다. Margaret Swisher의 기술적인 도움을 잊을 수가 없다. 그리고 본 지은이들은 개정판에 많은 도움과 건설적인 조언을 아끼지 않은 Simine Vazire에게 감사의 뜻을 전하고 싶다.

David G. Elmes

Barry H. Kantowitz

Henry L. Roediger, III

요약차례

차 례

제 4 부 과학적 심리학의 실천

부록 통계 부록

제1부 과학적 심리학의 기본

제1부는 심리학 연구의 기본에 관한 것들 대부분에 초점을 두고 있다. 제1장은 특정한 실험 하나를 예로 들고 이 맥락에서 과학적 심리학의 개관을 다루고 있다. 제2장은 과학적 사실들을 조직하고 설명하는 데 이론이 어떤 방식으로 이끌고 있는지를 살피고 있다. 제3장은 심리학 문헌 탐색 방법을 상세히 다루고 있다. 마지막으로, 제4장에서는 윤리적인 연구의 수행방식을 자세히 다루고 있다.

담당교수가 학기 초에 일찌감치 과제로 내줄법한 주제들, 예를 들면, 연구에 대한 해석, 그리고 심리학 연구에 관한 작성 등에 관한 대부분의 내용들이 제1부에서 간략하게 소개되고 있으며, 다시금 제4부에서 자세히 다루어진다. 제4부에 있는 장들은 학기 중에 어떤 순서, 어떤 시기에 읽어도 되기 때문에 시기에 상관없이 과제로 제시될 수 있다.

제 **1** 장

심리학 연구에 대한 개관

　이 장에서 여러분은 본보기 실험을 하게 된다. 그리하고 나면 이 책이 결함이 없는 연구를 수행하는 것과 다른 연구들을 비판적으로 평가하는 것에 초점을 두고 있다는 것을 알게 될 것이다. 여러분에게 먼저 아이디어 얻기, 가설 형성, 문헌 개관, 그리고 예비연구 수행 등 연구 과정의 최초 단계들을 소개하고자 한다.

　"심리학 교육의 무엇보다도 중요한 목적은, 사람들이 세상에 존재하는 문제를 대처하는 과정에 도움을 되는 잠재적 가치를 지닌 사고방식과 인식방식을 과학적 심리학이 제공하고 있다고 이해할 수 있도록 하는 데 뒤야만 한다. . . . 심리학 교육의 근본적인 목표는 행동에 관해 과학자로서 사고하는 방식을 학생들에게 가르치는 것이다"
(Brewer et al., 1993, pp.168-169). 미국심리학회가 발간한 책(McGovern, 1993)에 있는 이 인용문은, 사람들과 동물
들이 어떤 특정한 방식으로 행동하는 이유에 관하여 이해하는 방식을 여러분이 배우도록 하는 데 우리의 목표를 두고 있
다고 규정해 준다. **행동**(behavior)은 과학적 심리학에서 측정되는 근본적인 요소이며, 이것은 음식섭취, 이야기 회상뿐만
아니라 반응시간이나 혈압, 그리고 사고나 느낌에 대한 다른 생리적 지표 같은 행위가 포함된다.

　좋은 심리학 연구는 매우 중요하게 될 잠재력이 있다. 실생활에서 얻는 혜택은 일일이 나열할 수 없을 정도로 어마어
마하게 많지만, 그 중에서도 심리적인 장애자들을 치료할 수 있는 더 나은 방법, 만들기 쉽고 이용하기 안전한 교통수단
에 대한 설계, 노동자의 수행을 향상시키고 행복감을 고취시키는 새로운 방식 같은 발견들이 포함된다. 이러한 것들은 심
리학 연구에서 과학적 진보만큼이나 중요하다. 과학적 심리학은 19세기 중반에 본격적으로 시작된 비교적 젊은 학문 분
야이다. 그럼에도 불구하고, 지난 150년간의 심리학 연구를 통하여 행동에 대한 과학적 이해가 극적으로 증가되었다.

　이 장에서 여러분은 우선 어떤 실험에 피험자로 참가해 본다. 이어서 우리는 이 실험을 시범으로 사용해서 심리학 연
구의 과정을 알아볼 것이다.

읽기에 대한 조사

　　심리학 연구에 관한 공부를 시작한다는 의미에서 여러분 스스로 이 실험에 참가해 주기
바란다. 여러분이 이 과제에 참여하면서 심리학을 배우는 학생들과 실험 참가자들이 자주
궁금해 하는 연구에 관한 몇 가지 질문들을 이끌어내기 바란다. 또한 우리는 연구자들이 심
리학에서 연구를 시작하고 과학적 심리학 방법들을 사용할 때 부딪히게 되는 여러 논점들
을 강조하기 위해서 이 실험을 인용할 것이다.

도입과 방법

　　다음에 소개되는 본보기 실험은 읽기와 숫자세기가 자동적으로 발생될 수 있는지를 알
아보려고 설계되었다. 여러분은 적어도 12년 이상 읽기 기술을 연습한, 읽기에 관한 한 유
능한 사람이다. 여러분은 아마도 단어 읽기와 대상을 센다는 것이 이성적이고, 계획적인 과
정이라고 믿고 있을 것이다. 정말로 그럴까? 읽기와 숫자세기를 하면서 그것들에 대하여
생각해야만 할까? 아니면 이 과정들이 거의 의식적 노력을 하지 않고서도 자동적으로 일어
날까? 읽기가 자동적으로 일어나는지를 알아보기 위해서 읽기와 숫자세기에 관한 일련의
과제에 참가해 보자. 각 과제들의 요구사항이 다르다는 데 이 실험의 핵심이 있다. 여러분
이 측정하게 될 행동은 각 과제를 얼마나 빠르게 해내는가 하는 것이다. 특정한 과제가 구

성되었으며, 사람들이 읽기가 자동적으로 되어 있으면, 이 과제에서는 다른 과제보다 느리게 수행할 수밖에 없도록 했다.

　이 실험에 참여하기 위해서, 여러분은 초침이 있는 시계가 필요하다(시간을 초 단위로 기록할 수 있어도 좋다). 그리고 필기도구가 필요하다. 아마도 이 실험을 반 친구와 같이 해도 되는데, 그러면 한 명은 다른 학생이 수행하는 시간을 정확하게 재어줄 수 있을 것이다. 여러분이 해야 할 일은 일련의 숫자나 상징 기호들을 가능한 한 빠르고 정확하게 읽거나 세는 것이다. 숫자나 상징 기호들은 동일한 열에 나열되어 있으며, 반드시 위부터 아래까지 빠뜨리는 항목 없이 해내야 한다. 여러분은 이제 세 쪽에 나뉘어 있는 세 종류의 과제를 해 나가게 된다. 그것들을 차례대로 해야 함을 명심하라. 각 쪽의 맨 위에 어떻게 해야 하는지에 관한 지시 문구가 있다—각 쪽의 지시 문구는 서로 다르기 때문에 주의 깊게 읽어야 한다. 시작 시간을 적는 곳 또한 각 쪽의 맨 위에 있다. 혼자서 이것을 하고 초침이 있는 시계를 사용한다면 분초를 정확하게 기입한다. 그 다음에 과제를 시작한다. 만일 시간 기록이 되는 초시계가 있으면 시계를 작동시키고 과제를 시작한다. 특정한 쪽의 과제가 끝났을 때 끝난 시간을 적거나, 초 시계를 멈추고 경과된 시간을 기록한다. 만일 이 일을 반 친구와 같이 한다면 당신이 할 때는 상대방에게 시간을 재어달라고 부탁하고, 반 친구가 실험 참가자가 되면 당신이 시간을 재면 된다.

　실험을 시작하려면 32쪽으로 넘어가고 실험이 완전히 끝나기 전까지는 다음 내용을 더이상 읽지 않기를 바란다.

결과와 논의

　실험에서 어떤 일이 생겼는가? 숫자나 기호로 된 각 열을 끝마치는 데 시간이 얼마나 걸렸는지를 알아보자. 만일 경과시간을 기록했다면, 이 경우는 아주 간단하다. 만일 시작 시간과 끝난 시간을 받아 적었다면, 끝난 시간에서 시작 시간을 빼서 걸린 시간을 계산해야 한다. 세 수행 결과를 비교해 보면, (맨 마지막에 수행한) 숫자의 개수를 명명하는 과제가 가장 오래 걸렸을 것이고, 숫자 읽기 과제가 가장 짧게 걸렸을 것이다.

　우리가 이 실험을 했을 때 얻은 결과를 그림 1.1에 제시했다. 우리 학급의 학생들의 경우 더하기 부호 세기(두 번째 과제)가 숫자 읽기(첫 번째 과제)에 비해 평균적으로 약 2초의 시간이 더 걸렸다. 숫자의 개수를 세는 마지막 과제에서 학생들은 단순한 숫자 읽기보다 평균 6초 정도 더 느리게 해냈다. 만일 반 동료들이 얻은 자료를 합친다면, 부록 B에 설명된 통계

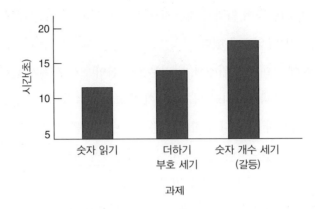

그림 1.1 본보기 실험의 결과. 어떤 학급이 세 가지 과제 각각을 하는 데 걸린 평균 시간(초)

적 절차를 써서, 각 과제들 간의 수행 완료시간 차이가 고려할 가치가 있을 만큼 충분히 신뢰성 있는 것인지를 결정할 수 있을 것이다.

결과에 대하여 생각해 볼 수 있는 다른 방법은 각 항목들에 반응하는 평균 시간이 어느 정도 걸렸는지를 조사해 보는 것이다. 각 과제에는 32개의 항목이 포함되어 있기 때문에, 평균 수행시간을 32로 나누면 각 항목에 걸린 평균 시간을 계산해 낼 수 있다. 학생들은 각각의 숫자 읽기를 하는 데 .35초 걸리고, 더하기 표시들을 세는 데 .43초, 갈등 과제에서 숫자의 개수를 세는 데 .57초 걸렸다.

과제들을 읽는 시간은 읽기 난이도를 측정하는 것이다. 즉, 오래 걸릴수록 과제가 더 어렵다는 것을 뜻한다. 숫자의 명칭과 반응이 다를 때 숫자의 개수를 명명하는 것이 왜 힘들까? 다시 말하면, 3 3 3 3을 보았을 때 '4'라고 말하는 것이 왜 힘들까?

이 질문에 답하기 위해서 우리는 결과를 설명해 주는 것처럼 보이는 이론에 관한 개략적인 설명을 할 것이다. 다른 연구자들은 숫자의 개수를 세어보라고 했을 때, 숫자의 명칭과 그 개수가 서로 맞지 않을 경우, 일반적으로 사람들이 느리게 반응한다는 것을 발견했다. 명백히 우리는 개수를 셀 때, 숫자의 명칭을 자동적으로 읽는다. 그러므로 '3 3'을 보았을 때 '2'라고 반응해야만 하는데, 우리에게는 '2'와 '3'이라는 반응이 동시에 가용하다. 그러나 두 가지를 동시에 말할 수 없기 때문에 가용한 반응들 사이에 경쟁이 있게 된다.

여러분이 '3 3'을 보았을 때 상이한 반응을 하게 하는 두 과정이 마음 속에서 경주한다고 생각할 수 있을 것이다. 한 과정은 '3'이란 숫자를 명명하는 과정이고 다른 하나는 개수를 세어서 '2'라고 말하는 과정이다. 명명 과정은 고도로 연습이 되어 있기 때문에 이 경주에서 이기고 '3'이라는 반응이 옳은 개수 반응인 '2'보다 더 빠르게 마음에 도달한다. 그러므로 반응경합이 있게 되는데, 왜냐하면 느린 개수세기 반응을 말하기 위해서는 빠른 명명 반응을 억제해야만 하기 때문이다. 당신이 비록 숫자의 명칭을 완전히 무시하려고 노력해도 더하기 부호를 셀 때와 비교해서 숫자의 개수를 세는 것이 느려지는 것을 발견하게 될 것이다(당신의 두 번째 과제의 결과를 검토해 보라). 이 결과는 읽기가 자동화된 과정인 것을 보여주는 것으로 해석될 수 있다. 왜냐하면 '3 3'에서 숫자를 읽지 않으려 아무리 노력해도 '3'이란 반응을 완전히 억제할 수 없기 때문이다. 다시 말하면, 읽지 않을 수 없다는 것이다. 단어를 보고 읽지 않으려 노력해 보라.

심리학 연구의 목표

여러분은 방금 어떤 상황에서는 우리가 원하지 않아도 읽기가 자동 발생한다는 것을 보여주는 본보기 실험에 참여하였다. 이 시점에서 여러분은 왜 사람들이 연구에 뛰어들어 고생할까, 또는 연구에 중점을 둔 과목을 듣고 있을까 하고 묻고 싶을 수 있다. 우리의 목표가, 그리고 이 과목의 교수가 가졌을 법한 목표가 행동에 관해 여러분이 과학자처럼 사고하도록 돕는 데 있음을 상기하라. 이러한 목적을 달성하려는 노력들이 있기에 우리는 결코 외롭지 않다. (미국) 대학교에 있는 650여 개의 심리학과를 대상으로 실시한 한 조사에 따르면 전체 학교의 90%가 전공필수 과목의 일부로 통계와 연구 설계에 관한 혼합과정들을 포함시키고 있다(A. J. Golden, 1991년 1월 2일, 사적인 의사소통). 더욱이 심리학 대학원 과정에 입학을 위해 들어야 할 것으로 기대되는 학부 과목에 대한 분석을 보면, 1,554개 학과에서 66%가 연구방법과 실험 설계를 필수과목으로 요구하거나 권장하고 있다(Norcross, Hanych, & Terranova, 1996). 통계 과목만이 방법론 과목보다 더 높은 88%의 이수요구를 받고 있다.

행동과학자가 되기 위해, 여러분은 연구를 어떻게 수행할 것인가를 배우고, 연구의 결과들을 어떻게 평가할 것인가를 배울 필요가 있다. 이것들 각각을 차례로 살펴보도록 하자.

연구의 수행

새로운 사실들로 인해 새로운 이론들이 도출될 때 과학은 진일보하게 된다. 이러한 일보전진은 의문들의 답을 구하려는 시도와 함께 시작된다. 읽기는 계획적이고, 반사적인 과정인가? 우리의 본보기 실험이 보여준 바에 의하면 항상 그렇지는 않다. 읽기에 대한 과학적 관심은 근거 없는 호기심 그 이상이다. 그것은 이론과 자료가 안내해 주는 호기심이다. 흔히 읽기가 의식적 주의를 필요로 하지 않는다는 발견은 읽기에 대한 어떤 측면들을 설명하려는 이론들에 근거해 반드시 검토되어야 한다. 예를 들면, Cohen, Dunbar와 McClelland(1990)는 능숙한 읽기 기술이 어떻게 발달하는지를 보여주는 주의이론을 발전시켰다. 이 이론은 고도로 숙련된 독자가 덜 유창한 독자보다도 읽기와 명명 과제 사이의 불일치에 더 많은 혼란을 경험할 것을 예언한다. Cohen과 그의 동료들은 이 경우가 바로 그런 사례에 해당된다는 것을 보여주었다. 그리고 그들의 이론이 자동성에 대한 경험의 효과에 내재된 기제에 관한 설명을 제공한다. 그러므로 기초적인 연구는 흔히 호기심에서 시작하고, 이론적 설명의 개발을 가능케 하는 자료를 제공한다.

　과학적 진보는 기초적 질문과 이론들에 의해서 이끌어질 뿐만 아니라, 또한 실용적인 문제들에 의해 동기 부여된다. Cohen과 그의 동료들이 수행했던 연구의 한 측면을 보면, 읽기에서의 자동성이 상당한 정도의 연습을 요구한다는 것을 알게 된다. 연습을 얼마만큼 해야 유창하게 되는지, 그리고 유창하게 되기 위한 최선의 연습방법은 무엇인지 등등이 명백하게 실제적인 논점들에 포함되어 있다. 응용문제에 대한 과학적 심리학의 적용은 사회복지에 막대한 영향을 미쳤으며, 읽기 교육에 대한 향상된 방법을 발전시키는 데도 예외는 아니다. 읽기에 대한 이해는 그 근본이 무엇인지를 파악하고, 어떤 실용적인 문제들을 풀려는 시도들이 있기 때문에 향상되고 있다(Rayner & Pollatsek, 1995).

　분명히 심리학 연구는 그 연구 초점이 완전히 실용적이지도 이론적이지도 않다. 심리학 연구는 과학적 설명과 응용문제의 개선에 영향을 미칠 수 있다. 인간사의 많은 측면들이 심리학 연구를 포함하고 있으며, 과학적 심리학이 사용되는 직업의 실례를 응용 부문에 요약해 놓았다.

개념 요약

연구는

- 과학적 이해를 제공
- 실용적인 문제를 해결

하는 것을 돕는다.

연구의 평가

비록 심리학 연구와 관련된 직업을 갖기 위한 다양한 기회들이 있다고 하더라도, 결함이 없는 연구를 수행하는 것만이 연구방법과 관련된 과목이 가진 유일한 초점은 아니다. 이러한 과목과 이 책이 가진 두 번째 초점은 여러분이 심리학 연구 결과들을 평가할 때 도움이 되고자 하는 것이다. 왜냐하면 동일한 연구방법이 다양한 분야에서 사용되고 있기 때문에, 이 책에서 배운 연구의 논리에 관한 많은 정보들이 생물학, 사회학, 그리고 의학과 같은 다른 분야에도 일반화될 수 있기 때문이다. 사회의 한 구성원으로서, 여러분은 심리학 연구의 영향을 받게 될 것이다. 연구 발견을 사려 깊게 활용할 수 있는 사람이 되기 위해서, 그 연구가 결함이 없는지 여부를 조심스럽게 살펴볼 수 있는 능력이 필요하다.

우리는 여러분들이 연구에 대해서 비판적으로 생각해 보는 데 필요한 아이디어들을 얻게 되기를 바란다. **비판**(critic)은 어떤 것의 가치에 대해서 정보나 추론에 입각한 판단을 하게 해준다. 그러므로 **비판적으로 사고하는 사람**(critical thinker)은 단순히 실수를 찾아내거나 비우호적으로 비판하지 않는다. 오히려 비판적 사고를 하는 사람은 신중한 판단을 내리는 사람이다. 비판적 사고를 한다는 것은 어려운 일이다. 여러분은 아마도 본보기 실험의 결과를 별 생각 없이 재고해 보지도 않고 받아들였을 것이다. 불행하게도, 이 실험 설계는 최초의 의문에 대해서 명쾌한 대답을 주지 않는다.

좋은 실험의 원칙들에 대해서 개요를 제시하면서, 우리의 실험이 어떻게 이 원칙들에 부합하지 못했는지 알아보자. 이상적인 실험에서는 어떤 것이 조작되거나 변화되고, 영향을 줄 수 있는 잠재적인 근원들을 일정하게 유지시키고, 어떤 행동을 측정한다. 변하는 요인을 **독립변인**(independent variable)이라 부르고, 측정되는 행동을 **종속변인**(dependent variable)이라고 부른다. **통제변인**(control variable)은 일정하게 유지되는 것들이다. 연구자는 독립변인을 조작하거나 변화시켜서 독립변인의 상이한 값이나 수준의 효과들이 종속변인의 변화로 파악될 수 있도록 한다. 본보기 실험에서 세 가지 과제가 독립변인의 수준들

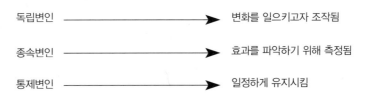

그림 1.2 실험에 있는 변인들

이었으며, 각 목록들을 처리한 시간이 종속변인이었다. 통제변인은 세 검사에 있는 항목의 수(각각 32개), 1~4의 숫자, 더하기 표시의 수, 그리고 갈등 항목이 동일한 것, 실험을 해 나간 순서가 일정하다는 것이 있다. 순서의 일관성은 우리가 다음에 논의할 문제이다. 실험에 사용된 변인들을 그림 1.2에 요약해 놓았다.

일정한 순서가 무슨 난점을 어떻게 만드는지 알아보기 위해서는 종속변인에 영향을 줄 수 있는 다른 변인이 실험에서 독립변인과 함께 변하거나 독립변인을 오염시켜서는 안 된다는 사실을 여러분이 인식할 필요가 있다. 순서와 과제가 함께 변하기 때문에, 순서와 과제가 혼입되었다고 말한다. 여기서 **혼입**(混入, confounding)이란 그 과제들과, 그것들이 행해졌던 순서가 함께 변화해서 과제들의 순서와 그 본질이 혼동 또는 혼입되었다(함께 묻혔다)는 것을 의미한다. 세 번째 과제에서 수행시간이 오래 걸린다는 것이 과제의 본질이기보다는 피로나 싫증 때문에 야기된 결과일 수도 있다. 좀 더 그럴듯한 것은 사람들이 과제를 해나가면서 더 잘하게 되므로 독립변인의 효과가 과소평가될 수 있다는 것이다. 어느 쪽이든 독립변인이라기보다는 과제의 순서가 읽기 시간에 변화를 일으킬 수도 있다. 과제순서와 독립변인의 수준이 혼입되었기 때문에 실험 결과가 해석될 수 없을지도 모른다. 혼입은 결과에 **내부타당도**(internal validity)가 없도록 만드는데, 이는 결과가 결함이 있다든지 또는 진실이 아니라는 것을 의미한다. 여러분이 실험을 수행할 때 혼입변인이 아닌 독립변인의 수준이 행동을 변화시킨다는 것을 확실히 하기를 바랄 것이다. 실험에 혼입이 없음을 확신할 수 있을 때 실험은 내부타당도가 있다(타당도는 제8장에서 자세히 논의할 것이다).

실험에 대한 비판적인 견해는 실험의 결함이 없는지를 문제 삼는다. 좀 더 조심스러운 실험 설계로는 사람들이 서로 다른 순서로 과제들을 수행하도록 해서 순서와 과제가 혼입되지 않도록 한다. 다른 대안으로는 사람들을 상이한 집단으로 나누어 한 사람이 특정한 어느 한 과제만을 수행하게 함으로써 과제 수행의 순서를 고려할 필요도 없게 하는 것이다. 어느 경우든지 실험을 하면, 대략적으로 같은 결과를 낳을 것이다―여전히 갈등과제를 하는 데 시간이 오래 걸린다. 여태까지 여러분은 이러한 사실을 몰랐었기 때문에 이 실험 결과들에 대하여 회의적이었어야 한다. 일반적인 규칙으로써 혼입과 같은 잠재적인 문제들을 확인하기 위해서 여러분은 실험 절차를 신중하게 평가해야 한다.

여러분이 연구에 대하여 비판적으로 생각해야 할 중요한 시기는 그 결과가 개인적인 중요성을 띨 때이다. 가상의 예를 하나 들어보자. 몇 년 내에 여러분의 아이, Doris가 1학년이 된다고 가정하자. 그녀의 교사는 당신에게 학부모 면담을 요청하였고, Doris가 읽기 학습에 어려움이 있다고 알려주었다. 그리고 그 교사는 당신에게 이 학교가 치료적인 도움이 될

응용

심리학에서의 연구관련 직업

여러분 중 많은 사람이 심리학 연구법 강좌를 심리학 전공을 위해 반드시 넘어야 할 장애물로 여기며, 실제로는 거의 흥미가 없을지도 모른다. 우리는 이 교재를 통하여 여러분이 심리학 연구가 중요하며, 흥미 있는 것임을 확신했으면 한다. 여러분이 특히 심리학 연구에 관심이 없게 되는 이유 중의 하나는 연구를 통해서 성장한 중요한 사고의 기술 그리고 습관을 여러분이 알지 못하기 때문일 것이다. Walsh(2008)는 심리학 전공자를 위한 직업 기술과 관련된 풍부한 정보와 다른 경력관련 정보를 보고하였다. 또한 그녀는 대학원에 진학하기 위한 많은 정보도 상세히 제시하고 있다.

심리학 전공 교과목, 특히 연구와 관련된 과목들은 고용주들이 아주 원하는, 직업과 관련된 다양한 기술들을 제공하고 있다. Lorig(1996)에 따르면, 연구경험이 집단작업, 구두를 통한 의사소통과 문서를 통한 의사소통, 분석 기술, 컴퓨터 지식 같은 기술들을 연마하는 데 도움을 주고 있다. 여기서 지적인 경력들에 덧붙여서, Lorig는 심리학 전공을 이용한 직업 선택의 예들을 목록으로 제공하고 있는데, 거기에는 인사면접관, 시험관리관, 공중보건 통계 분석가, 시장조사 연구관, 호스피스 조정관 등이 포함되어 있다.

심리학 연구 분야에서 훈련 받은 사람을 위한 기회는 그 범위가 놀라울 만큼 넓다. 이러한 영역들의 많은 곳들이 심리학에서 좀 더 고급 학위를 요구하지만, 반드시 그런 것은 아니다. 어느 경우에서라도 우리 삶의 거의 모든 측면에서 심리학 연구는 필요하고 사용되고 있다. 여기에 심리학 연구가 포함되지만 덜 관련되어 있는 것처럼 보이는 직업들을 나열해 보기로 하겠다.

1. 다양한 주제에 대한 전문 증인으로 종사하는 경찰 심리학자. 이 심리학자는 목격자의 증언, 범죄자 소개, 경찰관들을 위한 사기 증진 프로그램을 실시한다.
2. 교통사고의 원인에 대한 문헌 연구나 실험실 연구를 수행하는 심리학자들과 안전성 프로그램을 평가하는 심리학자들. 또는 같은 종류의 일을 하지만 산업 현장이나 가정에서의 사고를 전문으로 다루는 심리학자.

3. 이민, 출생, 결혼, 그리고 인구 밀집의 영향 등의 인구 동향에 전문화된 연구 심리학자. 중앙정부, 주 정부, 지방 정부들은 이러한 연구들을 수행할 수 있는 자격 있는 심리학자들을 자주 필요로 한다.
4. 효과적인 컴퓨터 배치, 사용자에게 편리하게 구성된 요소와 소프트웨어를 설계하는 연구 심리학자. 이러한 심리학자들은 사기업에서 아주 많이 필요로 하고 있다.
5. 에너지 보존을 증가시키는 데 효과적인 방법을 결정하는 연구 심리학자. 이들 연구자들은 성격 역동을 공부할 수도 있고, 또는 에너지를 보존하라고 사람들을 교육시키는 방법들을 조사할 수도 있다.
6. 알코올중독과 약물중독에 포함된 뇌 기제를 규명하려고 노력하는 연구 심리학자. 이러한 연구자들은 정부 병원에서 일하거나 학교에서 자리를 잡기 쉽다.
7. 다음과 같은 하나 또는 그 이상에 관심을 가진 인간 요인 공학에 종사하는 연구 심리학자: 도시 교통수단, 군 훈련, 공중 납치, 기구 설계, 또는 수행에 미치는 피로의 효과.

직업이나 대학원에 관한 정보는 다음에서 얻을 수 있다.

American Psychological Association(2009). *Non-Academic careers for scientific psychologists*. Washington, DC: American Psychological Association. http://www.apa.org/science/nonacad_careers.html의 내용을 2009년 9월 30일에 검색함.

Walsh, L.(2008). *Welcome to the pursuing psychology career page*. http://www.uni.edu/walsh/linda1.html 의 내용을 2009년 12월 8일에 검색함.

Lloyd, M. A.(1997, August). *Entry level jobs for psychology majors*. http://www.psywww.com/careers/jobs.htm 의 내용을 2009년 12월 4일에 검색함.

수 있는 여러 방법들을 가지고 있다고 말한다. 당신과 교사는 Doris의 향상에 도움을 주는 최선의 대안이 되는 것을 선택할 것이다. 여러분은 풍부한 정보를 가지고 치료적 읽기 방식을 판단할 수 있을까? 아마도 여러분은 읽기 교육의 전문가가 아닐 것이다. 그럼에도 불구하고, 여러분은 어떤 방법이 다른 방법보다 전망이 더 좋을 것이라고 결정할 수 있을까? 무엇을 알아야만 할까? 이런 질문들에 대답하기 위해서는 적어도 여러분이 다양한 (교육) 프로그램의 기초가 되는 연구와 이론을 비판적으로 접근할 수 있어야 한다.

이 책의 대부분을 통해 우리는 완벽한 연구를 수행하는 것과 관련된 문제들을 확인하고, 풍부한 정보를 바탕으로 연구 과정에 관해서 판단할 수 있게 도와주려고 한다. 여러분은 그 연구들의 약점을 확인해 내고 고칠 수 있어야 한다. 당신 딸을 형편없는 읽기 프로그램에 참여시킨다면 아주 극적인 효과가 있을지 모른다—너무 극적이어서 필수과목에서 평범한 성적조차 얻지도 못할 수 있다. 심리학 연구에 대한 이해의 필요성은 대학교 시절에 수강하는 한 학기에 그치지 않고 평생을 따라다닐 것이다.

개념 요약

연구에 대한 비판적인 사고는

- 혼입과 같은 설계 결함의 파악
- 정보에 근거한 판단

을 포함한다.

연구 아이디어의 원천

우리는 연구를 수행하고 평가하는 것을 강조했다. 연구 프로젝트를 구성하는 것은 어떤 것일까? 전형적인 연구 프로젝트는 표 1.1에 있는 바와 같이 진행된다. 아주 쉽고, 간단 명료한 것처럼 들리지만, 실상은 그렇지가 않다. 방금 제시한 윤곽은 **전형적인** 연구 프로젝트를 위한 것임을 알아야만 한다. 종종 일의 순서는 다양한 방식으로 바뀔 수도 있다. 한 가지 예를 고려해 보자. 중견 연구자가 어떤 방식으로 독립변인을 바꾸고, 아이디어를 내지 않고 자료를 모으고, 가설을 세우고 하는 식으로 이전 실험을 따라 할 수도 있다. 이 장에서 우리는 연구기획의 초기 단계들에 초점을 맞추고 책의 나머지 부분에서 전체적인 모습을 완성하려고 한다.

관찰

과학은 관찰로부터 시작된다. 자료의 원천과 후속연구를 위한 아이디어의 원천도 역시 관찰에서 시작된다. 비판적인 시각으로 주위를 둘러보라. 그러면 연구를 위한 수많은 아이

표 1.1 연구의 전형적인 단계

1. 아이디어 얻기
2. 검증 가능한 가설 형성
3. 문헌 개관
4. 예비연구 실시
5. 연구 실시
6. 결과 분석
7. 결과 해석
8. 논문 또는 발표 준비

신중한 연구자는 또한 윤리적 문제를 고려하고, 연구자 편향을 배제하고, 조작적 정의를 사용한다.

디어들이 떠오를 것이다. 당신이 해야 할 일은 자기 자신, 반 친구, 가족, 또는 애완동물들을 관찰하는 것이다. 그런 다음에 당신의 의문을 말로 표현해서 추가 관찰들을 할 수 있게 하라. 전형적인 질문들은 다음과 같은 것들이 있다. 나는 기숙사 방에서보다 도서관에서 공부를 더 잘하는가? 학생들은 대형 강의보다 소규모 강의에서 더 많이 배우는가? 학생들은 음악을 듣지 않고 공부했을 때만큼 음악을 들으면서도 공부한 것을 기억할 수 있는가? 아동들은 사탕 같은 것을 보상으로 주었을 때 더 열심히 일하는가 아니면 그 반대인가? 이런 유사한 질문들은 내놓기가 쉽고, 조금만 수정을 가하면 해낼 만한 연구 계획으로 바뀔 수 있다. 여러분의 순수한 호기심이나 특정한 문제를 풀기 위한 욕구는 연구 아이디어를 개발하는 데 이바지할 것이다.

전문가

여러분의 교수 같은 사람, 그리고 이 책이나 심리학 개론서같은 다른 책 모두는 연구 아이디어의 좋은 출처이다. 수업시간에 제시된 아이디어나 당신이 읽어서 알게 된 아이디어들이 보통 흥미 있는 아이디어가 될 수 있다. 일단 여러분이 어떤 문제에 있어서 흥미가 생기면 상의할 사람을 찾아야 한다. 특정한 과목과 관련된 것이라면 교수는 둘도 없는 선택이다. 특정한 과목을 벗어나는 것이라면 당신이 탐색하고자 하는 것에 잘 맞는 능력과 관심을 가진 사람으로부터 조언을 얻고자 노력할 수 있다. 많은 교수들이 연구에 대해서 당신과 논의하는 것을 즐거워할 것이다. 만일 당신이 흥미 있는 연구 프로젝트에 관해 읽었다면 저자에게 글로 써서 보내 보라.

우리는 이 책을 해볼만한 연구 프로젝트의 출처가 되도록 집필했다. 만일 여러분이 대부분의 장 끝부분에 제시된 설계와 관련된 문제들에 대하여 심사숙고해서 답을 낸다면, 여러분이 답한 것들 중 하나 이상에 좋은 연구 계획의 씨앗이 숨어 있을 수도 있다. 질문의 대부분이 실제 연구에 있는 문제들에서 나온 것이므로 전문가라도 완벽한 연구를 해내지 못한다는 것은 명백하다. 왜 그들이 먼저 했던 실수로부터 교훈을 얻지 못하는가? 본서의 많은 장의 끝에는 Langston(2011)의 실험실 매뉴얼을 언급하고 있는데, 이 매뉴얼에는 수많은 흥미로운 연구 프로젝트에 대하여 수행할 수 있을 정도로 충분하게 개요를 설명해 놓았다. 아이디어의 다른 출처는 본서에서 각 장의 끝에 실은 연습문제이다. 이 연습문제들은 보통 쉽게 해낼 수 있다. 만일 그것들을 심각하게 생각해 본다면 추가적인 프로젝트를 고안해 낼 수 있을 것이다.

문헌 탐색

학술지 논문을 읽을 때 자주 아이디어들이 떠오른다. 이 책의 제3장은 학술지 논문들을 심사숙고하여 읽는 방법을 고찰한다. 여러분이 만일 학술지 논문을 곧 읽을 예정이라면 전문적인 문헌들을 접하기 전에 제3장을 먼저 읽기를 권한다. 여러 학술지 논문을 읽은 후에 여러분은 여러분이 할 만한 가능한 실험들에 대한 좀 더 긴 목록을 금방 갖게 될 것이다.

학술지나 교재를 비판적으로 읽으면서 떠오른 생각들을 잘 추적, 정리하기 위해서는 여러분이 여러분의 연구 아이디어들을 기록해 놓아야만 한다. 대부분의 심리학자들은 자신들이 읽은 논문에 대한 정보를 기록한 어떤 종류의 색인 서류철을 가지고 있다. 서류철 카드나 컴퓨터 문서에 다양한 종류의 정보—저자명, 학술지명, 논문 제목, 그리고 절차와 결과에 대한 정보—를 적어 놓아야 한다. 아마도 여러분의 논문 서류철에 연구 아이디어 서류철을 추가하는 것이 가장 좋은 방법일 것이다. 대부분의 심리학자들은 그러한 아이디어 서류철을 가지고 있으며, 여러분도 그렇게 따라 해야 한다. 생각의 출발점이 된 참고문헌, 연구 프로젝트에 대한 여러분 생각의 간략한 해설, 그리고 생각이 난 날짜 등을 적어라. 여러분은 아마도 여러분의 서류철을 거꾸로 거슬러 올라가면 어떤 주제에 대한 당신의 생각이 시간이 지나감에 따라 어떻게 바뀌었는지를 알게 되면서 흥미로워질 것이다.

여러분이 논문을 하나 읽으면 적어도 연구 계획 하나가 추가되기 때문에, 아이디어 서류철이 점점 두꺼워짐에 따라 다른 문제에 부딪히게 될 것이다. 맨 처음에는 어떤 계획이든 간에 아이디어가 있다는 것은 축하할 만한 이유가 된다. 그러나 나중에는 서류철에 있는 여러 아이디어 중 어떤 것을 시도해 봐야 할지를 결정하는 것이 문제가 되어버린다. 해볼 만한 어떤 아이디어는 제외되는데, 왜냐하면 여러분이 어떤 특수한 기구를 사용할 수 없다든지, 특별한 주제에 적합한 모집단에 접근할 수 없기 때문이다. 다른 것들은 너무 복잡하기 때문에, 또는 실천하기에는 너무 시간이 많이 들어서 제외된다. 목록이 조금씩 줄어든 후에도, 여러분은 아마도 하나 이상의 대안을 가지고는 있을 것이다. 각 아이디어들이 똑같이 실용적이고 실현 가능하다고 가정하면, 우리는 그 가능한 대안들 중에서 당신이 생각하기에 가장 재미있을 것 같은 계획에 한 번 부딪쳐 보라고 조언한다. 심리학 연구는 재미있고 흥미로우며, 그리고 빈번히 중요한 결과물을 얻는다. 그러나 흥미, 재미, 그리고 중요한 결과물은 여러분이 (자신이 만들어놓은 아이디어 서류철에 따라) 연구를 실제로 수행할 때에만 비로소 따라올 것이다.

만일 여러분이 연구 아이디어를 위해서 어떤 학술지와 어떤 다른 출처를 조사해야 하는지 모르겠다면, 제3장을 참고하면 된다. 이 시점에서 여러분은 *PsycINFO*라는 컴퓨터 검색 엔진이 전문 문헌을 찾는 데 아주 효과적인 도구라는 것을 알아야 한다. 여러분이 이용할 수 있는 도서관에서 이 *PsycINFO*를 구독하지 않는다면, 다른 컴퓨터 탐색 도구를 이용할 수 있다. *PsycINFO*의 내용을 인쇄한 자매지가 ***Psychological Abstracts***이며, 둘 다 심리학 연구를 발간하는 거의 모든 학술지에 실린 논문 초록을 담고 있다. 만일 흥미가 가는 초록을 발견했으면, 그 후에 추가정보를 얻기 위해서 논문 전체를 읽을 수 있을 것이다. 제3장에 *PsycINFO*를 어떻게 사용하는지에 관하여 기술해 놓았다.

개념 요약

아이디어들의 출처들은

- 관찰
- 전문가
- 문헌 탐색

등을 포함한다.

검증 가능한 가설의 개발

아이디어를 개발한 후에는 그 아이디어를 검증 가능한 가설이라는 형식 속에 맞추어야한다. **검증 가능한 가설**(testable hypothesis)은 두 개 이상의 변인들 간의 추정된 관계 또는이론적 관계에 관한 진술이다(Kerlinger & Lee, 2000). Kerlinger와 Lee에 따르면, 검증 가능한 가설은 그 변인들이 측정 가능함을 말하거나 시사한다. 가설은 또한 변인들 간의 관계를상세하게 한다. 연구는 어떤 것이 관찰될 수 있고 측정될 수 있어야 하기 때문에 측정과 관계를 상세히 하는 정도에 따라 연구 프로젝트의 단계들이 정해진다. 그러므로 한 가설이 검증 가능하지 않다면 그것에 대한 연구는 불가능하다.

앞에서 고려된 바 있는, 관찰에서 얻어진 아이디어 중의 하나를 고려해 보자. 나는 기숙사 방에서보다 도서관에서 공부를 더 잘하는가? 이것이 검증 가능한 가설일까? 암시된 관계는 도서관에서 더 공부를 잘하는 것이나, 측정이 상술되지 않았다. 따라서 이 시점에서는 그가설은 검증 가능하지 않다. 공부를 잘하는지 여부를 어떻게 측정할 수 있는가? 한 방법이 공부의 성과로 평가하는 것이다. 즉, 여러분의 시험 성적으로 알아볼 수 있다. 학점은 관찰 가능하고 측정 가능하므로, 성적은 검증 가능한 가설의 기준 하나에 적합하다. 재구성한 질문은 다음과 같이 될 수 있다. 기숙사 방에서 공부하고 난 다음보다, 도서관에서 공부하고 난다음에 더 나은 성적을 받게 되는가? 여러분은 연구 결과의 일반화에 흥미 있을 수 있기 때문에 최초의 질문을 수정하여 다음과 같은 가설로 발전시킨다. 높은 학점은 기숙사에서 공부한경우보다, 도서관에서 공부한 경우에 얻어진다. 이 가설은 지침에 부합되는데, 무엇이 측정될 것이며 학습장소와 학점 간의 예상되는 관계가 둘 다 상세히 기술되었기 때문이다.

여기서 여러분은 검증 가능한 가설들을 발전시키는 연습을 하고 싶을 것이다. 여러분이 가지고 있는 아이디어들이나 질문들 중에 몇 개를 골라서 검증 가능한 형태로 바꾸어 놓을 수 있는지를 알아보자. 여러분이 수행하는 어떤 연구든지 검증 가능한 가설을 요구하므로, 그것들을 만드는 연습을 하기에는 지금이 적절한 시기인 것 같다. 고려할 만한 많은 잠재성 있는 아이디어가 없다면, 이 장의 29쪽에 있는 연습문제 중 몇 개가 쓸 만하다.

많은 가설들이 검증될 수 없는데, 왜냐하면 그것들이 관찰되거나 측정될 만한 변인들을 포함하고 있지 않거나, 변인들 간의 관계를 상세히 해 놓지 않았기 때문이다. 그러므로과학적 연구는 많은 도덕적, 윤리적인 주제들을 연구하는 데 쓰일 수 없다. 예를 들면, 한사람의 낙태에 대한 태도를 평가하는 데 연구를 할 수 있지만, 원칙적으로 낙태가 좋다거나 나쁘다는 논쟁거리를 제기할 수는 없다. "낙태는 나쁘다"라는 포괄적인 서술문은 무엇이 측정되어야 할지도, 측정 가능한 변인들 사이의 관계에 대해서도 상세히 해 주는 바가 없다. 특정 상황에서 낙태가 주는 긍정적인 또는 부정적인 영향에 대한 검증 가능한 가설은 가능하지만 낙태의 도덕적 가치에 관한 포괄적 가설은 가능하지 않다. 여러분이 만들어낸 많은 문제들은 검증 가능하지 않을 수 있는데, 왜냐하면 그 문제들이 관찰 가능하고 측정 가능한 변인들을 포함하지 않았기 때문이다. 사람들이 어떻게 색채에 반응을 하는지 과학적 연구를 사용할 수는 있지만, 여러분이 겪은 청색에 대한 경험이 다른 사람이 겪은 청색에 대한 경험과 같다고 제안하지는 못한다. 이러한 맥락에서 **경험**은 측정될 수 없지만, 그 반응(행동)은 측정될 수 있다.

개념 요약

검증 가능한 가설은

- 어떻게 변인들이 측정될 것인가를
- 어떻게 변인들이 관계지을 것인가를

상세히 한다.

문헌 개관

연구 과정의 다음 단계는 적합한 문헌에 대한 개관이 포함된다. 이전에 우리는 아이디어를 얻는 데 학술지를 사용하는 것을 논의했다. 이제 우리는 학술지에 대한 다른 중요한 사용법—당신의 가설에 관하여 이미 알려진 바를 파악하는 것—을 고려하고자 한다. 문헌 개관을 하면 당신의 연구 가설이 이미 검증된 바 있는지가 드러나고, 여러분이 그 연구 프로젝트를 개발하는 데 고려해야 할 중요한 점들이 지적될 것이다.

여러분은 이미 해놓은 것을 다시 하느라 시간낭비를 하고 싶지는 않을 것이다. 학습장소의 효과들에 관한 연구는 아마도 새롭지는 않을 것이다. 그러므로 여러분은 다른 사람이 당신의 가설을 이미 검증했는지를 알아보아야 한다. 심리학적 가설에 관한 수천의 연구 논문이 매년 출간되고 있으며, 따라서 여러분은 자신의 가설과 관련된 많은 논문들을 발견하게 된다. 이 논문들이 당신의 가설과 정확하게 일치하지는 않는다 하더라도, 여러분은 아마도 당신 자신의 연구 프로젝트를 좀 더 효과적으로 만들어 줄 수 있는 많은 세부사항들을 발견하게 될 것이다. 제3장에서 문헌 탐색에 대해서 소개할 것이므로 여기서 자세한 설명은 하지 않겠다. 앞에서 소개한 바와 같이, *PsycINFO*와 *Psychological Abstracts*는 정보의 출처로서 아주 가치가 높다. 또한 여러분의 연구 질문이 도출된 논문 역시 가치 있다. 이러한 논문의 끝에 첨가된 참고문헌 목록을 볼 수 있고, 여기서 여러분은 자신의 질문에 관련된 추가정보를 탐색할 수 있는 좋은 출발점을 제공받을 수 있다.

당신이 본보기 실험과 관련된 가설을 검증하려 한다고 가정하자. 우리는 Cohen과 동료들(1990)이 보고한 갈등효과에 관계된 논문을 참고하였다. 그러므로 여러분은 이 책의 참고문헌 부분에서 그 논문을 찾아보고, 도서관에 가서 읽을 수 있다. 그들이 했었던 연구와 제안했던 이론을 읽어 볼 수 있다. 여러분은 또한 여러분의 문헌 탐색을 위한 추가 논문의 출처로서 (70개 이상 논문을 인용한) 그들의 참고문헌 목록을 사용할 수 있다. 여러분이 본보기 실험에서 본 갈등효과가 그 현상을 최초로 보여준 사람의 이름을 따서(Stroop, 1935) 보통 **Stroop 효과**(Stroop effect)라고 불린다는 것을 알게 된다. 일반적으로 한 연구 현상의 일차적인 출처를 살펴야 하고, 따라서 Stroop의 논문을 조사해야 한다. 만일 Stroop 효과에 흥미가 있다면, MacLeod(1991)가 Stroop 효과에 관한 50년간의 연구를 개관한 논문이 매우 유용하다는 것을 알게 될 것이다. 그는 이 개관논문에서 400여 개의 연구를 인용하고 요약했다. 이 현상에 관심 있는 사람에게 이 학술 논문은 지극히 중요한 정보의 원천이 될 것이다.

배경 정보를 얻어내는 또 다른 효과적인 방법은 교재의 주제별 찾기를 이용하는 것이다. 본서의 색인을 보면 Stroop 효과가 본서의 다른 두 부분에서 논의되고 있음을 발견하게 된다. 이 두 군데의 논의에서 읽을만한 가치가 있을지 모르는 참고문헌이 추가로 발견된다. 특별히 중요한 논문은 Windes(1968)의 논문인데, Windes는 본보기 실험에서 사용한 것과 비슷한 과제를 처음 사용한 연구자이다.

개념 요약

문헌 검색은

- *PsycINFO*
- 관련된 논문의 참고문헌 목록
- 교재

등을 사용해서 시작한다.

예비연구 수행

정식 연구 프로젝트를 하기에 앞서, 일반적으로 **예비연구**(pilot research)라고 불리는 준비 연구 같은 것을 해야만 한다. 철저한 문헌 탐색을 하면 여러분은 합리적인 연구 계획을 고안해 내는 것뿐만 아니라, 어떤 종류의 재료와 도구가 필요할지를 알아내는 데 도움이 된다. 그러나 여러분은 실험 계획의 여러 부분들을 엄밀하게 시도해 볼 필요가 있다는 것을 알게 된다. 이것이 예비연구의 목적이다.

예비연구에서 여러분은 연구 절차에서 혹시라도 있을지 모르는 문제점들이 모두 제거되었는지를 확실하게 점검하기 위해, 적은 수의 참가자들을 검사한다. 여기서 실험 참가자들이 지시를 이해하고 있는지 알게 된다. 실험시간이 얼마나 걸릴지, 선택된 과제가 너무 쉬운지, 또는 너무 어려운지를 알게 된다. 기구와 재료를 사용하는 방법을 연습하고, 관심 있는 행동을 관찰하고 측정하는 연습을 할 수 있게 된다.

흔히 예비연구는 종속변인에 대한 효과를 분명하게 하는 독립변인의 수준을 평가하는 데 사용된다. 만일 독립변인의 어떤 수준이 갈등적인 숫자를 거꾸로 뒤집어서 제시하는 것일 때, 숫자가 똑바로 제시될 때보다 이 경우에 갈등이 적은지를 여러분은 소수의 사람을 써서 시험해 봐야 한다. 위아래를 뒤집어 숫자를 제시했을 때 갈등이 적었음을 발견했다고 하자. 이것이 효과가 있는 독립변인이 포함되었다는 확실한 신호인가? 아마 그럴지도 모르지만, 또 그렇지 않을 수도 있다. 예비연구의 한 가지 어려움은 당신의 (연구) 절차를 단지 소수의 참가자에게 적용해 본다는 것이다. 어떤 이유에서든지 작은 표본의 사람들은 관심을 두고 검증하려고 하는 일반 사람들의 모집단의 대표가 아닐 수 있다. 당신의 예비연구 자료가 요행에 의한 것인지를 알아내기 위해서는, 일단의 사람들은 위아래를 뒤집은 숫자를 읽게 하고 또 다른 사람들은 똑바로 된 숫자를 읽게 하는, 많은 수의 관찰을 포함하는 완전한 실험을 할 필요가 있다. 비록 작은 검사 표본이 문제가 되더라도, 예비연구는 결함이 없는 연구 프로젝트를 개발하는 데 중요한 역할을 한다.

개념 요약

예비 실험은

- 연구 절차를 개선하기
- 독립변인의 수준들을 검사하기

위해서 행한다.

↘ 피해야 할 함정

여러 잠재적 어려움들이 연구자를 기다리고 있다. 앞서 언급했던 혼입의 가능성 이외에도 연구자는 자신들이 부주의하게 결과를 편향시키지 않았나 하는 연구의 윤리성, 자신들의 의사소통에 대한 신뢰성 등을 염려할 필요가 있다. 다른 잠재적 함정들은 나중에 자세히 설명하겠다.

개념 요약

윤리적 연구를 행하기 위해서는

• 여러분이 대우받고 싶은 것처럼 참가자를 대우하고
• 동물들을 인도적으로 취급하라.

윤리적 실천의 위반

심리학 연구에서 **윤리적 쟁점들**(ethical issues)은 제4장에서 따로 자세히 다룰 것이다. 그러나 이들 쟁점들은 매우 두드러지기 때문에 여기서 조금 개략적으로 소개하겠다. 지배적인 쟁점은—그것이 사람이든 동물이든—연구 참가자의 복지에 관한 것이다. 과학자들은 윤리적 방식에 따라서 자신들의 작업 대상들을 다룰 의무를 가지고 있다. 연구 참가자들을 윤리적으로 다루는 것은 종종 연구자의 요구와 참가자의 요구 사이의 실용적인 선택과 관련된 복잡한 문제이다. 인간 참가자의 경우 윤리적인 문제는 연구자가 참가자들을 참가자들이 원하는 방식대로 대우해 주어야 한다는 식의 금과옥조로 요약되는 듯하다. 그러므로 신체적, 정신적 해를 피하거나 최소화시키기 위해서, 상호 신뢰성이 위반되어서는 안 되며, 부정직함과 속임수도 사용되어서는 안 된다.

연구에서 동물의 사용을 둘러싼 윤리적 문제는 복합적이고 정서적인 측면으로 가득 차 있다. 심리학 연구의 주된 정책 부서라고 하는 미국심리학회는 동물에 대한 잔인하고 부주의한 취급을 금지하고 있다. 이 협회는 연구에 사용되는 동물들에 대한 인도적인 취급에서 갖춰져야 할 것에 대하여 정의한 자세한 지침사항을 가지고 있다. 더 나아가 많은 연방 정부와 주 정부의 관리자들이 동물을 대상으로 하는 연구를 심사하는 규정을 가지고 있다. 그럼에도 불구하고 어떤 사람들은 연구에 동물을 사용하는 것 자체를 반대한다. 제4장에서 그 장단점을 조사해 볼 것이다. 연구자들이 직면하는 윤리적인 쟁점은 연구 프로젝트를 수 행하는 동안 해결해야 할 가장 중요한 것에 속한다. 윤리적인 인간인 동시에 과학자인 여러 분은 이 쟁점들을 심사숙고해야 한다.

편향된 연구

윤리적인 연구자라면 거짓 결과를 보고하지는 않는다. 이런 종류의 고의적인 편향은 과학에서 드물지만 발생하고 있는 것이 사실이다. 사기(fraud)는 제4장에서 논의된다. 그러 나 **부주의한 연구자 편향**(inadvertent researcher bias)은 그 정도가 알려지지 않은 문제로 남아 있다. 얼마나 빈번하게 의도하지 않은 연구자 편향이 일어나는지는 파악하기 어려운 데, 왜냐하면 연구 과정의 많은 부분들이 부주의로 인해서 오염되기 때문이다. 예를 들면, 한 과학자가 정치적인 신념들로 인해 어떤 특정한 태도만을 평가하고 다른 태도들은 무시 해 버리는 불완전한 조사를 실시할 수도 있다. 이것은 꼭 고의적 편향을 가리키는 것이 아 니라 단지 과학자가 오류를 범하기 쉬움을 나타내 주는 것일 뿐이다. 과학자들은 한 번에 제한된 수의 것들만을 생각할 수 있기 때문에 연구 설계에 그들 자신의 선호를 부분적으로 반영한다.

잘 알려진 잘못된 연구 설계의 예로는 1800년대 초반과 중반에 걸쳐 아주 유명했던 일 반의사이며 과학자인 Samuel G. Morton의 연구가 있다. 그는 다양한 인종에 속하는 수천 개의 두개골을 수집하였다. 그는 두개골의 용적(체적)이 지능의 지표라고 믿었고, 따라서 그는 자신이 수집한 두개골을 사용하여 인종 간 지능 차이를 조사하였다. 그래서 백인의 지 능이 가장 우수하고, 미국 흑인들이 가장 뒤떨어지며, 미국 인디언들이 그 사이에 위치한다 는 당시 시대의 편견에 걸맞는 결론을 보고하였다. 1978년에야 비로소 하버드 대학 고생물 학자인 Stephen Jay Gould는 Morton이 보고했던 그 자료를 가지고 인종 간의 두개골 크 기에는 차이가 없었다고 결론을 내렸다. Gould는 Morton이 자신의 예상에 맞는 두개골만 을 골랐다는 것을 밝혀냈다. 즉, 그는 흑인집단의 경우 모두 여자 것만을 썼으며, 백인집단 의 경우 모두 남자 것만을 씀으로써 남자의 두개골이 여자 것보다 큰 경향이 있다는 사실을 무시하였다(Broad & Wade, 1982). Morton의 사건에서 명심해야 할 한 가지 측면은 그 당시 과학계에서 그의 연구가 과학적이라고 인정받았으며, 다른 사회적 신념을 가진 현대의 과 학자가 철저한 조사를 했을 경우에만 그것이 편향된 설계임이 드러났다는 것이다. 그러므로 과학자가 제기한 의문과 그가 그 답을 얻기 위해 사용한 방법들은 문제에 대한 연구자의 선입견의 결과일 수 있다. 이러한 딜레마에 대한 두 가지 해결책이 있다. 첫째로, 연구자들은 그들 자신의 선입관(과학 철학자들은 이렇게 이미 존재하고 있는 생각들을 '패러다임(paradigm)'이라 부른다)을 충분히 자각하고 있어야 한다(Kuhn, 1962). 둘째로, 서로 다른 선입견을 가진 많은 과학자들이 어떤 특정 문제에 대하여 다양한 공략을 한다는 것이다.

연구자 편향의 다른 출처는 프로젝트 참가자에게 처치 상에서의 어떤 계획된 차이를 넘어서, 그 이상으로 처치하기 때문에 생긴다. 연구자가 실험 참가자를 다루는 방식이 실험 결과에 심각한 영향을 미침을 지적하는 상당한 양의 증거가 있다(Barber, 1976). 연구자들이 결과에 부주의하게 영향을 미치는 것을 방지하기 위해서는 어떤 측정을 택해야 할까? 여러분이 정열적인 유형 A 성격과 좀 더 부드러운 유형 B 성격들의 피로억제에 관한 Carver, Coleman과 Glass(1976) 실험에 진행자로서 참가해 자료를 수집하게 되었다고 가정하자. 여러분은 실험 전에 이미 참가자의 절반(유형 A)이 관상심장병에 걸리기 쉽다는 것을 알고 있다. 여러분은 참가자가 최대 산소 소비지점 또는 그 이상일 때 러닝머신(treadmill)에서 지낸 운동시간을 기록한다. 여러분은 유형 A와 B를 동일하게 다루었는가? 미묘한 몸짓이나 목소리 분위기들을 달리해서 유형 A에게 심장에 무리가 가지 않게 조심하라는 단서를 주었는가? (심장에 당장 무리가 가는 것은 아닌데, 왜냐하면 참가자들은 나중에 늙어서 관상심장병을 가질 **잠재성**이 있지만 현재 그들은 젊었기 때문에 이렇지는 않았을 것이다.)

이런 유형의 연구자 편향을 최소화시킬 수 있는 두 가지 방법이 있다. 첫째, 연구자는 모든 참가자에게 가능한 한 획일적으로 프로젝트를 수행해야만 한다. 실험에서 각 참가자를 검사하는 데 사용되는 절차와 방법을 상세하게 담은 목록인 연구 **규약**(protocol)을 연구자가 철두철미하게 따름으로써 획일성이 지켜진다. 처치 상에서의 유일한 차이는 독립변인들, 조사에서 다른 질문들, 다른 관찰시간들 등과 같이 의도적으로 조작된 것이어야 한다. 유형 A는 유형 B와 똑같이 취급되어야 한다. 이것이 Carver와 그의 동료들이 한 것이었는데, 그들은 자료를 수집하는 사람이 이미 알고 있었던 참가자의 자료를 삭제해 버리는 정도로 철저하였다.

부주의한 차별적 취급을 최소화하는 두 번째 방법은 연구자에게 참가자 또는 과제의 잠재적인 중요한 속성을 은폐하는 것이다. Carver와 그의 동료들이 행한 연구에서 실험 진행자들은 어떤 개인이 유형 A인지 B인지를 몰랐고, 그럼으로써 유형 A를 러닝머신에서 차별적으로 다룰 기회는 줄어들었다. 더 나아가, 참가자들은 자신들이 얼마나 오래 러닝머신에 머무르는가에 대하여 실험자가 흥미를 가지고 있음을 알지 못했다. 차후 분석을 위해 참가자의 행동을 기록했을 때, 기록된 행동에 점수를 매기는 사람조차 흔히 특정 참가자가 배정된 처치에 관해 은폐되어 있었다. 이 경우에서 처치 조건이 은폐된 경우, 결과에 대하여 채점하는 사람은 객관적이 되고, 어떤 결과가 나오리라는 기대로 인하여 편향되지 않을 가능성이 높아진다. 처치 조건이 참가자와 연구 진행자 모두에게 은폐된 경우가 **이중-은폐 설계** (double-blind design)라고 불리는 것이 적용된 상태이다.

이중-은폐 설계는 약의 효과를 검증하는 의학 실험에서 흔히 볼 수 있다. 실험집단은 특정한 약을 받고, 통제집단은 위약을 받는다. **위약**(Placebo: "나는 즐거워질 거야"란 라틴어에서 나옴)은 약학적으로 통제 참가자들을 속이기 위해서 제공되는 ('설탕 알약') 아무런 효과가 없는 물질이다. 실험집단과 더불어 통제집단도 자신들이 진짜 약을 받았다고 가정하고 있으므로, 기대라는 것은 두 집단 모두에 동일하다. 실험의 세부 내용이 위약 참가자들에게 은폐되어 있을 뿐만 아니라, 연구 진행자들에게도 은폐되어 있다. 연구 진행자는 누가 위약을, 누가 진짜 약을 받았는지를 알지 못한다. 전형적인 약품 실험에서는 약을 취급/분배하는 사람이 해독하지 못하도록 코드번호를 붙여 놓는다. 그러나 어느 누군가는 누가 위약을 받았는지, 누가 진짜 약을 받았는지 알고 있다. 이런 세심한 주의를 통해서 통제집단의 사람들이 실험집단의 사람들과 다르게 (물론, 약물 이외의 부분에서) 다루어질 가능성을 감소시킨다.

연구자의 개인적인 속성 때문에 참가자의 행동이 편향될 수 있다. 연구자의 나이, 성별, 인종, 그리고 권위 정도에 따라 참가자가 어떻게 반응할 지가 결정된다. 예를 들면, 피면접자는 면접자가 같은 성별일 때 성적(性的) 상상들을 보고할 가능성이 높다(Walters, Shurley, & Parsons, 1962). 이런 종류의 문제는 두 명 이상의 연구 진행자를 두고 각각 (실험) 규약을 철저하게 따르게 한다면 해소될 수 있다. 여러분 자신의 실험에서는 다른 사람으로부터 협조를 얻을 수 없을지 모른다. 그러므로 각 개인들을 동일하게 다루도록 노력해야만 한다.

부주의한 연구자 편향을 최소화하기 위해 절차를 엄격하게 준수하는 것이 중요하다. 자료가 기록되는 방식을 고려해 본다면, 이 조언이 딱 들어맞는다. Barber(1976)는 실험자가 바라는 방향대로 자료 기록 상의 오류가 발생하고, 결과가 편향된다는 것을 보여주는 여러 연구들을 논의했다. 그러므로 우리는 모든 참가자의 모든 조건에서 자료를 동일한 방식으로 기록해야만 한다. 이것은 연구 프로젝트가 시작되기 이전에 무엇을 받아들일 만한 자료로 구성할 것인지를 정확하게 정의해야 함을 의미한다.

다른 잠재적인 연구자 편향은 동물을 사용한 연구에서 일어난다. 동물과 함께 작업할 때 반드시 연구자는 **의인화**(anthropomorphizing)를 조심해야 한다. 이 용어는 특히 사고와 감정 같은 인간적인 특성을 동물에게 부여하는 경향성을 지칭한다. 의인화는 때로는 "개는 그 주인을 사랑하고 존경한다"는 경우에서처럼 명백하거나, "쥐는 배가 고팠고 많이 먹었다"는 경우에서처럼 명백하지 않다. 비슷한 문제가 과학기술적 관점에서 원시적 문화에 속하는 사람들의 사고나 감정을 기술할 때 발생한다. 관찰자는 그런 집단에 전통적인 서구식 사고방식을 붙여버리는데, 예컨대 "개인의 자유를 갈망하는 것이 부족회의의 사회주의적 이념과 갈등을 일으킨다"는 식이다. 이런 모든 예들은 자료가 뒷받침되지 않은 실제의 이론적인 서술문이다. 우리가 어떻게 개에게 있어서 '사랑'을 정의할 수 있는가? 꼬리를 흔들고 주인이 부를 때 달려가는 것을 의미하는가? 쥐에게 있어서 배고픔이란 무엇인가? 이런 종류의 쟁점들을 다음 부분에서 다룬다.

개념 요약

부주의한 연구자 효과는

- 획일적 취급을 위한 규약의 준수
- 이중-은폐 설계의 사용
- 위약 효과와 의인화의 경계

를 통하여 통제한다.

의사소통의 신뢰도

우리는 지금까지 윤리적 논쟁과 연구자 편향 때문에 발생하는 연구 과정에서의 함정에 대해서 논의했다. 이런 영역의 문제에 대하여 일단은 여러분들이 효과적으로 다룰 수 있다고 가정하고, 여러분의 연구를 다른 과학자에게 전달하는 과정에서 생기는 다른 종류의 함정에 대해서 이야기하자.

과학 분야와 그 밖의 어떤 분야에서도 자신들이 사용하고 있는 용어의 정의에 대하여 관련자들 사이에 일치가 없다면 어떤 진지한 논의도 진전될 리가 없을 것이다. 여러분이 당신 애인과 누가 올해의 체육인인가에 대한 정겨운 논쟁을 벌인다고 가정하자. 체육인을 어떻게 정의할까? 두 사람 다 테니스, 수영, 체조 같이 보통 알기 쉬운 운동에 대해서는 동의한다. 그러면 극소수의 사람들만이 알고 있는 프리즈비(frisbee) 던지기, 행글라이딩, 스카이 콩콩(pogo stick)으로 산길 넘기 같은 운동들은 어떤가? 이런 종목에 참가했던 사람들도 올해의 체육인의 후보가 될 수 있는가? 이러한 정의라는 문제가 해결되지 않으면, 논의는 끝없이 쳇바퀴 돌게 될 것이다.

비슷한 문제가 과학적 논의에서도 일어난다. Indiana의 West Lafayette 그리고 Arkansas의 Clayton Corners에 위치한 정신물리학 실험실에 있는 과학자들이 빛의 반짝임에 투구게(horseshoe crab)가 꼬리를 가볍게 치는 반응을 연구한다고 상상해 보자. 한 실험실에서는 게가 무척 많이 꼬리치는 반응을 보인 것을 발견한 반면, 다른 실험실에서는 게가 꼬리치는 반응을 거의 보이지 않음을 발견하였다. 과학자들은 매우 걱정하였고, 간명한 편지와 게들이 자필 서명한 게의 사진을 교환하였다. 결국에는 어디서 차이가 생겼는지를 발견할 수 있었다. 그들이 사용한 빛의 밝기는 비슷했으나 각각 빛의 깜박임(빛이 비춰지는 시간 간격이 달랐다)을 다르게 정의하고 있었다. 그들이 빛의 반짝임 정도를 비슷하게 맞추었을 때 양쪽 실험실에서 같은 결과를 얻을 수 있었다. 이 예는 약간 억지이긴 한데, 우리가 알 수 있듯이, 게는 자신의 사진에 자필 서명할 수가 없다. 더 나아가 모든 훌륭한 심리학자들은 자극을 정의한다는 중요성을 정확히 인지하고 있으며, 따라서 이 혼돈상태는 아마도 최초부터 생기지도 않았을 것이다. 그러나 이 예는 과학자들이 자신들이 사용하는 용어를 정의하는 데 조심하지 않으면 어떤 일이 일어날 수 있는가를 보여주고자 한 것이다.

비록 사회적 대화와 과학적 담화 모두가 (용어)정의를 요하지만, 과학적 정의에 대한 요구는 좀 더 엄중하다. 일상의 대화에 아주 적합한 용어도 과학의 목적에 비추어 보면 너무 애매모호할 수 있다. 여러분이 어떤 사람을 쾌활한 성격의 소유자라고 말할 때, 다른 사람들은 당신이 의미하는 바가 무엇인지 잘 알고 있다. 그러나 심리학자가 전문적 의미로서 성격이란 용어를 사용했을 때는 상당한 정밀성(precision)이 요구된다. 전문적인 의미로 사용하느냐 일반적인 의미로 사용하느냐 사이를 구별하는 경우가 심리학에서 자주 있다. 실수로 전문용어를 부정확하게 사용하는 것이 심리학에서 특히 쉽게 일어난다. 정보, 불안, 유창함 같은 단어는 일상의 의미에서는 광범위하게 쓰이지만, 전문적 의미로 사용될 때는 용어들이 신중하게 제한되어야 한다. 전문적 의미를 제공하는 가장 일반적인 방식이 조작적 정의를 사용하는 것이다.

조작적 정의(operational definition)란 다른 과학자들이 복제할 수 있는 방식으로 구성개념을 만드는 공식이다. "얼간이의 눈과 개구리 뒷다리, 굴 껍질 세 개를 섞어서 두 번 흔들어라"는 우리가 무엇을 정의했는지는 몰라도 조작적 정의일 수 있다. 이 비법은 복제될 수 있고, 따라서 조작적 정의가 지닌 주요 기준과 부합된다. 이 예에서 여러분은 조작적 정의라는 것이 명확하고 따라할 수만 있으면 아무 의미를 갖지 않아도 된다고 말할 수 있다. 일반적인 용어로 어떤 것을 생성하거나 측정하는 데 사용된 절차나 조작들이 명확히 상술

(詳述)되었을 때 그 어떤 것이 조작적으로 정의되었다고 한다. 예를 들면, 우리는 조작적으로 키를 센티미터로, 몸무게를 그램으로 정의하듯이 **센티그램**이라는 구성개념을 정의할 수 있다. 어떤 과학자도 센티그램 점수를 결정할 수 있으며, 따라서 이것은 조작적 정의이다. 어떤 것을 일관되게 사용하거나 관찰하는 능력은 **신뢰도**(reliability)의 예인데, 제8장에서 자세하게 논의될 것이다. 물론 센티그램 점수는 아마도 중요한 과학적 목적을 위해서는 아무데도 사용되지 않을 수도 있으나, 조작적 정의의 잠재적인 유용성은 그 명료성과는 별개의 쟁점이라는 것이다.

연구 프로젝트의 마무리

앞에서 개략적으로 설명한 예비 단계들을 끝마치고, 가능한 위험들을 고려한 후, 이제 여러분은 연구를 수행하고, 자료를 분석하고 해석한 후, 연구 논문을 쓸 수 있다. 이 책의 나머지 부분에서는 연구 과정의 이런 면들에 초점을 맞출 것이다. 우리는 여러분이 결함이 없는 심리학 연구를 수행하고, 다른 사람의 연구를 심사숙고해서 평가하는 데 우리가 전달한 정보를 사용하는 비판적인 독자인 동시에 생각하는 사람이 되길 바란다.

과학의 이용이나 실천은 둘 다 쉽지는 않다. 과학적 지식과 이해에서 얻을 수 있는 혜택은 박식하고 비판적인 시민들과 과학자들에 달렸다. 어떤 방식으로든 사회와 동떨어져 겨울잠 자듯이 살 계획이 아니라면, 여러분은 심리학 연구의 영향을 받게 된다. 시민으로서 여러분은 심리학 연구 결과를 소비하는 입장이며, 우리는 이 책에서 논의된 자료들이 여러분이 좀 더 현명한 소비자가 되는 데 도움을 주었으면 하고 바란다.

우리가 바라는 것은 여러분 중 일부는 과학자가 되었으면 좋겠다는 것이다. 또한 여러분과 같은 신진 과학자의 일부는 왜 동물과 사람이 어떤 특정한 방식으로 생각하고 행동하게 되는지에 초점을 맞추길 바란다. 미래 과학자인 여러분들에게 행운이 깃들기를 빈다. 여러분의 과학적 경력은 흥미로울 것이며, 이 책에 제시된 심리학 연구의 원리들이 여러분의 노력에 긍정적인 영향을 미쳤으면 한다.

약 백년 전에 T. H. Huxley라는 영국의 과학자가 말하기를 "장기판은 세계이며, 장기알은 우주의 현상이고, 게임의 규칙은 우리가 자연의 법칙이라고 말하는 것이다. 다른 편에 있는 상대선수를 우리가 볼 수는 없다. 우리는 그의 한 수 한 수가 깨끗하고, 정확하고, 신중하게 생각해서 나온 것이란 것을 안다. 그러나 그는 실수를 결코 간과하지 않으며, 모르고 지나가는 것을 절대로 용서하지 않는다는 것을 우리는 대가를 치러서 알고 있다."

요약

1. 심리학 연구의 목적 중 하나는 왜 인간과 동물이 특정한 방식으로 행동하는가에 대한 과학적 이해를 제공하는 데 있다. 심리학 연구의 다른 목적은 실용적인 문제를 해결하는 데 있다.

2. 이 책(그리고 아마도 여러분이 듣는 과목)의 목적은 결함이 없는 연구를 수행하는 방법과 다른 사람의 연구를 비판적으로 평가하는 방법을 가르쳐 주고자 하는 것이다.

3. 실험은 독립변인과 함께 변화할지 모르는 혼입변인의 효과를 최소화시키고 독립변인의 수준을 조작하거나 변화시키는 것을 포함한다. 일정하게 유지시키려는 요인들을 통제변인이라고 부른다. 측정되는 행동을 종속변인이라고 부른다.

4. 연구는 관찰과 더불어 시작되는데, 관찰이란 연구 계획의 자료와 아이디어의 원천이다. 연구 아이디어의 다른 원천들은 학술지 논문과 여러분의 교수와 같은 전문가 또는 교재이다.

5. 수많은 학술지들이 심리학 연구 결과를 보고한다. 연구 아이디어와 배경 정보의 출처는 *Psychological Abstracts*와 *PsycINFO*이다.

6. 검증 가능한 가설은 둘 이상의 변인 사이에 가정된 관계 또는 이론적인 관계에 관한 서술문이다. 검증 가능한 가설은 어떻게 변인들을 측정할 것인가를 암시하거나 상세히 한다.

7. 연구 계획을 착수하기 전에 여러분의 가설이 검증된 적이 있는지를 알아보기 위해서 문헌 검색을 해야만 한다. 문헌들에 익숙하게 되면 연구 계획을 신중하고 효과적으로 설계하는 데 도움이 된다.

8. 예비 실험은 대부분 연구 계획을 수행하기 전에 행한다. 예비연구는 절차를 세련되게 만들고, 독립변인의 적절한 수준을 택하게 해준다.

9. 윤리적인 과학자는 실험 참가자들을 정당하고 인간적으로 다룬다.

10. 좋은 연구는 부주의한 연구자 편향 때문에 종종 빛을 잃는다. 과학자의 신념, 태도, 그리고 과학적 접근 때문에 연구 결과들이 편향될 수 있다. 사려 깊은 연구자는 연구 규약을 엄격하게 따르고, 이중-은폐 설계와 같은 다른 설계 방략을 사용함으로써 이러한 문

제들을 극복하려고 시도한다.

11. 신중한 연구자는 개념들이 어떻게 생성되고 측정되는가를 언급함으로써 그 개념들을 조작적으로 정의한다.

↘ 주요개념

행동(behavior)

비판(critic)

비판적으로 생각하는 사람(critical thinker)

독립변인(independent vatiable)

종속변인(dependent variable)

통제변인(control variable)

혼입(confounding)

내부타당도(internal validity)

PsycINFO

Psychological Abstracts

검증 가능한 가설(testable hypothesis)

Stroop 효과(Stroop effect)

예비연구(pilot research)

윤리적 쟁점(ethical issues)

부주의한 연구자 편향(inadvertent researcher bias)

규약(protocol)

이중-은폐 설계(double-blind design)

위약(placebo)

의인화(anthropomorphizing)

조작적 정의(operational definition)

신뢰도(reliability)

연습문제

1. [**특별연습**] (여러분은 각 장의 끝에 있는 특별연습에 제시된 연구 계획에 대하여 어떤 방식으로든 비판을 시도해야 한다. 여기에는 그러한 대답을 할 수 있을 만큼 충분한 정보가 제공된다. 절차상 상세한 내용이 빠져 있다면—예를 들면, 연구가 수행되었던 날짜 같은 것—그 상세한 점은 무관하다고 생각해도 된다. 주어진 정보 내에서 논의하라.) 여러분은 공부하는 중에 음악을 듣는가? 아주 높은 비율의 대학생들이 그렇게 한다. 상당히 많은 연구가 학습과 기억 능력에 미치는 음악의 영향에 관심을 두었다. 연구는 아주 흥미로운 논쟁거리를 만들어냈다. 어떤 연구자들은 음악을 듣는 것이 학습을 방해한다는 것을 발견했고, 다른 연구자들은 음악이 학습을 방해하지 않는다고 보고하였다. 왜 음악이 학습하는 데 부정적인 효과를 내기도 하고 그렇지 않기도 하는지에 대하여 여러 검증 가능한 가설을 내어보아라. 한 가지 고려해야 할 것은 음악의 유형이다. 이 책의 저자 중 한 명은 신입생 때 기숙사 방에서 결코 공부를 하지 못했는데, 왜냐하면 방 친구가 저녁 내내 Ravel의 *Bolero*를 정규적으로 틀어 놓았기 때문이었다.

2. *PsycINFO* 검색에서 **공격성**이란 용어를 입력해 보라. 무엇이 나타나는지 주의 깊게 보라. 주제 검색을 좀 더 다루기 쉽게 공격성에 대한 초록의 구성을 조사해 보라. 흥미 있게 보이는 하이퍼링크 하나를 클릭해 보라. 그런 다음에 초록을 여러 개 읽어라. 만일 흥미 있는 초록을 발견했으면, 그 초록의 저자 이름으로 저자 검색을 해 보라. 마지막으로, 도서관에 그 초록의 논문이 담긴 학술지가 있는지 알아보아라. 만일 있다면, 여러분은 완전한 전체 논문을 읽을 수 있다.

3. 다음의 각 문제들과 진술들을 최소한 두 개의 검증 가능한 가설로 바꾸어라.
   a. 당신은 늙은 개에게 새로운 기술을 가르칠 수 없다.
   b. 패스트푸드를 먹다 보면 학기 평점이 낮아진다.
   c. 한 푼을 절약하는 것은 한 푼을 버는 것이다.
   d. 공부하는 최선책은 시험 전날 벼락치기하는 것이다.
   e. 안 보면 마음에서 떠난다, 안 보면 보고 싶은 마음이 커진다.

↘ 추천 문헌 자료

• 다음 책들은 연구 과정의 초기 단계들에 관한 추가 정보를 담고 있다: Alsip, J. E., & Chezik, D. D.(1974). *Research guide in psychology*. Morristown, NJ: General Learning Press. Leedy, P. D.(1985). *Practical research: Planning and design*. New York: Macmillan.

• The *Council on Undergraduate Research Quarterly*는 학사학위 소지자들을 위한 직업과 관련된 논문들 그리고 대학원에 관계된 논문들을 담고 있다. 연구 과목을 듣는 학생들에게 아주 도움이 되는 호가 1997년 9월호인데, 거기에는 학부연구에서의 과학기술과 인터넷에 관한 논점들을 언급한 논문들이 있다. 특히 유용한 논문이 Koch, C.(1997). Learning the research process on the World Wide Web. *Council on Undergraduate Research Quarterly, 18*, 27–29, 48–49이다.

↘ 웹 자료

• 이 장에서 배운 내용과 주요개념을 잘 알고 있는지 용어 설명, 플래시 카드, 그리고 통계와 연구방법 워크숍과 연계해서 확인해 보라. **www.cengagebrain.com**을 방문하라.

• 상당한 양의 직업 준비 정보가 *JobWeb*(**http://www.jobweb.com**)에 있다. 미국심리학회 홈페이지(**http://www.apa.org**)에는 그 유용함이 돋보이는 여러 링크들이 있다.

• Psi Chi, the national honor society in psychology는 탁월한 웹사이트를 제공하고 있다. *Eye on Psi Chi*는 대학원 지원과 직업에 관한 정보를 포함한 모든 종류의 글들이 담겨 있다. **http://www.psichi.org/content/publications/home.asp**를 보라.

↘ 실험실 자료

Langston이 집필한 실험실 지침(Langston, W. [2011]. *Research methods laboratory manual for psychology*. Pacific Grove, CA: Wadsworth)에는 연구 프로젝트를 개발하는 데 도움이 될 여러 부록들이 있다. 이 책의 몇몇 장의 마지막에 Langston이 고려할 만한 방법론을 위해 권장한 관련된 연구 프로젝트를 지적하였다.

Stroop 효과

Stroop 과제의 원래 형태는 *빨강* 같은 색상을 표현하는 단어를 *파란색*으로 인쇄함으로써 잉크색을 틀리게 짝짓게 한 것이었다. 이 장에서는 숫자 Stroop 효과가 색상 Stroop 효과처럼 일어나는지를 알아볼 수 있다. 여러분은 독서카드와 색상 펜, 초침이 있는 시계(반응시간을 잴 수 있는 어떤 방법)가 필요하다.

여러분에게 네 종류의 색상 펜(예를 들면, 빨강, 파랑, 초록, 노랑)이 있다고 가정하자. 독서카드 16장에다 색상 펜으로 4장씩 다른 색을 써서 굵은 선을 긋자. 그러니까 4장은 빨간색 선, 4장은 파란색 선, 4장은 초록색 선, 그리고 4장은 노란색 선이 된다. 다음에는 검은 색상 펜으로 독서카드에 파랑, 빨강, 노랑, 초록이란 단어를 각 4장씩에 쓰자. 마지막으로, 서로 맞지 않는 색으로 색상 단어를 쓰자(즉, 빨간 색상 펜으로 파랑이라고 쓴다). 그러므로 서로 맞지 않는 색으로 각 색상단어에 대하여 네 개씩의 카드를 만든다. 이제 자극 재료는 완성이 되었다. 여러분이 만든 세 벌의 카드는 숫자 Stroop 과제의 숫자 형태에서 명명하기, 읽기, 갈등과제에 상응한다.

각 카드 벌을 섞어라. 그리고 각 카드 벌에 해당하는 과제를 해나가는 데 얼마나 시간이 걸리는지 보자. 간략한

실험을 하길 원한다면 세 사람을 실험에 참가시켜서 한 사람은 *명명하기, 읽기, 갈등,* 또 한 사람은 *읽기, 갈등, 명명하기,* 그리고 남은 사람은 *갈등, 명명하기, 읽기*의 순서로 시킨다. 실험을 이와 같은 방식으로 실시하는 것은 이 장의 Stroop 검사 상에 있는 과제의 순서와의 혼입효과를 제거하기 위한 것이다. 만일 전 학급이 이 실험을 한다면 여러 번에 걸쳐 세 과제의 모든 가능한 순서를 사용할 수 있는데, 이는 각 과제가 다른 과제 다음에 나타날 수 있는 경우를 동일하게 하는 것이다. 세 조건의 상대적인 난이도는 숫자 Stroop 검사와 유사하다.

이제 둘 중의 한 과제를 사용해서 할 수 있는 추가 실험이 있는지 살펴볼 수 있다. 후속 장에 있는 심리학 해보기에서는 Stroop 과제의 변형들을 제시해 놓았다. 나중 장을 미리 보지 말고 해볼만한 흥미 있는 연구를 생각해 내려고 노력해 보자. 여러분이 숫자 Stroop 과제에서 숫자의 이름과 개수가 동일하지 않을 때, 다른 과제보다도 명명시간이 더 오래 걸린다는 것을 알아차렸을지도 모른다. 이것은 모든 사람에게 해당되는 것일까, 아니면 당신에게만 해당되는 것일까? 대부분 사람들은 갈등과제를 어려워할까, 아니면 사람들이 어려워하는 과제는 사람마다 다를까?

실험

지시: 가능한 한 빠르게 다음에 제시된 숫자를 명명하라.

시작 시간:
_____

2
1
4
3
3
2
4
1
4
1
3
2
2
1
3
4
3
1
4
2
4
3
2
1
1
3
2
4
2
3
4
1

끝난 시간:
_____

경과 시간:
_____

다음 쪽으로 넘어가서 실험을 계속하시오.

실험

지시: 가능한 한 빠르게 다음 각 열에 있는 +개수를 세어 크게 읽어라.

시작 시간:

____

```
                                        +
                                        ++++
                                        +++
                                        ++
                                        ++++
                                        ++
                                        +++
                                        +
                                        +
                                        ++
                                        +++
                                        ++++
                                        ++
                                        ++++
                                        +
                                        +++
                                        ++++
                                        +++
                                        +
                                        ++
                                        ++
                                        +++
                                        +
                                        ++++
                                        +
                                        ++++
                                        ++
                                        +++
                                        +++
                                        ++++
                                        +
                                        ++
```

끝난 시간: ____________

다음 쪽으로 넘어가서 실험을 계속하시오.

경과 시간:

____

실험

지시: 가능한 한 빠르게 다음 숫자의 개수를 세어 크게 읽어라.

시작 시간:
_____

2

1 1 1 1

4 4 4

3 3

3 3 3 3

2 2 2

4 4

1 1

4

1 1

3 3 3 3

2 2 2

2 2 2 2

1 1

3

4 4 4

3 3 3 3

1 1 1

2

4 4

3 3

4 4 4

2

1 1 1 1

3

1 1 1 1

4 4

2 2 2

4 4 4

3 3 3 3

2

1 1

끝난 시간:
_____

경과 시간:
_____

이제 실험이 끝났습니다. 5쪽으로 돌아가십시오.

제2장 과학적 심리학에서의 설명

　　여타의 이해방식과 과학이 어떻게 다른가? 과학적 방법에 내재된 일부 가정들은 어떤 것인가? 행동을 설명하는 데 심리학자들은 이론과 자료를 어떻게 사용하는가? 우리는 이번 장에서 사회적 태만이라고 하는 사회심리학 현상을 살피면서 이런 질문들을 짚어볼 것이다. 이런 질문들에 대한 답변이 이 책의 나머지 부분에 관한 틀을 제공하기 때문에, 여러분은 과학적 설명이 의미하는 바가 무엇인지를 이해할 필요가 있다.

　　과학자들은 사물이 왜 그리고 어떻게 작동하는지를 알고 싶어한다. 이러한 욕구를 기준으로 보면, 과학자들은 우리가 살고 있는 세계에 대하여 호기심을 가지고 있는 그 어떤 사람들과도 다르지 않다. 취미삼아 이것저것 관찰해 보는 사람들은 관찰한 어떤 결과가 설명될 수 없다고 하더라도 크게 좌절하지 않는다. 예를 들면, 과학자가 아닌 사람들은 물이 하수도 구멍으로 빠져나갈 때 항상 반시계 방향으로 돌면서 빠져나가는 사실이나, 개인들이 집단으로 일할 때는 혼자 일할 때보다 덜 열심히 일한다는 사실을 단순하게 받아들일지 모른다. 그러나 전문 과학자들은 설명이 납득될 때까지, 문제가 해결될 때까지 관찰을 계속하려는 강한 욕구를 가지고 있다. 대답을 얻지 못한 질문들, 그리고 해결되지 않은 문제들에 대해서 바라보고만 있지 않으려 하기 때문에 과학자들은 호기심을 해소하고 설명을 진척시키기 위해 여러 가지 기법들을 사용한다. 이런 기법들을 신중하게 적용하기 때문에 과학적 이해와 일상적 이해가 구별되는 것이다.

이번 장에서 우리는 현장에 종사하는 과학자, 특히 실험을 위주로 연구하는 심리학자의 관점에서 과학적 설명이란 것을 소개하려고 한다. 이런 목적의 일환으로 사회적 태만에 관한 일련의 연구를 알아보고자 한다. 이 연구의 목적은 사람들이 혼자 일할 때보다 집단으로 일할 때 덜 열심히 일하는 이유를 이해하는 데 있다. 우리들이 과학적 설명에 대한 논의를 할 때는 행동을 이해하는 데 사용된 과학 철학의 측면들을 고려하게 된다. 과학의 추상적 원리들은 특정한 주제와 분리해서 생각하면 항상 이해되는 것 같지 않기 때문에 우리는 과학 철학을 사회적 태만 연구와 관련시키고자 한다. 우리는 심리학자들이 동물과 사람이 특정한 방식으로 행동하는 이유를 어떻게 설명하는지, 그 방식들을 보여줄 것이다.

⊿ 세상의 이해

사회적 태만

여러분 스스로도 해 보았듯이, 많은 경우에 흔히 관찰되는 것 중 하나는 사람들이 집단으로 일할 때 자신의 노력에 종종 '게으름을 피우고 있는' 것처럼 보이는 것이다. 집단에 속해 있는 많은 사람들이 몇몇 소수의 사람들에게 일을 떠넘기려는 의도가 있는 것처럼 보이는 것이다. 사회심리학자인 Bibb Latané는 이런 경향성을 알아차리고, 이를 실험적으로 연구하고자 하였다. 처음에 Latané는 그 자신이 **사회적 태만**(social loafing)이라고 이름 붙인 현상, 즉 사람들이 집단 속에서 덜 열심히 일하는 현상에 대하여 어떤 증거들이 이전에 있었는지 알아보기 위해 연구 문헌들을 조사하기 시작하였다.

사회적 태만에 대한 초기 연구 중의 하나는 프랑스 농업공학자(Ringelmann, 1913; Kravitz & Martin, 1986)가 한 것이었는데, 그는 사람들에게 밧줄을 힘껏 당기라고 시켰었다. 참가자들은 혼자서 당기기도 하고, 둘이서 또는 일곱 명이 함께 당겼다. 민감한 계측기기를 써서 그들이 얼마나 세게 당기는지를 측정하였다. 만일 사람들이 혼자일 때처럼 여럿일 때도 온 힘을 다해 힘껏 당긴다면, 집단 수행은 개별 수행을 합한 것과 같게 나와야만 한다. Ringelmann은 두 사람이 함께 했을 때 개인 능력의 95%, 세 사람일 때는 85%, 여덟 사람일 때는 49%로 각각 떨어졌다는 것을 알아내었다. 그렇다면 우리가 함께 일할 때 노력을 덜 쏟는 (우리 자신도 포함해서) 사람이 있다고 알게 되었을 때 이것은 단순한 상상에 불과한 것이 아니었다는 것이다. Ringelmann의 연구로부터 우리는 사회적 태만에 관한 좋은 예를 얻었다.

다음 단계로, Latané와 그의 동료들은 사회적 태만 현상에 대하여 체계적인 일련의 실험을 수행하였다(Latané, 1981; Latané, Williams, & Harkins, 1979). 그들은 먼저 밧줄 당기기 이외의 다른 실험 상황에서도 그 현상이 나타날 수 있음을 보였다. 또한 그들은 사회적 태만이 다양한 문화에서 일어나고(Gabrenya, Latané, & Wang, 1983), 아주 어린아이에게서도 조차 일어난다는 것을 예증하였다. 그러므로 사회적 태만은 집단작업에 깊게 스며들어 있는 어떤 특징이다.

Latané는 이 연구를 인간의 사회적 행동에 관한 좀 더 일반적인 이론과 관련지었다(Latané, 1981). 실험연구들에서 얻어진 증거에 의하면 사회적 태만에 대한 가능한 이유로 **책임감의 분산**(diffusion of responsibility)이 지적되고 있다. 단독으로 일하는 사람들은 자신들이 작업을 완수하는 데 책임이 있다고 생각하는 반면, 집단으로 일하면 이런 책임감이 다른 사람들에게 분산된다. 똑같은 아이디어가 다른 집단 상황에서의 행동도 설명한다. 예컨대 여러분의 교과목 담당 교수 중 누군가가 여러분을 포함해서 겨우 세 사람만 있는 교실에서 질문을 했다면 아마 대답해야 한다는 책임감을 여러분들은 분명히 느끼게 될 것이다. 하지만 그 과목을 200여 명이 같이 듣고 있다면, 답변의 책임감을 덜 느끼기 쉽다. 유사하게, 사람들은 위급상황에서 스스로 무거운 책임감을 느낄 때가 여러 다른 사람이 도울 수 있을 때보다 도와줄 가능성이 더 높다.

현상에 대한 이러한 기초 연구가 줄 수 있는 가능한 혜택은 차후에 어떤 실용적인 문제를 해결하는 데 이러한 발견이 적용되기도 한다는 것이다. 미국 사회에서 상존하는 한 가지 문제는 노동력의 생산성 저하이다. 비록 사회적 태만이 복합적인 논쟁점들이 관여하고 있는 요인들 중 고작 하나에 불과하지만, Marriot(1949)는 대규모 집단으로 일하는 공장 노동자들이 소규모 집단으로 일하는 사람들보다 개인별 생산성이 낮음을 보여주었다. 그러므로 사회적 태만의 문제를 극복하는 방식을 보여주는 기초 연구는 대단히 실용적인 의미가 있다. 실제로 Williams, Harkins와 Latané(1981)는 실험 상황에서 사회적 태만 효과를 제거시키는 조건들을 발견하였다. (단순히 전체 집단의 수행보다는) 개인의 수행이 집단 상황 내에서 감독받고 있을 경우 각 개인들은 혼자서 일할 때처럼 열심히 일했다. 분명히 연구가 더 되어야 하지만, 집단 상황 내에서도 개인의 수행을 측정하면 사회적 태만이 사라지고 생산성이 증가되는 데 도움이 된다는 것이다. 제안된 해결책이 단순하게 보일 수도 있으나, 많은 작업들이 집단 수행을 측정하지 개인 수행을 측정하고 있지 않다.

Latané와 동료들이 수행한 사회적 태만에 대한 연구에서 흥미 있는 어떤 문제가 어떻게 과학적으로 연구되고 이해될 수 있는지를 보았다. 관심이 있는 현상에 대해서 연구가 신중하게 수행된다면, 그 사상들을 단순히 관찰하고 심사숙고하는 것을 통해서보다 훨씬 나은 설명이 개발될 수 있다. 이제 과학적 설명의 본질을 살펴보도록 하자.

이해의 출처

신념의 정착

과학, 그리고 특히 과학적 심리학은 우리 주변 세상에 대한 지식을 얻는 타당한 방법이다. 사물의 본질을 배우고, 그것에 관한 신념에 도달하는 데 과학적 접근이 어떤 특징들로 인하여 바람직한 방식이 되는가? 아마도 이 질문에 대한 최선의 대답은 신념을 정착시키는 다른 방식들과 과학을 비교하는 것인데, 과학은 유일하게 이해가 획득되는 방식이기 때문이다.

백여 년 전에 미국의 철학자 Charles Sanders Peirce(1877)는 신념을 개발시키는 세 가지 다른 방법과 앎의 과학적 방법을 비교하였다. 그는 이것들을 권위, 고집, 선험적 방법이라 불렀다. Peirce에 따르면, 신념을 정착시키는 가장 간단한 방법은 어떤 사람의 말을 믿고 받아들이는 것이다. 믿음이 가는 권위자는 무엇이 진실이고 무엇이 거짓인지를 말해준다. 어린아이들은 자신들의 부모가 자신들에게 말하는 것을 단순히 믿어버리는데, 왜냐하면 엄마와 아빠는 항상 옳기 때문이다. 성장함에 따라 불행히도 아이들은 천체물리학, 거시경제학, 컴퓨터공학, 그리고 다른 특수한 분야에 관한 부모의 지식이 항상 옳지는 않다는 것을 알아차리게 될지 모른다. 비록 이로 인해 아이들이 부모가 이전에 말했던 선언에 대해서도 의심할지 모르지만 신념을 정착시키는 이러한 방식을 완전히 거부하지는 못할 것이다. 대신에 어떤 다른 권위를 찾고자 할지 모른다. 종교적 신념들은 **권위의 방법**(method of authority)에 의해서 형성된다.

아이들이 모든 지식의 근원으로서 부모를 퇴짜 놓은 후 오랫동안 그들은 교황이 종교적인 공론에 관한 한 틀릴 수 없다고 믿고 있을지 모른다. 저녁 뉴스를 믿는다는 것도 뉴스 진행자를 권위자로서 받아들이는 것을 뜻한다. 여러분은 교수가 권위자이기 때문에 교수를 믿을지도 모른다. 사람들은 자신들이 배우는 모든 것을 조사해 볼 수단들이 부족하기 때문에 많은 지식과 신념들을 권위라는 방법을 통해서 확정짓는다. 신념을 만드는 권위자의 권능에 대하여 의심의 여지가 없는 한, 이 방법은 최소의 노력과 확실한 안전성이라는 이점을 제공한다. 문제로 가득 찬 이 세상에서 당신이 받은 신념들에 대하여 완전한 믿음을 가지고 있다는 것은 최고로 기분 좋은 일이다.

신념을 정착시키는 다른 방법은 획득한 지식에 대하여 그 어떤 반대 증거가 있더라도 줄기차게 바꾸기를 거부하는 것이다. Peirce가 명명한 대로 **고집의 방법**(method of tenacity)은 아주 좋은 반대의 사례가 있음에도 불구하고 고정관념을 완강하게 고수하는 인종 편견주의자들 사이에서 아주 흔히 볼 수 있는 것이다. 비록 신념을 유지하는 이 방법이 완전히 이성적이지 않을지도 모르지만, 그 방법이 아주 무가치하다고 이야기할 수는 없다. 고집불통인 사람들이 아직도 주변에 있으며, 자신들이 가진 신념을 공유할 만한 소수의 사람들을 어떻게든 찾아내고 있다. 고집의 방법은 사물들에 대하여 사람들이 획일적이고 일정한 견해를 유지하도록 해주고 있으며, 따라서 스트레스와 심리적인 불편함을 어느 정도 해소시켜 줄 수 있다. 스트레스를 다루는 데 어려움이 있는 사람들에게는 고집의 방법이 세상을 이해하기 위한 합리적인 방법일지도 모른다.

Peirce가 논의한 세 번째 비과학적인 방법은 선험적으로 신념을 확정짓는 것이다. 이 맥락에서 **선험적**(a priori)이라는 용어는 이전 연구나 조사 없이도 믿게 된 어떤 것을 지칭한다. **선험적 방법**(a priori method)에서는 사리에 맞는 것처럼 보이는 진술들을 믿는다. 이것은 권위의 방법의 확장이다. 그러나 이 방법에서는 어느 특정한 권위자를 맹목적으로 따르는 것이 아니라, 보편적인 문화적 견해를 통해 선험적으로 신념을 확정한다. 사람들은 한때 세상은 평평하다고 믿었다. 그리고 태양도 달처럼 지구 주위를 공전한다고 가정하는 것이 사리에 맞는 것처럼 보였다. 사실, 여러분이 우주선 탑승자가 아닌 다음에야 세상은 평평한 것처럼 보인다.

Peirce 방법 중 마지막이 **과학적 방법**(scientific method)인데, 경험에 근거하여 신념을 확정 짓는 것이다. 만일 우리가 (일반적으로 과학을 포함해서) 과학적 심리학을 경험적 관찰에 바탕을 두고 현상을 이해하려는, 반복 가능하고 자기교정적인 시도라고 정의한다면, 방금 약술한 방법들에 비해서 과학이 여러 장점이 있음을 볼 수 있다. 우리가 **경험적**(empirical) 그리고 **자기교정적**(self-correcting)이라고 하는 것이 무엇을 뜻하는지 살펴보고, 과학의 이러한 측면들과 관련된 장점들을 조사해 보도록 하자. 첫째로, 위에 제시한 어떤 방법도 체계적인 관찰을 통해 얻어진 자료(세상에 대한 관찰들)에 의존하지 않는다. 이것은, 즉 다른 방법들은 신념을 확정짓는 데 경험적 근거를 사용하지 않는다는 것이다.

empirical(경험적)이란 단어는 'experience'(경험)를 뜻하는 고대 그리스어에서 파생된 것이다. 신념에 대한 경험적 근거를 가지고 있다는 것은 믿음보다는 경험이 지식의 출처임을 뜻한다. 한 사람의 신념이 권위를 통해 정착되었다면, 그 권위자가 의견을 형성하기 전 자료를 수집했다는 아무런 보장이 없다. 정의한 바와 같이, 고집의 방법은 자료를 고려하지 않는데, 이는 선험적 방법도 마찬가지다. 신념을 확정하는 이런 다른 방식들을 통해 파악되는 사실들은 대개 체계적 절차를 통해 얻어지지 않는다. 예를 들면, 일상적인 관찰이란, 아리스토텔레스가 믿었듯이, 세상은 평평하다는, 그리고 물고기는 매년 봄에 진흙 속에서 저절로 생성된다는 생각들을 우리에게 가져온 '방법'이었다.

과학의 두 번째 장점은 한 신념이 다른 신념에 비해서 우수하다고 판단할 수 있는 절차를 제공하는 것이다. 과학에 근거하지 않고, 서로 상이한 신념을 가지고 있는 사람들은 서로의 의견을 조정하는 데 어려움이 있다. 과학은 이 문제를 극복한다. 원칙적으로 누구나 경험적 관찰을 할 수 있으며, 이는 곧 과학적 자료가 공개되어 있으며, 반복해서 얻어질 수 있음을 의미한다. 공개적인 관찰을 통하여 새로운 신념들이 이전의 신념들과 비교되고 이전의 신념들이 경험적 사실들과 부합되지 않는다면 제거된다. 이것은 모든 과학자들이 새로운 의견을 선호하자마자, 적합하지 않은 신념들을 즉시 버린다는 것을 뜻하지는 않는다. 대개의 경우 과학적 신념이 바뀌는 것은 천천히 일어나게 되지만, 궁극적으로 옳지 않은 생각들은 퇴출된다. 경험적, 공개적인 관찰은 과학적 방법의 초석인데, 이것은 과학이 자기교정 노력을 하게 하며, 과학적 이해로 이끌어주기 때문이다.

과학에 대한 이러한 견해가 대부분의 실험심리학자들이 열광적으로 수용한 견해인 반면, 과학 철학을 연구해온 소수의 행동과학자들은 심리과학에 대한 대안적 견해를 표명하였다(Slife & Williams, 1995, 특히 제6장을 보라). 비록 심리학이 원래는 철학의 한 분야로 간주되기도 하였으나, 오늘날 대부분의 심리학자들은 인식론, 그리고 과학이 포용하고 있는 논리적 절차에 대한 인식론과 비평주의를 고찰하지 않고 있다. 실험심리학의 방법으로 인하여 실험심리학은 과학이라는 입장은 확고하다. 그리고 사실 이 책은 이러한 방법을 설명하는 데 대부분을 할애하고 있다. 과학이 우리의 일상적인 습관이나 언어의 사용에 의해 제한받고 있다는 식의, 비평주의의 대부분을 이 책의 저자들이 동의하고 있지는 않더라도 과학의 본질과 그 한계에 대하여 비판적으로 생각하는 것은 중요하다. 이 장의 마지막 부분에서 이러한 논쟁을 다룰 것이다.

> **개념 요약**
>
> 신념을 정착시키는 방법에는
>
> - 권위의 방법
> - 고집의 방법
> - 선험적 방법
> - 과학적(경험적) 방법
>
> 등이 포함된다.

과학적 설명의 본질

경험적 관찰과 자기교정은 과학적 방법의 특징이다. 여기서 우리는 과학과 과학적 심리학에서 이것들이 어떤 역할을 하고 있는지를 살펴보도록 하겠다.

먼저 한 걸음 물러서서, 일반적인 방식으로 사회적 태만에 관한 연구를 살펴보도록 하자. 우연한 관찰과 어떤 응용연구를 통하여 연구되어야 할 문제 영역이 제시된다. 실험실 실험을 통해 사회적 태만의 어떤 특징들이 지적되었고 그것의 본질에 관한 일부 예언들이 검증되었다. 최종적으로, 실험에서 얻은 자료를 바탕으로 실제 상황에서 사회적 태만에 대한 해결책이 제시되었다. 또한 동일한 자료를 가지고 책임감의 분산이나 사회심리학의 좀 더 일반적인 이론과도 연계시킬 수 있다. 다음 요약은 전형적으로 과학이 작용하는 방식을 잘 집약하고 있다: 우연한 관찰 또는 좀 더 형식적인 이론의 어느 하나에 바탕을 둔 경험적 관찰은 이론에 관한 어떤 것을 드러내 주고, 그것은 다시 차후의 경험연구로 이끈다.

Harré(1983)에 의하면, 이러한 순환적이고 자기교정적인 과학의 본질을 처음으로 인지한 사람이 Francis Bacon(1561~1626)이라고 한다. Bacon은 17세기(Jones, 1982)에 시작된 과학 혁명을 선도한 주역이었다는 공로를 인정받고 있다. 비록 Bacon의 분석이 오늘날에는 아주 유치한 것처럼 보이지만, 그는 우리가 지금부터 자세히 살펴보려는 현대 과학의 여러 중요한 측면들을 미리 내다보았다.

귀납과 연역

과학에 대한 모든 접근법들은 어떤 기본적 요소들을 공유한다. 이 요소들 중 가장 중요한 것이 **자료**(data, 경험적 관찰)와 **이론**(theory, 자료 예측을 가능하게 해주는 개념들의 조직)이다. 과학은 자료와 이론 모두를 필요로 하고 또 사용하고 있으며, 사회적 태만에 대한 연구의 개요를 살펴보면 그 둘이 복잡한 방식으로 서로 연결될 수 있음을 알게 된다. 그러나 과학사를 살펴보면 어떤 것이 중요하고, 무엇이 선행되어야 하는지에 대해서는 과학자 개개인 사이에 이견이 있다. 이것을 결정하려고 한다는 것은 닭이 먼저냐 달걀이 먼저냐를 결정하려고 노력하는 것과 거의 흡사하다. 과학은 사물이 어떤 정해진 방식으로 작용하는 이유를 이해하고자 하며, 우리가 주장하려는 바와 같이, 이해를 위해서 자료와 이론 둘 다 필요하다.

비록 Bacon이 자료와 이론의 중요성을 인지하고 있었지만, 그는 경험적 관찰의 우선성을 믿었다. 현대 과학자들은 자료를 강조하고 자료에서 이론으로 나아가는 것을 과학에서의 진보로 보고 있다. 그러한 접근이 **귀납**(induction)의 예인데, 특정한 자료에서 일반 이론으로 추론이 진행되는 방식이다. 역의 접근법이 자료를 예측하는 이론을 강조하는 것인데, **연역**(deduction)이라고 불린다. 연역법은 일반 이론에서 특정 자료로 추론이 진행된다. 많은 과학자들과 과학 철학자들이 추론의 특정한 형태가 다른 형태보다 우선한다고 논쟁을 벌여왔기 때문에, 우리는 귀납과 연역을 좀 더 자세히 파악하고자 한다.

경험적 관찰은 신념을 확정짓는 다른 양식들과 과학을 구분해 주기 때문에, 많은 사람들이 귀납법이 과학이 작용하는 방법이라고 주장하고 있다. Harré(1983)는 "관찰과 실험의 결과들도 '자료'라고 불리며, 그것은 과학적 사고라는 연약한 체계를 세우는 데 건전하고 굳건한 토대가 된다"(p. 6)고 언급했다. 사회적 태만의 사례를 귀납적 입장으로 보면, 실험으로 얻은 사회적 태만이라는 사실들이 책임감의 분산이론을 낳게 된다는 것이다.

순수한 귀납적 접근에 있는 한 가지 문제는 경험적 관찰의 합목적성과 연관되어 있다. 과학적 관찰은 그것이 만들어지는 상황과 결합되어 있다. 이는 그로부터 귀납된 법칙이나 이론들은 관찰이 행해진 범위에만 국한되어야 한다는 것이다. 다른 맥락에서 수행되는 후속 실험들은 다른 이론을 지지하거나, 기존에 있는 이론의 수정을 제안할지도 모른다. 따라서 특정한 관찰에 근거하여 귀납된 이론들은 다른 관찰들이 행해졌을 때 바뀔 수 있다(그리고 거의 바뀐다). 물론 이것은 한 사람이 어떤 생각들에 권위주의적 관점을 취하고, 특정 이론을 고집스럽게 집착하고 믿는다면 문제가 된다. 관찰에서 귀납된 이론들은 잠정적인 생각이지 최종적인 진리는 아니다. 꾸준히 이어온 경험적 연구의 결과로 이해의 변화가 생긴다면, 이는 과학의 자기교정적 본질을 보여주는 좋은 예가 된다.

이론의 우선성을 강조하는 연역적 견해에 따르면, 사회적 태만 연구에 관한 공식적인 이론이 제시하는 경험적 안내가 중요한 과학적 측면이 된다. 더욱이 책임감의 분산이라는

응용

반증의 중요성

대부분의 학생들은 반증가능성의 철학적인 아이디어가 이해하기 어려운 것이라고 한다. 어떤 가설을 단순히 정당하다고 확인하는 것보다 부당성을 입증하는 것이 그토록 왜 중요한가? 일차적인 이유는 증거가 정당함을 입증하는 것은 아무리 많은 가설과 이론과도 일치할 수 있는 것이지만 증거의 부당함을 입증하는 것은 일부 가설이나 이론을 제거하기 때문이다. 보통 부정적인 증거는 증거를 입증하는 것보다 더 의미 있는 정보를 제공한다.

이것의 작용방식을 알아보기 위해 Wason(1977)의 실험에서 제기된 다음의 문제를 살펴보자. Wason은 특정한 규칙을 보여줄 것으로 간주된 시리즈 2 4 6을 참가자에게 제시하였다. Wason 실험에 참가한 사람들은 수열을 생성함으로써, Wason이 마음속에 두었던 규칙과 일치한다고 증명 또는 부정하려는 규칙을 발견할 것으로 기대되었다. 한 가지 그럴듯한 가설은 규칙이 둘씩 증가하는 어떤 짝수 수열이라는 것이다. Wason은 사람들이 그 가설을 증명하는 수열을 택하는 지속적인 편향을 보임을 보였다. 사람들은 8 10 12, 300 302 304, 620 622 624 같은 수열을 만들었다. 불행히도, 그런 수열은 무한정 있으며, 비록 그

것들이 둘씩 증가하는 짝수의 이론을 증명한다고 하더라도 그것들은 다른 가설과도 일치한다. 혹시 규칙이 3 5 7 같은 둘씩 증가하는 어떤 수들이 아닐까? 아니면 증가하는 세 숫자 같은 더 일반적인 규칙은 아닐까? 마지막 가설을 검증하기 위해 8 7 6 같은 수열을 제안했어야만 했다. 참가자들은 마지막 수열이 다른 두 가설을 제거함에도 불구하고, 거의 그런 수열을 만들지 않았다. 더군다나 증가하는 세 숫자가 규칙이었다.

일상적인 사람의 추론에서, 가설을 증명하려는 편향은 그렇게 생산적이 아님에도 불구하고 놀라울 정도이다. 과학적 추론에서 실증 편향은 과학적 진보를 제한하는데, 왜냐하면 편향은 자기교정을 가망 없게 만들기 때문이다. 왜 가설을 증명하려는 강력한 편향이 있는가? Johnson-Laird(1988)는 실증은 일부 필요하다고 언급하였고, 또한 가설을 반증하는 방법을 찾는 것이 종종 어렵다고 하였다. 그러므로 명백하게 사람들은 쉬운 길을 찾고, 단순히 증거의 정당함을 증명하기를 시도한다. 만일 여러분이 이 주제를 계속하는 데 관심이 있으면, 추론과 불완전한 추론에 대하여 대단위 문헌 개관을 한 Best(1999)를 참고하라.

좀더 일반적인 이론은 사회적 태만을 이해하게 한다. 연역적 접근은 잘 발전된 이론들에 높은 가치를 둔다. 우연한 관찰들, 비형식적 이론들, 그리고 자료들은 상당한 수의 관찰을 기술하고 예측하는 폭넓은 이론보다 낮은 위치에 있게 된다.

연역적 접근의 관점에서 보면, 부분적으로 과학적 이해란 특정한 종류의 경험적 관찰이 반드시 발생한다는 것을 어떤 이론이 예언함을 의미한다. 사회적 태만의 사례를 들면, 책임감의 분산이론은 집단에서 개인의 수행을 감시하면 책임감의 분산이 줄어야만 한다는 것을 제안한다. 바꾸어 말하면, 개인의 노력을 측정하면 관찰되는 사회적 태만의 양은 감소되어야 한다. 우리가 살펴본 바와 같이, 이 예언은 실험적으로 검증되었다.

그러나 정확한 예언으로 무엇이 드러나는가? 만일 실험 결과로 어떤 이론이 확인되었다고 하면, 연역주의 과학자는 이론의 정확성에 대한 신뢰가 높아질 수도 있다. 그러나 경험적 관찰은 최종적인 것이 아니며 또한 바뀔 수 있다. 과학적 이해는 본질적으로 잠정적이라는 것은 이론을 증명하고 확인하는 것만으로는 충분하지 않음을 의미한다. 과학철학자인 Popper(1961)는 좋은 가설처럼 좋은 이론도 검증 가능해야 한다고 했다(제1장을 보라). 경험적 예측은 그것이 틀렸다고 보여줄 수 있는 검증 능력을 가지고 있어야만 한다. Popper의 이 같은 제안은 **반증가능성 견해**(falsifiability view)라고 불려왔다. 이 견해에 따르면 귀납

법의 일시성(temporary)이란 본질은 부정적인 증거를 긍정적인 증거보다 더 중요한 것으로 보고 있다. 만일 자료로부터 어떤 예언이 확인된다고 해서 그 이론을 진실이라고 말할 수가 없다. 그러나 만일 어떤 이론이 자료로 지지되지 않는 예언을 만든다면, Popper는 그 이론이 거짓임에 틀림없으며 그 이론은 기각되어야 한다고 주장할 것이다. Popper에 의하면, 이론은 결코 옳다고 증명될 수 없고 다만 그르다고 증명될 수 있을 뿐이다. 반증가능성의 중요성은 응용 부문에서 논의된다.

연역적 접근법의 한 가지 문제는 이론 그 자체와 연관되어 있다. 대부분의 이론들에는 세상에 관해서 검증하기 힘들고 틀렸을지도 모르는 많은 가정들이 포함되어 있다. Latané 의 연구에서 사용된 일반 이론에 내재한 한 가지 가정은 실험실 맥락에서 수행되는 개인의 행동을 측정해도 그 관심 있는 행동이 변화되지 않을 것이라는 것이다. 비록 이것이 흔히 적합한 가정처럼 보이지만, 나중에 우리는 사람들이 관찰된다는 사실에 비상식적인 방식으로 반응한다는 것을 보여줄 것인데, 이는 바로 그 가정이 틀렸음을 뜻한다. 만일 검증되지 않은 가정이 틀렸다면, 어떤 이론을 반증한 특정한 실험은 그 잘못된 이유들 때문에 그 이론을 반증하게 되었는지도 모른다. 즉, 이론의 검증이 그럴듯하거나 적절하지 않았을 수도 있다. 그러므로 한 가지 결론은 연역적 접근 그 자체만으로는 과학적 이해에 도달하기 힘들다는 것이다.

이 시점에서 여러분은 귀납과 연역 둘 다 오류가 없을 수 없다는 상황 하에서도 과학적 이해가 가능할 수 있을까 하고 의아해할지 모른다. 좌절할 필요는 없다. 과학은 자기교정적이며 문제에 대한 답변을 제공할 수 있으나, 이러한 답변이 일시적이란 것이다. 과학적 이해는 과학자들이 서로 교류함에 따라서 변한다. 우리는 사회적 태만에 대해서 Latané와 그의 동료들이 연구를 하기 전에 이해했던 수준보다 더 잘 이해할 수 있게 되었다. 귀납과 연역을 적절히 조합하여 사용하면서, 과학은 그 문제에 대한 완전한 이해를 향해 나아간다. 그림 2.1은 이해에 도달하는 데 귀납과 연역이 어떻게 협력하는지를 보여주고 있다.

이 부분을 마치면서 사회적 태만을 재조사해 보자. 최초에는 긍정적인 실험 결과를 통하여 사회적 태만에 대한 일반적 관념이 신뢰성을 얻게 되었다. 이 결과로부터 다시 사회적 태만의 본질에 관한 가설들이 제안되었다. 이것은 집단 지향적인 사람들에게조차 영향을 미치는 일반적인 현상인가? 실험실뿐만 아니라 작업장에서도 발생하는가? 이 질문들에 대한 결정적인 답변들은 사회적 태만을 책임감의 분산이라고 해석하는 것과 일관되었다.

연구의 다음 단계로, Latané와 그의 동료들은 대안이론들로부터 나온 예언들을 반증해서 사회적 태만에 대한 다른 설명들을 제거하려고 하였다. 초기 연구에서 그들은 특정한 개

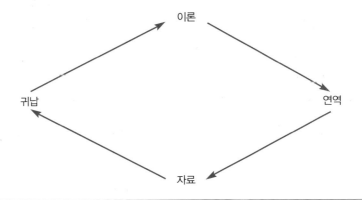

그림 2.1 이론은 자료를 조직하고 예측한다. 연역을 통하여 특정한 관찰(자료)이 예측될 수 있다. 귀납을 통하여 자료는 조직화된 원리(이론)를 제안한다. 이러한 순환적 관계는 이론이 자료가 조직화되는 방식에 대한 잠정적인 모습임을 보여준다.

인의 노력을, 혼자서 일할 때 그리고 집단으로 일할 때, 두 상황 모두 조사하였다. 그 다음에 그들은 이런 조건에서 사람은 집단 검사 동안에는 쉬고, 혼자 검사받을 때 과제에 더 큰 노력을 쏟아 부을 수 있게 된다고 추론하였다. 사회적 태만을 설명하는데, 책임감의 분산보다는 노력의 배당이라는 가능성을 제거하기 위해 사람들이 혼자 일하거나 집단으로 일하는 상황 중의 하나만 참가하고, 둘 다 참여하지 않는 조건을 적용해서 추가 실험을 수행하였다. 노력의 배당이란 가설과는 반대로 집단 속에서 수행하는 바로 그 조건에서만 검사받았을 때도 사회적 태만이 일어난다는 결과를 얻었다(Harkins, Latané, & Williams, 1980). 그러므로 책임감의 분산이 노력의 배당보다 사회적 태만을 설명하는 데 좀 더 적합하다고 결론지었다.

여기서 사건들의 추이를 살펴보자. 어떤 연구 결과를 통해 한 가능성이 제거되고 다른 가능성이 지지되리라는 희망 속에서 서로 상반되는 두 가지의 가능한 결과를 가져오는 후속 실험들이 진행되었다. Platt(1964)는 이렇게 대안을 제거해 나가는 절차를 **강 추론**(strong inference)이라 불렀는데, 아주 이상적인 경우(강 추론의 절차를 반복적으로 사용한다면) 이것은 오직 한 가지 이론만을 남긴다. 물론 책임감의 분산이론에 대한 후속 검증이 이론과 상반될지도 모르며, 또는 어떤 식으로 추가될 수도 있다. 그러므로 이론을 개정하거나, 충분한 반박이 있는 경우 대안설명을 선택하고 그 이론을 기각하거나, 그 이론 자체를 지지할 수 있다. 어떤 경우에도 우리는 사회적 태만이 무엇을 수반하며, 무엇이 그 원인인가에 대한 합리적인 견해를 구성하는 수준에 도달해 있다는 것이다. 자료로부터 귀납된 가설 그리고 검증 가능한 가설로부터 연역된 실험 검증을 혼합해서 책임감의 분산이 사회적 태만을 이끈다는 이론이 얻어졌다.

비록 강 추론이 이론의 평가에 대한 지배적인 생각이지만, 모든 연구자가 이것이 과학을 진보시키는 최선의 절차라고 동의하지는 않는다. Locke(2007)는 귀납이 이론을 정립하는 데 최선의 도구라고 주장해왔는데, 이러한 견해는 Popper의 견해, 또한 Platt의 견해와 대치되는 것이다. Locke의 근본적인 주장은 반증 그 자체는 결코 과학을 진보시킬 수 없다는 것이다. 진보는 진리인 개념을 우리가 발견할 때만 진보가 있게 된다. 예를 들면, 반증 절차를 적용하여 Thomas Edison은 전구 필라멘트로 사용할 수 없는 수백 가지 재료를 제외시켰다. 옳지 않은 경로를 제거하는 것이 유용하지만, 반면에 해결책을 주지는 않는다. Edison은 여전히 탄소를 겉에 바른 목화실이 필라멘트의 역할을 성공적으로 잘 한다는 사실을 발견해야만 했다. 만일 Locke가 옳다면, 연구자들은 이론에서 시작하고, 그리하고 나서 그 이론에서 연역된 것을 검증해야 한다는 식의 전통적인 학술지 편집장과 교과서 저자들의 조언은 시기상조인 것이다. 실제로 Locke는 가설-연역법(hypothetico-deductive method)이 연구자가 나중에 가설을 만들어서 이론을 형성할 때 귀납을 사용하도록 해준다고 믿는다. 그림 2.1을 보면 두 가지 견해를 모두 수용할 수 있는데, 왜냐하면 과학적 과정이 어디에서 시작하는지를 보여주고 있지 않음을 주목하게 된다. 만일 과학자가 자료로부터 과정을 시작한다면, 귀납이 일차적인 논리적 도구가 될 것이다. 만일 잘 형성된 이론을 출발점으로 사용한다면, 연역이 핵심적인 논리적 수단이 된다.

귀추법: 이론의 탄생 방법

이론의 평가에서 특히 눈에 띄는 선순환이 그림 2.1에 있다. 그러나 이론의 발생은 더 복잡하다. 일부 연구자들은 자료로부터 귀납하여 이론을 만드는(Locke, 2007) 반면, 새로운 이론을 창조하는 경우에 핵심 역할을 하는 **귀추법**(歸推法, abduction), 또는 (간단하게) 귀추라 불리는 형태의 추가적인 논리가 있다(Patokorpi, 2009). 우리가 이 장의 초기에 소개한 바 있는 철학자 Charles Peirce(1877)는 논리에는 귀납, 연역, 귀추의 오직 세 가지 형태만이 존재한다고 언급하였다. 여러분이 이해하기 쉽도록 이들 세 가지 형태 사이의 차이점을 표 2.1에 제시하였다.

만일 귀납을 설명하는 열에 제시된 앞의 두 서술문이 참이라면, 마지막 서술문은 반드시 참인 결론이어야 한다. 만일 연역을 설명하는 열에 제시된 앞의 두 서술문이 참이라면, 마지막 서술문은, 적어도 새로운 반대되는 자료가 나타나기 전까지는, 타당한 결론이다.

표 2.1 세 가지 근본적인 논리적 형태

연역	귀납	귀추
• 이 항아리에 있는 모든 M&M 초콜릿은 파랗다.	• 이 M&M 초콜릿은 이 항아리에서 나왔다.	• 이 항아리에 있는 모든 M&M 초콜릿은 파랗다.
• 이 M&M 초콜릿은 이 항아리에서 나왔다.	• 이 M&M 초콜릿은 파랗다.	• 이 M&M 초콜릿은 파랗다.
• 이 M&M 초콜릿은 파랗다.	• 이 항아리에서 나온 모든 M&M 초콜릿은 파랗다.	• 이 M&M 초콜릿은 이 항아리에서 나왔다.

즉, 항아리에서 파랗지 않은 M&M 초콜릿이 뽑히는 것이 가능하다. 그러나 귀추와 연관된 논리적 타당성은 없다. 귀추를 설명하는 열에 제시된 앞의 두 서술문이 참이라 하더라도, 마지막 서술문이 타당한 결론이라는 것은 그럴듯해 보일 뿐이다. M&M 초콜릿이 이 항아리에서 나왔음을 논리적으로 보장해주지 않는다. 귀추는 흥미로운 가능성들을 제안하고 있다. 따라서 귀추로 창조한 새로운 이론은 앞서 그림 2.1에 보여준 바와 같이 귀납과 연역을 적용해서 평가되어야만 한다. 귀추는 귀납과 연역만으로 제공될 수 없는 새로운 이론적 기제에 대한 요구와 새로움의 기초를 제공한다(Capaldi & Proctor, 2008).

개념 요약

과학적 방법은

- 연역—일반에서 특정 경우로의 추론
- 귀납—특정에서 일반 경우로의 추론
- 강 추론—가능한 대안적 설명들을 제거
- 귀추—옳지 않을 수도 있는 창조적인 추론

등을 포함한다.

이론에서 가설로

이론은 직접 검증될 수 없다. 단 하나의 마법 같은 실험으로 어떤 이론이 옳다 그르다고 증명하지는 못한다. 대신에 과학자는 이론에서 도출된 가설을 검증하는 실험을 수행한다. 그러나 과학적 가설이란 정확하게 무엇이며, 그리고 어디에서 오는 것일까?

가설과 일반화를 구분하는 것이 중요하다(Kluger & Tikochinsky, 2001). **가설**(hypothesis)은 관찰된 자료를 근거로 평가될 수 있는 아주 구체적 검증이 가능한 서술문이

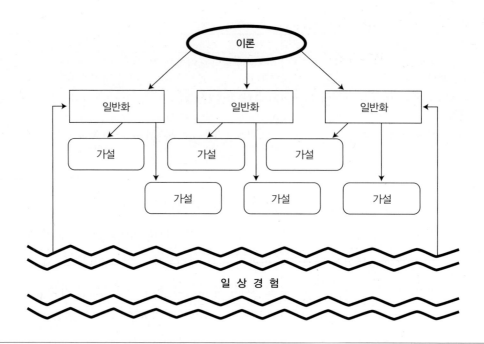

그림 2.2 여러 무리의 일반화가 가설 군을 낳는다.

다. 예를 들면, 우리가 65세가 넘은 운전자가 야간운전 시에 비보호 좌회전에 관련된 사고의 빈도가 높다는 가설을 세웠다고 하자. 사고 자료에 대한 경찰 기록을 살펴봄으로써 우리는 이 가설이 옳은지 그른지에 대한 판단을 통계 절차를 사용하여(부록 B를 보라) 할 수 있다. **일반화**(generalization)는 직접적으로 검증될 수 없는 좀 더 광범위한 서술문이다. 예를 들면, 우리가 나이 든 운전자는 어떤 속도에서나 안전하지 않으며, 야간운전의 불허와 같은 운전면허에 제한을 두어야만 한다고 일반화할 수 있다. '어떤 속도에서나 안전하지 않은' 이란 문구는 명백하게 정의되지 않았기 때문에 이는 검증 가능한 서술문이 아니다. 유사하게, 이러한 일반화는 나이 든 운전자에 대한 연령 범위를 정의하지 않았다. 그러나 이것은 여러 검증 가능한 가설을 도출하는 데 사용될 수 있다.

그림 2.2는 이 과정을 보여주고 있다. 각 일반화는 하나 이상의 가설을 만들 수 있다. 이 그림에서는 간단하게 하기 위해 오직 두 개씩의 가설만이 도출된 것으로 그렸으나, 좋은 일반화는 가설을 무한대로 만들어낼 수 있다. 예를 들면, 나이 든 운전자 일반화는 나이 든 운전자에게 발생하는 상이한 종류의 사고와 행동들에 관한 많은 가설을 만들어낼 수 있다: 정지한 차량 추돌, 좌우회전 신호 놓치기, 보도 위로 운전, 후진하다 부딪히기, 자기 차선 유지 못하기, 등등. 이러한 가설들은 도로 또는 운전면허 시험장(일반화가 사실일 경우 운전자의 안전을 위해서)에서, 또는 운전 시뮬레이터(운전자에게 최고의 안전을 보장)를 사용한 상황

에서 교통을 관찰함으로써 검증될 수 있다.

이제 우리는 일반화로부터 가설이 만들어질 수 있음을 설명했으므로 다음 질문으로 가보자. 일반화는 어디에서 오는가? 그림 2.2는 일반화에 두 가지 원천이 있다고 한다. 이론 또는 경험으로부터 올 수 있다. 그림 2.2에는 겨우 세 개의 일반화만을 제시했지만, 좋은 이론은 한 무더기의 일반화를 만들 수 있다. 여러분은 나이 든 운전자에 관한 일반화가 이론이 아닌 경험에서 왔을 것이라고 생각했을 수도 있다. 여러분은 할아버지가 모는 차에 동승했던 직접적인 경험이 있을 수도 있고, 이러한 경험으로 인해 일반화에 동의하게 만들었을 수 있다. 이것이 소위 나이 든 시민의 운전 행동에 대한 일상적 관찰이라는 자료에 근거한 귀납 과정이다(그림 2.1). 이런 귀납 과정에서 도출된 가설을 상식 가설(commonsense hypotheses)이라고 부른다. 상식 가설은 이론에서 도출된 가설을 검증하는 것보다 열등하다고 취급되어 실험심리학계에서 신통치 않게 여겨졌으나, 최근에 상식 가설의 가치에 대한 새로운 평가가 일고 있다(Kluger & Tikochinsky, 2001).

그럼에도 불구하고 대부분의 심리학자들은 이론에 근거한 가설을 검증하기를 선호한다. 이러한 사례에서 일반화는 이론으로부터 연역적으로 형성된다(그림 2.1). 나이 든 운전자 일반화는 주의, 지각, 의사결정 이론에서 도출될 수 있다(Kantowitz, 2001). 나이가 듦에 따라 다중 과제에 주의를 주는 능력은 감퇴되고, 의사결정도 더욱 보수적이 되며, 최종 결정하는 데 더 많은 시간을 필요로 한다. 따라서 나이 든 운전자는 (a) 야간에 다가오는 차량들을 보는 데 문제가 있으며, (b) 동승자 또는 라디오 같은 차량 내의 장비들에 주의를 주는 동안에 다가오는 차량에 주의를 주는 데 문제가 있으며, (c) 지금 비보호 좌회전을 하는 것이 안전한지 여부를 결정하는 데 시간이 더 오래 걸리고, 따라서 좌회전을 했을 때는 이미 늦게 되고, 다가오는 차량도 충돌을 피할 수 없게 된다. 좋은 이론의 장점은 많은 일반화를 만들 수 있다는 데 있다. 주의이론은 나이 든 운전자뿐만 아니라 비행기나 핵발전소 조작과 같은, 많은 다른 실제 상황에 관한 일반화를 하며, 실험실에서 검증되는 좀더 추상적인 예측은 말할 것도 없다. 예를 들면, 주의에 관한 많은 이론이 운전 중에 휴대폰 사용은 위험하다고 예측한다. 그러나 상식 일반화는 생산적이지 못한데, 비록 이것이 옳다고 하더라도, 새로운 일반화를 이끌어내지 못하기 때문이다. 따라서 과학 연구를 진척시키는 데 이론이 보다 효율적이다.

> **개념 요약**
>
> 가설은 일반화에서 온다. 일반화는 다음 둘 중의 하나이다.
>
> • 귀납적—경험에서 도출
> • 연역적—이론에서 도출

이론이란 무엇인가?

이제까지 우리는 과학적 이해란 것이 잠정적이라고, 즉 부정확한 이론들은 개정되며, 당면 문제에 대한 경험적 검증을 통하여 추가정보가 수집된다고 주장하였다. 이번 부분에서는 이론을 설명하는 데 중점을 두고자 한다.

이론이란, 대충 이야기하자면, 다양한 발생 사건을 설명하는 관련된 서술문들의 한 집합이라고 할 수 있겠다. 발생 빈도는 높고, 서술문의 수가 더 적으면 더 좋은 이론이 된다. 중력의 법칙은 사과가 떨어지는 것, 롤러코스터의 작용, 태양계 내에서 물체들의 위치에 대하여 설명해 준다. 물체 간의 상호 인력에 관한 소수의 서술문들로 아주 많은 사건들을 설명한다. 그러므로 중력의 법칙은 강력한 이론이 된다(이 말은 그것이 정확한 이론이라고 뜻하는 것은 아닌데, 왜냐하면 그것이 설명 못하는 어떤 사건들이 존재하기 때문이다).

심리학에서의 이론은 **조직화**(organization)와 **예측**(prediction)이라는 두 가지 중요한 기능을 수행한다. 첫째, 자료를 체계적이고 순서에 맞게 전개시켜 주는 틀을 제공한다. 즉, 과학자들이 자료를 조직하는 편리한 방식으로 기능한다. 아주 철저한 귀납주의 과학자라 하더라도 궁극적으로는 수십 개나 되는 실험의 결과를 기억하기 어려운 상황에 도달하게 된다. 이론은 실험자가 자료를 조직하는 데 도움을 주는 일종의 서류철 체계로 이해될 수 있다. 둘째, 이것은 아무런 자료가 얻어진 적이 없는 상황에 대하여 과학자가 예언을 할 수 있게 해준다. 제1장에서 언급한 바와 같이, 이러한 검증 가능한 가설들은 연구의 길잡이가 된다. 이러한 예언의 정밀도 수준이 높을수록, 더 좋은 이론이다. 아무리 의도가 좋았어도, 동일한 이론을 검증하고 있다고 주장하던 과학자들도 빈번히 그 이론으로부터 동일한 상황에 관한 서로 다른 가설을 도출해 낸다. 이러한 불행한 상황은 수학을 통해서 이론들이 좀더 형식화되고 수량화되어 있는 물리학보다는, 많은 이론들이 막연한 언어로 진술되어 있는 심리학에서 더 흔하게 볼 수 있다. 비록 심리학자들이 수학이나 컴퓨터 모사 같은 형식 기제를 이용해서 좀더 정밀하게 자신들의 이론을 서술할 수 있도록 빠르게 준비해서 갖추고 있지만, 전형적인 심리학 이론들은 아직도 다른 과학의 이론들처럼 정밀하지 못하다.

Latané가 사회적 태만을 설명하기 위해서 고안한 이론이 조직화와 예측과 관련해서 어떻게 비교될 수 있는지를 살펴보도록 하자. 책임감의 분산이론은 사회적 태만에 관한 상당한 양의 자료를 조직화한다. 더 중요한 것은 그 이론이 상당히 다양한 종류의 다른 관찰들도 설명하는 것처럼 보인다는 것이다. 예를 들면, Latané(1981)는 식당에 놓고 나오는 팁 액수가 그 날 저녁 식사에 참여했던 사람의 수와 역관계가 있다는 것을 시사한 바 있다. 유사하게, 사람들은 큰 교회에서보다 작은 교회 안에서 더 선교 활동에 몰입하게 된다. 마지막으로, Latané와 Darley(1970)의 연구에 의하면 위기 상황에서 도와주려는 사람들의 의도 수준이 그 당시 주위에 있는 다른 방관자들의 수와 역관계가 있다는 것이다. 결과들의 전체적인 유형은 책임감의 분산이란 개념 하에 부분 요약될 수 있는데, 책임감의 분산은 사람들이 혼자 있을 때보다 집단 속에 있을 때 자신의 행위에 대한 책임감을 덜 느끼게 된다고 강력히 시사한다. 그러므로 집단 내에 있는 사람은 위기 때에 도와주려 하지 않기 쉽고, 많은 팁을 놓고 나오지 않기 쉬운 경향성을 보인다. Latané의 이론은 또한 타인의 존재가 한 개인의 행동에 미치는 영향에 관한 좀 더 정밀한 예언을 하게 한다. 실제로 이 이론에는 수학 공식으로 중요한 가정들을 제시하는 형태도 있다(Latané, 1981).

이론들은 개념들과 사실들을 잘 짜인 형태로 조직화하고 차후의 연구 결과들을 예측하도록 고안된다. 때때로 이론의 두 가지 기능—조직화와 예측—은 각각 기술(記述)과 설명이라고 부른다. 불행히도 이런 방식으로 이론의 역할을 공식화하는 것은, 우리가 이미 쓸데없는 것이라고 기각시켜 버린 논의인, 과학에 대하여 귀납적 접근이 우월한가 아니면 연역적 접근이 우월한가에 대한 논쟁으로 자주 이끌기도 한다. 연역주의 과학자에 의하면, 귀납주의 과학자는 오로지 기술(記述)에만 관심이 있다고 한다. 귀납주의 과학자는 여기에 대해서 기술하는 것이 곧 설명하는 것이라고 응수한다. 만일 어떤 심리학자가 적합하게 조직화된 결과들의 세트를 참조해서 모든 행동을 정확하게 예측하고 통제할 수 있다면, 그 심리학자는 행동도 설명하려 할 것이다. 이 논쟁은 두 가지 관점이 다 옳기 때문에 불필요한 일이다. 만일 모든 필요한 자료가 적합하게 조직화되어 있다면, 이론적 서술의 형식에 의존하지 않고도 예측이 가능하다. 아직까지는 모든 자료가 적합하게 조직화되어 있지 않고, 결코 조직화되지 않을 것이기 때문에, 이론들은 알고 있는 것과 모르고 있는 것 사이의 틈을 메울 필요가 있다. 그러나 모든 자료가 결코 채워지지 않기 때문에 이론적 설명은 일시적이라는 것을 기억해야 한다. 그러므로 우리는 귀납적 접근법과 연역적 접근법 중 어느 것이 빠르고 확실하게 진리에 도달시켜 주는가에 대한 논쟁으로 바꿔야 한다. 궁극적으로, 기술과 설명은 동등한 것일지 모른다. 이 두 가지 용어는 최종적인 이론적 성과보다는 선택된 경로를 기술하고 있다. 이 함정을 피하기 위해 우리는 이론의 두 가지 기능을 기술과 설명이라고 지칭하기보다는 조직화와 예측이라고 한다.

개념 요약

이론은

- 자료를 조직화하고
- 새로운 연구를 예측한다.

매개변인

이론들에는 종종 매개변인같이 여러 변인들의 효과를 요약하는 구성개념이 사용된다. 변인들에 관해서는 나중 장에서 더 지면을 할애하여 논의할 것이다. 제1장에서 우리가 독립변인과 종속변인에 대하여 논의한 것을 상기해 보자. 독립변인은 실험자가 조작하는 것이다. 예를 들면, 쥐가 수시간 동안 물을 먹지 못하게 하면 결핍시간이라 불리는 독립변인이 만들어진다. 종속변인은 실험자가 관찰하는 것이다. 예를 들면, 쥐가 얼마나 물을 많이 마시는가를 관찰할 수 있다.

과학은 독립변인과 종속변인을 연관시켜서 세계에 관해 설명하고자 노력한다. **매개변인**(intervening variables)은 독립변인에 종속변인을 연계시키는 추상적 개념이다. 중력이란 개념은 이런 목적에 부합하는 친숙한 구성개념이다. 이것은 한 물체가 얼마나 높은 곳에서 떨어지는가 하는 독립변인과, 그 물체가 지상에 닿을 때의 속도라는 종속변인을 연관시켜 줄 수 있다. 중력은 또한 모든 형태의 물체에 대하여 속도에 대한 높이의 효과를 요약해 준다. 중력은 사과가 떨어지는 것과 야구공이 떨어지는 것을 설명해 준다. 중력과 같은 단일의 구성개념이 아주 다른 환경에서의 결과를 설명해 줄 때 과학은 진보한다. 개념들을 독립변인과 종속변인과 연결시킴으로써 과학자들은 자신들의 이론을 경험적이고 검증 가능하게 만들려고 한다. 책임감의 분산은 한편으로는 집단의 크기를, 다른 한편으로는 작업 노력과 같은 개인행동을 연결시키는 매개변인이다. 만일 책임감의 분산이 측정될 수도, 만들 수도 없다면, 그것은 소용없는 이론적 개념이 되어 버린다. 책임감의 분산과 관련하여 검증 가능한 예측은 그것이 변화될 수 있고(독립변인으로 묶여짐), 그리고 관찰할 수 있을(종속변인으로 묶여짐) 때에만 비로소 가능한 것이다. 이번 장의 '심리학 해보기'에서 검증 가능한 개념들의 중요성을 고려할 것이다.

운전자 작업부하

여러분이 I-5 고속도로(옮긴이 주: 미국 서부의 워싱턴 주와 오리건 주, 캘리포니아 주를 연결하는 고속도로)를 따라 평화롭게 운전하면서 주변 풍경을 즐기는데 갑자기 커다란 트랙터-트레일러를 매단 트럭이 당신 옆을 지나갔다. 그 트럭은 세 개의 큰 트레일러를 달고 가는데, 끝이 없어 보인다. 더욱이 비록 당신이 달리고 있는 차선을 실제로 침범하고 있지는 않지만, 맨 마지막의 트레일러가 길의 좌우로 흔들흔들하면서 가고 있다. 당신은 그렇게 큰 트럭이 안전할까 의아해한다. 트럭 운전자는 진짜로 자신의 괴물 같은 트럭을 잘 통제할 수 있을까? 그렇게 큰 트럭은 승용차와 동일한 고속도로를 달리지 못하게 하는 법규가 있어야만 하지 않을까?

실험심리학이 이러한 질문에 과학적인 답변을 제공하는 데 도움을 줄 수 있다. 조작자 작업부하는 지속적인 작업을 수행하는 개인의 능력에 대한 실용적인 질문을 던질 때 매우 유용한 매개변인이 된다(Kantowitz & Casper, 1988). **작업부하**(workload)는 인간 조작자의 능력과 작업환경에서의 요구를 연결시킨다. 작업부하가 매우 높다면 작업은 안전하지 않을 수도 있다.

그림 2.3은 독립변인인 도로 기하학과 종속변인인 회전속도계(tachometer)에 대한 반응시간을 연결시켜 주는 직접 방법과 간접 방법을 보여준다. 실험실 트럭 시뮬레이터 장치를 사용한 연구(Kantowitz, 1994)에서 전문 트럭 운전자에게 엔진의 회전속도계를 읽도록 요구했을 때, 반응시간은 도로의 기하학(곡선반경)과 교통량에 따라 영향을 받았다는 것이 밝혀졌다. 급한 곡선 도로와 교통량이 아주 많을 때는 회전속도계를 읽는 데 시간이 오래 걸렸다. 직접적 관계는 오직 하나의 화살표로 도로 기하학과 회전속도계를 연결시킨다. 실험의 결과는 도로 곡선반경과 반응시간에 관한 수학적 공식을 구성하는 데 이용될 수도 있

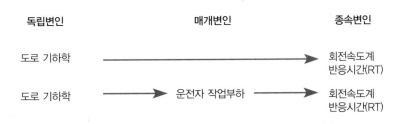

그림 2.3 한 세트의 변인들

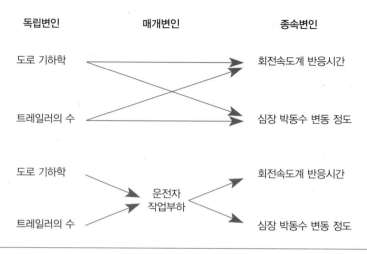

그림 2.4 두 세트의 변인들

다. 간접적 방법에는 두 개의 화살표를 사용한다. 첫 번째 화살표는 고속도로의 곡선 정도와 매개변인인 운전자 작업부하를 연결시키고 있다. 곡선 정도가 증가할 때 운전자 작업부하도 증가한다. 두 번째 화살표는 운전자 작업부하인 매개변인과 회전속도계 (읽기) 반응시간을 연결시킨다. 작업부하가 증가할 때 반응시간도 증가한다. 간접적 방법이 화살표를 더 요구하는 등 좀 더 복잡하기 때문에, 여러분은 과학자들이 설명할 때 아마도 직접적 방법을 선호하지 않을까 예상할지도 모른다. 실제로 유일한 과학적 목표가 도로의 곡선반경과 회전속도계 (읽기) 반응시간을 연계시키는 것이라면, 과학은 복잡한 설명보다는 간단한 설명을 선호하기 때문에 여러분의 예상이 옳을 수도 있다. 그러나 우리가 설명하려는 바와 같이 과학적 목표는 좀 더 일반적인 데 있다.

그림 2.4에는 도로 기하학과 매달아 놓은 트레일러 수라는 두 개의 독립변인을 회전속도계 (읽기) 반응시간과 심장 박동수의 변동 정도라는 두 개의 종속변인에 연계시키고 있다. 작업부하가 증가할수록 심장 박동수의 변동 정도는 줄어든다(Kantowitz & Casper, 1988). 또 다시 직접적 설명과 간접적 설명 둘 다를 소개하고 있다. 그림 2.4에서는 직접적 설명이나 간접적 설명 모두 똑같이 복잡하다. 각각 네 개의 화살표를 필요로 한다.

그림 2.5는 네 개의 독립변인과 네 개의 종속변인을 연계시키고 있다. 연결 수레의 유형이 독립변인이다. 미국에서 대부분의 트럭은 트레일러를 연결할 때 A(옮긴이 주: A형 수레는 차량 사이의 연결봉이 하나임. C형 수레는 차량 사이의 연결봉 두 개가 나란히 있음) 유형의 수레를 사용한다. 그러나 캐나다에서는 종종 고가의 수레인 C 유형을 사용하는데 이것이 좀 더 나은 통제력을 제공한다고 믿기 때문이다. 이 연구의 또 다른 목표는 이 두 가지 유형의

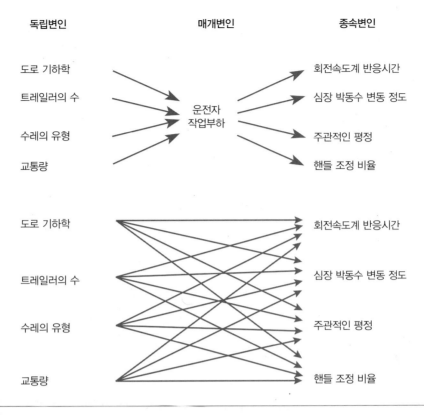

그림 2.5 세 세트의 변인들

수레의 효과와 운전자 작업부하에 미치는 교통량 수준, 그리고 운전자 행동을 비교하는 것이다. 주관적 평정이 작업부하를 측정하는 종속변인이 된다(Kantowitz & Casper, 1988). 자동차 핸들을 조종하는 비율은 자동차 핸들에 대한 운전자 통제운동을 가리키는 종속변인이다. 또 다시 직접적 설명과 간접적 설명, 두 가지가 소개되어 있다. 이제 간접적 방법이 덜 복잡하다는 것이 명백해졌다. 이것은 8개의 화살표를 필요로 하는 데 비해서 직접적 방식은 16개의 화살표를 필요로 하고 있다. 따라서 과학이 더 많은 독립변인과 종속변인을 연계시키려고 노력한다면 매개변인을 사용하는 것이 더 효율적이다.

　　매개변인들은 또 다른 이점을 지니고 있다. 산출된 방식이 어떠하든지 간에 작업부하는 모든 종속변인에 같은 효과를 가지고 있어야 한다. 이것은 실험에서 검증될 수 있다. 만일 사실이 아니라면, 우리는 단일 매개변인이라는 생각을 바꾸어야 한다. 이것은 나중 장에서 수렴 조작이란 주제로 논의될 것이다.

이론의 평가

세련된 과학자는 특정한 이론의 참-거짓을 절대적인 의미에서 결정하려 하지 않는다. 이론을 평가하는 데 흑백논리의 접근법은 존재하지 않는다. 특정 이론은 어떤 부분에서 옳지 않다고 알려져 있을지도 모르나 여전히 계속 사용된다. 현대 물리학에서 빛은 선택된 이론에 따라 양자라 불리는 입자로 또는 연속적인 파장으로 나타내진다. 논리적으로, 빛은 동시에 두 가지가 될 수는 없다. 그러므로 여러분은 적어도 이 두 이론적 견해 중의 한 가지는 필연적으로 거짓이라고 생각할지도 모른다. 물리학자는 이러한 애매함을 포용하고 있으며 (비록 즐겁게 그러지는 않지만), 양자 또는 파장 중 더 적합한 표상을 사용한다. 과학자는 한 이론이 진리라고 단호하게 말하기보다는, 그 이론은 상당한 정도로 자료가 지지하고 있으며, 그러므로 새로운 자료가 그 이론을 지지하지 않을 수도 있을 가능성에 대해서도 개방적이라고 말하려고 한다. 비록 과학자들이 한 이론이 진리라고 말하지 않는다 하더라도, 그들은 자주 여러 이론들 가운데 어떤 것이 더 나은지에 관해서 결정을 내려야만 하는 경우가 있다. 전술한 바와 같이, 설명이란 것은 잠정적이다. 하지만 그럼에도 불구하고 과학자들은 여전히 현재 어떤 이론이 최선인지를 결정해야 할 필요가 있다. 그렇게 하기 위해서는 이론을 평가하기 위한 명시된 기준들이 있어야 한다. 그러한 기준은 세 가지가 있는데, **절약성**(parsimony), **정밀성**(precision), **검증가능성**(testability)이 바로 그것이다.

이전에 넌지시 알린 바 있는 한 가지 기준은 우리가 이론에서 사용하는 서술문이 적을수록 더 좋은 이론이라는 것이다. 이 기준은 절약성 또는 William Occam의 이름을 따서 Occam의 면도날이라 불린다. 어떤 이론이 설명하려고 하는 모든 결과들에 대한 별도의 서술문이 필요하다면, 명백하게도 이론이 제공하는 경제성이란 것은 없다. 이론이란 아주 적은 설명개념으로 많은 결과들을 설명할 수 있을 때 힘을 갖게 된다. 그러므로 두 이론이 같은 수의 개념을 갖고 있다면, 더 많은 결과를 설명할 수 있는 것이 더 나은 이론이다. 만일 두 이론이 같은 수의 결과를 설명할 수 있다면, 더 적은 설명개념을 가진 이론이 선호된다. 여기에서 이론과 매개변인 간의 관계를 볼 수 있다. 책임감의 분산과 작업부하와 같은 구성개념들은 여러 독립변인과 종속변인들을 묶어주는 매개변인들이다. 책임감의 분산이란 이론적인 개념에는 절약성이 있는데, 왜냐하면 우리가 이전 논의에서 본 바와 같이 상당한 양의 자료를 설명하기 때문이다.

정밀성은 특히 심리학에서 또 다른 중요한 기준인데, 심리학에서는 자주 정밀성의 부족이 발견된다. 수학 공식이나 컴퓨터 프로그램을 포함한 이론들은 일반적으로 더 정밀하고, 그러므로 대강의 언어적 서술문만 있는 이론보다는(물론 다른 것들이 동등할 때) 더 좋다. 다른 조사자들도 그 예측들에 관해서 동의할 만큼 어떤 이론이 충분히 정밀하지 않다면, 그 이론은 어떤 의도와 목표에도 소용없게 된다.

검증가능성은 정밀성보다 더 중요한 것이며 좋은 이론의 가장 중요한 측면인데, 이것은 우리가 이전 장과 이번 장을 통해서 강조한 바 있다. 한 이론은 아주 정밀할 수 있으나 아직은 검증되지 못할 수 있다. 예를 들면, Einstein이 질량과 에너지의 동등성($E = mc^2$)을 제안했을 때, 당시의 핵 기술력으로는 이 관계를 직접적으로 검증할 수는 없었다. 과학자들은 검증가능성이란 기준에 아주 높은 가치를 두고 있는데, 왜냐하면 검증될 수 없는 이론은 결코 반증될 수도 없기 때문이다. 애초에 여러분은 이것이 아주 좋은 특성이라고 생각할지도 모르는데, 그러한 이론이 틀린다고 보여주는 것이 불가능하기 때문이다. 과학자들은 정반대의 견해를 갖는데, 이는 우리가 반증가능성의 논의에서 언급한 바와 같다. 예를 들면, 초감각지각을 고려해 보자. ESP(초감각지각)를 믿는 일부 사람들은 그것을 믿지 않는 사람들이 나쁜 부정적인 전파를 내어서 ESP를 방해하기 때문에, 이들의 존재는 ESP를 가진 사람이 능력 발휘하는 것을 방해한다고 주장한다. 이것은 ESP란 평가될 수 없음을 의미하는 것인데, 왜냐하면 그것이 나타날 때는 오직 믿는 사람만 있어야 하기 때문이다. 과학자들은 이 같은 논리에 대하여 미덥지 않은 입장을 취하고 있고, 그리고 대부분의 과학자들, 특히 심리학자들이 ESP에 대하여 회의적이다. 어떤 이론에 대한 믿음은 그것을 기각할 수 있는 검증들을 통과할 때마다 증가한다. 왜냐하면 어떤 후속 검증이 결점을 찾아낼 가능성도 있기 때문에 결코 한 이론에 대한 신념이 절대적이어서는 안 된다. 한 이론이 논리적으로 검증될 수 없다면, 그것은 평가될 수도 없으며, 따라서 그것은 과학자에게는 소용없는 것이 된다. 만일 한 이론이 논리적으로 가능하지만 과학기술적으로는 아직 실행할 수 없을 때는, Einstein의 이론의 경우에서와 같이, 그 이론에 대한 평가는 유예된다.

이론들의 비교

어떤 이론이 그 자체로도 평가될 수 있다고 하더라도 여러 경쟁이론들을 동시에 비교하는 것이 선호된다(Capaldi & Proctor, 2008). 과학에 대한 이러한 견해는 확인되지 않은 이론이라고 할지라도 더 나은 대안이 없는 경우에는 유지될 수도 있다는 입장이다. 뿐만 아니라 확인된 이론 모두가 동등한 것은 아니다. 어떤 이론이 살아남기 위해서 보통은 경험적인 확인이 필요하지만, 반면에 더 나은 대안이 가용할 수도 있다. 경험적으로 확인이 되었다고 해서 어떤 특정 이론이 최선의 이론이라고 보장받은 것은 아니다.

어떻게 우리는 이론 A가 이론 B보다 낫다고 말할 수 있는가? 먼저, 이전 부분에서 논의한 절약성, 정확성, 검증가능성의 기준에 따라 둘을 비교할 수 있다. 만일 이론 A가 모든 기준에서 최고 순위를 기록했다면, 이론 B보다 우월하다. 그러나 만일 한 이론이 몇 개의 기준에서 우위에 있고, 다른 이론은 다른 기준에서 우월하다면 어떻게 할 것인가? 이렇게 어떤 이론이 최고가 된 것은 다른 과학자들이 각 기준에 상이한 가중치를 두었기 때문이라며, 이에 동의하지 않는 과학자들이 있게 되는 문제가 있다.

이런 진퇴양난의 상황에 대한 해결책을 Kantowitz와 Nathan-Roberts(2009)가 제안하였는데, 이들은 **만족스런 이론**(satisfactory theory)의 개념을 발전시켰다. 그들은 통제와 전개의 설계를 향상시키는 데 응용 연구자들이 어떻게 이론을 사용하는지에 흥미가 있었다. 그들의 새로운 해결책은 모든 기준 또는 대부분의 기준에서 역을 넘는 통제-전개 호환성이 있는 이론을 수용하는 것이다. 예를 들면, 1000분의 1초(msec)로 반응시간을 예측할 수 있는 이론은 만일 통제-전개 시스템에서 설계 역이 100 msec라면 50 msec 내로 반응시간을 예측할 수 있는 이론보다 더 받아들일 수 있지는 않다. 심리과학에 대한 이러한 견해에 따르면 인간 행동이 겨우 소수점 한 자리로 정확성이 한정된 경우, 소수점 다섯 자리 내에서 예측하는 이론으로 정교하게 개선해서 얻는 것이 매우 적다고 본다.

우선 이러한 접근은 거의 어떠한 이론도 그럴 것이라고 함의하고 있다. 그러나 Kantowitz와 Nathan-Roberts는 이론의 사용성(usability)이란 두 번째 개념을 도입하였는데, 이를 이용하면 응용 연구자는 수용 가능한 이론의 집합에서 많은 이론을 제거할 수 있다. 사용성이란 얼마나 쉽게 현장 전문가가 실제 시스템 설계에 특정 이론이 내놓은 예측을 적용할 수 있는가를 지칭한다. 어떤 사람이 특정한 설계 요구에 심리학적 이론을 적용하려 할 때 일단의 애매함이 존재해도 이는 특이한 일이 아니다. 사용 가능한 이론은 그런 애매함을 최소로 한다. 그러므로 만족스러운 이론은 반드시 (1) 이론적으로 옳아야 하며(여러 기준에서 일정 수준/역 이상), 그리고 (2) 사용 가능해야 한다(현장 전문가가 배열 X가 배열 Y보다 낮다는 예측을 가능하게 해준다).

개념 요약

좋은 이론은

• 절약성을 지니고
• 정밀하고
• 검증 가능하고
• 만족스러워야 한다.

↘ 심리학이란 과학

일부 학생들은 물리학과 화학이 과학인 것과 같은 의미로 심리학을 과학이라고 간주하기 힘들다고 한다. 그들은 과학적 분석을 허용하지 않는 예술, 문학, 종교 같은 인간 경험의 측면들이 있다고 믿는다. 어떻게 Klee의 석판화, Beethoven의 소나타, Cartier-Bresson의 사진이 무덤덤한 과학적 공식으로 환원될 수 있겠는가? 어떻게 첫 사랑의 달콤한 느낌이, 시속 160.9km의 속도로 스포츠카를 모는 그 짜릿한 느낌이, 축구경기에서 져버린 팀의 선수들이 느끼는 그 고통이 과학에서 요구하는 객관적이고 흥미를 배제한 방식으로 포착될 수 있겠는가?

인본주의자로 알려진 일부 심리학자들은 이러한 질문들에 대해서 (당연히) 그럴 수 없다고 답변할 것이다. 대부분이 임상, 상담심리학자인 인본주의 학자들은 인간의 감정과 경험을 전통적인 과학적 방법으로, 객관적으로 평가하고 검증하는 것이 불가능하다고 주장한다. 아주 저돌적이고, '강철 같은' 실험심리학자들조차 과학의 영역이 제한되어 있음에 동의한다. 우리가 과학의 방법으로 신의 존재를 입증할 수도 반박할 수도 없다는 것은 신학의 논리로 중력을 검증할 수 없다는 것, 그 이상도 그 이하도 아니다. 과학은 가설을 검증할 수 있을 때만 작용한다(제1장을 보라). 이것은 지식이 과학이 다루길 두려워하는 곳, 즉 비과학적인 방법으로는 얻어질 수 없음을 의미하는 것은 아니다. 아직은 광범위한 과학적 분석의 혜택이 윤리, 도덕, 법 등 다 열거할 수 없이 많은 중요한 인간 노력의 영역까지 미치지 못한다.

그러나 대부분의 과학자들은 과학적 분석이 궁극적으로 그렇게 많은 영역에까지 유용하게 적용될 수 있을 것이라고 믿는다. 현대 심리학의 대부분이 한때는 철학의 소유물이라고 간주된 적도 있었다. 심리학 기법들이 향상됨에 따라 인간의 전문적 지식과 행동의 이런 측면들이 과학의 영역 내로 이동해 왔다. 그리고 대부분의 심리학자가 사실상 인간 경험의 모든 측면을 심리학이라는 과학이 정당하게 다룰 수 있으리라 믿는다. 만일 검증 가능한 가설이 만들어지면, 과학적 심리학이 사용될 수 있다. 한 미국 상원의원이 낭만적 사랑에 대한 연구(Elmes, 1988)를 지원한 국립과학재단(NSF)을 비난했을 때처럼, 심리학에서의 과학적 진보를 비웃는다고 해서 심리학 지식을 확장시켜 나아가는 노력을 멈추게 하지는 못할 것이다. 비록 그러한 지식을 적절하고 윤리적으로 사용하는지에 대한 염려가 타당하고 중요하더라도, 무시한다고 해결이 되지는 않는다.

실험심리학의 모델로서 견고한 과학

심리학자들은 물리학과 화학이 심리학의 모델이라고 생각하는 정도에 따라서 그들을 연속선 상에 배열할 수 있다. '강경파(hard-shelled)' 심리학자들은 이런 역사 깊은 과학이 완벽한 모델이라고 생각하는 반면, '온건파(soft-shelled)' 심리학자들은 사회과학은 다른 모델을 찾아야 한다고 믿는다. 우리는 생업이 실험심리학자이기 때문에, 그리고 이 책은 실험심리학 교재로 주로 쓰이기 때문에, 연속선 상에서 보면 우리는 강경파의 예를 더 많이 드는 경향이 있다.

모든 과학은 자료와 이론이 있다. 서로 다른 과학들을 구별해 주는 것은, 그리고 심리학 같은 한 과학 내에서 세부 분야를 구별해 주는 것은 사용된 서로 다른 기법들이다. 천문학자가 Skinner 상자를 필요로 하지 않음은 동물 학습 심리학자가 망원경을 필요로 하지 않음과 똑같다. 실용과학에서도 마찬가지이다. 학습이론가의 기억 통(memory drum)은 사회심리학자의 '공격성 기계(aggression machine)'보다도 본질적으로 우월하지 않다. 비록 가능성을 향상시켜 주긴 했어도, 정보처리 심리학자가 마이크로컴퓨터를 쓴다고 해서 더 나은 과학이 보장되지는 않는다. 이 책의 대부분이 오늘날 심리학 연구에 필요한 기법들을 설명하는 데 할애되고 있다. 비록 비타협적인 심리학자들이 좀 더 세련된 기법을 가지고 있다고는 하더라도 이는 부분적으로 세련된 분석을 받을 수 있는 문제들을 선택하였기 때문이다. 심리학이 더욱 더 인간의 경험과 행동에 대하여 과학적 분석을 하기 때문에 최초의 기법들이 조잡함은 당연하다. 과거의 한때에는 이것이 강경파 심리학이었을 것이다. 강경파 입장을 취한다 하더라도 개방된 마음자세를 버려서는 안 된다.

심리학과 실세계

일반적으로 과학자들, 그리고 특히 심리학자들은 자신들의 분야를 계속하는 많은 이유들을 가지고 있다. 우리가 생각하기에는 차라리 심리학 연구가 인류에 봉사한다고 증명하는 것이 쉬울 것 같다(제1장의 응용 부문을 보라). 우리는 연구 심리학자라는 직업이 인류에게 봉사한다는 것이 유일한 또는 가장 중요한 정당화가 아니라고 강조하고 싶다. 많은 과학자들이 어떤 문제들을 단순히 그것이 흥미롭기 때문에 조사한다. 우리는 순전히 연구자 자신의 호기심 때문에 게르빌루스 쥐를 연구한다는 동료들의 이야기에 완전히 공감한다. 어떤 연구들은 동물을 대상으로 수행되는데, 장기간에 걸친 높은 밀집상태, 처벌, 약물 등의 경우에서처럼 그 연구들이 인간을 대상으로 하기에는 비윤리적이거나 실현 불가능하기 때문이다. 그러나 동물의 행동 그 자체 또한 흥미롭다는 것도 사실이다.

제1장에서 언급한 바와 같이, 연구를 위한 아이디어는 이론적인 예언과 실용적인 문제 둘 다로부터 나오며, 과학 연구는 자주 기초와 응용의 두 가지 범주로 나뉘어져 있다. **응용 연구**(applied research)는 특정한 문제―예를 들면, 오줌싸개의 치료―에 목표를 두고 있는 반면, **기초 연구**(basic research)는 당장의 실제적인 목표는 없다. 기초 연구는 응용연구가 사용할 자료의 보고, 이론적 설명, 그리고 개념들을 확립한다. 응용연구자가 부득이 기초연구자가 되지 않는다면, 이러한 자원 없이는 응용연구는 즉시로 고갈되고 멈춰 버린다. 기초 연구에 의해 개발된 개념이 사회에서 유용하게 응용될 곳을 찾는 데 상당한 시간이 필요하다. Adams(1972)는 기초 연구의 영향이 발견되는 5개의 사회적으로 중요한 결과들을 추적하였다. 비록 기초 연구가 중요한 사상의 70%나 설명하지만 이러한 사상이 궁극적으로 상품에 이용되기까지는 20 내지 30년이 걸린다. 이렇게 긴 시간적 지연으로 말미암아 기초 연구의 핵심적인 역할이 불분명해지기 때문에 많은 사람들이 기초 연구는 사회에 무조건 유용하지 않다고 그릇되게 믿어버린다. 종종 오늘날 행해진 어떤 기초 연구가 30년 후에 영향을 발휘할지를 언급한다는 것은 힘든 일이다. 그러나 이렇게 예측할 수 없다고 해서 기초 연구를 멈춰서는 안 된다(Elmes, 1988).

비록 지식에 대한 과학적 탐구(quest)가 유일한 목적이라고 하더라도, 사회적 태만에 대해서 행해졌던 다양한 종류의 연구에서 예시된 바와 같이 자주 기초와 응용에 대한 관심이 언젠가는 흥미 있는 방식으로 서로 엮이게 된다. Ringelmann이 실험실에서 했던 사회적 태만에 대한 초기의 관찰은 작업 현장에서도 증명되었다(Marriot, 1949). Latané와 동료들은 집단 생산성을 높이기 위한 잠재적으로 유용한 방식을 한 가지 제안했는데, 개인 수행

평가를 하면 사회적 태만이 줄어든다는 것을 발견하였다.

연구를 기초와 응용의 범주로 나누는 것은 흔한 일이지만, 좀 더 중요한 구분은 좋은 연구와 나쁜 연구를 구분하는 일이다. 이 책에 수록된 원칙과 실제는 기초와 응용 연구에 똑같이 적용된다. 여러분은 학생으로서, 전문 심리학자로서, 또는 일간지를 읽는 교육받은 사람으로서, 여러분이 부딪히게 되는 모든 심리학 연구를 평가하는 데 원칙과 실제를 사용해야만 한다.

실험이란 실생활과 동떨어진 것인가?

심리학 전공자들은 전형적으로 자신들이 듣는 심리학 과목에 다른 과학에서 기대하는 것보다도 더 높은 수준의 연관성을 요구한다. 물리학개론 과목이 자동차 수리에 전혀 도움이 되지 않는 데 전혀 당황하지 않던 학생들이 심리학개론 과목이 자신들의 동기에 대한 더 나은 통찰을 얻게 해주지 못한다든가, 신경증을 치료해 주지 못한다든가, 어떻게 영원한 행복을 얻을 수 있는지에 대한 방법을 가르쳐 주지 않는다는 사실에 자주 혼란스러워 한다. 만일 여러분이 그러한 정보들을 심리학개론에서 찾지 못했다면, 이 책에서도 그런 정보를 얻을 수 있을지 의심스럽다. 이 말이 정직하지 않아 보이면, 계속 읽어나가라.

심리학자들이 수집한 자료들은 애초에는 중요하지 않게 보이는데, 긴급한 사회적 또는 개인적인 문제들과 기초 심리학 연구 사이에 즉각적인 관계를 형성하는 것이 어려울지도 모르기 때문이다. 자연히 사람들은 이 연구의 중요성에 대하여 회의하고, 중앙정부가 여러 기관들을 통해서 쥐가 막대기를 누르거나 미로를 달려가는 행동을 관찰하는 연구자에게 연구 자금을 지원하는 이유에 대해서 의아해할 것이다.

그러나 어려움은 연구 자체가 아니라, 얼마만큼 '유용한' 연구가 수행되어야 하는지에 대한 기대와 관련이 있다. Sidman(1960, p. 27)이 언급했듯이, 사람들은 실제 생활 상황과 유사한 실험실 상황을 만듦으로써 진전이 있으리라 기대한다. "동물의 정신병을 연구하기 위해서 우리는 동물이 정신병에 걸리게 하는 방법을 배워야 한다."이 말은 우리끼리 하는 말이다. 심리학자들은 내재된 과정을 만들어내는 물리적 상황보다는 내재된 **과정**을 이해하고자 노력한다. 동일한 과정들이 발생하고 있다면 실세계와 실험실에서의 물리적 상황이 꼭 같을 필요는 없다.

우리가 비행기 사고가 왜 발생하는지, 좀 더 구체적으로 말해서 비행사 그리고/또는 항공관제사의 주의 실패와 비행기 사고 사이에 어떤 관련성이 있는지를 알고 싶어 한다고 가정하자. 기초 연구자는 빠르게 연속적으로 켜지는 여러 개의 불빛 앞에 (전공을 갓 택한) 대학 2학년생을 앉혀 놓고 이 문제를 접근해 나갈 것이다. 이 2학년생은 각 불빛이 켜지면 단추를 눌러야만 한다. 이것은 실제 비행기의 공중폭발에서 무언가 빠진 것처럼 보인다. 그러나 물리적 상황이 아주 다르다고 하더라도, 그 과정들은 비슷하다. 단추 누르기는 주의의 지표가 된다. 심리학자들은 인간 조작자(operator)들에게 그들이 반응할 수 있는 것보다도 더 빠르게 불빛을 제시해서 과부하를 제공할 수 있다. 그러므로 이 실험실에서의 간단한 물리적 상황으로 심리학자들은 조심스럽게 통제된 환경 속에서 주의의 실패를 연구할 수 있다. 비행기 충돌사고를 일으키지 않고도 주의를 연구할 수 있다는 명백한 안전성 혜택 외에도 실험실 상황이 많은 과학적 이점이 있다는 것을 나중 장에서 보여줄 것이다. 많은 종류의 공장 사고에 책임이 주의의 실패에 있기 때문에(항공 사례는 Tsang & Vidulich, 2003을 보라), 불빛과 단추를 사용한 주의연구는 실험실 밖에서의 개선을 도모할 수 있다.

같은 경우로, 유사한 물리적 상황이 그 과정들의 유사성을 보장해 주지 않는다. 어떤 사람은 쥐가 입으로 동전들을 집어서 우리 속에 묻도록 아주 쉽게 훈련시킬 수 있다. 그러나 이것이 '욕심 많은' 쥐의 행동과 침대 밑에 동전을 묻어둔 욕심 많은 사람의 행동은 동일한 심리적 과정이 행동을 조종하기 때문이라는 것을 반드시 의미하는 것은 아니다.

여러분은 연구를 하는 두 가지 중요한 이유를 자각하고 있어야 하는데, 그 목적이 (적어도 처음에는) 실질적인 일들과 직접적으로 연관되지 않을 수도 있다는 것이다(Mook, 1983). 기초 연구가 이해를 도울 수 있는 한 가지 이유는 그것이 무엇이 일어날 수 있는가를 종종 예시해 준다는 것이다. 그러므로 통제된 상황에서 사회적 태만이 일어날 것인가를 결정할 수 있다. 더 나아가 작업장보다 실험실에서 사회적 태만의 특징들을 더 명백하게 알아볼 기회가 풍부한데, 작업장에서는 임금이라든가 직업 안정성 같은 통제되지 않는 요인들이 사회적 태만의 효과를 막아버리거나 변질시켜버리기 때문이다(제8장을 보라).

기초 연구의 가치에 대한 두 번째 이유는 통제된 실험실 상황에서 나온 발견들이 실생활 환경에서 얻어진 유사한 발견보다 더 힘을 갖는다는 것이다. 인간 조작자가 비교적 스트레스가 없는 실험실 과제에서도 부담을 겪을 수 있다는 것은 주의라는 요소가 수행에 결정적이라는 것을 시사한다. 개인은 복잡한 영공에서 대형 여객기를 운항하는 스트레스 상황 하에서 과중한 부담을 느낄 가능성이 더 있다는 것이다. 만일 연구자가 이론적 예측을 검증하거나 실험실 결과를 응용 상황에 적용시키기를 원한다면, 실생활 검증이 필요하다(Kantowitz, 1992a). 기초 연구를 실제적 상황에 직접적으로 적용시키는 데 아주 강력한 제한사항이 있다(Kantowitz, 1990). 예를 들면, 작업부하에 대한 기초 지식이 아주 많음에도 불구하고, 이 지식을 실제로 도로에서 운전하는 트럭 운전자에게 적용시키기 전에, 여러 주의사항들을 관찰할 필요가 있다(Kantowitz, 1992b). 비슷하게, 사회적 태만을 줄이기 위해서 개인 수행을 평가하는 어떤 방법을 소규모 공장 상황에서 먼저 검증하지 않고서 대규모 공장 상황에 적용하는 것은 무모하다.

이 부분에 두 가지 교훈이 있다. 첫째, 기초 연구는 처음 보기보다는 종종 실생활에 더 근접해 있다. 둘째, 비록 응용연구가 이전에 수행된 기초 연구로부터 혜택을 받지만, 실제 상황에서 이러한 혜택을 얻는 것이 좀처럼 쉽지 않다. 추가적인 검증과 평가가 응용 상황에서 대개 필요하다.

개념 요약

좋은 실험실 연구는

- 심리과정을 조사한다.
- 통제된 상황에서 무엇이 일어날지를 보여준다.
- 실생활 연구보다 더 힘을 가지고 있다.

이 장에서 소개한 자료들을 한 마디로 요약한다면, 실험심리학 분야에 종사하면 고무적이고 즐길 수 있다고 이야기하는 것이다. 왜 동물과 사람이 특정한 방식대로 행동하는지 그 이유를 이해하려는 시도는 우리의 호기심을 불러일으키고 기초와 응용 문제에 대한 해결책을 찾도록 한다. 비록 귀납과 연역에 의존하는 경험적 절차가 신념을 정착시키는 다른 방식들에 비해서 이점을 제공하지만, 그 이점에는 대가가 따른다. 그 대가란 이론적 설명 틀이 항상 잠정적이라는 것인데, 왜냐하면 대안이론으로 말미암아 새로운 자료가 찾아지고, 새로운 자료는 기존 이론이 수정되어야 하는 근거를 제시하기 때문이다. 역설적으로, 그 대가를 치른 비용은 일시적으로나마 호기심 충족이라는 보상을 제공하고, 그 호기심에 대한 추가 연구와 이론을 자극시킨다. 우리 자신과 동물들에 대한 질문들에 답변하려는 시도는 흥미진진한 도전이다. 우리는 여러분이 이러한 도전에 의해 고무되길 바라고, 행동을 이해하는 데 결함이 없는 심리과학을 응용해서 만족을 얻길 바란다.

요약

1. 과학적 심리학은 왜 인간과 동물이 특정한 방식으로 행동하게 되는지 그 이유를 실명하는 데 사용된 방법과 기법에 관심이 있다. 이러한 호기심은 기초와 응용 연구에 의해서 충족될 수 있는데, 그것은 보통 이해의 제공이라는 목표를 향해 동반 진행한다.

2. 우리의 신념들은 흔히 권위의 방법, 고집의 방법, 선험적 방법을 통해 확립되었다. 과학적 방법은 이들 방법에 비해서 이점을 제공하는데, 왜냐하면 그것은 체계적이고 경험적 관찰에 의존하며 자기교정의 기능이 있기 때문이다.

3. 과학자들은 사고와 행위를 설명하는 데 귀납추리와 연역추리 둘 다 사용한다.

4. 일반화는 가설을 낳는다.

5. 한 이론은 여러 집합의 자료를 조직화하고 자료가 얻어지지 않은 새로운 상황에 대한 예언을 한다.

6. 좋은 이론은 절약적이고 정밀하며 검증 가능하다.

7. 실험실 연구는 행동을 지배하는 과정과 특정한 심리 과정이 관찰될 수 있는 상황을 보여주는 것과 관련된다.

주요개념

사회적 태만(social loafing)

책임감의 분산(diffusion of responsibility)

권위의 방법(method of authority)

고집의 방법(mehodof tenacity)

선험적 방법(a priori method)

과학적 방법(scientific method)

경험적(empirical)

자기교정(self-correcting)

자료(data)

이론(theory)

귀납(induction)

연역(deduction)

반증가능성의 견해(falsifiability view)

강 추론(strong inference)

귀추(abduction)

가설(hypothesis)

일반화(generalization)

조직화(organization)

예측(prediction)

매개변인(intervening variable)

작업부하(workload)

절약성(parsimony)

정밀성(precision)

검증가능성(testability)

만족스런 이론(satisfactory theory)

응용연구(applied research)

기초 연구(basic research)

↘ 연습문제

1. 사실로 여겨질 수 있는 서술문 다섯 개를 들어라. 논쟁거리가 되는 서술문(예를 들면, 남성 IQ가 여성 IQ보다 낮다는 식)과 확실히 옳다고 생각되는 것들을 포함시켜라. 당신 친구들에게 이들 서술문에 동의하는지를 조사해 보아라. 그리고 이론에 대한 그들 자신의 정당성을 물어라. 그들의 정당성을 이 책에서 논의된 지식을 얻는 방법 중의 하나로 범주화시켜라.

2. 과학에 대한 귀납적 접근방법과 연역적 접근방법을 비교하고 대조하라. 적어도 실험심리학 이외의 과학의 한 분야를 참조해서 당신 대답을 명확히 만들어라.

3. 강 추론의 입장에서 사회적 태만 연구를 논의하라.

4. 실험심리학자가 사회에 응용해서 얻어지는 이점이란 관점에서 자신들의 연구를 정당화시키는 것이 필요한가(나아가 더 바람직한가)?

5. [특별연습] 1983년에 한 연구자가 세 연령집단이 전쟁에 대하여 어떻게 느끼는가를 연구하였다. 한 집단은 10세 아이들, 두 번째 집단은 35세 사람들, 마지막 집단은 60세 사람들로 구성되었다. 그들의 전쟁에 대한 태도에서 특이할 만한 차이가 얻어졌다. 이 연구에 중요한 혼입변인이 있다. 그것은 무엇인가? 이 혼입변인의 효과를 각 연령집단의 태도와 관련해서 추측해 보라. (힌트: 이 질문을 세대 차이의 측면에서 생각할 수 있다.)

↘ 추천 문헌 자료

- 과학과 과학적 심리학의 본질에 관해서 정보를 더 얻고자 한다면, Kantowitz, B. H., Roediger, H. L., III, & Elmes, D. G.(2009). *Experimental psychology: Understanding psychological research*(9th ed.). Belmont, CA: Wadsworth를 보라.

- 과학적 심리학의 본질과 중요성에 대한 뛰어난 논의를 다음 문헌에서 찾을 수 있다: Broadbent, D. E.(1973). *In defense of empirical psychology.* London: Methuen; Hebb, D. O.(1974). What psychology is about. *American Psychologist, 29,* 71–79; 그리고 Sidman, M.(1960). *Tactics of scientific research.* New York: Basic Books.

- 과학 철학에 특별한 관심을 가진 사람이 있다면, 다음 두 문헌을 추천한다: Kendler, H. H.(1981). *PsychologyA science in conflict.* New York: Oxford UP; Mayr, E.(1982). *The growth of biological thought.* Cambridge, MA: Belknap Press; Slife, B. D., & Williams, R. N.(1995). *What's behind the research?* Thousand Oaks, CA: Sage; 그리고 Lipton, P.(2004). *Inference to the best explanation*(2nd ed.). London: Routledge.

↘ 웹 자료

- 이 장에서 배운 내용과 주요개념을 잘 알고 있는지 용어 설명, 플래시 카드, 그리고 통계와 연구방법 워크숍과 연계해서 확인해 보라. **www.cengagebrain.com**을 방문하라.

- 실험심리학에 대한 전 강의 과정을 **http://step.psy.cmu.edu**에서 찾을 수 있다.

매개변인들과 검증가능성

이론의 가치를 재는 한 가지 방법은 검증가능성을 파악하는 것이다. 이론들은 개념들이 조작되고 관찰될 수 있는 한 검증 가능하다. 그러므로 독립변인과 종속변인을 매개변인에 연결시키는 것이 과학적 진보의 핵심이다. 여러분은 심리학의 이론들이 매개변인들을 얼마나 잘 정의했는가를 살펴봄으로써 그 이론들을 평가할 수 있다. 만일 여러분이 Chaplin(1968, p. 356)이 쓴 것 같은 심리학 사전을 조사한다면, 여러분도 어떤 이론을 평가할 수 있다. 예를 들면, Freud는 성격을 '원초아, 자아, 초자아의 통합'이라고 정의했다. 원초아 정의의 요점은 마음 혹은 정신의 부분으로 리비도(libido)가 자리 잡고 있는 곳이다. 원초아로부터 만족을 원하는 동물적, 혼돈의 충동이 올라온다. Freud주의 식의 성격과 원초아에 대한 개념이 매개변인으로서 작용하는가? 무엇이 독립변인인가? 무엇이 종속변인인가? Freud의 아이디어에서 검증 가능한 가설들이 만들어질 수 있는가?

Dollard와 Miller(1950, p. 228), 그리고 실험을 선호하는 여러 심리학자들은 Freud의 이론들에 검증가능성이 결여되어 있다고 믿었다. 주된 이유는 대부분의 Freud식의 개념은 독립변인과 종속변인을 연결시키기 어렵다는 것이다. Dollard와 Miller는 많은 Freud의 개념들을 객관적 방식으로 연구될 수 있는 매개변인으로 만들려고 노력하였다.

다른 이론들의 과학적 가치를 평가하기 위해서 여러분은 심리학 사전에 있는 다른 개념들을 검토해 볼 수 있다(예를 들면, Corsini, 1984). 공격성과 성격은 매개변인으로 살펴볼 만한 가치 있는 두 개의 항목이다.

제 **3** 장

심리학 문헌 탐색

제1장의 맨 끝에 있었던 본보기 실험을 해본 후, Stroop 효과에 흥미가 생겼다고 가정하자. 여러분은 이 본보기 실험을 바탕으로 읽기에 관한 검증 가능한 가설을 개발했다. 단어를 읽지 않으려 하기가 어렵다고 실험을 통하여 알게 되었고, 만일 읽기 자체를 어렵게 만들면, 예를 들어, 자료를 거꾸로 인쇄를 하면 이러한 갈등은 사라질 것이라고 추론했다. 다음의 가설을 세웠다: 숫자의 개수와 그 숫자의 명칭 사이에 갈등이 있는 목록을 읽는 데 필요한 시간은 만일 숫자가 정상적이 아닌 거꾸로 제시되는 경우에 짧아질 것이다. 그러나 당신이 연구 아이디어를 생각해냈을 때 이미 다른 사람이 동일한 아이디어를 생각했었고, 당신이 마음에 둔 그 실험을 이미 해버렸을 가능성이 항상 존재한다. 이런 이유로 인하여, 여러분은 실험을 하기 전에 문헌 탐색을 해야만 한다. 문헌 탐색은 실험이 이미 수행되었는지 여부를 알게 해주고 여러분 자신이 실험을 설계하는 데 도움이 되는 어떤 묘수를 발견하게 해주기도 한다.

문헌 검색 방법

만일 여러분이 연구 아이디어를 다듬는 데 도움이 되는 문헌들에는 어떤 것들이 있는지 확실히 모르겠다면 표 3.1을 참고할 수 있다. 표에 일반적인 정보의 출처와 더불어 특별한 주제를 다루는 학술지를 열거해 놓았다. 아마도 가장 중요한 일반적인 출처는 *Psychological Abstracts*인데, 이것은 심리학 연구를 발간하는 거의 모든 학술지에 있는 논문의 초록을 담고 있다. 이 장의 뒷부분에서 초록에 관하여 더 언급하겠지만, 전형적으로 초록은 논문의 실험에 대한 짤막한(150~250단어) 요약이다. *Psychological Abstracts*에서 흥미를 끄는 초록을 발견했다면 도서관이나 인터넷(저자의 홈페이지에서 종종 원하는 논문을 찾을 수 있다)에서 전체 내용이 있는 논문을 찾을 수 있다. 표 3.1에 열거된 다른 출처들은 다양한 주제를 가지고 있다. 우리는 여러분에게 앞부분에 열거한 일곱 개의 일반 주제를 다룬 출처들과 흥미 있어 보이는 많은 다른 학술지와 친숙해지라고 권한다. 우리가 단지 소수의 연구 학술지만을 표에 포함하였지만, 열거한 것들은 심리학 연구에서 가장 광범위하게 읽혀지는 것들에 속한다. 교육학, 임상 문제, 사회학, 법학, 경영에 관련된 학술지들은 학교 도서관 곳곳에서 찾아볼 수 있다.

현재 문헌을 찾는 데 가용한 가장 강력한 방법은 아마도 **전자 문헌 검색**(computerized litera-ture search)일 것이다. 대부분의 도서관에서 다양한 주제 영역에 대한 문헌 탐색을 위해 전산화된 데이터베이스에 접근할 수 있게 되어 있다. 이들 도서관 중 많은 곳에서 **PsycINFO**라고 부르는 심리학 데이터베이스에 접근할 수 있다. *PsycINFO*는 OCLC (Online Computer Library Center) FirstSearch Service사가 미국심리학회(APA)와 협력하여 제공하는 참고문헌 서비스이다. *PsycINFO*는 심리학과 심리학 관련 분야의 학술지 2,450여 개를 색인 서비스해준다. 이 서비스는 1800년대에서 현재까지의 내용을 포함하고 있으며(매주 갱신된다), 1600년대와 1700년대로 거슬러 올라가는 역사적인 기록의 논문도 포함하고 있다. 이 시스템이 강력한 이유는 당신이 몇 개의 핵심 단어를 제공하면, 그 단어와 부합되는 논문을 전체 학술지에서 검색해준다는 것이다(좀 더 자세한 설명을 위해서는 이 장의 맨 끝에 있는 '심리학 해보기' 부분을 보라). 당신이 검색 용어(핵심 단어)를 구체적으로 입력하면, *PsycINFO*는 당신의 검색 용어와 맞는 논문의 제목을 열거하고 여러분이 (출처 정보가 있는) 논문 초록에 접근할 수 있게 해준다. 또한 *PsycINFO*는 각 논문과 (1) 그 논문을 인용한 참고문헌 목록, 그리고 (2) 데이터베이스에서 그 논문을 인용한 좀 더 새로운 논문 목

표 3.1 심리학 연구의 중요한 문헌 출처

주제 영역	학술지 제목	비고
논문 제목	*Current Contents*	여러 특정 영역
저자 인용	*Social Science Citation Index*	
논문 초록	*Biological Abstracts*	
	Ergonomics Abstracts	
	Index Medicus	
	MEDLINE/PubMed	
	Psychological Abstracts	
	PsycINFO	
	Science Citation Index	
개관 논문	*American Psychologist*	
	Annual Review of Psychology	책 한 장(章) 분량의 개관
	Current Directions in Psychological Science	간략한 개관 논문
	Perspectives on Psychological Science	
	Psychological Bulletin	
	Psychological Review	흔히 원 연구를 포함
	Psychological Science in the Public Interest	
	Psychonomic Bulletin & Review	종종 원 연구논문도 포함
경험적 논문	*American Journal of Psychology*	
	Animal Learning and Behavior	일부 현장 연구
	Behavior Therapy	
	Behavioral Neuroscience	
	Canadian Journal of Experimental Psychology	
	Child Development	
	Cognitive, Affective and Behavioral Neuroscience	
	Cognitive Psychology	
	Cognitive Science	
	Developmental Psychobiology	
	Developmental Psychology	
	Human Factors	
	Journal of Abnormal Psychology	
	Journal of Applied Behavioral Analysis	
	Journal of Applied Psychology	
	Journal of Comparative Psychology	
	Journal of Educational Psychology	
	Journal of Experimental Child Psychology	일부 현장 연구
	Journal of Experimental Psychology: Animal Behavior Processes	
	Journal of Experimental Psychology: General	
	Journal of Experimental Psychology: Human Perception & Performance	

표 3.1 심리학 연구의 중요한 문헌 출처(계속)

주제 영역	학술지 제목	비고
	Journal of Experimental Psychology: Learning, Memory, and Cognition	
	Journal of Experimental Social Psychology	
	Journal of the Experimental Analysis of Behavior	소집단 실험
	Journal of Memory and Language	
	Journal of Personality and Social Psychology	
	Learning and Motivation Memory	
	Memory & Cognition	
	Neuropsychology	
	Perception & Psychophysics	
	Psychological Science	
	Quarterly Journal of Experimental Psychology	
다양한 연구방법들	*Behavior Research Methods, Instruments, and Computers*	도구와 컴퓨터에 대한 정보
	Psychological Methods	

록과 연결을 제공해준다.

비록 *PsycINFO*와 다른 전자 검색 체계 덕분에 대단위의 학술지 논문을 빠르고 쉽게 접근할 수 있지만, 아주 단순한 검색 방법으로도 문헌 검색을 보완할 수 있으며, 이 방법으로 시작하면 즉각적으로 도움이 된다고 여러분이 알고 있는 것이 중요하다. 문헌 검색을 시작하는 가장 효과적인 방법 중의 하나는 관심 있는 주제에 대한 최근의 논문을 먼저 찾아보고 (표 3.1에 열거된 출처 중 하나를 훑어볼 수 있다), 논문에 열거된 인용 논문들을 탐색할 문헌에 대한 지침서로 사용한다. 이 방법으로 여러분은 다른 사람들이 해놓은 학술 연구의 혜택을 받아서, 거기에서부터 출발할 수 있다. 전산화된 데이터베이스는 확실히 강력하지만, 그것들이 반드시 완전하지는 않다. 데이터베이스가 많은 책의 내용들을 색인하고 있지 않을 수도 있는데, 예를 들면 30년 전에 발행된 책들의 경우에 그렇다. 더욱이 여러분이 심리학자들이 사용하는 용어들에 정통하지 않다면, 최적의 검색 용어가 아닌 것을 사용할 가능성이 있으며, 결국 잠재적으로 중요한 논문들을 빠뜨리기 쉽다. 그러므로 다른 사람들이 인용한 참고문헌들을 찾아보는 것이 문헌 검색의 보조로서 또는 첫 단계로서 여전히 유용한 방법이다.

새로운 발견을 찾아내는 데 뛰어난 방법은 **사회과학 인용 색인**(Social Science Citation Index)을 사용하는 것인데, 이것은 컴퓨터를 사용해서 검색하거나 색인을 직접 검색할 수 있다. 아주 핵심이 되는 참고문헌에 들어가서 그 참고문헌이 인용한 좀 더 최근 논문의 목록을 얻을 수 있다. 이들 논문들은 여러분이 찾는 핵심 참고문헌에 대한 논의를 포함하기 때문에 그것들은 여러분이 관심을 갖고 있는 주제를 직접 다루고 있을 가능성이 매우 높다. 이 방식을 쓰면, 여러분은 특정한 영역에서 최신의 정보를 매우 효율적으로 얻을 수 있다. 생명의학 분야에서 1,900만 개가 넘는 인용을 포함한 **PubMed**라는 훌륭한 데이터베이스가 있다.

전자 문헌 검색을 하는 또 다른 대중적인 방법은 인터넷 검색 엔진인 구글 학술(Google Scholar)을 사용하는 것인데(**http://scholar.google.com**), 심리학을 포함한 많은 학술 분야의 학술 문헌을 조사해준다.

일단 여러분이 문헌 탐색을 마치고 관심 있는 연구와 관련된 논문을 얻었다면, 다음 단계는 논문을 읽는 것이다. 처음에는 심리학 학술지 논문을 읽으려고 하는 자체가 도전이 필요한 경험이 될 수 있다. 연구자들은 다른 연구자들을 위해 논문을 쓰고, 따라서 그들은 전문용어와 간결한 문체를 사용한다. 이러한 특징들은 특정한 분야에 종사하는 학자들 사이의 의사소통을 돕는데, 왜냐하면 짧은 보고서를 읽고도 이해할 수 있기 때문이다. 그러나 이러한 작문방식은 처음 그 분야를 공부하는 학생들에게는 이해하기 어려울 수 있다. 다음에 소개되는 부분들은 실험심리학 문헌에 처음 접하는 여러분들을 준비시키는 목적으로 기획하였다.

심리학은 과학이기 때문에, 다양한 영역에 걸친 지식의 축적이 진보의 정도를 측정하게 된다. 이런 지식의 축적에 기여하는 노력의 일환으로 연구자들은 학술지 논문을 읽고 쓰는 데 상당한 시간을 소비한다. 심리학에서의 여러분의 경력이 이 수업을 듣는 것으로 끝난다 하더라도, 비판적 사고와 작문 기술이 정보화 세상에서 살아가는 데 귀중하다는 것을 발견하게 될 것이다. 연구보고서를 읽는 기술이 능숙해지도록 우리는 학술지 논문에서 가장 자주 사용되는 형식과 문체에 대하여 기술할 것이다. 그런 다음, 논문을 객관적으로 평가하는 데 능숙한 비판적인 독자가 되는 데 도움이 되는 요령들을 제공할 것이다. 약간의 연습으로 비교적 쉽게 심리학 논문들을 읽을 수 있게 될 것이다.

논문의 구성 부분

기본적으로 심리학 논문은 일곱 부분으로 구성되어 있다: (a) 제목과 저자(들), (b) 초록, (c) 도입, (d) 방법, (e) 결과, (f) 논의, 그리고 (g) 참고문헌. 각 부분들은 중요한 기능을 담당하고 있으며 논문의 필수 구성 요소이다.

제목과 저자(들)

제목(title)은 논문 내용에 대한 아이디어를 제공한다. 제목은 짧아야 하기 때문에 제목에 대한 가장 보편적인 유형은 독립변인과 종속변인만을 서술하는 것이다. 예를 들면, '부호화 전략이 냄새에 대한 재인기억에 미치는 효과' 같은 것이다. 비록 이 제목이 특별하게 흥미를 끌지는 않아도, 중요한 정보를 전달해 주고 있다. 각 논문의 제목과 저자(들)는 전형적으로 학술지의 겉 표지 안쪽, 뒤 표지, 또는 제 1면같이 눈에 띄는 자리에 있다.

여러분은 특정한 내용을 다루는 영역에 관한 지식을 획득해 나가면서 많은 연구자들과 친숙해질 것이다. 여러분은 아마도 저자를 먼저 보고 나서 제목을 볼지 모른다. 같은 **저자**(author)가 발표한 여러 논문들을 읽고 난 후, 그 저자의 관점과 다른 연구자들의 관점이 어떻게 다른지에 대한 이해가 증진될 것이다.

아무도 다 읽을 수 없을 정도로 상당히 많은 심리학 논문들이 매달 출간된다. 목차는 여러분의 관심과 연관된 논문들을 선택하게 해주는 첫 단계이다. 그러나 논문의 초록과 참고문헌을 살펴본 후에 더 좋은 결정을 내릴 수 있을 것이다.

초록

초록(abstract)은 논문의 핵심을 요약해 놓은 간략한(보통 150~250단어로 단어 수의 제한이 있다) 문단이다. APA의 출판 지침서(Publication Manual of the American Psychological Association, 2010)에 의하면, 초록은 "논문의 내용에 대한 간단하고 포괄적인 요약이다. 독자가 논문의 내용을 빠르게 개관할 수 있어야만 한다"(p. 25). 일부 학술지 논문은 너무나 짧아서 (이 장의 후반에 있는 예제 논문처럼) 초록 자체가 없는 경우도 있다; 이러한 경우에 제목이 종종 연구 발견의 요약처럼 쓰이기도 한다. 일단 초록이 있는 경우, 초록은 그 논문이 무엇에 관한 것인지를 가장 빠르게 알려주는 부분이다. 잘 기술된 학술지 초록은 조사하고자 한 문제, 문제를 살펴보기 위해 사용한 절차, 결과, 논의, 연구 결과가 가진 함의 또는 응용 등을 전달해준다. 간략하게 제시된 이러한 정보는 이 특정한 논문을 계속해서 더 읽어야 할지 여부를 바로 알려준다. 여러분이 경험이 쌓이고, 이 분야에 있는 연구저자들이 익숙해지면, 논문을 더 읽을지 아닌지의 결정을 내리기 전에 참고문헌들을 먼저 살펴보고 싶어할 것이다.

도입

도입(introduction)에는 연구하려는 문제가 상세히 서술되며, 그 문제가 왜 중요한지가 기술된다. 저자는 또한 그 주제와 관련된 연구 문헌을 개관한다. 좋은 도입 부분에는 검증될 가설 그리고 예언들이 지닌 논리가 상세히 서술된다.

방법

방법(method) 부분에서는 실험자가 수행한 조작들이 상세하게 기술된다. 이것은 보통 지면을 절약하기 위해서 작은 활자체로 인쇄된다. 그렇다고 이 부분이 빨리 건너뛰어도 될 정도로 중요하지 않은 부분이란 것을 의미하지는 않는다. 방법 부분은 다른 실험자가 그 연구를 반복검증할 수 있을 만큼 충분한 정보를 포함해야 한다.

방법 부분은 참가자, 기구 또는 재료, 절차를 포함하는 하위부분으로 나누는 것이 관례이다. **참가자**(participant) 부분(현재 발간 중인 일부 학술지에서 **피험자**(subject) 부분이라고 부른다)은 목표한 모집단에서 얼마나 많은 참가자가 있었으며, 어떻게 선발되었는지(무선으로, 아무렇게나, 조사자의 친척만 등등), 그리고 그들이 누구였는지(심리학개론을 수강하는 학생, 신문 광고를 보고 찾아온 사례비를 받은 지원자, 공급업체에서 구입한 특정한 혈통의 쥐들)를 기술하고 있다. **장치**(apparatus) 부분은 종종 관련이 없기도 하고, 항상 포함되지는 않기도 하지만, 참가자를 검사하는 데 사용된 모든 장치들에 대한 기술을 담고 있다. 이 하위부분은 컴퓨터 모델번호 또는 조건 형성에 사용된 작은 방의 크기 같은 상세한 정보를 포함하며, 질문지, 상담 기록 또는 녹화 테이프, 그리고 다른 유사한 수단들이 참가자들을 검사하는 데 사용되었을 경우에 이 부분을 **재료**(materials)라고 지칭한다. 만일 이 부분이 길면, 별도로 재료 부분을 부록으로 만들고 작은 활자체로 인쇄한다. **절차**(procedure) 부분에 참가자에게 어떤 일이 일어났는지를 설명하고, 충분한 정보를 포함시켜 다른 사람이 이 연구를 진행된 그대로 똑같이 반복할 수 있도록 한다. 만일 흔치 않은 통계 기법을 사용했다면—즉, 고급 통계 서적에서 직접적으로 찾아볼 수 없는 경우라면—부가적으로 **설계**(design) 부분을 종종 포함시킨다. 때때로 전형적인 통계 기법이라도 설계 부분에 별도로 기술되기도 한다.

결과

결과(results) 부분은 실험에서 무엇이 발생하였는지를 말해준다. 학술지 논문에서 원자료나 참가자 개개인의 점수를 보게 되는 일은 드물다. 대신에 자료들을 요약한 기술 통계치가 제시된다. 추론 통계치는 다양한 실험 조건들 사이에서 관찰된 차이가 무선이나 우연 요인에 의해 발생할 확률을 제시한다. 이러한 정보는 연구자와 독자 모두에게 독립변인(들)이 종속변인에서의 변화를 가져왔다는 것이 얼마나 신뢰성이 있는지를 결정하는 데 도움을 준다(자세한 설명과 개관은 부록 A와 부록 B에 소개되어 있다). 두 종류의 통계치는 중요하며 심리학자가 실험의 결과를 이해하는 데 도움을 준다.

자료를 요약하거나 기술하는 데 그림과 표를 사용하기도 한다. 표 3.2와 같은 전형적인 **표**(table)에서 다양한 표제 하에 여러 형태의 자료가 제시된다. 이 자료는 핸드폰 대화가 운전 능력을 간섭하는지를 파악하고자 설계된 실험에서 얻은 것이다(Strayer & Johnston, 2001). 연구자들은 핸드폰 대화는 라디오 청취보다 주의 요구가 더 크고, 운전 수행에 더 많은 정도로 혼란을 준다고 가설을 설정하였다. 모든 참가자들은 모사된 운전 과제를 마쳤다(단일 과제). 절반의 참가자는 핸드폰 대화를 하면서 운전 과제를 마쳤고, 다른 절반은 라디오 뉴스를 들으면서 과제를 마쳤다. 여러분은 자료를 보기 전에 표의 제목을 먼저 읽어야 한다(제목은 일반적으로 '표 n' 아래나 바로 옆에 따라 나오는데, 여기서 n은 표의 번호를 말한다). 표의 제목은 이 표에서 나오는 자료가 어떤 종류의 것인지를 알 수 있을 만큼 명백해야 한다.

표 3.2 간섭 과제와 과제 조건의 함수로서 놓친 신호등의 비율

과제 조건	간섭 과제	
	핸드폰	라디오
단일 과제	.03	.04
이중 과제	.07	.04

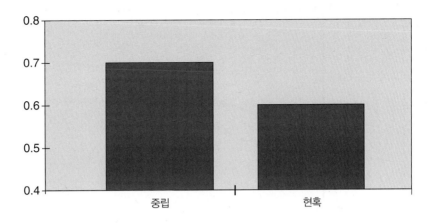

그림 3.1 질문-유형의 함수로서 단서 회상과제에 대한 정확 답변의 평균 비율. 종속변인(정확 답변)은 종축에, 독립변인(질문 유형)은 횡축에 있다. 중립 조건($M = .70$)보다 현혹 조건($M = .60$)에서 피험자들이 10% 적게 정확 답변을 했음을 주목하라(Roeberts & Schneider, 2000에서 인용된 자료임).

표 3.2의 제목에서 여러분은 라디오를 듣는 조건인지, 핸드폰 대화를 하는 조건인지, 그리고 참가자가 간섭 과제를 하고 있는지(이중 과제), 아니면 단순히 운전만 하고 있는지(단일 과제)에 따른 함수로서 놓친 신호등에 관한 정보를 담고 있는 것을 알 수 있다. 다음으로는 표제와 부제를 조심스럽게 검토해야 한다. 이것들은 표에 있는 자료와 관련된 조건이나 변인들에 대하여 알려준다. 예를 들면, 표 3.2의 표 제목은 간섭 과제와 과제 조건을 포함하고 있다. 그러므로 네 조건 각각에서 오류 비율을 보여주는 자료를 찾아보아야 한다. 이 자료로부터 우리는 일반적으로 단일 과제 조건($M = (.03 + .04)/2 = .035$)보다는 이중 과제 조건($M = (.07 + .04)/2 = .055$)에서 참가자들이 신호등을 더 쉽게 놓쳤음을 알 수 있다. 마지막으로, 이중 과제의 효과는 핸드폰 대화할 때(.07)가 라디오를 들을 때(.04)보다 더 컸다. 한 조건(이중 과제)에서는 차이가 있고 다른 조건(단일 과제)에서는 차이가 없는 발견을 **상호작용**이라 부르며 실험 자료의 중요한 측면이다. 이 책 어딘가에서 상호작용을 논의하는 데 상당한 시간을 할애할 것이다.

여러분은 이 장에서 자료를 담고 있는 **그림**(figures)을 본 적이 없다. 나중에 설명하는 것처럼, 그림을 그리는 방식에 따라 오도(誤導)될 수 있다. 그림 3.1에 제시된 자료는 Roebers와 Schneider(2000)가 수행한 실험의 결과이다. 실험은 아동의 목격자 증언에 관한 것이었다. 참가자들은 두 아이가 갱단 소년들에게 돈을 빼앗기는 영화를 보았다. 3주 후에 참가 아동들은 영화에 관한 일련의 단서 회상 질문을 받았다. 일부 질문은 중립적인데 어떤 특정한 답변을 암시하지 않도록 문장이 형성되었다(예를 들면, 그 아이들은 지갑에 돈이 얼마

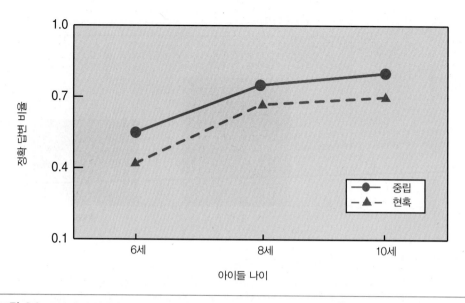

그림 3.2 중립적 질문(실선에 채운 원)과 현혹 질문(점선에 삼각형)에 대한 연령의 함수(횡축의 독립변인)로서 단서 회상과제에 대한 정확 답변(종축의 종속변인)의 평균 비율. 나이 든 어린이들이 더 많은 질문에 정확하게 답변했으나, 그들도 또한 그릇된 정보에 영향을 받았다(Roeberts & Schneider, 2000에서 인용된 자료임).

나 있었는가?). 다른 질문은 오도하는 것인데, 질문에 부정확한 답변을 암시하였다(예를 들면, 그 아이들 지갑에 60센트가 있었나?). 그림 3.1에서 우리가 **종좌표**(ordinate)라 부르는 세로축에 정확 답변 비율이 있으며, **횡좌표**(abscissa)라고 부르는 가로축에는 중립과 오도라는 두 유형의 질문이 제시되어 있다. 어떤 유형의 심리학 연구에 등장하는 거의 모든 그림들은 종좌표에 (측정되는) 종속변인의 척도가 있으며, 횡좌표에는 (조작되는) 독립변인이 있다. 횡좌표와 종좌표에 사용되는 명칭을 확실히 검토하여야 하는데, 그렇게 해야만 그림에 어떤 자료가 그려질 지를 알 수 있고, 자료를 검토할 수 있다. 그림 3.1에서 막대의 높이는 질문 유형 각각에 대한 정확 답변의 비율을 나타내주고, 질문이 중립적일 때보다 오도할 때 아동들이 정확하게 한 답변이 적었음(10% 낮았음)을 알 수 있다.

　그림 3.1은 막대그래프이며, 독립변인의 수준이 명명 수준에서 정의될 때(즉, 조건들이 질적으로 다르고, 다른 명칭을 가지고 있으며, 양적 차원에서는 순서를 매길 수 없다)는 실험에서 얻은 자료는 막대그래프로 그린다. 자료를 다른 방식으로 그리는 방법이 그림 3.2에 있다. 여기서 자료들은 점(원이나 삼각형)으로 표시되는데 선(실선, 점선)으로 연결되어 있다. 이와 같은 선분은 독립변인이 명명척도 이외의 척도로 측정되었을 때 사용되며, 측정치들의 서열화가 가능할 때 사용된다(명명척도에 대한 논의는 제8장을 보라). 그림 3.2에서 횡좌표는 참가 아동의 연령을 나타낸다. 나이 든 아동보다 나이 어린 아동이 오도하는 제안에 더 쉽게 영향 받는지가 관심거리였다. 이와 같은 그래프는 독립변인(예를 들면, 연령)이 차원에 따라

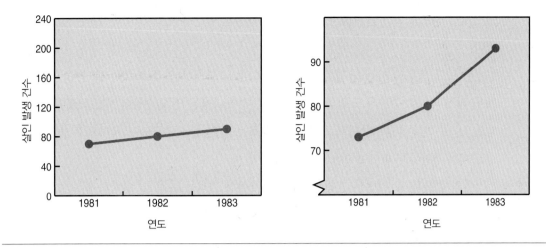

그림 3.3 척도의 변형. 정확하게 동일한 자료가 두 구획에 제시되었다. 그러나 종축의 척도를 변형시키면 왼쪽의 그래프가 살인율이 약간 증가한 것처럼 보여주는 반면, 오른쪽의 그래프는 살인율이 극적으로 증가한 것처럼 보여준다. 두 그래프는 모두 살인율을 정확하게 보여주고 있으며, 차이는 y-축의 척도에 있다. 척도 변화가 작은 차이를 크게도, 반대로 작게도 만들 수 있기 때문에 그래프를 조심스럽게 살피고 측정의 척도를 보는 것이 중요하다.

순서가 있을 때 사용된다. 이 그림은 중립 질문에 대한 자료 점과 오도 질문에 대한 자료 점의 두 집합이 있다. 이 점들을 관통할 수 있는 곡선의 방정식을 알아내려는 의도가 아니라면, 이 점들을 직선으로 연결하는 것이 관례이다.

종좌표와 횡좌표, 도표 내의 매개변수(즉, 다른 조건들에 대한 명칭—여기에서는 중립 질문과 오도 질문), 그림에 있는 범례 등을 검토한 후, 여러분은 자료를 연구할 수 있다. 그림 3.2에서 나이 든 아동이 나이 어린 아동보다 더 많이 질문에 정확하게 답변했음을 알 수 있다. 그러나 나이 어린 아동뿐만 아니라 이 실험에 참가한 모든 아동들이 피암시성 효과를 보였다.

여러분이 그림에 있는 자료를 이해하려고 할 때, 종좌표에 있는 종속변인 척도에 반드시 세심한 주의를 기울여야 한다. 어떤 때는 척도로 인해 오해가 생긴다. 단위 간격을 넓게 한 단축 척도는 차이를 더 인상적으로 보이게 할 수 있으며 간격이 빽빽한 척도는 차이를 작게 보이게 한다. 어떻게 이렇게 만들 수 있는지를 알아보기 위해서, 다음 예를 살펴보자.

어떤 도시에서 살인 발생 건수가 3년에 걸쳐서 72, 80, 91로 증가하였다고 가정하자. 그 다음 해에 시장은 재선을 위해 선거운동을 하면서 자신이 재직했을 3년 동안 도시가 안전했었음을 보여주고자 했다. 그래서 그의 선거 운동원들은 그림 3.3의 왼쪽에 있는 도표를 그렸다. 세로축을 매우 길게 늘여 놓음으로써 살인사건 발생률이 꽤 안정적으로 변화가 없었다는 인상을 주려고 하였다. 같은 해에 시 경찰국은 고급 인력 수준이 필요하다고 주장하였다. 그들은 도시가 점점 안전하지 않다는 것을 보여주고자 했고, 그림 3.3의 오른쪽 도표에서처럼 척도의 표시단위를 바꿈으로써 살인사건 발생률이 급격히 증가하는 것으로 묘사했다.

두 도표 모두가 사실을 정확하게 그리고 있다. 그러나 왼쪽 도표는 살인사건 발생률이 매우 점진적으로 증가하고 결코 걱정할 수준이 아니라는 인상(시장이 시정을 잘 해내지 않았나요?)을 주었다. 다른 한편으로, 오른쪽 도표는 살인사건 발생률이 극적으로 증가하는 인상(우리는 경찰이 더 많이 필요하지 않나요?)을 만들어냈다.

이와 같은 도표 기법은 흔히 사용된다. 사실상 결과들을 좀 더 명확하게 보여주고자 이 책에 있는 일부 도표들에서도 과장된 척도단위들이 사용되었다. 여러분은 도표에 어떤 단위로 척도가 표시되어 있는지 조심스럽게 살펴보아야 한다. 실험 자료에서는 차이를 도표로 나타냈을 때 '크게' 보이는지를 파악하기보다는 차이가 통계적으로 신뢰성이 있는지 그리고 실질적으로 의미가 있는지를 파악하는 것이 더 중요하다(즉, 통계적 유의미성 그리고 효과 크기를 보아야 한다).

이 결과를 어떤 그래프로 그리는 것이 옳은가? 어떤 의미에서는 둘 다 옳은데, 왜냐하면 둘 다 관심 문제를 정확하게 그려내고 있다고 주장할 수 있기 때문이다. 다른 한편으로는 통계적 검사가 두 측정 사이에 존재하는 차이를 보여준다면, 오른쪽 그래프가 측정 사이의 관계를 좀 더 정확하게 잡아내고 있다. 추리 통계는 오른쪽 도표에서 보이는 차이가 실제인지 우연 요인들의 결과인지를 평가할 수 있게 해준다. 자료에 대한 추리 통계는 "$F_{(4,60)} = 2.03, p < .05$" 같은 서술문에서 등장한다. 이것이 의미하는 것은 여기에는 실제로 아무런 효과가 없으며(즉, 두 집단의 차이가 없으며) 이 결과는 그저 우연히 생겼을 뿐이라는, 기회가 5% 미만이라는 것이다. 이것이 의미하는 바는 이 결과가 우연히 발생하지 않았으며 여기에 실제로 효과가 있다는 것이다. 비록 각 분야마다 관습이 존재하기는 하지만, 유의미성의 적합한 수준을, 예를 들어, .001(또는 10분의 1 퍼센트 기회로 이것은 우연한 사건이다)에 반대해서 .05(또는 5퍼센트 기회로 이것은 우연한 사건이다)로 정하는 확정된 규칙은 없다. 이렇게 될 공산이 적당한지, 너무 높은지, 너무 낮은지 하는 것을 결정하는 것은 연구자에게 달렸다. 여러분이 내리는 결론의 취지에 따라서, 확실성을 더 요구하기도(예를 들면, 얻어진 결과가 우연한 사건일 확률을 .1퍼센트 정도만 허용) 덜 요구하기도(예를 들면, 얻어진 결과가 우연한 사건일 확률을 10퍼센트 정도만 허용) 한다.

대학원 입학 사정관이 소속 대학에 남아 있는 재정이 극히 제한되어 있다고 들었을 경우를 가정한 문제를 생각해 보자. 여자들은 대학원 과정을 끝마치는 경우가 적다고 믿었기 때문에 학생을 선발하는 데 있어서 여성에게 차별을 두자는 제안이 들어왔다. 그 사정관은 이 의지할만한 아무런 근거 없는 견해를 위원회 안건으로 내놓았고, 따라서 위원회는 이 가설을 통계적 분석을 통하여 검증하였다. 여기서 .05 유의도 수준이란 영가설을 기각하고, 어싱이 남성보다 과정을 마치는 경우가 적다는 결론을 잘못내리는 확률이 100번 중 5번이라는 것인데, 이는 그 취지가 매우 중요하기 때문에 너무 높다고 하겠다. 1,000번 중 1번이라는 유의도 수준이 더 적합할 수 있는데, 왜냐하면 남자와 여자 사이의 차이가 실제로는 없을 때 연구자가 실수로 차이가 있다고 결론을 내리는 가능성을 줄여주기 때문이다.

다른 예로, 아침식사용 가공식품 제조회사가 상자 안에 어떤 상품을 넣을지 결정하는 사례를 들어보자. 가격이 똑같은 다섯 개의 후보 상품 중 소비자들이 어느 것을 선호하는지 알아보기 위해서 통계 분석을 실시하였다. 만일 상품 사이에 어떤 차이가 존재한다면, 그 회사는 가장 좋은 것을 확실히 찾고자 할 것이다. 만일 모든 상품이 실제로는 똑같이 선호되는데, 회사가 잘못 분석해서 어느 하나를 선택했다 하더라도 각 상품들은 가격이 똑같기 때문에 회사에 아무런 손해가 없다. 여기서 .05의 확률은 너무 낮다. 유의도 수준이 .50이 좀 더 적합할 수도 있는데, 왜냐하면 연구자가 실제로 차이가 없는 경우에 상품들 중에 어느 하나가 낫다고 결론 내리는 실수를 하더라도 걱정할 필요가 없기 때문이다. 어느 수준의 유의도가 적합할지는 상황이 결정한다. 기억해야 할 중요한 한 가지는 만일 여러분이 아주 큰 표본을 가지고 있으면 아주 미미한 효과도 통계적으로 유의미하게 나오게 되며, 따라서 아주 엄격한 유의도 수준(예를 들어, .01)을 사용하는 것이 최선일 수 있다. 추론 통계와 유의도 수준에 대한 추가 논의는 부록 B에서 찾아볼 수 있다.

결과 부분에서 저자가 선택하는 특정한 단어가 중요하다. 다음과 같은 서술문을 경계하라. "비록 자료가 정해진 유의도 수준에 가까스로 못 미쳤지만, 예측된 방향의 경향성이 있는 듯 하다." 이런 종류의 서술문은 몇 가지 이유에서 조심스럽게 접근해야 한다. 첫째, **경향**이란 용어는 전문적인 용어이다. 경향성 존재는 적합한 통계적 검증에 의해서만 결정될 수 있다. 둘째, 중요한 결과가 단순한 경향성 이상이라는 것을 의미하고 있다. 즉, 결과들이 사실이고 철저하게 믿을 수 있다. 그리고 유의도 수준에 도달하지 못했다는 것은 그 '진리'가 명백하기보다는 잠재적이라는 것을 의미한다. 경향성이 있다는 이러한 함의는 옳지 않다. 아무리 중요한 결과도 확률적인 의미에서만 신뢰성이 있다—관찰된 효과가 우연한 사건이고, 실제로는 아무런 차이가 없을 어떤 가능성이 작지만 항상 존재한다.

논의

논의(discussion)는 논문의 가장 창의적인 부분이다. 여기에서 저자는 자료가 보여주고자 하는 것이 무엇인지를(저자가 그토록 바란다면) 다시 언급하고 이론적 결론을 이끌어 내는 것이 허용된다. 대부분의 편집자들은 방법과 결과 부분에 대한 확고한 기준을 가지고 있지만 논의 부분에는 상당히 수용적이다. *APA Publication Manual*(2010)을 인용하면, "여기서 여러분은 결과를 검토하고 해석하고, 적합 여부를 판단하고, 그리고 그것으로부터 추론과 결론을 내린다"(p. 35). 연구 결과는 논쟁의 여지가 없는 것이 아니고, 실험 발견은 그것이 발견된 맥락에 상대적이라는 것을 마음에 새겨야 한다. 저자에게 허용한 자유만큼이나 독자들에게는 조심스러움이 요구된다. 이 부분에서 또한 저자는 본인의 연구에 있는 어떤 제한점이나 결과에 대한 어떤 대안 설명에 대하여 자인한다. 저자들은 이러한 제한점을 접근하는 데 도움이 되는 후속 연구도 제안할 수 있다. 어떤 (보통은 짧은) 논문들에서는 (이 장의 후반부에 있는 예시 논문처럼) 결과와 논의 부분이 함께 제시된다.

참고문헌

참고문헌(references)은 논문의 맨 끝에서 찾아볼 수 있다. 다른 영역의 학술지와는 대조적으로 심리학 학술지는 인용된 논문의 완전한 제목을 열거한다. 이런 관례는 독자에게 무엇에 관한 논문인지를 알려주는 데 도움이 된다. 더욱이 참고문헌은 관련된 정보에 대한 지침으로도 가치가 있다. 또한 논문의 색인으로 사용될 수 있다. 논문은 그 영역에서 가장 최근에 출간된 것들뿐만 아니라 가장 중요한 이전 출판물을 참고해야 한다. 더욱이 본문에서 인용된 논문들만이 참고문헌 부분에 포함되어야 한다. 이러한 점이 알맞은 관련된 인용서들을 최대한 포함시키는 서지(저서 목록)의 경우와 다른 점이다.

비판적인 독자를 위한 점검표

이번 부분에서는 심리학 학술지에 제시된 정보를 좀 더 잘 소비하는 사람이 되는 것을 돕기 위한 요령을 제공하고자 한다. 우리의 주요 제안은 논문에 대한 마구잡이 돌진을 피하라는 것이다. 대신에 신중하게 각 부분마다 멈추고 우리가 여기서 열거하는 질문들에 대한 답을 적을 수도 있다. 처음에는 이것이 어려울 수 있다. 그러나 연습을 거듭하면 이 과정이 자동적이 되고 나중에는 과외의 시간이 거의 필요하지 않게 된다.

도입

1. 저자의 목적은 무엇인가? 도입에서 연구의 저변에 깔려 있는 이유를 설명하고 관심 있는 현상에 대한 이전의 문헌을 개관한다. 만일 둘 이상의 이론이 연구와 관련되어 있다면, 도입에서 각 이론들이 만든 여러 예언들을 제시한다. 다른 영역에 있는 과학자들과 마찬가지로, 심리학자들 사이에도 행동에 내재된 기제나 이론적 해석에 반드시 동의가 있지는 않다. 저자는 자신이 생각하기에 행동에 대한 유용한 설명을 제공하는 특정한 이론을 제시할 수도 있다. 비록 저자가 도입에서 둘 이상의 이론을 제시하더라도, 그는 연구에서 얻은 결과를 예측하고 설명하는 데 그 이론들이 동일한 도움을 주지 않는다는 것을 보여주려고 할 것이다. 여러 이론들 중 저자가 믿는 이론과 기각시키기 위해서 내세우는 이론이 어느 것인지를 알아내려고 노력하라.

2. 어떤 것들이 이미 수행되었으며, 어떤 의문들이 답이 없이 남아 있는가? 저자들은 문헌을 개관하고, 또 자신들의 새로운 연구를 통하여 어떻게 문헌들 속에 있는 틈새가 메워질 수 있는지를 설명해야만 한다. 이런 개관은 독자들에게 이 주제에 관한 최신의 발견들에 대한 감각을 제공해야 하며, 이 연구를 통하여 그런 전문지식에 어떤 기여가 있는지를 분명하게 해주어야 한다.

3. 실험에서 검증하려는 가설은 무엇인가? 이에 대한 대답은 도입 부분에서 분명히 해야 하고 직접적으로 서술되어 있어야 한다.

4. 만일 내가 이 가설을 검증하기 위한 실험을 설계한다면, 어떻게 해야 하는가? 이것은 도입 부분에서 핵심이 되는 질문이다. 여러분은 방법 부분으로 넘어가기 전에 이에 대한 답을 해야만 한다. 저자는 자신이 개발한 특정한 이론적 틀을 검증하고 지지하기 위해, 행동에 대한 체계적인 조사를 하는 맥락 안에서 많은 실험들을 수행한다. 만일 저자가 문필가처럼 능숙한 기술을 가지고 있다면, 독자는 이를 기술한 부분을 읽자마자 저자가 논문에서 주장하는 방법에 쉽게 동의할 것이다. 솜씨 좋은 저자는 도입 자체 내에 이 답에 대한 씨앗을 심어놓는다. 이런 현실은 여러분이 독자적인 방법을 생각해 내기 점점 어렵게 만든다. 가설을 검증하려는 여러분의 방법에 대한 중요한 아이디어들을 적어라.

방법

질문 4에 대한 여러분의 답변과 저자의 답변을 비교하라. 여러분이 미리 엿보지 않았다면 서로 다를 것이다. 이제 질문 5를 답해보자.

5. 내가 제안한 방법이 저자의 방법보다 나은가? 누구의 방법이 좋은지 상관없이, 이러한 비교는 저자의 방법을 수동적으로 받아들이기보다는 비판적으로 생각할 수 있게 만들어 준다.

6. 저자의 방법이 실제로 가설을 검증하는가? 때때로 도입과 방법 부분 사이에서 가설이 사라지게 되는 첫 번째 재난을 겪는다. 사용된 방법이 적합하고 먼저 기술된 가설과 관련되어 있는지를 항상 검토하라.

7. 독립변인, 종속변인, 통제변인은 각각 무엇인가? 이 질문은 명백하고, 즉시 대답할 수 있다. 변인들을 열거하면 방법 부분을 수동적으로 읽는 것을 피하는 데 도움이 된다. 당신이 제안한 방법과 저자의 방법 사이의 차이를 해소한 후 다음 질문을 대답하라.

8. 저자가 기술한 참가자, 도구, 재료, 절차를 사용할 때 어떤 결과가 이 실험에서 예측되는가? 결과 부분을 읽기 전에 여러분은 스스로 답변해야 한다. 이를 위해서 가설, 독립변인, 종속변인을 다시 살펴보라. 단 하나의 결과만을 예언하기란 불가능하다는 것을 알게 될지도 모른다. 이것은 진정으로 문제가 아닌데, 왜냐하면 저자는 원래 아마도 하나 이상의 예언을 했었을 수 있기 때문이다. 그는 가능한 결과의 수를 좁히기 위해서 예비조사를 했었을 수 있다. 다른 경우에 그는 일단 결과가 얻어진 후에 그 결과에 깜짝 놀라서 도입 부분을 다시 생각했었을 수 있다. 여러분이 예측한 가장 그럴듯한 결과를 나타내주는 대충의 밑그림을 그려 보라.

결과

결과 부분을 건너뛰고 싶은 유혹을 뿌리쳐라. 여러분은 때때로 저자와는 다르게 결과를 해석하기도 한다. 그러므로 결과에 대한 논의 부분에서의 요약에만 의존해서는 안 된다. (사용된 분석, 그리고 보고된 기술 통계와 같은) 제공된 어떤 세부 내용도 조심스럽게 읽고, 그림도 각 축에 무엇이 그려져 있는지 주의를 주면서 모든 그림을 파악하라. 결과를 여러분의 예측과 비교하라.

9. 저자는 기대하지 않은 결과를 얻었는가? 얻어진 결과가 여러분의 예측과 다르다면, 여

러분은 놀라거나 의심을 할 것이다. 이리저리 생각한 후에 여러분은 두 가지 결론 중 하나에 도달할 것이다: 여러분의 예측이 틀렸거나, 결과를 믿을 수 없다. 아마도 저자가 선택한 방법이 부저당했으며 진술한 가설을 부적합하게 검증하였거나, 또는 통제되지 않은 변인이 도입되었거나, 또는 실험을 반복했을 때 이 결과는 아마도 다시 얻기 어려울 수 있다. 여러분이 스스로 실험을 해볼 수 있다. 여러분이 이 논문에서 보고된 결과를 반복할 수 있는지를 알아보라.

10a. 나는 이 결과를 어떻게 해석할 것인가? 계속 읽어나가기 전에 일단은 멈춰서, 여러분이 저자의 해석을 읽기 전에 자신만의 결과 해석을 해보도록 하자. 일단 여러분이 저자의 해석을 읽어버리게 되면, 다른 해석을 생각해내기가 무척 어려울 수도 있다. (물론 저자가 옳을 수도 있지만, 자신이 먼저 해석하려는 시도가 좋은 연습이 된다.)

10b. 내가 이 결과를 해석한다면 어떤 응용과 시사점들을 이끌어 낼 수 있는가? 논의를 읽기 전에 이 질문과 질문 10a에 대해서 스스로 답변을 해 보라.

10c. 이 결과들에 대하여 다른 설명을 고려할 수 있는가? 자료가 예측한 바와 같이 얻어졌을 경우에도 결과가 그렇게 얻어진 한 가지 이상의 이유가 있을 수 있다. 여러분은 연구자들이 첫 번째 실험에 이어서 대안 설명을 제거하는 실험이 추가된 다중 실험 논문을 종종 접하게 된다. 여러분은 대안 가설을 검증하는 새로운 실험을 생각해보고자 하는 시도를 할 수도 있다.

논의

이미 언급한 바와 같이, 논의 부분에는 자료에 대한 저자의 결론적인 해석이 포함된다. 훌륭한 논의 부분은 도입에서 제안된 질문에 대하여 전반적인 해설을 독자에게 제공한다. 덧붙여, 저자는 실험 결과의 응용과 시사점에 대한 통찰을 제시하며 자신의 결론을 확장한다.

비판적인 독자로서 여러분은 스스로 결과를 해석해 왔다. 자신이 한 해석의 장점과 저자 해석의 장점을 비교하라. 누구의 해석을 선호하는가? 결과에 대한 여러분의 해석과 저자의 해석의 비판적인 평가에 도움이 되도록 질문 11a와 11b를 답변해 보라. 질문 11c와 11d에 대한 답변은 가능한 미래의 방향에 관하여 여러분이 비판적으로 생각하는 데 도움이 된다.

11a. 나의 해석 또는 저자의 해석이 자료를 가장 잘 대변하는가? 저자는 다른 어느 부분에서보

다 논의 부분에서 폭넓은 자유가 허용되기 때문에, 저자는 자료가 뒷받침해 주지 않을 지도 모르는 결론을 내렸음을 발견할 가능성이 있다. 다른 경우에서는 저자는 전반적으로 적합한 결론을 내리고 자료가 지지해 줄 수 있는 것 이상으로 결론을 확장시켜 버린다. 연구자가 종속변인이 가진 제한성을 인식하는 데 실패했을 때 전형적으로 후자의 상황이 일어난다.

11b. 나 또는 저자가 결과에 대한 가장 설득력 있는 응용과 시사점에 대한 논의를 제공하였는가? 이 질문은 질문 11a에 포함된 질문에 부수적인 것이다. 그럼에도 불구하고 여러분은 이 질문을 고려함으로써 연구를 전반적으로 통합할 수 있는 가치 있는 통찰을 얻을 수 있다. 연구자는 철저하게 통제된 실험을 수행하는 것 이상의 책임을 지닌다. 연구자는 또한 연구에 깔려 있는 원리와 이론을 고려해야 한다. 저자가 결과에 대한 응용점과 시사점을 얼마나 잘 파악해 내는가는 전반적으로 그 연구가 얼마나 통합되어 있는가에 대한 훌륭한 지표가 된다.

표 3.3 비판적인 독자들을 위한 질문

도입

1. 저자의 목적은 무엇인가?

2. 어떤 것들이 이미 수행되었으며, 어떤 의문들이 답이 없이 남아 있는가?

3. 실험에서 검증하려는 가설은 무엇인가?

4. 만일 내가 이 가설을 검증하기 위한 실험을 설계해야 한다면, 무엇을 해야 하는가?

방법

5. 내가 제안한 방법이 저자의 방법보다 나은가?

6. 저자의 방법이 실제로 가설을 검증하는가?

7. 독립변인, 종속변인, 통제변인은 각각 무엇인가?

8. 저자가 기술한 참가자, 도구, 재료를 사용할 때, 어떤 결과가 이 실험에서 예측되는가?

결과

9. 저자는 기대하지 않은 결과를 얻었는가?

10a. 나는 이 결과를 어떻게 해석할 것인가?

10b. 내가 이 결과를 해석한다면, 어떤 응용점과 시사점들을 이끌어 낼 수 있는가?

10c. 이 결과에 대하여 다른 설명을 고려할 수 있는가?

논의

11a. 나의 해석 또는 저자의 해석이 자료를 가장 잘 대변하는가?

11b. 나 또는 저자가 결과와 관련한 가장 설득력 있는 응용점과 시사점에 대한 논의를 제공하였는가?

11c. 답변되지 않은 질문은 무엇인가?

11d. 내가 할 수 있는 추가 연구는 어떤 것이 있는가?

11c. 답변되지 않은 질문은 무엇인가? 모든 질문에 빠짐없이 답변을 내놓는 연구는 없다. 여 러분에게 문헌에 관한 일반적인 의문이 남아 있거나, 저자가 무시한 특정한 자료의 의 미를 아마도 여러분이 의아해하고 있을지도 모른다.

11d. 내가 어떤 추가 연구를 할 수 있는가? 여러분이 느끼기에 저자가 결과에 대한 모든 가능 한 설명을 제거해내지 못했다고 느낄 수도 있거나, 또는 여러분이 11c에서 가졌던 질 문 중의 하나에 답하기를 원할 수도 있다. 여러분은 질문 4로 되돌아간다. 만일 내가 이 가설을 검증하는 실험을 설계한다면, 어떻게 할 것인가? 연구 과정에 끝이란 없다.

점검표 요약

첫 번째 논문을 여러분이 조심스럽게 읽어가면서 열한 개 질문 모두에 답을 해 보도록 하라. 처음 몇 번은 이 작업이 어렵겠지만, 그렇다고 단념하지는 말라. 다음 논문은 전형적 인 심리학 논문이다. 이것은 표 3.3에 요약된 점검표에 따라서 분석되었다.

학술지 논문의 예

여기서는 *Psychological Science*에 실렸던 짧은 논문을 하나 재인용하고 점검표 질문 에 대한 답변 예를 첨부했다. 이 논문은 행복이 (천하태평의 전형에서처럼) 좀더 피상적인 대 화를 갖는 것과 관련되었는지 또는 좀더 깊은 대화를 갖는 것과 관련되었는지 파악하고 있 다(Mehl, Vazire, Holleran, & Clark, 2010).

대부분의 논문들은 특정한 영역의 전문가를 대상으로 작성된다. 따라서 논문의 저자는 자신들의 독자가 조사하고자 하는 주제에 대한 지식을 가지고 있을 것이라고 가정한다. 덧 붙여, 대부분의 학술지들은 논문들에 지면제한을 두는데, 이는 필연적으로 논문에 일부 정 보가 빠지거나, 논문이 매우 축약되어서 제시됨을 뜻한다. 초보 독자는 저자의 (독자가 사전 지식이 있으리라는) 가정과 더불어 많은 논문들이 간략하게 제시됨으로써 문제가 생긴다. 초 보자는 특정한 논문을 이해하기 위해 다른 논문이나 교과서를 읽어야 할지도 모른다. 다음 에 제시된 논문의 이해를 돕기 위해, 여러분에게 배경 정보를 제공한다.

지난 20년 동안 행복 또는 웰빙에 대한 연구가 물밀 듯 했다. 심리학자, 경제학자, 그리 고 철학자까지 사람을 행복하게 만드는 것은 무엇인가, 사람은 자신이 얼마나 행복한지를 알고 있는가, 그리고 사람들이 행복을 성취하도록 돕기 위해 사회나 정부가 무엇을 해야 하는가에 관한 중요한 질문들을 해오고 있다. 그러나 이러한 연구들의 대부분은 행복에 관한 (숲만 바라보는) 큰 그림 질문에 초점을 두고 있다(예를 들면, 수입이 행복을 예측하는가? 이 흥미로운 질문에 대한 논의를 보려면, Lucas & Schimmack, 2009를 보라). 사람들이 자신의 매일 매일의 삶에서 행복한 사람과 불행한 사람이 어떻게 다른지에 관해서 알려진 바는 거의 없다. 그들이 다소간 더 하고, 덜 하는 행동들은 무엇일까? 이 논문은 이런 질문, 특히 행복한 사람과 불행한 사람이 다른 사람들과 갖는 대화의 깊이와 피상성과 관련해서 어떻게 다른지를 살펴보고 있다.

이 연구는 행복이 다른 사람과 깊은 대화 또는 피상적인 대화를 갖는 것과 관련이 있는지를 질문으로 삼고 있다. 이 논문이 실험 연구가 아님을 주목하라. 아무런 조작이 없으며, 저자들은 이러한 변인들 사이에 인과관계가 있는지를 검증하려고 시도하지 않는다. 그들은 깊은 대화를 갖거나, 피상적인 대화를 갖는 것이 사람들을 행복하거나 불행하게 만드는지

행복 엿듣기: 웰빙은 사소한 대화는 적게, 중요한 대화는 많이 하는 것과 관련이 있다

Matthias R. Mehl,[1] Simine Vazire,[2] Shannon E. Holleran,[1] and C. Shelby Clark[1]
[1]University of Arizona, Tucson, AZ, and
[2]Washington University in St. Louis, MO
교신 저자는 Matthias R. Mehl, 심리학과, University of Arizona.
E-mail: mehl@email.arizona.edu

행복한 삶은 피상적이고 천하태평의 순간과 사소한 대화들로 가득할까, 아니면 반성과 깊이 있는 사회적 만남으로 가득할까? 두 가지 관념—행복한 무식자와 충만한 사색가—이 존재하지만, 어떻게 일상의 삶이 더 큰 행복과 실질적으로 관련이 있는지에 관해서는 알려진 바가 거의 없다(King & Napa, 1998). 우리는 사소한 대화와 중요한 대화를 갖는 정도에서 행복한 사람과 불행한 사람이 차이가 있는지를 조사하는 자연주의적 관찰연구를 하였고, 그 발견을 보고한다.

비록 행복의 거시적 수준과 장기적인 함의는 대규모로 연구된 바가 있지만(Eid & Larsen, 2008; Howell & Howell, 2008), 행복한 사람들이 갖는 일상의 사회적 행동에 관해서는 알려진 바가 거의 없는데, 이는 매일 매일의 행동을 객관적으로 측정하기가 어려운 데 주로 기인한다. 많은 행동적 측정(예를 들면, 경험 표집, 일과 재구성 방법)은 행복과 행동 사이의 진정한 연관을 편향 또는 이상화한 자기 관점으로부터 풀어서 떼어낼 수 없다. 이는 어떤 사람이 하는 대화의 본질 또는 대화의 부족과 같은 평가로 가득한 행동의 경우에 특히 그렇다. 이러한 어려움에 대처하기 위해, 우리는 EAR(Electronically Activated Recorder; Mehl, Pennebaker, Crow, Dabbs, & Price, 2001)을 사용했는데, 이 기기는 참가자가 일상 생활을 영위하는 동안에 삼가는 방식으로 실세계 행동을 주기적으로 작은 조각의 주변 소리까지 추적하는 디지털 오디오 녹음기이다.

를 묻고 있지 않다. 오히려 이 연구는 상관연구인데, 따라서 저자들은 이러한 변인들이 자연적으로 동시에 발생하는지 여부를 기술하는 데 단순히 관심이 있다—행복한 사람이 불행한 사람보다 더 깊은 대화를 하는가 또는 더 피상적인 대화를 하는가? 그들의 보고는 간략하다. 이제 여러분은 연구의 배경지식이 있고, 비판적인 독자로서 이 논문을 공략할 준비가 되었다. 여러분에게 도움이 되라고 여러 곳에 점검표 항목을 두었다.

질문 1. 저자의 목적은 무엇인가? 저자들은 행복과 사람들이 일상의 삶에서 갖는 대화의 종류 사이의 관계를 검증하는 목적을 둔다. 저자들은 행동의 자기–보고에 주로 의존해 왔던 기존의 연구를 넘어서고 실제 행동을 측정하기를 원한다. 그들은 참가자의 실제 대화를 객관적으로 녹음할 수 있게 해주는 EAR이라 불리는 기구의 사용을 제안한다.

질문 2. 어떤 것들이 이미 수행되었으며, 어떤 의문들이 답이 없이 남아 있는가? 저자들은 지금까지 행복에 대한 연구가 거시적 수준의 질문들(예를 들면, 행복과 수입과의 관계)에 초점을 맞추고 있었거나, 또는 행복과 서로 관계가 있는 것을 연구하는 데 자기–보고를 사용해왔다고 주장한다. 그들은 어떻게 행복이 객관적인 행동—개인이 갖는 대화의 깊이—과 관계가 있는지를 조사함으로써 문헌연구에서 드러난 빈틈을 메울 수 있다고 제안한다.

질문 3. 검증하려는 가설은 무엇인가? 저자들은 가설을 명시적으로 가설을 서술하고 있지 않다. 그러나 저자들의 논문은 두 가지 전형에 대한 기술—행복한 무식자 그리고 만족한 사색가—에 열어놓고 있다. 우리는 저자들이 이 두 가지 이론 중 어떤 이론이 진실에 더 가까운지를 검증한다고 추론할 수 있다.

질문 4. 나는 이 가설들을 어떻게 검증할 것인가? 행복과 개인이 갖는 대화가 얼마나 깊이가 있는지 사이의 관계를 검증하기 위해, 사람들을 표본으로 뽑은 후 여러분은 이 차원들을 따라서 변동하는 두 가지 변인을 이 사람들을 대상으로 측정할 필요가 있을 것이다(즉, 행복한 사람과 불행한 사람, 그리고 피상적인 대화를 많이 하는 사람과 깊은 대화를 하는 사람 모두를 표본으로 뽑을 필요가 있다). 더 나아가 여러분은 이러한 두 가지 구성개념에 대한 신뢰가 있고 타당한 측정을 얻을 필요가 있다. 행복은 아마도 자기–보고로 상당히 잘 측정될 수 있을 것이지만, 저자들이 지적한 바와 같이, 우리는 자기–보고로는 대화의 유형을 측정할 수 없는데, 왜냐하면 대부분의 사람들이 아마도 자신들을 주로 피상적인 대화를 즐기는 사람이라고 생각하고 싶지 않을지도 모르기 때문이다. 그러므로 우리는 사람들이 얼마나 피상적 대 깊은 대화를 갖는 경향이 있는지를 측정하는 객관적인 방법이 필요하다. 이렇게 하는 한 가지 방법은 사람들을 실험실로 데리고 와서 처음 보는 사람과 상호작용하는 방식을 녹화하는 것이다. 대화가 얼마나 피상적인지 깊었는지를 부호로 표시하는 관찰자가 이렇게 녹화된 상호작용을 시청한다. 그러나 이런 꾸민 상황에서 사람들이 행동하는 방식은 이 사람들이 일상 삶에서 자신들이 잘 아는 사람들과 어떻게 행동하는지를 반영하지 못할 수도 있으며, 따라서 이 사람들의 일상 삶에서 대화를 수집하는 편이 더 나을 것이다. 참가자 주위를 녹화 카메라를 들고 따라다니는 것은 실제적이지 못하므로(그리고 아마도 비윤리적이다), 녹음기가 아마도 최선의 해결책이 된다. 만일 여러분이 실제 삶에서 사람들의 대화의 표본을 알차게(예를 들면, 2~3일 정도) 녹음한다면, 여러분은 행복과 깊은 대화의 비율 사이의 상관의 방향을 조사해봄으로써 두 가지(행복한 무식자 대 만족한 사색가) 경쟁 가설을 검증할 수 있다. 만일 부적 상관이 있다면 행복한 무식자 가설이 지지된다(즉, 행복한 사람은 보통 사람보다 피상적인 대화를 더 많이 갖는 사람들이라고 가장 잘 묘사된다). 만일 정적 상관이 있다면, 만족한 사색가 가설이 지지된다(즉, 행복한 사람은 보통 사람보다 깊은 대화를 더 많이 갖는 사람들이라고 가장 잘 묘사된다).

방법

79명의 대학생(47명의 여학생)이 EAR을 나흘 동안 착용했다(Vazire & Mehl, 2008). EAR은 매 12.5분마다 30초씩 녹음을 했으며, 모두 23,689번의 녹음을 하였다(M = 참가자당 300). 각각의 녹음에서 채점자들은 참가자가 혼자 있었는지 다른 사람과 있었는지, 대화가 사소한 것이었는지 중요한 것이었는지를 확인했다. 사소한 대화는 진부한 성향의 별로 관여하지 않는 대화로 정의되었다(즉, 사소한 정보만이 오고 간다; 즉, "안에 뭐가 있어? 팝콘? 맛있겠다!"). 중요한 대화는 본질적인 성향의 관여하는 대화로 정의되었다(즉, 의미 있는 정보가 교환된다; 즉, "그녀가 당신 아빠와 사랑에 빠졌었다고? 그럼 부모님께서는 그 후에 바로 이혼하셨어?"). 신뢰도는 표 1을 보라.

EAR 부호화는 상대적인 빈도(즉, 각 범주 안에서 녹음된 횟수의 비율)로 변환되었다. 대화의 수에서 차이를 설명하기 위해, 우리는 사소한 대화 또는 중요한 대화의 비율도 계산하였다. 모든 참가자에 걸쳐서 대화의 17.9%가 사소한 대화였으며(SD = 15.4%), 35.5%가 중요한 대화였다(SD = 24.7%). 중요한 대화는 사교(r = .38), 식사(r = .33), 그리고 TV 시청(r = −.22)과 유의미하게 관련이 있었다. 사소한 대화는 모든 표준 EAR 행동 범주와 관련이 없었다.

우리는 여러 방법을 가지고 웰빙을 평가하였다. 참가자들은 삶의 만족 척도(the Satisfaction with Life Scale)를 측정받았으며(Diener, Emmons, Larsen & Griffin, 1985; α = .93), "나는 나 자신이 행복하고, 삶에 만족한 사람으로 본다"는 단일-항목 행복 측정을 3주 간격으로 두 번 실시하였다. 행복의 단일-항목 자기-보고는 같은 측정에 대한 2~3회의 정보 제공자-보고를 종합하였다(α = .80). 다중-방법 웰빙 지수를 얻기 위해, 우리는 참가자 본인에 근거를 둔 행복 측정과 정보 제공자에 근거를 둔 행복 측정에 참가자가 자기-보고한 삶의 만족을 종합하였다.

성격의 다중-방법 측정을 얻기 위해, 우리는 (3주 간격을 둔) 자기-보고 두 가지 그리고 성격 5요인 척도(Big Five Inventory)로 행한 정보 제공자-보고 2~3개의 평균을 내었다(John & Srivastava, 1999; αs ≥ .92).

질문 5. 내가 제안한 방법이 저자의 방법보다 나은가? 우리의 방법은 저자가 나흘 간의 대화를 간헐적으로만 기록했다는 것 이외에는 본질적으로 동일하다. 덧붙여, 저자들은 겨우 79명의 표본을 사용했는데, 이는 이상적인 상관연구에 비교하면 적은 것이다. 저자들은 또한 성격을 측정했는데, 이는 우리가 논의하지 않았던 것이다. 나중에 보듯이, 저자들은 일부 대안 가설을 제거하기 위해서 이렇게 했다.

질문 6. 저자의 방법이 실제로 가설을 검증하는가? 그렇다. 우리는 저자의 방법이 적합하다고 믿는다. 이미 지적한 바와 같이, 우리는 더 큰 표본 크기를 선호하고 있다. 또한 여러분은 대화의 깊이를 부호화하는 데 다른 방법에 관해 생각해보아야만 한다. 여기서 저자들은 무엇이 깊은 대화이고 무엇이 피상적인 대화인지에 관한 아주 상세한 지시를 받은 적이 명백하게 없는 채점자들, 그러나 자기들 사이는 명백하게 합의가 있었던 채점자들에게 의존하고 있었다(표 1의 첫 번째 자료 줄에 있는 큰 수들은 채점자들이 무엇이 피상적인 대화이고 무엇이 중요한 대화인지에 관해서 상당하게 합의를 하는 경향이 있었음을 나타낸다). 채점자들에게 무엇이 피상적인 대화이고 무엇이 중요한 대화인지에 관해 아주 구체적인 지시를 주는 것이 바람직할 수도 있었을 것이다. 이런 구성개념에 대한 정의를 생각해볼 수 있을까?

질문 7. 변인들은 무엇인가? 이것은 실험이 아니고 상관연구이기 때문에 독립변인과 종속변인은 없다. 그러나 그럼에도 불구하고 흥미를 끄는 세 가지 변인이 있다. 참가자의 행복 수준, 참가자의 피상적이었던 대화의 비율, 그리고 참가자의 중요하게 했던 대화의 비율. (대화가 피상적 또는 중요한의 둘 중의 하나로 부호화되어야 할 필요는 없었기 때문에, 단순하게 두 변인이 서로의 역관계는 아니다.) 저자들이 사용한 다른 변인에는 참가자가 혼자 있었던 시간의 비율, 참가자가 다른 사람과 이야기하고 있었던 시간의 비율, 그리고 참가자의 성격이 포함된다.

질문 8. 무엇을 예측했는가? 이 질문을 조사한 사전의 연구가 없었기 때문에 우리의 예측은 주로 직관에 의존하게 된다. 저자들이 지적한 바와 같이 두 가지 예측(행복은 사소한 대화를 더 많이 갖는 것과 관련된다 또는 행복은 의미 있는 대화를 더 많이 갖는 것과 관련된다) 모두가 가능하다. 그러나 행복한 사람은 불행한 사람보다 좀더 사교생활을 함을 보여주는 사전 연구에 근거하면(Diener & Seligman, 2002), 우리는 행복한 사람이 다른 사람들과 연계가 더 잘 되어 있으며, 그러므로 불행한 사람보다는 중요한 대화의 비율이 더 높을 것(그리고 피상적인 대화의 비율이 더 낮을 것)이라고 예측한다.

질문 9. 저자는 기대하지 않은 결과를 얻었는가? 저자들은 하나의 가설을 다른 가설과 비교해서 선택하지 않았기 때문에 결과가 어떻게 나올지에 대하여 기대를 가지고 있지 않았다.

표 1 EAR이 도출한 일상의 상호작용 변인들: 신뢰도 그리고 웰빙과의 상관

EAR이 도출한 변인들	평정자간 신뢰도	참가자의 웰빙이 그들이 일상적 상호작용과 어떻게 관련이 있는가?			주말과 주중에 따라 효과가 다른가?		성격차이가 효과를 설명하는가?
					웰빙 지수		성격 5요인에 대한
		웰빙 지수	SMLS 측정	행복 측정	주중	주말[b]	전차 웰빙 지수
혼자	.97	-.35**	-.36**	-.27*	-.29**	-.35**	-.40**
타인에게 이야기	.95	.31**	.31**	.26*	.30**	.30**	.39**
사소한 대화	.76	-.07	-.03	-.10	-.01	-.09	.08
모든 대화의 %	—[a]	-.33**	-.25*	-.35**	-.30**	-.34**	-.17
실질적인 대화							
모든 대화의 %	—[a]	.28**	.20	.31**	.28**	.27*	.22*

주: $N = 79$; *$p \leq .05$(양방); **$p < .01$(양방); 변인들은 표집된 소리 파일의 좋수의 비율로 나타냈음, %-변인은 대화의 좋수의 비율로 나타냈음(즉, "다른 사람에게 이야기" 변인); 평정자간 신뢰도는 모든 평정자가 독립적으로 채점한 221개의 EAR 소리 파일의 훈련 집합에서 계산되었다(ICC[2,k]); 행복 측정은 행복의 자기-평정 그리고 정보 제공자-평정의 평균이다; 웰빙 지수는 참가자의 자기-보고된 삶의 만족도(SWLS) 그리고 행복측정의 합이다. SWLS = Satisfaction with Life Scale; 5요인 = 5요인의 모든 다섯 차원의 합; [a]변인은 두 채점된 변인의 지수이므로 신뢰도를 보고하지 않는다; [b]금요일 6:00pm에서 월요일 오전일 자정으로 정의됨.

더욱 흥미 있는 것은 결과가 매우 일관된다는 것이다—측정한 방법에 상관없이, 행복한 사람은 불행한 사람보다 중요한 대화를 좀더 많이, 그리고 피상적인 대화를 더 적게 가졌다. 행복이 자기-보고 또는 동료-평가로 측정을 했을 때, 주중 대화 또는 주말 대화를 살펴보았을 때, 그리고 참가자들 사이의 성격 차이를 통제했을 때조차 행복한 사람은 불행한 사람이 갖는 것보다 더 의미 있는 상호작용이 있음을 여전히 보이고 있다.

질문 10a. 우리는 이 결과를 어떻게 해석할 것인가? 우리는 행복한 사람이 단순히 피상적이고 태평하다는 전형적인 모습을 우리 결과가 지지하지 않는다는 결론을 지었다. 사실 이런 결과들은 행복한 사람은 불행한 사람보다 타인과 의미 있는 상호작용을 좀더 많이 가진다고 한다. 의미 있는 상호작용을 좀더 많이 가지면 사람이 행복해지는 것도 가능하고, 행복한 사람이 의미 있는 상호작용을 좀더 많이 갖기 쉽다는 것도 가능하고, 또는 제3의 변인이 행복 그리고 타인과의 의미 있는 좀 더 많은 대화 모두를 불러일으켰다는 것도 가능하다. 두 가지를 모두 불러일으키는 제3의 변인에 대한 명백한 가능성은 외향성이지만(외향성은

결과와 논의

기존의 연구(Diener & Seligman, 2002)와 일관되게 높은 웰빙은 혼자 보내는 시간이 적다는 것과 연관이 있으며, $r = -.35$, 그리고 다른 사람들과 더 많은 대화시간을 가진다, $r = .31$. 더욱이 높은 웰빙은 사소한 대화를 적게 한다는 것과 연관이 있으며, $r = -.33$, 그리고 중요한 대화를 더 많이 한다, $r = .28$. 이 효과의 크기를 예시하기 위해서 가장 불행한 참가자(-2.0 SD)와 비교해서 가장 행복한 참가자($+1.5$ SD)는 혼자서 보내는 시간이 25% 적었으며(58.6% 대 76.8%), 대화시간이 70% 더 많았다(39.7% 대 23.2%). 그들은 또한 대충 3분의 1 정도의 사소한 대화를 하고(10.2% 대 28.3%), 중요한 대화를 두 배 정도 더 했다(45.9% 대 21.8%). 웰빙 지수의 효과는 삶의 만족과 행복 측정을 분리해서도 비교 가능했으며, 주중과 주말에 대해서도 나타났다(표 1).

성격 차이가 이러한 효과를 설명하는지를 검증하기 위해, 우리는 모든 성격 5요인 차원에 대한 참가자의 점수에 대한 웰빙 지수를 잔차를 이용하여 만들었다(Steel, Schmidt, & Shultz, 2008). 이런 잔차 웰빙 지수를 사용하여, 혼자 보낸 시간, 다른 사람과 이야기한 시간, 중요한 대화에 대한 효과는 기본적으로 영향이 없었으며, 사소한 대화에 대한 효과는 감소했다(표 1). 이러한 분석은 성격 프로파일로부터 예측한 것보다 더 행복한 참가자는 더 많은 중요한 대화를 가짐을 나타내준다.

종합하면, 이러한 발견들은 행복한 삶이 고립보다는 사회적이고, 피상적 대화보다는 깊게 대화하기에 있다고 보여준다. 이러한 발견들이 마음을 끄는 것은 웰빙 측정(자기-보고와 정보 제공자-보고) 그리고 상호작용 측정(직접 관찰) 사이에 중복되는 방법이 없다는 것이다. 또한 웰빙의 측정들에 걸친 그리고 주중 행동과 주말 행동에 걸친 발견들이 반복된 것이 고무적이다.

자연적으로 우리의 상관연구에서의 발견들은 인과적으로는 불분명하다. 한편으로, 웰빙은 중요한 상호작용에 대하여 인과적으로는 선행자가 될 지도 모른다. 행복한 사람은 더 깊은 사회적 만남을 촉진하는 '사회관계에서 매력 있는 사람(social attractors)'일지도 모른다(Lucas & Dyrenforth, 2006). 다른 한

편으로, 깊은 대화는 실제적으로 사람을 더 행복하게 만들 수도 있다. 자기-노출이 상호작용 파트너에게 의미를 갖게 해주는 것처럼 깊은 대화도 상호작용 파트너에게 의미를 갖게 해줄 수도 있다. 그러므로 우리의 결과는 행복이 중요한 대화를 촉진하면 증가될 수 있다는 흥미로운 가능성을 제기한다(Sheldon & Lyubomirsky, 2006). 후속 연구로 이 가능성을 실험적으로 검증해야 한다.

"반성하지 않는 삶은 살 가치가 없다"라는 소크라테스의 금언을 언급하면서, Daniel Dennett은 "지나치게 반성한 삶도 또한 특별히 내세울 것이 없다"고 썼다(1984, p. 87). 우리가 그런 미묘한 철학적 논쟁에 들어가길 주저하는 동안, 사람들이 자신의 삶을 반성할 때—적어도 같이 반성할 때 살 가치가 있음을 알게 된다고 우리의 발견은 제안하고 있다.

저자들의 주석

교신은 mehl@email.arizona.edu로 하시오. 이 자료의 일부는 Mehl, Vazire, Ramires-Esparza, Slatcher, & Pennebaker(2007); Hasler, Mehl, Bootzin, & Vazire (2008); 그리고 Vazire & Mehl(2008)에서 사용되었다. 본 논문의 분석은 이들 논문에서 보고된 것들과 중복되지는 않는다. 이 프로젝트는 NIH 연구기금 R03CA137975로 수행되었다. 저자들은 John Doris의 좋은 지적에 감사를 드린다.

참고문헌

Dennett, D. C.(1984). *Elbow room: The varieties of free will worth wanting*. Cambridge, MA: MIT Press.

Diener, E., Emmons, R., Larsen, R., & Griffin, S.(1985). The satisfaction with life scale. *Journal of Personality Assessment, 49*, 1.

Diener, E., & Seligman, M. E. P.(2002). Very happy people. *Psychological Science, 13*, 80–83.

Eid, M., & Larsen, R.(Eds.).(2008). *The science of subjective well-being*. New York: Guilford.

Howell, R. T., & Howell, C. J.(2008). The relation of economic status to subjective well-being in developing countries: A meta-analysis. *Psychological Bulletin, 134*, 536–560.

John, O. P., & Srivastava, S.(1999). The Big Five trait taxonomy: History, measurement, and theoretical perspectives. In L. A. Pervin & O. P. John(Eds.), *Handbook of personality theory and research* (pp. 102–138). New York: Guilford Press.

King, L. A., & Napa, C. K.(1998). What makes a life good? *Journal of Personality and Social Psychology, 75*, 156–165.

Lucas, R. E., & Dyrenforth, P. S.(2006). Does the existence of social relationships matter for subjective well-being? In K. D. Vohs & E. J. Finkel(Eds.), *Self and relationships: Connecting intrapersonal and interpersonal processes*(pp. 254–273). New York: Guilford Press.

Mehl, M. R., Pennebaker, J. W., Crow, M., Dabbs, J., & Price, J.(2001). The Electronically Activated Recorder(EAR): A device for sampling naturalistic daily activities and conversations. *Behavior Research Methods, Instruments, and Computers, 33*, 517–523.

Sheldon, K. M., & Lyubomirsky, S.(2006). Achieving sustainable gains in happiness: Change your actions, not your circumstances. *Journal of Happiness Studies, 7*, 55-86.

Steel, P., Schmidt, J., & Shultz, J.(2008). Refining the relationship between personality and subjective well-being. *Psychological Bulletin, 134*, 138-161.

Vazire, S., & Mehl, M. R.(2008). Knowing me, knowing you: The relative accuracy and unique predictive validity of self-ratings and other-ratings of daily behavior. *Journal of Personality and Social Psychology, 95*, 1202-1216.

행복과 의미 있는 대화의 원인일 수 있다), 저자들은 외향성을 포함한 성격 '5요인' 변인을 통제하여 이러한 가능성을 배제하였다. 또 다른 가능한 '제3의 변인'을 생각할 수 있을까? 이 연구에서 관찰된 상관에 대한 인과적 설명으로 무엇을 생각할 수 있는가?

질문 10b. 우리가 이 결과를 해석한다면 어떤 응용점과 시사점들을 이끌어 낼 수 있는가? 우리가 저자들이(또는 다른 연구자가) 변인들 사이에 인과관계를 확립하려는 노력으로 대화의 깊이 또는 행복 수준을 조작하는 실험연구를 뒤이어 해야 한다고 권한다. 이것은 중요한데, 왜냐하면 만일 중요한 대화를 좀더 많이 가져서 인과적으로 행복에 영향을 준다면, 이 정보는 자신의 행복 수준을 높이고자 노력하는 사람들에게 매우 유용할 수 있기 때문이다.

질문 10c. 이 결과들에 대하여 다른 설명을 고려할 수 있는가? 그렇다. 이 연구는 실험이 아니기 때문에 이 연구에서 모든 종류의 가능한 혼입이 존재한다. 저자들은 참가자들 사이의 성격 차이를 통제하였으나, 관찰된 상관을 설명해 줄 수 있는 다른 종류의 피험자 변인이 있다. 예를 들면, 행복한 참가자들은 불행한 참가자보다 관계 속에 머무르기가 더 쉽고, 사람들은 다른 사람들보다 관계가 있는 파트너와 좀더 의미 있는 대화를 갖는 경향이 있다는 것이 가능하다. 또한 결과를 설명할 수 있는 문화적 또는 성별 차이가 있을 수 있다. 예를 들면, 멕시코 사람들은 미국 사람들보다 좀더 사교적이라고 밝힌 연구가 있다(다른 사람과 더 많이 상호작용하는데, 특히 대중 속에 있거나 집단 속에 있을 때 그렇다; Ramirez-Esparza, Mehl, Alvarez-Bermudez, & Pennebaker, 2009).

질문 11a. 나의 해석 또는 저자의 해석이 자료를 가장 잘 대변하는가? 저자들은 자신들의 결과를 끌어낸 인과 과정에 대하여 아무런 결론을 내리지 않는 정도의 조심성을 견지하고 있다. 저자들은 자신들의 결과에 대하여 몇 개의 가능한 설명을 언급하고 있지만, 최종 결론은 깔끔하고 자신들의 발견을 과장해서 언급하고 있지 않다.

질문 11b. 우리 또는 저자가 결과에 대한 가장 설득력 있는 응용과 시사점에 대한 논의를 제공하였는가? 저자들의 논의는 상당히 간략한데 아마도 출판사가 부가한 논문 길이 때문인 것 같다. 그러나 이런 제약 내에서도 저자들은 잠재적인 응용과 함의에 대하여 깨끗하고 간략한 논의를 제시하고 있다.

질문 11c. 답변되지 않은 질문은 무엇인가? 몇 개의 답변 없는 질문이 있다. 첫째, 이 발견이 얼마나 일반화될 수 있는가? 저자들은 대학생 표본을 사용하였다. 이 발견을 다른 모집단에서도 반복검증할 수 있을까? 둘째, 우리가 앞서 언급했듯이, 미래의 연구는 여기서 조사한 변인들 사이의 인과관계를 이해할 수 있도록 실험을 사용해야 한다. 이렇게 해야지만 우리가 이러한 발견들이 행복을 증가시켜주는 가능한 새로운 방법을 제안하고 있는지를 이해할 수 있다.

질문 11d. 내가 어떤 추가 연구를 제안할 수 있는가? 변인들을 조작하는 실험적 방법을 사용하면 이런 결과들이 왜 얻어졌는지에 대한 많은 통찰이 생긴다. 덧붙여, 이 현상을 다른 모집단에서 연구해보면 흥미로울 것이다(10b와 10c에 대한 답변을 보라).

요약

1. 연구 계획에 착수하기 전, 제안된 실험과 연관된 다른 연구자들이 해온 것이 무엇인지를 알아보기 위해 문헌 검색을 하는 것이 현명하다.

2. 심리학 학술지 논문에는 제목과 저자(들), 초록, 도입, 방법, 결과, 논의, 참고문헌의 일곱 개 부분이 있다.

3. 초록은 논문에 대한 짧은(150~250단어) 기술이다.

4. 도입은 실험의 배경에 깔린 논리를 기술한다.

5. 방법 부분은 실험자가 사용한 참가자, 재료, 설계, 절차를 기술한다.

6. 결과 부분은 실험에서 수집한 자료의 요약을 포함한다.

7. 표와 그림들의 적절한 해석은 학술지 논문에 보고된 실험의 결과를 이해하는 데 핵심적이다. 그림의 수직축을 종좌표라 부르며, 종속변인을 척도로 표시한다. 그림의 수평축은 횡좌표라 부르며 실험에서 쓴 독립변인을 표시한다.

8. 논의 부분은 저자가 자신의 발견이 함의하는 바를 진술할 수 있는 논문의 부분이다.

9. 참고문헌 부분은 논문에서 참고한 모든 논문들의 목록을 포함한다.

10. 비판적인 독자는 다음과 같은 질문에 답변할 수 있어야 한다: 이 실험이 검증하려는 가설은 무엇인가? 다른 식으로는 어떻게 이 실험을 수행할 수도 있는가? 이 실험에

서 내 자신이 예측했던 것은 무엇인가? 저자가 얻은 결과를 내 자신은 어떻게 해석할 것인가?

주요개념

Psychological Abstracts

전자 문헌 검색/컴퓨터를 이용한 문헌 검색
  (computerized literature search)

PsycINFO

사회과학 인용 색인(Social Science Citation Index)

PubMed

제목(title)

저자(author)

초록(abstract)

도입(introduction)

방법(method)

참가자(participant)

피험자(subject)

장치(apparatus)

재료(materials)

절차(procedure)

설계(design)

결과(results)

표(table)

그림(figure)

종좌표(ordinate)

횡좌표(abscissa)

논의(discussion)

참고문헌(references)

연습문제

1. 여러분의 책은 여러분이 24시간 많은 학술지 논문에 접근할 수 있도록 해주는 *InfoTrac*을 받아볼 수 있게 되어 있다. **http://www.infotrac-college.com**을 방문해서 이 책에 함께 있는 비밀번호를 넣어라. 그리고 나서 관심 있는 주제를 입력하고, 어떤 논문이 나오는지를 보라. 예를 들면, 이 장에서 제시한 논문과 관련된 논문을 읽기 위해 '행복과 대인관계(happiness and interpersonal relationship)'를 검색해 보라.

추천 문헌 자료

• 문헌 탐색을 하는 것과 더불어, 연구의 다른 측면을 위해 월드 와이드 웹(WWW)을 사용하는 실마리를 Koch, C.(1997). Learning the research process on the World Wide Web. *Council on undergraduate Research Quarterly, 18*, 26–29, 48–49 에서 찾아볼 수 있다.

↘ 웹 자료

• 이 장에서 배운 내용과 주요개념을 잘 알고 있는지 용어 설명, 플래시 카드, 그리고 통계와 연구방법 워크숍과 연계해서 확인해 보라. www.cengagebrain.com을 방문하라.

• 미국심리학회가 후원하는 흥미 있는 온라인 학술지 *Psycholoquy*를 http://www.cogsci.soton.ac.uk /psycoloquy에서 볼 수 있다.

• 다른 흥미 있는 온라인 학술지는 http://www.psych.uncc.edu/Journal.htm에 있는 *Undergraduate Journal of Psychology*이다.

심리학 해 보기

문헌 검색

여러분이 기억에 대한 정서의 효과에 관심 있게 되었다고 가정하자. 여러분은 정서는 진행하고 있는 사건에 주의를 기울이고 있는 개인의 능력을 망쳐 놓을 수 있으며, 사건들을 기억하는 개인의 능력을 간섭할 수도 있다는 것을 배웠다. 그러나 정서적인 사건은 아주 잘 기억된다는 것도 알고 있다(그리고 자신의 경험으로부터 믿고 있다). 어떻게 정서가 두 가지 효과를 동시에 가질 수 있는가? 어떤 일이 진행되고 있을까?

이런 질문들에 답을 얻기 위해서 심리학 문헌을 검색해 보기로 결정하였다. 여러분은 도서관 사서를 찾아가고, 그는 시작하기 좋은 것이 *PsycINFO*라고 알려주었다. 다른 곳에서도 가용하겠지만, 여러분의 학교에서도 웹 상에서 *PsycINFO*는 가용한데, 웹은 인터넷을 통해서 가용한 정보를 접근할 수 있는 가장 손쉬운 방법이다. 시스템에 로그인한 후, 도서관 사서는 그 주제를 연구하고 있는 뛰어난 연구자의 이름을 사용하여 데이터베이스를 찾는 것부터 시작하라고 권유한다. 여러분은 그 분야에 초보이기 때문에 그 주제를 연구하고 있는 그 어떤 사람의 이름도 알지 못한다. 사서에게 다른 방식을 물어보았다. 사서는 '핵심 단어 검색'을 사용할 수 있다고 지적하면서 다른 사람을 도우러 갔다. 여러분은 화면을 보았고 주제(중심 단어)라고 쓰여 있는 상자를 보았다. 여러분은 핵심 단어를 쳐 넣어야 하는 곳이 이 상자라고 추측하였다. 그러나 어떤 중심 단어를 사용해야 하나?

'기억'이란 단어를 사용하기로 결정하고, 마우스를 움직여서, 상자를 클릭하고, 타이핑한 후, 'Start Search' 단추를 클릭했다. 여러분은 논문 제목의 목록을 얻게 될 것이지만 그 수가 148,890이라는 것을 알게 될 것이다. 저녁 식사 전에 개관하기에는 너무 많으므로 현명하게 결정해야 한다. 여러분은 다른 상자 옆에 'AND, OR, & NOT' 선택사항이 있다는 것을 알아차리게 된다. 여러분은 'AND' 선택을 클릭하고 두 번째 상자에 '정서'란 용어를 입력해 넣으면, 기억과 정서에 둘 다 동시에 관련된 논문들을 한정해서 찾을 것이라고 추론한다. 이번에는 5,527개를 기록한다. 그런데 여전히 많다. 'Limit on Search' 선택사항을 보고 2008년에서 2009년 사이에 사람 참가자를 사용하고, 영어로 쓰인 논문으로 한정하기로 결정한다. 이 경우 750개의 기록을 얻는다. 마지막으로, 검색 용어를 기억과 정서와 주의로 바꾸기로 결정한다. 이번에는 겨우 116개의 논문을 얻는데, 이 정도면 시작할 만하다. 흥미 있어 보이는 논문 제목을 클릭하고, 초록을 읽고, 좀 더 흥미 있는 참고문헌의 일부를 프린트(또는 다운로드)하고 도서관에서 실제 논문을 얻을 수 있다.

이제 정서가 기억을 돕기도 하고 방해하기도 하는 이유를 설명하고자 한 이론이 담긴 몇 년 전 논문을 하나 찾았다고 가정하자. 이 이론의 함의와 실험할 수 있는지에 관해 더 알고 싶어 할 수도 있다. 이것을 알아내는 한 가지 방법은 이 논문을 인용한 좀 더 최근의 논문을 찾아내는 것이다. *PsycINFO*에서 "Times cited in this database"라고 되어 있는 링크를 선택하거나 *Social Science Citation Index*(SSCI)를 사용하여 좀더 포괄적인 목록을 얻을 수 있다. *Psychological Abstracts*와 같이 이것은 인쇄 형태와 전자 형태 두 가지로 제공된다. 전자 형태가 일반적으로 선호되는데, 좀 더 효율적이기 때문이다(도서관 사서에게 전자 형태가 가용한지를 확인해 보라). SSCI는 논문의 참고문헌 부분에 들어가서 그 논문을 누가 인용했는지를 알아볼 수 있다. 이런 식으로 그 영역에 대한 최근의 발전 상황에 대하여 파악할 수 있다.

제 **4** 장   윤리적인 연구의 수행

　　과학의 진취적인 정신은 윤리적 딜레마를 만든다. 인간의 좀 더 나은 미래를 위해 이용되는 과학적 지식과 기법은 또한 속임수와 착취를 목적으로 사용될 수 있다. 원자물리학의 연구 결과가 암 치료와 더불어 대량 살상 무기로 사용되는 것과 같이, 소수집단에 대한 편견 감소, 문제 행동 제거, 학교에서 학습 촉진을 위해 발견된 방법이 정치적 충성을 조작하고, 인위적으로 욕구를 조작하고, 사회적 편견의 희생자가 자신의 운명이라고 스스로 단념하게 만드는 데 또한 사용될 수 있다. 과학적 지식이 양날의 칼이라는 가능성은 모든 과학자에게 윤리적 문제를 안긴다. 심리학 연구가 중요한 문제를 다루고, 유력한 방법을 취급하는 한, 심리학자는 연구의 오용가능성이 건설적인 응용의 가능성을 증가시킨다는 사실을 인식하고 타인에게 경고해야 한다(미국심리학회: American Psychological Association[APA], 1982, p. 16).

인간 참가자가 관여되는 연구

이 장의 처음에 소개된 문장은 미국심리학회 출판물에서 인용한 것이다. 이것은 원래 심리학의 모든 측면을 다룬 윤리적 원칙에 대하여 머리말에서부터 장문의 논의까지 포함하고 있지만, 과학의 모든 영역에 종사하는 연구자들의 윤리적 의무를 강조하기 위해 여기서는 요약된 형식으로 제시하였다. 이러한 의무들은 원칙적으로는 간단하지만 이행하기는 어렵다. 우리는 윤리적 원리, 그리고 심리학에서 그것들을 실천에 옮기는 데 연관된 문제, 둘 다를 검토하고자 한다. 심리학자들은 인간 참가자와 동물들이 포함된 연구의 윤리에 대하여 노심초사하고 있다. 비록 이런 근심 중 일부는, 연구비의 제약이 있을까, 그리고 피험자 집단에 대한 접근이 금지될까 하는 두려움에 근거한, 이기적인 것이지만 대부분의 심리학자들은 어느 누구에게도 해를 가할 의도가 없는 윤리적인 사람들이다.

실험연구자는 자신의 연구에 관련된 윤리적 쟁점들을 판단하는 데 완전히 중용적이거나 객관적일 수 없으므로, 대부분의 대학과 연구소에는 제안된 연구의 윤리성을 판단하는 동료 위원회를 둔다. 실제로 중앙정부가 지원하는 연구는 연구비 지원이 승인되기 전에 이러한 위원회의 승인을 얻어야만 한다.

여러 가지 윤리적 쟁점들이 실제 연구 계획의 맥락 속에서 명백해진다. 여러분이 심리학자로서 우울한 기분이 사람들이 얼마나 잘 기억하는지에 대하여 어느 정도까지 영향을 주는지 알아보는 데 흥미가 있다고 상상해 보자. 여러분이 이 주제를 연구하려는 가장 중요한 한 가지 이유는 우울증이 대학생들 사이에 상당히 보편적인 정서적 문제이고, 그리고 여러분은 어떻게 이 문제가 학업 수행에 영향을 미치는지를 파악하고 싶어 한다. 여러분은 기억에 미치는 우울증의 영향을 파악하기 위해 철저하게 통제된 실험실 실험을 하기로 결정하였다. 여러분은 참가자 중 일부에게 우울증을 유도한 후, 이들의 기억과 우울증을 유도하지 않은 다른 참가자들의 기억과 비교하고자 한다. 여러분은 Velten(1968)이 고안한 절차를 사용하여 피험자에게 우울을 유도한다. 이 절차에서 참가자들은 살펴보고자 하는 기분과 관련된 60개의 자기-참조된 문장들을 소리 내어 크게 읽는다. 이 경우 참가자들은 우울을 유도시키는 문장들을 읽는데, 이 문장들은 "오늘도 그럭저럭이다"와 같은 비교적 약한 것에서 시작해서 "기분이 너무 나쁘다, 가서 잠자고 아주 깨어나지 않았으면 좋겠다"와 같은 좀 더 극단적인 것으로 진행한다. Velten의 절차는 약하고 일시적인 우울증을 유발하는 효과가 있으며, 이 절차에서 참가자들은 우울한 기분을 보고하며 다양한 과제에서 참가자들의 행동에 나쁜 영향이 있다.

이 실험의 많은 부분들을 상세히 기술하지는 않았으나 이 연구의 참가자들의 안녕이 위험에 처할 수 있디는 것은 명백하다(이 실험의 완전한 세부 내용은 Elmes, Chapman, & Selig, 1984를 보라). 대학생에게 (우울 같은) 부정적인 기분을 유발시키면 그들의 사회적인, 그리고 지적인 기능에 불행한 영향을 줄 수 있다. 윤리적인 연구자로서 참가자의 기본적, 인간적 권리를 유지하고 방어하기 위해 어떻게 노력할 수 있는가? 참가자들의 안녕을 도모하고 동시에 내적으로 타당한 실험을 수행하기 위해 여러분은 무엇을 할 것인가?

기분과 기억에 대한 개관에서, Bower와 Forgas(2000)는 대학생을 대상으로 우울을 유도시킨 많은 연구들을 나열하였다. 어떤 실험에서는 행복한 기분이 참가자들에게 유도되었다. 참가자들에게 유도된 기분의 종류—행복한 또는 슬픈—에 따라 윤리적인 고려를 다르게 하는가? 또한 연구자들은 그들의 실험에서 여러 다른 기분-유도 절차를 사용해 왔다. 방금 기술한 Velten(1968)의 절차 이외에 우울하거나 행복한 기분을 유도하기 위해 최면과 음악이 사용되어 왔다. 기분-유도 기법에 따라서 윤리적 고려가 달라지는가? 기분-유도 연구와 관련된 이러한 질문들은 심리학 연구에서의 윤리적 쟁점들이 실험의 특정한 상황에 따라서 어떻게 달라질 수 있는지를 예시해주고 있다.

APA(2002)는 연구자들에게 윤리 지침서를 제공하였다. 이 학회는 인간 참가자를 쓰는 연구 수행을 관리하는 10가지 일반원칙을 제시하였다. 이러한 연구들에서 학생들의 안녕이 어떻게 보호될 수 있는지를 알아보기 위해, 우리는 인간 참가자가 관여된 연구에서 준수해야 하는 원칙들을 검토하겠다(연구에서 동물의 복지는 이 장의 뒷부분에서 살펴본다). 여러분은 인간 참가자를 대상으로 하는 연구 프로젝트를 수립하기 전에 이러한 윤리적 원칙들을 읽고 이해해야만 한다.

이 원칙들은 연구 참가자 안녕의 도모를 의도하고 있으며, 그것들은 실험자가 참가자에게 주는 피해를 최소화시키는 의무를 지니고 있음을 알려주는 것으로 요약될 수 있다. 잠재적 해가 있을 경우에는 참가자에게 미리 경고를 해야 하며, 참가자는 자신이 선택할 때 실험을 그만둘 수 있어야 하며, 실험연구자는 속임수를 조심해서 사용해야 한다. 실험연구자는 어떤 피해이든 원래의 없던 상태로 되돌려야 하는 의무를 지니며, 얻어진 결과는 그 특정한 참가자가 동의하지 않는 한 비밀로 남아 있어야 한다. 이 원칙들은 어떤 연구 프로젝트에서도 고려사항이어야만 한다.

● **원칙 8.01 기관의 승인**

심리학자는 연구를 수행하기 위해 기관의 승인을 반드시 얻고, 승인 받은 연구 규약에 따라 연구를 수행한다.

● **원칙 8.02 연구에 대한 동의서**

심리학자는 실험을 수행하기 전에 연구 참여자로부터 동의서를 반드시 받는다. 참여자는 연구에 포함된 절차와 관련된 정보를 얻고, 연구 프로젝트에서 그만둘 권리, 참여와 연관된 위험이나 불편, 또한 참여와 연관된 혜택에 관한 통지를 받고, 수집된 정보의 비밀을 어떻게 보호를 하는지에 관해서 듣는다. 참가자에게 또한 의문이나 문제점이 생겼을 경우 누구에게 연락을 해야 하는지를 알려준다.

● **원칙 8.03 연구에서 음성과 화상 기록에 대한 동의서**

음성이나 화상을 기록하게 되면, 동의서가 필요한데, 개인이 누구인지 확인되지 않는 공공장소에서 자연주의적 관찰을 하는 경우는 예외이다. 연구 설계에 속임수가 포함되어 참가자가 기록되고 있는지를 모른다면, 그 사람의 목소리나 이미지를 사용해도 좋은지의 동의를 해명 과정의 일부로서 요청할 수도 있다.

● **원칙 8.04 내담자/환자, 학생, 그리고 수하의 연구 참가자**

어떤 식으로 연구자와 종속적인 관계에 있는 사람이라면, 그 사람은 어떤 불리한 결과 없이 참여를 거부하거나 그만둘 수 있어야 한다. 만일 연구 참여가 과외의 점수를 받기 위해 요구된다면, 학생이 요구사항을 만족시킬 수 있는 대안 과제가 있어야 한다.

● **원칙 8.05 연구를 위한 동의서의 생략**

심리학자는 항상 동의서를 받아야 하는 것은 아니다. 다음의 경우가 그런 경우에 해당한다: 유순한 장소에서 연구가 진행된다; 해가 있을 만한 가능성이 거의 없다; 참가자의 비밀과 익명성이 보장될 수 있다; 연구를 수행하는 것과 연관된 아무런 법적 책임이 없다.

● **원칙 8.06 연구 참여를 위한 동기 제공**

연구 참여를 위한 과도한 제공은 강압적인 것으로 보일 수 있으며, 방지되어야 한다.

● **원칙 8.07 연구에서 속임수**

심리학자는 연구의 중요성이 속임수를 필요로 하고, 속임수를 쓰지 않는 대안 절차가 가용하지 않는 경우가 아니라면 연구 참가자를 속여서는 안 된다. 만일 해가 있을 것 같으면, 심리학자는 속임수를 사용하지 않는다. 참가자가 가능한 한 빨리 어떤 속임수가 있었음을 자각하게 해준다.

● **원칙 8.08 해명**

자료가 수집되고 난 후, 참가자는 연구에 관한 정보를 받고, 연구나 절차에 관한 어떤 오해도 바로잡는다. 참가자에게 해를 끼칠 수 있는 부정적인 결과는 해명할 때 해가 최소화되도록 바로잡는다.

● **원칙 8.09 연구에서 동물에 대한 인도적인 보살핌과 사용**

이 원칙들은 동물 연구를 참조하고 이 장의 후반부에 별도로 논의될 것이다.

출처: American Psychological Association. (2002). *Ethical principles of psychologists and code of conduct.* Copyright © 2002 by the American Psychological Association.

동의서와 속임수

윤리적인 연구자는 참가자들에게 참가할 의향에 영향을 끼친다고 논리적으로 예상할 수도 있는 연구의 모든 측면에 대하여 미리 알려주고 참가자가 요청하는 연구의 다른 모든 측면에 대해서도 설명한다. 참가자들은 해로운 영향을 줄지도 모르는 연구의 이런 측면들에 관해서 미리 경고를 받아야만 한다. 대부분의 심리학 연구에서 참가자들은 연구 프로젝트 동안 자신들에게 요청하는 것에 관한 정보를 빠짐없이 받고, 그럼으로써 그들은 참가여부와 연관된 잠재적인 문제들을 이해했다는 **동의서**(informed consent)를 작성해 주게 된다. 참가자들은 자신들이 실험 동안 겪게 될 경험의 본질을 오해하는 경우가 거의 없다. 실험연구자는 실험 절차의 목적을 보통은 사실대로 이야기해준다. 그럼에도 불구하고 실험연구자는 때때로 실험의 진짜 목적에 관해서 참가자를 속인다. 이러한 그릇된 설명은 자주 '커버 스토리'(cover story, 옮긴이 주: 신분이나 특정 행위에 대한 이유를 숨기기 위한 변명 또는 거짓 이유)라고 불린다. 이러한 종류의 **속임수**(deception)는 종종 참가자의 반응성을 통제하기 위해서 사용된다. 예를 들면, 이성집단 내의 사람보다 동성집단 내의 사람들이 더 주장적으로 행동하는지에 관심 있는 연구자는 사람들에게 이제부터 집단협동을 필요로 하는 문제를 수행하게 될 것이라고 말한다. 또한 그들은 이러한 과제들의 난이도를 평가하는 것이 이 실험의 목적이라고 듣는다. 연구자는 만일 실험의 진짜 목적을 알게 되면 참가자의 행동이 바뀔지 모른다고 걱정하고 있다. 이 경우에 검증하고자 하는 가설과 관련된 정보는 아마도 참여하고자 하는 결정을 바꾸지는 않을 것이다. 그러나 이 정보는 과제에 대한 수행을 바꿀 수도 있다. 이런 종류의 속임수는 비록 해는 없지만 조심스럽게 고려되어야 하는데, 왜냐하면 참가자가 완전히 설명 받은 후에 동의한 것이 아니기 때문이다. 어떤 사람은 실험의 목적을 찬성할 수 없기 때문에 특정한 실험에 참가하지 않기로 결정할 수도 있다.

실험의 목적과 관련된 속임수보다는 더 드물지만 참가자가 실험 동안 가질 경험과 관련된 속임수가 있다. 그런 속임수란 불행히도 일부 연구에서 필요하다. 예를 들면, 조사자가 사람들이 적극적으로 기억하려고 노력하지 않는 경우에 정보를 얼마나 잘 회상해 내는지를 보려고 한다면, 실험연구자는 실험에 기억검사가 있다고 참가자에게 알려주지 않을 것이다. 명백하게 이러한 정보를 빠뜨렸기 때문에 참가자들은 완전히 알고 동의한 것이 아니다.

그러므로 연구 문제에 속임수가 필요할 때마다 윤리적인 연구자는 딜레마에 빠진다. 명백하게 그 연구 절차가 피험자들에게 심각한 심리적, 신체적인 피해를 입히는 경우라면 반드시 사전 통보가 있어야 한다. 그러한 경우에 속임수는 명백하게 비윤리적인 것이다. 다른 한편으로, 미미한 위험만이 절차에 포함되는 경우라면, 참가자에게 완전히 밝히는 것과 관련된 결정은 더 어렵게 된다. 이 모든 경우에 그 연구가 얻을 잠재적 이득과 참가자에 대한 실제적·잠재적 손실이 비교되어야 한다. 실험이 얻을 수 있는 잠재적 이득이 참가자에 대한 어떤 위험보다도 훨씬 더 많을 때 속임수가 정당화될 수 있다. 그러한 경우에도 참가자에게 언제나 최대한 많은 정보를 제공해야만 하고 어떤 부당한 처사를 받지 않고도 언제든지 참가를 그만둘 수 있다는 것을 그들에게 알려주어야 한다.

동의서 문제에 초점을 맞추어서 이전에 논의한 우울과 기억 실험을 재고해 보자. 참가하겠다고 신청한 사람들은 그들이 참가할 실험의 일부가 자신들을 즐겁지 않게 만들 수도 있으며 참가를 거부할 기회는 주어진다고 듣게 된다. Velten 기법과 실험집단에 누가 포함될지 등의 특정한 조작의 세부사항은 미리 알려주지는 않는다. 그들이 모든 세부사항을 알게 된다면 평소와 다르게 반응할지 모른다. 왜냐하면 기분-유도 효과는 일시적이라는 것이 알려져 있기 때문에 연구자들은 부분정보만을 주고도 동의서를 받아내는 것이 충분하다고 믿는다. 여기에서 비록 일부 정보가 빠졌더라도, 실험에서 무엇이 기대되는지에 대하여 참가자가 오해하도록 속이는 것은 아니다.

동의서와 속임수를 둘러싼 논쟁들은 자주 윤리적 해결에 도달하기 위해 심사숙고와 토의가 필요하다. 실제로 연구자들은 심리학 실험에서 속임수의 적합성에 대하여 논쟁을 계속하고 있다(예를 들면, Bröder, 1998; Kimmel, 1998; Korn, 1998; Ortmann & Hertwig, 1997, 1998; 그리고 Pittenger, 2002를 보라). 이러한 결정을 할 때, 연구자 개인에게만 맡겨 놓는 경우는 드물다. 아마도 이 나라(미국)에 있는 모든 연구기관은 인간을 포함하는 실험 절차를 인준하는 상설위원회가 있다. 이 위원회는 실험 참가자들에 대한 윤리적 대우를 보장하려고 노력하고 있다. 이러한 위원회에 대하여 나중에 좀 더 자세히 논의하겠다.

요약하면, 완전한 동의 절차는 심리학의 모든 영역에서 지켜야 할 규범이다. 가끔씩은 피험자 반응성을 막기 위해서 어떤 정보들은 보류되거나 참가자들을 속이기도 한다. 그러한 경우들에서 실험자와 기관 심의위원회 위원은 그런 절차를 통해 얻는 이득이 참가자에게 주는 위험을 능가하는지를 결정하는 데 세심한 주의를 해야 한다.

그만둘 자유

앞 절에서 간략하게 소개했듯이, 참가자는 언제든지 참가를 거부하거나 그만둘 수 있도록 해야 한다. 참가자를 의자에 묶는 광기에 사로잡힌 과학자는 비윤리적이라고 누구나 동의할 것이다. 더 나아가 실험 참가자가 불편한 사람은 **그만둘 자유**(freedom to withdraw)를 가져야 한다는 것에 반대할 사람은 거의 없다. 그렇다면 윤리적 딜레마가 있는 곳은 어디인가? 중요한 문제는 기꺼이 자원한 참여자란 정의와 관련되어 있다. 우울과 기억 실험에 대한 참가자 집단을 고려해보자. 이들은 대부분 1학년 또는 2학년인 심리학개론을 듣는 대학생이다. 실험에 참여하겠다고 서명을 하고 그 대가로 보너스 점수 같은 것을 받게 된다. 그들이 서명하였을 때, 학생들은 자원한 것인가, 아니면 그 상황에서 추론된 어떤 종류의 강제 하에 놓여 있었던 것인가? 만일 학생들이 보너스 점수를 받았다면, 그것은 자신의 의지에 의한 선택이었을 가능성이 높다. 만일 과목을 듣는 데 반드시 요구된 것이라면, 참가 여부의 자유는 명확하지 않다. 학생들이 참여하도록 요구받았을 때 그 요구를 대신할 수 있는 다른 선택 방법이 있어야만 하는데, 예를 들면, 보고서를 내거나 특강을 들어야 하는 것 등이다. 그렇다면 요점은 실험에 참여할지 여부를 학생들이 선택하도록 자유를 주는 것이다.

일반적으로 잠재적 참가자의 집단이 포로와 다름없는 사람들, 예를 들면, 학생, 죄수, 신병지원자, 연구자가 고용한 사람이라면, 윤리적인 연구자는 참여할지 포기할지에 대한 개인의 자유를 배려해야 한다. 우울과 기억 실험 참가를 지원한 학생들은 보너스 점수라는 미끼에 걸려서 모집되었다(참가가 의무는 아니다). 그들이 서명하였을 때 그들은 행복하지 않을 가능성에 대하여 미리 경고를 받는다(참가 여부를 결정할 수 있다). 언제든지 그만둘 선택권이 있으며, 여전히 과외의 점수를 받을 수 있다(그만둘 자유가 있다)는 것을 연구자가 실험 초기에 알려준다.

피해로부터의 보호와 해명

APA는 연구 참가자들에게 **피해로부터 보호**(protection from harm)를 제공하는 추가적인 보호장치를 제공한다. 연구에서 참가가 끝난 후에 연구자를 접촉할 수 있는 방법이 참가자들에게 있어야 한다. 최소의 위험만이 포함된 가장 윤리적인 연구 프로젝트에서조차 의도하지 않은 후유증이 있을 수 있다. 그러므로 참가자는 만일 문제가 발생했을 때 도움이나 조언을 받을 수 있어야만 한다. 우리는 표준적이고 해악이 없다는 기억 실험에서조차 (좌절이나 당혹감 때문에) 참가자를 울게 만드는 경우가 있다. 이러한 참가자들은 실험에서 부정적인 자아상을 가지고 나갈 수도 있고 특정하게는 본인이 했던 실험, 일반적으로는 연구 전체에 대한 강한 분개 감정을 가질 수 있다.

그러한 의도되지 않은 효과 때문에 현명한 연구자는 상세하게 **해명**(debriefing)을 해주는데, 그것은 조사자가 연구의 일반적 목적을 설명해주고, 조작에 대하여 설명하여 어떤 의문이나 오해를 없애도록 하는 것을 뜻한다. 이것은 학생들이 수강과목 요구사항의 일부로서 참여하는 경우에 특히 중요하다. 우리는 심리학을 듣는 학생들이 교육적인 경험을 갖도록 실험을 구성하는 것이 실험연구자의 의무라고 믿는다.

피해로부터 보호 원리와 해명을 우울과 기억 실험에 적용시켜 보자. 그 연구 절차의 마지막에 참가자들은 실험에 뒤따르는 우울한 경험을 하게 되는 식의 아주 없을 것 같은 경우에 접촉할 수 있는 사람들의 전화번호를 받는다. 전화번호 목록에는 책임연구자, 상담자, 학생처 처장과 부처장 등이 포함된다. 실험연구자들은 우울을 유도하는 서술문을 읽는 실험 절차가 끝난 다음 날 전화를 걸어, 참가자가 부정적인 후유증을 겪고 있지 않은지를 알아본다.

참가자들은 철저한 해명을 듣는다. 그들은 기분-유도 절차에 관해서 그리고 그 효과가 어떻게 일시적인지를 듣는다. 덧붙여, 실험 설계와 원리에 대한 다른 상세한 정보를 개략적으로 설명하고 참가자가 제기한 어떠한 질문에도 답변한다.

해로운 영향을 제거하기

위험성 높은 연구 계획에서 참가자들에게 해명해 주고, 전화번호를 주는 것만으로는 충분하지 않을 수 있다. 만일 참가자가 연구 계획에 참여한 결과로 장기적인 영향에 시달린다면, 연구자는 **해로운 영향을 제거**(removing harmful consequences)할 책임이 있다. 분개한 참가자의 감정은 되돌리기 어려울 수 있는데, 왜냐하면 그 적개심은 의도된 것이 아니며 알아차리지 못했을 수 있었기 때문이다. 그러나 그러한 위험을 알고 있었다면 윤리적인 연구자는 그것을 최소화하기 위한 조치를 취해야만 한다.

우울과 기억 실험에서 해명을 받기 전에 참가자는 좋은 기분을 유도할 수 있는 자기-참조된 문장들을 읽는다. 이 절차는 이전에 유도된 부정적인 기분의 효과를 상쇄시킬 것이라 가정된다. 그리하고 난 후 참가자들은 현재의 느낌에 대하여 대답하고 자신들이 실험을 시작했을 때보다 나쁘지 않은 감정을 가지고 실험을 마친다고 쓰인 문서에 서명을 한다. 모든 참가자들이 그 문서에 서명하지만 그렇지 않을 경우가 발생하면, 그들의 기분이 나아질 때까지 실험진행자 중 한 사람이 실험실에 남아서 감독한다.

비밀유지

실험에서 참가자의 행위는 다른 방식으로 동의가 있지 않는 한 비밀로 지켜져야 한다. 윤리적인 연구자는 다음과 같은 식으로 떠벌리고 다니면 안 된다. "Bobby Freshman은 정말 멍청해. 그가 내 실험에서 수행이 제일 형편없어." 또한 특정한 참가자의 개인 정보, 예를 들면, 혼전 성교에 대한 태도나 가족수입 정도 등을 허락 없이 누설하면 안 된다. 비밀유지의 원칙은 단도직입적인 것처럼 보이지만 연구자는 **비밀유지**(confidentiality)를 하려고 노력할 때도 윤리적 딜레마에 직면하게 될 수 있다.

이 딜레마는 우울과 기억 실험에서 발생했다. 실험연구자는 윤리적 문제에 직면하게 되었는데, 왜냐하면 피해로부터 보호라는 원칙을 지키기 위해 비밀유지 원칙을 깨는 것이 필요하다고 믿었기 때문이다. 어떻게 이 딜레마가 발전되었는가? 참가자의 과제 중 하나는 자신들의 정신건강에 관계된 몇 개의 질문에 대답하는 것이었다. 그들은 자신들이 개인적 문제에 대하여 전문가의 도움을 현재 찾고 있는지를 표시했다. 그들이 그렇다고 했다면 그들은 문제와 치료 절차에 대한 상세한 내용을 제시했다. 참가자들은 이 답변들이 비밀일 것이라고 확신하였다. 그리고 난 후 학생들은 자신의 현재 우울 수준을 평가하는 임상 검사를 받았다. 만일 참가자가 자신이 우울증 치료를 받고 있다고 했고 검사에서 높은 점수가 나왔다면, 실험연구자는 이 시점에서 이 참가자의 참여를 곧바로 중지해야 한다. 연구자는 학생 반응에 대하여 확실히 비밀을 보장하고 기분–유도 절차에 의해 우울한 사람이 더 우울하게 되는 것을 막기 위해 미리 우울 검사를 사용해서, 피해를 최소화하고 솔직하고 개방적인 반응을 최대화한다. 그럼에도 불구하고 윤리적 딜레마는 발생한다. 실험의 과정 중에 두 학생이 우울 검사에서 매우 높은 점수를 받았고, 그 중 한 사람은 현재 치료 중이 아니었다. 검사가 임상적으로 심각한 우울증에 대하여 신뢰성 있고 타당하게 예언하는 검사였기 때문에 책임연구자는 우울의 매우 높은 수준을 가진 것처럼 보이는 두 학생에 관해서 대학 상담자에게 알릴 필요가 있다고 믿었다. 그리하고 난 후 일상적인 면접으로 가장해서 상담자가 이 학생들과 이야기를 하였다.

이런 유형의 딜레마는 연구에서 자주 발생한다. 한 가지 윤리적 원칙을 고수하자면 다른 것을 위반할 필요성이 생길 수도 있다. 이런 일이 발생할 때 쉬운 선택이란 없다. 소개한 사례에서 만일 매우 우울한 학생들이 조사자가 자신들의 믿음을 배반하였다고 의심하면, 영구적인 적개심과 불신을 갖게 될 수 있다. 다른 한편으로 연구자는 이러한 학생들이, 특히 현재 치료받고 있지 않은 학생이 심각한 고통 속에 있다는 사실을 무시할 수 없다. 이러

응용

윤리적인 연구 계획

당신이 윤리심의위원회를 주관하고 있으며, 다음과 같이 제안된 연구의 사례들을 허락할지 결정해야만 한다고 가정해 보자.

1. 한 환경심리학자가 혼잡한 도서관에 앉아 있다. 그리고 사람들이 앉아 있는 패턴들에 대하여 상세히 기록하고 있다.

2. 한 환경심리학자가 도서관에 앉아 있는 패턴들을 비디오테이프에 담고 있다. 이 테이프들은 무기한으로 보관되며, 도서관 고객들은 자신들이 녹화되고 있는지를 모른다.

3. 한 실험심리학자가 실제로는 독해보다는 읽는 속도를 기록하고 있으면서 학생들에게는 자신은 독해에 관심이 있다고 말한다.

4. 한 사회심리학자가 주류상점에서 방관자 개입을 연구한다. 상점 주인으로부터 허락을 얻었다. 고객이 명백히 보는 앞에서 한 실험자는 술 한 병을 "훔친다." 두 번째 실험자가 그 고객에게 다가가서 "당신 저 사람이 술병을 훔치는 것을 보았소?"하고 묻는다.

5. 한 사회심리학자가 남자 참가자에게 그들의 사전 허락을 받고 피부에 전극을 부착하였다. 이들 참가자들은 그 전극들이 바로 앞에 있는 성적 흥분을 측정하는 계측기와 연결이 되어 있다고 들었다. 사실, 계측기는 실험자에 의해 통제되고 있었다. 참가자들은 남자와 여자의 누드사진을 보여주었다. 계측기에 남자사진에 대한 아주 높은 기록점수를 제시함으로써 참가자들이 자신이 동성연애자라고 믿도록 유도했다.

사람들은 이들 사례 중 어느 것이 윤리적 또는 비윤리적 연구를 구성하고 있는지에 대하여 서로 동의하지 않는다. 그리고 우리는 여러분에게 확실한 답변을 제시할 것이라고 가정하지 않는다. 우리 동료와 비공식적으로 논의를 했을 때 오직 첫 번째 사례만이 윤리적인 계획이라고 만장일치로 통과되었다. 왜냐하면 심리학자는 낯선 사람들을 단순히 관찰하였고, 동의란 불필요하였다. 어떤 개인이든지, 그가 심리학자이든 아니든, 도서관에서 사람들을 쉽게 관찰할 수 있다. 우리 동료들은 잠재적 해악 정도가 극히 적다고 평가했다.

일부 사람들은 그 외의 모든 사례에 대하여 반대를 제기하였다. 2번 사례는 개인 사생활을 침해했는데, 왜냐하면 테이프들이 자료 분석 후에 파기되지 않았기 때문이다. 3번 사례에서 대부분의 동료 연구자들은 실험자가 참가자에게 속임수를 쓴 이유에 대하여 조심스럽게 해명해준다면 받아들였다. 4번 사례는 실제 연구를 기술한 것인데, 그 상황에서 고객은 도둑을 보지 못했다고 답하고나서 상점을 떠나자마자 경찰을 불렀다. 조사자는 경찰서에 불려가서 체포된 실험자를 보석으로 석방시켰다. 5번 사례는 다른 실제 실험을 기술하였는데, 우리 동료 연구자들은 아무리 해명을 한다 하더라도 윤리적 연구라고 생각할 수 없다고 하였다. 아무리 즉각적이고 심도 있는 해명이었더라도 참가자들에게서 자신 속에 감춰진 동성애 경향이 있다고 믿게 된 심리적인 피해를 제거할 수 없을 것이다. 윤리적인 연구 계획을 고안해내기란 어렵다.

한 경우에 학생들이 확실하게 도움을 받도록 해주는 것이 비밀유지에 대한 권리를 지키는 것보다 훨씬 더 중요한 것처럼 보인다.

예로서 보여주었듯이, 윤리적인 결정들은 때때로 실용주의적 관점의 측면에서 고려되어야만 한다. 다시 말하면, 연구 계획을 결정한 사람들은 참가자를 보호할 최선책에 초점을 맞추는 동시에 의미 있고 타당한 연구 계획을 수행해야 한다. 일부 윤리적 결정이 얼마나 어려워질 수 있는지를 보려면, 응용 부문을 검토해 보라.

윤리적 실천에 대한 책임은 연구자, 심의위원회 위원, 그리고 출판을 위해 연구를 심사하는 학술지 편집장들에게 달려 있다. 한정된 경우에 연구자는 속임수, 은폐, 비밀유지의 위반을 정당화할 수도 있다. 그러나 그런 미심쩍은 방식의 윤리 실천은 가능한 한 회피되어야 한다. 윤리성 위반은 좋은 연구의 전제 조건이 아니다.

> **개념 요약**
>
> 인간 참가자를 대상으로 연구를 수행할 때, 윤리적인 연구자는
>
> • 참가자들에게 실험 절차에 대하여 완선히 알려주고, 실험 시작 전에 확실히 동이서를 받는다
> • 연구 질문에 대한 답변을 얻을 다른 방도가 없을 때, 그리고 실험으로부터 얻어지는 잠재적 이득이 참가자에게 가해질 어떤 위험을 훨씬 능가할 경우에만 속임수를 사용한다.
> • 참가자가 벌칙에 대한 공포없이 언제나 실험을 자유롭게 그만둬도 된다는 것을 보장한다.
> • 장기적인 영향을 포함하여 실험이 야기한 어떤 해로운 영향도 제거한다.
> • 실험 과정 동안 얻어진 참가자에 대한 정보에 관하여 비밀을 유지한다.

동물을 사용하는 연구에서의 윤리

비록 현대 심리학 연구의 대부분이 인간에 초점을 두고 있지만, 상당히 많은 연구가 인간이 아닌 동물에 초점을 두고 있다(Karkowski & Alyesh, 2007). 인간을 사용하는 것이 불가능하거나 그렇게 하지 않아도 될 때 동물들을 사용한다(Vazire & Gosling, 2003). 그러나 일부 사람들은 동물들을 여러 가지 종류의 연구에 사용해서는 안 된다고 믿는다(Bowd, 1980; Bowd & Shapiro, 1993). 예를 들면, Rollin(1985)은 법적, 도덕적 권리의 개념이 인간연구에 적용될 수 있다면 같은 방식으로 동물연구에도 또한 적용될 수 있다고 주장했다. 그는 동물 대상 연구의 위치를 인간 참가자 연구의 수준으로 올려야 하며, 인간연구를 통제하는 많은 규칙들이 동물들에게도 똑같이 적용되어야 한다고 주장하였다. 최근에는 언론에서 실험실 동물들에 대한 학대와 연구에서 동물의 사용을 제한해야 한다는 동물 권리 옹호론자들의 주장을 보도하였다. 그러므로 동물들이 연구에 사용되어야 하는 이유에 대한 고려는 중요하며 동물을 위한 윤리적 보호장치에 대한 이해가 필요하다.

동물들은 또한 연구의 대상인데, 왜냐하면 그 자체로 흥미롭고, 그들이 자연세계의 중요한 일부를 구성하고 있기 때문이다. 조류 관찰자, 아마추어 박물학자, 비교심리학자, 동물행동학자들의 수가 그 흥미에 대한 증명이 된다. 그러나 윤리적 관점에서 더 중요한 것은 동물들이 인간과 다른 동물들에 대한 편리하고, 고도로 통제된 모델로서 역할을 한다는 것이다. APA(2003)는 심리학 연구에서 동물의 사용과 관련된 추가정보를 제공하였다.

동물을 사용하는 연구를 반대하는 주장들

윤리에 따르면, 인간을 대상으로 뇌 손상을 유발시키는 실험이 금지되고, 인간 유아를 그 부모로부터 계획적으로 격리하는 것이 배제되고, 알려지지 않은 약물을 인간을 대상으로 검사하는 것이 금지되며, 일반적으로 인간에 대한 위험하고 되돌릴 수 없는 조작들이 제외된다. 동물 권리 옹호론자들은 동물에 대한 연구도 동일한 금지사항들이 있어야 한다고 믿는다. 동물 권리 옹호론자들에 따르면, 연구자들은 인간과 동물 둘 다의 권리를 지켜야 할 필요가 있는데, 예를 들어, 그들은 원숭이 뇌를 파괴하는 것은 인간의 뇌에 대한 파괴와 마찬가지로 윤리적으로 비난 받아야 한다고 믿기 때문이다. 동물 권리 옹호론자들의 입장은 세 가지로 요약된다. (1) 동물도 고통을 느끼며 그들의 삶도 인간의 경우에서와 같이 파괴될 수 있다(Roberts, 1971), (2) 어떤 살아 있는 것들을 파괴하거나 해를 가하는 것은 과학자들에게 인간성을 빼앗는 것이다(Roberts, 1971), (3) 동물연구에 도움을 받아서 과학적 진보를 이루었다는 주장은 인종 간 편협성 같은 일종의 인종주의이고, 완전히 부당하고 비윤리적인 것이다. 다른 종들의 권리와 이익을 무시하는 것을 Singer(1978)는 **종편견주의**(speciesism)라고 불렀다. 대부분의 심리학자들은 이런 관점들의 타당도에 대하여 강력한 유보사항을 가지고 있다. 하나씩 살펴보도록 하자.

동물을 사용하는 연구를 찬성하는 주장들

첫 번째 논점은 동물이 아픔을 느끼고 고통받고 있다는 것이다. 물론 이것은 사실이지만 동물을 연구 피험자로 사용하는 모든 과학 분야에 윤리적 기준이 존재한다. 이런 원리들의 주요한 입장은 과도한 고통과 비인간적인 처치의 금지에 관한 것이다. 윤리적인 심리학자는 의도적으로 연구 동물들을 나쁘게 다루거나 부당한 해를 가하지 않는다. 과학자와 윤리심사위원회가 심사숙고하는 토의를 거친 후에 동물에게 아픔과 고통을 가할 것인지를 결정한다. 그러한 토의는 실험이 얻는 잠재적 이득과 동물의 고통을 저울질하는 것이다. 이득이 해를 끼치는 것보다 월등할 때 실험이 승인되고 수행된다. 마지막으로, 동물을 대상으로 하는 행동연구에서 중요한 논점은 연구되는 동물에게 가해지는 아픔이나 신체적 해가 연구의 목적이 아니라는 것이다. 예를 들면, 관찰연구는 인간 성격의 구조와 진화한 방식에 대한 이해에 중요한 진보를 가져왔다(Gosling, Kwan, & John, 2003; Gosling, 2008 개관을 보라).

동물 권리 강령의 두 번째 조항은 어떤 살아 있는 것을 파괴하는 것은 과학자에게서 인간성을 빼앗는다는 것이다. 식물들은 여기에 포함되지 않는데, 왜냐하면 인간으로서 생존하기 위해 동물이 아니라면 식물들을 파괴해야만 한다. 비록 이러한 살생을 금지하는 것이 동물에 제한한 것이라도 이러한 금지는 동물연구의 배제라는 것을 넘어서는 여러 개의 심각한 함의가 있다. 만일 어떤 이가 이것을 동물연구에 반대하는 주장으로 사용한다면, 그 사람은 어떤 종류의 고기류도 먹어서는 안 된다. 유사하게, 그 사람은 동물을 죽여서 얻은 어떤 종류의 생산품(예, 가죽)도 사용해서는 안 된다. 마지막으로, 만일 동물을 죽이는 것이 탈 인간화라면, 동물을 죽여서 얻어지는 이득도 탈 인간화이지 않은가? 만일 그렇다면 동물 권리의 신봉자는 현대 의학이 이룩한 기적 같은 일들의 대부분을 저버려야 하는데, 왜냐하면 거의 모든 것이 동물연구의 혜택을 받았기 때문이다. 그러나 동물 권리에 대한 신념을 일관되게 유지하기란 어렵다. Plous(1991)는 동물 권리를 지지하는 대규모 집회에 참여한 활동가들에 대한 설문조사에서 그 어려움을 분명하게 보여주었다. Plous는 상당히 높은 비율의 활동가들이 보통사람과 비교해서 자신이 채식주의자(우유와 달걀을 포함하는 동물가공식품을 먹지 않는 사람들)라고 주장했다고 보고하였다. 많은 활동가들이 자신은 가죽제품도 사용하지 않는다고 주장하였다. 그럼에도 불구하고 동물 권리 활동가들의 대다수(53%)가 가죽제품을 구입하고 고기를 먹는다고 보고하였다.

마지막으로, 동물 희생을 바탕으로 한 과학적 진보는 단순하게 종편견주의—우리 종의 혜택이 있으면 다른 종 구성원의 희생은 정당화된다는 신념—라는 비난이 있다. 동물연구에 대한 비판으로서 이 주장은 상당히 많은 동물연구들이 동물들의 안녕에 혜택을 주었다는 사실을 무시하고 있다. 예를 들면, Jones와 Gosling(2005)은 개의 기질에 대한 연구로 인해 작업견과 보호소에 있는 개들의 복지를 개선하는 데 이용될 수 있음을 지적했다. 유사하게, 부화된 오리가 돌보는 사람을 각인하는 방식에 대한 연구가 인공 부화된 콘돌 새끼를 야생으로 돌려보낼 때 어떤 준비가 좋은지를 알려주었다.

어느 경우에서든지 인간에게 혜택을 주기 위해서 동물을 사용하는 것이 일종의 종편견주의라면, 많은 사람들이 동물연구에서 얻은 혜택 또는 가능한 미래의 혜택을 버려야 하는지는 의심스럽다. 뇌 제거를 포함한 원숭이 연구를 수행하였던 저명한 신경과학자이자 신경외과의사인 Robert J. White의 다음 인용문을 살펴보자.

"내가 이 논문을 쓰면서, 어제 내가 수술로 어린아이의 소뇌와 뇌간에서 커다란 종양을 제거한 생생한 경험이 떠오른다. 이것은 수십 년 전에는 불가능했고, 몇 년 전만 해도 위험하기만 했던 외과수술이었다. 그러나 하등동물에 대한 광범위한 실험 덕분에 일상적으로 안전성

높게 해낼 수 있게 되었다." (White, 1971, p. 504)

실험적 신경 외과수술뿐만 아니라 동물을 대상으로 한 행동연구에서 수많은 혜택이 얻어진다. Overmier와 Carroll(2001)은 동물을 사용한 심리학 실험들을 통하여 공포증, 불안장애, 우울증, 섭식장애, 알코올중독, 약물중독과 같은 다양한 심리적 문제들을 다루는 데 직접적인 혜택을 얻었다고 언급했다. 더욱이 신경근육 이상 행동을 가진 사람들이 자신의 신체에 대한 통제력을 회복하는 데 도움을 주도록 사용되는 바이오 피드백 같은 행동 기법은 동물 실험들에서 유래했다. 또한 동물을 대상으로 한 심리학 연구는 실험을 통해 심리적 스트레스와 신체 건강 사이의 직접적 연계를 보여주었다. 예를 들면, Capitanio와 그의 동료들은 사교성이 높은 레서스 원숭이는 사교성이 낮은 (여러모로 비슷한) 레서스 원숭이보다 훨씬 건강한 결과를 지니고 있는데, 특히 사회적 환경이 불안정할 때 그러했음을 발견하였다(Capitanio, Mendoza, & Baroncelli, 1999). 다른 연구들은 부모로부터 신체적으로 격리시켰을 때 유아가 받는 해로운 영향—생명유지를 위해서 신생아를 인큐베이터에 넣어야만 할 때는 필요하다—은 하루에 세 번 15분 동안 신생아를 문질러줌으로써 간단하게 제거될 수 있다. Miller(1985)는 동물을 사용한 행동연구에서 얻어지는 여러 가지 혜택을 기술하였고, 그의 논지는 일부 동물 권리 활동가들이 주장한 것(Plous, 1991)과는 반대로 동물을 사용한 심리학 실험의 혜택이 상당하다는 것이다.

Gallup과 Suarez(1985)는 심리학 연구에서의 동물 사용의 근거, 범위, 그리고 사용에 대하여 개관하였다. 그들은 가능한 대안들을 고려한 후 많은 경우에서처럼 심리학 연구에서도 동물사용을 대신할 만한 것이 없다고 결론 내렸다. 연구와 교육 양측에 동물 사용에 대한 전문가 지지가 비록 연구에서 동물 사용이 시간이 갈수록 감소하고 있음에도 불구하고 높은 수준으로 남아 있다(Rowan & Loew, 1995). APA 회원에 대한 최근의 설문조사에서 응답자의 80%가 동물연구에 대한 일반적인 지지를 표명했다(Plous, 1996a). 유사한 결과를 심리학 전공 학생의 표본을 대상으로도 얻었다(Plous, 1996b). 그러나 심리학자들이 모든 동물연구를 획일적으로 지지하지는 않는다는 것을 유념해야만 한다. 고통과 죽임이 포함된 연구가 많이 승인거부되었고, 대다수가 쥐와 새에게도 영장류에게 제공되는 연방 보호정책을 동일하게 제공할 것을 지지한다(Plous, 1996a).

연구에서 동물 사용에 대한 지침서

오랫동안 심리학자들은 연구에서 사용되는 동물들을 인도적이고 윤리적으로 다루는 데 초점을 두어왔다(Greenough, 1992). 예를 들면, 인도적인 대우를 언급한 초기의 서술문 (Young, 1928)에는 연구 피험자로 사용되는 동물은 "… 친절하게 다루고, 적절하게 먹이 주고, 그 환경을 최대한 청결한 상태로 유지하여야 한다"(p. 487)고 역설한다. 이런 관심은 동물을 사용하는 연구를 통제하는 APA의 최신의 지침(2003)에 반영되어 있는데, 그 지침들은 일반적 원칙에 대하여 다음과 같이 서술하고 있다.

> 심리학은 광범위한 영역의 연구와 응용 시도를 포괄하고 있다. 이러한 시도의 중요한 부분이 인간이 아닌 동물에 대한 교육과 연구인데, 이는 행동의 기저에 있는 기본적 원리에 대한 이해와, 인간, 그리고 인간이 아닌 동물의 복지를 진척시키는 데 기여하고 있다. 명백하게도 심리학자는 관련된 법과 규칙에 조화로운 방식으로 교육과 연구를 수행해야만 한다. 덧붙여, 윤리적 관심사에 따르면 심리학자는 연구를 진행하기 전에 동물이 관련된 절차의 비용과 혜택을 고려해야 할 것을 명령하고 있다. (p. 1)

거의 모든 인간 사회에서 그렇듯이 때때로 동물을 사용하는 연구에서도 학대가 일어난다. 그러나 이러한 학대는 동물연구가의 표준 관행을 거스르는 것이다. 윤리적인 연구자는 동물을 인도적으로 다룬다. 사람들은 비윤리적으로 동물을 다룬 사실을 발견했을 때 그들은 문제가 있는 연구자를 처벌하려고 한다. 일부 학대가 일어났다고 해서 차후의 모든 동물 연구가 금지되어야 하는 것은 아니다. 동물 권리주의자의 전형적 견해(Plous, 1991)는 단순한 연구뿐만 아니라 인간이 혜택 받기 위해 동물을 사용하는 것을 전반적으로 금지하자는 철학적 입장에서 나왔다. 여러분은 동물연구에 대하여 어떤 태도를 취할 것인지를 결정해야 하지만 이 쟁점의 중요성은 여러분이 그 논쟁과 함의하는 바의 각 양쪽 측면을 비판적으로 고려할 필요가 있다.

다음 원칙은 APA(2002) 윤리조항에 상세히 기술된 바 있는, 연구자가 동물 피험자를 사용하는 데 일차적으로 고려할 것을 개략적으로 설명하였다. 이러한 원칙에 대한 좀 더 상세한 기술은 APA(2003)의 *Guidelines for Ethical Conduct in the Care and Use of Animals* 에 있다.

● 원칙 8.09 연구에서 동물에 대한 인도적인 보살핌과 사용

(a) 심리학자는 현재의 연방 정부, 주 정부, 그리고 지방법과 조례, 그리고 전문가적 기준을 준수하여 동물의 취득, 돌보기, 사용, 그리고 처리를 한다.

(b) 연구방법을 훈련 받고, 실험실 동물의 돌보기에 경험이 있는 심리학자가 동물이 관여되는 모든 절차를 감시하고, 또한 동물의 안녕, 건강, 그리고 인도적인 처치를 적합하고 확실하게 고려하고 있는지를 확인하는 의무를 지닌다.

(c) 심리학자는 동물을 취급하고 있으면서, 자신의 감독 하에 있는 모든 사람들이 연구방법에 대한, 그리고 사용되는 동물의 돌보기, 유지, 그리고 취급에 대한 지시를 본인들의 역할에 적합한 정도 까지 받았는지를 확인한다.

(d) 심리학자는 실험동물의 불편, 감염, 질병, 그리고 고통을 최소화하는 온전한 노력을 기울인다.

(e) 심리학자는 동물에게 고통, 스트레스, 또는 결핍이 생기게 하는 절차는 대안 절차가 가용하지 않으며, 장래의 과학적, 교육적, 응용적 가치로 그 목적이 정당화되는 경우에만 사용한다.

(f) 심리학자는 적합한 마취상태에서 외과수술 절차를 수행하고 수술 동안 또는 수술 후 감염을 피하고, 고통을 최소화하는 기법을 따른다.

(g) 동물의 생명을 끊어주는 것이 합당하다면, 심리학자는 고통이 최소화되도록 그리고 허가된 절차에 부합되도록 빠르게 시행한다.

개념 요약

동물을 대상으로 하는 연구에 참여할 것인지를 결정할 때는, 여러분은 반드시 다음을 고려해야 한다.

• 당신이 동물들이 인간과 동등하게 대우받아야 한다는 제안과 이러한 철학적 입장에 대하여 함의하는 바를 수용할 것인가?

동물 피험자를 사용하여 연구를 수행할 때, 윤리적인 연구자는

• 연구가 훈련 받은 심리학자에 의해서 감독되고 있음을 보장한다.
• 다른 대안적 절차가 가용하지 않고, 이를 통해 얻게 될 지식이 동물의 고통을 정당화할 때만 동물을 아픔이나 불편함 속에 넣는다.
• 실험과 연계된 어떤 고통이나 불편함을 최소화하기 위해서 모든 노력을 기울인다.

과학의 사기

제1장에서 우리는 부주의로 인해 생기는 연구자 편향에 관해서 논의했었다. 여기서는 윤리의 맥락에서 과학자가 의도한 편향—**사기**(fraud)—을 살펴보겠다. 과학자가 연구에 종사할 때 그는 상당한 시간과 노력을 투자하고 그 연구의 성공 여부에 그의 위신과 경력 증대가 달려 있다. 이런 부담 때문에 일부 과학자들은 실험 수행과 자료 처리에서 완전히

정직하지 않다. 의도적 사기의 사례들은 여러 형태가 있으며(Responsible Science, 1992), 실제 기록을 유지하지 않는 것, 결과를 좀 더 낮게 보이기 위해서 자료를 '날조'하거나 '요리'하기, 결코 관찰되지 않았던 관찰을 보고하는 자료의 짜깁기와 같은 성실하지 않은 연구 실천 등이 포함된다(Kohn, 1986을 보라). 과학 분야에 종사하는 박사 예정자와 과학 분야 교수진을 대상으로 실시된 어떤 설문조사는 이러한 종류의 사기가 과학의 윤리적 현황에 관해서 염려할 정도로 많이 발생하고 있음을 보고했다(Fannelli, 2009).

Sir Cyril Burt의 사례는 빈번히 인용되는 날조의 한 예이다. 그는 지능에서 유전의 역할을 연구한 존경 받던 심리학자였다. 그는 함께 양육된 일란성 쌍생아와 따로 양육된 일란성 쌍생아에 대하여 수집한 자료를 보고한 여러 논문들을 발표하였다. 자료들은 1913~1932년 사이에 수집되었다. 세 개의 논문에서 그는 함께 양육된 일란성 쌍생아 사이에 .944라는 IQ 점수의 상관을, 따로 양육된 쌍생아의 경우에는 .771의 상관을 보고하였다. 비록 상관은 세 논문에서 동일하였지만, 각 논문에는 무시하지 못할 정도로 참가자 수의 차이가 있었다. 새로운 참가자를 첨가했는 데도 불구하고 상관이 변하지 않았다는 것은 거의 있을 수 없는 일이었다. 다른 의심스러운 사실들과 더불어 이 증거로서 Burt의 자료가 완전히 정직한 것이 아니라고 일부 과학자들과 역사가들이 결론을 내렸다(Kohn, 1986; Broad & Wade, 1982).

위조한 자료에 대한 몇 개의 사례가 있다. 유명한 사례 중 하나는 1912년에 영국에서 발견된 'Piltdown Man' 사례이다. Piltdown Man은 인간의 외양을 한 두개골과 유인원 같은 턱뼈를 가졌다. 이 뼈들은 유인원과 인간 사이의 '빠진 고리'를 나타내는 것으로 상정되었다. 의심을 품은 과학자들이 다양한 연대기 방법을 사용해서 턱뼈는 현대 기원을 두고 있는 반면, 두개골은 상당히 더 오래된 것을 보여주기 전까지 이 발견은 세계적으로는 아니더라도 57년간 폭넓게 수용되었다. Piltdown Man은 짓궂은 장난의 결과였고, 비록 누가 이 사기를 행했는지에 대하여 몇 가지 이론이 있지만 결론이 나기에는 증거가 불충분했다.

의도적인 연구자 편향은 자료를 위조하거나 날조하는 것보다도 더 식별해내기 힘들 수 있다. 연구자는 개인의 이론 또는 자신의 정치적, 사회적 신념과 부합되지 않는 결과를 보고하지 않을 수 있다. 유사하게, 편향된 과학자는 부정적이거나 이념적으로 불리한 결과가 나오지 않도록 연구 계획을 설계할 수도 있다.

어떻게 사기를 탐지해 내는가? 과학은 자기교정적이다. 진실은 결국 이긴다. 중요한 발견이 발표되었을 때, 과학계는 그것을 진지하게 받아들이고 보고된 자료의 함의를 조사한다. 사기 친 실험을 다른 과학자들이 반복검증했는데, 보고되었던 결과가 얻어지지 않으면,

결국에는 과학자들은 그 발견이 진짜가 아니었다는 결론을 내리게 된다. 그러므로 실험의 반복은 과학의 사기를 탐지해 내는 데 중요한 방법이다(Barber, 1976). 직접적이고 구체적인 반복은 **반복검증**(replications)이라 불린다. 그러나 전 과학계가 그 사기에 의한 결과를 제외시켜야 한다고 동의하기 전에 수많은 반복검증이 실패하고 수 년의 노력이 필요할지도 모른다. 즉, 이것은 과학적 사기가 심각한 결과를 초래한다는 것을 보여주는 사실이다.

관련된 문제가 **표절**(plagiarism)인데, 이는 다른 사람의 아이디어, 자료, 그리고 말의 공로를 갖는 것이다. 다른 사람의 자료를 자신의 것인 양 사용해서는 안 된다는 것이 명백함에도 불구하고 표절은 다른 경우에 상당히 분명하지가 않다. 만일 여러분이 다른 사람의 말을 사용한다면, 여러분은 적절한 인용과 더불어 인용부호를 사용해야만 한다. 자연스럽고 피할 수 없는 것처럼 보이기는 하지만, 다른 사람이 쓴 것을 약간 바꾸어 말하는 것도 또한 부적합하다. 이를 피하기 위해서는 여러분이 기술하려는 출처를 직접 보지 말고 써라. 가장 미묘한 사례가 아이디어 표절의 경우이다(Marsh, Landau, & Hicks, 1997). 만일 어떤 아이디어가 다른 사람에게서 왔다면, 여러분은 그를 직접적으로 인용하지는 않는다고 하더라도 그 사람의 공로를 분명히 해주어야 한다. 잠재적인 문제 한 가지는 사람들은 누가 어떤 아이디어를 만들었는지의 경로를 우연찮게 놓쳐버릴 수가 있는데, 특히 종종 아이디어는 분주한 구두 논의에서 만들어지기 때문이다. 이러한 문제를 피하기 위해서 프로젝트의 초기에 배정된 바와 같이 연구 진행에 유관한 저작권에 관해서 동의하는 것이 최상이다.

우리는 여기서 APA 지침서의 윤리적 원칙들의 나머지(8.10-8.15)를 요약한다. 여기에는 자료 보고와 출판 과정의 정직성과 관련이 있다. 심리학자는 자료를 표절하거나 짜맞추기 해서는 안 된다. 저자권리는 실제 연구 수행에 기여한 바에 따라 정해져야 한다. 지위로 인해 자동적으로 저자권리를 부여 받아서는 안 되며, 학위 논문 연구는 대개는 학생을 제1저자로 한다. 연구자들은 자료가 재출판될 것을 적합하게 알려주어야 하며, 다른 전문가들과 연구 자료를 공유해야 한다. 마지막으로, 논문, 연구비, 그리고 연구 계획서를 심의하는 사람은 자신이 심사하는 정보에 대한 비밀을 유지해야 한다.

다음 절에서 다루려고 하는 대부분의 윤리적인 심사위원회는 실제 과학연구에서 과학적 사기가 일어나는지를 감시한다. 더욱이 개개 연구자들은 중앙정부 연구비 담당기관에 자신들이 사기를 치는 일에 관여하지 않았음을 증명해야 한다. 사기가 발견되자마자 담당기관은 연구비를 중단시키고 지출된 연구비를 회수하려고 시도한다. 사기로 유죄 판결을 받은 연구자는 추가 연구비를 못 받게 된다. 그러므로 연구소와 연구비 담당기관은 사기를 견제하는 역할을 하게 된다.

개념 요약

사기는

• 연구의 반복검증으로 발견된다.

사기는

• 연구소 위원회
• 연구비 담당기관

에 의해 봉쇄된다.

윤리적 실천의 감시

APA는 심리학 연구에 대한 윤리 지침서를 제공한다. 학회에 회원으로 가입하는 것은 그 사람이 이들 원칙들을 지키기로 하는 것이다. 이 원리들은 또한 심리학 전공 학생과, 심리학자의 감독 하에 심리학 연구를 수행하는 다른 사람들을 포함하는 비회원에게도 해당된다.

APA는 많은 목적을 위해서 윤리위원회를 구성하였다. 윤리위원회는 학술지 발표, 교육회의, 정기총회를 통하여 심리학자들과 일반인에게 심리학 연구와 연관된 윤리적 쟁점들을 교육시킨다. 위원회는 또한 비윤리적인 연구 행위에 대한 고발사항들을 조사하고 판결한다. 이러한 사례들은 APA(2005) 출판물인 *Ethics in Plain English: An Illustrative Casebook for Psychologists*, 2nd ed.에서 찾아볼 수 있다. 윤리위원회는 또한 *American Psychologist*에 연례 보고를 하고 있다(예를 들면, APA, 2009). 우리가 이 장에서 서술한 APA 윤리 원칙은 2002년에 승인되었고, 2003년 6월부터 효력이 발생하였다.

상당한 양의 심리학 연구가 미국 보건복지부의 한 부분인 Public Health Service(PHS)의 한 부서에서 재정지원을 받고 있다. PHS는 Office of Research Integrity라고 불리는 과가 있는데 PHS 연구 프로그램의 통합성을 보호하는 임무를 지니고 있다. 이것이 주된 노력이다. 매년 PHS는 심리학이 포함된 수많은 학문 분야에 30,000개가 넘는 연구비를 지원하느라 수십억 달러를 제공하고 있다. Office of Research Integrity와 APA는 사기의 방지와 연구 참가자의 보호를 협력하고 있다. 더욱이 중앙정부로부터 돈을 받은 어떤 연구소/기관이든지—이것은 연구에 종사하는 거의 모든 U.S. 기관들임—인간 참가자와 연구소의 동물 보호를 감독하는 **기관 심의위원회**(institutional review board, IRB)를 설치해야 한다. 모든 실험은 이러한 위원회 위원들의 승인을 반드시 받아야 한다. 중앙정부의 규정에 따르면,

각 IRB는 연구소 내에서 대표적으로 행해지는 연구를 검열할 자격이 있는 적어도 5명의 위원을 가져야 한다. 더욱이 취약한 사람들(즉, 아이, 죄수, 정신적 금치산자)을 포함하는 연구를 IRB가 정기적으로 시찰하고 있다면, 위원회는 그런 사람들을 다루는 전문가를 적어도 한 명은 위원으로 포함하고 있어야 한다. 주된 관심이 과학 분야인 한 사람과 과학 분야가 아닌 한 사람이 있어야 한다. 또한 위원회에는 신청된 연구가 어떤 법이나 중앙정부 규정을 위반하는 것이 아닌지를 확인해줄 수 있는 사람으로 보통 변호사를 둔다. 마지막으로, 규정에 따르면 위원회의 적어도 한 사람은 그 연구소와 계약관계에 있지 않은 사람을 두어야 한다. 위원들의 이런 다양성은 연구에 참여하는 개인의 권리 보호를 보장하는 데 도움이 된다.

IRB는 어떤 연구 계획의 윤리성에 관한 결정을 어떻게 내리는가? 먼저 절차에 수반된 위험 정도를 평가한다. 많은 심리학 실험은 단지 '최소 위험'을 포함하고 있다고 분류되어 있다. 최소 위험은 실험 절차가 일상 활동에서 일어날 수 있는 정도의 위험만을 포함하고 있다는 것을 뜻한다. 만일 IRB의 위원장이 연구가 최소한의 위험만을 지니고 있다고 믿는다면, IRB 전체 위원이 그 연구를 심사할 필요는 없다. 최소 위험보다 큰 위험이 연구 목적을 위해서 필요하다고 간주되면, 이 경우에는 보통 IRB의 전체 위원들이 면밀하게 주의를 기울여야 하도록 되어 있다. IRB는 연구로부터 얻어질 혜택과 비교해서 그 위험이 적당한 것인지를 결정해야만 한다. 또한 IRB는 참가자들이 실험에 참가하기 전에 완전한 관련 정보를 설명받는다는 것과, 참가자들의 안전과 비밀유지가 보호된다는 것을 보장해야 한다.

IRB의 숙의는 광범위하게 이루어지며, 비록 IRB의 의도가 참가자가 윤리적으로 처치받는 것을 분명하게 보장하는 것이라도, 그들의 권고사항은 일부 연구자들에게는 부담되는 것일 수 있다. 최근의 보고(Keith-Spiegel & Koocher, 2005)는 IRB가 공정하지 않다는 일부 연구자들의 주장으로부터 일부 윤리적 지름길이 생기고 있다고 주장한다. Keith-Spiegel과 Koocher는 "IRB 측에서 공정성을 갈망한다면 공정성에 대한 지각방식을 향상시켜야만 한다. 이 결과는 순차적으로 인간 연구 참가자에 대한 예방적 보호로서 역할을 하게 될 연구자가 해야 하는 책임감 있는 행동을 권장해야 한다(p. 347)"고 제안한다. Ceci와 Bruck(2009)는 더 나아가 "IRB가 지연을 하게 하고, 마감일을 놓치게 하고, 우리 대학원생과 박사 후 연구생, 그리고 우리 자신들의 생산성을 저하시키고 있다(p. 28)"고 주장한다. 그들은 IRB의 정책들이 어떻게 연구 참가자를 보호하고 있는지 또는 못한지, 그리고 그들이 얼마나 많은 비용을 연구자에게 부가하는지를 조사하는 경험적 연구가 있어야 한다고 제안한다. 그들은 그런 연구 결과는 "현재는 결여되어있는 증거 기반의 정책과 지침서 세트로 이끌어 줄 것이다"(p. 29)라고 주장한다. 이런 감정에 공감하여 Kim, Ubel, 그리고 De

Vries(2009)는 "최대한의 규제가 [연구 참가자에 대한] 최대한의 보호를 의미하지는 않는다" (p. 534)고 주장한다. 그들의 권고는 좀더 극단적이다. IRB는 최소-위험 연구를 규제하는 것을 멈추어야 한다. 저자들은 모든 직접적 IRB 비용의 최소한 절반(그리고 아마도 더 많이)—더 위험한 연구를 간과하지 못하게 개선하는 데 쓰일 수 있는 자원—이 최소-위험 연구의 고비용 심의에 쏟아 부어지고 있다"(p. 535)고 주장한다. 그들이 내린 결론은 "사실상 아무런 상응하는 좋은 대가 없이 심각한 재정적, 과학적, 임상적, 그리고 윤리적 부담을 만드는 시스템을 지원하는 것은 비윤리적"(p. 535)이라는 것이다. 이것이 심리학의 주류 관점은 아니지만 저자들은 흥미 있는 질문을 제기하고 있다. 여러분은 어떻게 IRB가 최소-위험 연구를 규제하는 책임과 비용의 균형을 잡아야만 한다고 생각하는가?

연구소의 심사 과정에 친숙해지면 심리학에서와 다른 과학에서 윤리적인 연구는 예외가 없는 규칙이라는 것을 다시금 확실히 하는 데 도움이 될 것이다. 연구기관의 이런 구조적 안전장치 때문에 과학자들은 자신의 실험에 참가하고 있는 동물과 인간을 보호하기 위해 단순히 자신만의 판단에 의존하지 않아도 된다. 더 나아가 위원회는 연구의 정직성을 강조하고, 그럼으로써 그것은 과학의 사기를 감소시킨다.

요약

1. 윤리적인 연구자는 APA의 윤리 기준을 따름으로써 연구 참가자의 안녕을 보호한다.
2. 참가 전에 참가자에게 실험에 관한 정보를 알려주고, 연구자는 절차에 대하여 속임수를 최소한으로 사용하여, 참가자가 참가할지에 대한 이성 있는 판단을 할 수 있도록 해준다.
3. 참가자는 언제든지 실험에 참여하기를 거부하거나 실험 도중에 그만둘 권리를 가진다.
4. 윤리적인 연구에서는 참가자가 신체적, 정신적 해로부터 보호받는다.
5. 자료가 수집된 후, 참가자에게 발생했을지도 모를 어떤 오해를 없애기 위해 조심스럽게 해명을 해야 한다.
6. 연구자는 실험의 결과로 야기된 어떤 해로운 영향을 제거해야 한다.
7. 참가자가 동의하지 않는 한 자신의 참가와 관련된 정보는 비밀이 유지되어야 한다.
8. 윤리적 원칙을 지키려고 하면 때로는 원칙 하나를 지키기 위해 다른 원칙을 위반할지도 모르는 딜레마에 빠진다.

9. 동물 피험자를 사용하면, 그들의 아픔이나 불편함을 최소화시킬 수 있게 돌보아야 한다.

10. 윤리적인 과학자들은 정직하다. 그들은 연구의 수행과 결과를 틀리게 제시하는 행위들을 하지 않는다.

11. 과학의 사기는 연구의 반복검증에 의해 탐지될 수 있고, 기관 심의위원회와 연구비 담당기관에 의해 감시된다.

12. 기관 심의위원회는 연구가 윤리적으로 수행되는지 감시하며 참가자에 대한 윤리적 대우가 보장되도록 한다.

⬂ 주요개념

동의서(informed consent)

속임수(deception)

그만둘 자유(freedom to withdraw)

피해로부터 보호(protection from harm)

해명(debriefing)

해로운 영향을 제거(removing harmful consequences)

비밀유지(confidentiality)

종편견주의(speciesism)

사기(fraud)

반복검증(replications)

표절(plagiarism)

기관 심의위원회(institutional review board, IRB)

⬂ 연습문제

이 장에서 제시한 윤리적 원칙들을 재고해 보고 APA가 출간한 윤리 원칙들의 목록(2002)을 읽어라.

1. APA(2005)에서 출간한 *Ethics in Plain English: An Illustrative Casebook for Psychologists*, 2nd edition의 선택부분을 읽어라. 아마도 그 책은 도서관에서 구할 수 있을 것이다. 이 책은 다양한 윤리에 관계된 고발사항의 배경과 그 고발사항이 어떻게 윤리위원회에 전달되었는지, 그리고 그 사례들이 어떻게 판결났는지를 기술하고 있다. 두 사례를 뽑아 그 사례들에 포함된 윤리 원칙을 살펴보자. 왜 윤리위원회의 판결에 동의하는지 혹은 동의하지 않는지를 기술하라.

2. 이 연습은 두 유명한 논란이 심했던 실험(Milgram의 복종연구, Stanford 감옥 실험)의 윤리에 관해서 비판적으로 연구하고 생각하는 것이 포함되어 있다. 우리는 여기에서 일부 배경에 대한 설명을 제공하지만, 만일 여러분이 이 연구들에 관해서 친숙하지 않다면, 상황의 힘에 대한 Zimbardo(2001)의 *Discovering Psychology* 비디오(tape 19)를 시청하길 권한다. 이 비디오에는 이 두 연구의 실제 장면이 포함되어 있다. 피험자가 경험한 것을 보면 여러분은 우리가 제공할 수 있는 어떤 언어적 서술보다도 쟁점을 훨씬 더 이해할 수 있을 것이다.

A. Stanley Milgram(1963)의 복종연구에서, 피험자는 피해자가 고통, 그리고 잠재적으로는 의료 위급상황을 명백하게 경험하고 있었음에도 불구하고, 피험자는 불복종적인 학습자에게 계속 충격을 주라는 지시를 받았다. Milgram의 피험자는 피해자가 사실은 전혀 충격을 받지 않는 공모자라는 사실을 모르고 있었다. Milgram의 주된 발견은 높은 비율의 피험자들이 기꺼이 피해자에게 높은 수준의 전기 충격을 주었다는 것

이고, 그러한 수준의 복종은 그 분야의 많은 연구자들이 전혀 예측하지 못한 것이었다. 그런 중요하고 놀라운 연구 결과가 피험자들이 경험한 심리적 괴로움에 비견할 만한 '가치'가 있는가? Milgram 연구를 조사하고, 쟁점의 양측의 입장을 읽어라. Milgram 연구가 비윤리적이었다고 생각하는가? 왜 그런가, 또는 왜 그렇지 않은가? 이러한 수준의 속임수와 심리적 괴로움이 수용될 때는 언제인가? 시작하기 위해서는 다음 참고문헌을 봐야 할 것이다:

Baumrind, D.(1964). Some thoughts on ethics on research: After reading Milgram's 'Behavioral study of obedience.' *American Psychologist, 19*, 421–423.

Milgram, S.(1963). Behavioral study of obedience. *Journal of Abnormal and Social Psychology, 67*, 371–378.

Milgram, S.(1964). Issues in the study of obedience: A reply to Baumrind. *American Psychologist, 19*, 848–852.

Milgram, S.(1977). Ethical issues in the study of obedience. In S. Milgram(Ed.), *The individual in a social world*(pp. 188–199). Reading, MA: Addison-Wesley.

B. Stanford 감옥 실험에서 피험자들은 간수 또는 죄수의 역할에 무선으로 배정되었고, Stanford psychology 빌딩의 지하층에 꾸며놓은 가짜 감옥에서 이러한 역할을 맡았다. 실험은 너무 사실적이 되었다. 간수는 죄수를 학대하였고, 일부 죄수는 심리적 정신쇠약에 괴로워했다. 실험은 예정된 2주가 아닌 겨우 6일만에 종결되었다. 이 연구를 조사하고 관여된 윤리적 쟁점에 관하여 생각하라. 시작하기 위해서는 다음 참고문헌을 봐야 할 것이다:

Haney, C., Banks, W., & Zimbardo, P. Z.(1973). Interpersonal dynamics in simulated prison. *International Journal of Criminology and Penology, 1*, 69–97.

Haney, C., & Zimbardo, P. Z.(1998). The past and future of U.S. prison policy: Twenty-five years after the Stanford Prison Experiment. *American Psychologist, 53*, 709–727.

Zimbardo, P. Z.(1973). On the ethics of intervention in human psychological research: With special reference to the Stanford Prison Experiment. *Cognition, 2*, 243–256.

3. 비록 인간과 동물 연구를 수행하는 데 대한 연방 지침서가 있기는 하지만, 대학교 수준에서 조절되고 있는 것도 많다. 여러분이 재학중인 대학이 인간과 동물 둘 다를 포함하는 연구 피험자의 복지를 보호하는 어떤 절차를 가지고 있는지를 알아보라. 가장 현저하게는 어떤 프로젝트도 기관 심사위원회의 승인이 필요하다. 신청서를 구해서 읽어보라. 연구자들은 윤리 과목을 수강할 것을 요구받기도 한다. 여러분이 재학중인 대학에 온라인 윤리 과목이 있는지 확인해 보라. 만일 그렇다면 잘 살펴보라. 여러분은 또한 연방 규정의 세부 내용을 보기 위해 National Institute of Health의 Office of Human Subjects의 웹사이트 **http://ohsr.od.nih.gov**를 방문해 볼 수 있다.

⬊ 추천 문헌 자료

- 폭넓은 윤리적 쟁점과 관점이 다루어지고 있다: Bursoff, D. N.(1999). *Ethical conflicts in psychology*(3rd ed.). Washington, DC: American Psychological Association.
- 사회심리학 연구에서 속임수의 현주소에 관해서 읽을 수 있다: Korn, J. H.(1997). *Illusions of reality: A history of deception in social psychology*. Albany, NY: State University of New York Press. 교재에 인용된 것 이외에 동물연구에 관한 추가 논문이 있는 곳: Bowd, A. D.(1980). Ethical reservations about psychological research with animals. *Psychological Record, 30*, 201–210; Devenport, L. D., & Devenport, J. A.(1990). The laboratory animal dilemma: A solution in our backyards. *Psychological Science, 1*, 215–216; Hoff, C.(1980). Immoral and moral uses of animals. *New England Journal of Medicine, 302*, 115–118; Miller, N. E.(1985). The value of behavioral research on animals. *American Psychologist, 40*, 423–440.
- 임상연구에 대한 윤리 쟁점에 관한 논문: Imber, S., Glanz, L. M., Elkin, I., Sotsky, S. M., Boyer, J. L., & Leber, W. R.(1986). Ethical issues in psychotherapy research: Problems in a collaborative clinical study. *American Psychologist, 41*, 137–146. Melton, G., & Gray, J.(1988). Ethical dilemmas in AIDS research: Individual privacy and public health. *American Psychologist, 43*, 60–64.
- 사회적으로 민감한 연구에 포함된 윤리 쟁점에 관한 논문: Scarr, S.(1988). Race and gender as psychological variables: Social and ethical issues. *American Psychologist, 43*, 56–59; Sieber, J. E., & Stanley, B.(1988). Ethical and professional dimensions of socially sensitive research. *American Psychologist, 43*, 49–55.

⬊ 웹 자료

- 이 장에서 배운 내용과 주요개념을 잘 알고 있는지 용어 설명, 플래시 카드, 그리고 통계와 연구방법 워크숍과 연계해서 확인해 보라. **www.cengagebrain.com**을 방문하라.
- 연구에서 윤리적 쟁점들을 다룬 흥미 있는 웹사이트가 여러 개 있다. 우리가 좋아하는 두 개의 사이트는 **http://www.apa.org/ethics**과 **http://www.nap.edu/readingroom/books/obas**이다.

동의서의 이해와 기억

미국심리학회(2002)에 따르면, 모든 심리학 실험은 실험 참가 전에 피험자의 동의를 구하도록 되어 있다. 그러나 만일 피험자가 동의서에 들어있는 정보를 이해하지 못하거나 기억하지 못한다면, 피험자가 동의서에 서명하는 것이 얼마나 의미 있는가?

Mann(1994)은 피험자에게 동의서를 읽게 하거나 또는 기능성 자기 공명(fMRI) 뇌 영상 실험에 관한 설명서를 읽도록 하였다. 설명서는 서명이 필요하지 않은 것 이외에 동의서와 동일하였다. 그리하고 나서 피험자는 맞닥치게 될 절차에 관한 질문에 답하였다. 비록 그들이 동의서/설명서를 방금 읽었지만, Mann의 피험자의 아주 소수만이 다음 질문에 옳게 답변할 수 있었다.

- 여러분의 뇌를 연구하는 데 어떤 유형의 도구를 사용할 것인가? (38% 정답)
- 이 장치가 어떻게 작동하는가? (47%)
- 이 절차에 위험이 뒤따르는가? (48%)
- 기계 소리가 당신에게 거슬리면 당신은 어떻게 할 수 있는가? (45%)
- 이 연구에 불만이 있으면 당신은 어떻게 할 수 있는가? (39%)

- 여러분이 다치면 연구자는 여러분에게 어떻게 해줄 것인가? (47%)
- 동의서에 서명한 네 부분에서 두 개를 거론하라. (20%)

덧붙여, 단순히 설명서를 읽은 사람의 16%에 비해서, 동의서에 서명한 피험자의 62%가 실험자를 고소할 권리를 잃었다고 생각하였다.

만일 여러분이 여러분 자신의 실험을 계획하고 있다면, 여러분은 이 본보기에서 사용할 수 있는 동의서를 새로 만들 수 있다. 그렇지 않다면, 선생님에게 하나를 요구하라. 사람들의 동의서에 대한 이해와 기억을 검사할 일련의 질문을 설계하라. 친구에게 동의서를 읽게 하고 나서 질문에 대한 답을 기억해서 하도록 하라. 여러분 친구가 자신이 방금 읽은 것에 대하여 얼마나 많이 기억하는가? 연구와 관련된 위험과 혜택을 알고 있는가? 그렇지 않다면, 비록 그들이 서명을 했다고 하더라도, 진짜로 서면동의를 해준 것인가?

Mann, T.(1994). Informed consent for psychological research: Do subjects comprehend consent forms and understand their legal rights? *Psychological Science, 5,* 140–143.

제 **2** 부   기본적인 연구방법

제2부는 연구가 무엇, 언제, 그리고 왜라는 질문에 답변할 수 있도록 해주는 기본적 연구방법을 살펴본다. 특히 관찰 방법은 어떤 행동이 일어나는지를 파악하는 데 좋다. 관계를 파악하는 방법은 특정 행동이 언제 발생하는지를 예측할 수 있게 해준다. 실험법은 무엇이 특정한 행동을 일으키는지를 연구자가 파악하게 해준다.

기본적인 영양학적

제**5**장 심리학 연구에서의 관찰

　이번 장은 심리학 연구에서 관찰을 살펴본다. 기술 관찰은 매우 가치 있는 데이터베이스를 제공하고 행동의 생태학적 기능을 이해하게 해준다.

　과학은 축적을 통하여 형성되는 지적 사업이다. 과학적 관점에서 보면, 오늘날 우리는 세상에 관해 역사상 그 어느 시대의 사람들이 알고 있었던 것보다 더 많이 알고 있다. 다른 한편으로 문학, 예술, 그리고 다른 인문 과학의 경우, 고대 그리스에 있었던 것과 오늘날의 것이 다를지도 모르지만, 우리는 오늘날 이들 영역에서 좀 더 나은 상태라든가 세상을 더 정확하게 표현하고 있다고 말할 수는 없을 것이다.

　과학이 축적된다는 근본적인 이유 한 가지는 과학자들이 세상에 대하여 가능한 한 가장 정확한 관찰을 하고자 무던히도 애쓴다는 것이다. 우리가 언급해 왔듯이, 과학은 과학자들이 특정한 상황 하에서 무엇이 일어나야만 한다는 예언이 가능하도록 이론과 가설들을 발전시킨다는 점에서 자기교정적이란 특성이 있다. 이러한 생각은 조심스럽게 수집한 관찰을 그 예언과 비교함으로써 검증된다. 관찰이 예언과 엄청나게 다를 때 과학자들은 자신들이 가진 이론적 개념구조를 개정하거나 또는 포기한다. 거의 모든 과학적 사업들이 세상의 어떤 특정한 국면에 관한 자료의 수집이라는 경험적 관찰에 관련되어 있다.

　관찰은 틀릴 수 있다. 보는 것이―적어도 항상―믿는 것이어서는 안 된다. 그림 5.1에 제시된 착시를 지각하는 방식에서 알 수 있듯이, 종종 우리가 하는 지각으로 인하여 스스로 바보가 된다. 우리는 마술사가 우리 바로 눈앞에서 불가능한 묘기를 수행하면, 자신이 자연스럽게 속임수를 당하는 중이라는 사실을 알고 있을 때

조차도 마술사의 묘기에서 눈을 떼지 못한다. 그러한 속임수는 우리가 조심하지 않으면, 그리고 때때로 조심하고 있을 때도 직접 지각이 부정확할 수 있다는 것을 입증한다.

　　인간인 과학자들 또한 관찰에서의 오류에 빠지기 쉽다. 논리, 정교한 장치, 통제된 상황 등이 포함된 과학자들이 사용하는 연구 기법들은 본질적으로 지각 오류를 방지하고, 또한 관찰을 통해 상태의 본질이 가능한 한 정확하게 반영되도록 확실히 보장하고 있다. 그러나 관찰을 위한 최고의 방법과 가장 신중한 기법을 가지고서도 이런 이상(ideal)에 겨우 근접할 수 있을 뿐이다.

↘ 기술 관찰법

　　심리학에서 관찰이라는 가장 분명한 방법에는 주요한 수단으로서 행동 기술이 있다. **기술 관찰**(descriptive observation)은 어떤 행동이 일어나고 있으며 어떤 양과 빈도로 발생하는지를 수량화하는 것이다.

　　이 장에서 우리는 심리학 자료를 수집하는 세 가지 기술 방법을 논의한다. 그러한 방법 중 하나가 **자연주의적 관찰**(naturalistic observation)인데, 이것은 가장 명백하고, 자료를 수집하는 데 아마도 가장 오래된 방법일 것이다. 야생조류를 관찰하는 사람 같은 많은 사람들은 아마추어 박물학자이지만, 우리가 알게 되듯이, 과학적 박물학자들은 자신들의 관찰이 좀 더 체계적이다. 예를 들면, 최근의 연구에서 수컷 푸른 목 벌새는 다섯 가지의 지저귀는 소리로 체계화되는 음들로 이루어져 있는 노래를 가지고 있고, 특정 영역에서 동일한 지저귐 소리를 내는 경향이 있음을 보였다(Ficken, Rusch, Taylor, & Powers, 2000).

　　정보를 얻어내는 또 하나의 고전적 방법은 **사례연구**(case study)이다. 보통은 특정한 개인에 대한 상세한 조사를 포함하고 있지만, 또한 소규모의 사람들에 대한 비교도 포함된다. 사례연구는 관심을 둔 주제가 아주 희귀하거나 개별 특성에 근거하는 경우에 특히 효과적이다. 최근의 사례연구에 의하면 K. R.이라는 30세 된 네 자녀의 어머니가 치료를 받으러 왔는데, 일상생활이 곤란할 정도의 다양한 셈하기 의식을 가지고 있었다(Oltmanns, Martin, Neale, & Davison, 1999). 예를 들면, 식료품 쇼핑 시에 K. R.은 만일 자신이 선반에 있는 최초의 네 품목 중 하나를 고르면, 자식 중 하나가 무서운 결과로 고통 받을 거라고 믿었다. 그녀는 두 번째 시리얼 상자를 선택하면 둘째 아이에게 재난이 닥치는 결과를 가져오고, 세 번째 상자를 고르면 셋째 아이가 아프다는 식이라고 믿었다.

　　사례연구와 비슷한 것이 **설문조사**(survey)연구인데, 많은 사람에게서 상세한 정보를 수

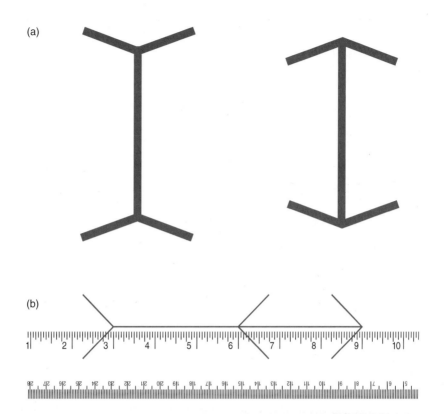

그림 5.1 시각 착시. (a) Müller-Lyer 착시. 세로선은 두 경우 모두 길이가 같지만 상이한 날개 방향으로 인해 같지 않게 보인다. (b) 착시는 눈금자와 같은 객관적인 측정도구조차도 왜곡시키나 자세히 살펴보면 눈금자는 진짜로 왜곡 되지 않았고, 선들은 동일한 길이임을 알 수 있다. 이러한 착시는 우리가 (b)에서처럼 그럴 리가 없다고 '알고' 있더라도 유지된다. 우리의 관찰은 우리가 아무리 조심하더라도 왜곡을 경험하게 된다. (R. L. Gregory, 1970, pp. 80–81에서 인용한 예임.)

집한다. 음주습관에 관한 설문조사에서 Simmons(2000)는 음주자의 43%가 가장 자주 먹는 다고 말하는 술이 맥주임을 밝혔다. 술에 대한 선호에 강력한 연령 차이가 있었다. Simmons 는 맥주를 가장 많이 마신다고 이야기하는 경우는 18세에서 29세까지의 음주자 중 50%라고 보고하였다. 다른 한편으로, 50세 이상의 경우 46%가 포도주를 가장 자주 마신다고 말하고, 맥주를 규칙적으로 마신다고 말하는 경우는 27%라고 보고하였다.

　다른 조사연구에서는 미국 노인들이 겪고 있는 기억장애의 유형을 알아보고자 하였다 (Lovelace & Twohig, 1990). 평균 나이 68세인 건강한 노인들은 자신들이 가지고 있는 기억 과 관련된 가장 고통스러운 문제는 다른 사람의 이름을 외우기 어려운 것이라고 주장하였 다. 그러나 이 응답자들의 대부분이 자신들이 일상생활을 영위하는 데 기억곤란이 거의 영 향을 주지 않는다고 보고하였다. 이 장의 맨 끝에 있는 심리학 해보기에는 2001년 9월 11일 에 있었던 미국에 대한 테러리스트의 공격과 같은 중요한 공공사건에 관하여 사람들이 기억하는 것은 무엇인지를 알아보는데, 장기간에 걸친 반복적인 조사연구가 어떻게 사용되는 지를 다루고 있다(Talarico & Rubin, 2003).

기술(descriptive, 記述)연구는 심리학에서 중요한 역할을 한다. 이런 절차들은 차후의 좀 더 고도로 통제된 연구로 이끌어주는 데이터베이스의 중요한 부분을 제공한다(Miller, 1977). 행동의 기술은 이해를 위해 필요한 첫 단계이다. 친숙한 예를 하나 들면, Harlow(Blum, 2002; Harlow, 1959)가 수행한 유아 원숭이의 애착에 대한 연구가 있다. 자신의 실험 전에 Harlow는 유아 원숭이가 어떤 행동을 보여주는지를 알 필요가 있었다. 또한 그는 원숭이들이 좋아하는 것처럼 보이는 것(부드러운 담요)과 싫어하는 것처럼 보이는 것(우리의 철사 망)이 어떤 것인지 알 필요가 있었다. 이런 사전지식을 가지고 Harlow는 실험을 통해서 그러한 행동에 대한 설명을 시도할 수 있었다. 그러므로 우리는 기술연구에 통제가 결여되어 있다고 해서, 실험에 비해서 이차적이거나 부차적인 것으로 간주해서는 안 된다. 우리가 방금 언급한 의미에서 기술은 실험법에 선행한다. 그럼 지금부터 기술(記述) 절차를 좀 더 자세히 알아보기로 하자.

자연주의적 관찰

자연주의적 관찰을 하고자 하는 사람이 직면하게 되는 한 가지 문제는 어떤 행동을 관찰할 것인가를 결정하는 것이다. 인간 관찰자는 사건들을 지각하고 생각하는 능력이 한정되어 있다. 비록 대부분이 걸으면서 껌을 씹을 수 있지만, 우리들 대부분은 아주 짧은 기간 동안 발생하는 20개의 다른 행동들에 주의를 기울이고 기억할 수 없다. 그러므로 우리는 우리가 관찰하고자 하는 행동반경의 경계를 정해 놓아야만 한다.

우리가 어떻게 연구할 행동의 범위를 정하게 되는가? 그 대답의 일부는 아주 단도직입적이다. 만일 우리가 인간의 비언어적 의사소통에 관심이 있다면 그것을 관찰하면 된다. 그러나 이것이 반드시 쉬운 일은 아니다. 첫 번째로 비언어적 의사소통은 매우 복합적인데, 그것은 우리가 처음부터 피하려고 시도한 바로 그 동일한 문제에 직면하게 됨을 뜻한다. 둘째로는 비언어적 행동을 검사한다는 것은 기술될 행동의 어떤 것을 우리가 이미 알고 있다는 것을 전제한다. 명백하게도 우리는 지식의 완전한 공백상태로 연구에 착수하지 않는데, 우리가 어떤 가설을 검증하려고 하는 경우에 특히 그렇다. 다른 한편으로, 우리는 모든 해답을 가진 상태에서 기술을 시작하지는 않는다. 연속적인 프로젝트들이 연구 분야를 상세히 구분하고 한계를 정하기 위해서 이전 자료에 의존하게 되는 일련의 연구를 우리가 시작

표 5.1 인간이 아닌 동물들의 행동에 적용할 수 있는 범용의 표본 동물행동도. 저자 Orzech, K.(2005)의 허락을 받고 사용됨. 표본 동물행동도는 http://www.tolweb.org/onlinecontributors/app?page=TeacherResource ViewSupportMaterial&service=external&sp=l3090&sp=4에서 검색됨.

행동 유형	행동	부호	행동의 기술
혼자	자기 털 다듬기	GS	동물이 혀 또는 앞발로 자신의 털이나 머리카락을 씻거나 쓰다듬는 행동에 종사함.
	잠자기	S	동물이 종-특정한 자세로 잠자고 있는 것으로 추정됨. 한 장소에 머물러 있고, 환경적 변화에 기민한 반응이 없음.
	휴식	R	동물이 한 장소에 머물러 있지만 환경적 변화에 쉽게 깬다.
	이리저리 움직임	L	동물이 이 장소, 저 장소 움직임.
음식관련	먹기	E	동물이 주변에서 찾은 음식을 먹음.
	음식 찾기	LF	동물이 음식이 될만한 것을 찾음.
	마시기	D	동물이 주변에서 찾은 물 또는 다른 액체를 마심.
사회적	다듬어주기	GO	동물이 혀 또는 앞발로 다른 동료의 몸 털이나 머리털을 씻거나 쓰다듬는 행동에 종사함.
	놀기	P	동물이 다른 동료와 이리저리 움직이기, 오르기, 물건 만지작거리기, 또는 둘 이상 상호작용하는 동료 사이의 관계를 보여주는 행동을 포함하는 상호작용에 종사함.
공격적	싸우기	F	동물이 주변의 다른 동물과 신체적 충돌에 종사함.
	음식 훔치기	SF	동물이 주변에서 음식을 찾은 다른 동물에게 접근해서 물리적 힘 또는 주의산만을 이용하여 다른 동물의 인근에 있는 음식을 제거함.

하게 되는 일이 흔히 발생하는 것이다. 그러면 자연주의적 관찰이 수행되는 과정을 설명해 주는 예를 살펴보자.

동물행동학

심리학자들의 흥미를 끌만한 자연주의적 연구는 아마도 (대부분 야생에서) 자연적으로 일어나는 행동을 연구하는 **동물행동학**(ethology) 분야에 가장 많을 것이다. 간단히 동물이나 사람의 행동을 관찰하면 행동의 특성과 범위에 대한 전체적인 인상이 얻어진다. 그러나 곧이어 좀 더 체계적인 관찰을 바라게 된다. 동물행동학자들이 좀 더 체계적인 관찰을 하는 방법 한 가지는 연구 대상인 유기체의 상이한 경험 범주를 파악하고 나서 유기체가 각 행동을 하는 횟수를 기록하는 것이다. 이러한 행동들은 짝짓기, 몸치장하기, 잠자기, 싸우기, 먹기 등의 커다란 범주 또는 좀 더 작은 범주로 나뉜다.

예를 들면, 동물행동에 관한 포괄적인 **동물행동도**(ethogram)가 표 5.1에 있다(Orzech,

2005). 동물행동도란 특정한 종의 동물 중 한 마리가 수행한 비교적 완전한 구체적 행동의 목록이다. 표 5.1에 있는 바와 같이, Orzech는 자기 털 다듬기와 같은 특정한 행동에 대한 정확한 정의를 내리고 있다. 어떤 행동이 언제, 그리고 얼마나 자주 발생하는지를 파악함으로써 동물행동학자는 그 행동의 중요성에 대한 어떤 아이디어를 얻을 수 있다.

완전한 동물행동도를 얻는다면 이상적이겠지만 현실적으로는 어렵다. 돌고래의 의사소통 행동과 관련된 모든 행동들의 파악과 분류는 관찰자가 마음 속에 특정한 가설을 가지고 있지 않다면 부담되는 일이 될 것이다. Timberlake와 Silva(1994)는 관찰 범주는 행동을 완전하게 기술하고 분류하기보다는 특정한 질문을 답할 수 있도록 설계되어야 한다고 주장하였다. 더 나아가 그들은 관찰 범주는 애매하지 않아야만 하며, 따라서 관찰자가 문제를 삼은 행동이 발생했을 때 쉽게 판단할 수 있어야 한다고 제안하였다. 만일 관찰자가 구애에 관한 동물행동도를 작성하려 한다면, 그는 유기체의 행동 목록에서 여러 측면들을 고려해야 할 것이다. 행동들을 범주에 배정하는 일은 신속하고 오류가 없도록 설정되어야 한다. 돌고래 의사소통 프로젝트(Dolphin Communication Project, 2009)가 이러한 접근의 실례를 보여준다. 이 연구자 집단은 대서양 점박이 돌고래가 보이는 많은 사회적인 그리고 비사회적인 행동에 대한 실질적인 행동 범주를 개발하였다. 다양한 음성화의 범주도 포함되었다. 그들은 돌고래가 만드는 음성화와 연합된 행동을 조사함으로써 돌고래의 발성을 통한 그리고 발성을 통하지 않은 의사소통을 더 잘 이해할 수 있기를 기대하고 있다.

만일 두 관찰자가 일관되게 동일한 방식으로 행동을 범주화한다면, 그 행동 범주는 아마도 명백하고 애매하지 않을 것이다. 두 명 이상의 관찰자들이 같은 유기체의 행동을 범주화한 후, 일치하는 정도를 점검하기 위해서 자주 그 결과를 비교한다. **관찰자 간 신뢰도** (interobserver reliability)는 둘 이상의 관찰자가 같은 행동을 동시에 관찰했을 때 비슷한 결과를 내는지를 측정한다(Martin & Bateson, 1993). 관찰자 간 신뢰도는 여러 가지 방식으로 측정될 수 있으나, 전형적으로 상관계수로 측정된다(제6장을 보라). 두 관찰자 간의 일치가 높으면 높은 정적 상관계수를 보인다. 상관은 보통 최댓값 1.00을 가지고, 상관계수가 0.70보다 클 때 높은 관찰자 간 신뢰도(reliability)가 있다고 한다(Martin & Bateson, 1993).

Ficken과 동료들(2000)은 푸른 목 벌새의 울음소리를 특징지을 수 있었다. 더 나아가 암컷 벌새가 울 때의 동물행동도를 개발하였다. 분명하게 연구자들은 벌새의 울음소리를 기록하고 분석할 수 있어야만 했다. 이는 사소한 잠복근무가 아니다. 야생에서 동물행동의 정확한 기록을 얻는다는 것은 힘든 일이다. 예를 들면, 자동녹음장치를 가지고 있어도 계속적으로 경계를 늦추지 않고 있기가 보통 힘든 것이 아니다. 돌고래와 벌새는 생활 영역이 넓고, 특히 계절마다 이주를 한다면 더욱 그렇다. 어떤 자동화된 기록장치가 있어서 관찰 대상을 따라다닐 필요가 있으며, 이렇게 하기는 어렵거나 불가능할 수도 있다. 덧붙여, 기록장치와 인간 관찰자로 인하여 동물이 반응성을 보이고, 이로 인해 측정을 망친다. 이것들은 동물에 대한 자연주의 관찰과 관련된 도전의 일부일 뿐이다.

유사한 기법을 인간행동에 적용하게 되면 더욱 힘들어지는데, 사람들은 자신들의 모든 행동이 호기심 많은 과학자에 의해서 기록되는 것을 대체로 좋아하지 않기 때문이다. Barker와 그의 동료들(Barker & Wright, 1951; Barker, 1968)은 많은 상황에서 자연주의적 관찰의 방식을 인간에게 적용시킨 선구자들이었다. 인간에 대한 자연주의적 관찰을 살펴보자.

눈썹 움직임

유명한 인간행동 행동학자 Eibl-Eibesfeldt(1970, 1972)는 인간 얼굴 표정에 관한 상당한 양의 현장연구를 했었다. 그와 그의 동료들은 세계를 돌며 다양한 상황의 얼굴 표정을 사진에 담았다. 표정들을 조심스럽게 조사한 결과, 많은 표정들이 문화 간 유사하지만, 일부는 그렇지 않았다. 사람들이 서로 인사하는 것과 관련된 얼굴 표정을 조사하는 과정에서 Eibl-Eibesfeldt는 대부분의 사람들이 눈썹을 짧게 움직이는 것을 발견하였다. 그는 이 현상을 좀 더 자세히 연구해 나갔다.

일반적으로 눈썹을 움직이는 것은 아주 순간(6분의 1초)적으로 눈썹을 추켜세우는 것인데 가벼운 미소와 머리의 재빠른 끄덕임과 함께 동반된다. 눈썹 움직임은 Bushmen, Balinese와 유럽 사람들을 포함한 많은 문화의 사람들에게서 관찰되었다. 그러나 어떤 문화에서 눈썹 움직임은 다르게 사용되었다. 일본 사람들은 눈썹을 움직이지 않는데, 왜냐하면 일본에서는 그것이 암시를 주거나, 버릇이 없음을 의미하기 때문이다. 더 나아가 Eibl-Eibesfeldt는 눈썹 움직임이 인사 외에, 예를 들면, (남녀가) 시시덕거릴 때, 선물이나 수고를 알았다고 할 때(즉, 감사표시의 일종)와 같은 다른 상황에서도 발생함을 발견하였다.

Eibl-Eibesfeldt는 이전의 관찰을 근거로 추가적인 관찰이 필요하다고 느꼈고, 연구의 범위를 제한하여, 공통적인 인간행동에 관한 상당한 정보를 쌓을 수 있었으며, 그의 연구로부터 이런 사실을 우리가 알 수 있다.

신생아 검사

개선의 다른 예는 신생아 연구에서 볼 수 있다. 신생아는 무엇을 하는지 그리고 그들의 행동에서 우리는 무엇을 보아야 하는가? 대부분의 사람들은 신생아들의 행동이 제한되어 있다고 간주한다. 그러나 신생아들은 먹고, 자고, 싸고, 우는 것보다 더 많은 것을 할 수 있다. 그들의 모든 감각은 작용하고 있으며, 여러 개의 복합적인 반사 능력도 소유하고 있다. Brazelton과 그의 동료들(예를 들면, Brazelton & Nugent, 1995; Lester & Brazelton, 1982)은 수년 동안을 신생아들의 다양한 행동에 대한 최적의 수행을 평가할 수 있는 척도를 정교하게 개발하는 데 보냈다. 최초에 그 척도는 반사(쥐기, 깜박이기)와 소수의 행동을 평가하였다. 다양한 문화 배경을 가진, 그리고 다양한 상황 속에서, 신생아들을 반복적으로 관찰한 결과를 통하여 척도는 수정되고 보완되었다. 최종적인 Brazelton Neonatal Behavioral Assessment Scale에는 16가지 반사와 26가지 행동에 대한 측정이 포함되어 있다. 반사행동은 3점 척도(상중하)로 평정되고, 콕 찌름 그리고 불안해 하는 행동에 대한 반응 같은 행동 항목은 9점 척도로 평정된다.

초기의 관찰은 어떤 행동들의 출현과 크기에 관련하여 각성 수준이 매우 중요하다고 제안하였고, 따라서 현재의 척도는 신생아가 다양한 행동에 대하여 평가되어야 하는 시기를 분명히 지적하고 있다. 예를 들면, 콕 찌름에 대한 반응은 신생아가 졸릴 때나 조용할 때 실시하고, 아이가 정신을 바짝 차리고 있을 때나 울고 있을 때는 하지 않는다. 반면에, 손을 입으로 가져가는 행동들은 어떤 상태에서든 행해진다.

Brazelton과 그의 동료들은 발달에 있어서 개인차와 문화 차이에 특히 관심이 있었으며, 최근에 발달에 대한 이러한 환경의 효과를 조사하기 위해 좀 더 통제된, 상당한 양의 연구를 수행해왔다. Sagiv 등(2008)은 Brazelton Neonatal Behavioral Assessment Scale을 PCB(냉방기와 트랜지스터에 사용되는 상당히 독성이 있는 화학물질)의 낮은 수준에 노출된 778명의 신생아에게 실시하였다. 그들은 이 물질에 노출된 신생아들은 평가척도로 측정된 바와 같이 무주의와 각성으로 고통 받고 있음을 알게 되었다. 평가척도의 개발을 가능케 한 총망라한 일련의 관찰을 하지 않았더라면 아마도 이런 통제된 연구는 가능하지 못했을 것이다.

개념 요약

- 자연주의적 관찰은 동물행동도와 제한된 관찰 범주에 따라 상세히 기술된다.
- 관찰자 간 신뢰도는 둘 이상의 관찰자가 자연주의적 관찰을 범주화하는 방식에 합의가 있는지를 평가한다.

사례연구

심리학에서 다른 오래된 조사 형식은 사례연구이다. Freud의 정신분석이론은 개인 사례에 대한 그의 관찰과 심사숙고로부터 나왔다. 일반적으로 사례연구는 신경증 환자이든, 영매(靈媒)이든, 세상의 종말을 기다리는 집단이든 간에, 어떤 종류의 단일 사례에 대한 강도 높은 조사를 말한다. 마지막에 열거한 사례에 속하는 흥미로운 연구로 Festinger, Riecken과 Schachter(1956)가 제공한 것이 있는데, 그들은 세상의 종말을 진정으로 기다리고 있는 작은 집단에 침투하였다. 그 사람들은 지구의 파멸이 가까웠다며 자기 집단의 한 구성원과 의사소통을 하고 있는 다른 행성의 생명체와 자신들이 연락을 취하고 있다고 생각하였다. 그 집단은 대재난이 일어나기 전에 우주선에 의해서 구조될 것을 기대하고 있었다. Festinger와 그의 동료들은 그 (예고된) 재난이 일어나지 않았을 경우, 그 집단의 반응에 특히 흥미가 있었다. 연구자들은 대재앙의 예정된 날이 아무 일 없이 지나가 버린 후에 집단의 많은 구성원들이 그동안 믿어온 미혹 체계에 대한 믿음을 감소시키기보다는 증가시킴을 관찰하였다.

사례연구는 자연주의적 관찰의 한 유형이며, (곧 간략하게 논의될) 자연주의적 관찰 방법이 가진 모든 단점과 약간의 장점들을 가지고 있다. 한 가지 주된 단점은 사례연구들이 보통 무엇이 무엇을 일으켰음에 관해서 만들어지는 확고한 추론을 허용하지 않는다는 것이다. 전형적으로, 사상들이 일어난 행로를 기술하는 것이 전부이다. 그러나 자주 연구자가 무엇이 무엇을 일으켰다는 것에 대하여 타당한 추측을 할 수 있게 해주는 암묵적인 비교가 사례연구들에서 제공된다. 앞서 소개한 바 있는, 강박적으로 셈하는 K. R.의 사례연구는 융통성 없는 정리정돈, 그리고 과실과 악행에 대한 심한 처벌이 포함된 엄격한 가정교육이 과거에 있었음을 보여주었다. K. R.의 현재 가족생활은 그녀의 통제를 벗어난 듯 보인다. 그녀의 아이들은 감당할 수 없이 제멋대로이고, 남편은 장애질환으로 고통 받고 있다. 치료자는 그녀의 의식행동이 통제력을 유지하고 정리정돈하려는 시도였다고 결론 내렸다(Oltmann, et al., 2006). 그러나 우리는 이런 결론이 잠정적이라고 간주해야 하는데, 왜냐하면 우리는 K. R.이 보통의 아동기와 스트레스가 적은 가정환경을 가졌더라면 어떤 종류의 성인으로 성장했을지 모르기 때문이다.

추론의 어려움을 최소화하고자 가장 잘 시도하는 사례연구의 한 유형은 **이상사례분석**(deviant-case analysis)이다. 여기서 연구자는 많은 유사성이 있으나 결과가 다른 두 가지 사례를 고려한다. 예를 들면, 어떤 쌍둥이 중 한 명은 정신분열이 되고, 다른 아이는 그렇지 않을 경우이다. 연구자는 두 사례를 조심스럽게 비교를 해서 결과의 차이를 가져온 요인들을 찾아내고자 한다. 그런 비교는 보통은 할 수 없는데, 왜냐하면 오직 한 요인에서만 차이가 있는 비교할 만한 사례가 드물기 때문이다. 더욱이 이 방법에 의해서는 어떠한 결론도 확고하거나 잘 성립되었다고 진정으로 간주할 수 없는데, 왜냐하면 연구자 스스로가 차이를 보이는 결과의 핵심 원인을 파악했다고 결코 확신할 수 없기 때문이다. 그럼에도 불구하고 이러한 경고들을 고려하면, 우리는 Butters와 Cermak(1986)가 보고한 사례연구를 살펴볼 필요가 있는데, 현명하게 절차를 어떻게 사용하면 가치 있는 정보를 얻을 수 있는가를 그 연구에서 알 수 있다.

그러한 연구가 P. Z.에 관한 것인데, P. Z.는 장기간에 걸친 알코올 남용으로 인하여 1981년에 심한 기억상실로 고통을 받게 된 세계적으로 유명한 과학자이다. 그는 새로운 정보를 기억하고 과거의 사건들과 사람들을 기억하는 데 모두 심각한 어려움이 있었다. 두 번째 기억결함은 파악하기 쉬운데, 왜냐하면 기억상실이 시작되기 2년 전부터 P. Z.는 자서전을 써왔기 때문이다. 그에게 자서전에서 소개한 이름들과 사건들에 관해서 질문했을 때 그는 아주 급격한 기억결함을 보였다. 이런 사건들에 대한 P. Z.의 기억을 알코올 남용의 과거가 없었던 비슷한 연배의 동료(이상사례분석을 위한 비교 인물)의 기억과 비교하였다. 비교된 사례는 P. Z.만큼 심각한 기억결함을 보이지는 않았다. 따라서 Butters와 Cermak은 장기간에 걸친 알코올 남용이 P. Z.의 기억상실의 중요한 원인 요인이라고 판단을 내렸다. 더 나아가 P. Z.의 새로운 정보에 대한 기억결함은 알코올 남용의 과거를 가진 다른 사람들과 비슷하였다. 사례의 행동과 다른 사람들의 행동을 비교하는 후자의 기법은 본질적으로는 실험 기법인데, 이 절차는 본서에서 전반적으로 강조된다.

개념 요약

- 사례연구들을 통하여 무엇이 무엇을 일으켰는지를 파악할 수 없다는 약점이 있다.
- 이상사례연구는 특정한 방식에서 차이가 있는 두 비슷한 사례를 비교하는 것인데, 이것은 사례연구의 추론 능력을 향상시킨다.

설문조사연구

사례연구는 보통 소수의 참가자들만을 대상으로 하게 되며, 흔히 이런 개인들은 전체 모집단의 대표가 전혀 되지 못한다. 예를 들면, P. Z.는 총명한 과학자인 동시에 기억상실증 환자였다. 비록 한 사람으로부터 얻은 정보의 양이 반드시 제한되어 있지는 않더라도, 종종 연구자는 아주 넓은 지역에서 아주 많은 사람들의 무선 표집을 통해서 정보를 수집하기를 원한다. 설문조사 기법은 선거나 그와 유사한 시기에 결과를 예측하는 데 사용되므로 여러분 대부분이 친숙하다 하더라도, 심리학의 많은 분야에서는 거의 사용되지 않는다. 현재 가용한 정밀한 표집 절차를 사용하면, 비교적 적은 수의 사람들에게 질문할 수 있으며, 작은 표본에도 불구하고 얻어진 결과들은 전체 모집단에 잘 일반화된다.

설문조사는 일반적으로 서술적인 본질을 지닌 결과를 낳기 때문에, 특히 이 방법은 심리학자들에게 보편적이지 않다. 그럼에도 불구하고 이 방법을 명료하게 사용한다면 심리학의 분야에 따라 기여하기도 한다. 이 부문의 초입에 간략히 요약한 Lovelace와 Twohig(1990)의 연구가 좋은 예이다. 그들이 조사했던 노인들은 자신들이 해야 할 내용들을 기억하기 쉽도록, 노트, 목록, 그리고 그 외의 다른 외부 기억 도우미에 아주 많이 의존하고 있다고 보고했다. 더욱이 나이 든 응답자들은 기억술 같은 다양한 기억 '묘수'에 의존하지 않는다고 주장하였다. Lovelace와 Twohig가 보고한 결과들은 다른 조사 자료(Moscovitch, 1982)와 일치하는데, 그 조사는 젊은 사람들과 비교해서 나이 든 사람들은 목록을 만들고, 수첩을 지니는 경향이 더 많고 기억술 같은 내적인 기억 절차에 덜 의지하는 경향이 있다고 보여주었다. 이러한 결과들은 도발적인데, 왜냐하면 그것들이 나이 든 사람들이 자신이 기억에 제한이 있다는 것을 어떤 식으로 자각하고 있으며, 그러한 기억제한을 외부 도우미에 의존함으로써 최소화한다는 것이기 때문이다. 그러나 그 결론을 공고히 할 수 있기 전에 좀 더 통제된 연구가 필요하다.

설문조사연구에서 핵심적인 논쟁은 조사되는 표본과 관련되어 있다. 연구자는 표본이 질문들의 설계 목표가 되는 특정한 모집단을 대표하길 원한다. 따라서 한 연구자가 지진에 대한 사람들의 반응에 관심을 가지고 있다면, 지진으로 고통 받은 적이 있는 사람들의 모집단에서 표본 추출하려고 할 것이다. 그러나 문제는 여전히 남는다―조사된 표본이 모집단의 타당한 모습을 대표하고 있는가?

대규모의 무선 표집만이 대표성을 띤 표본을 만드는 가장 확실한 방법일 것이다. **무선표집**(random sample)은 모집단에서 각 개인이 (설문조사 받는) 표본이 될 동일한 기회를 갖는다. 우리는 제8장에서 표집 방법에 대하여 좀 더 자세히 논의할 것이다. Weisberg, Krosnick와 Bowen (1989)의 책에서 표집 접근법에 대한 완전한 분석을 볼 수 있다.

기술 관찰의 장점

이미 언급한 바와 같이, 기술(descriptive) 관찰은 관심 있는 문제에 관하여 어느 정도의 폭과 깊이로 단순히 어떤 아이디어를 얻고자 하는 연구의 초기 단계에서 아주 유용하다 (Miller, 1977). 그러나 기술 관찰은 어떻게 요인들이 연관되어 있는지에 관해서 추리할 수 없다. 어떤 경우에는 좀 더 통제된 방식의 관찰을 가능하게 해주는 방법이 없으며, 따라서 오직 기술 방법만이 가용하다. 만일 여러분이 어떻게 펭귄이 자연 서식지에서 행동하는지를 알고자 한다면 거기서 단순히 관찰하기만 하면 된다. 여전히 대부분 심리학적 문제들에 대하여 기술 관찰은 우선적으로 문제 영역을 정의하고, 다른 방식들, 특히 실험적 방법을 사용하는 좀 더 통제된 연구를 위한, 흥미 있는 문제 제기를 하는 데 유용하다. 예를 들면, Festinger와 그의 동료들이 세계의 종말을 예언하는 집단에 대한 사례연구를 바탕으로, 태도 변화에 대한 Festinger의 인지부조화이론(1957)을 만들어 낼 수 있었는데, 그 이론은 사회심리학 연구를 선도하는 아주 중요한 것이다.

기술 기법들은 스스로 아주 바람직한 과학적 도구로 만드는 특징들을 공유하고 있는데, 특히 통제된 실험실 실험법과 비교할 때 그 특징들이 드러난다. Timberlake와 Silva(1994)는 유연성이 자연주의적 관찰의 주요 재산이라고 언급하였다. 자연주의적 관찰에는 비용이 적게 드는데, 왜냐하면 단지 기구와 다른 설비들이 최소한으로 필요하고, 종종 실시하는 데 간편하고 상대적으로 쉽기 때문이다. 이런 두 가지 가능성이 사실일 때 세심한 연구자는 실험과 검사 같은 통제된 절차에 행동의 직접 관찰을 보충한다.

모든 기술적 절차들의 또 다른 특징은 전형적으로 자연적으로 발생하는, 흥미 있는 행동을 이해하려고 애쓴다는 것이다. 그러면 종종 기술 절차로 인하여 그런 행동에 대한 동물행동학적, 생태학적 관점이 생기게 된다(Timberlake & Silva, 1994; Todd & Perlmutter, 1980).

현재의 맥락에서, **생태학적 기능**(ecological function)이란 환경에 적응하는 데 여러 가지 행동들이 하는 역할—어떤 기능이 유기체에 기여하는 것처럼 보이는가—을 가리킨다.

표준적 실험 접근과 대조해서, 이런 접근의 좋은 예는 Perlmutter와 그녀의 동료들이 수행한 연구에서 찾아볼 수 있다(Perlmutter & Myers, 1979; Todd & Perlmutter, 1980). 통제된 실험 상황에서 Perlmutter와 Myers는 단어 목록들에 관한 의도적인 기억이 4세 아동보다 3세 아동에게서 더 나빴다는 것을 발견했다. 그러나 일상 사건과 행동에 대하여 자연주의적으로 수행한 연구에서 암묵적 기억은 나이 든 아동들에게서 아주 미미한 이득만을 보였을 뿐이다.

　기억에 대한 자연주의적 연구를 조사해 보자. 그 이유는 이것이 기억연구의 많은 중요한 특징들을 예로 들어서 설명하기 때문이다. Todd와 Perlmutter는 다양한 연령의 아이들을 개별적으로 1시간 단위로 두 번 관찰했다. 그들은 아이들의 자발적인 기억 서술문들을 조심스럽게 검토했는데, 기간, 빈도, 상세함의 정도에 따라서 범주화하였다. 어린아이나 좀 더 나이 든 아이 둘 다 동물원 구경 같은 많은 신기한 사건들과 특정한 장난감을 가지고 논 일상적 사건들을 회상하였다. 이 두 연령 간의 중요한 차이는 나이 많은 아이들이 어린아이들보다도 좀 더 오랜 파지 간격에도 사건들을 많이 회상할 수 있는 능력에 있었다. 또한 나이 든 아이들은 어린아이들보다 행복 또는 두려움 같은 내적 상태의 측면을 더 많이 회상하는 경향이 있었다. 이러한 아이들의 의도적인 기억을 검토하면서 Todd와 Perlmutter는 어린아이가 나이 든 아이들과 동일한 수준으로 두 문장으로 된 운율을 기억하기 위해서는 5배나 많은 반복을 해야 한다고 지적하였다. 이 후자의 발견은 사건과 행동들에 관한 자발적 기억에서의 좀 더 미미한 차이들과 대비되며, 단어 목록 기억에 대한 통제된 연구와 일치한다.

　여기서 Perlmutter의 연구가 갖는 여러 다른 특징들을 지적해 보자. 첫째로, 위에서 언급한 범주로 기억들을 분류하는 데 관찰자간 신뢰도가 아주 높았다. 둘째로, Perlmutter는 자발적 기억 보고에서 아이들 부모와 협력을 받았다. 그녀는 부모의 판단에 따르면 나이 많은 아이들과 나이 어린 아이들의 기억 정확성이 매우 높았다는 것을 발견했다. 아이들 기억에 대한 협력 증거를 부모로부터 얻는 것은 아주 중요하며, Perlmutter와 그의 동료들은 자연주의적 관찰과 더불어 이것이 통제의 중요한 출처임을 보여주었다. 셋째로, 그 연구는 종종 유연성과 생태적 기능 둘 다 자연주의적 관찰과 관련되어 있다는 것을 예시해 주었다. 그 연구자들은 아이들을 관찰할 때, 아주 상당한 여유를 가졌었는데, 그들은 단지 앉아서 아이들에게 태연하게 이야기하거나 아이들이 눈에 띄게 말이 없으면 질문을 할 수도 있었다. 연구의 생태학적 측면은 아이들이 보고한 자발적 기억의 본질들—즉, 동물원 가기, 의사 만나기 등—에서 보면 명백하다. 그런 사건들은 특히 아이들이 의도적으로 재료들을 배우고 기억하라고 요청 받는 기억 실험에서 자주 연구되는 종류와는 현저하게 다르다. 생태학적으로 연관시킨 실험들은 가능하지만, 특정하게는 자연주의적 관찰, 그리고 일반적으로는 기술연구가 생태적 기능을 쉽게 연구할 수 있게 해준다는 것을 지적하고 싶다. 이것은 빈번히 기술 관찰이 높은 **생태학적 타당도**(ecological validity)를 갖는다는 것을 의미한다.

개념 요약

기술적 관찰의 장점들은

- 기초적 지식의 중요한 근원
- 유연성
- 동물행동학적 접근
- 생태학적 타당도

를 포함한다.

기술연구에서 오류의 원천

기술 관찰에만 존재하는 주된 문제는 사건들 간의 관계가 즉시 평가되지 않는다는 것이다. 놓아 기르는 원숭이들의 치장행동이 특정한 시기에 일어나는 데 다섯 가지 선행조건(예를 들면, 식사)이 필요하다는 것을 조사원이 주목하게 될 수도 있다. 만일 어떤 이가 치장행동에 필요한 선행조건들이 어떤 것인지에 흥미가 있다면 기술 관찰은 답을 주지 못하는데, 왜냐하면 이러한 선행조건들은 조작될 수 없기 때문이다. 이를 위해서 실험이 필요하다.

기술 관찰은 또한 다른 방식에서는 부족한 자료를 얻게 해준다. 만일 어떤 사람들이 관찰을 의심하거나 그것들을 반복 관찰해 보는 데 흥미가 있다면, 그 사람들도 표준화된 절차를 사용해서 과학적 자료를 쉽게 재생산할 수 있어야 한다. 사례연구 같은 많은 기술 방법들은 재생산을 허용하지 않는다. 따라서 다른 조사자들의 의문에 여전히 개방되어 있다.

기술 접근의 다른 문제는 관찰의 해석 수준—연구자 편향—보다는 철저하게 기술 수준에 머무르는 것이다. 동물연구에 있어서 편향문제는 자주 의인화(anthropomorphizing), 또는 동물에게 인간 특성을 부여하는 것인데, 제1장에서 논의한 바 있다. 여러분이 집에 왔을 때 개가 꼬리를 흔들고 흥분해서 여기저기 뛰어다니면, 여러분을 보고 즐거워한다고 자연스럽게 말할 수 있는 것처럼 보인다. 그러나 이것은 의인화이며, 만일 이 장면이 기술 관찰에 포함된 것이라면 이것은 부적절하다. 대신에 행복, 슬픔, 배고픔 같은 내재된 동기에 최소

응용

관찰에 있어서 어려움들

직접 관찰이 단도직입적이고 간단한 과정 같이 보일지 모른다. 눈을 크게 떠서 열심히 보고 무엇이 있는지 본다. 그러나 과학의 역사에는 현상들이 처음에 지각된 방식과는 완전 딴판인 것으로 결국에 드러나 버리는 예들로 가득 차있다. 우리는 과학자는 자신의 관찰에서의 오류들에 대하여 계속적으로 경계를 늦추지 않아야 한다는 것을 보여주고자 여기에서는 두 가지 예를 하나는 심리학에서, 다른 하나는 물리학에서 들고자 한다.

Ivan P. Pavlov(1849~1936)는 소화 중 위액의 작용방식에 대한 연구로 1904년에 노벨상을 수상한 러시아의 생리학자이다. Pavlov는 또한 고전적(Pavlov식의) 조건 형성을 파악하고 연구함으로써 심리학에 중요한 공헌을 하였다. Pavlov가 개의 학습을 연구하기 시작했을 때, 그와 그의 동료들은 자신들이 이전에 소화계통에 관심을 두었을 때는 명백하지 않았던 문제들을 가지고 있다는 것을 발견하였다. 자신들이 관찰하고 있는 행동을 어떻게 기술할 것인가에 어려움이 있었다. Pavlov는 조건반사를 연구하는 어려움을 다음과 같이 기술하였다.

그러나 이것을 어떻게 연구하는가? 개가 급히 먹고, 입 속에 있는 것들을 잡아채 내고, 오랫동안 씹고 있을 때 개를 끄집어내면, 그때 개는 아주 먹고 싶어서, 먹이로 뛰어가고, 먹이를 쥐어뜯고, 먹는 데 푹 빠져있다는 것은 명백한 것처럼 보인다. 개는 오랫동안 먹는다… . 개가 먹고 있을 때 입안의 먹이를 쥐고, 씹고, 삼키기 위해서 가능한 모든 방법에 애쓰고 있을 때 근육들의 작용이 보인다. 이 모든 것에서 우리는 개가 거기에서 즐거움을 도출한다고 말할 수 있다… . 이제 우리가 이것을 분석하고 설명하려고 할 때 우리는 이러한 진부한 관점을 선뜻 취한다. 우리는 동물의 감정, 소망, 생각 등을 취급해야만 한다. 결과는 어안이 벙벙하게 만들고 이상한 것들이다. 나와 내 동료 중 한 사람이 조화시키기 어려운 의견을 가지게 되었다. 우리는 서로 동의할 수도 어떤 것이 옳다고 증명할 수도 없었다… . 이 일이 있은 후에 우리는 조심스럽게 숙고해야 했다. 우리가 올바른 방향이 있는 것이 아닐 수 있다는 것이 가능해 보였다. 우리가 이 문제에 대하여 생각할수록 다른 탈출구를 선택할 필요가 있다는 우리의 확신이 더 커져만 갔다. 제1단계는 어려웠지만 영속적이고, 강하고, 집중된 사고의 방식과 맥을 같이 해서, 나는 결국 순수한 객관성이라는 단단한 기초에 도달하게 되었다. 우리는 절대적으로 개가 추측한다, 원한다, 바란다 등등의 심리적인 표현의 사용을 억제했다(실험실에서는 실제 벌금을 매겼다). (Pavlov, 1963년 재출판, pp. 263-264)

두 번째 문제는 모든 유형의 연구에서의 관찰과 관련이 있다. 이것은 우리의 개념적 체계가 우리가 '보는' 것을 얼마나 많이 결정하고 편향시키는지의 논쟁점이다. Pavlov의 진술은 우리가 모두 같은 식으로 사물을 보게 해주는 객관적 방법을 형성

하는 데 존재하는 어려움에 대한 감동적인 증언이다. 그는 이 어려움이 존재한다는 것이 어안이 벙벙하게 만들고 이상하다고 발견했고, 객관성을 확실히 하기 위해서는 정교한 예방조치가 필요하다는 사실에 놀랐었다. 과학철학자들은 우리의 관찰이 항상 세계에 관한 개념화에 의해서—다른 방식이 아니라면 적어도 우리가 하는 특정한 관찰에 의해서—영향을 받는다는 것을 지적해 왔다(예를 들면, Hanson, 1958, 제2장을 보라).

Pavlov의 관용구를 사용해서, '순수한 객관성'은 불가능하지는 않더라도 알기 어려울 것 같다. 과학에서 객관적이고 반복 가능한 관찰은 우리가 다가가고자 하는 이상이나, 우리는 그것을 달성할 수 있을지에 관해 결코 완전하게 자신할 수 없을지도 모른다. 그럼에도 불구하고 우리는 이 이상을 향한 모든 가능한 단계를 시도해야 하는데, 그것은 거의 모든 과학의 기술적인 설비들이 우리가 다루는 것을 돕기 위해 설계되었다는 것이다.

그러나 Hyman(1964, p. 38)이 인용한 예에서 명백하게 드러나듯이, 기대에 의해서 부당하게 영향 받는 관찰의 문제는 정교한 기구를 사용한다고 해서 자동적으로 극복되는 것은 아니다. X-ray가 발견된 직후인 1902년에 저명한 프랑스 물리학자 Blondlot는 'N-ray'의 발견을 보고하였다. 다른 프랑스 과학자들은 재빠르게 Blondlot의 발견을 반복하고 확인하였으며, 1904년에는 이 주제에 대하여 적어도 77개의 논문 발표가 있었다. 그러나 미국, 독일, 이탈리아 과학자들이 Blondlot의 발견을 반복검증하는 데 실패함으로써 이 발견은 논쟁거리가 되었다.

미국 물리학자 R. W. Wood는 Johns Hopkins 대학에 있는 자신의 실험실에서 N-ray를 발견하는 데 실패하고 Blondlot를 찾아갔다. Blondlot는 Wood에게 빛을 내는 원이 칠해져 있는 카드를 보여주었다. 그리하고 나서 그는 방 불을 끄고 N-ray를 카드에 고정시키고 Wood에게 원의 밝기가 증가한다고 지적하였다. Wood가 아무런 변화를 느낄 수 없다고 말했을 때, Blondlot는 Wood의 눈이 너무 무감각해서 그렇다며 변화가 있어야만 한다고 주장했다. 다음에 Wood가 간단한 검사를 수행할 수 있는지 요청하였고, Blondlot가 동의하였다. 한 경우에, Wood는 반복적으로 N-ray와 카드 사이에서 납 화면을 움직였고, Blondlot는 카드의 원의 밝기가 상응해서 변한다고 보고하였다. (납 방패는 N-ray의 투과를 막는 것으로 간주되었다.) Blondlot는 일관되게 오류를 범했고 자주 화면을 움직이지 않았을 때도 밝기에서 변화를 보고하였다. 이런 저런 검사로 다른 프랑스 과학자들의 '확인'에도 불구하고 N-ray란 것이 존재한다는 증거가 없다고 명백하게 밝혀졌다.

1909년 후에는 더 이상의 N-ray에 대한 논문 발표는 없었다. 이 실수는 Blondlot에게는 너무나 큰 것이었다. 그는 다시는 명예회복하지 못하고 몇 년 후에 불명예 속에서 죽었다. 우리는 이 극적인 예에서 물리학자의 세련된 기구를 가지고도 관찰의 오류가 있을 가능성이 있으며, 그러한 오류는 방지되어야

한다는 것을 알 수 있다.

출처: Hanson, N. R.(1958). *Patterns of discovery*. Cambridge: Cambridge University Press. Hyman R.(1964). *The nature of psychological inquiry*. Englewood Cliffs, NJ: Prentice-Hall. Pavlov, I. P.(1963). *Lectures on conditioned reflexes*. New York: International Publishers.

한으로 귀인시키도록 개의 외현 행동을 기록해야 한다.

비록 Freud가 의인화의 문제에 떳떳하지는 않지만, Freud의 사례연구는 사실들에 대한 그러한 해석에 완전히 기초하고 있다. 반복할 수 없다는 것 이외에 사례연구는 그야말로 어떤 이론이든 증명하는 데 사용할 수 있다는 가능성에 시달리게 된다. Freud는 특정한 사례연구를 선택하고, 이 질문에 특정한 대답을 선택하고 있다. 그런 다음, 그는 이러한 '사실들'을 그 자신이 고안한 기존의 개념적 체계에 짜맞추어 버렸는데, 이것은 그가 얼마나 엉성한 방법론으로 자신의 이론을 지지할 수 있었는지를 의미한다. 이것은 Freud 체계의 뚜렷한 창조적 육감과 천재성을 손상시키지는 않는다. 그러나 Freud 체계가 기초하고 있는 증거의 측면에서 Freud 자신이 비판될 가능성을 분명히 열어 놓고 있다.

기술연구에서 반응성

심리학 연구의 많은 분야에서 우리는 프로젝트 자체의 관점에서나 일상적인 사회적 상호작용의 관점에서도 참가자들의 반응성을 볼 수 있다. 여러분이 섹스에 대하여 하루 동안에 얼마나 자주 생각하고 있는지 추정하기 위한 설문조사에 응하고 있다고 가정해 보자. 계속해서 추측해 보자. 그러면 이제 개인 면접에서 같은 질문을 받았다고 가정해 보자. 개인 면접에서 설문조사 당시 했던 것과 똑같은 대답을 할까? "하루에 적어도 15번 정도 섹스에 대하여 생각합니다"라고 말하기를 꺼려할 것이다. 반면에, 익명의 설문조사에서는 하루에 열 다섯 번이라고 답변을 해도 전혀 상관이 없을 것이다. 일반적으로 보통의 사회적 상호작용은 연구 참가자가 반응하는 방식을 변화하도록 요구한다.

Weber와 Cook(1972)은 연구에서 발생되는, 따라서 결과에 영향을 줄지 모르는 중요한 사회적, 심리학적 요인들을 강조하기 위해 **피험자/참가자 역할**(subject/participant role)이란 용어를 사용하였다. 여기서 사용된 바와 같이, 역할이란 참가자가 연구 상황을 지각하는 방식과 그들이 거기에 반응하는 방식을 가리킨다. 왜냐하면 지각된 역할로 인하여 참가자가 어떻게 반응할지를 결정하기 때문에, 자연스럽지 않게 반응하는 것, 즉 **반응성**(reactivity)이 발생할 수 있으며 이것은 결과에 혼입된다. 우리는 여러 가지 반응성의 예와 가능한 해결책을 고려할 것이다.

요구 특성(demand characteristic)이란 용어가 한때 참가자 반응성을 가리키는 표준방식이었다. 그 용어는 Orne(1962)이 실험에 참가하고 있는 사람들에게 가해지는 압력을 부각시키기 위해 만들었다. Orne은 참가자가 연구자의 요구에 복종한다는 것을 강조했다. 우리는 참가자가 수용할지 모르는 역할을 기술하는 데 요구 특성이란 용어보다 반응성이란 용어가 더 일반적인 용어라고 믿는다.

자연주의적 관찰

관찰을 망치는 참가자의 반응성을 막는 일반적인 방법 두 가지가 있는데, 즉 드러나지 않는 관찰을 하는 것 또는 드러나지 않는 측정을 하는 것이다(Webb, Campbell, Schwartz, & Sechrist, 1981).

먼저, **드러나지 않는 관찰**(unobtrusive observation)을 살펴보자. 여러분이 고향 시내를 걷고 있다고 상상해 보자. 가끔은 친구를 만나 인사할 수 있다(아마도 악수를 하고, 눈 깜박임도 있을 것이다). 계속 걸어가는데, 커다란 카메라를 가진 남자가 당신이 친구와 인사할 때마다 계속 당신을 찍어댄다. 이 주목 받는 것에 당신은 어떻게 반응할 것인가? 아마도 당신이 친구와 인사하는 방식이 드라마같이 변할 것이다. (경기장 관중들이 자신들의 모습이 TV 카메라에 찍힐 때 어떻게 행동하는지 본 적이 있는가?) Eibl-Eibesfeldt는 그의 연구에서 특수 측면 렌즈가 달린 카메라를 사용함으로써 참가자 반응성을 막았다. 이 렌즈는 관찰되고 있는 개인을 90도 각도로 향할 수 있어서, 십중팔구 그 사람은 Eibl-Eibesfeldt가 어떤 다른 것을 찍고 있다고 생각했었을 것이다. 그러므로 관찰자는 카메라의 존재에 대해서 이상하게 반응하지 않았을 것이다. 대신에 관찰되고 있는 개인은 자연스럽게 반응했을 것이고, 그것이 Eibl-Eibesfeldt가 의도한 것이다. 특수한 카메라 렌즈로 연구자는 그 사람을 침범하지 않고 관찰할 수 있었으며, 그것은 Eibl-Eibesfeldt가 드러나지 않는 관찰 기법을 사용했다는 것을 의미한다.

일반적으로 사람에 대한 드러나지 않는 관찰은 사람들이 자신이 관찰 당하고 있다고 의식하는 경우보다 더 자연스러운 행동을 드러낼 수 있게 해준다. 동물을 관찰할 경우에는 관심 있는 행동이 관찰자의 존재에 의해 영향 받지 않도록 연구자는 가능한 한 드러나지 않는 관찰을 해야 한다.

그러나 때때로 참가자 자신이나 지역, 또는 연구 프로젝트의 다른 측면 때문에 아주 가까운 접촉이 요구된다. 이런 상황에서 **참가자 관찰**(participant observation)이 자주 해결책이 된다. 예를 들면, Fossey(1972)는 산(山) 고릴라를 관찰하는 데 굉장한 시간을 보냈다. 산 고릴라는 중앙아프리카에 살며 그 서식지는 이 지역으로 이주해 온 사람들에 의해 위협받고 있었다. 산 고릴라의 자연 서식지는 산의 우림 지대이고, 따라서 장기간에 걸친 엿보기란 고려할 수 없었다. Fossey는 특히 고릴라의 제약 없는 행동에 관심이 있었으므로, 그녀는 참여 관찰자가 되기로 결정했다. 이것은 쉽지 않았는데, 왜냐하면 고릴라는 길들여지지 않기 때문이다. 그녀는 고릴라를 따라 행동했고, 따라서 고릴라들은 그녀의 존재에 대해서 점점 익숙해졌다. 그녀는 먹기, 치장하기, 이상한 고릴라 방식의 소리내기 등 동물행동을 따라 했다. 그녀가 진술한 바와 같이 "가슴을 운율에 맞춰 둥둥 두드리고 야생 샐러리 줄기를 마치 그것이 세상에서 가장 흥겹게 한 입 베어 먹는 것처럼 우적우적 먹는 척하고 앉아 있노라면 바보 같다는 느낌이 든다. 그러나 고릴라들은 호의적으로 행동해 주었다"(p. 211). Fossey가 고릴라들의 신뢰를 얻는 데 몇 달이 걸렸으며, 그 후로 그녀는 계속해서 고릴라와 같이 생활하면서 1986년 타계 시까지 계속 고릴라를 연구하였다. 10년 또는 15년 동안이나 고릴라처럼 행동하면 여러분은 어떨까?

드러나지 않는 측정(unobtrusive measure)이란, 드러나지 않는 관찰과는 대조적으로, 행동에 대한 간접적 관찰이다. 드러나지 않는 측정은 간접적인데, 왜냐하면 연구되는 것은 행동의 결과이지 행동 그 자체가 아니기 때문이다. 그러므로 행동을 직접적으로 측정하는 대신에 행동의 결과를 봄으로써 사건이 발생한 후에 검사한다. 학생의 학습활동을 관찰하는 것 대신에 성적증명서를 검사한다. 고릴라와 같이 사는 대신에 환경에 대한 그들의 영향을 살핀다. 명백하게도, 드러나지 않는 측정은 조사될 수 있는 모든 질문들에 대하여 적합한 것은 아니지만(눈썹 움직임에 대한 드러나지 않는 측정은 어려울지 모른다), 이런 측정이 좋은 방법은 아니지만 일부에 대해서는 측정 가능한 유일한 것이다. 공중화장실에서 낙서 문제를 고려해 보자. 누가 하는가? 낙서는 보통 무엇에 관한 것인가? 만일 연구자가 사용자(고객)들을 관찰하면서 화장실 주위에 서 있다면 일련의 심각한 윤리적 문제들이 제기될 것이다(윤리에 대해서는 제4장에서 이미 논의했다). 그러나 낙서 주제들은 조사될 수 있고 풍부한 정보를 제공할 수 있다. Kinsey, Pomeroy와 Martin(1953)은 남자 화장실에는 여자 화장실보다 더 야한 낙서가 있다는 것을 발견했다. 더 나아가 여자 화장실보다 남자 화장실에 더 많은 낙서가 있다는 것을 발견했다.

드러나지 않는 측정을 사용하는 것은 동물 흔적을 쫓는 사냥꾼이나 지문 같은 단서를 조사하는 형사와 유사하다. 남겨진 흔적과 단서들은 행동들에 관해서 여러 가지 추측을 제공해 준다. 최근에 유명한 심리학적, 인류학적 드러나지 않는 측정이 사람들이 사용하다 버린 쓰레기와 다른 폐기물들을 검사하는 것이었다. 버려진 물건들의 특징을 통해 관찰자는 그 폐물 뒤에 있는 행동의 여러 측면을 이해하려고 시도한다(예를 들면, 버려진 술병 또는 버려진 연애편지는 행동에 관한 정보를 드러낼 수 있다).

사례연구들

사례연구들은 개인의 역사에 관한 것이고, 그것은 이런 연구들에서 나온 여러 증거들이 본질적으로 **회고적**(retrospective)임을 뜻한다. 환언하면, 과거를 돌아보며 얻은 것이다. 되돌아본다는 것은 자주 문제를 일으킨다. 한 가지 어려움은 망각으로 인해 보통 그 증거가 정확하지 않다는 것이다. 우리는 유아원에 있을 때 어떤 생각과 행동을 했는지를 기억 못하는데, 왜냐하면 그 이후에 일어난 일들이 이전 사건을 기억하는 것을 방해하기 때문이다. 사례연구에 있는 다른 어려움은 참가자 반응성 때문에 **동기화된 망각**(motivated forgetting)이 생긴다는 것이다. 동기화된 망각은 사람이 과거 경험을 재구성하는 능동적 방식을 발한다. 사람들은 자신이 현재 가진 신념에 맞추기 위해 자신의 기억을 왜곡시킨다. 예를 들면, 사형제도 같은 논쟁에 대하여 견해를 바꾼 한 정치가는 실제보다도 이전의 입장이 더 중립적이었다고 회상한다. 유사하게 사람들은 긍정적인 사건에 대한 기억을 부풀린다.

긍정적 왜곡의 이런 유형에 대한 강력한 예가 1970년대 초기의 Watergate 사건 동안 있었던 John Dean의 기억에서 볼 수 있다. Dean은 의회 위원회에 나타나서 닉슨 대통령과 자신 사이의 대화를 기술하였다. 이러한 기술에서 그는 대화에서 일반적으로 자신의 역할을 과대평가하고 대통령이 자신에게 해준 어떠한 칭찬도 과장하는 경향이 있었다(Neisser & Hyman, 2000). 우리는 John Dean의 회상이 왜곡되었음을 알고 있는데, 왜냐하면 이 동일한 대화를 녹음한 것을 의회 증언 때와 비교했기 때문이다. John Dean의 예에서 보면, 동기적 망각을 다루는 효과적인 방법은 다른 출처로부터 확증되는 증거를 얻는 것이다. 불행히도 그러한 증거는 매우 얻기 어려울지 모르며, 만일 다른 사람이 추가적인 정보를 제공하는 역할을 하더라도 그 사람의 기억 또한 같은 문제(동기적 망각)를 지닌다.

설문조사, 면접, 검사

기술적 연구의 다른 형태들이 회상 보고에 의존하는 정도에 따라, 그것들은 사례연구에서와 동일한 반응성 문제(즉, 일상적 망각, 동기적 망각)에 직면한다. 그러나 검사와 설문조사에 대한 많은 반응들은 회고적이지 않으며, 대신에 **반응유형**(response style) 또는 반응집합(response sets)으로 야기되는 문제를 접하게 된다. 다른 사람들은 질문에 대답하는 습관적인 방식을 가지고 있다. 이런 습관들은 그들이 자신을 보는 방식이나 연구자나 사회의 기대로부터(나중에 이 문제에 대해서 더 다룬다) 나온 것이다. 보편적으로, 여기에는 세 가지 반응유형이 있다: 그렇다고 말하기 또는 **반응묵인**(response acquiescence), 아니다라고 말하기 또는 **반응일탈**(response deviation), 그리고 **사회적 바람직함**(social desirability)이다. 대학 진학 예정인 고교 졸업생은 "당신은 마리화나를 매일 사용하십니까?" 란 질문에 아니오라고 답하는 경향이 있다. 이 대답이 이 사람의 진짜 행동을 반영한 것인가 또는 아니오라고 대답하는(반응일탈) 습관적 경향성을 반영한 것인가?

다른 한편으로, 그 대답이 사회적으로 바람직한 것일 수 있는데, 왜냐하면 마리화나는 향정신성 의약품이고 많은 공공기관에서 그 사용에 난색을 표명하기 때문이다. 대학을 가지 않기로 한 고교 졸업자들은 이 질문에 그렇다고 대답하는 경향이 대학 진학 예정자보다 두 배나 많다(Bachman & Johnston, 1979). 이 대답이 진짜인지, 아니면 사람들이 묵인하기 쉽고 질문이 어떤 것이든 상관없이 그렇다는 식으로 대답하기 쉽다는 것을 가리키는 것인가? 한 가지 질문에 대한 답변에 근거해서는 그 답변이 특정한 반응유형의 결과인지 진짜 답변인지를 결정할 수 없다.

Edwards(1953, 1957)는 적어도 어떤 종류의 기술연구에서 사용될 수 있는 반응 유형의 문제에 대한 흥미 있는 해결책을 개발했다. 특히 Edwards는 성격검사에서 똑같이 사회적으로 바람직한 두 가지 선택 중에서 참가자가 반드시 골라야 하는 **강제선택검사**(forced-choice test)의 사용을 제안하였다. 개인 선호 일정표(Personal Preference Schedule)라 불리는 Edwards의 검사에서는 응답자는 응답자의 특성을 더 잘 나타내 주는 두 가지 활동, 그리고 생각이나 감정 중 하나를 골라야 한다. 예를 들면, 응답자는 테니스와 수상스키 중 하나를 골라야 하는 경우가 있다. 두 가지 예는 비록 사회적 바람직함에서는 같지만, 다른 성격 특성과 관계되어 있다고 가정되었다. 여기서는 수상스키가 외향적인 사람이 하는 좀 더 전형적인 선택일 것이다. 강제 선택 기법은 사회적 바람직함의 영향을 감소시킬 뿐 아니라 반응묵인 또는 반응일탈의 가능성을 제거한다.

반응유형의 문제와 관련해서 더 다루기 힘든 것이 **지원자 문제**(volunteer problem)이다. 지원한 참가자는 여러 가지 방식으로 자원하지 않은, (하지만 참가할 수도 있는) 잠재적인 참가자와 다르다(Rosnow & Rosenthal, 1970). 지원자는 비지원자보다 더 똑똑하고 교육 수준도 더 높고, 더 협조적이고, 더 잘 적응하고, 사회적 승인 욕구가 높다. 지원자의 이러한 특성이 참가자 반응에 더 많은 영향을 준다. 참가자 문제는 실험에서 얻은 결과의 일반화를 제한한다.

여러분 자신의 연구에서 지원자 문제가 뜻하는 것은 여러분이 사용한 참가자 모집단에서 표본 추출할 때 조심해야만 한다는 것이다. 여러분의 검사나 조사가 재미없고 응답자가 아주 장시간 동안 협조해야 한다면, 당신이 얻는 답변들은 편향된 견해를 가진 표본(이 경우에는 선택 편향의 예임)에 근거한 것일지 모른다. 밤 11시 눈보라를 뚫고 기꺼이 심리학과 건물에 터덜터덜 들어온 사람과 그렇지 않은 사람과는 다르다. 이 문제는 Rosnow와 Rosenthal(1970)이 지적했듯이 자원해서 편지하기(편지 보내주시기 바랍니다)나 전화 걸기(전화 답변을 하겠다고 말한 후에 전화면접을 함)에 의존하는 의견 설문조사에서도 또한 심각하다. 독자의 자발적 협조에 의존하는 잡지 조사의 결과에서 무엇이 도출될 수 있을까? 또는 청취자로부터 전화를 간청하는 라디오 조사는 어떤가? 두 경우 모두 우리는 응답하지 않은 사람들에 관해서 아무것도 알지 못할 뿐 아니라 그 잡지를 읽지 않거나 그 방송을 듣지 않는 사람들에 관해서도 모른다. 우리는 상당한 시간과 노력을 들여서 무응답자에 관해서 파악할 수 있다. 그러나 보통은 이런 노력이 행해지지 않는다.

비록 해결책들이 완전히 만족스럽지는 않지만, 무응답자 문제에 대한 세 가지 해결책이 있다. 첫째, 가용한 전체 모집단에 대한 무선 표본을 얻을 수 있다. 이것은 모든 잠재적 응답자가 질문 받을 똑같은 기회를 갖는다는 것을 뜻한다. 물론 이것은 모집단에서 모든 사람들이 질문을 받을 때 항상 응답을 해준다는 것을 가정한다. 둘째, 무응답자에게 여러분의 실험에 참가하는 데 어떤 종류의 과외의 유인가를 제공할 수 있다. 돈을 주거나 연구 프로젝트에 대한 자세한 정보를 줄 수 있다. 그러나 이 과외의 유인가는 일부 잠재적 응답자를 실험에 참여시키기 전에 다른 사람과 달리 취급함으로써 연구 결과를 편향시킬지 모른다. 셋째로, 여러분은 잠재적 응답자의 추가 표본을 대상으로 연구를 반복검증할 수 있다. 비록 여러분의 연구 계획이 여전히 똑같은 지원자 문제로 곤란을 겪더라도, **반복검증**(replication)에서 지원자와 무응답자에 연관된 문제가 재발하지 않을 가능성이 있다면 이것은 좋은 해결책이 될 것이다.

개념 요약

기술적 관찰은

- 재생산성의 결여
- 의인화
- 낮은 내부 타당도
- 참가자 반응성

(이)라는 문제를 가지고 있을 수도 있다.

요약

1. 관찰의 기술 방법은 자연주의적 관찰, 사례연구, 조사연구가 포함된다.

2. 동물행동학은 종종 동물행동도를 통해 체계화시키는 자연 발생적 행동에 대한 연구인데, 동물행동도는 많은 다양한 행동들을 분류해 놓는다.

3. 자연주의적 관찰의 정확성은 자주 관찰자간 신뢰도 측정에 의해서 결정되는데, 그것은 둘 이상의 관찰자가 행동을 분류하는 방법에서 얼마나 잘 일치하는가에 대한 평가이다.

4. 이상사례분석은 연구자가 여러 개의 유사성을 가지고 있으면서 결과에서 차이가 나는 두 개의 사례를 고려하는 사례연구 절차이다.

5. 무선 표집은 조사연구를 위한 대표성을 띤 표본을 얻는 최상의 방법이다.

6. 기술연구는 종종 후속의 좀 더 통제된 연구를 위한 경험적 토대를 마련한다. 더욱이 이것은 실험법보다 더 유연한 경향이 있으며, 특정한 행동과 관련된 생태적 기능에 관한 중요한 쟁점을 언급해 줄 수 있다.

7. 기술연구에서 오류의 근원은 의인화와 연구자 편향을 포함한다. 다른 어려움은 관찰되는 사람이나 동물에 의한 반응성과 관련 있다. 인간 참가자는 빈번하게 자신이 평가되는 것을 알고 있을 때, 연구를 손상시킬 수 있는 특정한 역할을 수용한다.

8. 드러나지 않는 측정들과 드러나지 않는 관찰은 행동의 자취를 측정(드러나지 않는 측정)함으로써 또는 관찰 당하는 개인에게 측정 과정을 감춤(드러나지 않는 관찰)으로써 반응성을 최소화시킨다.

↘ 주요개념

기술 관찰(descriptive observation)	요구 특성(demand characteristic)
자연주의적 관찰(naturalistic observation)	드러나지 않는 관찰(unobtrusive observation)
사례연구(case study)	참가자 관찰(participant observation)
설문조사(survey)	드러나지 않는 측정(unobtrusive measure)
동물행동학(ethology)	회고적(retrospective)
동물행동도(ethogram)	동기화된 망각(motivated forgetting)
관찰자간 신뢰도(interobserver reliability)	반응유형(response style)
이상사례분석(deviant-case analysis)	반응묵인(response acquiescence)
무선 표집(random sample)	반응일탈(response deviation)
생태학적 기능(ecological function)	사회적 바람직성(social desirability)
생태학적 타당도(ecological validity)	강제선택검사(forced-choice test)
피험자(참가자) 역할(subject(participant) role)	지원자 문제(volunteer problem)
반응성(reactivity)	반복검증(replication)

↘ 연습문제

1. 동물행동학(ethology)이라는 용어를 인터넷 탐색을 해보라. 만일 여러분이 웹 탐색기를 사용하여 동물행동학적 분석을 기술하는 보고서를 발견하면, 흥미를 끄는 것을 찾아서 그 결과를 요약하라.

2. 실험실 실험으로 연구될 수 없는 어떤 연구 가설을 제시하라. 그것들이 연구될 수 있는 어떤 대안적 방법을 지적하라.

3. **[특별연습]** 한 연구자가 대학생 사이에 약물 사용의 정도에 관심이 있다. 그는 학생들이 답변을 적어내는 익명조사를 하거나 답변을 말로 받아쓰는 대면조사의 두 가지 선택이 있다. 각 방법의 장단점이 있다. 낱낱이 열거하라.

↘ 추천 문헌 자료

- 관찰 기술의 사용과 발달에 관한 흥미 있는 논문이 Boice, R.(1983). Observational skills. *Psychological Bulletin, 93*, 3–29이다.
- 기술연구에서 방법론적 문제들과 고려사항들에 대한 자세한 논의가 다음의 두 논문에 실려 있다. Woolfolk, M. E.(1981). The eye of the beholder: Methodological considerations when observers assess nonverbal communication. *Journal of Nonverbal Behavior, 5*, 199–204; Wildman, B. G., & Erickson, M. T.(1977). Methodological problems in behavioral Observation. In J. D. Cone & R. P. Hawkins(Eds.), *Behavioral Assessment*. New York: Brunner/Mazel.

↘ 웹 자료

- 이 장에서 배운 내용과 주요개념을 잘 알고 있는지 용어 설명, 플래시 카드, 그리고 통계와 연구방법 워크숍과 연계해서 확인해 보라. **www.cengagebrain.com**을 방문하라.

- 이 장에 소개된 많은 정보에 대한 다양한 원천은 **http://server.bmod.athabascau.ca/html/aupr/tools.shtml**에 있다.

↘ 실험실 자료

Langston의 지침서(Langston, W.(2011). Research methods laboratory manual for psychology(3rd ed.). Belmont, CA: Wadsworth.)의 제1장과 제2장에서 자연주의적 관찰과 조사연구에 대하여 각각 소개하였다. 자연주의적 관찰연구는 사람들이 주차 공간에 대하여 방어하는 행동을, 조사연구는 대학에서 학점 후하게 주기에 초점을 두었다.

심 리 학 해 보 기

9 · 11 테러리스트 공격에 대한 기억

다음 질문에 답할 수 있는가?

1. 9 · 11 공격에 관한 뉴스를 맨 처음 들었던 시간은 언제
였는가?
2. 당시 어디에 있었는가?
3. 무엇을 하고 있었는가?
4. 누가 당신에게 전해주었는가?
5. 당신 말고 또 누가 있었는가?
6. 그 사건에 대하여 어떻게 느꼈는가?
7. 그 당시의 경험에 대하여 생생한, 적어도 세 가지의 자
세한 점을 적을 수 있는가?
8. 그 뉴스를 듣고 즉시 어떤 일을 했는가?

몇몇 친구들에게 위의 질문을 해보라. 조사연구는 보통
중요하고 흥미 있는 질문들과 관련 있다. 위에 있는 질문
들은 한 예에 불과하다. 여러분과 여러분 친구들은 아마도
9 · 11에 대한 아주 생생한 기억을 가지고 있을 것이며, 사
람들은 전형적으로 소위 섬광기억(flashbulb memories)
이라고 불리는 사건(Brown & Kulick, 1977)에 대한 상세
한 회상 그리고 관련된 주변의 세부적인 것들을 회상하고
있다. 비록 섬광기억이 극적이고 보통은 사적으로 관련된
것이지만, 그러한 기억은 오류가 나기 쉽다. 오류의 근원에
는 그것이 발생된 지 오래된 후에 그 사건에 대하여 말하
고, 생각하는 것이 포함된다. 당신이 다시 말하는 것은 당
신의 청중에 따라 변하고, 동일한 사건에 대하여 다른 변
형을 듣게 된다. 이러한 효과에 대한 예가 Schmolck,
Buffalo와 Squire(2000)의 연구에서 드러났는데, 이들은

O. J. Simpson 재판(옮긴이 주: O. J. Simpson은 대단히
유명한 미국 미식축구 스타이며, 영화배우로도 활약했다
(Naked Gun 출연). 자신의 이혼한 부인에 대한 살인 피
의자로 1년이 넘는 형사재판이 진행되었으며, 재판 장면이
미국 전역에 내내 방영되었다.)에서 판결문을 들었던 기억
에 관하여 조사하였다. 최초의 답변과 비교하여 15개월 후
에 세부적인 내용의 50%만이 정확하였고, 32개월 후에는
겨우 29%만이 정확한 것으로 파악되었다. 많은 심리학자
들이 2001년 9월 11일에 발생한 공격 직후에 9 · 11에 대
한 조사연구를 하였다. 추적 조사연구가 진행되었고, 최초
의 보고가 지금 출간되었다(예를 들면, Talarico & Rubin,
2003). 추적 조사연구에 흥미 있는 오류가 나타났다.

분명히 여러분은 Schmolck과 동료들이 한 것처럼 당
신 친구들을 대상으로 조사연구를 반복하기는 어려울 것
인데, 특히 여러분의 조사연구가 공격이 발생했던 직후에
시작된 것이 아니기 때문이다. 그러나 여러분은 여러분과
여러분의 친구가 9 · 11 사건에 대하여 제공한 질문에 대하
여 확증을 얻을 수 있다. 예를 들면, 친구의 친구들을 면접
하여(즉, 질문 5에 대하여 나열한 사람들) 당신이 조사한
사람들의 주장 일부를 입증할 수 있다. 당신의 대답을 확
인시켜 줄 가장 좋은 사람이 누구일까? 만일 여러분과 수
강 동료들이 자료를 종합한다면, 여러분은 확증되지 않을
가능성이 가장 높은 종류의 사건을 조사해야만 한다.
Talarico와 Rubin(2003)이 보고한 것과 유사한 결과를
얻게 될까?

제 6 장 관계연구

이 장에서 우리는 변인 간 관계를 평가하려는 연구를 살펴본다. 수반성 연구는 두 개의 명명 변인의 함수로서 어떻게 관찰 빈도가 변동하는지를 파악한다. 상관연구는 관계의 크기와 방향 모두를 살핀다. 회귀 연구는 특정한 종속 변인에 대한 예언 변인을 파악하는 데 목적을 둔다. 이 장의 마지막에 우리는 다른 변인의 변화에 미치는 한 변인의 효과에 관한 인과적 서술을 하는 관점에서 실험적 관찰을 살펴볼 것이다.

과학자들은 기술하고, 관련짓고, 실험한다. 이 장에서는 관계연구에 초점을 맞춘다. **관계연구**(relational research)는 (보통) 둘 이상의 변인들이 서로 어떻게 관계가 있는지를 파악하고자 한다. 전형적으로, 관계연구는 실험처럼 변인들의 조작을 포함하지 않으므로, 관련된 자료들은 종종 **사후 소급한**(ex post facto) 자료라 불리는데, 이 단어는 사건발생 후라는 뜻을 지닌다. 즉, 서로 관련짓는 결과들은 자연적으로 발생한 어떤 사건들이기 때문에 보통 이미 발생된 것이며, 또한 실험자가 직접 조작해서 얻은 결과가 아니다. 연구자는 자료를 범주화하거나 평가하며, 그리고 나서 그 관련성을 엄밀히 조사한다. 종종 관련성은 상관된 사건이 발생할 때 사건에 대한 정확한 예측을 가능하게 해준다.

수반성 연구

　　많은 심리학 연구가 어떤 변인의 결과가 다른 변인의 결과에 의존하는지를 알아보고자
한다(예를 들면, Hurlburt, 1994). 연관된 자료들은 전형적으로 빈도 자료이다(8장에서 측정적
도를 논의한다. 수반성(contingency) 자료는 전형적으로 상이한 범주에 자료를 구분해 넣는 **명명
척도** 자료이다). 우리는 관계연구를 설명하기 위해서 어떤 특정한 연구 문제를 예로 검토하
려고 한다. 여러분이 자신이 다니는 대학에서 다양한 전공과정의 남녀분포를 밝히고자 한
다고 가정하자. 이것을 알아보기 위해서 여러분은 남학생과 여학생이 밝힌 전공과정의 빈
도를 조사하고, 그 결과를 분할표에 기입한다. **분할표**(contingency table)는 두 변인이 가
진 범주의 모든 조합을 표로 보여주는데, 두 변인 간의 관계를 조사할 수 있도록 해준다. 분
할표로 만들어 놓은 예가 표 6.1에 있다.

　　표 6.1의 A 구획은 다양한 학문을 전공하는 여학생의 수를 보여준다. 여학생들은 열거
된 어느 학과보다 영어영문학 전공이 많다. 역사학은 여자가 가장 적게 전공하는 학문이다.
B 구획에는 다섯 개 학문 분야를 전공하는 남학생 수가 있다. 남자들은 어느 과보다 경제학
전공이 많다는 것을 알 수 있다. 남자는 심리학 전공이 제일 적다. C 구획에서는 전체 분할
표를 보여주고 있는데, 중요한 정보인 남녀 전공의 상대적 빈도를 덧붙였다. (표에는 나타나
지 않았지만) 전체 학생 수는 남녀 분포가 거의 비슷한데, 이 표에 제시된 남학생(55.6%)과
여학생(44.4%)의 전반적인 비율은 거기에 못 미친다. 표의 각 칸에 제시된 상대적 빈도는
각 전공과정의 남녀 비율을 나타낸다. C 구획의 분할표는 2 × 5 **분할표**라고 하는데, 두 개
의 행과 다섯 개의 열을 가지고 있기 때문이다(합계는 제외). 분할표는 적어도 두 개의 열과
두 개의 행을 가지고 있어야 한다. 표를 기술할 경우, 관례는 행을 먼저 제시하고 열의 수를
제시한다. 이 분할표는 '2 × 5 분할표'라고 묘사될 것이다. 특정한 행렬 조합을 **칸**(cell)이라
부르는데, 예를 들면, 생물학을 전공하는 여자의 비율을 나타낸 칸의 기재사항은 53.8%이
다.

　　이 표에 제시된 백분율을 보면, 어떤 사람의 성별과 그 사람이 이 특정한 대학에서 선택
한 전공 사이에 관계가 있음을 분명하게 알게 된다. 역사학과 경제학은 남자가 비율적으로
여자보다 많고, 심리학, 생물학, 영어영문학은 여자가 남자보다 많다. 이러한 종류의 관계는
성별과 전공 선택이 상호 독립적이지 않음을 가리킨다. 만일 여러분이 이 표에 있는 자료를
통계분석한다면, 아마도 독립성에 대한 χ^2 검증을 적용할 수 있는데, 이 방법은 분할표에 있

표 6.1 어떤 작은 인문대학에 다니는 남녀 학생이 선택한 주요 전공의 일부를 나타내는 분할표의 개발

구획 A: 다섯 학과에 대한 전공 여학생의 수				
전공과정				
역사학	심리학	영어학	생물학	경제학
22	42	51	28	26

구획 B: 다섯 학과에 대한 전공 남학생의 수				
전공과정				
역사학	심리학	영어학	생물학	경제학
66	11	20	24	87

구획 C: 다섯 학과에 대한 전공 남학생과 여학생의 백분율로 나타낸 상대적 빈도와 절대적 빈도를 보여주는 분할표						
	전공과정					
성별	역사학	심리학	영어학	생물학	경제학	총계
여자	22	42	51	28	26	169
%	25.0%	79.3%	72.8%	53.8%	23.0%	44.4%
남자	66	11	20	24	87	208
%	75.0%	20.7%	28.2%	46.2%	77.0%	55.6%
합	88	53	71	52	113	377
%	100.0%	100.0%	100.0%	100.0%	100.0%	100.0%

는 자료가 통계적으로 유의미한가를 파악하기 위해서 자주 사용되는 통계적 검증이다. 여기서 예로 제시한 자료는 통계적으로 유의미하다(통계적 유의미성에 관한 논의와 χ^2 계산 방법은 부록 B를 참조하라). 이것은 우리가 전공 선택이 학생의 성별에 따라 다르다거나, 또는 다른 말로 하면, 두 변인이 서로 독립적이 아님을 논리적으로 확신할 수 있음을 뜻한다.

이제 분할표 분석을 사용하여 발표된 연구의 예를 살펴보자. 제4장에서 우리는 대규모 동물 권리 집회에서 동물권리 운동가(animal-rights activist)와 비운동가(non-activist)를 조사한 Plous(1991)의 연구를 논의했다. 그의 조사 질문 중 하나에 응답한 운동가와 비운동가의 수가 표 6.2에 나타나 있다. 이 2×3 분할표의 해석을 위해(다시 말하지만, 총계란은 제외하라) 백분율 또한 표시되어 있다. 비운동가가 운동가에 비해 심리학 연구가 의학 연구에서처럼 동물을 고통스럽게 한다고 믿는 경향이 훨씬 적다는 것을 주목하자. 따라서 운동가가 되고 안 됨과 어떤 종류의 연구가 가진 해로움을 보는 견해 사이에 관계가 있다. 이 두 변인은 서로 독립적이 아니다. Plous에 따르면, 이 관계는 동물권리 운동가들이 심리학에서의 동물연구를 중단시키려고 노력하는 이유를 설명할지도 모른다. 그러나 좀더 최근 연구에서 Plous(1998)는 동물연구에 대한 관심은 줄고, 동물 농장에 대한 관심이 증가하였음을

표 6.2 Plous(1991)가 제시한 자료를 근거로 만든 2 × 3 분할표

집단	동물을 더 고통스럽게 만드는 연구의 종류는?			
	심리학	의학	같다	총계
활동가	64	56	281	401
	16.0%	14.0%	70.0%	100.0%
비활동가	8	20	25	53
	15.1%	37.7%	47.2%	100.0%
총계	72	76	306	454
	15.9%	16.7%	67.4%	100.0%

밝혔다. 이러한 관심의 변화는 운동가와 연구자 사이의 적대감을 줄이는 시도를 좀더 지지하고 연구실 난입을 덜 지지하는 것과 일치하고 있다.

앞서 지적한 바와 같이, 수반성 연구는 명명 수준에서 측정된 변인들 간의 관계를 조사하는 데 널리 사용된다(Plous의 설문조사에서 운동가/비운동가, 그리고 연구의 유형 모두 두 개의 명명 범주가 있었다). 칸은 보통 빈도(또는 상대적 빈도)가 기재되며, 거의 모든 경우에 개인은 오직 한 칸에만 속하게 된다. 그러므로 어떤 과제에서 한 사람이 반복적으로 측정되는 경우, 이런 유형의 수반성 연구와 그것에 대한 χ^2 분석의 적용은 부적절하다.

수반성 연구에서 참가자 반응성이 문제가 될 수 있는데, 참가자를 면접하거나 설문조사할 경우에 특히 그렇다. Plous의 연구에서 반응성이 있었을 수도 있는데, 왜냐하면 그가 직접 대면 조사로 참가자를 면접했기 때문이다. 그러나 모든 수반성 연구가 명백하게 반응성에 영향 받기 쉬운 것은 아니다. 표 6.1에 제시된 자료는 완전히 사후 소급된 것이며, 따라서 특정한 전공을 하고 있다고 주장한 사람들은 자신들이 이 분할표에서 특정한 칸에 속하게 되리라고 알 수는 없다. 언뜻 보면 이것은 그런 연구를 선호하는 데 커다란 플러스가 되는 것처럼 보인다. 그러나 여러분은 이 예에서는 참가자의 반응성이 미확인 상태라는 것을 알고 있어야 한다. 그들이 반응성과 관련된 이유로(어머니는 내가 영어 전공을 하길 원한다) 특정한 전공을 선택했을 수 있다는 것이 진짜 문제이다. 누가 특정한 과정을 전공하는지를 단순히 기록하는 사람들이 준비한 통계값으로부터 자료를 구성했다면, 이런 종류의 반응성을 최소화시키는 간단한 방법이 존재하지 않는다. 따라서 사후 소급된 연구에서 자주 발생하는 것은 알 수 없는 정도로, 그리고 알 수 없는 출처의 참가자 반응성이 존재한다는 것이다. 연구자들이 변인들을 조작하기보다는 평가할 때, 그들은 반응성과 같은 혼입의 가능성에 관해서는 전혀 모르고 있게 된다.

상관연구

이 장에서 살펴볼 관계연구의 두 번째 유형은 **상관연구**(correlational research)라 불리는 것인데, 연구자는 단일 통계치로 관계의 정도와 방향을 동시에 알아볼 수 있다. 제8장에서 우리는 측정과 검사를 평가하는 데 상관계수가 어떻게 사용되는지 알아볼 것이다. 여기서는 관련성을 파악하고 결과를 예측하는 연구도구로서 상관이 어떻게 직접적으로 사용되는지에 대하여 논의한다.

Woodzicka와 LaFrance(2001)는 실제 면접 또는 상상 속의 대면에서 성희롱(sexual harassment)에 대한 여성의 반응이 어떤지를 조사하였다. 연구자들은 자신들의 결과 일부를 이해하고자, 상관 절차를 사용하였다. 대면을 상상한 여성들은 실제 대면을 경험한 여성들에 비해 더 많은 분노를 보고한 반면에 실제 대면에 있던 사람들은 대면을 상상한 사람들에 비해 실질적으로 더 많은 두려움을 보고하였다.

대면을 상상한 여성들은 자신들이 성희롱 가해자와 맞설 것이라고 보고하였다. 여성들은 실제로 성희롱을 당할 때 어떤 일을 했을까? 실제 대면에 있었던 여성들을 대상으로 Woodzicka와 LaFrance는 감정과 행동의 상관을 조사할 수 있었다. 그들은 자기-보고된 분노(매우 높지는 않았다는 걸 기억하라)는 성희롱 가해자를 직면하는 것과 관련이 없었음을 발견하였다. 다른 한편으로, 그들은 실제 대면에 있었던 여성들에게서 두려움의 정도가 높을수록 성희롱 가해자를 직면하거나 대항할 가능성이 더욱 적음을 발견하였다. 이러한 결과는 성희롱에 대한 실제 행동과 상상한 반응 사이의 차이를 보여준다. 이러한 불일치는 (피해) 여성이 성희롱 가해자와 대면을 하지 못한다면, 여성에게 책임이 있다는 생각을 들게 한다(Cohen & Cohen, 1993). 실제 성희롱를 경험하지 못한 방관자는 공포가 행동에 미치는 위협적인 효과를 인지하는 데 실패하고, 결과적으로 피해자에게 문제의 책임을 떠넘긴다.

상관연구에서 인과 변인을 파악하기는 종종 어려운 일이다. 우리는 상관계수 자체를 살펴본 후에 상관연구의 결과를 해석하는 방법을 알아보겠다.

상관계수

상관계수(correlation coefficient)에는 여러 가지 다른 유형이 있지만, 거의 모두가 가진 공통적 특성은 −1.00에서 0.00을 지나 +1.00까지 변한다는 것이다. 보통은 이 세 값 중의 하나가 되지는 않을 것이지만, 중간 값, 예를 들면, −.72나 +.39 같은 값을 지닌다. 상관계수의 크기는 관계의 정도(큰 숫자는 강한 관계를 나타낸다), 그리고 **부호**는 정적 또는 부적인 관계의 방향을 가리킨다. 상관계수 앞에 적절한 부호를 붙이는 것이 필요한데, 왜냐하면 그렇게 하지 않을 경우 두 변인이 정적 또는 부적 방향의 어느 쪽으로 관련되어 있는지 알수가 없기 때문이다. 그러나 정적 상관의 경우 양의 부호를 빼는 것은 일반적이어서 상관계수 .55는 +.55로 해석된다. 하지만 부호를 항상 포함시키는 것이 좋은 습관이다. 정적 상관의 예는 폐암과 흡연 사이의 관계이다. 한 변인이 증가할 때 다른 변인도 증가한다(비록 완전하지는 않은데, 즉 상관계수가 +1.00 미만이기 때문이다). 흡연과 **부적** 상관으로 증명된 다른 변인도 있는데, 굳이 거론하면, 대학에서의 학점이다. 흡연을 많이 하는 사람은 덜 피우는 사람보다 낮은 학점을 받는 경향이 있다(Huff, 1954, p. 87).

실제로는 여러 다른 유형의 상관계수가 있고, 어떤 것이 사용될지는 상관되는 변인의 특성에 달렸다. 여기서 심리학자들이 공통적으로 사용하는 것을 살펴보면, **Pearson의 적률상관계수**(Pearson's product-moment correlation coefficient), 또는 **Pearson r**이다. 이것은 여러 종류 중 하나이므로 여러분의 경우에 어느 것이 적합한지를 판단하려면 통계학 교재를 참조해야 한다.

우리가 인간 기억연구에 평생을 바친 여러 심리학자 중의 한 사람이라고 가정해 보자. 갑자기 머리 크기와 기억에 관련된 간단하고 직감적인 아이디어가 뇌리를 스쳤다. 외부 세계에서 온 정보는 감각기관을 통해 머릿속으로 들어오고 그곳에 저장된다. 정보가 저장되는 머리, 그리고 모든 종류의 것들을 담는 상자 같은 물리적 용기 사이에 유추관계가 성립된다. 이와 같은 일은 과학에서는 흔한데, 그런 유추 과정을 바탕으로 물리적 용기의 특성에 대한 지식에 근거해서 다음과 같은 예측을 한다. 한 사람의 머리 크기가 크면 그 사람의 기억도 증가한다. 작은 상자보다는 큰 상자에 더 많은 물건을 담을 수 있으며, 유사하게 작은 머리보다 큰 머리에 많은 정보를 담아야 한다.

이 '이론'은 정적 상관이 있으리라고 제안한다. 머리 크기가 증가할수록 기억 능력도 증가해야 한다. 한 지역의 모집단에서 무선 표본을 얻을 수 있다. 선택된 사람을 두 가지 차원으로 측정할 수 있다. 머리 크기와 매 3초당 한 단어의 속도로 하나씩 제시된 30개 단어 목록에서 회상한 단어의 수. 10명의 참가자로부터 얻은 세 개의 가설적인 결과가 표 6.3에 제시되어 있다. 각 개인에게 있어서 두 가지 측정치가 있는데, 하나는 머리 크기이고 다른 하나는 회상한 단어 수이다. 또한 두 유형의 측정값은 상관되기 위해서 이떤 방식으로도 유사할 필요가 없다. 같은 척도 상에 있을 필요도 없다. 단지 머리 크기를 회상된 단어 수에 상관시킬 수 있는 것처럼, 또한 IQ를 도로 번지수와 상관지을 수 있다. 어떤 두 숫자 집합도 상관지을 수 있다.

상관계수에 대한 수학적 평가는 부록 A에서 논의될 것이다. 만일 여러분이 이 통계에 대하여 익숙하지 않다면 상자 A.1을 개관할 수도 있는데, 거기에는 r에 대한 수학 공식이 있다. 표 6.3의 (a) 열에 제시된 자료에 대하여 Pearson r이 계산되었다. 이 예를 차근히 따라 하면 상관계수의 기본을 더 잘 이해할 수 있게 될 것이다. 연구자들이 r을 손으로 계산하려고 수학 공식을 쓰는 경우는 거의 없다. 대부분 연구자들은 상관계수를 계산하는 데 계산기나 컴퓨터를 사용한다.

상관을 도표로 나타내고, 이를 **산포도**(scatter diagram)라고 부른다. 표 6.3의 세 구획에 있는 자료를 그림 6.1의 세 구획에 제시했는데, 머리 크기가 X축에, 회상된 단어 수가 Y축에 그려져 있다. 표 6.3의 구획 (a)에는 머리 크기와 회상된 단어 수 사이의 높은 정적 상관이 오른쪽 위로 기울어져 올라가는 시각적 표상으로 옮겨져 있는 반면, 구획 (c)의 부적 상관이 오른쪽 아래로 내려가는 식으로 묘사되어 있다. 그러므로 여러분은 한 변인에 대한 어떤 사람의 점수를 알면(이러한 경우에서는 완벽하지는 않더라도) 다른 것에서의 수행 수준을 예측하는 데 도움을 받는다. 따라서 구획 (a)와 구획 (c)의 가설적인 자료에서 한 개인의 머리 크기를 아는 것은 회상 예측을 돕고, 그 역도 성립한다. 이 점이 상관이 유용한 첫째 이유이다. 그것은 관계의 강도를 상세히 하며 예측을 할 수 있게 해준다.

이 예측에 관한 진술을 구획 (b)에 있는 자료에서는 할 수 없는데, 여기에는 거의 0의 상관이 존재한다. 점들은 흩어져 있고 일관된 관계가 없는데, 그것이 바로 낮은 Pearson r이 반영하는 것이다. 상관의 크기가 비교적 큰 경우에서조차 한 변인에 대한 개인의 점수를 다른 변인에서의 위치에 따라 완벽하게 예측하는 것은 불가능하다. 머리 크기와 회상된 단어 수 사이의 상관계수 $r = +.75$이라도 큰 머리를 가진 사람이 회상하는 단어 수가 적을 경우가 분명히 있으며, 작은 머리를 가진 사람도 많은 단어를 회상하는 경우가 있다. 상관이 완전(-1.00 또는 $+1.00$)한 경우에만 다른 점수가 주어졌을 때, 한 점수를 예측하는 것이 완벽하다.

모집단에서 무선 표본을 대규모로 얻은 경우, 머리 크기와 회상 사이의 실제의 상관이 어떨지 생각해 보았는가? 그런 연구를 실제로 해 보지는 않았지만 정적일 가능성이 꽤 높

표 6.3 (a) 정적 상관, (b) 낮은(거의 영의) 상관, (c) 부적 상관을 보여주는, 머리 크기와 회상에 대하여 얻은 세 개의 가설적인 자료 예

(a)			(b)			(c)		
참가자	머리 크기 (cm)	회상 (단어 수)	참가자	머리 크기 (cm)	회상 (단어 수)	참가자	머리 크기 (cm)	회상 (단어 수)
1	50.8	17	1	50.8	23	1	50.8	12
2	63.5	21	2	63.5	12	2	63.5	9
3	45.7	16	3	45.7	13	3	45.7	13
4	25.4	11	4	25.4	21	4	25.4	23
5	29.2	9	5	29.2	9	5	29.2	21
6	49.5	15	6	49.5	14	6	49.5	16
7	38.1	13	7	38.1	16	7	38.1	14
8	30.5	12	8	30.5	15	8	30.5	17
9	35.6	14	9	35.6	11	9	35.6	15
10	58.4	23	10	58.4	16	10	58.4	11
	$r = +.93$			$r = -.07$			$r = -.89$	

다고 생각된다. Willerman, Schultz, Rutledge와 Bigler(1991)는 관련된 주제, 즉 뇌 크기와 지능지수 사이의 관계에 대하여 연구를 수행했었다. 그들은 오른손잡이 40명의 심리학개론을 듣는 백인 학생 표본을 가지고 뇌 크기와 IQ 사이에 +.51의 상관이 있음을 발견했다. 일반적인 문헌 개관에서 Rushton과 Ankney(1996)는 여러 상이한 연구의 자료로부터 뇌 크기와 인지 능력 사이에 +.44의 상관이 나타남을 보고하였다. 뇌 크기와 일반적 정신 능력에 대한 연구의 개관에서 Rushton, Ankney, 그리고 Davidson(2009)은 뇌 크기와 일반적 정신 능력 사이에 정적 관계를 보이는 수많은 연구를 보고하였다. Rushton은 상관 자료를

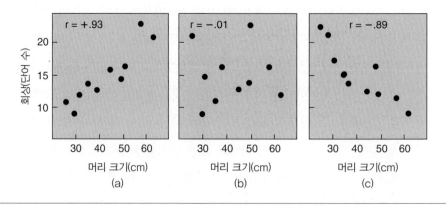

그림 6.1 (a) 높은 정적 상관, (b) 거의 영에 가까운 상관, 그리고 (c) 강한 부적 상관의 특징적인 패턴을 보이는 표 6.3의 자료를 그래프로 표시한 것.

근거로 뇌 크기가 인지 능력의 차이를 일으키는 것으로 해석될 수 있는지는 추가 연구를 통해서만 파악될 수 있다고 결론지었다. 우리가 상관연구에서 어떤 결론을 내릴 수 있는가? 상관계수를 어떻게 해석할 수 있는가? 다음에 이런 쟁점으로 돌아가 보자.

상관계수를 해석하기

상관에 대한 논의는 어디에나 항상 적용되는 중요한 경고 한 가지가 있다. 상당한 크기의 상관이 존재한다 하더라도 고려하고 있는 두 변인 간의 인과적 관계의 존재에 관해서 시사하는 바는 아무것도 없다. 상관은 인과관계를 증명하지는 않는다. 상관 하나에만 근거해서는 요인 X가 요인 Y를 일으켰는지, 요인 Y가 요인 X를 일으켰는지, 또는 내재된 제3의 요인이 둘 다를 일으켰는지 말할 수가 없다. 예를 좀 들어보자. 우리가 아동에게 있어서 머리 크기와 회상 사이에 +.70의 상관이 있음을 발견했다고 하자. 이것은 머리가 크면 더 많은 정보를 담는다는 우리의 이론에 일반적으로 부합하는 것이지만, 분명히 이 관계에 대한 다른 해석의 여지가 있다. 머리 크기와 회상 사이의 높은 상관은 두 변인 모두에 내재되어 있는 어떤 제3의 변인, 예를 들면, 나이에 의해 매개되거나 생성되었다고 주장할 수 있다. 사람의 머리 크기는 나이를 먹음에 따라 커지고, 회상 또한 나이와 더불어 향상된다는 것을 우리는 알고 있다. 그러므로 나이(또는 나이의 상관물)가 실질적으로 우리가 발견한 머리 크기와 회상된 단어 수 사이의 커다란 정적 상관을 초래한 것인지 모른다. 환언하면, 관계연구의 내부타당도는 항상 의심받는다(내부타당도는 이 장의 뒷부분에서 자세하게 논의된다).

상관연구에서 우리는 한 요인이 다른 요인을 일으키거나 낳았다라고 말할 수는 없는데, 왜냐하면 관심을 가진 변인들과 동시에 변하는 몇 개의 요인들이 공존할 가능성이 있기 때문이다. 실험에서는 모든 다른 요인들은 일정하게 유지시킨 채, 한 요인만 직접 조작하여 이러한 문제를 회피하려고 한다. 아주 어렵기는 하지만, 만일 우리가 다른 요인들을 일정하게 유지하는 데 성공하면, 우리가 측정하는 것이 어떤 것이든지 조작한 요인의 영향은 관심 있는 요인에 직접적으로 귀인할 수 있다. 두 요인(또는 그 이상)이 동시에 변할 때를 생각해 보자. 그러한 경우에 우리는 어떤 요인 하나가, 또는 다른 요인이, 아니면 두 요인 모두 작용해서 어떤 효과를 가져왔을지 모를 수 있으며, 이럴 때 우리는 요인들이 혼입되었다고 말한다. 혼입은 상관연구에 원래부터 존재하고 있으며, 따라서 그런 연구에 대해서는 해석상 어려움이 발생한다. 머리 크기와 회상 사이의 상관의 예에서 우리는 머리 크기에서의 변화량이 회상에서의 차이를 낳거나 일으켰다고 말할 수 없는데, 왜냐하면 머리 크기가 어찌되었든 다른 요인(연령)과 혼입되었기 때문이다.

다른 경우에서는, 두 요인 간의 관계가 인과적 해석을 가능케 하는 것처럼 보이지만, 다시 언급하면 엄밀하게 이것은 허용된 것이 아니다. 어떤 연구들은 어떤 지역에서의 권총의 수와 그 지역에서의 살인사건 수 사이에 정적 상관이 있다고 하였다. 총기 규제 지지자들은 이 증거를 총의 수가 증가되면 더 많은 살인을 초래한(일으킨, 낳는)다는 주장에 사용할지 모르지만, 가능한 해석은 이것만이 아니다. 범죄가 일어나기 쉬운 동네에 사는 사람은 자신을 보호하기 위해서 권총을 구매한다거나, 사회경제적 계층 같은 제3의 요인이 실제로 두 요인을 매개한다는 설명도 가능하다. 그러므로 어느 정도의 상관 또는 아주 높은 상관이라 해도 이를 근거로 어떤 결론도 정당화시킬 수 없음을 알 수 있다.

상관은 어떤 두 점수 집합 사이에서도 계산될 수 있기 때문에 종종 아주 높은 상관에서조차 우연의 결과이고 전혀 연관성이 없는 경우도 있다. 1950년 이래로 전도사의 수와 제작된 포르노 영화의 수 사이에 높은 상관이 있을지도 모르는데, 둘 다 증가 추세에 있다. 그러나 이 두 가지를 인과적으로 관련시킨다면 요상한 이론이 될 것이다.

분명한 혼입 요인들이 있는 경쟁적인 설명들이 설득력이 약한 사례의 경우에는 상당히 높은 상관 여부에 큰 비중이 있다. 담배 흡연을 폐암에 연결시키는 대부분의 초기 증거는 상관에 기초를 두었다. 그럼에도 불구하고 1964년 일반의사 보고서에 담배는 암에 이르게 하거나, 그것을 일으킨다는 결론이 (담배 제조회사들의 반대에도 불구하고) 도출되었다. 결국 담뱃갑에 경고문을 싣게 되고, TV에서 담배 선전을 금지하고, 그 외에 여러 가지 조치들이 실시되었다. 여기서 상관은 인과관계를 시사하는 것으로 간주되었으며, 아마도 경쟁 가설들이 타당해 보이지 않았기 때문일 것이다. 예를 들면, 폐암이 있으면(폐를 진정시키려고?) 담배를 더 피우게 된다는 설명은 있을 법하지 않다.

아마도 내재된 (불안 같은) 제3의 변인이 관계를 가져왔다는 가능성이 가장 받아들여질 만하다. 사실상 Eysenck와 Eaves(1981)는 인간의 폐암과 흡연 사이의 관계는 성격 차이에서 나온 것이라고 주장하였다. Eysenck와 Eaves에 따르면, 어떤 성격 유형은 더 담배를 피우기 쉽고 또 폐암에 걸리기 쉽다는 것이다. 따라서 그들은 흡연-암의 상관이 인과관계를 시사하는 것은 아니라고 주장했다. 그러나 흡연과 폐암 사이의 연계가 이제는 동물, 특히 비이글(beagle: 토끼 사냥에 쓰이는 작은 사냥개)을 사용한 실험연구를 통해서 확립되었음을 언급해야 한다. 전문가들 대부분이 Eysenck와 Eaves의 견해를 동의하지 않는다.

상관 접근이 가진 함정의 다른 예로 전에 언급한 흡연과 학점 사이의 부적 상관을 살펴보자. 흡연을 많이 하는 것과 낮은 학점이 관련되었다. 그러나 흡연이 낮은 학점의 원인인가? 그럴 것 같지는 않고 분명히 대안 해석이 있다. 낮은 학점을 받은 학생들은 더 불안할지 모르며 그렇기 때문에 흡연을 더 한다거나, 또는 더 사교성 있는 학생이 더 흡연하고 덜 공부한다거나 등등의 설명이다. 비록 상관이 완벽하다고 하더라도, 변인들끼리 상관되어 있다는 단순한 이유를 근거로 두 번인 사이의 인과 방향에 대해서 확고한 결론을 세울 수 없다. 기술 방법에서도 적용되었듯이, 상관 방법은 가능한 관계를 제안하고 후속 연구의 방향을 세우는 데 매우 유용하지만, 직접적인 인과관계를 세우는 데는 유용하지 않다. 상관 방법이 기술 방법보다는 우위에 있는데, 왜냐하면 두 변인 간의 관계의 정도가 정확하게 진술되어 있고, 따라서 한 변인의 값이 알려져 있다면 다른 변인의 (대략적인) 값에 대하여 예측을 할 수 있기 때문이다. 기억해야 할 것은 상관이 높을수록(−1.00 또는 +1.00에 근접), 더 나은 예측이 가능하다는 것이다.

낮은 상관: 경고

만약 높은 상관이 어떤 종류의 인과관계에 대한 증거로 해석될 수 없다면, 어떤 사람은 만일 0에 근접할 정도로 상관이 매우 낮을 경우, 적어도 그 증거를 배제시키는 것이 가능하다고 생각할지 모른다. 만일 머리 크기와 회상 사이의 상관이 −.02였다면, 머리가 클수록 회상을 잘한다는 우리의 이론이 제외될 수 있는 것인가? 또는 만일 흡연과 폐암의 상관이 +.08이었다면, 그것들이 원인과 결과로 연결되어 있다는 생각을 버려야만 하는가? 해답은 어떤 조건 하에서 때때로 그럴 수 있다는 것이다. 그러나 다른 요인들로 인해 낮은 또는 0의 상관이 생기고, 실제적인 관계가 감춰질 수도 있다.

한 가지 흔히 있는 문제가 **잘려진 범위**(truncated range)라는 문제이다. 의미 있는 상관계수가 계산되기 위해서는 관심을 둔 변인들 각각의 점수들 간에 비교적 큰 차이가 있어야 한다. 점수에 있어서 어느 정도의 분산이나 변동성이 있어야만 한다. 만일 표 6.3의 구획에서 머리 크기가 동일하고 회상 점수가 달라진다면, 둘 간의 상관은 0이다. (여러분은 부록 A에 있는 r에 대한 공식을 사용해서 실습해 볼 수 있다.) 만일 우리가 대학생의 머리 크기와 회상 사이의 상관만을 본다면, 매우 낮을 것인데, 왜냐하면 대학생들 사이에는 머리 크기와 회상에서 차이가, 전체적으로 모집단과 비교해 본다면, 그리 크지 않을지 모르기 때문이다. 만일 좀 더 넓은 범위에 걸쳐 머리 크기가 표집되었다면, 두 변인 간의 정적(또는 부적) 상관이 있을지도 모를 경우에도 이런 일이 발생할 수 있다. 제한된 범위의 문제는 두 변인 간에 실제 상관이 있더라도 낮은 상관을 낳을 수 있다.

여러분은 모든 사람이 잘려진 범위의 문제를 인식하고 피하려 한다고 생각할지 모르지만, 자주 미묘한 문제가 발생된다. 입학 사정 기준이 아주 높은 대학에서 SAT 점수로 대학에서의 성공을 예언하려고 하는 문제를 생각해 보자. 언어와 수리 영역의 점수는 200에서 800까지 변할 수 있는데 평균 점수는 500점 바로 아래이다. 우리가 가정한 대학의 평균 점수가 각 영역에서 800점씩이라고 상상하자. 이 학교의 입학 허가 담당자가 SAT 종합 점수와 1학년 평점 간의 상관을 계산하였고, 그 상관이 아주 낮은 $r = .00$이란 것을 알아내었다. 그의 결론은 SAT 점수를 대학에서의 평점을 예측하는 데 사용할 수 없다는 것이다. 그러나 문제는 연구에서 고려한 점수들이 특히 높은 곳에 분포되어 있는, 매우 제한된 범위에서 나온 것이었다. 낮은 점수를 받은 사람들은 이 대학에 입학하지도 못하였다. 분명히 잘려진 범위 문제는 이 경우에서나, 동질적 특성을 지닌 피험자의 한정된 표본이 관여하는 어떠한 연구 상황에서 한 가지 요인이 되기가 아주 쉽다.

한 변인에서 모든 점수가 동일하다는 이 예는 두말할 나위 없이 꾸며낸 것이다. Bridgeman과 동료들(2000)은 23개 대학에서 SAT I 점수와 1학년 평점 사이의 상관을 대학별로, 그리고 전체적으로 살펴보았다. 그들이 범위의 제한을 두어 점수를 조정했을 때, 평균 이상의 SAT I 점수가 낮은 평균의 SAT I 점수보다 1학년 평점을 약간 더 잘 예측함을 발견하였다. 이런 결과의 이유는 알아보기 힘들지만, 학생을 선발하는 학교에서 학점을 좀더 높게 강조한다는 사실에서 기인할 수도 있다. 심리학자들은 종종 대학생 같은 동질적인 집단을 사용하기 때문에 제한된 범위 문제는 상관을 해석하는 데 있어서 조심스럽게 고려되어야만 한다.

낮은 상관을 해석하는 데 있어서 마지막 문제는 특정한 상관계수를 사용할 때, 요구된 가정들을 만족하고 있는지를 확실히 해야 한다. 그렇지 않으면 그 사용 자체가 부적합한 것은 말할 나위 없고, 관계성이 낮다고 비논리적으로 추정해 버린다. 비록 이런 것들이 여기서 논의되지는 않았지만, Pearson r이나 다른 상관계수를 사용하기에 앞서 어떤 가정들이 요구되는지 통계 책을 통해 검토하는 것이 필수적이다. 예를 들면, Pearson r에 내재된 가정은 두 변인 간의 관계가, 그림 6.2에 있는 연령과 장기기억 사이의 가설적인(그러나 있을 법한) 관계로 제시된 것처럼 곡선이기보다는 직선이라는 것이다. 아주 어린 나이에는 선이 수평적이다가 3세에서 16세 사이에서 증가하고, 거기서 중년까지 수준이 약하게 떨어지다가, 중년에서 약간 떨어지고 아주 늙은 후에는 더 큰 비율로 떨어진다(Howard & Wiggs, 1993). 그러므로 연령으로부터 단어 회상을 꽤 잘 예측할 수 있지만 Pearson r은 매우 낮은데, 왜냐하면 두 변인 간의 관계가 직선이 아니기 때문이다. 물론 이것은 그림 6.2에서와 같이 산포도를 그려봄으로써 언제나 검토할 수 있다. 따라서 낮은 상관이 관계없음을 나타내는 것이 아니고, 특정한 계수를 적용할 때 필요한 가정이 충족되지 않았기 때문일 수도 있다.

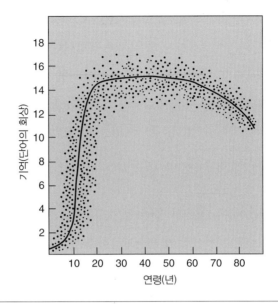

그림 6.2 장기기억과 연령 간의 곡선관계를 묘사한 가상의 그림. 비록 기억이 체계적인 방식으로 연령과 관계가 있고, 연령을 알면 회상 정도를 예측할 수 있지만, 직선적인 관련성이 아니기 때문에 Pearson r은 상당히 낮다.

상관연구에서 반응성

앞 장에서 언급한 바와 같이, 기술적인 연구에서 발견되는 참가자 반응성 문제 중 많은 것들이 여전히 상관연구에도 적용되는데, 왜냐하면 검사 결과들과 설문조사 자료들이 종종 상관의 근거를 제공하기 때문이다. 사실상 참가자에 대한 요구는 동시에 두 가지를 측정하는 상관연구에서 더 커질 수도 있다. 참가자들은 보통 연구자의 질문에 수동적으로 반응하지 않는다. 대신에 자주 그들은 현재 무엇이 진행되는지를 파악하려고 노력하고, 그 연구 계획에 대하여 자신들이 지각한 방식에 따라서, 그리고 자신들을 연구자에게 좋게 보일 수 있도록 하는 방식으로 응답한다(Weber & Cook, 1972). 예를 들면, 여러분이 대학생들의 성(性)에 대한 태도와 종교적 태도에 대하여 대학생 집단을 조사한다고 가정하자. 동시에 그들에게 약물 사용에 대해서도 물어볼 수 있다. 대부분 대학생들은 연구 계획의 목적 중 적어도 일부를 파악해 낼 수 있으며, 결과적으로 두 질문 세트를 함께 조사했을 때 얻은 반응들은 문항 세트를 따로 만들어서 질문했을 때 얻게 된 반응과 다를 수 있다.

회귀

머리 크기와 단어를 관련시킨 우리의 가상연구에서, 우리는 다른 변인이 주어진 경우 한 변인이 예측된다는 논의를 해둔 적이 있다. 상관계수의 이러한 사용을 **회귀**(regression)

라고 부른다(*r*과 구분하기 위해 *R*을 상징 기호로 사용한다). 여러 변인이 포함된 많은 상관들이 가용하고, 각 상관은 예측하고자 하는 목표 독립변인과 상관되어 있을 때 연구자는 일반적으로 회귀를 사용한다. 다중변인을 사용하는 이러한 절차를 **중다회귀**(multiple regression)라고 부른다. 그러므로 우리의 머리 크기/단어 회상 연구에서 우리는 또한 나이와 지능을 단어 회상과 상관시킬 수 있다. 중다회귀는 세 변인(머리 크기, 나이, 지능)을 함께 사용할 때, 각 변인을 단독으로 사용할 때보다 단어 회상을 더 잘 예측하는지 알아보고자 하는 경우에 사용된다.

Collins 등(2004)은 TV에서 성(性)을 시청하는 것에서 청소년의 성 행위의 시작을 예측하는 회귀분석에 관한 자신의 연구를 보고하였다. (12세에서 17세에 이르는) 1,700명이 넘는 청소년을 기저선 측정으로 전화 면접을 하였고, 1년 뒤에 반복하였다. 각 면접 동안 청소년들은 자신의 성적 경험, TV 시청, 그리고 청소년 성 행위 시작과 관련된 12개 이상의 다른 요인들에 관하여 보고하였다. 관련 요인 일부는 **공변인**(covariate)이라고 불리는데, 이것들이 또한 성 행위의 시작에 영향을 줄 수 있기 때문이다. 여기에는 가족 구조, 부모의 감시, 종교 성향, 감각 추구의 성격 특성이 포함된다. Collins와 동료들은 공변인의 영향을 일정하게 유지했을 때 (성적 행위, 그리고 성적 행위에 관한 대담 모두를 포함하는) 성적 내용을 TV로 보는 경우, 성 무경험자에 있어서 성교 경험의 시작이 예측됨을 발견하였다, $R = +.47$. 그러므로 청소년이 성적 내용이 담긴 TV를 많이 시청할수록 다음 해에 성교를 시작할 가능성이 더 높아진다. 첫 면접 때 이미 성교 경험이 있는 참가자들에게는 성적 내용을 담은 TV 시청이 성적 행동 수준을 진보시킴을 발견하였다, $R = +.37$. 이 연구에 관한 나머지 논의는 성교의 시작에 관련된 자료만을 고려한다.

많은 공변인이 또한 단독으로도 성교의 시작을 예측한다. 양친 부모와 함께 사는 것은 부적으로 예언했으며($R = -.54$), TV 시청에 대하여 밀접한 부모의 감시와 종교 성향이 그러하였다. 감각 추구 특성(Zuckerman, 1996)은 짜릿함 추구 활동과 위험을 감수하려는 욕구로 특징되는데, 감각 추구 자체로도 성교의 시작을 예측한다($R = +.60$).

Collins와 동료들은 예측을 보기 위해 여러 방식으로 변인들을 조합하였다. 그들은 TV 성적 내용에 대한 고노출 집단(상위 10%)과 저노출 집단(하위 10%)의 성교 시작의 예측 가능성을 비교하였다. 연구한 모든 연령(12~17세)에서 고노출 청소년들이 저노출 청소년에 비해서 두 배 더 성교를 시작할 가능성이 높았다.

Collins와 그녀의 동료들은 수행한 연구에 대한 회귀분석을 통하여 성적 내용을 담은 TV 시청의 영향을 바로 지적하였다. 비록 TV로 전해지는 성적 내용이 청소년의 성 행동을 바꾸는 사실이 명백하더라도, 십대 때 성교의 시작에 깔려 있는 특정한 원인 변인이 무엇인지는 불분명하다.

Collins가 행한 연구에서 인과관계를 정하지 못했는데, 이를 부부씨움에서 무기 사용의 예측변인과 관련한 Kernsmith와 Craun(2008)의 연구에서도 볼 수 있다. 이들은 지방 경찰 부서에서 무선으로 가정 폭력 사례 369건을 선택하여 이를 분석하였다. 선행 연구에서 가정 폭력 사례에서 무기가 자주 사용되고 있으며, 이러한 경우 무기를 사용하면 종종 심한 부상이나 살인까지 이른다고 보고되었기 때문에 이 중요한 프로젝트가 수행되었다. 비록 그들은 수많은 예언 변인들을 검증하였으나, 무기 사용을 가장 잘 예언하는 변인 중 하나는 폭력의 가해자에게 금지 명령이 있었는지 여부였다. 전형적으로, 법적인 금지 명령은 관련된 사람들 사이에 어떤 접촉도 금지하고 있다. Kernsmith와 Craun은 금지 명령을 받은 사람들은 가정 폭력 사례에서 피해자에게 무기를 사용할 가능성이 훨씬 더 높다는 것을 발견했다. 여기서 원인 변인은 무엇인가? 처음부터 무기를 사용할 가능성이 높은 가장 폭력적인 사람에게 금지 명령이 내려지기 쉬운 것인가? 또는 금지 명령으로 인해 가해자가 부정적으로 지각되고 그래서 무기를 사용하게 되는 사례인가? 예언적인 관계를 아는 것은 중요하지만 왜 예측을 유보해야 하는지 아는 것도 중요하다. 이 사례에서 원인 요인은 규정할 수 없다.

개념 요약

회귀는 다른 변인에 상관을 바탕으로 어떤 결과의 값을 예측하는 데 초점을 둔 상관 절차의 한 유형이다. 다중회귀는 여러 예언 변인들이 포함되는데, 예측가능성을 높이는 데 사용된다.

복합 상관 절차

폭력적인 TV 프로그램을 시청하면 폭력적 행동을 하는가? Eron, Huesmann, Lefkowitz와 Walder(1972)는 폭력 프로그램에 대한 아이들의 선호도와 또래들에 의해 평정된 아이들의 공격성을 측정하였다. Eron과 그의 동료들은 초등학교 3학년생들에게서 $r = +.21$인 중간 정도의 정적 상관을 발견하였는데, 이는 더 공격적인 아이들이 폭력적인 TV 프로그램을 더 보는 경향이 있음을 나타낸다(그리고 덜 공격적인 아이들이 폭력 프로그램을 덜 보는 경향이 있었다). 우리는 이런 정적 상관을 어떻게 해석하여야 하는가? 폭력적 프로그램을 보는 것이 공격성을 일으켰다고 말할 수 있는가? 답은 '그렇지 않다' 이다. 왜 이렇게 되는지를 보기 위해서 먼저 우리가 해야 하는 것은 인과관계의 서술문을 거꾸로 바꾸는 것이다. 공격적이면 폭력적 TV에 대한 선호를 가져온다고 주장하는 것이다. 한 개의 상관계수에 근거해서 인과성의 방향을 결정할 합당한 방식은 없다. 단일 상관연구를 근거로 인과관계의 진술을 하는 것은 불가능하지는 않다고 해도 어려운 일이다. 대신에 전형적으로 연구자는 서로 독립적인 연구로부터 수렴 증거가 얻어지고 강력한 근본 기제가 파악될 때까지 상관 증거를 잠정적인 것으로 본다.

상관연구의 내부타당도는 상관들의 패턴들을 검토함으로써 향상될 수도 있다. 한 가지 기법이 **교차지연패널 상관 절차**(cross-lagged-panel correlation procedure)라 불리는 것인데, Eron과 그의 동료들은 같은 아이들이 '13학년'(대학교 1학년)이 될 때까지 10년 동안 추적조사를 하면서 이 방법을 사용하였다. 그들은 또한 1970년대 중반에 최초로 면접을 본 성인들의 공격성을 조사하는 최근 연구에서도 이 방법을 사용하였다(Huesmann, Moise-Titus, Podolski, & Eron, 2003). 두 연구의 설계를 그림 6.3의 두 구획에 요약했다.

교차지연 절차의 논리는 대각선 상관이 변인 간의 인과 방향을 파악하는 데 도움이 된다는 것이다. 공격적인 사람이 폭력적 TV를 더 많이 볼까? 아니면 폭력적 TV를 시청하면 공격성이 나올까? 만일 폭력적 TV 시청이 공격적 행동을 낳는다면, 우리는 초기의 공격성과 나중의 폭력적 TV 선호와 아주 작은 상관 또는 무상관을 기대해도 좋을 것이다(그림 6.3의 대각점선). 우리는 또한 폭력적 TV에 대한 초기의 선호와 나중의 공격성 사이의 상관을 기대할 수도 있다(두꺼운 대각실선). 내재된 가정은 만일 한 변인이 다른 변인의 원인이라면, 두 번째 변인(공격성)이 첫 번째 변인(폭력 TV 프로그램을 시청하는 것)이 측정될 때와 동일한 시기에 측정되었을 때보다, 시간이 흐른 뒤에 첫 번째 변인(원인)이 두 번째 변인(효과)과 보다 더 강력하게 연결되어 있어야만 한다. 나머지 상관은 흥미롭고 예측을 허용할 수도 있으나 인과성을 결정할 수 없다는 것이다. 1972년 프로젝트에서 211명의 남성이 연구되었다. 2003년 프로젝트에는 남성(152명)과 여성(176명) 자료가 모두 제시되었다.

1972년 연구에서 폭력 TV 선호성과 공격성 사이의 상관은 본질적으로는 0이었다($r = +.05$). 그들은 두 학년에서의 공격성 사이에서 관계성($r = +.38$)을 발견하였는데, 공격성이 어느 정도 안정적인 특질임을 가리키는 것이다. 3학년생의 공격성과 13학년생의 폭력 TV 시청 사이의 교차지연 상관은 매우 작다($r = +.01$). 다른 한편으로, 3학년생의 폭력 TV 시청과 13학년생의 공격성 사이의 교차지연 상관은 정적이며, 통계적으로 유의미하다($r = +.31$). 유사한 결과가 2003년도 보고에서도 있었다. 어린 시절 폭력 TV 시청과 성인

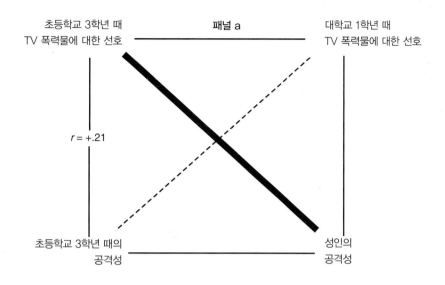

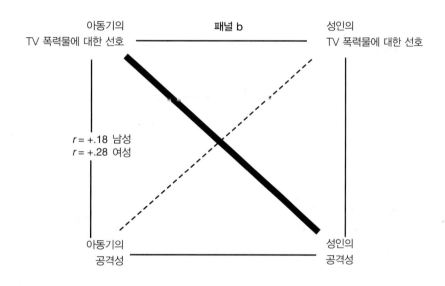

그림 6.3 (a) 폭력 TV 프로그램 선호와 동료가 평가한 폭력성 사이의 상관을 조사하는 데 Eron 등(1972)이 사용한 교차-지연-패널 상관 설계. 대각선은 중요한 교차-지연-패널 상관을 가리킨다. 점선 상관은 작아야만 한다. 실선 상관은 정적이고 클 것으로 예상된다. (b) Huesmann 등(2003)이 사용한 설계. 폭력 TV 프로그램에 대한 선호도는 공격성과 상관이 있었다. 6~10세에 처음 조사받은 피험자들은 약 15년 후에 조사받았다. 성인의 공격성은 자기-보고 사건, 다른 사람의 평정(배우자 포함), 그리고 체포 기록으로 측정되었다. 공격성 지수는 신체적·언어적 공격이 모두 포함된다.

공격성 사이의 중요한 교차지연 상관은 정적이었고, 남성($r = +.21$)과 여성($r = +.19$) 모두 유의미하였다. 아동기의 공격성과 성인의 TV 폭력물 시청 사이의 교차지연 상관은 남성 ($r = +.08$)과 여성($r = +.10$)의 경우에 모두 작았다.

    이들 연구에서 Eron과 그의 동료들은 교차지연패널 상관을 다른 복합 분석과 더불어 사용하여, 아동기에 폭력적 TV에 노출되면 나중에 공격성을 증가시킨다고 결론지었다 (Eron, 1982; Huesmann, Eron, Lefkowitz, & Walder, 1973을 보라). 이것은 단지 교차지연패 널 상관이 상관연구에서 견실한 설명을 이끌어 내는 데 어떻게 도움을 줄 수 있는지에 대한 한 가지 예일 뿐이다. 그러나 인과적 진술은 실험에서 얻은 것만큼 강력하지는 못한데, 왜 냐하면 변인들이 연구자에 의해서 조작되지 않기 때문이다. 분명히 많은 다른 요인들이 공 격성에 기여하고 있다.

교차지연 절차의 일반적인 전략은 장시간에 걸쳐서 여러 번의 상관들을 구하는 것이 다. 그리하고 나서 r의 크기와 방향에 근거해서 무엇이 무엇을 초래했는지를 결정한다. 교 차지연 기법은 연구 프로젝트가 많은 시간을 잡아먹는 아주 명백한 결점이 있다. 그럼에도 불구하고 상관연구에서 인과관계를 결정지어주는 이 방법은 여러 문제 분야들에서 사용되 었다. 상관연구에서 인과성에 관한 보다 나은 이해를 얻기 위해서 여러 다른 통계절차가 사 용된다. 이러한 기법들은 전형적으로 단 하나의 상관만이 아닌 여러 상관에 대한 조사가 포 함되어 있으며, 여러 교재에서 소개되고 있다(특히 Cook & Campbell, 1979를 보라).

개념 요약

상관연구에서 상관계수는 관계의 강도와 방향을 서술하는데, 이로써 예측이 가능하다. 상관은 내 부타당도를 의심받는데, 왜냐하면

- 제3의 변인 문제
- 잘려진 범위
- 알 수 없는 인과관계의 방향

때문이다.
　　교차지연패널 상관 절차는 내부타당도를 향상시킨다.

실험법과 내부타당도

우리는 상관이 인과관계를 의미한다고 잘못 결론 내리는 것에 대하여 여러 차례 반복해 서 경고하였다. 인과관계란 과학과 철학에서 논란거리가 되는 주제이며, 우리는 이제 일부 논쟁을 살펴보고자 한다. 일부 과학 철학자의 영향 때문에 원인이란 용어 사용은 현대 과학 자들 사이에서는 유행이 지난 것이 되어버렸는데, 왜냐하면 그 철학적 함의가 소름끼치게 복잡해졌기 때문이다. 아주 단순한 사건조차 원인에 대하여 너무 오래 생각하면, 그 사건의

원인들에 대한 무한대의 회귀에 빠져버린다. 이런 저런 이유 때문에 원인이란 용어는 어떤 과학자 집단에서는 사용이 안 되고 있다(더 깊은 논의를 위해서 인과관계에 대한 응용 부문을 보라).

이 책에서는 원인이란 용어를 쓰면서 얼렁뚱땅 넘어가고 있는데, 왜냐하면 그 의미가 항상 제한되어 있기 때문이다. 실험은 인과 추론으로 이끌어 주는데, 이상적인 경우에 모든 다른 것들이 일정하게 유지되는 동안 독립변인이 조작되었기 때문이다. 그러므로 혼입을 최소화시킨 방식으로 Stroop 실험을 수행했을 때는 독립변인 수준의 변화가 종속변인의 변화를 일으켰다고 말할 수 있다.

좀더 흥미 있는 점은 실험에서 변동시키는 많은 요인들이 그 자체가 꽤 복잡한 독립 사상들의 집합들이란 것인데, 그 중 어떠한 것도 실험 효과의 원인이 될 수 있다는 것이다. 시간이 그런 변인의 좋은 예이다. 만일 우리가 어떤 사람이 의사소통에 대한 태도 변화의 양에 대하여 그 사람이 설득적 의사소통을 연구하는 데 소비한 시간의 효과에 관심이 있다면, 그 사람들이 메시지를 연구하는 데 소비하는 시간의 양을 조절하게 된다. 우리가 다른 요인들을 일정하게 유지했을 때 연구시간의 증가에 따라 태도 변화의 증가가 있음을 발견했다고 가정하자. 시간이 태도 변화의 증가를 야기했다고 말할 수 있을까? 한편으로 이것은 사실이지만, 좀 더 근본적으로 생각하면, 사실이 아니다. 생각하건대, 어떤 심리적 과정이 시간에 걸쳐서 작용하는 데 태도 변화를 야기했을 수 있다. 그것은 시간과 상관된 어떤 것이지만 시간 그 자체는 아닌데, 왜냐하면 시간은 인과관계의 주체가 아니기 때문이다. 만일 비가 올 때 자전거를 바깥에 내다 놓으면 녹이 스는데, 우리는 시간이 녹을 만들어 냈다고 말하지 않는다. 시간에 따라 작용하는 화학적 과정들이 녹을 만들어 낸 것이다.

일반적으로 어떤 조작된 변인은 실제로는 여러 개의 복합적이고 상호작용하는 부분들로 구성되어 있는데, 이 부분들의 어느 하나 또는 한 집합이 실제로 어떤 효과를 일으켰을 수 있다. 이러한 이유로 인하여, 실험이 유일한 통제된 상관이라고 말하기도 하는데, 왜냐하면 조작된 변인이 실제로 혼입된 부분들로 이루어져 있기 때문이다. 어쨌든 이것은 어떤 경우에서는 정확하게 특성을 묘사한 것이다. 그렇다 해도 우리는 단순한 상관관계를 알고 있는 것보다 훨씬 앞서 있는 것인데, 왜냐하면 우리는 효과의 방향을 알고 있기 때문이다. 설득적 의사소통을 공부하는 데 보낸 시간의 양이 태도 변화에 어떻게 영향을 주는가의 예를 들어보자. 단순히 메시지를 여러 사람에게 주고 원하는 시간 동안 잘 읽어보라고 한다. 각 사람들이 소비한 시간을 잴 수 있고, 그리하고 나서 그 사람의 태도가 얼마만큼 변했는지를 볼 수 있다. 만일 정적인 상관을 얻더라도 우리는 사람이 그 메시지를 연구하면서 보

응용

인과관계

만일 여러분이 기억하려고 애쓰는 어떤 대상에 대한 시각 이미지를 만들어냈다면, 여러분은 그것을 단순히 계속 반복했을 경우보다 더 잘 파지할 수 있을 것이다(Bower, 1972). *왜* 심상이 기억하는 것을 향상시키는가 하는 철학적 함의는 아주 극도로 복잡해질 수 있다. 아주 간단한 사상조차 과도하게 생각하면 그 원인에 대한 끝없는 회귀로 이끌어 버린다. 심상의 효과에 대한 회귀적 인과 분석은 다음과 같을 수 있다. 심상이 단순한 반복보다 더 좋은 기억을 야기한다. 왜? 왜냐하면 심상은 단순한 반복보다도 더 많은 연합을 낳는다. 왜? 왜냐하면 뇌에서 더 많은 단백질 분자들이 심상이 사용될 때 활동적이 된다. 왜? 왜냐하면 진화가 뇌의 구조를 결정지었다. 왜? 왜냐하면 . . .

이 책에서 우리는 *원인*이란 용어와 *왜*라는 용어를 사용했는데, 왜냐하면 여기서는 그 의미가 항상 제한되어 있기 때문이다. 실험은 인과적 추론을 이끌어 내는데, 왜냐하면 다른 요인들이 일정하게 유지되는 동안 한 요인이 변동하기 때문이고, 우리는 그 효과가 변동된 요인에 의해 야기되었다고 말할 수 있다. 그러므로 전형적인 심리학 실험에서 효과에 대한 직접적인 원인이 결정된다. 이런 직접적인 원인들을 한 사건의 **근사한 원인들**(proximate causes)이라고 부르고, **궁극적 원인들**(ultimate causes)과 구분된다(Mayr, 1982). 근사한 원인들은 실험에서 직접적 조작에서 도출된다(예를 들면, 참가자에게 심상이나 반복을 사용하라는 지시). 궁극적 원인들은 이전에 개략 소개한 '왜'와 '왜냐하면'의 무한한 회귀를 멈추게 한다고 가정되는 것들이다. 심상에 관한 우리의 의문에 대한 궁극적 대답은 진화에 호소하는 것에 있다. 생물학자들은 진화가 생물학의 모든 측면들 뒤에 있는 궁극적 원인이고, 심리학에서의 궁극적 인과관계에 대한 생리학적, 발생학적 틀을 제공한다고 주장한다(Mayr, 1982). 이러한 분석에 따르면, 파지에서의 차이에 대한 근사한 원인은 심상을 쓰라는 지시이고, 이런 지시들의 효과성에 대한 궁극적 원인은 진화적 힘이다. 거기에는 다른 가능한 궁극적 원인들(예를 들면, 신)이 있고, 우리는 어떤 것이 진화를 시동시켰다(아마도 '빅뱅')고 주장할 수 있다. 이러한 가능성 때문에 근사한 원인들과 궁극적 원인들 사이의 구분은 명백하거나 관련된 것이 아닐 수도 있다. 그러므로 많은 사람들은 "왜 심상이 기억을 향상시키나?"라고 묻기보다는 "어떤 조건 하에서 심상이 기억을 향상시키나?"라고 묻기를 선호한다. 마찬가지로, 어떤 사람들은 "심상이 더 나은 기억을 야기한다"라고 말하는 대신에, "심상은 기억(에 대한 선행조건이다, 을 결정한다, 에 직접적으로 영향 준다)을 향상시킨다"고 말한다. 우리는 일반적으로 개별 실험에 대하여 언급할 것이기 때문에, 나중에 *원인*과 *왜*라는 용어를 적합한 곳에서 서로 바꿔가며 사용할 것이다.

낸 시간이 태도 변화를 일으켰는지, 아니면 태도를 바꾸기로 작정한 사람들일수록 자신들이 사실들을 알고 있는지를 확인하기 위해 그 메시지를 더 연구했는지 알 수 없게 된다. 이 관계에 대한 가능한 다른 이유들이 역시 존재한다. 그러나 다른 요인들을 일정하게 유지시킨 채, 시간을 변동시키는 실험에서 우리는 공부한 시간이 더 많을수록 더 많은 태도 변화로 이끈다(결정한다, 낳는다, 야기한다)고 말할 수 있다.

조작된, 그래서 원인으로 간주되는 변인의 효과를 이해하는 것은 적절한 비교 또는 통제 조건이 있어야 한다. 실험에서의 통제라는 주제는 제7장과 9장에서 주로 논의될 것이다. 이제 우리는 적절한 통제 조건이 조작된 변인과 복합적 그리고 상호작용하는 부분과 가능한 한 많이 공유되도록—물론 조작된 변인의 핵심적인 처치 부분의 예외를 포함해서—해야 한다고 간단히 지적한다. Elmes과 Lorig(2008)는 비교 변인이 독립변인과 많은 특성을 공유하고 있지 않은 경우를 많이 언급하였다. 이런 경우가 발생했을 때, Elmes과 Lorig는 독립변인이 종속변인에서 관찰된 변화를 일으켰는지를 파악하기가 매우 어렵다고 주장하였는데, 이는 실험이 내부타당도가 없다는 것을 의미한다.

우리는 실험으로 관계의 방향을 알게 된다. 이것이 실험이 상관에 비해 압도적으로 갖는 장점이다. 실험은 또한 우리에게 다른 제3의 과외의 요인이 아니라 (상관연구는 해줄 수 없는) 원인 요인이 적어도 독립변인 속에 내포되어 있다는 것을 알려준다. 이런 의미에서 실험은 원인들에 관해서 말해주며 적어도 원칙적으로는 내적으로 타당하다.

> **개념 요약**
>
> 실험은 내적으로 타당한데, 원인변인이 알려져 있고 인과관계의 방향이 알려져 있기 때문이다.

요약

1. 관계연구는 어떻게 두 변인이 함께 변하는지를 보여주고자 한다.
2. 수반성 연구는 두 변인이 가진 범주들의 가능한 조합들의 빈도를 살핀다.
3. 분할표의 통계적 신뢰도는 종종 독립성에 대한 χ^2 검증으로 평가된다.
4. 보통 수반성 연구는 명명(척도) 변인 간 관계를 평가한다.
5. 상관연구는 변인 간의 관계의 강도와 방향을 결정하게 해준다.
6. 상관 기법의 내부타당도는 의심받는데, 왜냐하면 제3변인의 혼입, 인과관계의 방향을 알 수 없음, 그리고 하나 이상의 변인이 점수에서 잘려진 범위를 갖고 있기 때문이다. 회귀분석을 현명하게 사용하면 특정한 산출에 대한 예측을 향상시킨다.
7. 교차지연패널 상관 절차는 인과관계의 방향을 보여줌으로써 상관 기법의 내부타당도를 증가시켜 줄 수 있다.
8. 실험법은 원칙적으로 인과적 진술을 가능케 해주는데, 그것은 실험법이 내부타당성이 있다는 것을 의미한다.

↘ 주요개념

관계연구(relational research)	산포도(scatter diagram)
사후 소급한(ex post facto)	잘려진 범위(truncated range)
수반성 연구(contingency research)	회귀(regression)
분할표(contingency table)	중다회귀(multiple regression)
칸(cell)	공변인(covariate)
독립성에 대한 χ^2 검증(χ^2 test for independence)	교차지연패널 상관(cross-lagged-panel correlation procedure)
상관연구(correlational research)	
상관계수(correlational coefficient)	근사한 원인들(近因)(proximate causes)
Pearson의 적률상관계수(Pearson's product-moment correlation coefficient, Pearson r)	궁극적 원인들(ultimate causes)

↘ 연습문제

1. [특별연습] 한 심리학자가 대학원생들이 옛날 TV 프로그램을 얼마나 많이 정확하게 재인하는지를 봄으로써 그들의 먼 옛날 기억을 연구하였다. 그 결과는 참여자의 지능 검사 점수와 오래된 프로그램의 이름을 재인하는 능력 사이에 상관이 없다($r = +.07$)는 것을 보여주었다. 기억 검사 절차가 타당하고, 참가자의 연령이 문제가 아니었다고 가정한다면, r이 작기 때문에 타당한 결론을 내릴 수 없게

학생 SAT	언어영역	신입생 평점
1	471	2.00
2	403	1.50
3	510	2.25
4	485	2.00
5	575	2.25
6	445	1.75
7	400	2.50
8	590	3.25
9	560	2.50
10	555	2.75

만드는 이 연구의 일부 문제점에 대해서 생각해 낼 수 있는가?

2. 표 6.3의 (a) 열에 있는 자료에 대해서 Pearson r이 계산되는 방식에 대한 도해가 부록 A의 상자 A.1에 제시되어 있다. 이 예를 따라 해보고 표 6.3의 (b) 열, (c) 열에 있는 자료에 대해서도 r 값을 계산해 보라. 여러분이 얻은 r 값이 표 6.3의 아래에 제시된 것과 똑같은지를 확인하라.

3. 여기에 제시된 표는 한 대학의 입학 사정회의에서 얻은 가공의 자료를 보여준다. 10명의 학생에 대하여 우리는 SAT의 언어 영역 점수와 1학년 GPA(평균 평점)를 가지고 있다. 평균 평점은 4점 척도로 표시되는데, F = 0, D = 1, C = 2, B = 3, A = 4 점으로 배정되어 있다. 이 두 점수 집합 사이의 상관계수를 계산하라. 어떤 결론을 내릴 수 있는가?

4. [특별연습] 관계연구와 연합된 많은 잠재적인 방법론적 문제가 있다. 그들 중 어떤 것은 이 장에서 논의되었다. 이들 방법론적 문제란 무엇이며 어떻게 극복되는가?

↘ 추천 문헌 자료

• 폭력 TV 프로그램을 시청하는 것과 공격성을 연계시킨 연구에 대한 광범위한 논의를 Eron, L. D. (1982). Parent-child interaction, television violence, and aggression of children. *American Psychologist, 37*, 197–211에서 찾을 수 있다.

↘ 웹 자료

• 이 장에서 배운 내용과 주요개념을 잘 알고 있는지 용어 설명, 플래시 카드, 그리고 통계와 연구방법 워크숍과 연계해서 확인해 보라. **www.cengagebrain.com**을 방문하라.

• 관계적 통계 절차를 기술한 웹사이트는 **http://** **www.mcgill.ca/course/204204b01**과 **www.prophet.bbn.com/statguide**이다.

• 관계연구나 다른 종류의 연구에 관한 일반적인 정보는 **http://www.columbia.edu/~abm/6/design.html**에서 찾을 수 있다.

↘ 실험실 자료

Langston의 지침서(Langston, W.(2011). Research methods laboratory manual for psychology(3rd ed.). Belmont, CA: Wadsworth.)의 제4장과 제5장에서 관계연구에 대하여 소개하였다. Langston이 조사한 중요 쟁점은 초자연적인 신념과 다른 종류의 행동 사이의 관련성이다. 제11장에서, Langston은 상관에 근거한 인과 서술의 문제를 다루고 있다. Langston, W.(2011). *Research methods laboratory manual for psychology*(3rd ed). Pacific Grove, CA: Wadsworth Group.

잠의 양과 긴장 두통

이 과제는 Hicks와 Kilcourse(1983)가 사용한 연구 절차를 변형한 것이다. 이들 연구자들은 참가자들이 자는 시간과 그들이 경험하는 긴장 두통 또는 편두통의 빈도 사이의 관계에 흥미를 두었다. 건강에 대한 면접조사에서 연구자들은 대학생들에게 다음과 같은 내용들을 물었다. (1) 매일 밤 수면시간을 추정. 그리고 (2) 긴장 두통이나 편두통을 *자주* 또는 *때때로* 경험하는가, 아니면 전혀 경험하지 않는가. Hicks와 Kilcourse는 두 변인 사이에 역관계가 있음을 발견했다. 즉, 두통을 더 많이 경험하는 사람은 덜 경험하는 사람보다 덜 자는 것이었다. 연구자가 두통의 빈도와 수면시간을 범주화하는 양식으로 분할표 연구 설계를 하게 되었다. 수면의 양은 *적합함* 또는 *부적합함*으로 범주화될 수 있다. 대안으로, 비율 차원에 따라 수면의 양을 범주화할 수 있다(즉, 보통은 조사된 수면시간의 수).

이런 연구를 수행하기 위한 대안적 방법은 상관 설계일 수 있다. Pearson *r*을 사용하기 위해 여러분은 본질적으로 등간 또는 비율 척도로 짝을 맞출 필요가 있다. 이렇게 하는 방법 중 하나는 다음과 같다. 여러분은 그들이 사용한 두 번째 질문을 다음과 같이 바꿀 수 있다. "당신이 매달 경험하는 긴장 두통이나 편두통의 수를 추정하시오." 20명 정도 되는 대학생 친구들에게 이 바뀐 질문과 추정된 수면시간에 관련된 질문을 해보라. 충분한 수의 사람들을 조사해서 당신 변인 중 어느 하나에도 잘려진 범위가 있지 않도록 해야 한다. 그리하고 나서 두 변인 사이에 *r*을 계산하라. 여러분은 여러분의 자료를 반 친구들과 함께 합해서 결과의 타당도를 향상시킬 수 있다. 여러분이 자료를 합친다면, 여러분과 같은 과제를 한 다른 학생들이 서로 다른 피응답자들을 조사했는지를 확인해야 한다. 자료가 결합되면 굉장히 많은 수의 참가자가 있게 되는데, 이때 MINITAB이나 다른 통계 패키지(statistical package)가 *r*을 계산하는 데 유용하다는 것을 알게 될 것이다.

여러분은 나중에 심리학 해보기 과제를 미리 생각해서(제12장), 참가자들에 대한 연령, 성별, 교육 연수(年數) 같은 인구통계학적 자료들도 수집해야만 한다.

출처: Hicks, R. A., & Kilcourse, J.(1983). Habitual sleep duration and the incidence of headaches in college students. *Bulletin of the Psychonomic Society*, *21*, 119.

제 **7** 장

실험법의 기본

↘ 빈틈없이 설계되고, 잘 수행된 실험은 우리가 왜 특정한 방식으로 행동하는가라는 질문에 답을 구하려
는 심리학자가 추구하는 목표이다. 이 장에서는 좋은 실험의 기본적 특성을 살펴볼 것이다. 실험의 핵심적인
구성은 다른 변인을 일정하게 유지하면서 비교를 가능케 하는 것이다.

↘ 실험법: 예

혹시 다음을 아는가?

코펜하겐의 중심부에 있는 유명한 놀이공원

호주에 있는 한 덩이로 형성된 세계에서 가장 큰 바위

런던의 대법정

영화 스타 트렉(Star Trek)에서 젊은 Kirk, 그리고 Spock 역을 한 두 배우

소프라노스(Sopranos)에서 할머니 역을 한 여배우

영화 아바타(Avatar)의 배경이 된 행성의 이름

여러분은 아마도 여기에 있는 질문 중 몇 개는 대답할 수 있었을 것이고 다른 것은 전혀 대답할 수 없었을 것이다. 그러나 몇몇 질문은 답을 확신할 수는 없지만 알고 있는 것 같이

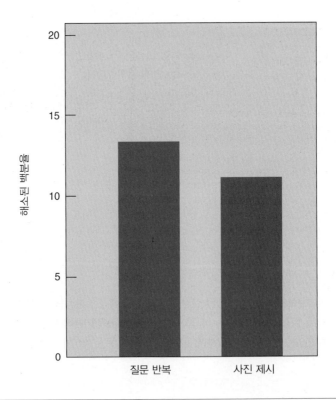

그림 7.1 두 조건의 함수로서 해소된 설단 상태의 백분율을 보여주는 첫 번째 실험의 결과. (Brennen과 동료들 (1990)이 제시한 자료를 적용함)

느끼는 경우가 있었을 것이다. 실제로 그 답들이 혀끝에서 맴돌았을지 모른다. [답: Tivoli Gardens, Ayers Rock, Old Bailey, Chris Pine & Zachary Quinto, Nancy Marchand, Pandora]

　　설단 상태는 인간 기억에 관심을 가진 실험심리학자들이 많이 연구해왔다(Brown & McNeill, 1966). 이 현상은 답변의 일부를 알고 있고, 만일 그 일부가 제시되면 재인할 수 있을 것 같이 느껴질 때 일어난다. 예를 들면, Brown과 McNeill은 사람들이 자신이 설단 상태에 있다고 이야기할 때, 그들은 비록 완전한 답을 만들지는 못하더라도 57%의 경우에 답의 첫 철자를 정확하게 확인할 수가 있었다.

　　설단 상태에 있는 사람들에게 어떤 종류의 정보가 정답을 끌어내는 데 도움을 줄 수 있을까? 우리가 기억 속에 정보를 부호화하고 저장하는 방식을 이해하는 데 대한 중요한 함의가 이 질문의 답 속에 담겨 있다. Brennen, Baguley, Bright와 Bruce(1990)는 시각(視覺)상(像)이 설단 상태에서의 회상에 도움이 되는지 알아내기 위해 실험을 했다. 첫 번째 실험은 매우 간단했다. 그들은 TV 유명 연예인들에 관한 50개의 질문 목록을 제시하고, 15

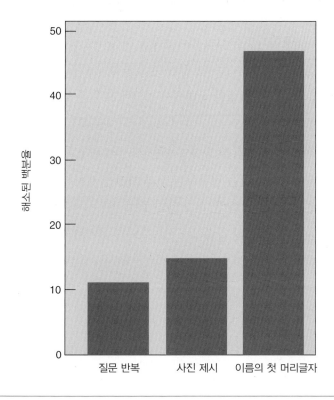

그림 7.2　세 조건의 함수로서 해소된 설단 상태의 백분율을 보여주는 두 번째 실험의 결과. (Brennen과 동료들 (1990)이 제시한 자료를 적용함)

명의 대학생을 참가자로 사용하여 자신들이 설단 상태에 있다고 보고할 때를 기록하였다. 평균적으로 설단 상태는 참가자당 10.5번 일어났다. 물론 어떤 참가자는 아주 조금만 경험하고, 어떤 이는 많이 경험하기도 하였으나(4번에서 22번까지의 발생 범위가 있었다), 평균 20%의 질문에 대하여 설단 상태에 놓여 있었다. 일단 이 상태가 되면 실험 진행자는 참가자에게 재차 묻거나 TV 인물의 사진을 보여주었다. 이 실험의 결과가 그림 7.1에 있다. 명백하게도, 얼굴사진 제시가 질문 반복보다도 설단 상태를 해소시키는 데 더 도움이 되지 않았다.

단 하나의 실험, 그 자체로 실험심리학자들이 만족하는 경우는 거의 없는데, Brennen과 동료 연구자들도 자신들의 발견을 확장하면서도, 최초의 결과가 반복되는지를 확인하기 위해 두 번째 실험을 하였다. 이 실험에서는 실험 참가자를 두 배나 되는 30명으로 늘렸다. 또한 질문에 등장하는 사람 이름의 첫 머리글자를 제시하는 조건을 포함시켰다. 그러므로 이제는 세 가지 실험 조건, 즉 (1) 질문 반복, (2) 사진 제시, (3) 이름의 첫 머리글자 제시가 있었다. 두 번째 실험의 결과가 그림 7.2에 있다.

이런 결과로 우리는 두 가지 중요한 것을 알게 된다: 첫째로, 질문을 반복하거나 사진을 보여주는 것은 거의 비슷한 효과를 가지고 있었다. 이것은 첫 번째 실험 결과가 반복되었다는 것을 뜻한다. 둘째로, 머리글자를 제시하는 것이 질문 반복이라든지 사진 제시보다도 설단 상태를 해소시키는 데 훨씬 더 효과적이었다. 이 결과는 기억 정보가 시각 이미지보다는 이름의 철자가 설단 상태에서 기억에 도움을 줄 수 있는 방식으로 저장되어 있다는 것을 뜻한다.

이러한 결론은 실험을 통하여 행동 사건의 원인을 찾아가는 방식을 예로 설명해준다. 첫 번째 실험에서 질문을 반복하는 것과 사진을 제시하는 것이 보여준 비슷한 수준의 결과로는 기억 회상을 돕는 데 있을 법한 두 가지 가능한 이유 중 어느 것이 더 나은지 구분할 수 없었다. 그러나 두 번째 실험에서 머리글자를 제시하는 것이 기억 향상을 일으킨다는 것을 보여주었다. 어떻게 우리가 실험을 통해서 이러한 인과 진술을 할 수 있을까?

실험이란 무엇인가?

제6장에서 논의한 바와 같이, **실험**(experiment)은 인과 설명을 할 수 있도록 설계된 검증 절차이다(Cook & Campbell, 1979를 보라). 19세기 철학자 John Stuart Mill(1843,

1930 재인쇄)은 그런 설명에 도달하기 위해 필요한 조건들을 제시했다. 그가 개괄한 조건들은 실험에 대한 훌륭한 정의를 제공해준다.

Mill은 만일 어떤 결과 X가 사건 A에 뒤따르고, 만일 A와 X가 함께 변동하고, 그리고 만일 사건 A가 결과 X를 낳고 있음을 보일 수 있으면, 인과관계가 추리될 수 있다고 주장하였다. 이러한 조건들에 부합하기 위해서, Mill이 **일치차이 병용법**(joint method of agreement and difference)이라고 부른 것을 반드시 사용하여야 한다. 병용법에 의하면, 만일 A가 발생하면 X가 발생하고, 만일 A가 발생하지 않는다면 X도 발생하지 않는다. 물론 철자 A는 임의로 사용된 것이며, 수학 공식에서 어떤 임의의 철자를 사용하는 것과 마찬가지로, 어떤 철자를 써도 무관하다.

이 추론 방법을 설단 상태에 관한 실험에 적용시켜 보자. 여기서 결과 X가 설단 상태 해소를 위한 올바른 해결책이다. 사건 LI는 첫 머리글자를 제시하는 것이다. 그림 7.2는 사건 LI가 결과 X를 낳았다는 것을 보여주었다. 더욱이 LI가 없으면(예를 들면, 질문만 반복되고 첫 머리글자는 제시되지 않는 사건 RQ) 결과 X도 나타나지 않았다. 이것이 Mill의 일치차이 병용법이 작용하는 방식이다.

그러나 이 긴박한 실험에서조차 상황들이 너 복잡해지는데, 왜냐하면 사건 LI가 항상 X를 낳지 않으며, 사건 LI가 없다고 결과 X를 낳지 않지는 않기 때문이다. 그림 7.2에서 보면, 머리글자 제시가 설단 상태를 100% 해소하지는 않는다. 비슷하게, 단지 질문 반복도 낮은 비율이지만 설단 상태를 해소시키며, 그리고 이 낮은 비율도 0 이상이다. 그러므로 실제로 대부분 실험은 실험에서 매 시행에 대하여 항상 인과성을 보여주지는 않는다. 대신에 대부분의 실험심리학자는 만일 사건 LI가 결과 X를 다른 사건 B보다 더 많이 가져온다면 만족스러워한다. ('얼마나 더'란 질문에 대해서는 통계 분석으로 답을 얻는데, 이는 부록 B에서 설명된다. 현재로는 '얼마나 더'는 무시해 버리고 단지 좀 더 X가 나왔는가만 묻자.)

따라서 인과성에 대한 좀 더 완전한 서술은 사건 LI(머리글자를 제시)는 다른 사건 RQ(질문을 반복) 또는 사건 PP(사진 제시)보다 설단 상태를 더 많이 해소한다(X)고 하는 것이다. 그러나 도대체 왜 그림 7.2에 있는 세 사건 모두가 설단 상태를 약간씩은 해소(X)하는 것일까? 이것이 세 사건 모두가 해소를 해주는데, 어떤 사건이 다른 사건보다 해소하는 데 좀더 낫다는 차이만 있다는 의미인가?

먼저 여러분은 사건 LI가 X를 엄청나게 불러일으키고, 사건 RQ는 X를 조금만 불러일으킨다고 부정확하게 결론 내릴지 모른다. 그러나 이러한 해석은 틀린 것이다. 대부분의 실험은 시간 경과 같은 추정한 중립적 사건을 평가하는 기저선 조건을 실험 안에 포함시킨다. 중립적 사건이란 아무런 인과적 영향이 없는 사건으로 정의된다. 앞 장에서 상관은 인과성을 함의하고 있지 않다고 한 것을 기억하라. 따라서 사건 RQ가 X를 일으키지는 않으면서도 X와 연관이 있을 수 있다. 중립적 사건들은 보통 이론적인 틀에 근거해서 정의된다.

어떤 사건이 행동에 인과적 영향을 미치기 위해서는 그것이 중립적인 기저선 사건보다 더 큰 효과를 가져야만 한다. 이 실험에서는 질문의 반복이 중립적인 기저선 사건이다. 정의에 의하면, 이것이 가져올지도 모르는 어떤 작은 효과도 그 자체로는 관심거리가 아니다. 대신에 이것은 잠재적으로 더 크게 관심을 갖는 다른 사건과 비교하도록 기준을 조정해준다. 예를 들면, 사건 PP(사진 제시)는 X와 인과관계가 있을 것이라고 (어떤 기억 이론에서부터) 예상될지도 모른다. 만일 실험자가 그림 7.1에서 기저선 사건 RQ(질문 반복)를 빠뜨렸다면, 그는 설단 상태가 0% 이상으로 해소되었기 때문에 사건 PP가 X를 일으켰다고 잘못된 결론을 내릴지도 모른다. 그러나 그림 7.1에서 보듯이 사건 RQ가 사건 PP 만큼이나 효과적이었다. 그러므로 사건 PP와 X 사이에는 아무런 인과관계가 존재하지 않는다고 결론짓는다. 인과적 관계가 없었기에 이 실험 연구자들은 인과관계를 얻기 위한 다른 연구(그림 7.2)를 할 마음이 생겼다.

어떠한 인과관계를 밝히지도 못한 실험이 논문으로 발표되는 경우는 드물다. 비록 이론적 추론의 결과로 예상되는 인과관계가 없다는 것도 중요하기는 하지만, 실험에서는 어떤 인과관계가 있음을 보여주는 것이 더 중요하다. 아무런 인과관계도 밝히지 못했다는 것은 실험 설계(아마도 충분한 수의 참가자가 검사되지 않았다든지 하는 등등)에서의 결점을 가리키는 것일 수 있다. 그러므로 실험에서 적어도 하나의 인과관계를 밝혀냄으로써, 우리는 같은 실험 내에서 다른 사건들과 관련된 인과성을 보여주지 못한 것이 실험 자체에서의 (알 수 없는) 결함들 때문에 발생했다기보다는 실제로 옳은 결과일 가능성이 더 높다고 확신을 갖게 된다.

실험법의 특징은 한 변인의 발생 여부를 통제하고, 그 결과를 관찰하여 비교를 만들어 내는 것이다. Boring(1954)은 실험법에서의 **통제**(control)라는 개념을 일치차이 병용법에서 도출해 내었다. 우리가 통제를 살펴볼 수 있는 한 가지 방식은 직접 조작(A가 발생 또는 발생하지 않는다)의 견지에서인데, 일치차이 병용법에 의하면 그것은 비교(그러므로 나중에 설명할 비교집단이란 용어)에 대한 근거를 이끌어준다. 또한 통제를 통하여 우리가 우리의 결과를 설명해 주는 대안을 제거시킬 수 있다. 흔히 실험법에서의 통제는 세 가지 방식으로 고려된다. (1) 비교의 목적으로 통제 조건이 있다. (2) 독립변인의 수준이나 값이 **생성될** 수 있다. 그리고 (3) 실험 상황이 어떤 측면들을 **일정하게** 유지시킴으로써 통제될 수 있다(예를 들면, 도구의 유형이나 측정 방법). 이 세 가지 유형의 통제—비교, 생성, 일정—는 왜 동물이나 사람이 그런 특정한 방식으로 행동하는가를 설명해 주는 실험을 수행하는 데 결정적인 것이다. 사실상 비교, 생성, 일정, 이 세 가지가 실험의 정의를 제공한다.

개념 요약

상황의 다른 측면들은 일정하게 유지되면서 특정한 비교가 형성되는 경우에 실험이 성립된다.

요약하면, Brennen과 동료들이 한 것처럼, 우리가 비교를 만들어내면 변인 간의 단순한 상관이라는 가능성을 제외시킬 수 있다. Mill의 절차를 올바르게 사용하면 인과 진술에 도달할 수 있다.

실험법의 장점

실험법의 장점들을 예를 들어 설명하기 위해 다른 연구 문제를 살펴보도록 하자. 현대 삶의 특징 중 한 가지는 많은 사람들이 기압 변화를 경험할 항공기 여행 기회를 많이 갖는다는 것이다. 더욱이 상당한 비율의 세계 인구가 2,000ft(약 600m)에서 10,000ft(약 3,000m)의 고지대에서 생활한다. 이것이 뜻하는 것은 많은 사람들이 기압 변화 중 약한 감압을 경험한다는 것이다. 오늘날 도처에 산재한 많은 다른 것들(공해, 살충제, 음식 첨가제 등과 같이)과 유사하게 이러한 감압은 위험한가? 이런 질문은 Graessle, Ahbel과 Porges(1978)가 수행했던 실험의 추진력이 되었다. 초기 연구에서 크게 낮은 기압(10,000 ft보다 높은 고도에서 발생함)은 태아와 신생아의 발달을 지체시킴이 밝혀졌다. Graessle과 동료들은 비행기 여행 중에 경험하는 대부분의 사례와 유사하게, 경미한 감압이 유아 발달에 영향을 미치는지를 보고자 하였다.

이 문제를 연구하기 위해, 연구자들은 새끼를 밴 쥐들을 대상으로 실험하였다. 일반적인 절차는 그 쥐들을 비행기 여행 중에 경험하는(약 6,000ft) 것과 유사한 경미한 감압을 겪게 하고 나서, 감압을 경험한 어미에게서 나온 쥐들과 지상(이 경우 728ft)에서 자라게 한 어미에게서 태어난 쥐들의 성장과 행동을 비교하는 것이었다.

이제 그들 연구의 특징적인 것들을 살펴보자. 새끼를 밴 쥐들을 무선으로 두 집단으로

나누었다: 한 집단은 새끼를 밴 기간 동안 20일 중 7일의 감압 처치를 받았고 두 번째 집단은 지상 조건에서 두었다. 한 집단에게 준(6,000ft 고도에서와 같은 압력까지) 압력 변화는 20분간 지속되었다. 압력의 이런 변화들은 점진적이었고, 비행기 여행에서 발생하는 종류의 변화를 모사하였다. 태어나면서부터 모든 어린 쥐들은 매일 몸무게가 측정되고, 가는 철사줄 잡기, 뒤집기(균형 반사), 비탈진 평면에서 움직이기, 그리고 오르기(앞발로 매달려 있을 때 가는 줄에서 몸을 끌어 움직이기) 등의 능력에 대한 주기적인 검사를 받았다.

　　독립변인(변동했던 것)은 기압이었고, **종속변인**(관찰되고 측정되었던 것)은 새끼 쥐의 몸무게, 그리고 방금 기술한 다양한 행동들이었다. Brennen의 실험에서는 단서 조건이 독립변인이었는데, 첫 번째 실험에서는 두 수준이, 두 번째 실험에서는 세 수준이 있었다. 종속변인은 무엇이었는가? 이 시점에서 우리는 세 번째 부류의 변인, 즉 **통제변인**을 소개할 필요가 있는데, 그 변인은 실험자가 일정하게 유지하고자 하는 것이다. 감압 실험에서의 통제변인에는 모든 쥐들에게 항상 유사한 주거와 음식 조건을 주는 것, 동일한 검사 절차, 그리고 처치되었거나 안되었거나 모든 어미 쥐들이 같은 혈통을 가졌다는 사실 등이 포함되었다. 종, 연령, 확인된 사람들이 Brennen의 연구에서 통제변인들이었다.

　　대개의 경우 우리는 독립변인을 받는 피험자 집단을 **실험집단**(experiment group)이라 부르고, 무처치 피험자에 대한 지칭을 **통제집단**(control group)이라 한다. (통제집단은 통제변인과 같지 않음을 주목하라. '통제집단'의 의미는 금방 명확해진다.) 감압 실험에서 감압을 경험한 어미 쥐와 그 새끼들은 실험집단을 구성한다. 비교 또는 기저선 집단으로서 지상에서 길러졌던 어미와 새끼들은 통제집단을 이루게 된다. 이와 같은(실험집단이나 통제집단) 명칭들은 상이한 처치를 받은 통제집단의 행동을 조사함으로써 독립변인이 없는 경우에 발생할 수 있는 변화를 가리키는 역할을 한다는 점에서 그 의미가 있다. 그러므로 통제집단은 특정한 변인이 그 상황 안에 도입되었을 때 또는 도입되지 않았을 때 일어날지도 모르는 변화를 통제한다. 실험집단은 당연히 실험을 정의한다. 실험집단은 관심 있는 처치—이 경우에 있어서는 감압 처치—를 받는 집단이다. (이를 설명하기 위해 Mill의 절차를 쓰고 있음을 주목하라.) Graessle과 동료들은 출생 전 감압을 경험한 쥐들이 통제 동물들보다 기어오르는 것이 늦고, 체중 증가도 느리다는 것을 발견하였다.

　　감압 실험의 결과들은 호기심을 자아내고 있으며 중요한 실용적인 함의를 가지고 있을 수도 있다. 만일 여러분이 이 주제에 흥미가 있다면 이 실험을 임산부를 대상으로 해 볼 가능성을 고려할 수도 있다. 경미한 감압의 효과를 미리 알지 못하더라도 그 방법은 윤리적으로 의심받을 것이다. 이것이 우리가 많은 유형의 실험, 특히 예비 실험에서 동물을 대상으로 삼는 이유이다. 감압 문제에 대한 대안적인 접근은 실험을 **사후 소급**(ex post facto)을 통하여 실시하는 것일 수 있는데, 사후 소급이란 사건 후에 참가자를 선택하는 것을 뜻한다. 따라서 우리는 유사-실험(제12장을 보라)을 할 수 있다. 유사-실험에서는 독립변인의 수준을 실험자가 직접적으로 조작하기보다는 선택한다. 우리는 임신 중에 비행기를 타고 여행해 본 적이 있는 엄마에게서 태어난 유아를 찾을 것이다. 그리하고 나서 그 아이들의 발달을 임신기간 동안 지상에 머무르며 생활해 온 엄마에게서 태어난 아이의 발달과 비교한다. 제일 처음에 참가자를 확인하는 지루한 작업(이 연구를 위해서 인간 참가자를 사후 소급을 통하여 파악하려고 한다고 상상해 보라) 이외에, 사후 소급하여 실시한 실험의 중요한 결함이 통제상실이다. 나중에 논의하겠지만, 잠재적으로 관련된 변인들을 사후에 일정하게 유지시킨다는 것은 매우 어려운 일이다. 특히 일부는 태아기 때 비행기 여행을 했었고, 다른 일부는 그렇지 않은 차이만이 있는 두 집단을 찾아 배정하기란 무척이나 어렵다.

그러므로 우리는 경미한 감압의 효과에 대한 이러한 동물연구가 대안적인 연구 절차보다 더 윤리적이며, 더 경제적이고, 더 통제가 잘 된 것이라고 결론지을 수 있다. 그러나 이 실험에도 문제가 없는 것은 아니다. 여러분은 이 실험과 연관된 난점들의 일부를 살펴보는 것이 가치 있다는 것을 알게 될 수도 있다. 한 가지 명백한 문제가 쥐 발달을 인간 발달로 일반화하는 것과 관련되어 있다.

개념 요약

- 실험에서 다른 변인들을 일정하게 유지시키는 동안 특정한 비교가 행해진다.
- 실험집단은 독립변인의 중요한 수준을 받는다.
- 통제집단은 비처치 비교집단이 되거나 독립변인의 비교 수준을 받게 된다.

실험법에서의 변인

변인들은 실험이 가동되도록 해주는 기어와 톱니바퀴이다. 변인의 효과적인 선택과 조작 여부가 좋은 실험과 빈약한 실험의 차이를 만든다. 이 부분에서는 실험을 시작하기 전에 우리가 조심스럽게 살펴보아야만 하는 세 가지 종류의 변인, 즉 (a) 독립변인, (b) 종속변인, (c) 통제변인을 다룬다. 우리는 하나 이상의 독립변인 또는 종속변인을 가진 실험을 논의하고 결론을 맺겠다.

독립변인

독립변인(independent variable)은 실험자가 조작한다. 램프의 밝기, 소리의 크기, 쥐에게 제공된 감압횟수가 모두 독립변인인데, 실험자가 그 양을 결정하기 때문이다. 독립변인들은 선택되는데, 실험자가 그것들이 행동상의 변화를 일으킬 것이라고 생각하기 때문이다. 소리의 강도를 증가시키면, 사람들이 그 소리에 반응하는 속도가 증가되어야 한다. 어미 쥐에게 제공된 감압의 횟수를 증가시키면 그 새끼의 성장률을 변화시킬 수도 있다. 한 독립변인의 수준(양)에서의 변화가 행동의 변화를 야기할 때, 우리는 그 행동이 그 독립변인의 통제 하에 있다고 말한다. 한 독립변인이 행동을 통제하는 데 실패할 경우, **무위 결과**(null result)라고 불리는데, 한 가지 이상의 해석이 있을 수 있다. 첫째는 실험자가 특정한 독립변인이 중요하다고 틀리게 추측했을 수 있고, 무위 결과가 맞을 수도 있다. 대부분 과학자들은 이 해석을 마지못해 받아들이며, 따라서 무위 결과에 대한 대안적인 설명이 뒤따르는 것이 보편적이다.

그 실험 연구자는 독립변인을 타당하게 조작해 내는 데 실패했을지 모른다. 여러분이 초등학교 2학년생을 대상으로 실험을 하며, 어떤 과제에 대하여 정답을 낸 후에 아이들이 받게 되는 작은 보상(초콜릿, 땅콩, 그 외 뭐든지)의 개수를 독립변인으로 사용한다고 하자. 어떤 어린이들은 하나를 받는 데 비해 다른 아이들은 두 개를 받는다. 여러분은 두 집단 간에 아무런 차이를 발견하지 못했다. 아마도 여러분이 사용한 독립변인의 범위를 더 크게 했더라면—즉, 사탕 하나에서부터 사탕 10개까지 변화시켰으면—차이가 얻어졌을 것이다. 여러분이 가한 조작은 독립변인이 어떤 효과를 나타내기에는 불충분했었다. 또는 아마도 여러분이 눈치 채지 못하게 그 학급에서 실험 바로 직전에 생일파티가 있었고, 그래서 여러분 실험 참가자들이 아이스크림과 생일 케이크로 배부른 상태에 있었다. 이 경우에는 사탕 10개조차도 아무런 효과를 내지 못할 것이다. 바로 이것이 음식을 보상으로 사용하고 있는 동물학습 연구에서 실험이 시작되기 전에 동물들을 쫄쫄 굶겨 놓는 이유이다. 그러므로 실험연구자는 독립변인을 강력히 조작하는 데 주의를 기울여야 한다. 그렇게 하는 데 실패하면 무위 결과를 가져오는 일반적인 원인이 된다. 무위 결과에 대한 다른 일반적인 원인은 종속변인과 통제변인에 관련되어 있는데, 이제 그 주제로 넘어가려고 한다.

종속변인

종속변인(dependent variable)은 실험자가 관찰하고 기록하는 것이다. 그것은 참가자의 행동에 달려있는데, 참가자의 행동은 다시 독립변인에 의존하는 것으로 가정된다. 스위치를 누를 때까지 걸린 시간, 벌레가 미로를 통해서 기어가는 속도, 쥐가 기어오르기 시작할 때의 연령, 모두가 종속변인인데, 왜냐하면 실험자가 이것들을 관찰하고 기록하기 때문이다.

좋은 종속변인에 대한 한 가지 기준은 신뢰도이다(검사와 측정에 있어서 신뢰도에 대한 논의는 제8장을 보라). 한 실험이 그대로 반복되었을 때—동일한 참가자, 독립변인의 동일한 수준들 등등—종속변인은 이전에 했었던 것처럼 대략 동일한 점수를 내놓아야 한다. 만일 우리가 종속변인을 측정하는 방식에서 어떤 결함이 있다면, 비신뢰성이 발생한다. 우리가 15분간 불을 붙이기 전과 후의 초의 무게를 측정한다고 하자. 우리는 스프링 저울을 사용한다. 그 스프링은 추울 때 줄어들고, 더우면 늘어난다. 우리가 일정한 온도에서 무게측정을 하는 한 그 측정은 신뢰성이 있다. 그러나 만일 초의 무게를 재는 동안 온도가 변동한다면, 같은 대상이라도 다른 눈금을 나타낼 것이다. 그렇다면 우리의 종속변인은 신뢰성이 없다. 일반적으로 관찰자의 일관성이 핵심적인 것처럼 우리의 측정도구도 일관성이 있어야 한다(규약을 따르는 것과 같다. 제1장과 제5장을 보라).

독립변인이 신뢰성이 있다 하더라도 종속변인에서의 결함 때문에 자주 무위 결과가 초래될 수 있다. 가장 흔한 원인이 종속변인이 제한된 또는 한정된 범위에 있는 경우인데, 이 경우 종속변인이 척도의 맨 위나 아래에서 옴짝달싹 못한다. 여러분에게 별로 협조적이지 않은 친구에게 볼링하는 법을 처음으로 가르치려 한다고 상상해 보라. 여러분은 보상이 수행을 향상시킨다고 심리학개론 시간에 배웠으므로, 친구가 스트라이크를 할 때마다 그에게 맥주 한 잔을 사주기로 한다. 당신 친구는 전부 공을 옆으로 빠뜨려 핀을 하나도 쓰러뜨리지 못했으므로 여러분은 혼자 맥주를 마신다. 그래서 보상을 더 이상 주지 않을 수 있는데, 이것은 보상받지 못한 수행이 감소됨을 뜻한다. 그러나 전부 공을 옆으로 빠뜨리는 것보다 더 못할 수는 없으므로 여러분은 어떤 식의 감소도 관찰할 수 없다. 당신 친구는 이미 척도의 바닥에 있는 것이다. 이것을 **바닥효과**(floor effect)라 부른다. 그 반대의 경우가 100% 수행인데, **천장효과**(ceiling effect)라고 부른다. 천장효과와 바닥효과는 한 독립변인의 효과가 종속변인에 정확하게 반영되는 것을 막아버린다(이러한 효과들에 대해서는 나중에 자세히 논의된다).

무위 결과가 생기는 마지막 출처는 추리통계와 관련된 것이다. 통계 검증의 결과들(부록 B를 보라)이 실제로는 다른 데도 불구하고 실험집단과 통제집단이 다르지 않다는 가설을 기각하는 데 실패할 수 있다. 영가설이 기각되어야만 할 때, 기각하는 데 실패하는 것을 **2종 오류**(type 2 error)라 부른다. 2종 오류를 범할 가능성은 통계적 유의도를 낮출수록 커지지만, 실험의 검증력(민감도)을 증가시킴으로써 감소될 수 있다(부록 B를 보라).

통제변인

통제변인(control variable)은 실험 동안 일정하게 유지되는 잠재적인 독립변인이다. 실험자가 통제하기 때문에 통제변인은 변동되지 않는다. 어떤 실험에서나 실제로 통제될 수 있는 것보다도 더 많은 통제변인들이 있다. 비교적 아주 단순한 실험에서조차(예를 들면, 세 자로 된 음절을 기억하라고 사람들에게 요구), 많은 변인들이 통제되어야만 한다. 하루 중의 시간(낮 주기)이 사람의 효율성을 변화시키므로, 이상적으로는 이것도 통제되어야 한다. 온도도 중요할 수 있는데, 왜냐하면 검사실이 너무 따뜻하면 참가자가 잠들어 버릴 수도 있기 때문이다. 사람이 마지막으로 식사를 한 후 경과한 시간도 기억수행에 영향을 줄 수 있다. 지능 또한 관련되어 있다. 목록도 관련되기도 한다. 실험연구자는 가능한 한 많이 두드러진 변인들을 통제하려고 노력하면서, 통제되지 못한 요인들의 효과는 독립변인의 효과에 비해서 미미하기를 바란다. 독립변인이 생성하는 효과의 크기가 작을수록 다른 외재 요인들을 통제하는 것이 중요하다. 한 변인을 일정하게 유지시키는 것만이 외재 변동성을 제거하는 유일한 방법은 아니다. 우리가 제9장에서 논의하게 될 설계 기법도 외재변인들을 통제한다. 그러나 한 변인을 일정하게 유지시키는 것이 외재변인을 통제하는 가장 직접적인 실험 기법이며, 따라서 통제변인에 대한 우리의 정의를 이 기법에만 한정해야 한다. 무위 결과는 어떤 실험에서나 발생될 수 있는데, 왜냐하면 이러한 다른 요인들을 통제하는 데 충분하지 못했기에, 즉 그것들이 체계적이지 않게 변동할 여지가 남겨져 있기 때문이다. 통제변인들을 일정하게 유지시키는 능력이 상당히 감소되어 있는 실험실 외부의 연구에서 특히 이것은 사실로 드러난다. 우리는 이런 의도하지 않은 효과들을 **혼입**(confounding)이라 부르는데, 이것의 영향이 결과들을 적합하게 해석하는 데 함께 묻혀지기(혼동시키기) 때문이다. 혼입된 실험의 예가 응용 부문에 제시되어 있다.

변인의 사용

요약하면, 완벽한 실험은 독립변인이 완전하게 통제하는 종속변인을 가지고 있다. 실제로 이럴 경우는 드물다. 모든 실험에는 오류가 포함되어 있고, 오류란 종속변인을 바꾸는 다른 (통제되지 않은) 영향으로 정의될 수 있다. 연구자는 종속변인에 영향을 주는 요인들을 두 가지 방식으로 대처한다. 첫째, 요인들은 독립변인들로서 연구될 수 있다. 많은 사례에 있어서, 주 관심 대상이 아닌 독립변인은 오류를 최소화하는 방향으로 만들어 놓는다. 예를 들면, 만일 어떤 실험이 여러 사람들에 의해서 수행된다면, 상이한 실험 진행자들과 연계된 종속변인의 변동성을 설명하기 위해 실험자라 불리는 독립변인을 만들 수도 있다. 만일 이것이 통제되지 않는다면, 그러한 잠재적인 변동성은 실험에서 오류로서 등장할 수도 있다. 둘째, 요인들은 통제변인으로서 일정하게 유지될 수 있다. 독립변인이 생성하지 않은, 또는 통제변인이 일정하게 유지되지 않았기 때문에 생긴 종속변인의 다른 변동성은 오류이다. 연구자는 이 오류를 최소화하려고 노심초사한다.

개념 요약

- 독립변인은 조작된다.
- 종속변인은 관찰된다.
- 통제변인은 일정하게 유지된다.

변인의 명명

독립, 종속, 통제 변인들은 매우 중요하기 때문에 여러분들이 이들 용어들을 이해했는지를 확인하기 위해서 몇 가지 예를 살펴보고자 한다. 각 상황에서 세 가지 종류의 변인들이 각각 어떤 것인지 말하라. 답은 이 단락의 맨 끝에 제시해 놓았다.

1. 한 자동차 생산회사가 다음과 같은 것을 알아보고자 한다. 뒤따라오고 있는 운전자가 앞차가 멈추고 있다는 것을 알아차리는 데 걸리는 시간을 최소화하기 위해서는 제동등을 얼마나 밝게 하여야 하는가? 이에 대한 답을 얻고자 실험을 수행한다. 변인들을 명명하라.

2. 한 비둘기를 녹색등이 켜지면 건반을 쪼고, 적색등이 켜지면 건반을 쪼지 않도록 훈련시킨다. 옳게 쪼면 곡식 낱알을 보상으로 제공한다. 변인들을 명명하라.

응용

광고상황의 혼입된 실험

철저하게 통제된 실험의 중요한 가치는 결과가 애매모호하지 않다는 것에 있다. 독립변인이 종속변인에서의 변화를 이끌어냈다는 것을 확신할 수 있다. 독립변인의 효과에 대한 여러분의 결론은 외재 요인들-혼입변인들-의 최소한의 영향에 달렸다. 한 광고 캠페인이 옳지 않은 결론을 제시했었는데, 왜냐하면 의도된 독립변인(펩시 vs. 코카)이 다른 변인과 혼입되었기 때문이다.

가두광고에서 사람들은 두 콜라 음료 중에서 하나를 고르도록 요청받았다. 일련의 가두광고에서 펩시는 S자가 쓰여 있는 컵에 코카는 L자가 쓰여 있는 컵에 담겨져 있었다. 대부분의 사람들이 S자가 있는 컵에 담겨져 있는 음료(펩시)를 골랐으므로 콜라 시음자들은 펩시를 선호한다고 결론지었다. 이것이 올바른 결론인가?

Woolfolk, Castellan과 Brooks(1983)는 이 광고 결과를 의심하였다. 이 저자들은 컵에 붙어 있는 표시가 광고에서 사람들이 한 선택에 어떤 영향을 주었을지 모른다고 추론하였다. 이 가정은 다양한 종류의 표시가 소비자 행동에 강한 영향을 준다는 지식에 기초한 것이었다. 연구의 첫 단계로 Woolfolk와 그녀의 동료들은 대학생들이 철자 L에 비해서 철자 S를 좋아한다고 알아내었다. 그래서 연구자들은 L자와 S자가 있는 컵에 담겨 있는 콜라를 선택하도록 다른 학생들을 시켰다. 이 실험에서는 광고와는 달리 철자가 유일한 독립변인이었는데, 왜냐하면 콜라의 종류는 일정하게 유지되었다. 절반의 피험자에게는 두 컵 모두 펩시가 담겨 있었고, 다른 절반의 피험자에게는 두 컵 모두 코카가 들어 있었다. 컵에 든 콜라 종류에 상관없이 학생들은 콜라 S를 콜라 L보다 사례의 85% 정도 좋아하였다. 그러므로 광고에서 내린 결론이 어떤 철자에 대한 선호도와 혼입되었을 가능성이 있으며 특정한 콜라에 대한 선호로부터 나온 결론이 아니란 것이다. 시청자들이여 조심하라!

Woolfolk, M. E., Castellan, W., & Brooks, C. I.(1983). Pepsi versus Coke: Labels, not tastes, prevail. *Psychological Reports, 52*, 185-186.

3. 한 치료자가 환자의 자아상을 개선시키고자 노력한다. 환자가 자신에 대하여 긍정적인 어떤 것을 말할 때마다 치료자는 고개를 끄덕이고, 미소짓고, 특별한 주의를 기울임으로써 그것을 보상한다. 변인들을 명명하라.

4. 한 사회심리학자가 남자 또는 여자가 자신이 공중전화 부스 안에 여섯 명 중 한 명으로 끼어있을 때, 남녀 어느 쪽이 불편함을 더 낮게 평정하는지를 알아보기 위해 실험을 한다. 변인들을 명명하라.

해답

1. 독립(조작된)변인   제동 등의 밝기 강도

종속(관찰된)변인   제동 등이 켜진 시간부터 따라오던 차의 운전자가 브레이크를 밟을 때까지의 시간

통제(일정한)변인   제동 등의 색깔, 페달 모양, 제동 장치 페달을 밟기 위해 필요한 힘, 외부 조명, 기타 등등

2. 독립변인   등의 색깔(적색 혹은 녹색)

종속변인   건반을 쪼는 횟수

통제변인   모이 박탈시간, 건반 크기, 녹색등과 적색등의 밝기, 기타 등등

3. 독립변인	사실 이것은 실험이 아닌데, 독립변인이 단지 한 수준만을 가지고 있기 때문이다. 이것을 실험으로 만들려면, 다른 수준(가령, 시어머니에 대하여 좋은 얘기를 하면 보상)이 필요하다. 그러고 나면 독립변인은 보상을 받는 이야기의 종류가 될 것이다: 환자에 관한 또는 환자의 시어머니에 관한.
종속변인	자아상에 대한 긍정적인 얘기의 수(빈도)
통제변인	없다. 이것은 빈약한 실험이다.
4. 독립변인	참가자의 성별(이것은 진정한 독립변인이 아니라는 걸 기억하라. 성별은 실험자에 의해 조작되지 않았다. 이것은 유사-실험이다.)
종속변인	불편함에 대한 평정치
통제변인	전화 부스의 크기, 부스 내의 인구밀집 정도(6명), 기타 등등

둘 이상의 독립변인

심리학 학술지에서 오로지 독립(조작된)변인 하나만을 사용한 실험을 보기란 쉽지 않다. 전형적인 실험에는 둘에서 네 개 정도의 독립변인이 동시에 조작된다. 이 같은 절차에는 몇 가지 장점이 있다. 첫째, 한 실험에 세 개의 독립변인이 있다고 하면 별도의 실험을 세 번 하는 것보다 효율적이다. 둘째, 종종 실험통제가 더 나은데, 왜냐하면 단일 실험에서의 어떤 통제변인들—예를 들면, 하루 시간, 온도, 습도—은 세 개의 따로 실시된 실험에서보다는 더 일정하게 유지되기 때문이다. 세 번째이면서 가장 중요한 것은 여러 독립변인들에 걸쳐서 일반화된—여러 상황에서 타당하다고 밝혀진—결과들은 아직 일반화되지 않은 자료들보다 더 가치가 있다는 것이다. 마지막으로, 다양한 유형의 실험 참가자와 환경에 두루 걸쳐서 얻은 결과를 일반화하는 것이 중요하듯이, 우리는 또한 어떤 결과들이 독립변인들의 여러 수준들에 두루 걸쳐서도 타당한지를 발견할 필요가 있다.

우리가 두 종류의 보상 중 어떤 것이 고등학생이 기하학 과목을 학습하는 데 도움이 되는지를 알아보려고 한다고 하자. 첫 번째 보상은 옳게 푼 문제에 대하여 즉시 현찰을 지불한다. 그리고 두 번째 보상은 수업시간에 일찍 내보내 주는 것인데, 즉 옳게 푼 문제당 5분씩 일찍 수업을 끝내도록 해준다. 이 가상적인 실험의 결과는 일찍 수업을 끝내주는 것이 더 낫다고 가정한다. 고등학교에서 수업을 일찍 끝내는 것이 어디에나 적용된다고 결론짓기 전에 다른 과목들을 예를 들면, 역사나 생물학 같은 과목에서도 두 종류의 보상을 비교함으로써 그 일반성을 먼저 확립하여야 한다. 여기서 수업의 종류는 두 번째 독립변인이 될 것이다. 이 두 변인을 하나의 실험에 포함시키는 것이 별개의 두 실험을 하는 것보다 나을 것이다. 이것이 통제라는 문제를 피할 수 있게 하는데, 예를 들면, 한 수업에 대해서는 학교의 큰 운동경기(미국에서는 미식축구)를 하는 주에 검사하고(학습에 아무런 보상 효과가 없음) 다른 수업은 그 경기에서 승리한 후(학생들이 수업에 더 좋은 감정을 갖는다) 검사하는 경우 같은 것이다.

한 독립변인에 의해서 생긴 효과들이 두 번째 독립변인의 여러 수준에 걸쳐서 같지 않을 경우, **상호작용**(interaction)이 있다고 한다. 상호작용을 찾고자 하는 것이 실험에서 하나 이상의 변인을 사용하는 주된 이유이다. 이 사실은 예를 들면 가장 잘 설명된다.

'위험한 유혹' 이란 제목의 논문에서 저자들은 대학생들이 가상의 주지사 정치 후보를 어떻게 선택하는지를 연구하였다(Cohen, Solomon, Maxfield, Pyszczynski, & Greenberg, 2004). 그들은 공포 경영 이론과 리더십 유형 사이의 관련성에 관심이 있었다. 공포 경영 이론은 인간 행동은 저항할 수 없는 두려움을 만들어낼 수 있는 죽음의 자각에 의해 통제된다고 한다. 우리는 유한한 삶에서 어쩔 수 없이 떠나게 되는 것을 좀 더 덜 위협적인 것으로 보이게 만들어주는 사후 삶에 대한 믿음, 또는 아이를 잉태함으로써 어떤 형태의 불멸성의 성취와 같은 여러 문화적 세계관에 의해 죽음의 두려움과 연관된 불안을 다룬다. 리더십 유형은 지도자와 추종자 사이의 상호작용에 주의를 둔다. 카리스마가 있는 지도자는 지도자의 성격의 끄는 매력 때문에 자신의 추종자들을 고무시킨다. 지도자와 추종자 사이의 상호 의무와 협력의 중요성을 강조하는 관계 지향적 지도자와는 대조적이다.

이 연구는 죽음의 자각과 리더십 유형을 조작하는 두 개의 독립변인이 있었다. 절반의 학생들에게 자신의 죽음에 관한 생각 그리고 신체적으로 죽은 후에 어떤 일이 일어날 것인지에 관련된 정서에 관하여 두 개의 개방형 질문에 답하도록 하고, 이 조건이 죽음을 피할 수 없다는 특징을 강조하는 조건이었다. 다른 절반의 학생들은 다음 시험에 관한 두 가지 개방형 질문을 받았다. 리더십 유형은 모든 학생들이 짧은 선거 캠페인 연설을 읽게 하는 것으로 조작되었다. 카리스마적 연설은 위험하지만 계산된 행동을 착수하고 전체로서 집단의 정체성을 강조하는 것과 같은 특성을 강조하였다.

나는 내가 이 주와 나라의 장래를 위해 몸을 던졌기 때문에 이 주의 완벽한 주지사가 될 것입니다…. 여러분은 그냥 일반 시민이 아닙니다. 여러분은 이 특별한 주와 이 특별한 나라의 일부입니다. 그리고 우리가 함께 일한다면 우리는 변화를 이끌어낼 것입니다.

관계 지향적인 연설은 추종자들을 존중하고 추종자들의 노력을 인지하고 감사하는 것을 강조했다.

나는 시민의 안녕을 걱정하기 때문에 완벽한 주지사가 될 것입니다…. 나는 각 개인이 변화를 이끌어낼 것을 알고 있습니다. 모든 사람의 기여가 인지되고 인정받을 것입니다.

그리하고 나서 학생들은 각 후보를 5점 척도에 평가하였다. 그림 7.3에 두 개의 독립변인 각각에 대한 이 평가의 결과를 나타내었다. 각 독립변인을 분리해서 그렸다. 관계 지향적 후보가 약간 선호되고 있으나, 시험 대 죽음에 관한 질문을 받은 학생들 사이에는 차이

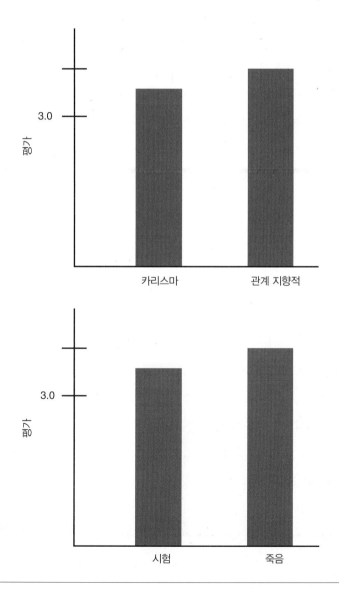

그림 7.3 두 독립변인의 지도력 평가에 대한 효과. (Cohen et al., 2004에서 인용)

가 없었다.

그림 7.4는 이러한 해석이 너무 단순했음을 보여준다. 그림 7.3이 함의한 바와 같이, 만일 리더십이 자신의 고유한 효과가 있다면, 결과는 두 독립변인을 같은 그래프에 그렸을 때 그림 7.5에 두 평행선으로 나타나야만 할 것이다. 대신에 그림 7.4의 선분은 평행이 아니다. 이것은 두 독립변인 사이에 상호작용이 있음을 나타내고 있다. 각 지도자에 대한 평가는 죽음을 피할 수 없다는 특징에 의존하였는데, 공포 경영 이론이 예언한 그대로이다. 죽음을 상기시켰을 때, 학생들은 카리스마적 지도자를 선호했다. 카리스마적 지도자는 큰 고통의 시대에 성공하였다. 그러나 학생들에게 죽음보다는 훨씬 덜 스트레스를 주는 다음 시험을 상기시켰을 때 관계 지향적 지도자가 더 바람직하였다.

이 실험을 구분해서 두 개의 부분으로 수행했다고 가정하자. 첫 번째 부분에서 오직 리더십 유형만이 변동하고, 모든 학생들이 다음 시험에 관한 질문만을 받는다. 연구자는 관계 지향적 지도자가 항상 선호된다고 결론을 내릴 것이다. 두 번째 부분에서(시험 또는 죽음의) 질문의 종류만을 변동하였고, 관계 지향적 지도자만을 고려하였다. 연구자는 시험에 관한 질문이 관계 지향적 지도자의 바람직성을 증가시켰다고 결론지을 것이다. 그러나 그림 7.4에서 알 수 있듯이 이것은 불완전하다. 여러분은 두 부분으로 나누어 실험을 함으로

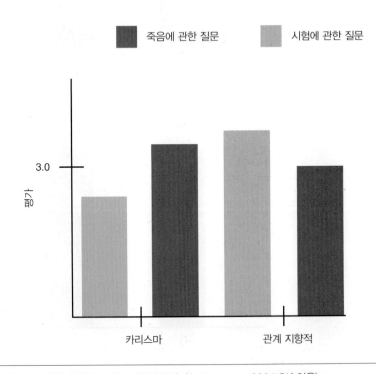

그림 7.4 지도력 평가에 대한 두 독립변인의 효과. (Cohen et al., 2004에서 인용)

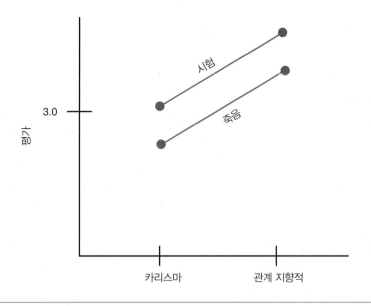

그림 7.5 두 독립변인 사이의 상호작용이 없음을 보여주는 가상의 자료

써 이 사실을 알 수 있으며, 우리는 중요한 정보를 놓친 것이다.

실제 결과를 담고 있는 그림 7.4에는 상호작용이 있다. 리더십 유형의 효과는 평가 전에 제시한 질문 종류에 의존하고 있다. 죽음에 관한 생각을 유도한 질문이 선호되는 리더십 유형을 바꾸었다.

선이 평행인지 아닌지를 알아보기 쉽게 만들기 위해 그림 7.5가 막대그래프가 아닌 선그래프로 그려졌음을 주목하라. 상호작용이 발생했을 때 선분은 평행이 아니다. 그러나 수평축에 그려진 변인들은 연속적이 아니기 때문에 전문적으로는 그림 7.3에서처럼 막대그래프로 그리는 것이 더 좋다.

요약하면, 어떤 독립변인의 효과가 다른 독립변인의 수준에 따라 결정될 때 상호작용이 발생한다. 상호작용이 나타나면, 우리는 보통 각 독립변인의 효과를 분리해서 논의하지 않는다. 왜냐하면 어떤 변인의 효과가 다른 독립변인의 수준에 의존하기 때문에 상호작용하는 변인들을 함께 논의하는 것이 의미가 있다. 상호작용은 극도로 중요한 주제이므로, 따라서 제10장에서 추가 논의가 있을 것이다.

둘 이상의 종속변인

종속(관찰된)변인은 행동의 지표로서 사용된다. 연구자는 행동의 어떤 측면들이 실험과 밀접한 관계가 있는지를 결정하여야 한다. 일부 변인들은 의례적으로 사용되는데, 그렇다고 해서 그것들이 행동에 대한 유일한 또는 가장 좋은 지표라는 것을 의미하지 않는다. 쥐가 막대기를 누르는 행동이나 비둘기가 건반을 쪼는 행동을 예로 들어보자. 가장 보편적인 종속변인은 막대기 누른 횟수나 쪼는 횟수이다. 그러나 반응 잠재기나 반응시간이 재미있는 결과를 이끌어낼 수 있는 것처럼, 건반을 쪼는 힘이 재미있는 결과를 이끌어내기도 한다(Notterman & Mintz, 1965를 보라). 연구자들은 보통 적합하다고 생각되는 여러 종속변인을 내놓는다. 우리가 읽는 활자체의 가독성(legibility)을 연구하려 한다고 해보자. 물론 가독성을 관찰할 수는 없다. 어떤 종속변인이 관찰되어야 할까? 여기에 옛날부터 사용해 온 것들 중 일부를 제시하자면, 독서 후 의미 있는 정보를 파지하는 정도, 일정한 수의 단어를 읽는 데 필요한 시간, 낱자를 재인하는 데의 오류 수, 문장을 베끼거나 또는 다시 타자하는 속도, 독서 동안의 심장 박동수, 독서 동안의 근육 긴장도 등이 있다. 다 열거하자면 한도 끝도 없을 것이다.

경제성의 논리로 동시에 많은 종속 측정치를 얻자고 주장하는 것은 그럴싸하다. 제2장에서 논의된 트럭 운전사의 작업부하 실험(그림 2.5를 보라)에서 여러 종속변인을 사용하였다. 그럼에도 불구하고 전형적인 실험에서는 오직 하나 또는 많아 봤자 동시에 두 개 정도의 종속변인이 사용된다. 둘 이상의 독립변인을 사용하면 실험의 일반성이 확대되듯이, 여러 종속변인을 사용하면 일반성이 확대되는데, 이렇게 하지 않는 것은 유감스러운 일이다.

여러 측정치를 사용하지 않는 한 가지 이유는 결과를 해석하기 힘들다는 것이다. 때때로 종속변인들이 같은 것을 측정하는지, 다른 것을 측정하는지 결정하기가 가능하지 않을 수도 있다. 많은 종속변인들을 사용하지 않는 다른 이유로는 여러 종속변인들을 동시에 통계적으로 분석하기가 어렵다는 것이다. 현대의 컴퓨터 기술로 계산 자체는 가능하지만 많은 실험심리학자들이 이 같은 다변인 통계 분석 기법들을 사용하는 데 잘 훈련이 되어 있지 않고, 따라서 그것들을 사용하는 데 주저하고 있다. 비록 각 종속변인들을 별개로 분석할 수 있지만, 독립변인에 대하여 별도로 분석할 때 상호작용이 무시되는 것과 거의 똑같은 방식으로 정보 손실이 생긴다. 다변인 분석은 복잡하기 때문에 여기서 논의하지는 않겠다. 그럼에도 불구하고 실험에서 하나 이상의 종속변인을 쓰는 것은 장점이 더 많다는 것을 알고 있어야 한다.

개념 요약

실험의 변인들

유형	조작	예
독립변인	한 변인이 적어도 두 수준으로 조작된다.	단서 유형; 감압
종속변인	특정한 행동이 측정된다.	해결한 비율; 유아성장과 운동
통제변인	일정하게 유지되는 다른 변인들	동물혈통; 일반적인 검사 환경

다중 독립변인과 다중 종속변인은 중요하다. 한 독립변인의 효과가 다른 독립변인의 수준에 의존할 때 상호작용이 발생한다.

실험 오류의 가능한 출처

실험법에서의 반응성

참가자의 반응성 문제는 기술연구에만 국한되지 않는다. 실험적 절차를 포함한 연구도 반응성이란 어려움에 직면한다. 사실상 실험에 참가하고 있다고 말해주기만 해도 반응성 문제를 일으킬 수 있다. 예를 들어, 처음 보는 사람에게 다가가서 "팔굽혀펴기 10번만 해주십시오"라고 말해 보라. 이것을 다른 여러 사람에게 요청해 보라. 그리고 난 후 같은 절차를 반복하는데, 이번에는 "저는 심리학 실험 중입니다. 죄송하지만 팔굽혀펴기 10번만 해주십시오"라고 해보자. 이상한 것은 첫 번째 요청에 대해서는 응낙이 거의 없고 두 번째 요청에 대해서는 거부를 거의 하지 않는다는 것이다. 사람들은 보통 하지 않을 것 같은 행동을 과학과 실험을 들먹이면 때때로 하려고 한다(Orne, 1962). 다시 말하면, 실험은 행동을 조사할 뿐 아니라 행동을 낳기까지도 한다! 반응성은 실험 자료를 오염시키는 아주 중요한 출처이다.

Orne(1962, 1969)은 실험 참가자들은 무엇이 예상되는지에 대한 어떤 일반적인 개념을 가지고 있으며 대개는 그 실험이 가진 특정한 목적이 무엇인지 알아내고자 노력한다고 했다. 그들은 자신들에게 피해가 없도록 보호받고 있으며, 실험자가 자신들에게 무엇을 묻든지 그것은 유용한 목적을 위해서 쓰일 것이라고 믿는 경향이 있다. 많은 심리학 실험이 진짜 목적이 알려지면 별다른 흥미 없는 결과를 낳기 때문에 실험의 목적을 감추기 위해서 속임수가 정교하게 사용된다. 그러나 Orne이 지적했듯이 이 속임수들은 때때로 속이 뻔히 들여다보이는 것이다. 어찌되었든, 일반적인 문제는 참가자가 기대를 하기 때문에 실험에서 그 사람의 행동이 어떻게든 영향을 받거나 결정된다는 것이다. Orne은 다음과 같이 썼다.

> 피험자가 실험 결과에 대해서 염려하고 있는 한, 자신이 가진 역할과 검증될 가설에 대한 지각이 자신의 행동에 대한 중요한 결정자가 된다. 그의 행동을 지배하는 단서들—그것은 그가 기대하는 것과 실험자가 찾고자 하는 것 사이를 정보 소통시킨다—은 아주 중요한 변인이 될 수 있다. 몇 년 전에 나는 이런 단서들을 '실험의 **요구 특성**'이라고 부르자고 제안했다.
>
> ... 그 요구 특성은 실험에 관한 소문, 실험 상황, 암시적·명시적 지시들, 실험 진행자 자체, 실험 진행자가 제공하는 미묘한 단서, 그리고 중요한 것으로 실험 절차 등을 포함한다 (Orne, 1969, p. 146, 고딕체는 첨가된 것임).

이 인용문에서 Orne은 참가자의 반응성을 지칭하는 것으로 **요구 특성**(demand characteristics)이란 문구를 사용한다. Orne이 쓴 이 용어는 반응성 대신 자주 쓰인다.

참가자 반응은 실험 결과를 일반화하는 데 제약이 될지 모르는데, 왜냐하면 만일 결과가 단지 실험 상황에 대한 참가자의 지각 때문에 얻어진 것이라면, 그 결과를 다른 상황에 일반화하지 못하기 때문이다. 종종, 사람들은 자신이 관찰되고 있음을 알고 있을 때는 행동을 굉장히 다른 식으로 바꿔버린다. 유명한 예 중 하나가 **호오돈 효과**(Hawthorne effect)이다. 이 효과는 근로생산성에 영향을 미치는 요인들을 실험한 장소인 Western Electric Company 공장의 이름을 딴 것이다(Homans, 1965). 6명의 평범한 여성 근로자가 전화 교환기를 조립하는 속도에 영향을 미치는 요인들에 대한 종단연구에 참여하였다. 먼저 교환기를 생산해 내는 기저선 속도를 측정하였다. 그리고 난 후 특별한 검사실로 옮겨졌다. 그리고 새 환경에 적응하는 기간이 끝난 뒤에 생산성에 영향을 주리라 생각되는 일상생활에서의 여러 가지 변화를 경험하였다. 연구의 한 기간 동안 그들의 일상 계획표에 휴식기간이 도입되었으며 나중에는 그 횟수도 증가되었다. 다른 기간 동안에는 급여 제공방식이 바뀌었으며 또 다른 기간 동안에는 가벼운 점심식사가 제공되었다. 실험은 일년 이상 계속되었으며 그 결과는 매우 놀라운 것이었다. 거의 몇 개의 예외만 있었을 뿐 어떤 변화가 있었든지—휴식기간이 많든 적든, 작업이 길든 짧든 등등—여성 근로자들은 교환기를 점점 더 많이 생산해 내는 경향이 있었다. 비록 이런 변화의 이유를 파악하기는 어렵다 하더라도(왜냐하면 여러 변인들이 혼입되어 있기 때문이다), 여성들이 자신이 실험에 참여하고 있다거나 특별한 관심을 받고 있다는 느낌, 또는 협력하길 원한다는 사실 등이 그 이유들일 가능성이 높다. 근로자들은 연구자들이 근로 조건에서의 변화가 자신들에게 영향을 주리라 기대하고 있다는 것을 알고 있었고, 그렇게 따라주었다. 여성 근로자들은 더욱 더 열심히 일하였다.

호오돈 실험은 사회과학에서 가장 영향력 있는 연구 중의 하나로 손꼽힐 수 있다. 실제로 이 실험은 산업심리학 분야가 탄생하는 데 도움을 주었으며, 기업 경영자들이 노동자와 관계를 맺는 방식에 영향을 주었다. 따라서 호오돈 연구 결과를 수 년이 지난 후에 대안 설명이 제안되면서 다시 논의하게 된 것은 놀라운 일이 아니다(Parsons, 1974). 원 자료가 유실된 것으로 여겨진 이후, 새로운 실명을 평가하기는 어려웠다. 그러나 최근에 Levitt와 List(2009)는 도서관 기록보관소에서 원 자료의 복사본을 발견하였고, 이 자료들을 재분석할 수가 있었다. 그들은 유명한 호오돈 효과가 일주일의 요일 요인과 혼입이 되었다고 결론을 내렸다. 월요일에 조명을 증가시키면, 노동자의 생산성은 증가되었다. 그러나 조명에 대한 아무런 실험적 변화가 가해지지 않은 월요일에도 동일한 패턴이 관찰되었다. 호오돈 효과는 대단한 역사적 중요성을 지니고 있기 때문에 단 하나의 연구로 인하여 사회과학 교재에서 이 연구가 배제되지는 않을 것이다. 그러나 Levitt와 List(2009)의 발견은 어떤 실험적 연구라도, 아무리 유명해도 상관없이, 이 책에서 설명하고 있는 흠이 없는 실험 설계의 원칙에서 예외일 수 없다는 것을 역설적으로 상기시켜주고 있다.

Western Electric Company에서, 행동의 변화는 분명하게 근로자들이 실험에 참여했다는 사실 때문에 나타난 것이지 조작된 독립변인에 의한 것이 아니기 때문에 호오돈 효과는 반응성의 한 종류라고 이야기 될 수 있다. Orne은 사람을 대상으로 한 실험은 어느 정도까지 이 같은 특징이 내재되어 있다고 주장한다. 사람은 무엇이 일어나고 있는지에 흥미를 가진 능동적인 참가자이며 보통 도와주려고 애쓴다. Orne과 그의 동료들은 실험법에 존재하는 요구 특성에 대한 많은 연구를 하였다. 가장 흥미 있는 연구 중 일부가 최면 연구에서의 반응성을 다루는 것이다.

연구자들은 참가자들에게 최면상태 하에서 온갖 종류의 일들을 하라고 요구했으며, 종종 주목할 만한 성공을 거두었다. 확고한 발견 중의 하나는 최면 하에서 참가자들은 다양한 반사회적이고 파괴적인 행위들, 예를 들면, 다른 사람 얼굴에 (초)산을 던지거나 맹독성 뱀을 다루는 행위 등을 하도록 유도될 수 있다는 것이다(Rowland, 1939; Young, 1952). Orne과 Evans(1965)는 이것이 최면의 효과라기보다는 상황에 대한 요구 특성에 기인했을 수 있다고 의심하였다. 그들은 참가자들에게 맹독성 뱀을 잡기, 김이 나는 (초)산 속에 있는 동전 꺼내기, 실험자의 얼굴에 초산을 뿌리기 같은 일련의 위험한 행동을 하라고 시켰다. 거기에는 여러 가지 처치조건이 있는데, (a) 깊은 최면상태에 있는 참가자, (b) 최면상태를 모사하라고 요청 받은 사람, (c) 최면상태를 모사하라고 요구 받지는 않았지만 실험자의 요청에 따라 달라고 압력을 받은 통제 각성 참가자, (d) 응하라는 압력을 받지 않은 통제 각성 참가자, (e) 실험의 일부가 아닌 과제를 수행해 달라고 요청 받은 사람들이다. 실험 진행자는 참가자들이 어떤 조건에 있는지 알지 못했는데, 이로써 편향을 최소화하였다. 그 결과

표 7.1 실험자의 요구에 반응하여 위험한 과제를 수행한 참가자의 백분율

참가자 집단	맹독성 뱀을 쥐기	(초)산 속에 있는 동전 꺼내기	실험자의 얼굴에 (초)산을 뿌리기
진짜 최면	83	83	83
최면 모사	100	100	100
각성 통제집단-응종 요구받음	50	83	83
각성 통제집단-응종 요구받지 않음	50	17	17
비실험 집단	0	0	0

출처: M. T. Orne & T. J. Evans, "Social control in the psychological experiment: Antisocial behavior and hypnosis," in *Journal of Personality and Psychology, 1*, 189–200. Copyright © 1965 by The American Psychological Association. 저자의 허락을 받고 게재함.

가 표 7.1에 요약되어 있다.

예상한 바와 같이, 실험 상황에 있지 않았던 사람들은 반사회적 과제 수행을 거부하였으나, 다른 연구자들이 보고한 바와 같이 최면에 걸린 참가자들 중 높은 비율이 지시된 대로 과제를 수행하였다. 그러나 최면을 모사하기로 한 통제 참가자들 모두가 그 과제를 수행하였고, 모사하지 않는 통제 참가자들조차도 응하라는 압력을 받았으면 어느 정도 적극적으로 과제를 수행하였고, 이것은 실험 상황의 힘을 보여주는 것이었다. 그러므로 참가자들이 반사회적 행위를 수행하는 데 반드시 최면이 원인은 아니다. 오히려 장치, 지시, 그리고 자신이 최면상태에서 행동하기로 되어 있다고 생각하는 방식들이 포함되는 실험 상황에 대한 반응성은 반사회적 행위를 낳기에 충분하다. 아마도 깊은 최면상태에서 사람들을 반사회적 행위를 하도록 유도할 수 있지만, 현재의 연구는 이러한 생각을 지지할 믿을 만한 증거를 제공하고 있지 않다.

Weber와 Cook(1972)은 실험실 상황에서 행동에 영향을 줄 수 있는 다양한 사회적 역할을 기술하였다. 이 같은 역할들은 우리가 논의했던 반응 유형과 유사하다. 참가자들은 Orne이 제안한 요구 특성의 이론과 부합하는 **좋은 피험자 역할**(good-subject role)을 받아들일지 모른다. 좋은 피험자 태도를 지니고 행동하는 참가자는 실험 가설을 타당하게 만드는 데 필요한 무엇이든 할 것이다. **성실한 피험자 역할**(faithful-subject role)은 참가자가 실험 가설에 대하여 어떤 생각을 가지고 있다고 하더라도 정직하고 성실하려고 노력하는 역할이다. **부정적 피험자 역할**(negativistic-subject role)을 보이는 참가자는 실험을 방해하거나 아니면 엉망이 되게 시도한다(Masling, 1966은 '엿 먹어라 효과(screw you effect)'라고 불렀다).

폭넓은 문헌 개관을 통해서 Weber와 Cook은 이러한 피험자 역할들이 실험실 실험의

혼입에 중요한 역할을 했다는 증거를 많이 찾지 못하였다. 그러나 그들은 제4의 역할—**근심 많은 피험자 역할**(apprehensive-subject role)—의 중요성을 보여주는 증거를 찾아내었다(또한 Rosenberg, 1969를 보라). 이 근심 많은 피험자들은 실험에서 평가 받고 있는 데 대하여 불편함을 느끼고 있으며, 이 **평가 근심**(evaluation apprehension) 때문에 참가자들은 사회적으로 바람직한 방식으로 반응하려고 노력한다. Weber와 Cook은 실험에 대한 중요한 잠재적 혼입(변인)이 평가 근심이라고 주장하는 여러 연구들을 요약하였다. 불행히도, 평가 근심에 의해 어떤 종류의 행동이 발생하는지를 정확하게 예측하기란 매우 어렵다. 예를 들면, Weber와 Cook은 동조 연구에서 실험의 목적에 대하여 조금 의식하고 있는 참가자들은 그것을 의식하고 있지 않은 참가자들보다 덜 동조하는 경향이 있다는 것을 보고하였다(근심 때문에, 실험의 목적을 의식하고 있는 참가자들은 '순둥이'로 보이고 싶어 하지 않는다). 다른 한편으로, 월등한 수행이 '우수한' 참가자를 의미하는 학습연구에서는 이것을 의식하고 있는 참가자들은 의식하고 있지 않은 참가자들보다 더 나은 수행을 한다. 그러므로 행동에서의 어떤 변화가 근심의 결과에 의해 일어나는지를 예측하기란 어렵다.

실험법에서 반응성의 효과를 상쇄시키기란 매우 어려운 일이다. 드러내지 않는 측정과 드러내지 않는 관찰은 실험실 상황에서 별 효과가 없을지 모르는데, 대부분의 사람들이 자신이 실험에 참가하고 있다는 것을 알기 때문이다. 결과적으로, 많은 심리학자들이 자연 상황에서 실험을 한다. 이러한 **현장연구**(field research)는 자연주의적 관찰과 유사한데, 현장 실험에서는 진짜 또는 사후 소급되는 독립변인이 있다는 것이 차이가 있다. 사람들이 자신이 실험에 속해 있다고 자각 못할 수 있는 현장에서 실험한다는 것은 문제를 추가 발생시킨다. 예를 들면, 실험실 실험의 특징인 통제를 상실해 버릴지도 모르며 드러내지 않는 측정이 연구의 윤리 기준 일부를 어길 수도 있다. 더욱이 나중에 좀 더 자세하게 논의하겠지만, 현장연구는 실험실 실험보다 반드시 외부타당도가 더 높은 것은 아니다. Dipboye와 Flanagan(1979)은 산업 및 조직심리학에서 행해지는 현장연구는 참가자, 상황, 종속변인들의 아주 좁은 범위를 대상으로 한다는 것을 밝혀내었다. 그러나 전통적인 실험실 실험이 적합하지 않는 경우에 인과적 가설의 검증을 향상시키는 목적에 쓸 수 있는 대안 설계와 새로운 통계 기법이 있다(West, 2009). 비록 실험실 실험에서는 조건에 무선 배정하는 것(제9장을 보라)이 연구의 황금 원칙이기는 하더라도, 이러한 좀더 새로운 대안들로 인하여 광범위한 연구 질문들이 조사될 수 있다.

드러내지 않는 측정을 실험실 실험에 도입시키는 한 가지 방식은 **속임수**(deception)를 쓰는 것이다. 속임수는 반응성을 특정한 방향으로 유도할 수 있으며, 따라서 진짜 독립변인에 대해서는 참가들이 자연스럽게 반응하게 된다. 속임수에 대한 유명한 예는 Milgram(1963)이 한 실험인데, 참가자가 자신들이 학습 속도를 향상시키기 위해서 '학습자'에게 충격을 주고 있다고 믿게 만들었다. 사실, 충격장치는 가짜였고 학습자는 심한 충격을 받는 척 했을 뿐이었다. 참가자의 입장에서 보면 그들은 자발적으로 다른 사람을 고통주고 괴롭히고 있었다. 많은 사람들이 이러한 종류의 속임수는 비윤리적이라고 생각한다 (제4장을 보라).

연구자가 반응성을 통제할 수 있는 다른 방식은 실험에 대한 정보를 생략하는 것이다. 예를 들면, 기억 실험에서 참가자의 절반은 학습 방법과 기억 방법에 대하여 특별한 지시를 받는다고 하자. 참가자의 다른 절반은 이러한 지시를 받지 않는데, 이 집단은 '자연스럽게 기억하기'에 대한 기저선 조건으로 쓰인다. 연구자는 통제집단에 있는 참가자들에게 그들이 다르게 처치 받고 있다고 말하지 않을 수 있다. 그 유용성에도 불구하고 실험에 대한 정보를 생략하는 것은 윤리 문제를 야기하는데, 특히 그 정보가 실험에 참여 여부를 결정하는데 관련된 것일 때 더욱 그렇다. 예를 들면, 불안에 관한 연구에서 참가자들은 실험 절차로 인해서 자신들이 불편하거나 불안하게 느낄 수 있다는 사실을 들은 적이 없을 수 있다. 가능한 반응들에 대하여 미리 알려주면 참가자들은 바로 그러한 반응들을 나타낼지 모른다. 그러나 이런 정보를 알려주지 않으면 속이는 것이 된다. 생략이라는 속임수는 어떤 상황에서는 사용이 보장되어 있다. 그러나 이것이 사용될 때에는 연구 대상이 된 사람의 존엄성을 유지하는 데 신중해야만 한다.

우리가 어떤 관련된 정보를 참가자에게 주지 않을 때 우리는 은폐 실험을 하고 있다고 말한다. 좋은 예로는 Carver, Coleman과 Glass(1976)가 했던 실험이 있는데, 그들은 제1장에서 소개된 바 있는 유형 A 사람과 유형 B 사람들에게서 피로의 억제를 조사하였다. 유형 A의 사람은 경쟁적 상황에서 이기려고 애를 쓰는 공격적이고 관상 동맥 심장질환에 걸리기 쉬운 사람이다(Wright, 1988). 유형 B의 사람은 덜 공격적이고 덜 경쟁적이며 심장 문제를 가질 가능성이 적다. 유형 A와 B는 자신들의 최대 능력에 비해 상대적으로 얼마나 오랫동안 운동을 할 수 있는지를 보기 위해서 러닝머신(treadmill)에 올라갔다. Carver와 동료들은 또한 참가자로부터 주관적인 피로 추정치를 얻었다. 실험 기간 동안 연구자들은 (시간에 대해서, 그리고 러닝머신에서 다른 사람들의 수행에 대해서) 모든 경쟁 단서들을 제거하려고 최대한의 노력을 기울였다. 사실상 미리 정해진 시간이 경과한 후에 참가자들은 달리기 기구에서 내려오라고 이야기를 들었다. 실제로 러닝머신에서 있었던 시간은 참가자가 결정한 것이었는데, 그들은 충분히 할 것 같은 시점을 표시했었다. 유형 A에게 경쟁의 증거들을 제시하면 경쟁 추동을 강화시킬 수도 있으므로, 실험자는 이 유형 A가 어떤 명백한 경쟁이 없는 상황에서 더 피로하게 되길 원했다. 따라서 참가자에게 실험의 본질을 은폐시키는 것은 중요하다. 이 예에서 속임수는 비윤리적인 것 같이 보이지 않는다. Carver와 동료들은 유형 A가 유형 B보다 더 오래 러닝머신에 있었음을 발견하였다. 달리기를 더 했음에도 불구하고 유형 A 사람들은 유형 B보다 덜 피로하다고 보고하였다.

반응성을 통제하는 다른 방식은 Orne과 Evans(1965)가 최면연구에서 한 것처럼 **모사실험**(simulated experiment)을 하는 것이다. 전에 언급한 바와 같이, 그들은 최면에 걸린 사람뿐만 아니라 최면에 걸린 것처럼 모사하는 사람도 사용하였다. 여기서의 논리는 간단하다. 실험 조건과 모사된 통제 조건 둘 다에서 실험에서 참가자에게 한 요구는 같다고 가정된다. 만일 실험적 조작(최면)이 진짜 효과가 있다면, 실험집단의 행동은 모사집단의 행동과는 신뢰할 정도로 다를 것이다. 실험을 모사하는 데 대한 다른 접근은 모사하는 참가자들에게 독립변인이 무엇이라는 것을 알려주고 실험 상황에서 그들에게 무엇을 할 것인지를 물어보는 것이다(Richman, Mitchell, & Reznick, 1979). 만일 모사된 실험에서 나온 결과가 진짜 실험에서 독립변인에 기인하는 결과와 매우 유사하다면, 우리는 독립변인의 효과를 오염시키는 중요한 반응성 요인들이 있었다고 결론지을 수 있다.

연구 절차의 외부타당도

연구 계획의 설계에서 발생하는 문제의 또 다른 영역은 종종 '실세계'라고 불리는 것과 연구와의 관계에 관련이 있다. 우리는 자신의 연구가 인간과 동물이 어떤 특정한 방식으로 행동하는 이유와 관련이 있는지 없는지를 자문할 수도 있다. 우리는 대표성을 가진 연구 대상을 선택했었는가? 우리의 연구 상황이 우리가 제기한 근본적인 의문에 대하여 타당한 해답을 가져다 줄 수 있는가? 한마디로 한다면 우리 연구가 외적으로 타당한가?

우리는 이러한 논점들의 일부를 제2장과 제8장에서 언급하였다. 외부타당도와 연계된 여러 문제들은 프로젝트가 시작되기 전에 다루어야만 한다. 여기서 우리는 참가자 대표성, 변인 대표성, 상황 대표성 등의 문제들을 상세히 다룰 것이다. 우리는 또한 이러한 문제들을 다루는 방식의 일부를 제시할 것이다.

참가자/피험자 대표성

심리학의 기초 연구에서는 두 모집단—흰쥐와 대학생들—에서 엄청난 수의 참가자를 끌어 모은다. 쥐와 그 외의 동물들은 과학자가 인간을 대상으로 유전 형질과 환경을 통제하는 것보다는 훨씬 쉽기(그리고 윤리적으로도 문제가 덜 되기) 때문에 자주 사용된다. 또한 쥐와 대학생은 대부분의 연구자들이 손쉽게 쓸 수 있다. 쥐와 대학생의 사용을 정당화하는 이유는 통제, 편의성, 그리고 윤리 때문이다. 의문들은 남아 있다: 이들 유기체가 대표성을 띠는가? 이 유기체로부터 얻어진 자료들이 심리 과정에 관한 보편적인 진술에 적절한가? 다시 말하면, **참가자/피험자 대표성**(participant/subject representativeness)이 있는가?

여러분의 관찰을 이들 모집단에 국한시키면 어떤 문제가 나타날 수도 있다. 주된 어려움이 **가역성**(reversibility)이다(Uttal, 1978). 수학에서 가역성은 해답으로부터 문제나 방정식을 유추하려는 시도를 말한다. 답이 7이라고 하자. 어떻게 도출되었는지 이해할 수 있겠는가? 더 이상의 정보는 주지 않는다. 답이 7이라면 $4+3 = ?$, $377 - 370 = ?$, $\sqrt{49} = ?$, 일주일은 며칠인가?, 또는 소수 중 하나를 들어라 등에서 얻어진다. 7이라는 답은 가역적이지 않다. 7이라는 답을 두 번 얻었다고 해서 그 7이 같은 방정식에서 나왔는지 다른 방정식에서 나왔는지 알 도리가 없다. 연구에서도 가역성은 유사한 문제가 된다. 특정한 한 행동이 사람과 쥐에게서 동일하게 관찰되었다고 해서 두 사례에 내재된 과정(수학 방정식)이 같다고 할 수는 없다. 예를 들면, 만일 우리가 인간 뇌가 작용하는 방식을 이해하기 위해 쥐의 뇌를 손상시키려고 한다면, 두 종에 있어서 뇌 과정은 같다고(같은 공식을 지닌다고) 가정해야만 한다. 생리심리학자들은 해법(쥐의 행동)이 특정 방정식(쥐의 뇌)에 독특하고 그 방정식이 쥐와 인간에게 같다고 가정한다. 그러므로 해법을 역으로 해서(특정 행동을 제거하고자 쥐의 뇌를 손상시킴), 우리는 문제에 도달한다(그 행동을 통제하는 뇌의 측면이 무엇인지). 환언하면, 우리는 쥐의 뇌를 손상시킴으로써 쥐의 뇌가 어떻게 특정한 행동을 통제하는가를 이해할 수 있어야만 한다. 그리고 우리는 쥐의 뇌와 인간의 뇌 사이의 동등성을 가정하기 때문에, 인간 뇌의 기능에 관한 보다 나은 이해를 할 수 있게 된다.

물론 쥐와 인간의 동등함을 가정할 수 있는지는 어려운 문제이다. 만일 생리학을 무시하고 순수한 행동적 수준에서 종에 걸쳐서 일반화시키려고 노력한다 하더라도 문제는 여전히 남는다. 거기에는 행동을 설명하려는 기제로 무엇을 가정하든지 간에 동등성 가정이 여전히 존재한다. Harlow와 동료들은 이 딜레마를 다음과 같은 식으로 요약하였다: "기본적으로 종에 걸쳐 행동을 일반화시키는 문제는 단순하다—일반화시킬 수는 없지만 해야만 한다. 능력이 되는 사람이 일반화하길 원치 않는다면 무능한 사람들이 그 분야를 채워버릴 것이다"(Harlow, Gluck, & Suomi, 1972, p. 716).

이것이 가지고 있는 어려움에도 불구하고 종에 걸쳐서 일반화시키는 것은 눈부신 성공을 가져다 줄 수 있다. 19세기에 체코의 수도사인 멘델(Mendel)은 정원의 콩을 연구함으로써 유전학의 기초를 다졌다. 더 최근에 뇌에서 아편과 유사하게 기능하는 신경전달물질에 대한 발견은 쥐의 재생산 기관에서의 신경전달물질에 관한 연구에 바탕을 두고 있었다. 우리가 동물연구에서 얻은 결과들을 모형이나 유추로 본다면, 우리는 종(species) 간의 일반화란 언제나 일시적인 것이라고 인식해야 한다. 우리가 강력한 결론에 도달하기 전에 많은 종들을 대상으로 많은 검증을 해보아야 한다.

우리가 방금 검토한 어려움들은 참가자로서 대학생들을 사용한 실험에도 관련되어 있다. 그런 연구에서 얻어진 결과들이 얼마나 대표성을 띠는가? 이 질문에 대한 대답은 불투명하다: 그것은 연구의 목적들과 조사자의 배짱에 달렸다. 만일 우리가 기본적 감각 과정이나 학습과 파지의 단순한 형식 같은 모든 사람들이 공유하기 쉬운 과정들에 관심이 있다면, 우리는 대학생을 대상으로 얻어진 자료가 보통 인간을 대표한다고 상당히 확신할 수 있다.

그러나 우리가 복잡한 과정에 관심이 있을 때 문제가 발생한다. 언어, 문제 해결, 그리고 미묘한 기억 책략 등은 참가자들이 모든 사람에 공통적이지 않은 특징을 가질 것이라고 가정한다. 우리는 심리학을 서구 문화 속에 살고 있는 정상적인 성인에 한정할 수는 없다. 어린아이들, 아프리카에 사는 Ibo 족, 그리고 청력 손상이 있는 개인들은 전형적인 대학생과는 다른 능력을 가질 것이다. 심상은 대학생들에게서 기억을 향상시킬 수도 있다(Atkinson, 1975; Bower, 1972). 그러나 어린아이를 대상으로 한 성공에는 한계가 있으며(Tversky & Teiffer, 1976), 심상의 사용에 대한 문화 간 차이가 또한 존재한다(Cole, Gay, Glick, & Sharp, 1971).

쉽게 가용되는 모집단으로부터 얻은 결과는 일반화에 제한이 있기 때문에 때때로 우리의 참가자들을 특수한 모집단에서 찾아볼 필요가 있다. 예를 들면, 만일 우리가 젊은 사람들에게서 발견되는 우울 발병률이 나이 든 사람들의 발병률과 같은지에 관심이 있다면, 우리는 우리의 연구에 참가하고자 하는 나이 든 사람들의 모집단을 찾아야만 한다. 흰쥐와 대학생들의 편리함에도 불구하고 이들 모집단만으로는 모든 연구의 요구들을 충족시켜주지 못한다.

여기서의 교훈은 우리는 일반적으로 모집단의 하위집합에서 얻은 단일 참가자 표본에 근거하여 일반화하는 것을 조심해야만 한다는 것이다. 만일 우리가 너무 배짱으로 나가면

("심상은 누가 사용하든지 상관없이 기억에 도움이 된다"), 그릇됨의 위험 속으로 우리가 내닫는 것이다. 다시 우리가 흰쥐를 모델로 보는 방식과 같은 방식으로 대학생들을 심리 과정에 대한 모델로 간주한다면, 우리의 결론 중 일부가 잠정적이어야 한다는 것을 인식해야 한다. 이것은 기초 연구에서 얻은 발견을 응용 목적을 위해 사용할 경우에 특히 그렇다. 특정한 정책이나 실습이 적용되기 전에 목표로 하는 모집단을 대상으로 일반화 시도가 있어야만 한다. 만일 대학생을 써서 얻은 Bower의 연구(1972)를 근거로 유아원에서 심상 훈련을 실시한다면 시간과 노력 낭비일 것이다.

변인 대표성

우리는 얻어진 결과가 다른 참가자 집단에 두루 일반화되길 원한다. 같은 식으로, 우리는 우리의 결과가 **변인 대표성**(variable representativeness)—다른 실험 조작에도 일반화시킬 수 있는 능력—을 갖길 원한다. 예를 들면, 만일 연구자가 배경 소음이 독해에 방해되는지 관심이 있다면, 그는 음악과 아무것도 없는 상태를 비교할 수도 있다. 만일 아무것도 없는 상태와 비교해서 소음과 음악 둘 다 독해를 방해했다는 결과가 보였다면, 연구자는 흥미로운 발견을 한 것이다. 그러나 그 결과가 모든 종류의 배경 소음에까지 일반화된다고 가정하는 것은 시기상조이다. 그 결과들은 선택된 종류의 음악 또는 그 음악을 들려주는 특정한 음량에만 적용되는 것일지 모른다. 마찬가지로, 그 결과들은 음악 대신에 백색 배경 소음이 사용되었더라면 달라졌을 수도 있다. 배경 소음의 효과의 일반성을 결정하기 위해서는 후속 실험이 필요할 것이다. 또한 특정한 문제를 다루는 넓은 범위의 독립변인을 사용함으로써, 우리는 우리가 택한 변인들이 우리가 다루고자 하는 실세계에서의 상황과 어떻게 관련되어 있는지를 더 잘 알 수 있게 된다.

상황 대표성

아마도 대표성과 연합된 주요 논쟁은 상황과 관련되어 있을 것이다. 자주 **생태학적 타당도**(ecological validity)라 불리는 **상황 대표성**(setting representativeness)은 정의를 사용하고 통제를 부과하는 실험 상황이 인위적인 실험법에서 심각한 문제가 될 수 있다. 예를 들면, Neisser(1976, 1978, 1982)는 실험실 실험들, 특히 인지와 기억과 관련된 실험들에서 생태학적 타당도에 의문을 제기한다. 그는 심리학자들은 자연 상황에서 자연스런 기억을 연구하는 것을 회피하는데, 그것은 "정통파 기억 심리학이 백 년의 노력을 통해서 밝힌 것이 거의 없는데, 아마도 이 심리학이 흥미 있는 논쟁들을 회피해 왔기 때문이다"(1982, p. 3)라고 주장했다. 생태학적 타당도에 대한 Neisser의 견해는 옳지만, 우리가 보려고 하듯이 그의 주장은 틀렸다.

생태학적 타당도의 문제를 고려할 때, 우리는 **실재론**(realism)과 **일반화**(generalization)를 구분할 필요가 있다(Berkowitz & Donnerstein, 1982). 실재론이란 실험 상황이 실세계를 닮고 있는지 지칭한다. Skinner 상자에서 쥐의 학습을 연구하는 실험이 실세계에서 어느 학습 상황과 닮았는가? 물론 답변은 아마도 '아니다'일 것이다. 그러나 핵심적인 질문은 이 평범한 실재론의 중요성과 관련되어 있다. 피험자의 대표성의 문제에서도 사실로 드러났듯이, 생태학적 타당도에 대한 우리의 관심은 그것과 심리적 과정과의 관계에 있다. 만일 우리가 인위적 상황 속에서 쥐가 보여준 과정이 실세계에서 일어나는 과정과 유사하다는 것을 보여준다면, 실재론은 외부타당도에 대한 핵심적인 위협은 아니다. 그러므로 실험 결과를 다른 상황에 일반화시킬 수 있는지의 여부는 실세계에 대한 피상적인 유사성보다 더 중요하다. 또한 실험실에서 관찰된 과정들이 실세계를 대표하는 상황에 포함된 과정들인지를 결정하기 위해서 다양한 검증들이 쓰인다. 제13장에서는 일반화의 다른 측면들을 고려할 것이지만 지금은 일반화에 대한 직접적인 검증을 검토할 것이다.

실험 결과들을 일반화시킬 수 있는지 검증하기 위해 사용된 책략은 자연 상황에서 관찰을 반복하는 것, 즉 현장연구이다. 교실에서 기억을 연구하거나 법정에서 의사결정을 연구하는 것이 상응하는 실험실 연구보다도 덜 통제된다는 사실은 명백하다. 이것이 바로 실험실 실험이 행해지는 이유이다―심리 과정에 관한 내부타당도가 있는 인과 진술을 제공하는 것. 만일 우리가 실험실 상황을 뛰어넘어 우리의 결과를 일반화하려고 한다면, 우리는 덜 통제된 현장 실험을 수행할 필요가 있을 수도 있다. 일반화에 대한 그러한 검증을 고려하기에 앞서 현장연구들이 반드시 광범위한 일반화를 보장하는 것이 아님을 언급해야 하겠다. 이미 지적한 바와 같이, Dipboye와 Flanagan(1979)은 산업 및 조직심리학에서 행해진 현장연구들이 아주 좁은 범위의 참가자, 상황, 변인들을 사용했다는 것을 발견하였다. 검증은 다양해야 하며 단순히 '자연적'이어서는 안 된다.

많은 응용심리학자들이 의사결정에 대한 실험실 연구의 외부타당도를 의문시하였다. 사람들이 결정에 이르기까지 많은 출처의 정보를 어떻게 통합하는가를 조사한 상당한 양의 실험실 연구가 있으며, 또한 정보통합을 기술하는 많은 세련된 수학 이론들이 있다(Anderson, 1981). Levin, Louviere와 Schepanski(1983)는 의사결정에 관한 실험실 연구에서 얻어진 결과들의 외부타당도에 대한 많은 직접적인 검증을 수행하였다. 그들은 실험실과 실세계 사이에 아주 상당한 대응성이 있음을 발견하였다. 그들은 실험실 연구에서 얻어진 의사결정 모형이 일하러 가는 데 어느 교통수단을 택할 것인지, 쇼핑 장소는 어디로 할 것인지 등을 거의 완벽하게 예측함을 발견하였다. 그들은 또한 실세계에서의 여러 다른 행동들이 엄격하게 통제된 실험들로부터 얻어진 결과와 부합했다는 것을 보고하였다. 이러한 행동들은 도박 결정, 배심원 결정, 직업 선택 등을 포함하였다. 그러므로 의사결정에 대한 실험실 연구들은 부자연스럽고 인위적일 수 있으나 또한 실세계에서의 행동을 예측한다.

Neisser(1978)가 기억에 대한 실험실 연구를 비판한 것은 어떠했는가? Neisser의 기억에 관한 비판에 고무되어 어떤 기억연구자는 실험실을 박차고 나가 실세계에서 자신들의 연구를 수행하기 시작하였다. 그들의 실험은 자주 실험실 연구에는 있는 철저한 실험 통제를 상실하였다. 그러나 '일상 기억운동'이라 불리는 것을 추종하는 사람들은 증가된 생태학적 타당도가 자신들에게 부족한 통제 그 이상을 메워준다고 주장하였다. Banaji와 Crowder(1989)는 Neisser가 실재론과 일반화의 구분을 무시하였다고 주장하면서 Neisser의 비판(그리고 일반적으로 일상 기억운동)에 대하여 강력하게 대응하였다. 그러므로 Banaji와 Crowder는 실험실 실험에서 얻어진 결과들이 다양한 상황에 일반화될 수도 없을 수도 있다고 지적하였으며, 또한 일상 기억 실험들의 피상적인 실재론에도 불구하고 일상 기억 실험에서 얻어진 결과들도 다른 상황에 일반화가 될 수도 혹은 되지 않을 수도 있다고 주장하였다. 표면 실재론은 일반화의 증가를 보장하지 않기 때문에, Banaji와 Crowder는 실험 통제를 잃는 대가로 일상 기억 실험에서 증가된 (표면) 실재론이 가치 있는 것인지에 의문을 던졌다.

Banaji와 Crowder(1989)의 논문은 기억연구자들 사이에 상당한 논란을 불러일으켰다. 실제로 *American Psychologist* 잡지(1991년 1월 통권 46호)는 이 논박의 여러 측면들을 논의한 논문 9개를 실었다(pp. 16-49). 냉정하고 객관적인 과학자와는 대조적으로, 일부 저자들은 이 주제를 언급하면서 불쾌한 감정을 드러내었다. 우리는 여러분이 이것들 몇 개를 읽길 바란다. 비록 이 논박이 특별히 인간 기억연구에 대하여 언급하였지만, 생태학적 타당도에 관련되어 제기된 논쟁점들은 상당히 보편적이고, 같은 주장들이 거의 모든 심리학 영역에 적용될 것이다.

요약하면, 표면 실재론은 실험실 상황에서 생태학적 타당도를 보장해 주지는 않는다. 사실상 한 실험은 표면 실재론에 관계없이 생태학적으로 타당할 수 있다. 그럼에도 불구하고 어떤 연구자들은 표면 실재론을 지닌 실험들이 높은 일반화 가능성을 지닌 결과들을 더 많이 낳을 것이라고 주장하지만, 이 주장 또한 논란거리이다. 어느 경우에서든지, 실험 과정이 생태학적으로 타당한지를 결정짓는 것은 표면 실재론이라기보다는 일반화 가능성이다.

개념 요약

- 참가자
- 변인들
- 상황

에 대한 여러분의 선택은 내재해 있는 심리적 과정들을 전부 왜곡시킬지도 모른다. 일반화는

- 다른 참가자
- 다른 변인들
- 다른 상황들

을 사용함으로써 향상될 수 있다.

요약

1. 일치차이 병용법은 사상 A가 일어날 때 결과 X가 일어나는 것과, 사상 A가 일어나지 않으면 결과 X는 일어나지 않음을 보여줌으로써 인과 설명을 가능하게 해준다.

2. 한 실험은 상황의 다른 측면들을 일정하게 유지한 채 특정한 비교를 하는 것으로써 정의될 수 있다. 그러므로 비교, 산출, 일정성이 실험법에서 통제를 보증한다.

3. 독립변인들은 연구자에 의해 조작되는 것들이다. 무위 결과를 피하기 위해서 독립변인의 적절한 수준들을 선택하는 것이 중요하다.

4. 종속변인은 실험자가 관찰하고 기록하는 행동이다. 신뢰할 만한 종속변인은 일관되어야 한다. 여러분은 종속변인이 값들의 제한된 범위에 있지 않나 확인함으로써 종속변인에 대한 천장효과와 바닥효과의 가능성을 막아야 한다.

5. 통제변인은 실험 동안 일정하게 유지되는 잠재적 독립변인이다. 혼입을 최소화하기 위해서 통제된다.

6. 둘 이상의 독립변인을 사용하는 것은 보편적인 결과들을 보장하는 데 중요하다. 한 독립변인에 의해 생성된 효과들이 두 번째 독립변인의 수준들에 걸쳐서 같지 않을 때 상호작용이 있다고 말한다.

7. 둘 이상의 종속변인에 대하여 측정치를 얻으면, 중요한 정보를 얻게 되고 실험 결과의

일반성을 증가시킨다.

8. 반응성은 실험에서 자주 일어난다. 반응성의 유명한 예가 호오돈 효과인데, 실험 조작이 무엇이든 간에 노동 생산성이 전체 실험 과정을 통해서 향상되었다.

9. 만일 참가자, 변인, 또는 상황이 내재된 심리적 과정을 왜곡시키면 타당하지 않은 결론이 연구에서 도출될 수도 있다.

10. 실험은 잘 통제되어 있고, 그렇기에 인위적이다. 이 때문에 실험의 생태학적 타당도가 자주 의문시된다. 결정적인 문제는 실재론이 아니라 실험 결과를 다른 상황에 일반화할 수 있는지 여부이며, 실제로도 얻어진 결과들은 자주 일반화된다.

11. 많은 현장연구들(자연 상황에서 한 실험)은 실험실 실험이 실세계에도 일반화될 수 있음을 보여준다.

↘ 주요개념

실험(experiment)

일치차이 병용법(joint method of agreement and difference)

통제(control)

실험집단(experimental group)

통제집단(control group)

사후 소급(ex post facto)

독립변인(independent variable)

무위 결과(null result)

종속변인(dependent variable)

바닥효과(floor effect)

천장효과(ceiling effect)

2종 오류(type 2 error)

통제변인(control variable)

혼입(confounding)

상호작용(interaction)

요구 특성(demand characteristics)

호오돈 효과(Hawthorne effect)

좋은 피험자 역할(good-subject role)

성실한 피험자 역할(faithful-subject role)

부정적 피험자 역할(negativistic-subject role)

근심 많은 피험자 역할(apprehensive-subject role)

평가 근심(evaluation apprehension)

현장연구(field research)

속임수(deception)

모사 실험(simulated experiment)

피험자/참가자 대표성(participant/subject representativeness)

가역성(reversibility)

변인 대표성(variable representativeness)

생태학적 타당도(ecological validity)

상황 대표성(setting representativeness)

실재론(realism)

일반화 가능성(generalizability)

↘ 연습문제

1. **[특별연습]** 한 실험자가 쥐가 복잡한 학습을 하는 데 LSD가 어떤 영향을 주는지 조사하였다. 한 집단의 쥐들은 아주 적은 양의 LSD를 받았고, 그렇게 적은 투여량은 어떤 행동적 효과를 나타내지 않기 쉬웠다. 두 번째 집단은 많은 양을 받았다. 그러고 난 후 두 집단 모두 복잡한 미로를 여러 번 달렸다. 종속변인은 미로의 맨 끝에서 보상먹이를 얻기 전에 쥐가 범한 오류의 수였다. 많이 투여한 쥐들은 적게 투여한 쥐들보다 4.5배나 많이 오류를 범했으므로, 실험연구자는 LSD가 복잡한 학습에 부정적으로 영향을 미칠 수 있다고 결론내렸다. 사용된 독립변인의 수준에 대하여 짧은 논평을 하라. 어떤 다른 종속변인들을 기록할 수 있었는가? 실험자가 내린 결론에 대하여 논평하라.

2. 한 실험에 수반되는 것을 정의하라. 여러분이 내린 정의에는 독립, 종속, 통제 변인들에 대한 언급이 있어야 한다.

3. 파악해야 할 사람의 성별이 설단 상태에 미치는 효과를 결정할 수 있는 실험을 설계하라. 독립변인의 수준을 상세히 하고, 종속변인을 기술하고, 중요한 통제변인을 언급하라.

↘ 추천 문헌 자료

• Elmes, D. G.(1978). *Readings in experimental psychology*. Chicago: Rand McNally에서 다양한 주제를 다룬 여러 실험을 살펴볼 수 있다.

↘ 웹 자료

• 이 장에서 배운 내용과 주요개념을 잘 알고 있는지 용어 설명, 플래시 카드, 그리고 통계와 연구방법 워크숍과 연계해서 확인해 보라. **www.cengagebrain.com**을 방문하라.

• 이 장에서 논의된 많은 쟁점에 대한 여러 흥미 있는 링크를 **http://www.trochim.human.cornell.edu** 에서 찾을 수 있다.

↘ 실험실 자료

Langston의 지침서(Langston, W.(2011). Research methods laboratory manual for psychology(3rd ed.). Belmont, CA: Wadsworth.)에는 기초적인 두조건 실험에 관한 장(제4장)에서 Stroop 효과에 관한 실험을 수행하는 다양한 방식을 소개하고 있다. Langston, W.(2011). *Research methods laboratory manual for psychology*(3rd ed). Pacific Grove, CA: Wadsworth Group.

콜라 음료에 대한 선호도

응용 부문에서 논의했던 Woolfolk와 동료들(1983)의 발견에 대한 좋은 후속 연구는 맛보기 실험을 적절하게 하는 것일 것이다. 아무 표시가 없는 컵으로 실험을 수행하라(또는 적어도 참가자에게 보일 정도의 표시가 없는 컵). 종이컵과 음료를 준비하면 된다(펩시콜라, 코카콜라, 또는 스프라이트나 세븐업). 각 사람들에게 각 음료를 조금씩 맛보게 하고 어떤 것이 좋은지 결정하게 한다. 참가자가 당신이 준 음료의 명칭을 모르도록 해야 한다(그리고 물론 음료를 컵에 따르는 것을 보지 못하도록 해야 한다). 평정척도 절차나 크기-추정 절차(제8장을 보라)가 대안적 종속변인으로 사용될 수 있다. 만일 이들 종속변인 중 하나를 사용한다면, 참가자들이 어떤 차원에 따라 각 음료를 개별적으로 판단을 내리기를 원할 수 있다(예컨대 맛-좋음 차원).

이 실험에서 해야 할 한 가지 절차는 참가자의 절반은 코카콜라를 먼저 맛보고 펩시콜라를 나중에 맛보게 하고, 다른 절반은 음료를 반대 순서로 맛보게 해야 하는 것이다. 순서를 반대로 하는 것은 *상대균형화*라고 부르며, 음료를 맛보는 순서가 종속변인에 영향을 미칠 가능성을 방지하는 데 사용된다. 상대균형화는 제9장에서 논의될 것이다.

제 **8** 장

심리학 연구에서의
타당도와 신뢰도

↘ 타당도는 연구자가 자신이 측정하고자 의도하는 것을 측정하거나 연구하고 있는지를 가리키는 것이다. 이 장은 타당도의 여러 유형을 살펴본다. 신뢰도는 측정 또는 관찰의 일관성에 관계된다. 그리고 또한 이 장은 신뢰도를 평가하는 여러 방법을 살펴본다. 이 장의 많은 부분이 측정의 신뢰도와 타당도에 초점을 두고 있는데, 이는 측정과 측정척도의 본질을 반드시 살펴보아야 함을 의미한다.

타당도와 신뢰도

심리학적 관찰들은 행동을 기술하고, 둘 이상의 행동을 관련시키고, 실험을 통하여 행동의 원인들을 설명함으로써 과학적 이해를 제공한다. 우리의 기술, 관계성, 설명이 유용하다는 것을 언제 알게 되는가? 어떤 종류이든지 좋은 관찰은 타당하다. 현재의 맥락에서 **타당도**(validity)란 관찰의 진리성을 가리키는 것이다. 과학적 진리는 새로운 관찰이 얻어지면 변하기 때문에(제2장을 보라), 타당도와 그 반대인 **비타당도**가 "명제의 참 또는 거짓에 대하여 가장 가용한 근사치를 가리킨다"고 주장하는 것이 가장 안전할 것이다(Cook & Campbell, 1979, p. 37). 기술, 관계성, 그리고 설명의 타당도는 다음의 여러 방식으로 살펴볼 수 있다: (a) 예언타당도, (b) 구성타당도, (c) 외부타당도, (d) 내부타당도. 나중에 통계적 타당도 또한 살펴보도록 하겠다.

예언타당도

어떤 관찰이나 측정의 타당성을 알아보는 공통적인 방식은 한 기준과 비교하여 확인하는 것이다. **기준**(criterion)이란 당해(當該)의 측정에 대하여 표준으로서 역할을 하는, 행동에 대한 또 다른 측정이다. 예를 들어, 입학 대상자의 선발 평가 시 대학에서 사용하고 있는 SAT I를 고려해 보자. 입학사정관은 어떤 준거 행동을 예측하는 측정치를 원하고, 그러한 행동으로서 종종 선택되는 것은 대학 1학년 시기의 평균 평점(GPA)이다. 일반적인 용어로 준거타당도는 사람 행동의 어떤 측면, 예를 들어, SAT I 점수와 1학년 GPA 같은 행동의 다른 측정과 관련시키는 것을 포함한다. 만일 검사 점수와 평점 사이의 관계가 강력하다면, 우리는 다른 행동을 알고 있을 때 어떤 행동을 예측할 수 있다. 이것이 **예언타당도**(predictive validity)가 있다는 의미이다. 상관계수는 예언타당도의 정도를 결정한다(상관과 회귀에 관한 논의로는 제6장을 보라).

입학사정관은 지원자의 SAT I 점수가 1학년 GPA라는 추후의 행동을 예측하기를 바란다. 예측이 좋을수록, 이 경우에는 SAT I인 예언자 점수의 예언타당도가 더 좋다는 것이다. Bridgeman, McCamely-Jenkins와 Ervin(2000)은 현재의 SAT I이 SAT 초기 형태만큼이나 1학년 GPA를 잘 예측한다고 보고하였다. 이 연구자들은 또한 SAT I이 1학년 GPA를 예측하고, 또한 고등학교 GPA(또 다른 예언 점수)가 예측한다고 보고하였다. 1학년 GPA에 관한 좀더 정확한 예언은 SAT I 점수와 고등학교 평점이 예측변인으로 개별적으로 사용될 때보다 함께 조합해서 사용될 때 이루어질 것이다. 이것이 중다회귀를 사용하는 예이다(제6장을 보라).

여러분은 기준 점수가 예언자 관찰의 타당성 정도를 결정한다는 사실을 주목해야만 한다. 이것은 1학년 평점이 학생의 SAT I의 성적에 의해 예측될 수 있다는 것이다. 그러나 우리는 높은 SAT I 점수를 가진 사람이 낮은 SAT I 점수를 가진 사람보다 더 지능이 높다고 추론할 수 없다. 이러한 종류의 서술을 하려면 SAT I 점수에서 지능 점수를 예측해야 한다. 그러므로 예언타당도는 예언타당도를 제한하는 것 이외에는 측정을 정의하는 데 별로 하는 일이 없다. 다음에 소개하는 종류의 타당도, 구성타당도가 변인을 정의하는 데 도움이 된다.

개념 요약

예언타당도는 행동의 한 측정을 다른 준거 측정과 연계시킨다.

구성타당도

어떤 특정한 연구 프로젝트에서 독립변인과 종속변인이 그것들이 측정하고자 하는 것을 정확하게 반영하거나 측정하고 있는 정도를 **구성타당도**(construct validity)라고 부른다 (Cook & Campbell, 1979; Judd, Smith, & Kidder, 1991). 제1장에서 소개되었던 Stroop 실험을 살펴보자. 이 실험에서 사용된 독립변인의 세 가지 수준이 읽기를 타당하게 반영하고 있는가? 분명하게 각 과제에는 읽기가 포함되어 있고, 따라서 이 연구 프로젝트에는 적어도 읽기의 측면들을 검증하는 타당한 방식들이 있었다고 안전하게 가정할 수 있을지도 모른다. 종속변인—목록을 끝까지 해낸 시간—은 어떻게 되어 있나? 읽기를 타당하게 측정하고 있는가? 얼마나 매끄럽게, 그리고 재빠르게 읽는가 하는 것은 분명히 읽기에 대한 훌륭한 지표이다. 그러나 여기에는 우리의 측정이 타당하지 않을지 모르는 방식이 적어도 두 가지 존재한다. 비타당도의 한 가지 근원은 독립변인 이외의 어떤 혼입변인이 읽기시간에 영향을 주었을 수도 있었다는 것이다. 그러한 혼입변인들을 **외재변인들**(extraneous variables)이라 부르는데, 왜냐하면 그것이 계획된 조사 범주의 밖에서부터 들어왔기 때문이다.

큰소리로 읽게 되면 사람들이 속으로 조용히 읽을 경우에는 발생되지 않는 과정들이 포함될지 모르는데, 이것은 우리가 평소에 읽기를 생각하는 것처럼 '읽기'를 측정하고 있지 않을 수도 있음을 의미한다. 이런 종류의 혼입은 매우 낮은 구성타당도를 낳게 되는데, 우리가 전혀 엉뚱한 것을 조사하고 있을 때에도 읽기를 연구하고 있다고 믿기 때문이다. 크게 읽으라고 참가자에게 요구한 과제는 혼입과 더불어, 아마도 낮은 타당도를 낳게 된다. 그러면 참가자를 검사하고 있는 방식과 연계된 다른 종류의 혼입의 예를 살펴보자.

Katz, Lautenschlager, Blackburn과 Harris(1990)는 학력성취검사(SAT)가 혼입으로 인한 구성적 비타당도에 위협받고 있다고 주장하였다. 이 연구자들은 사람들이 지문을 읽지 않는 상황에서도 SAT 독해 문제에 대하여 우연 수준(20%)보다 훨씬 더 답을 잘 찾음을 발견하였다. 사람들은 정답을 찾기 위해 지문을 읽을 필요가 없었기 때문에, Katz와 그의 동료들은 독해 문제가 독해를 측정하지 않는다고 하였다. 오히려 이런 놀라운 결과들은 두 가지 가능성 중의 어느 하나를 가리키는 것처럼 보인다. 일차적으로는, 사람들이 가지고 있는 일반적인 지식과 추론 능력을 가지고도 질문에 옳게 답변할 수 있다는 것이다. 다른 설명으로는, 질문 자체에 있는 정보가 정답을 판단할 수 있게 해주는데, 왜냐하면 질문 자체가 지문을 읽을 때 지나쳤던 정보와 아주 상관이 높기 때문이다.

만일 Katz와 그의 동료들의 주장이 옳다면, SAT의 독해력 부분의 유용성이(그리고 이와 유사한 사지선택형 읽기 검사로까지 확장해서) 줄어들 수 있다. 최근에 Freedle과 Kostin(1994)은 SAT 독해 검사가 이해를 측정한다는 생각을 뒷받침하는 증거를 가지고 있다고 주장하였다. 일련의 분석을 통하여, 그들은 질문들의 구조가 또한 정답률에 영향을 줄 수 있다는 것을 제안하는 증거를 발견하였다. 그러나 그에 덧붙여, Freedle과 Kostin은 수험생들이 질문에 답하기 위해 지문에 있는 정보를 이용하고 있음을 보였다. 더 중요한 것은 지문 정보가 질문 그 자체보다도 정답을 얻는 데 더 강력한 역할을 한다는 것이다. Freedle과 Kostin은 비록 자신들의 결과가 SAT 독해 지문의 일부 구성타당도를 보여준다고 하더라도 독자들이 무엇을 이해했는지를 여전히 정확하게 알지는 못한다.

Stroop 검사는 또 다른 혼입변인을 지니고 있을지 모른다. 만일 여러분이 다른 사람이 시간을 재고 있을 때 목록들을 크게 읽었다면, 여러분은 읽기 기량이 평가 받고 있다는 사실에 대하여 약간의 신경과민을 보이거나 또는 우려했을 수도 있다. 이것은 여러분의 읽기 시간에 대하여 여러 가지 다양한 방식으로 영향을 미쳤을 수 있다. 근심 때문에 여러분은 좋게 보이려고 평소보다 더 빠르게 더 정확하게 읽었을 수 있다. 역으로, 신경과민 때문에 다른 사람이 시간을 재고 있지 않을 때만큼 잘 수행을 하지 못하기도 한다. 연구 참가자에 의한 그러한 반응성은 비타당도의 중요한 근원이 되며, 그것을 통제하기 위한 몇몇 방식들에 관해 제5장에서 논의하였다.

구성타당도에 대한 다른 위협은 무작위 오류이다. 여러분 또는 여러분의 동료가 시간 측정 기구를 잘못 읽을 수도 있으며, 하나 이상의 조건에서 기록 오류를 한다. 이런 비타당도의 근원이 Stroop 실험에서는 중요할 수도 있는데, 왜냐하면 시간을 잴 때 참가자들이나 서로 다른 시간 측정방식을 사용했을지도 모르기 때문이다. 그러므로 종속변인이 읽기시간에 대한 타당한 측정이 될 수 없을지 모르며, 따라서 실험은 빈약한 구성타당도를 갖게 된다.

이러한 점들 때문에 우리는 심리학 연구에서 조작되고 측정되는 거의 모든 변인들의 구성타당도에 대하여 의심을 하게 된다. 그 이유들이 그림 8.1에 제시되어 있다. 한 변인은 관심이 있는 구성개념뿐만 아니라 혼입된 영향들과 오류로 구성되어 있다(Judd, Smith, & Kidder, 1991). 다른 출처들로부터 관찰에 얼마나 침투하느냐 하는 폭에 따라 구성타당도의 정도가 결정된다. 그러므로 조심성 있는 연구자는 혼입과 오류의 가능성을 제한하여 구성 비타당도를 최소화하고자 노력한다.

우리는 이 책 전체를 통해서 구성 비타당도를 최소화하는 여러 가지 방식들을 살펴보고자 하며, 그 중 두 가지를 여기서 살펴보겠다. 첫째로, **조작적 정의**(operational definition)가 있다. 조작적 정의란 어떻게 읽기와 같은 구성개념을 만들어내고 측정하는가를 상세히 하는 기법이라고 했다. 개념을 생성하는 조건들이 조심스러우면서도 구체적으로 제시되고, 개념이 측정되는 방식들이 정의된다. 그러므로 읽기와 같은 개념은 이것을 만들어내는 독립변인, 그리고 이것을 측정하는 종속변인과 긴밀히 연결된다. 이런 방식으로 조작적 정의는 좋은 이론적 구성개념들이 정의되는 방식과 유사하다(제2장에서 매개변인과 이론적 구성개념에 대한 논의를 보라).

비록 Stroop 실험에서 시간이 종속변인이었지만, 우리는 조작적 정의에 덧붙여서 행동

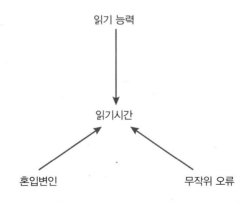

그림 8.1 변인의 구성에는 관심을 둔 구성개념, 그리고 혼입변인과 오류라는 비타당도의 두 가지 원인이 포함될 수 있다(Judd, Smith와 Kidder, 1991로부터 수정됨).

이 정확하게 측정되고 있음을 보장해주는 어떤 것이 필요하다. 우리가 필요한 것은 규약이다. 규약(protocol)은 측정이 어떻게 수행될 것인가에 대하여 구체적으로 제시한 것임을 기억하라. 타당한 연구를 위해서는 모든 피험자의 행동이 정확하고, 정밀하게 측정되고, 독립변인의 모든 수준 하에서 동일하도록 규약을 철두철미하게 따라야 한다.

적합한 조작적 정의를 제공하고 규약을 따른다고 해서 구성타당도를 보장하지는 않지만 비타당도를 최소화하는 것에 도움이 되는데, 특히 무작위 오류에 기인하는 비타당도의 경우에는 더욱 그렇다.

개념 요약

- 구성타당도는 관심 있는 행동을 어떤 변인이 정확하게 반영 또는 측정하는 정도를 가리킨다.
- 조작적 정의와 규약은 오류로 생기는 구성 비타당도를 최소화하도록 돕는다.

외부타당도

외부타당도(external validity)는 어떤 연구 상황과 참가자 집단을 다른 상황들이나 집단들에 일반화시킬 수 있는 정도를 말한다(Cook & Campbell, 1979). 실질적인 외부타당도를 지닌 관찰은 다른 상황과 다른 참가자 집단에 일반화할 수 있게 한다. 외적으로 타당하지 않은 관찰들은 원래의 실험 상황과 참가자 집단에만 국한된다. 예를 들면, 만일 자그마한 절차상의 변화로 인하여 특정한 관찰이 되지 않는다면, 그 관찰은 외부타당도가 결여된 것이다. 이것은 관찰이 완전히 타당하지 않음을 반드시 뜻하지는 않는다. 오히려 특정한 환경 상황에 제한되어 있다는 것이고, 따라서 일반적인 흥미가 적어질 수도 있다.

연구자들은 자신의 관찰이 일반적인 심리학적 현상까지도 설명해주길 바란다. 그러므로 두드러진 관심사는 그 관찰이 다른 상황에서도 반복될 수 있는가 하는 **반복검증**(replication)이다. 제1장에서 했던 Stroop 실험에서 그 결과가 단지 대학생들에게만 해당한다면, 그런 관찰에 흥미를 갖지 않을 것이다. 우리는 이 결과를 다른 참가자 모집단에 자신감을 가지고 일반화시킬 수 있는데, 왜냐하면 실험을 반복해도 세 조건에서의 읽기 속도의 순서가 성인, 고교생, 대학생의 경우에도 동일했음을 보여주기 때문이다.

외부타당도에 대한 좀 더 심각한 위협은 실험 상황과 관련되어 있다. 과제 자체가 대부분의 사람들이 하는 읽기의 유형을 대표하는 것 같지 않다는 것이다. 그러나 제2장에서 우리가 밝힌 바와 같이, 그리고 나중에 상세히 설명하겠지만, 중요한 기준은 과제가 얼마나 사실적인가라기보다는 그것이 중요한 심리적 과정을 나타내주고 있는지에 있다. 일반성을 결정하는 보편적인 방법은 과제와 재료의 본질을 다양하게 해서 반복 실험을 해보는 것이나. 상당히 다양한 과제를 사용해서 우리가 했던 Stroop 실험에서 보이던 갈등의 유형을 유도해내기도 하는데, 그것은 우리의 관찰이 어느 정도의 외부타당도를 지닌다는 것을 뜻한다.

개념 요약

- 외부타당도는 관찰된 것이 다른 상황과 피험자 모집단에도 일반화될 수 있는 정도를 지칭한다.
- 반복검증은 관찰의 일반성을 평가하는 것에 도움이 된다.

내부타당도

내부타당도(internal validity)란 변인 간의 관계에 대해서 인과관계의 진술을 할 수 있는지의 여부를 가리킨다는 것을 상기하라(Cook & Campbell, 1979). 관찰이 내적으로 타당할 때, 연구자는 한 변인이 다른 변인에 변화를 일으켰다고 확실히 믿을 수 있다. 만일 관찰이 내적으로 타당하지 않다면, 연구자는 한 변인이 다른 변인의 변화를 일으켰는지의 여부에 대하여 주장을 할 수가 없다.

원칙적으로, 실험 관찰은 인과관계의 서술을 가능케 한다. 실험자는 독립변인을 변화시키는데, 이 변화는 종속변인에서의 변화를 일으킬지 모른다. 그러므로 조심스럽게 수행된 실험은 내적으로 타당하다고 말할 수 있다. 우리는 제1장에서 혼입이란 주제를 도입할 때 Stroop 실험의 내부타당도를 논의했었다. 우리는 실험의 타당도가 의심스러운 이유가 독립변인이 제시되는 순서와 혼입되었기 때문이라고 언급한 적이 있다. 이것은 실험의 결과가 내적으로 타당하지 않을지 모른다는 것을 뜻하는데, 왜냐하면 독립변인 이외의 어떤 것이 종속변인에서 관찰된 변화를 일으켰는지 모르기 때문이다. 과학자들은 자주 무엇이 무엇의 원인이라고 파악하고자 갈망하기 때문에, 이 책의 대부분이 내적으로 타당한 관찰을 하는 방법에 관심을 쏟고 있다.

신뢰도

타당도와 더불어, 좋은 측정 또는 관찰은 반드시 신뢰성이 있어야 한다. **신뢰도** (reliability)는 행동 측정의 일관성을 가리킨다. 제2장에서 논의된 사회적 태만에 대한 연구를 다시 고려해 보자. 사회적 태만의 본질에 대한 명백한 답은 동일한 조건 하에서 그에 대한 측정이 일관되지 않다면 불가능할 것이다. 사실상 측정은 신뢰성이 없다면 또한 타당하지 않으며, 어떤 것이 진짜로 측정되었는지 파악하기란 불가능하다.

사람이 실수를 하지 않는 이상, 같은 것을 반복측정하면 동일한 수치가 얻어져야 한다고 여러분은 가정할 것이다. 실제로는 항상 여러 대상에 대한 측정에서나 동일 대상에 대한 측정에서조차 어떤 변동성이 존재하게 된다. 변동성 정도에 따라 측정도구와 절차의 신뢰도가 결정된다. 어떤 측정의 높은 변동성은 신뢰도가 낮다는 것을 의미하며, 그 반대도 성립한다. 심리학자나 통계학자가 자주 지칭하는 측정 '오류'는 어떤 사람이 실수를 저질렀다는 것이 아니라, 어떤 피할 수 없는 요인들이 자료에서 예측하지 못한 변동을 발생시켰음을 의미한다. 연구자들은 동일한 조건에서 측정을 함으로써 이 변동성을 줄이려고 노력하고 따라서 자신들의 측정 신뢰도를 높인다. 나중에 우리는 신뢰도와 연관된 일부 통계적 절차를 살펴볼 것이다.

심리학자들은 자주 관찰과 측정의 신뢰도를 향상시키는 정교한 기구를 사용한다. 특히 컴퓨터는 실험 조작을 통제하고, 종속변인을 기록하는 데 중요한 역할을 한다. 예를 들면, 여러분이 매우 짧은 시간 동안 제시된 그림에 대하여 사람들이 얼마나 빠르게 반응할 수 있는지를 조사하고자 한다고 가정하자. 적합하게 프로그램된 컴퓨터로 그림의 제시시간을 정확하게 통제할 수 있으며, 반응시간에 대한 정확한 측정을 일관성 있게 해준다. 예를 들면, 그림을 천분의 몇 초간만 제시할 수 있다. 만일 그림을 1/100초 동안 제시하도록 컴퓨터 프로그램이 작성되면, 그림이 제시될 때마다 제시시간은 매번 정확하게 반복될 것이다. 또한 반응시간은 1/1000초 단위로 측정될 수 있는데, 이것은 스톱워치로는 불가능하며 다른 종류의 기구로도 어렵다. 컴퓨터가 실험 통제와 측정의 신뢰도와 정교성을 눈에 띄게 증가시켰다고 말하는 것은 오히려 겸손한 표현이다.

> **개념 요약**
>
> 신뢰도는 행동 측정의 일관성을 가리킨다.

신뢰도의 유형

검사 결과와 행동의 다른 기술적 측정치의 신뢰도는 흔히 같은 조건 하에서 연속적으로 측정을 함으로써 검토된다. 만일 동일한 조건이 보장되면, 측정에서 변동성은 측정된 수치의 진짜 변화에 의해서 야기될 것이다. 만일 여러분의 키가 두 경우에 5′8″(172.72cm)와 5′10″(177.8cm)로 측정되었다면, 이 변동성은 오류에 기인한 것인가 또는 키에서의 실제 변화에 의한 것인가? 그 답은 둘 중에 하나 또는 둘 다일 수 있다. 그러나 상황들—신고 있는 신발, 자세—이 유사할수록, 차이가 오류에 기인할 가능성은 점점 적어질 것이다. 또한 두 측정이 시간상 근접해 있을수록 차이가 신장에서의 진짜 변화에 기인될 경우 또한 적어질 것이다. 여러분은 신장이 얼마나 빠르게 변할지 또는 한 개인의 진짜 신장의 안정성이 어떤지에 대한 개념이 있어야 한다.

그러나 지능과 다른 심리 과정들은 신장보다 측정하기 어렵다. 또한 안정성 개념을 개발시키기는 더 어렵다. 그것들은 모두 변동하는가 또는 전 생애를 통하여 고정되어 있는가? 만일 그것들이 눈에 띄게 변한다면, 한 주, 한 달, 일년 또는 십년 내에 그렇게 변하는가? 만일 어떤 것이 변한다면, 그러한 변화를 일으키는 요인들을 결정지을 수 있는가, 아니면 그 변화가 신뢰할 수 없는 측정의 결과인가? 이러한 것들이 심리학자들이 답변하고자 하는 질문들이며, 그 답변들을 위해서 측정이 요구된다. 그러나 정신 차리고 읽은 사람들은 우리가 논리적 순환 속에서 합리화하려고 한다는 것을 깨달을 것이다. 다시 되돌아가서 그 순환 속에서 빠져 나오려고 노력해보자.

같은 양에 대하여 여러 번 측정을 하게 되면, 보통은 정확하게 일치하지 않는다. 이 변동성은 측정된 양에서의 오류 또는 실제 변화의 결과일 수 있다. 따라서 우리는 추가 가정 없이는 우리 측정에 얼마나 많은 오류가 있는지에 관하여 말할 수 없다. 그러므로 심리 과정이 변화했는지를 어떻게 짚고 넘어갈 수 있는가? 논리적 순환을 깨주는 유용한 가정은 측정된 양이 아주 상대적으로 짧은 기간 동안에는 안정되어 있다는 것이다(만일 연구자가 여러분의 지능을 아침에 측정하고 같은 조건 하에서 오후에 다시 측정하였다면, 어떤 변화도 지능에서의 실제 변화라기보다는 측정 오류에 의해 발생되었다고 가정할 수 있다). 이런 가정을 통해서 심리학자는 측정 오류를 추정할 수 있고 측정 기구의 신뢰성을 증진시키고 구체적으로 명시하려고 시도할 수 있다.

우리는 지능개념의 맥락 속에서 검사의 신뢰도를 살펴보고 있는데, 지능이란 것은 이론적으로 잘 정의되지도 않고 측정하기도 어렵다. 어떤 이론가들은 몇 개의 구분되는 정신 능력들을 상정하는데, 아마도 백 개 이상을 상정하는 이론가도 있다(Guilford, 1967). 다른 연구자들은 하나의 기본적인 정신 능력이 있으며 좀 더 세분화된 다른 능력이 구분된다고 하더라도 덜 중요한 것이라고 믿는다. 이 기본적인 능력은 '추상적인 추론과 문제해결을 위한 능력'으로 묘사되어 왔다(Jensen, 1969, p. 19). 이 능력을 검증하기 위해 한 개인이 일정한 시간 내에 한 묶음의 문제나 과제를 풀도록 제시한다. 개인이 획득한 점수는 다른 사람들이 얻은 점수와 비교된다. 그러나 우리는 개인의 점수를 지나치게 믿기 전에, 그 점수가 얼마나 신뢰성이 있는지 알아야 할 필요가 있다. 우리가 바로 다음 날 또는 다음 주에 다시 검사한다면 그 사람은 동일한 점수를 얻을까? 우리는 내재된 능력이 아주 짧은 기간 동안에 상당히 많이 변한다고 믿지 않기 때문에, 점수의 큰 변화는 검사에서의 비신뢰성을 의미하는 측정 오류에 기인한다고 본다. 짧은 시간 간격 동안 연속해서 같은 검사를 두 번 실시하는 절차를 측정의 **검사-재검사 신뢰도**(test-retest reliability)라고 한다. 이것은 보통 많은 표본에서 얻은 첫 번째 검사 점수와 두 번째 점수 사이의 상관계수로 표현한다. 높은 정적 상관은 높은 신뢰도를 의미한다.

특정한 연습효과 같은 문제를 피하기 위해 약간 다른 절차를 사용할 수 있다. 이 기법은 두 번째의 검사 때 첫 번째 검사와 호환되는 또는 **동형 형태**(parallel form)의 검사를 실시하는 것이다. 첫 번째와 두 번째 점수 사이의 상관이 높다면, 그것은 검사의 신뢰성이 높음을 의미한다. 이 같은 방식으로 검사의 두 가지 형태가 동등한지를 파악할 수 있다.

검사를 한 번 실시하여 신뢰도를 평가할 수 있는 세 번째 절차가 있다. 이 기법은 **반분 신뢰도**(split-half reliability)를 제시한다. 즉, 이것은 검사 항목들을 임의의 두 집단으로 나누어 검사의 절반씩에서 얻은 점수들의 상관을 본다. 만일 상관이 높다면, 검사는 신뢰성이 있다. 덧붙여, 검사 항목들의 등가성이 확립된다.

통계적 신뢰도와 타당도

한 세트의 결과를 얻으면, 추리통계방법(부록 B를 보라)을 사용하여 그것들이 우연히 얻어지게 될 가능성이 얼마나 되는지를 보여줌으로써 자료의 **통계적 신뢰도**(statistical

---

개념 요약

검사 신뢰도는

- 검사-재검사법
- 동형검사법
- 반분법

으로 파악된다.

---

reliability)를 평가할 수 있다. 예를 들면, 어떤 실험에서 추리 통계치는 조건 간에 얻어진 차이가 독립변인의 조작에 의한 것인지, 우연 요인에 의한 것인지를 결정하는 데 사용된다. 만일 조건 간 차이가 커서 우연에 의해서 일어날 확률이 1/20 이하라면, 연구자는 우연 요 인들로 인해 결과가 얻어졌다는 가능성을 기각시킨다. 대신에 차이는 독립변인의 진짜 효 과 또는 통계적으로 유의미한 효과에 대한 증거로서 받아들여진다. 우리는 제1장에서 행한 Stroop 실험의 결과를 통계적으로 분석하였을 때, 그 차이는 우연의 결과라기보다는 신뢰 성이 있는 것으로 간주될 만큼 크다는 것을 발견하였다.

표집

측정의 신뢰도에 영향을 주는 다른 통계적 요소는 관찰의 수와 관련 있다. 우리가 행동 을 측정할 때 우리가 연구하고자 하는(예를 들면, 모든 대학생) 전체 **모집단**(population)을 조 사하는 경우는 드물다. 대신에 우리 대학에서 심리학과 학생 중 지원자 같은 **표본**(sample) 을 선택해서 측정한다. 일반적으로 말해서, 우리 표본에서 관찰 수가 많으면 많을수록 표본 이 모집단의 특성을 반영한다고 더 믿을 수 있다. 만일 한 표본의 사람들에 대하여 다가올 선거의 후보자들에 대한 선호도를 묻는다면, 표본이 100명일 경우보다 100,000명일 경우 조사 결과가 유권자 모집단을 반영한다고 더 믿을 수 있다.

표본을 결정하는 **방법**이 또한 표본의 타당도에 영향을 미친다. 연구자는 프로젝트에서 전체 모집단에서 오직 표본만을 연구하기 때문에 모집단의 특성을 정확하게 대표하는 표본 을 얻을 필요가 있다. 여러분은 자신이 다니는 대학에서 심리학개론을 수강하는 2학년 학 생이 모든 대학에서의 2학년 학생을 대표한다고 확신할 수 있는가? 우리는 표집의 여러 측 면들을 부록 B에서 살펴보고, 대표성의 다른 측면들은 나중에 더 살펴볼 것이다. 현재로는 무선 표집과 표본 크기와의 관계를 강조하려고 한다. **무선 표집**(random sampling)이란 어편 특정한 모집단의 구성원들이 표본으로 뽑힐 동등한 기회를 가지고 있음을 의미한다. 편향되지 않은 무선 표집은 궁극적으로는 표본이 모집단을 대표한다는 것을 보장해 준다. 이것은 한 특정한 표본이 모집단을 완벽하게 대표하고 모집단에 대한 완벽하게 타당한 표본이라는 것을 의미하지는 않는다. 즉, 그것은 보장될 수 없는 것이다. 무선 선택이 의미하는 바는 표본이 모집단을 대표하는지를 통계적으로 또는 확률적으로 추측할 수 있음을 의미한다. 한 연구 절차로부터 얻은 결론들이 진행 절차의 세부사항들 그 자체에 제한되지 않는 특징을 가지고 있을 때, 그 연구는 외부타당도를 가지고 있다고 말한다. 무선 표집은 어떤 표본이 더 큰 모집단을 대표할 수 있도록 해주는데, 그것은 우리가 내린 결론이 외부적으로 타당할 수 있음을 의미한다. 이것이 어떻게 작용하는지 살펴보도록 하자.

여러분은 아마도 직관적으로 작은 표본보다 큰 표본이 모집단을 더 잘 대표할 것이라고 믿을 것이다. 예를 들면, 어떤 작은 표본에서 이상한 구성원이 하나 있으면, 그 구성원이 큰 표본의 일부였을 경우보다도 결과를 더 왜곡시킬 것이라고 예측할 수 있을 것이다. 이것을 동전던지기로 스스로 검증해 볼 수 있다. 동전을 많이 던질수록(던진 동전의 표본이 클수록) 앞면이 50%가 나오는 이상적인 경우를 쉽게 보게 된다(Thompson & Buchanan, 1979).

무선 선택의 가치는 표본 크기와 흥미로운 방식으로 관련되어 있다. Kerlinger와 Lee(2000)는 무선 선택의 효과는 표본 크기가 클수록 있기 쉽다고 제안하였다. 아주 작은 표본은 모집단에 대한 대표성을 가질 가능성이 적어지는데, 왜냐하면 무선 선택이라 하더라도 표본 크기가 매우 작으면 제한된 또는 편향된 표집이 될 수 있기 때문이다. 작은 무선 표본에서 이상한 한 사람의 구성원이 있으면, 바로 그 사람을 무선으로 선택했다 하더라도 불행한 효과가 있을 수 있다. 그러므로 큰 무선 표집은 작은 표집보다도 모집단에 대한 좀 더 외적으로 타당한 대표성을 가질 수 있다. 큰 표본에서는 우연히 이상한 사람 한 명이 선택되더라도, 그 효과가 희석되어 버린다.

이상적인 무선 선택은 심리학에서는 거의 유지되기 어려운 것인데, 왜냐하면 모든 대학의 2학년생 같은 전체 모집단에서 표집하려면 극단적으로 비용과 시간이 많이 들기 때문이다. 개인들은 여러 가지 방식으로 다르기 때문에 흔히 연구 프로젝트에서 가능한 점수의 모집단이 무선적인 방식으로 변할 수 있다고 가정한다(Glenberg, 1988). 만일 이런 경우라면, 실험 조건에 참가자를 무선으로 배정하는 것이 핵심적이다. 기억에 대한 뇌수술의 효과에 관한 실험을 하는 데 있어서 수술 받은 동물과 수술 받지 않은 동물 간의 유일한 차이가 수술이라는 것이 필요하다. 그렇지 않다면 피험자들 사이에 무선적인 차이는 독립변인과 혼입될 수 있으며, 연구 물음에 대한 답변이 불명확해질 수도 있다. 이러한 맥락에서 **혼입이**

란 독립변인에 의해서 야기되지 않은 집단 간 차이를 가리킨다. 한 실험이 최소한의 혼입변인을 지니고 있을 때 그 실험은 내부타당도가 있다고 말하는데, 내부타당도는 우리가 독립변인이 종속변인에 대하여 가진 효과에 대하여 정확한 결론을 내릴 수 있게 해준나. 피험자의 특성에 기인할 수 있는 차이는 피험자를 조건들에 무선 배정함으로써 최소화될 수 있다.

대부분의 통계적 검사는 표본의 크기에 민감하다. 즉, 대부분의 검사들은 관찰의 수가 큰 경우에 작은 경우보다 독립변인의 실제 효과를 탐지할 가능성이 더 높다. 통계 검사가 효과를 탐지했을 때 **검증력**(power)이 있다고 말한다. 대부분의 통계 검사의 검증력은 표본 크기를 증가시킴으로써 증가된다.

무선 표본은 비용이 많이 드는데, 왜냐하면 모집단에서 설문조사의 대상으로서 표본이 될 편향되지 않은 기회를 누구나 갖기 때문이다. 만일 여러분이 면대면 면접을 위해서 모든 대학교 학생들을 대상으로 무선 표본을 원한다면, 당신은 메인 주로 가서 면접을 한 번, 오리건 주로 가서 면접을 두 번, 인디애나 주로 가서 또 몇 개의 면접을 하는 식으로 전국을 누비고 다녀야 할 것이다. 이러한 문제를 단순화하는 한 가지 방법은 **층화 표본**(stratified sample)인데, 모집단을 작은 단위로 나누고 그 작은 단위에서 무선 표본을 구성한다. 그러므로 미국에서 학부생의 40%가 북동부나 캘리포니아에서 학교를 다니면, 영역에 따라서 표본을 층화하면 되는데, 한 영역에서 표집한 비율이 확실하게 모집단 분포를 반영하도록 해주는 것이다. 표본을 층화하는 것은 한 모집단 내에서 둘 이상의 집단이 표본의 일부일 때 편리하다. 예를 들어, 만일 우리가 남녀 대학생의 태도에 대하여 관심이 있다고 한다면, 우리는 성 구성 비율에 따라서 층화하면 된다. 이 방법은 모든 대학생들을 표집하고 표본을 관심 있는 집단으로 나누는 것보다도 더 정확한 결과를 낳을 것이다. 층화 절차에는 여러 가지 변형이 있는데, 각각 장단점이 있다(Weisberg et al., 1989를 보라). 여기서 우리는 국가적인 관심사들을 조사하는 대규모의 설문조사에서는 무선 기법, 그리고 층화 기법 같은 확률 표집 절차와 그 변형들을 자주 조합해서 사용하고 있음을 언급한다.

개념 요약

- 통계적 신뢰도는 발견된 것이 우연의 결과인지를 파악한다.
- 무선 표집은 모집단에서 얻어진 표본의 외부타당도를 확보하는 데 도움이 된다.
- 대단위 표집은 효과를 탐지할 가능성을 증가시키는 검증력을 지닌다.
- 층화 표집은 무선 표집을 대신하는 좋은 방법이다.

메타분석

마지막으로, 우리는 **메타분석**(meta-analysis) 기법에 관하여 논의하겠다. 메타분석은 단일 주제를 조사하는 많은 연구들을 교차 요약하는 비교적 객관적인 기법이다. 종종 어떤 특정한 주제가 반복적으로 연구될 때, 결과들이 조금씩 차이가 있다. 이러한 경우에 의문들이 생기는데, 이 현상이 사실일까, 아니면 단순히 무선 오류의 결과일까? 어떤 결과를 믿어야만 할까? Rotton과 Kelly(1985)는 보름달이 뜨면 사람들이 약간 미친다는 가설에 대한 메타분석을 행하였다. 사람들은 일반적으로 보름달이 뜨는 날 탈선하고 위험한 행동을 한다고 믿고 있다(달밤에 체조한다는 가설(lunar-lunacy hypothesis)). 여러분은 혹시 보름달일 때 응급실이 더 바빠진다는 주장을 들었을 수도 있다. 어떤 연구들은 탈선 행동과 달 사이에 그러한 관계가 있다고 주장하고, 반면에 많은 연구들은 그렇지 않다고 하였다. 그럼 무엇이 이 사건의 진실인가? Rotton과 Kelly는 메타분석이 제공하는 통계 방법을 사용하여, 달밤효과를 보인 수많은 연구들이 우연 수준에 의해 기대된 그 이상은 아니었음을 발견하였다. 더 나아가 메타분석은 효과 크기의 비교가 종종 포함되며(부록 B를 보라), 그들은 정신 이상 가설에 관한 지표에서 아주 작은 효과 크기를 발견하였다. 그러므로 전체적으로 볼 때 달과 행동 사이의 의미 있는 관계가 연구 문헌에서 관찰되지 않는다.

이와 같이, 우리는 실험 하나, 또는 동떨어진 연구 하나로 사물들이 작용하는 방식에 대한 결정적인 그림을 얻지는 못한다. 예를 들면, 어떤 이가 다음과 같이 질문할 수 있다: TV에서 폭력을 시청하면 사람들이 폭력적으로 변하는가? 이 질문에 답하기 위해서 이렇게 가정된 관계를 조사하는 연구를 수행할 수 있다. 그러나 비록 우리가 TV 폭력과 사회 속에서의 폭력 간의 관계를 찾아내는 연구를 수행한다 하더라도, 폭력이 진짜로 TV에 의한 결과이지 어떤 다른 사회 요인이나 외재변인의 결과가 아니라고 어떻게 장담할 수 있겠는가? 게다가 어떻게 우리가 우리의 발견이 이치에 맞으며 실험적 절차 상의 다른 변동성의 결과가 아니라고 장담하겠는가?

외부타당도의 이런 문제를 접근하는 한 가지 방식은 많은 연구들을 종합해서 요약하는 것, 즉 연구의 개관을 하는 것이다. 제6장에서 지적한 바와 같이, TV 시청의 효과는 집중적으로 연구된 변인 중 하나이다. 심리학은 특정한 질문에 더 좋은 답변을 구하고 심리적 현상의 이론을 통합하는 목적을 위해서 특정 영역의 연구를 개관한 논문에 상당히 의존하고 있다. 만일 어떤 주어진 관계가 많은 연구에서 그리고 많은 상황 하에서 반복된다면, 관찰이 진짜라고 더욱 확신할 것이며, 특히 효과 크기가 큰 경우에 더욱 그렇다. 불행히도, 개관하는 사람은 특정한 연구에 종사했던 어떤 관찰자만큼이나 오류에 빠지기 쉬울 수 있다. 관찰자가 오류를 범하기 쉽다는 것은 직접 관찰에서보다 여기서 더 큰 문제가 되는데, 왜냐하면 수많은 연구에 걸쳐서 결론을 내리는 것은 어렵고, 종종 오류와 편향에 민감한 주관적 과정이기 때문이다. 개관하는 사람은 자신의 신념을 다른 이의 신념보다 더 선호할지 모르고, 따라서 자신이 가진 신념이나 기대를 확인시켜 주는 연구만을 선택함으로써 편향을 보인다. 지난 수십 년 동안 메타분석은 동일한 주제를 조사한 많은 연구들의 결과들을 교차하여 요약하는 비교적 객관적인 방법으로서 대중성을 얻었다.

TV에서의 폭력과 사회에서의 폭력에 대한 문제로 돌아가면, 메타분석을 사용한 몇 개의 개관 논문에서 이 주제에 대해서 수행된 여러 연구들의 결과들을 분석하여, 이 질문에 대한 답변을 얻고자 했다(Paik & Comstock, 1994; Wood, Wong, & Chachere, 1991). 비록 폭력을 측정한 방법에 따라서 관계의 크기가 달라지긴 하지만, 이러한 메타분석들은 TV 폭력과 폭력 행동 사이에 일관성 있는 관계가 있음을 보여주었다. 그러나 이 관계를 보여준 많은 연구들이 실험실 상황에서 수행되었음을 주목해야 한다. 이러한 발견들이 특수한 상황이나 측정에만 제한되어 있고, 사회 전반에 걸쳐서는 충분히 일반화되지 못할 수 있다는 것이다. Anderson과 Bushman(1997)이 한 최근의 메타분석에서는 폭력에 대한 실험실 연구를 좀 더 자연주의적 상황에서 수행된 연구들과 비교하였다. 그들의 결론은 실험실 연구가 일반화될 수 없다는 해석에 반대되는 것이다. Anderson과 Bushman은 실험실에서 폭력을 일으킨 동일한 요인들 중 일부가 사회 맥락에서 폭력을 발생시키는 것처럼 보인다고 예시하였다. 그러므로 이 경우에서 메타분석을 사용한 관찰과 분석 방법은 대규모의 그리고 복합적인 연구 분야에서의 광범위한 시사점을 명백히 하는 데 도움을 주었다.

이전에 지적한 바와 같이, 메타분석 기법은 많은 연구가 수행한 특정한 관찰의 타당성을 결정하기 위해서뿐만 아니라, 그 관찰의 효과나 강도의 크기를 평가하기 위해서도 통계적 방법을 사용한다. 비록 어떤 관찰이 사실일지도—한 변인이 진짜 효과를 가지고 있을지—모르지만, 어떤 상황 하에서는 탐지되기 어려울 수 있다. 아마도 다른 요인들로 인해 자주 그 탐지가 간섭 받거나 가려지는데, 왜냐하면 그 특정한 요인의 효과가 작아서 어떤 연구들에서는 발견되는 반면에 다른 연구에서는 발견되지 않기 때문이다. 다른 한편으로는 어떤 관찰이 신뢰성이 있다고 하더라도 그 효과가 너무 작아서 실용적 가치가 없다고 할 수도 있다.

효과의 크기에 관한 한 가지 예가 노인을 대상으로 한 집단 치료의 효능에 대한 메타분석에서 나왔다(Payne & Marcus, 2008). Payne과 Marcus는 71개의 연구 결과를 근거로 보고했다. 그들은 (치료 대 통제 집단) 통제된 연구에서 효과 크기가 중간 정도임을 발견하였다. 다른 한편으로, 치료 전후에 사람들을 검사한 연구는 아주 큰 효과를 보였다. 그럼에도 불구하고 그들이 수행한 다른 분석은 두 유형의 연구가 통계적으로 유의한 치료효과를 낳고 있음을 보였다. 비록 고도로 통제된 조건에 행해지는 집단 치료가 더 작은 효과 크기를 낳지만, 여전히 아무것도 하지 않는 것보다 뭔가를 하는 치료는 노인 내담자를 돕는 데 효과적이다.

개념 요약

• 메타분석은 어떤 특정한 주제를 조사한 많은 연구 결과들을 교차비교해서 요약하는 비교적 객관적인 통계적 방법이다.
• 메타분석은 특정한 관찰의 외부타당도, 상대적인 강점, 그리고 일관성을 파악하는 데 도움이 될 수 있다.

측정 절차

앞 장과 이 장에서 지금까지 살펴왔던 자료들을 간략하게 요약하면 대충 다음과 같다: 이론과 관찰은 신뢰성 있고 타당한 경험적 관찰에 의해 검증 가능한 가설을 만든다. 측정은 검증 가능한 가설의 토대이며, 또한 타당하고 신뢰성이 있다. 측정의 사용은 과학의 성장과 진보를 결정한다(Boring, 1961).

측정(measurement)은 대상과 대상의 속성에 숫자 또는 명칭을 체계적으로 배정하는 방식이다(측정척도는 응용 부문에서 논의하겠다). 종속변인이 측정되는 방식은 그것들의 신뢰도와 타당도에 관한 중요한 함의를 지니며, 우리가 곧 보게 된다. 제1장에서 우리가 **조작적 정의**(operational definition)를 논의하였고 제2장에서는 **매개변인**을 살펴보았던 것을 상기해 보자. 두 가지 아이디어 모두 우리가 입력(연구 중인 개념을 낳는 절차), 그리고 출력(우리가 어떻게 그 개념을 측정 또는 평가하는가)을 어떻게 연계시키는지를 기술하고 있다. 매개변인은 보통 조작적으로 정의된 개념보다 좀 더 복잡한데, 전자는 하나나 둘이 아닌 여러 개의 입력과 출력 변인에 의존하는 경향이 있기 때문이다. 매개변인의 복잡성 때문에 매개변인은 종종 **이론적 구성개념**(theoretical construct)으로 불린다. 이런 명칭은 이론이 매개변인을 상세하게 하는 수많은 입력과 출력 간의 관계를 구성해준다는 생각에서 도출된 것이다.

구성타당도에 관한 우리의 논의는 반응시간, SAT 질문에 대한 정확 반응 등과 같은 관습적인 측정이 때때로 의문시 될 수 있음을 보여주고 있다. 종속변인을 해석하는 데 있는 어려움이 심리학의 낳은 영역에서 발생하는데, 왜냐하면 행동과 가정된 심리적 과정 사이의 연결은 쉽게 파악될 수 없을 수 있기 때문이다. 심리적 과정이 어떻게 그 과정을 파악하고자 사용되는 측정 방법에 영향 받을 수 있는지 생각해 보라.

두 이론적 구성개념에 대한 도식이 그림 8.2에 나타나 있다. 윗부분에는 상이한 강도의 빛이라는 아주 상세한 입력, 그리고 빛이 지각되고 있는 방식을 서술한 출력의 두 부분으로 구성되어 있다. 이 구성개념을 밝기(brightness)라고 부를 수 있다. 그림의 아랫부분은 이전 경험과 유전이라는 덜 상세한 입력과 반대로 우울한 느낌을 묘사한 서술이라는 정확한 출력과의 관계를 도해(圖解)하고 있다. 우리는 이 구성개념을 우울(depression)이라고 부를 수 있다. 밝기와 같은 개념의 척도는 **정신물리학적 척도**(psychophysical scaling)라고 부른다. 정신물리학적 척도를 갖는 개념은 입력을 보통 잘 알려진 물리적 차원에 관련시킨다.

예를 들면, 전형적인 정신물리학 실험에서 사람이 빛의 탐지에 대해서 말하는 것과 그 빛들의 강도가 연결된다. 우리는 정신물리학적 척도와 **심리측정적 척도**(psychometric scaling)를 대비시킬 수 있다. 심리측정적 척도는 우울과 같은 어떤 개념이 측정은 되지만 보통은 명백하게 상세한 입력을 가지고 있지 않을 때 적용된다. 대개 심리측정적으로 측정된 개념은 평가될 수 있을 뿐 만들어내지는 못한다. 우리는 어떤 사람의 우울한 기분 또는 지능 수준을 평가한다. 우리가 빛의 강도를 조작함으로써 밝기 판단을 변화시킬 수 있는 것과 같이, 이러한 평가는 조건 안에서 그것들이 변하도록 발생하는 조건들의 조작을 대비시

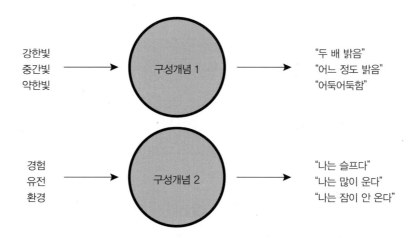

그림 8.2 구성개념을 낳는 입력과 그것을 측정하는 데 사용되는 출력을 상세화함으로써 두 이론적 구성개념(매개변인)의 정의가 이루어진다. 구성개념 1은 구성개념 2보다 상세히 서술된 입력을 가지고 있음을 주목하라.

킨다.

우리가 일부 척도 기법을 조사하기 전에 덜 정확한 이론은 산출보다는 평가로부터 유래한다는 것을 우리는 깨달아야 한다. 그러므로 많은 과학적 심리학자들이 심리측정적으로 파악된 구성개념을 산출하는 독립변인을 구체화하려고 노력한다. 일부 개념(예를 들면, 학습, 기억, 사회적 태만)에 대한 상당한 진보가 이러한 과정 속에서 이루어졌으며, 다른 개념들(우울, 정신분열, 지능과 같은 개념을 포함하여)에 대해서는 진보가 덜 이루어졌다.

개념 요약

- 이론적 구성개념은 매개변인들이다. 여러 독립변인과 종속변인들이 구성개념을 정의한다.
- 정신물리학적 척도는 잘 상세화된 입·출력을 가진 개념을 측정하는 데 사용된다.
- 심리측정적 척도는 주로 독립변인이 잘 상세화되어 있지 않은 경우에 평가되는 개념을 측정하는 데 사용된다.

정신물리학

정신물리학(psychophysics)은 정신물리학적 척도—알려진 차원을 가진 물리적 사상에 대한 심리적 반응—를 결정하는 것이 포함된다. Boring(1950)은 과학적 심리학은 밝기 판단과 같은 내적 인상과 빛의 강도 같은 외부세계 간의 관계를 측정하는 절차의 발달과 함께 시작했다고 주장하였다. 정신물리학 척도 방법의 주된 개발자인 Gustav Fechner(1860, 1966 재간)가 선도했던 초기 과학자들은 심리 현상의 첫 번째 수학적 법칙을 공식화하였다. Fechner와 다른 초기 정신물리학자들은 사적이고 내적인 판단들을 정확하게 측정할 수 있다고 결론내렸다. 물리학자들이 빛의 강도, 소리의 강도, 무게 등을 측정할 수 있는 것과 같이 정신물리학자들도 밝기, 소리의 크기, 무거움으로 대응되는 심리적 속성을 측정할 수 있다는 것이다.

소리가 얼마나 큰지, 충격을 얼마나 고통스럽게 느끼는지를 결정하는 것은 매우 어려운데, 왜냐하면 물리적 값과 심리적 값 사이의 일대일 대응이 거의 없기 때문이다. 만일 록 밴드가 두 배의 에너지를 내도록 앰프를 맞추었다면, 이 두 배의 증가는 듣는 사람이 두 배의 크기로 음악을 듣게 만들지는 않는다는 것이다. 소리 크기를 두 배로 하기 위해서는 에너지에 있어서 열 배의 증가를 요구한다. 이것은 소리를 전달하는 라디오, 전화기, 그 외의 기구들의 에너지 출력을 조작하는 것이 지각된 음의 크기 증가에 비례적이 되도록 눈금이 정해져야 함을 뜻한다.

E. H. Weber(1846/1948)는 Fechner의 연구보다도 약 20년이나 먼저 정신물리학에서 선구자적 업적을 남겼다. Weber는 두 자극이 신뢰성 있게 변별되기 전에 얼마의 차이가 있어야 하는지를 파악하고자 하였다. 그는 사람들에게 300g의 표준 무게와 비교하여 들어본 무게가 무거운지 가벼운지를 비교하게 하였다. 관찰자는 적합하게 "더 무겁다" 또는 "더 가볍다"라고 말한다. 차이를 탐지하기가 비교 자극이 표준의 무게에 접근할수록 점점 더 어려워졌으며, 관찰자는 "더 무겁다" 또는 "더 가볍다"를 "동일하다"로 바꾸었다. 이 절차는 **차이역**(difference threshold)을 파악하게 해준다. 차이역은 관찰자가 표준보다 더 무겁다 또는 더 가볍다를 구분할 수 있는 자극 사이에 무게의 평균 차이의 절반이다. 예를 들면, 관찰자가 들고 있는 무게가 300g 표준에서 다른지를 판단한다고 하자. 평균적으로, 관찰자는 310g에서 "더 무겁다"에서 "동일하다"로 바꾸고, 290g에서 "더 가볍다"에서 "동일하다"로 바꾼다고 한다. 이 20g 차이의 절반이 차이역을 정한다.

Weber는 차이역의 크기가 표준 자극의 크기의 증가에 따라 증가한다는 것을 발견하였다. 구체적으로, **Weber의 법칙**(Weber's law, Fechner가 이렇게 불렀음)은 다음과 같이 서술한다: 특정 감각 양상에 있어서 기준 자극에 대한 차이역의 크기는 일정하다. 만일 10g이 300g 표준에 대한 차이역이고 600g 표준에 20g이 차이역이라면, Weber는 900g 표준 자극에 대한 차이역은 30g이 될 것이라고 예측할 것이다. 세 경우 모두 표준과 역 사이에 1/30의 일정한 분수관계가 있음을 주목하라. Weber의 법칙은 자주 다음과 같이 표현된다:

$$\Delta I / I = K$$

여기서 I는 기준 자극의 크기, ΔI는 차이역, 그리고 K는 일정성에 대한 기호이다. 예를 들어, 우리는 이 법칙으로 기타 앰프의 에너지 출력과 지각된 소리 크기에서의 증가 사이에 관계를 측정할 수 있다.

Fechner는 정신물리학의 다른 측면들에도 관심이 있었으며 그는 자신이 **절대역**(absolute threshold)이라고 부른, 자극의 존재를 탐지하는 데 필요한 최소한의 에너지를 파악하는 수고스러운 실험을 수행하였다. 전형적인 실험에서 관찰자는 증가되는, 또는 감소되는 강도의 자극을 순차적으로 듣는다(또는 보거나 잰다). 이 순서에 대하여 관찰자는 자극이 탐지되면 "예", 탐지되지 않으면 "아니오"라고 말한다. Fechner는 조작적으로 절대역을 관찰자가 "예"에서 "아니오" 또는 "아니오"에서 "예"로 반응을 바꾸는 지점의 강도들의 평균으로 정의하였다.

응용

측정척도

측정척도에는 우리가 고려해야 할 네 가지의 속성이 있으며(McCall, 1990), 이러한 특성들의 조합이 측정되는 것이 무엇인지를 결정한다. 그러므로 이러한 특성들이 척도의 타당도를 결정한다.

모든 측정척도들은 대상과 대상의 속성들이 각기 다른 사례가 될 것을 요구한다. 이런 **차이**(difference)라고 하는 기본적인 특성은 어떤 온도는 다른 것보다 더 뜨거워(차가워)야 하며, 어떤 사람은 남자이고, 어떤 사람은 여자라는 등을 의미한다. 다른 척도 특성들은 보편적이지는 않다. 어떤 측정척도는 속성의 **크기**(magnitude)를 파악할 수 있다. 이것은 척도가 어떤 속성의 한 예가 다른 예보다 큼, 적음, 또는 같음을 보여줄 수 있음을 뜻한다. 어떤 척도가 결정할 수 있는 속성의 다른 특성은 속성의 크기 사이에 **등간격**(equal interval)의 존재 여부이다. 어떤 측정척도가 가진 마지막 속성은 척도상에 **절대영점**(true zero)의 존재 여부이다.

심리학자들은 측정척도의 네 가지 유형, 즉 (a) 명명, (b) 서열, (c) 등간, (d) 비율 척도를 사용한다. 이러한 척도 유형은 그들이 가지고 있는 측정의 네 가지 특성에 의해서 결정된다. **명명척도**(nominal scale)는 오로지 차이만을 측정한다. **서열척도**(ordinal scale)는 차이와 크기를 측정한다. **등간척도**(interval scale)는 차이, 순서, 크기의 척도 속성을 가지고 있다. **비율척도**(ratio scale)는 측정척도의 네 가지 특성(차이, 크기, 등간, 절대영점) 모두를 지니고 있다.

명명척도는 우편번호, 성별(남과 여), 그리고 대학전공을 포함한다. 이러한 척도 각각은 여러분을 어떤 방식으로 분류하지만, 어떤 명백한 방식으로도 크기를 측정하지 않는다. 그러므로 산술평균 같은 유용한 통계치도 명명척도를 특성화하는 데 사용될 수 없다. 전공 프로그램에 임의의 수를 배정하는 것은(경영 1, 심리학 2, 등등) 어떤 학교의 '평균' 전공이라는 것을 합리화하지 못한다.

서열척도는 대부분의 Likert 척도들(이 장 뒷부분에서 논의됨), 그리고 미인대회에서 순위, 경마에서 순위 같은 정렬척도를

포함한다. 미인대회에서 순위가 얼마인지는 미의 크기를 말해주기는 하지만, 순위 사이의 간격에 관해서는 거의 말해주는 바가 없다. 처음 두 사람은 매력 정도에서 거의 같을 수 있지만, 다섯 번째와 여섯 번째 사람은 상당히 떨어져 있을 수 있다. 간격이 같지 않은 수들의 평균은 합리적이지 않다. 사실상 명명척도와 서열척도는 사용되는 특별한 통계 방법이 있다(통계 부록에 서술된 *비모수 통계*).

등간척도와 비율척도는 우리가 대부분의 수학적 조작을 할 수 있으며, 이러한 수준에서 측정된 속성에 일반적인 추리 통계가 사용된다(부록에서 *모수 통계*를 보라). 대부분의 IQ 측정과 SAT 점수는 등간척도의 예인데, 왜냐하면 인접한 값이 전체 척도에서 동일한 간격이기 때문이다. IQ 90과 IQ 100 사이의 10 단위의 차이는 IQ 110과 IQ 120 사이의 10 단위의 차이와 동일한 것으로 간주된다. IQ나 SAT도 절대영점이 있지는 않으므로 비율척도는 아니다. 그러나 반응시간이나 정확반응 같은 측정은 비율척도인데, 왜냐하면 속도가 영이라든가 또는 정확반응이 없음을 보일 수 있기 때문이다. 측정척도는 측정된 요소의 본질이 아니라 측정 절차에서 나온 것임을 잘 명심해야 한다. Kelvin 척도로 측정된 온도는 절대영점이 있으며, 비율척도이다. 그러나 섭씨와 화씨 척도는 절대영점이 없으며(이 척도들은 온도가 존재하지 않는 지점을 가지고 있지 않다), 따라서 등간척도이다. 마지막으로, 하나가 다른 것보다 뜨겁다고 단순하게 말한다면, 서열 수준에서 측정하고 있는 것이다.

상이한 척도에서 얻어진 행동 자료는 우리에게 서로 다른 것을 이야기하고 있으며, 우리가 내릴 수 있는 종류의 결론도 부분적으로는 우리가 사용한 척도에 의존한다. 만일 우울을 서열 척도로 평가했다면, 우울 점수가 4인 사람보다 우울 점수가 8인 사람이 두 배 더 우울하다고 말하는 것은 적절하지 못하다. 그런 서술을 하려면, 의미 있는 절대영점을 갖고 있으며, 인접한 점수 사이에 같은 간격을 지닌 척도(비율척도)로 우울을 측정해야 할 것이다. 행동을 측정하는 데 사용되는 척도의 유형을 아는 것이 중요하다. 이러한 정보를 그림 8.3에 요약하였다.

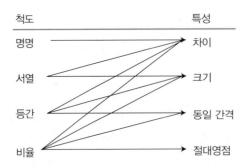

그림 8.3 측정척도들과 각 척도가 가진 특성들

정신물리학적 역 측정은 소비자의 감각 능력이 관여된 상품생산 사업에 유용하다. 측정은 사람들의 선호를 파악하는 데 도움을 준다. 이것은 특히 맛, 냄새, 색에 대하여 그렇다. 최근에 역 측성으로 중요한 감각 기능이 설명되었다. Dalton, Doolittle, Nagata와 Breslin(2000)은 향미 지각에 관심이 있었는데, 이는 어떻게 맛과 냄새가 상호작용하는가였다. 여러분은 감기 때문에 코가 막혔을 때 모든 것이 맛이 다르다—또는 전혀 없다—는 것을 아마도 의식하고 있을 것이다. Dalton과 동료들은 이러한 감각 조합을 실험실 검증으로 옮겼다. 먼저 단맛(사카린)과 체리/아몬드 냄새(benzaldehyde)에 대한 절대역을 파악하였다. 그리하고 나서 하나의 존재가 다른 것의 지각을 결정하는지를 알아보기 위해, 그들은 자극을 동시에 제시하면서(냄새가 있는 상황에서 사카린 용액을 입에 담고 있다), 두 자극의 역하 용액을 제시하였다. 그들은 제시된 두 자극의 역하 강도 탐지를 발견하였는데, 평균적으로 절대역이 이제 28% 낮았다. 이러한 감각경험의 통합은 서로 어울리는 자극에만 한정되어 있다(사카린은 체리 냄새를 향상시키나, 물이나 고기 맛은 그렇지 못하다). 이러한 흥미 있는 발견은 실용적인 중요성과 이론적인 중요성 모두를 가진 것으로 보이며, Dalton(2002)은 추가로 발견된 결과도 제시하였다.

개념 요약

- 정신물리학은 차이역과 절대역을 파악한다.
- Weber의 법칙이란 $\Delta I / I = K$를 뜻한다.

심리측정

알려진 물리적 척도에 의존하지 않는 심리적 특질을 평가하는 대중적인 방식이 **합산평정척도**(summated rating scale)이다. 합산평정척도는 어떤 사람이 측정하려는 주제와 관련해서 명백하게 선호하거나 선호하지 않는 여러 서술문들에 어떻게 반응했는지에서 도출된 점수를 그 사람의 심리측정 특성에 부여한다. 이 추상적 정의를 Watson, Clark과 Tellegren(1988)이 개발한 Positive Affect Negative Affect Schedule(PANAS)를 예로 들어 설명하자. 이 척도는 사람들에게 어떻게 자신의 현재의 기분이 10개의 고양된 긍정적 기분 단어(예를 들면, 흥미로운, 열정적인, 자랑스러운), 그리고 10개의 고양된 부정적 기분 단어(예를 들면, 지쳐버린, 죄의식의, 두려운)와 맞는지 1에서 5까지 척도에 평정한다. 1 = 아주 약간 또는 전혀, 2 = 약간, 3 = 중간, 4 = 상당히, 5 = 극도로. 긍정 항목에 매겨진 점수를 합하면 긍정

감정의 합산평정 점수가 된다. PANAS 같은 척도는 종종 이런 종류의 평정 절차를 개발한 사람의 이름(Likert, 1932)을 따서 **Likert 척도**(Likert scale)라고 부른다.

Woodzicka와 LaFrance(2001)은 면접 상황에서 성적 학대를 받고 있음을 상상하라고 요구한 실험에서 PANAS를 사용하였다. 그들은 이 여성들의 보고된 기분을 부자연스러운 면접에서 실제 학대를 받았던 다른 사람들의 기분과 비교하였다. 상상만으로 학대당하는 상황에 있었던 응답자 중 극히 적은 수가 두려움을 보고하였고, 오히려 화가 나 있었다. 다른 한편으로, 실제 학대를 경험한 여성들의 기분은 반대 상황이었다. 실제 대상이 되었던 사람의 40%가 두려움을 보고하였고, 극히 적은 수가 격분하였다. 그러므로 실제로 성적 학대를 경험하게 되면, 그러한 학대를 상상했을 때 떠오르는 기분과는 사뭇 다른 기분을 경험한다. 여러분은 Likert 척도로부터 합산된 점수는 평정을 합하는 것임을 알고 있어야 한다. 합산 절차는 예를 들어 PANAS의 부정적 감정 부분에 대한 4(상당히)의 평균 점수는 2(약간)의 평균 점수보다 더 부정적일 뿐만 아니라, 두 단위가 더 크다는 것을 가정한다. 더욱이 5(극도로)의 점수와 3의 점수(보통) 사이는 4의 점수가 2의 점수 사이와 동일한 거리임이 가정된다. 이 장의 응용 부문에 이러한 의심스러운 가정에 대한 논의가 있다.

개념 요약

- 합산평정척도는 사람들이 태도 서술문에 부여한 평정의 합이다.
- 전형적으로, 사람들은 부정적인 방향, 그리고 긍정적인 방향의 단어 또는 문구에 대하여 5점 척도 상에서 반응하는데, 종종 Likert 척도라고 불린다.

자기-보고 방법

대부분의 심리측정 척도와 많은 정신물리학 척도는 **자기-보고 방법**(self-report method)인데, 왜냐하면 심리학 자료는 응답자에 의한 개인 보고에서 온 것이지 연구자가 좀 더 직접적으로 관찰하고 측정한 행동에서 온 것이 아니기 때문이다. 그러므로 자기-보고 방법은 관찰자가 즉각적이고 직접적으로 확인할 수 없는 자료를 만든다.

이러한 확증의 부재는 자기-보고의 타당성을 파악하기 힘들게 만든다. 여러분이 어떤 사람에게 PANAS를 실시하고 있으며, 그 사람은 자신이 극도로 자랑스럽고, 상당히 단호하다고 가정하자. 여러분은 이것들이 그녀의 감정상태를 진실하게 반영하고 있는지를 어떻게 알 수 있는가? 이러한 반응들은 그녀가 실제로 어떻게 느끼는지를 나타내는가, 또는 그것들이 그녀가 전형적인 사람이 그러한 척도 항목에 대한 대답이 이럴 것이라고 믿는 것을 드러내는가? 더욱이 모든 질문에 대한 답변을 증명할 쉬운 방법이 없을 때, 여러분은 총 점수의 정확도를 어떻게 결정하는가? 타당도에 대한 이러한 위협은 극복하기 힘들 수 있다. 증명 문제를 최소화하는 방법은 구성타낭도를 확실하게 만들고 어떤 종류의 에언타당도를 제공하는 것이다. 만일 상이한 집단의 사람들이 여전히 이론적으로 예측 가능한 방식으로, Woodzicka와 LaFrance(2001)의 연구에서 사람들이 했던 식으로 서로 다르게 반응한다면, 우리는 어떤 것이 차별적으로 이 사람들의 기분을 바꾸었음을 확신할 수 있다—그들의 척도 반응이 이러한 변화를 반영한다.

　　Likert 척도와 같은 자기-보고 방법은 다른 타당도 문제를 지니고 있다(Schwarz, 1999). 사람들이 보고하는 것은 여러 개의 변인들에 예민한데, 이러한 보고들이 개방형이거나 또는 척도에 의해 제약을 가지고 있는지, 척도에 있는 선택들 사이의 수적인 값, 그리고 질문의 순서와 맥락을 포함하고 있다. 수용된 평정척도의 효과만을 고려해 보자. Schwarz, Knäuper, Hippler, Noelle-Neumann과 Clark(1991)은 사람들에게 자신이 생각하기에 삶에서 얼마나 성공적인지를 물었다. Schwarz와 동료들은 전혀 성공하지 않았다를 10점 척도상의 1점에 배정했을 때보다 1(전혀 성공하지 않았다)에서 5(매우 성공적)까지 변동하는 평정척도를 사용했을 때 더 많은 사람들이 높은 성공을 보고함을 발견하였다. 이러한 종류의 불일치는 쉽게 설명될 수 있는데(Schwarz, 1999), 어떤 사람의 자기-보고의 타당도는 파악하기가 극도로 어려울지 모른다는 것을 나타낸다.

> **개념 요약**
> 자기-보고 방법은 타당하지 않을 수 있는데, 왜냐하면 이 방법은 흔히 보강 증거가 부족하고, 측정하는 척도의 용어의 본질에 민감하다.

요약

1. 관찰의 타당도는 그 관찰의 대략적인 참 또는 거짓을 가리킨다.
2. 기준이란 해당 측정에 대한 표준으로 역할을 하고 있는 행동의 부가적인 측정을 말한다.
3. 어떤 측정이 기준 행동을 얼마나 잘 예측하고 있는지가 그 측정의 예언타당도를 결정한다.
4. 구성타당도는 종속변인과 독립변인이 관심 있는 변인을 반영하고 측정하는 정도를 가

리킨다. 조작적 정의와 규약에 철두철미하게 지키는 것이 오류로부터 발생하는 구성 비타당도를 최소화하는 데 도움이 된다.

5. 외부타당도는 관찰 결과를 다른 연구 상황과 모집단에 일반화시킬 수 있는지를 가리킨다. 연구 절차를 반복 재생할 수 있으면 관찰의 일반성을 평가하는 데 도움이 된다.

6. 관찰의 내부타당도는 한 변인이 다른 변인의 변화의 원인이 되는지를 결정하는 가능성을 다룬다. 혼입은 내부타당도의 주된 위협이다.

7. 신뢰도는 행동 측정의 일관성을 가리킨다. 검사 결과의 신뢰도는 검사-재검사 신뢰도, 반분신뢰도 또는 동형검사 사용으로 보여줄 수 있다.

8. 추리통계는 발견이 우연 요인에 의해 기인한 것인지를 보여줌으로써 통계적 신뢰도를 평가한다.

9. 모집단에서의 표집 크기가 클수록, 통계 검증의 신뢰도와 검증력이 커진다.

10. 무선 표집과 층화 표집은 표본의 외부타당도를 증진시키는 데 도움이 된다.

11. 메타분석은 많은 연구들에 걸친 일관된 결과를 조사하고, 효과 크기를 살펴봄으로써 한 특정한 주제가 신뢰성이 있고 타당한지를 파악한다.

12. 측정은 숫자 또는 명칭을 대상과 대상의 속성들에 배정시키는 체계적인 방법이다.

13. 매개변인과 이론적 구성개념은 때때로 동의어로 쓰인다.

14. 이론적 구성개념은 매우 상세히 기술된 입력과 출력을 가지고, 흔히 정신물리학적으로 측정된다. 반면에, 입력에 대한 부정확한 이해도를 지닌 이론적 구성개념은 보통 심리 측정으로 평가되고 비교된다.

15. 정신물리학의 창건자인 Fechner는 절대역과 차이역을 측정하는 방식들을 고안하였다.

16. Weber의 법칙에 따르면, 표준 자극에 대한 차이역의 크기는 특정한 감각 양상에서 일정하다.

17. Likert 척도라고 불리는 합산평정척도는 사람들이 태도 기술에 부여한 평정의 합이다. 전형적으로, 사람들은 5점 척도상에 긍정적, 그리고 부정적으로 묘사된 서술문에 답한다.

18. 많은 심리측정 그리고 정신물리학 측정이 자기-보고 방법인데, 이것은 직접 관찰과 측정이 아닌 개인의 보고에 의해서 자료가 얻어진다.

19. 자기-보고의 타당도는 종종 파악하기 어려운데, 왜냐하면 자료가 관찰자에 의해 즉각적이고 직접적으로 확인될 수 없기 때문이다.

↘ 주요개념

타당도(validity)

기준(criterion)

예언타당도(predictive validity)

구성타당도(construct validity)

외부타당도(external validity)

반복검증(replication)

내부타당도(internal validity)

신뢰도(reliability)

검사-재검사 신뢰도(test-retest reliability)

동형 형태(parallel form)

반분 신뢰도(split-half reliability)

통계적 신뢰도(statistical reliability)

모집단(population)

표본(sample)

검증력(power)

층화 표본(stratified sample)

메타분석(meta-analysis)

측정(measurement)

이론적 구성개념(theoretical construct)

정신물리학저 척도(psychophysical scaling)

심리측정적 척도(psychometric scaling)

정신물리학(psychophysics)

차이(difference)

크기(magnitude)

등간격(equal interval)

절대영점(true zero)

명명척도(nominal scale)

서열척도(ordinal scale)

등간척도(interval scale)

비율척도(ratio scale)

차이역(difference threshold)

Weber의 법칙(Weber's law)($\Delta I / I = K$)

절대역(absolute threshold)

합산평정척도(summated rating scale)

Likert 척도(Likert scale)

자기-보고 방법(self-report method)

↘ 연습문제

1. 어떤 검사가 신뢰성이 없다면, 타당할 수 없는 이유를 논의하라.

2. [특별연습] 다음 측정의 각각을 고려하고 관여된 측정척도의 유형을 지적하라: 1850년 10월 22일; 10분 동안 박새가 경계 신호울음을 하는 수; 미인 대회에서 3등; 학급에서 다섯 번째로 높은 학점; 대학에서 2학년이 됨.

3. 캠퍼스 내의 남성 전용 동아리와 여성 전용 동아리의 존재에 대한 학생의 태도를 평가하는 방법을 Likert 기법을 사용하여 고안하라.

4. 다양한 유형의 측정척도 간의 차이를 논의하라. 각 척도의 속성을 지적하라.

↘ 추천 문헌 자료

• 측정이론은 복잡한 주제이다. 좋은 개론서가 McCall, R. B.(1990). *Fundamental statistics for the behavioral sciences*(5th ed.). San Diego: Harcourt Brace이다.

• 심리측정을 다룬 교재들은 많다. 심리 검사를 다룬 어떤 교재도 도움이 될 것이나 척도의 특성을 다룬 책이 Goldstein, G., & Herson, M.(Eds.)(1990). *Handbook of psychological assessment*(2nd ed.). New York: Pergamon이다.

⬊ 웹 자료

• 이 장에서 배운 내용과 주요개념을 잘 알고 있는지 용어 설명, 플래시 카드, 그리고 통계와 연구방법 워크숍과 연계해서 확인해 보라. **www.cengagebrain.com**을 방문하라.

• 이 장에서 논의된 많은 쟁점에 대한 여러 흥미 있는

링크를 다음에서 찾아볼 수 있다: **http://www.ruf.rice.edu/~lane/hyperstat/contents.html**

• 거짓이론을 탐지하는 방법에 관한 흥미 있는 논문이 다음에 있다: **http://quasar.as.utexas.edu/BillInfo/Quack.html**

심 리 학 해 보 기

타당도

자가-보고 방법의 타당도는 보통은 관찰척도의 경우에서 보다 파악하기가 훨씬 더 어렵다. 관찰 방법과 자가-보고 방법 둘 다 보통 강력한 안면타당도(face validity)를 지니는데, 안면타당도란 질문들이 묻고자 하는 개념들에 관해서 묻고 있는 것처럼 보이는지를 의미한다. 겉으로 자주 운다고 주장하는 사람이 자주 운다는 것을 부인하는 사람들보다 덜 행복하다고 우리는 생각할 수도 있다. 검사나 검사 일부분의 안면타당도는 행동을 측정하는 검사의 능력에 대한 좋은 지침이 아닐 수도 있다. 예를 들면, 우울한 사람이 우울하지 않은 사람보다 더 많이 잠을 잔다고 또는 덜 잔다고 생각하는가? 한 가지 가능성은 우울로 고통 받는 사람은 우울한 생각에서 벗어나기 위해서 일관되게 잘 것이란 것이다. 반면에, 우울한 사람은 자는 데 어려움이 있는데, 왜냐하면 그는 불행한 것들에 대하여 일관되게 생각하고 있기 때문이다.

이러한 두 타당한 예측 중 어느 것이 우울한 사람을 가장 잘 묘사하는가? 이 장의 초점에 맞추어서 우울의 자가-보고 척도에서 어떤 종류의 질문을 제시해야 하는가? 우리는 우울한 사람의 잠자는 행동에 관하여 말하지 않으려

고 하는데, 왜냐하면 여기서의 쟁점은 우울의 지엽적인 면을 넘어서야 되기 때문이다. 이러한 점 때문에 안면타당도가 문제의 미묘한 것들을 거의 잡아내지 못하고 있다. 상당한 양의 자료가 있어야 특정 구성개념을 타당성 있게 만드는 방식이 의미 있다. 척도 개발의 전형적인 코스는 목표 개념에 대한 배경지식과 아울러 마음 속에 준거를 갖는 것이다. 정보의 이런 두 가지 출처가 척도 개발을 이끌어 준다.

이러한 과정을 이해하는 한 가지 방법은 정신측정 연감(Mental Measurements Yearbook)을 조사하는 것이다. 이 출판물은 성격검사들, 지능척도들, 적성검사들을 포함한 다양한 종류의 심리측정도구의 특징을 요약하고 있다. 척도의 신뢰도와 타당도에 관련된 정보도 제시하고 척도에 대한 전형적인 개관에는 그 검사가 어떻게 발전되고 표준화되었는지에 대한 요약도 포함된다. 이 책을 따라가면 매우 풍부한 정보가 있다는 것을 알게 될 것이다. 이 장의 연습문제를 통해 여러 가지 자가-보고 척도의 타당도가 어떻게 결정되어 왔는지를 조사할 수도 있다. 여러분은 좀 더 직접적인 관찰을 필요로 하는 심리측정 척도에 사용되는 타당도 준거들과 이것들을 대비시킬 수도 있다.

제 3 부 고급 연구 주제

제3부에서 우리는 각 참가자가 독립변인의 모든 수준 하에서 검사 받는 피험자내 설계 또는 각기 다른 피험자가 독립변인의 각 수준 하에서 검사 받는 피험자간 설계를 사용하는 장점과 단점을 먼저 살펴본다. 제9장은 둘 이상의 독립변인을 가진 연구 설계를 살핀다. 이러한 복합 설계는 독립변인의 주 효과와 상호작용 효과 모두를 분석할 수 있게 해주기 때문에 중요하다. 소집단 실험법은 정신분열증 환자 같은 특별한 모집단이 검사될 때 종종 사용되어야만 하는, 적은 수의 피험자를 사용하는 연구에 초점을 맞춘다. 제3부의 마지막 장은 실험자가 직접 변동시키지 못하는 독립변인이 있는 실험인 유사-실험법을 다룬다.

실험 설계

실험을 신중하게 설계하면, 종속변인에 대한 독립변인의 효과에 관하여 이끌어 낸 결론이 타당할 수 있을 것이다. 이 장에서는 서로 독립적인 피험자 집단이 독립변인의 상이한 수준만을 받는, 피험자간 구성이라는 실험 설계 방법에 대하여 살펴본다. 또한 모든 피험자가 독립변인의 모든 수준을 받는 피험자내 구성도 살펴볼 것이다. 피험자간 구성의 경우에 타당도를 위협하는 것은 각 집단에 속해 있는 피험자들의 최초의 동질성과 관련이 있다. 피험자내 실험에서는 어떤 처치의 효과가 다른 처치에 이월될 수도 있으며, 이것이 독립변인의 효과와 혼입될 수 있다.

실험에서의 내부타당도

적합하게 수행된 실험은 종속변인들의 변화가 독립변인들의 변화에 기인하도록 상황들을 통제하고 있다. 좋은 실험을 통하여 우리는 결과에 대한 타당한 인과적 진술을 할 수 있게 된다. 제8장에서 언급한 바와 같이, 타당한 관찰은 정확한 (진짜) 효과를 드러내기 때문에, 완전하거나 틀림없는 관찰이 된다. 실험을 적절하게 설계해야 타당한 결과가 얻어질 수 있고, 타당한 결과를 이끌어 내는 실험은 **내적으로 타당**하다고 한다(Cook & Campbell, 1979를 보라). 연구자는 일치차이 병용법 같은 통제 방법을 사용하여 부주의로 인한 혼입을 제거하고, 이렇게 얻은 결과는 의도한 변인들의 효과를 반영한다. 제7장에서 논의한 바와 같이, Brennen, Baguley, Bright와 Bruce(1990)는 철자 첫 자를 제시하는 것이 그림을 제시하는 것보다 설단 상태를 해소하는 데 더 효과적이라고 주장할 수 있었다. 그들의 실험은 그림을 제시하는 효과를 극대화하고 외재변인들의 효과를 극소화하도록 설계되었는데, 이것은, 즉 그 연구자들의 작업이 내적으로 타당함을 의미한다.

원칙적으로 실험은 내적으로 타당하다. 내부타당도는 자동적으로 생기는 것이 아니라, 오히려 변인들을 주의 깊게 선택하고, 실험 설계를 적합하게 함으로써 생긴다. Underwood는 연구 설계의 기본 원리 하나를 언급하였는데, 그것은 "독립변인의 효과가 애매모호하지 않게 평가될 수 있도록 실험을 설계하라"(1957, p. 86)는 것이었다. 이 장에서 우리는 내부타당도의 제공에 도움이 되는 실험 설계의 특징들을 논의할 것이다. 특히 우리는 두 가지 유형의 설계(피험자간 설계와 피험자내 설계)가 가진 장점과 단점을 논의하고자 한다. **피험자간 설계**(between-subjects design)에서는 독립적인 피험자 집단이 독립변인의 상이한 수준을 받는다. **피험자내 설계**(within-subjects design)에서는 모든 피험자들이 독립변인의 모든 수준을 받는다. 실험 설계가 타당도와 어떻게 연관되는지를 설명하기 위해, 설계의 결점으로 인해 타당한 인과적 진술이 불가능할 수 있는 두 가지 상황을 먼저 살펴보겠다.

관리자 원숭이

고위 관리자들에게서 나타나는 스트레스성 궤양이라는 주제는 여러 일간지에서 흔히 등장한다. Brady(1958)와 그의 동료들(Brady, Porter, Conrad, & Mason, 1958)은 '관리자'

원숭이의 스트레스성 궤양의 발병을 보여주는 고전적인 실험실 실험을 하였다. Brady는 초기에 원숭이가 전기 충격을 피하기 위해 신속한 단추 누르기 반응을 학습할 수 있는지를 보기 위해서 검사하였다. 이 검사 동안 높은 비율로 반응했던 원숭이는 실험의 두 번째 국면에서는 관리자가 되었다. 실험의 두 번째 국면에서, 관리자 원숭이와 '동료' 원숭이는 (보통 4시간으로 이루어진 회기의) 긴 기간에 걸쳐서 주기적으로 강력한 전기 충격을 받았다. 이것은 원숭이들에게 매우 스트레스가 심한 작업 상황인 것으로 간주되었다. 관리자 원숭이들은 충격을 지연시키기 위해서 단추를 누를 수 있었다. 이와 같은 회피과제에서 관리자 원숭이가 충격을 받을 때마다 동료 원숭이도 충격을 받았다. 그러나 동료 원숭이는 충격 발생에 대하여 아무런 통제를 가할 수 없었다. 관리자 원숭이는 충격을 피할 수 있는 충격 발생에 대한 통제력을 가졌다. 만일 관리자가 단추를 자주 누르지 않으면, 관리자와 이 상황에 대하여 속수무책인 그의 작업동료 원숭이는 동일한 충격을 받게 되었다. Brady는 관리자가 심한 위궤양으로 죽었지만, 그의 속수무책인 작업동료 원숭이는 눈에 띄는 어떠한 장애도 일으키지 않았음을 발견하였다. 이 같은 발견으로 Brady와 더불어 많은 다른 심리학자들은 통제된 조건에서 관리라는 스트레스가 궤양을 일으켰다고 결론지었다.

　　Brady의 결론은 상당한 기간 동안 타당한 것으로 간주되었다. 그러나 전기 충격에 대하여 통제를 할 수 있었던 동물보다도 속수무책인 동물에게서 스트레스로 인한 궤양이 더 많이 발생했다는 여러 개의 실험실 보고들이 나타나기 시작하였다(예를 들면, Weiss, 1968). 먼저 번의 발견이 빈약한 설계로 인한 결과인가 또는 나중의 발견이 사기인가? Weiss(1971)가 시행한 후속 작업에서 통제력을 가진 동물보다 속수무책인 동물이 더 많이 영향을 받는다는 것이 확인되었고, 그의 연구는 왜 관리자 원숭이에 관한 원래의 연구가 무효이며, 따라서 타당하지 않은지에 대한 제안이 포함되어 있었다. Weiss는 Brady의 관리자 원숭이가 실험 초기에 높은 반응률을 보였다는 것을 지적하였다. 그러므로 Weiss는 스트레스를 주는 회피과제에서 높은 반응률을 보인 동물이 속수무책인지 통제력이 있는지에 상관없이 궤양에 걸리기 쉽다는 것을 보여주었다. Brady의 연구에서 높은 반응률이라는 경향이 독립변인(속수무책 또는 관리자 통제)과 혼입되어 있었기 때문에, 일부 심리학자들은 스트레스 조건하에서 통제력이 있으면 궤양이 뒤따른다는 타당하지 않은 결론을 내렸다. 타당하지 않은 결론의 배후에 있는 설계의 결정적인 결점은 높은 반응률을 보이는 원숭이를 관리자 조건에 배당했다는 것이다. 나중에 우리는 피험자의 특성이 독립변인의 효과와 혼입되지 않았다는 것을 확증시켜 주는 몇몇 일반적 규칙을 살펴볼 것이다. 그러한 규칙 없이 내적으로 타당한 실험을 하기란, 불가능하지는 않더라도 어려울 것이다.

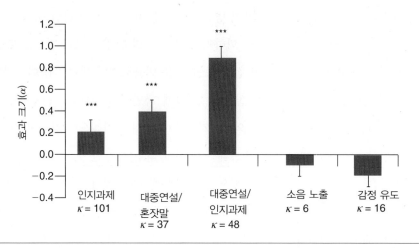

그림 9.1 상이한 종류의 과제에 대한 코티졸 효과의 크기. 높은 점수는 큰 효과 크기를 가리킨다. *** $p < .001$. Dickerson & Kemeny(2004)의 허락 하에 게재. 저작권은 American Psychological Association에 있음.

스트레스를 조사할 때 동물 피험자를 사용하는 것이 보편적이기는 하지만, 윤리적인 절차를 따르면서도 인간 참가자에 대하여 스트레스 실험을 하는 것이 가능하다(제4장을 보라). 이 책의 많은 독자들이 원숭이가 되지 않고서도 그러한 결과가 좀 더 특출하며 일반화하기 쉽다는 것을 발견할 것이다. 인간 스트레스 실험에서 혐오 자극은 전기충격보다는 커다란 소음이기 쉽다(예: Baker & Stephenson, 2000). 위궤양을 조사하기보다 이러한 연구들의 종속변인으로 종종 코티졸(cortisol)의 발생량을 조사한다. 코티졸은 스트레스와 연관된 중요한 호르몬이고, 타액 표본을 통해서 측정할 수 있다.

메타분석은 여러 세트의 실험들로부터 얻어진 결과들을 비교하는 통계적 방법인데 제8장에서 관찰연구의 외부타당도를 평가하는 유용한 도구로서 논의한 바 있다. 메타분석은 통제된 실험의 결과를 비교하는 데도 똑같이 유용하다. Dickerson과 Kemeny(2004)는 격심한 스트레스에 대한 인간 코티졸 반응에 관한 208개의 실험실 연구의 메타분석을 수행하였다. 동물연구는 심리적 스트레스가 코티졸 반응을 매개한다는 가설을 강력하게 지지하는데 반해, 메타분석의 목표는 어떤 종류의 스트레스가 코티졸에 영향을 주는지를 좀 더 정확하게 파악하는 것이었다. 예를 들면, 어떤 불쾌한 자극으로 인한 부정적인 감정상태를 일으키는 것으로 충분한가, 또는 심리적 스트레스와 인간의 코티졸 사이의 좀 더 상세한 관계가 있는가?

그림 9.1에 이 질문에 대한 답이 있다. 머릿속으로 하는 계산과제와 같은 인지적 과제는 통계적으로 유의미한 코티졸 효과를 낳고 대중 앞에서의 말하는 것도 그렇다. 그러나 소음 노출과 (영화를 보면서 생기는) 감정 유도는 그렇지 않다. 그러므로 고통 자체로는 코티졸

반응을 낳는 데 충분하지 않다. 오직 어떤 종류의 스트레스만이 인간 코티졸 반응과 관련이 있다.

LSD에 관한 실험

LSD(lysergic acid diethylamide)는 1960년대 말과 1970년대 초기에 약물 문화에서 '최고'를 경험하기 위해 사용된 대중적이고 위험한 약물인 환각제이다. LSD는 꽤나 대중적이었고, 또한 아주 심각한 정신장애인 정신분열증과 관련된 일부 증상을 만들어내는 것처럼 보였기 때문에 심리학자들은 통제된 실험실 상황에서 LSD가 행동에 미치는 영향을 파악하려고 노력하였다.

LSD의 효과에 대한 실험실 연구는 1960년대 초기에 시작하였고, 그러한 일부 연구들을 통해 내부타당도가 있는 실험을 설계하는 데 유용한 교훈을 얻었다. 우리는 각 피험자가 독립변인의 모든 수준(이 경우에서는 LSD의 상이한 복용량)을 받는 실험 설계로 구성된 Jarrard(1963)의 초기 연구를 살펴보려고 한다. 이러한 유형의 설계는 피험자내 설계라고 불리는데, 이 설계에서 각 피험자는 독립변인의 다양한 수준을 받으며, Weiss가 사용한(동물들이 속수무책 조건이거나 관리자 조건이고, 결코 조건 모두에 속할 수 없는) 피험자간 설계와는 다르다.

Jarrard는 여러 수준의 LSD 복용량이 잘 조성된 행동에 미치는 효과를 측정하려고 하였다. 먼저 그는 음식 보상을 얻기 위해 막대를 누르도록 쥐를 훈련시켰다. 쥐의 행동이 안정적이고 잘 수행될 때, Jarrard는 막대를 누르는 비율에 대한 LSD 효과를 검사하기 시작하였다. 그의 실험에는 여섯 수준의 독립변인이 포함되었다. LSD의 기저선 또는 통제량은 영(0)이었으며, 쥐의 체내 용액의 염도를 맞추기 위해서 소금 용액을 주사하였다. LSD의 나머지 다섯 복용량은 각 쥐들의 체중에 비례하여 kg당 각각 .05, .10, .20, .40과 .80mg이었다. 일반적인 절차로는 주사 즉시 막대가 있는 상자에 쥐를 넣어서 두 시간 동안의 검사기간을 갖는 것이다. 각 주사 시행 사이에 여러 날의 간격을 두었다.

이 시점에서 우리는 Jarrard의 실험을 내적으로 타당하지 못하게 할 수 있는 여러 문제점들을 고려할 필요가 있다. Jarrard가 모든 동물들을 똑같은 순서로, 즉 통제 복용량에서 시작하여 최대 복용량의 방향으로 검사했다고 가정하자. 그러한 설계에서는 문제점이 발생하는데, 왜냐하면 LSD에 대한 민감성이 연속적인 투약 과정 중에 변할 수 있기 때문이다. 쥐들은 LSD에 좀 더 내성을 갖게 되거나(영향을 덜 받음), 또는 더 민감해(영향을 더 받음)질

수 있다. 내성 또는 민감화, 어떤 경우이든 나중에 투여하는 LSD의 효과는 쥐가 먼저 받은 복용량에 의해 영향 받을 것이다. 이러한 혼입효과는 대량 복용에서 시작해서 소량 복용으로 끝난다 하더라도 발생할 수가 있다.

Jarrard는 LSD가 내성과 민감화라는 장기간의 이월효과가 있는지를 알지 못했기 때문에, 그는 다른 복용량의 영향을 받지 않은 특정 복용량의 효과를 결정할 수 있도록 하는 투여 방법을 찾을 필요가 있었다. 그는 피험자에 걸쳐서 투여의 순서를 상쇄시키는 것을 선택하였다. **상대 균형화**(counterbalancing)는 실험에서 조건들의 순서를 체계적으로 변동시키는 것을 가리킨다. 한 복용량에서 다른 복용량으로 이월되는 가능한 혼입효과는 검사순서의 각 서열 위치에서 각각의 복용량이 나타나는 빈도를 같게 함으로써 상쇄된다. 예를 들면, 한 피험자가 다음과 같은 순서로 받는다. 통제, .05, .40, .10, .80, .20. 다른 피험자는 .40, 통제, .10, .20, .05, .80의 순서로 받는다. 나머지 네 마리 쥐도 상이한 순서로 처치를 받아서 여섯 마리 쥐에 있어서 각 복용량을 첫 번째, 두 번째, 세 번째, 네 번째, 다섯 번째, 그리고 여섯 번째로 검사된다. 이 절차는 LSD의 반복되는 투약의 결과로 발생할 수도 있는 어떤 내성이나 민감화 정도를 복용량에 걸쳐서 균형되도록 한다. 평균적으로 각 조건은 각 서열 위치에서 골고루 나타나게 된다.

Jarrard는 음식을 얻기 위해서 막대를 누르는 행동이 소금물 투여(통제 조건)의 효과와 비교해서, LSD가 가장 적은 두 개의 복용량 조건의 경우에 약간 행동 향상이 있었고, 대량 복용의 두 조건에서는 심하게 부정적인 영향이 있었음을 발견하였다. 이것들은 내부타당도가 있는 결과인데, 왜냐하면 반복되는 독립변인의 검사로 인한 이월효과에 의한 혼입이 없었기 때문이다. 이 장의 주된 주제는 피험자내 설계에서 이월효과를 막는 것이다.

실험 설계

우리가 방금 논의한 Weiss와 Jarrard의 연구는 좋은 실험 설계의 목표, 즉 실험이 내부타당도가 있는 결과를 가져오기 위해서 외재적인 또는 통제되지 않은 변동을 최소화시키고 있음을 예시하였다. 여기서 우리는 실험 설계를 향상시키기 위한 공통된 기법의 일부를 다루려고 한다. 이러한 논의는 어떤 특정한 실험을 설계하는 심리학자의 목표를 여러분이 이해하는 데 도움이 될 것이다.

실험자가 해야 하는 최초의 설계에 관한 결정은 피험자들을 독립변인의 다양한 수준에 배정하는 방법이다. 두 가지 주요 가능성은 (1) Weiss가 한 것처럼 일부 피험자를 각 수준에 배정하는 것, 또는 (2) Jarrard가 한 것처럼 각 피험자를 모든 수준에 배정하는 것이다. 이미 언급한 바와 같이, 첫 번째 가능성은 피험자간 설계라고 부르고 두 번째 것은 피험사내 설계라고 부른다. Weiss의 연구를 두 유형의 설계라는 관점에서 다시 살펴보고 우리가 그의 연구를 반복한다고 해보자. 그 실험에서 두 가지 주된 조건은 관리자 조건과 속수무책 조건인데, 관리자 조건에서 동물은 충격에 대하여 통제를 할 수가 있었으며, 속수무책 조건에서 동물은 무엇을 하든 간에 충격을 받았다. 연구를 위해 쥐 열 마리를 쓸 수 있다고 가정해 보자. 표 9.1에 이 실험의 피험자간 설계와 피험자내 설계를 예시해 놓았다. 피험자간 설계를 위해서는 피험자를 반으로 나누어(쥐 다섯 마리씩 각각 나눔), 한 집단은 관리자 조건을 받게 하고, 다른 집단은 속수무책 조건을 받게 한다(피험자를 각 집단에 배정하는 적절한 방법에 대해서는 나중에 간략히 논의할 것이다). 피험자내 설계는 열 마리 모두 독립변인의 두 수준에서 검사 받게 하는데, 즉 각 쥐들은 관리자 조건과 속수무책 조건을 받게 된다(각 쥐들이 이들 처치를 받게 되는 순서를 결정하는 적절한 방법에 대해서도 논의될 것이다). 계속 읽어나가기 전

표 9.1 피험동물로 10마리 쥐(1~10 번호를 붙임)를 사용한 Weiss 실험을 위한 피험자간 설계와 피험자내 설계

피험자간 설계			
	독립변인		
	관리자집단	속수무책 집단	
개별 피험자	1	6	피험자의 반은 관리자 집단, 나머지 반은 속수무책 집단에 속해 있다.
	2	7	
	3	8	
	4	9	
	5	10	

피험자내 설계			
	독립변인		
	관리자집단	속수무책 집단	
개별 피험자	1	1	모든 피험자들은 관리자 처치와 속수무책 처치를 둘다 받게 된다.
	2	2	
	3	3	
	4	4	
	5	5	
	·	·	
	·	·	
	·	·	
	10	10	

에 어떤 설계를 사용할 것인지, 그리고 그 이유에 대하여 생각해 보라. 이러한 종류의 결정에 포함되는 요인들에 관해서는 다음에 살펴보겠다.

피험자간 설계

피험자간 설계는 보수적(안전위주)인데, 왜냐하면 하나의 처치가 다른 처치를 오염시킬 기회가 없기 때문이다―같은 피험자가 결코 두 처치를 같이 받지 않는다. 그러나 피험자간 설계는 두 집단에 있는 피험자들이 애초부터 처치의 효과에 영향을 줄만큼 충분히 서로 다를 수 있다는 가능성과 싸워야만 한다. 어떤 피험자간 설계라도 혼입이 있을 잠재성은 있는데, 왜냐하면 두 집단에 속해 있는 피험자들 사이의 차이 때문이다. 예를 들어, Brady의 실험 결과는 관리자 조건에 매우 높은 반응성을 지닌 동물을 배정함으로써 혼입되었다.

짝짓기와 무선화

어떤 피험자간 설계에서든 연구자는 다양한 처치집단들에 속해 있는 피험자들 사이에 차이가 가능한 한 거의 없다고 어떤 식으로든 보증해야 한다. 명백하게도, 만일 우리가 위궤양에 가장 걸리기 쉬운 동물로 다섯 마리를 선발해서 관리자 조건에 넣고, 가장 걸리지 않을 다섯 마리를 속수무책 조건에 넣었다면, 진짜 효과가 가려진 결과를 얻게 된다. 그러면 우리는 내적으로 타당하지 않은 실험을 한 것이다. 원래의 관리자 원숭이 실험에서 바로 이런 일이 발생했는데, 왜냐하면 매우 반응성이 높은 동물이 스트레스 하에서 궤양에 걸리기 쉽다는 것이 알려져 있기 때문이다. 이런 종류의 결과를 막기 위해 연구자는 실험의 초기에 동등한 집단을 구성하도록 노력한다.

사용 가능한 한 가지 방법이 **짝짓기**(matching, 대응)라 불리는 것인데 중요한 피험자 특성을 다양한 처치 조건에서 짝짓기를 시키는 것이다. 이 실험에서 피험자들을 짝짓기하는 한 가지 방식은 동물들의 반응 비율을 파악하기 위해 예비검사를 실시하는 것일 것이다. 그러면 같거나 매우 비슷한 반응 비율을 가진 피험자들을 짝지을 수 있다. Brady가 피험자를 배정하는 데 사용한 절차와 달리, 이 절차는 각 쌍의 한 구성원은 한 집단에 무선 배정되고 다른 짝은 두 번째 집단에 배정되는 것을 필요로 한다. 짝짓기에 있어서의 어려움은 실험자가 모든 것에 대하여 짝짓기를 할 수 없다는 것이다. 실제로 실험연구자는 어떤 특성을 짝지어야 하는지 모를 수도 있다. 그러므로 짝짓기는 가장 혼입의 가능성이 높은 변인으로 한다. 그렇다 하더라도 한 변인에 대한 짝짓기는 다른 변인에 대하여 잘못 짝짓기를 하게 만들 수 있다.

덧붙여서, 또 다른 어려움—피험자 소모—이 집단을 같게 만들려 하는 짝짓기를 비효과적인 방법으로 만들 수 있다. **피험자 소모**(subject attrition)란 실험에서 하나 또는 그 이상의 피험자가 끝까지 참가하지 못하거나 독립변인 이외의 이유로 그들의 행동이 변하는 것을 뜻한다. 소모는 몇 가지 이유로 발생할 수 있다. 예를 들면, 피험자가 아프게 되면 계속할 수 없게 된다. 실험동물이 죽거나 너무 빈약하게 수행해서 자료를 해석할 수 없을 수도 있다. 실험에서 인간 피험자는 참가를 계속하기를 거부할지도 모른다. 장기간에 걸친 실험에서 참가자들이 성숙할 수도 있고, 그것은 환언하면 실험 도중에 참가자들의 특성이 변화하는 것을 의미한다. 만일 우리가 집단들을 동등하게 하기 위해 조건들이 맞도록 피험자들을 조심스럽게 짝짓기를 하였다면, 한 집단에서의 피험자 소모는 집단들을 같지 않게 만들며, 짝짓기는 무산되어 버린다. 이것은 단 한 명의 피험자가 특정 집단으로부터 누락되었을 때에도 사실이 될 수도 있다.

만일 비편향적인 절차(무선 배정)에 의해서 집단 특성이 결정된 경우에는 소모가 만드는 부정적인 효과는 덜할 것이다. 그러나 소모는 여전히 관찰에 있어서 신뢰도와 타당도 둘 다에 문제를 일으킬 수 있다. 만일 어떤 형태의 소모가 일어날 가능성이 있으면, 짝짓기는 사용되어서는 안 된다.

무선화(randomization)는 참가자 집단이 동등하게 형성될 가능성을 증가시키는 좀 더 보편적인 기법이다. 무선화는 집단이 항상 동등하다고 보장은 못해 주지만, 이렇게 꼭 필요한 결과가 나올 가능성을 상당하게 증가시킨다. 무선화에 의해서 두 집단을 형성하는 한 가지 방법은 참가자에게 임의의 숫자를 배정하고 나서, 모자나 주머니에서 그 숫자가 적힌 종이를 꺼내는 것이다. 유사한 방법으로 특정한 참가자를 어떤 조건에 배정할 준비가 되었을 때, 주사위를 굴려서 짝수는 한 집단에 홀수는 다른 집단에 배정할 수 있다. 주사위를 가지고 있지 않다면 난수표를 사용해서 짝수와 홀수를 고를 수 있다.

난수표는 부록에 있는 표 C.9에 나와 있다. 난수표는 매우 사용하기가 쉽다. 짝수와 홀수를 발생시키기 위해 표에서 한 열을 선택한다. 열을 따라서 진행하면서 짝수인지 홀수인지를 적는다. 예를 들면, 다섯 번째 줄, 두 번째 열에 있는 칸을 택하면, 51904가 있는데, 홀수, 홀수, 홀수, 짝수, 짝수의 이진 순서가 얻어진다. 그 열의 끝에 도달하면, 그냥 다른 열을 선택하여 그 절차를 계속한다.

이런 무선화 방법들의 각각은 참가자의 특성을 무시하고 조건들에 대한 무선적이고 편향되지 않은 배정을 하게 해준다. 무선화는 각 참가자들이 실험의 어느 조건이든지 한쪽에 속할 동등하고 비편향적인 기회를 갖는다는 것을 뜻한다. 무선화는 Weiss가 관리자 원숭이 실험 설계에서 이용한 방법이다. 그러나 무선화는 집단이 항상 동등하게 구성되도록 보장해 주지는 못한다. 우연하게 고도로 반응적인 동물이 한쪽 집단에 더 많이 배정될 수도 있다. 드물게 발생하는 이런 가능성은 통계 방법으로 계산될 수 있다. 이것이 실험 설계와 통계학이 자주 같은 주제로 취급되는 이유 중 한 가지이다. 그러나 실험 설계는 실험을 배열하는 논리와 관계되어 있고, 반면에 통계학은 가능성, 확률, 그리고 다른 수학적인 양들을 다룬다. 비록 완전한 짝짓기가 무선화보다 선호될 수도 있지만, 많은 경우에 짝짓기가 완벽하게 성공했다고 확신할 수 없다. 사랑의 경우, 완벽한 짝에게 항상 쉽게 다가갈 수 있지는 않은 것처럼, 과학에서 완벽한 짝짓기는 찾아보기 힘들 수 있다. 그러므로 과학에서는 할당 절차로 무선화가 선호된다.

개념 요약

피험자간 설계
개별 피험자 집단들은 독립변인의 상이한 수준을 받게 된다. 개인차를 통제하기 위해

- 피험자들은 집단에 무선 배정하거나
- 각 집단에서 피험자 특성을 짝짓기한다.

피험자내 설계

많은 실험심리학자들이 피험자간 설계보다 피험자내 설계를 선호한다. 일반적으로 피험자내 설계가 더 효율적인데, 왜냐하면 각 피험자들의 수행이 상이한 실험 조건에 걸쳐서 비교되기 때문이다. 우리 실험에서 이것은 관리자 처치 조건과 속수무책 처치 조건에서 얻어진 어떤 차이도 두 조건에 있는 동물들 간의 차이에 의한 것이 아니라는 것인데(피험자간 설계에서는 사실일 수 있음), 왜냐하면 모든 피험자들이 모든 조건을 받기 때문이다. 이런 특성이 함의하는 한 가지는 더 적은 피험자가 필요하다는 것이다.

이전에 Jarrard의 LSD 실험을 논의할 때 지적한 바와 같이, 효율적인 피험자내 설계는 한 처치에서 다음 처치로의 **이월효과**(carryover effect)라는 심각한 위기를 불러일으키게 되고, 타당하지 않은 실험이 된다. 즉, 한 처치의 효과가 다른 조건으로 이월될 수도 있다. 이월효과는 만일 한 조건이 다른 조건들에 서로 상이한 방식(즉, 실험 조건이 통제 조건에 영향을 주는 방식이 통제 조건이 실험 조건에 영향을 주는 방식과 다르다)으로 영향을 준다(이월한

다)면 특히 심각하게 된다. 관리자 원숭이에 대한 Brady 실험에서 열 마리 쥐가 속수무책 조건을 먼저 받고, 그 다음에 관리자 조건에 놓이게 되는 경우를 상상해 보자. 속수무책 조건을 경험한 결과로 인하여 쥐들이 충격을 통제할 수 있는 관리자 조건에서 좋지 못하게 대응할 수도 있다. 이것은 독립변인의 두 수준 사이에 있는 어떤 진짜 차이를 감출 것이다. 어떠한 피험자내 실험도 실험의 초기에 한 경험이 실험의 나중 부분에서의 행동을 변화시킬 수도 있는 위험을 지니고 있는데, 왜냐하면 한 처치의 효과가 다른 처치로 이월되기 때문이다. 이것은 연습이나 피로 같은 일상적인 요인에 의해서도 야기될 수 있다. 우리는 어떻게 이러한 비타당도의 출처를 줄일 수 있는가?

무선화

처치 사이의 이월을 최소화하는 한 가지 방식은 적용하는 순서를 무선으로 결정하는 것이다. 난수표를 사용하거나, 종이쪽지에 처치를 쓴 후 주머니에서 뽑아서 무선 순서를 만들어낼 수 있다. 이 논리는 피험자간 설계에서 참가자들을 조건들에 배정할 때 기술했던 것과 같은 것이다. 그러나 무선화가 궁극적으로는 동등한 처치순서를 가져옴에도 불구하고 아주 적은 수의 처치가 있을 때는 적합하지 않다. 대부분의 실험에서 참가자의 수는 처치의 수보다 많으므로 무선화는 참가자를 조건에 배정하는 데 좋은 기법이지, 처치의 순서를 결정하는 데 좋은 기법은 아니다.

상대균형화

전술한 바와 같이, Jarrard는 그의 실험 단계에 걸쳐서 처치순서를 균형화하는 상대균형화라 불리는 기법을 사용하였다. 피험자들에 걸쳐서 처치순서의 효과를 균형화함으로써 Jarrard는 이월효과를 최소화시킬 수 있었다. 상대균형화에서 각 처치는 실험의 각 시간 간격에서 나타난다. 이것은 매 처치가 혼입변인에 의해 영향 받을 동등한 기회를 갖는다는 것을 의미한다. 환언하면, 처치를 가할 때 각 기간들에 걸친 잠재적인 혼입변인들의 효과를 균형화시킴으로써 그 효과를 상쇄한다.

완전한 상대균형화에는 모든 가능한 처치순서가 사용된다. 이것은 관리자 원숭이 실험에서는 쉬운데, 왜냐하면 처치의 순서가 오직 두 개이기 때문이다. 속수무책-나중에-관리자, 관리자-나중에-속수무책. 그러한 상대균형화의 예가 응용 부문에 제시되어 있다.

조건들의 개수가 증가될수록 가능한 순서의 수도 점차 커진다. 세 개의 처치는 6개의 다른 순서를, 네 개의 처치는 24개의 다른 순서를, 5개의 처치는 120개의 다른 순서를 가지

응용

야생상태에서 상대균형화

Saari와 Latham(1982)은 southwestern Washington에서 비버 사냥꾼의 수행과 태도에 대한 지급 계획의 효과를 파악하고자 했다. 비버 사냥꾼은 산림 공장에서 일하였고 다음과 같은 실험이 진행되는 동안 시간당 임금을 받았다.

시간당 지급 계획 하에서 덫 놓기 수행의 기저선 측정을 한 후에 두 개의 유인 조건을 피험지내 설계를 도입하였다. 덫 놓는 사람이 연속강화 계획에 있을 때 덫에 걸린 비버에 대하여 1달러씩 더 받았다. 비버 사냥꾼이 네 개의 변화 비율 계획에 있을 때는 비버를 가져왔을 때, 만일 그들이 주사위가 홀수인지 짝수인지 두 번 정확히 예측하면, 4달러를 받았다(우연 수준에서 비버 사냥꾼이 1/4로 정확한 해결을 할 수 있다). 그러므로 한 조건에서는 1달러 지불을 항상 하였고, 다른 지불 조건에서는 평균 네 번 중 한 번꼴로 지불이 이루어졌다. 처치 조건의 상대균형화는 다음과 같은 식으로 이루어졌다. 비버 사냥꾼은 무선으로 두 집단으로 나누어졌고, 그 집단들은 연속 또는 변화

지불 계획 하에서 주 근무를 번갈아 했다. 번갈아 하는 계획은 전체 사냥 계절 동안 계속되었다.

Saari와 Latham은 사냥된 비버의 수가 두 종류의 지불 계획 하에서 증가되었고, 그 증가 정도는 연속 계획보다 변화 비율 계획 하에서 더 컸음을 발견하였다. 더욱이 그들은 비버 사냥꾼이 비율 계획을 연속 계획보다 더 선호하고 있음을 발견하였다.

이러한 결과는 쥐나 비둘기를 강화의 변화 비율 계획에 넣었을 때 발견된 것과 매우 비슷하다. 일반적으로 행동은 강화의 연속 계획보다 변화 계획 하에서 좀 더 오래 지속된다.

출처: Saari, L. M., & Latham, G. P.(1982). Employee reactions to continuous and variable ratio reinforcement schedules involving a monetary incentive. *Journal of Applied Psychology, 67*, 506-508.

게 된다. 따라서 독립변인의 수준의 수가 증가함에 따라서 완전한 상대균형화란 비현실적이 되어버린다. 대신에 실험연구자는 불완전한 상대균형화를 사용시켜야 하는데, 이것은 각 처치가 실험의 각 부분에 똑같은 빈도로 나타나는 것이다. 환언하면, 조건 A가 첫 번째, 두 번째, 세 번째 부분에 똑같은 빈도이면, 조건 B와 C도 그러하다. 이런 배열을 **라틴 방격 설계**(Latin-square design)라 부른다.

표 9.2는 4 × 4 라틴 방격을 보여주는데, 네 개의 처치(1, 2, 3, 4)가 있다. 정사각형의 열은 이들 처치의 순서를 나타내고, 행은 실험에서 검사되는 피험자를 나타낸다. 예를 들면, 참가자 1은 처치 1을 먼저 받고, 처치 2, 처치 3, 처치 4를 받는다. 다른 참가자는 네 처치를 상이한 순서로 받는다. 이 순서를 독립변인이라 이름 붙인다. 왜냐하면 라틴 방격은 항상 행과 열이 같은 수여야 하므로 실험연구자는 처치와 같은 수의 참가자를 사용해야만

표 9.2 네 개의 처치순서를 상대균형화시키는 라틴 방격

		순서			
		첫 번째	두 번째	세 번째	네 번째
참가자 번호	1	1	2	3	4
	2	2	3	4	1
	3	3	4	1	2
	4	4	1	2	3

한다. 따라서 표 9.2의 경우 실험을 위해서 적어도 네 명의 참가자가 필요하다. 그러나 보통은 통계적인 이유로 처치보다 참가자 수가 더 많아야 바람직하다. 이것은 실제적으로 실험자가 라틴 방격에서 처치 수의 배수로 참가자를 구해야만 함을 의미한다. 표 9.2에 보여준 정사각형에서는 실험자는 8, 12, 또는 16명의 참가자를 사용할 수 있는데, 이와 같은 수들은 4의 배수이다.

이렇게 참가자를 추가한 후에는 어떤 처치의 순서를 사용해야만 하는가? 실험자는 두 가지 선택이 있다. 첫째는 같은 라틴 방격을 계속해서 반복해 사용할 수 있다. 예를 들면, 표 9.2에 있는 방형을 사용하면, 참가자 5는 참가자 1과 같은 순서를 받을 것이고, 참가자 6은 참가자 2와 같은 순서, 참가자 7은 참가자 3과 같은 순서, 참가자 8은 참가자 4와 같은 순서를 받는다. 이 절차가 사용될 경우, 실험자가 방형 유일성에 대하여 검증하는 것이 좋은 통계적 관례이다. 만일 이 검사가 통계적으로 유의미하다고 판명되면, 처치에 대한 부분적인 상대균형화가 성공적이지 않고 실험 결과가 의문시된다는 것을 의미한다. 이것이 완전한 상대균형화와 비교하여 라틴 방격을 사용할 때의 위험성이다. 만일 실험자가 운이 없어서 처치의 효과와 어떤 식으로 연관되어 있는 처치순서가 포함된 특정한 라틴 방격을 선택하였다면, 불완전한 상대균형화도 충분하다는 가정은 실패한다. 운이 좋게도 방격 유일성에 대한 통계적 검증이 유의하지 않다면, 부분적인 상대균형화는 성공적이고, 실험자가 완전한 상대균형화를 채용하는 비용을 치르지 않아도 된다.

추가 참가자를 검사하는 두 번째 방법은 계속되는 각 참가자 집단에게 상이한 라틴 방격을 사용하는 것이다. 그러므로 4×4 설계를 다시 고려하면, 참가자 5~8에게는 이들만을 위한 라틴 방격을 쓰게 되는데, 그것은 표 9.2와는 다른 배열을 가지게 된다. 이와 같은 절차의 장점은 한 실험 내에 하나 이상의 라틴 방격이 사용됨에 따라 부분 상대균형화가 실패할 기회가 줄어든다는 것이다. 따라서 참가자 수가 충분해서 여러 다른 라틴 방격을 사용할 수 있을 때는 당연히 이 방법을 선택한다. 그러나 이 절차의 단점은 방격 유일성에 대한 통계치를 계산할 수 없다는 것이다. 부분 상대균형화가 적절하다는 가정이 틀렸을 경우에도, 실험자는 적합한 통계 검증이 없기 때문에 알 도리가 없다.

라틴 방격에서 이월효과를 평가하는 데 사용되는 특별한 실험 설계와 통계 모형이 있다. 이월효과는 처치순서가 결과에 영향을 줄 때 발생한다. 환언하면, 초기 처치의 경험이 후속 처치의 결과를 바꿀 수 있다. 물론 이는 바람직하지 않은 결과이다. 최적의 실험 설계는, 어떤 처치가 스스로에 영향을 준 이월효과가 다른 처치가 후속되었을 경우—예를 들면, AA 대 AB—에 생기는 이월효과와는 다르다고 가정하는, 통계적 모형을 사용함으로써

표 9.3 완전히 균형 잡힌 설계(Kunert & Stufken, 2002에서 인용)

		순서					
		첫 번째	두 번째	세 번째	네 번째	다섯 번째	여섯 번째
참가자 번호	1	1	2	3	2	1	3
	2	2	3	1	3	2	1
	3	3	1	2	1	3	2
	4	3	1	2	3	2	1
	5	1	2	3	1	3	2
	6	2	3	1	2	1	3

만들 수 있다(Kunert & Stufken, 2002). 표 9.3은 표준 라틴 방격에 비해 통계적인 장점을 지니는 완전히 균형 잡힌 실험 설계의 예이다.

결론적으로, 완전한 상대균형화는 피험자내 실험 설계에서 가장 안전한 방법이다. 처치의 수가 작을 때는 완전한 상대균형화가 라틴 방격보다 언제나 선호된다. 그러나 처치의 수가 커지면, 완전한 상대균형화는 자주 비현실적이다. 그러면 실험자는 라틴 방격을 부분적 또는 불완전 상대균형화로 사용하는 위험을 가정해야만 한다. 불완전 상대균형화가 적합한지를 결정하기 위해 방격 유일성에 관한 통계적 검증을 사용할 수 있다(이 교재의 범위를 벗어난다. 그러나 Kirk(1982년 자료)나 다른 고급 통계 교재를 보라). 만일 적합하지 않으면, 다른 라틴 방격을 사용하거나, 피험자내 설계를 피해서 실험을 반복하여야 한다. 비록 라틴 방격과 피험자내 설계가 매우 효율적이라 해도, 모든 실험에 적당하지는 않다.

개념 요약

피험자내 설계
모든 피험자는 독립변인의 모든 수준을 받는다. 이월효과를 최소화하기 위해서

- 처치의 순서를 무선화하거나
- 처치의 순서를 상대균형화시킨다.

통제 조건

대부분의 실험들은 통제집단이나(피험자간 설계), **통제 조건**(control condition, 피험자내 설계)을 포함하고 있다. 가장 단순한 형태에서 통제집단은 독립변인의 관심 있는 수준들을 받지 않는 집단이다. 통제집단이 독립변인을 처치받지 않는다고 말하는 것은 오해하기 쉬

운 것인데, 왜냐하면 독립변인은 정의에 의하면 적어도 두 수준을 가지고 있어야만 하고, 그 중 하나가 통제 수준일 수도 있기 때문이다. 예를 들면, 공부에 대한 소음의 효과를 분석하는 데 관심이 있다고 하자. 피험자간 설계를 사용하여, 한 집단의 피험자들을 공부하고 있는 반시간 동안 소음에 노출시킬 것이다. 이것이 독립변인에서 관심 있는 수준이다. 통제집단은 같은 내용을 반시간 동안 공부하게 되는데, 상당히 조용한 상황이다. 그리하고 나서 그 내용에 대하여 두 집단을 검사한다. 두 집단 사이의 검사 수행에서 어떠한 차이도 소음의 효과라고 기인될 것이다.

 방금 기술한 실험에서, 통제집단은 아무런 처치도 받지 않았다(소음이 도입되지 않았다). 통제집단이라고 항상 처치가 없는 것은 아니다. 제7장에서 회상할 수 있듯이, 감압연구에서는 통제 조건이 728피트의 지상 수준 기압이었다. 다른 통제 조건은 해수면(海水面) 조건일 수도 있다(고도가 0피트). 그 지방의 다른 지역에서는 1,000피트가 적절한 통제 조건이었을 수도 있다. 통제 조건의 중요한 특징은 실험의 어떤 변인이 비교될 수 있는 **기저선**(baseline)을 제공한다는 것이다. 때때로 가장 좋은 기저선 조건은 특별한 처치가 없는 것이다. 그러나 많은 경우에 최상의 기저선 조건에도 어떤 행위가 포함된다. 이런 문제가 기억연구에서 이따금씩 발생한다.

 한 집단의 참가자들이 두 개의 상이한 단어 목록을 학습하도록 했다고 하자(표 9.4). 실험자는 한 목록을 학습한 것이 다른 목록을 학습하는 데 어떻게 간섭을 주는지에 관심이 있었다. (독립변인의 관심 있는 수준에 있는) 실험집단은 목록 A를 먼저 학습하고 목록 B를 학습하였고, 다시 목록 A에 대하여 검사 받았다. 실험자는 목록 B의 학습이 목록 A의 기억에 간섭을 준다고 보여주고 싶었다. 이런 종류의 어떤 결론에 도달할 수 있기 전에, 비교할 통제 조건이 필요하다. 단순하게 목록 A에 대한 최종 검사 결과와 첫 번째 검사 결과를 비교하는 것으로는 불충분한데, 왜냐하면 참가자들이 단순히 피곤해서 두 번째 목록 A에 대한 검사에서 잘못할 수도 있고, 또는 과외 연습이 되어서 더 잘할 수도 있기 때문이다. 만일 아무런 처치가 없는 통제 조건이 사용된다면, 통제집단은 목록 A를 학습하고, 실험집단이 목록 B를 학습하고 있는 동안 대충 앉아 있다가, 다시 목록 A에 대한 검사를 받는다. 그러나 이 통

표 9.4 목록 학습을 위한 실험집단과 통제집단의 예

	첫 번째	두 번째	세 번째
실험집단	목록 A 학습	목록 B 학습	목록 A 검사
통제집단	목록 A 학습	산수문제 풀기	목록 A 검사

제 조건은 빈약한데, 참가자들이 대충 앉아 있는 동안 목록 A를 연습하거나 시연할지도 모르기 때문이다. 연습이 마지막 목록 A 검사에서 수행을 향상시키고, 실험집단을 목록 B 학습이 목록 A 학습을 실제보다 더 간섭하는 것처럼 과장해서 보이게 할 수도 있다. 적절한 기저선 조건을 써서 실험집단이 목록 B를 학습하는 동안 통제집단을 잡아둘 수 있을 것이다. 아마도 이들 참가자들에게 시연을 방지하기 위해 산수 계산을 하든지, 다른 바쁜 일을 하도록 지시할 것이다. 그러한 실험 설계의 한 예가 표 9.4에 나와 있다. 다른 예는 Jarrard가 LSD 연구에서 사용한 기저선 조건이다. 그는 주사를 놓지 않은 것 대신에 위약으로 식염수를 주사하였다. 식염수 주사를 기저선으로 사용하는 이유는 주사 그 자체가 쥐의 행동을 방해할 수 있기 때문이다. 이러한 비교 없이는 LSD의 효과를 부적절하게 평가할지도 모른다.

때때로 통제 조건이 실험에 드러나지 않게 포함된다. 우리가 쥐의 학습에 관심이 있고, 쥐들이 정확하게 반응을 했을 때 우리가 주는 음식 알갱이 수(하나 또는 다섯)가 독립변인이라고 가정하자. 어느 실험자도 알갱이를 하나도 주지 않는 통제집단 또는 통제 조건을 포함시키려고 하지 않는데, 왜냐하면 이런 이상한 상황에서는 아무런 학습도 일어나지 않기 때문이다. 여기서 통제 조건은 드러나지 않았는데 다섯 알갱이가 하나와 비교될 수도 있고 그 역도 가능하다. 실험자는 다섯 알갱이의 효과에 관심이 있는 것과 한 알갱이의 효과에 관심이 있는 것은 마찬가지이므로, 따라서 알갱이 하나 수준을 드러내 놓고 통제 조건이라 부르지 않는다. 그러나 이것은 비교를 위한 기저선을 제공하고, 또 마찬가지로 다섯 알갱이도 기저선을 제공하는데, 왜냐하면 한 알갱이 결과가 다섯 알갱이 결과와 비교될 수 있기 때문이다

때때로, 특히 오래된 연구에서, 통제 비교에 아무런 행동이 없다. 예를 들면, 표 9.4에서 통제 집단은 조용히 앉아 있고 두 번째 시기 동안 아무런 행동을 하지 않을 수도 있다. 이것은 빈약한 실험 설계이다. 활동이 없는 통제와의 비교를 피해야만 하는 이유를 이해하기 위해서, 후각 실험에서 통제 비교의 적합성을 검증한 Elmes와 Lorig(2008) 연구를 단순화시켜서 보기로 하자. 그들이 논의한 주장은 후각연구에만 국한되지 않고, 모든 행동연구에 해당된다.

표 9.5에 세 개의 실험집단이 나열되고, 각 집단에 적용되는 변인들이 정의되어 있다. 실험집단은 실험자가 원하는 처치를 준다. 특정한 냄새를 맡는다. 통제집단은 아무런 활동을 하지 않고, 아무런 냄새가 없는 자극을 받는다. 위약집단은 실험집단의 냄새와 적어도 한 가지 중요한 차원에서 일치하는 냄새 자극을 받는다. 표 9.5의 네 번째 줄에는 어떤 변인

표 9.5 피험자내 실험실 실험에서 변인들(Elmes & Lorig, 2008에서 변형시킴)

실험집단	통제집단	위약집단	변인의 정의
•	•	•	모든 외재 요인들
•			계획에 따른 처치의 모든 요인들
•			처치와 관련된 특정한 효과들
•		•	처치와 관련된 불특정 효과들
•	•	•	실험 전반의 요구 특성 효과들
•			처치와 관련된 특정한 요구 특성 효과들
•		•	처치와 관련된 불특정 요구 특성 효과들

들이 각 집단에 적용되었는지가 있다.

Prescott과 Wilkie(2007)는 아주 세심한 실험을 통하여 위약 통제가 주는 이점을 분명히 보여주었다. 그들은 달콤한 냄새가 고통 지각을 경감시킬 수 있다는 가설을 검증하였다. 여기서 그릇된 실험 설계방식은 달콤한 냄새를 냄새가 없는 통제 조건과 비교하는 것이다. 이렇게 하면 냄새 없는 통제와 불특정의 처치효과(예를 들면, 냄새를 탐지하기 쉬움, 쾌적한 정도, 강렬한 정도)가 혼입될 수 있다. 냄새만 없애는 통제는 달콤함 차원의 냄새 처치와 달라지게 될 뿐만 아니라, 다른 불특정 효과들에서도 차이가 있을 수도 있다. 따라서 냄새와 냄새 없는 통제 조건 사이에 차이가 있다는 어떤 결과도 필연적으로 오직 달콤함에 기인한 것이라고 할 수 없다.

대신에 연구자들은 쾌적함과 강렬함 차원에서 달콤한 냄새와 대응되는 위약 냄새(placebo odor)를 현명하게 사용하였다. 이는 두 조건 간의 차이가 쾌적함과 강렬함 차원상에서 연관된 불특정 효과에 기인될 수 없음을 의미했다. 뿐만 아니라, 통제 위약 냄새에 대한 요구효과(demand effect)가 실험의 달콤한 냄새에 대한 요구효과와 대응되어, 실험 설계를 더욱 더 향상시켰다.

세심하게 수행하는 실험에는 비활동적인 통제 조건을 피해야 한다. 실험 조건과 통제 조건을 비교할 때 알 수 없는 변산성의 원천을 제거하는 것이 중요하다. 부적합한 통제 조건은 실험의 내부타당도를 훼손시킨다. 따라서 통제 조건이 포함된 실험을 읽을 때는 통제 조건이 충분하다고 태평하게 가정해서는 안 된다. 통제 조건이 불특정 처치와 요구효과와 얼마나 잘 대응되었는지를 숙고해보는 시간을 가져야 한다. 아마도 다른 통제 조건이 포함되어야만 했을지도 모른다.

혼합 설계

실험들을 피험자내 설계 또는 피험자간 설계로 배타적으로 구성할 필요는 없다. 때로는 어떤 독립변인들은 피험자간 변인으로, 다른 독립변인들은 피험자내 변인으로 취급해서 동일한 실험 안에 포함시키면 편리하고 빈틈없이 된다(물론 실험이 하나 이상의 독립변인을 가지고 있다고 가정한다). 만일 한 변인이 전이 또는 이월 효과를 불러일으키기 쉽다면(예를 들면, 약물 투여), 그것을 피험자간 변인으로 만들고, 나머지 변인들은 피험자내 변인으로 만든다. 이러한 절충적인 설계를 하면, 순수한 피험자내 설계만큼 효율적이지는 않지만 종종 더 안전하다. 혼합 설계에 대해서는 다음 장에서 좀 더 자세히 기술될 것이다.

실험 설계의 선택

피험자간 설계는 한 처치에서 다른 처치로의 이월효과를 배제할 수 있고, 피험자내 설계는 피험자들과 조건들을 혼입시키지 않는다고 밝혔다. 더욱이 피험자내 설계가 피험자간 설계보다 더 효율적이고, 같은 피험자로부터 반복된 관찰을 얻는 것이 독립집단을 사용하는 것보다 선호될 수도 있다고 제안하였다. 이 부문에서는 특정한 연구 주제와는 상관없이 실험 설계를 선택하는 대강의 규칙을 살펴보도록 하겠다. 이 부분의 맨 끝에 여러분이 설계를 선택해야 되는 여러 실험 문제들이 있다.

이월효과

만일 어떤 독립변인이 참가자에게 영구적인 효과를 주기 쉽고, 후속의 혼입되지 않는 검사를 방해한다면, 피험자간 설계가 사용되어야 한다. 어떤 종류의 독립변인이 그런 예가 될까? 참가자의 상태나 발달을 영구적으로 바꾸는 독립변인들은 확실히 이월효과를 가지고 있다. 이것들은 태내기 기압의 효과, 태내기 영양섭취, 거의 모든 종류의 생리적인 손상(뇌 절제, 일부 약물들, 독극물 등), 대부분의 시간 의존적 변인들(나중의 소비자 행동에 대한 설득의 효과 또는 2학년 성취도에 대한 특정한 독서 기법의 효과), 그리고 가역성이 없기 쉬운 효과를 가진 어떤 다른 변인들을 포함한다. 대부분의 참가자 변인들(성별, 나이, 인종 집단 등)은 피험자간 설계를 필요로 하지만, 이들 변인들은 진짜 독립변인은 아니다. 피험자 변인이 포함된 연구와 관련된 특수한 문제들에 관해서는 제12장에서 살펴볼 것이다.

만일 여러분이 학습에서의 향상, 특정한 과제에서 전략의 변화, 한 과제에서의 최적 수행 등등 시간에 걸친 행동의 변화에 관심이 있다면, 피험자내 설계가 사용될 것이다. 여러분은 피험자를 반복측정(예를 들면, 쥐를 한 달 동안 매일 두 번씩 미로에 넣을 수도 있다)하거나, 각 피험자에게 시간에 걸쳐서 여러 처치를 줄 수 있다. 실제로는 여러분들은 이월효과를 찾아내려고 하는데, 이런 이월효과란 많은 학습연구들이 진짜로 다루고자 하는 것이다.

개인차

우리가 사람들은 서로 다르다고 말한다면, 여러분은 그것을 사소한 것이라고 생각할지도 모른다. 그러나 참가자간 **개인차**(indivisual differences)는 좋은 실험을 설계하려 할 때는 사소한 문제가 아니다. 만일 여러분이 피험자로 참가시키고자 하는 집단이 상당히 서로 다른 개인들로 구성되었거나, 행동에서 상당히 큰 개인차가 여러분의 실험에서 나타날 가능성이 있다면, 피험자간 설계를 쓰는 것보다 피험자내 설계를 쓰는 편이 나을지 모른다. 피험자내 설계는 자동적으로 피험자간 차이를 처리해준다. 여러분이 적절하게 개인차를 상대균형화한다면(그리고 이월효과가 문제가 아니라면), 피험자내 설계에서 이러한 개인차를 통제할 수 있다.

약물의 효능성을 검사하는 것이 여기에 적합한 사례이다. 약품 제조업자는 사람과 동물이 약물에 대한 민감성이 다르다는 것을 알고 있는데, 그것이 Jarrard가 LSD 효과를 검사할 때 피험자내 설계를 사용한 이유 중의 하나이다. 일단 약이 시중에 판매되면, 수많은 다양한 사람들이 약을 복용하게 될 것이다. 그러므로 수많은 다양한 사람들을 검사하고, 다양한 약품들을 동일한 사람에게 검사해야 함은 당연하다. 위약과 비교하여 다양한 수준의 약물을 한 피험자에게 투여하면, 약물효과의 평가 시 사용된 행동 또는 태도 과제에서 나타날지 모르는 개인차를 통제하게 된다. 예를 들면, 피험자내 설계는 진통에 대한 약물의 효과를 연구할 때 중요한데, 왜냐하면 어떤 외부에서 투약된 물질이 없는 경우에도 고통에 대한 반응들이 개인에 따라 천차만별이란 것을 이미 알고 있기 때문이다.

명백하게, 만일 약물이 장기간의 효과를 갖기 쉽다면, 피험자간 설계가 사용되어야 한다. 약물 효과성에 대한 많은 임상적 검사에서 피험자간 설계가 사용되는 또 다른 이유는 특정한 질병을 가진 참가자가 선택되기 때문이다. 실험집단의 참가자들은 약물을 받고, 같은 질병을 가진 통제집단은 위약이나 다른 약물을 받는다. 만일 약물 중 하나가 효과적이면, 인도적인 이유로 연구의 모든 참가자들이 실험 비교가 끝난 뒤에 그 약을 받는다.

피험자내 설계와 피험자간 설계의 대비

많은 연구문제들은 특정한 딜레마가 있다. 여러분은 커다란 개인차라는 가능한 오염효과에 대항하기 위해(피험자내 설계의) 이월효과를 균형시켜야만 한다. 한 가지 가능한 해결책은 한 가지 방식으로(예를 들면, 피험자내) 실험을 하고 난 후 다른 방식으로(피험자간) 실험을 하는 것이다. 비록 그런 책략이 비효율적인 것처럼 보이더라도, 긴 안목에서는 결과의 일반성을 증가시키는 것이다. 그러나 연구자가 같은 독립변인을 사용하여, 두 설계를 직접적으로 비교할 때도 두 설계에서 상이한 결과를 얻었다(Greene, 1996; Kawai & Imada, 1996).

Greene(1996)은 단기기억 과제에서 파지간격의 효과를 보았다. 그의 과제에서, 참가자는 자음 세 자를 짧게 보았고(예: TSL), 5 또는 25초간 숫자를 빠르게 세었다. 그리하고 나서 제시된 순서대로 세 자음을 회상하려고 했다. 파지간격은 숫자를 세는 시간의 길이로 정의된다. 피험자내 설계를 사용했던 상당한 양의 기존 연구들도 빠른 기억상실이 파지간격의 직접 함수임을 보여주었다. Greene은 두 가지 방식으로 실험을 했는데, 한 집단의 참가자들은 5초의 파지간격에서, 다른 집단은 25초의 파지간격에서 검사 받았다(피험자간 설계). 피험자내 설계의 한 집단은 5초와 25초를 번갈아했는데, 이 집단도 피험자간 경우에서처럼 파지간격의 길이를 완벽하게 예측할 수 있었다. 피험자내 설계의 다른 집단도 두 파지간격 모두를 검사 받았는데, 그 순서는 무선이었다. Greene은 피험자 내의 두 사례집단에서 파지간격이 더 긴 경우에서 보통 약한 파지효과를 발견하였으나, 피험자간 설계 조작을 사용했을 때는 그렇지 않았다.

비록 Greene이 얻은 결과에 대하여 완벽한 설명을 제시하지는 못하였지만, 적어도 피험자내 설계가 피험자간 설계보다 독립변인의 효과에 대하여 더 민감한 경향이 있다는 생각과는 일치된다. 유사하게, 피험자내 설계가 민감성이 높다고 인간과 동물 학습에 대한 문헌에서 보고되어 왔다(Grice & Hunter, 1964; Kawai & Imada, 1996).

설계 문제

다음의 문제들 각각에 대하여 피험자내 또는 피험자간 설계를 택할지를 정하라. 만일 여건이 보장된다고 여러분이 생각한다면, 실험 설계를 두 유형 모두로 만들어라. 연습을 위해서 독립변인, 종속변인, 통제변인들을 지적해야 한다. 만일 피험자내 설계를 선택하였다

면, 상대균형화 절차를 상세화하라. 그리고 만일 피험자간 설계를 사용한다면, 피험자를 조
건에 어떻게 배정할지를 지적하라. 설계에 관계없이 피험자내 또는 피험자간 구성을 선택
한 이유를 지적하라.

1. 한 연구자가 발음하기 어려운 철자(WMH, JBT, SJK 같은) 또는 발음하기 쉬운 철자(LEJ,
   NAM, TAL 같은) 중 어느 것이 학습하기 쉬운지를 보고자 했다. 20개의 발음할 수 있는
   철자들 또는 20개의 발음하기 어려운 철자들을 포함한 두 개의 목록이 준비되었다. 한
   목록에서 각 철자는 2초간 제시될 것이다. 각 목록의 끝에 참가자들은 철자들을 기억해
   서 쓰도록 한다. 설계 구성, 상대균형화 또는 참가자 배정 도식, 설계 선택의 이유, 그리
   고 변인들을 상세히 기술하라.

2. 세제 제조업자는 Scrubbo 강력 세제의 판매에 있어서 포장용기 색의 효과에 관심이 있
   었다. 상표의 배경색(maroon, pink, aqua)을 제외하고는 Scrubbo의 포장용기는 동일
   하였다. 다음 네 달 동안 판매 실적이 관찰되었다. 설계 구성, 상대균형화 또는 참가자 배
   정 도식, 설계 선택의 이유, 그리고 변인들을 상세히 기술하라.

3. 한 아동심리학자가 배변 훈련에서 천 기저귀와 종이 기저귀 간의 효과를 파악하려고 한
   다. 연구는 하루도 안 된 영아를 대상으로 시작한다. 기저귀가 더 이상 필요하지 않은 나
   이(가장 가까운 주간(週間)으로 표시됨)를 알아볼 것이다. 설계 구성, 상대균형화 또는 참가
   자 배정 도식, 설계 선택의 이유, 그리고 변인들을 상세히 기술하라.

4. 한 연구자가 쥐가 연습을 분산해서 할 때(시간상 펼쳐져 있음)가 집중해서 할 때보다 복잡
   한 미로를 빨리 학습하는지를 알아보고자 하였다. 집중 연습 시행(매 10초당 한 시행)의
   효과와 분산 연습 시행(매 10분당 한 시행)의 효과가 비교된다. 쥐가 미로를 완벽하게 학
   습하는 데 필요한 시행의 수가 계산된다. 설계 구성, 상대균형화 또는 참가자 배정 도식,
   설계 선택의 이유, 그리고 변인들을 상세히 기술하라.

5. Burpo 맥주 공장은 향이 첨가된 light 맥주를 시험 판매하고 있다. 그 회사는 소비자가
   딸기, 감초, 또는 아보카도 맛이 나는 Burpo를 선호하는지를 알아보고자 하였다. 각기
   다른 맛이 나는 여러 병들을 만들었다. 소비자들은 맛, 농도, 맛의 향기를 얼마나 좋아하
   는지에 관한 질문지에 대답하게 되었다. 설계 구성, 상대균형화 또는 참가자 배정 도식,
   설계 선택의 이유, 그리고 변인들을 상세히 기술하라.

개념 요약

피험자내, 피험자간 설계에 대한 통제 기법 요약

통제해야 되는 것	피험자간 설계	피험자내 설계
개인차(성별, 나이, IQ)	무선 배정—참가자를 집단에 편향되지 않게 배정. 짝짓기 배정—집단에 걸쳐 변인을 일정하게 유지(즉 여성만 검사). 집단에 걸쳐 변인들을 동등화(즉, 오른손잡이와 왼손잡이를 같은 수로 사용).	개인차는 자동적으로 통제된다.
상황 차이(자료가 수집되는 하루의 시간, 방안 온도)	이러한 변인의 효과를 무선화. 이런 변인들을 일정하게 또는 동등하게 유지.	피험자간 설계와 동일
이월효과(검사 순서, 검사 재료의 배정)	보통 이월효과는 발생하지 않는다. 만일 발생한다면 피험자내 설계와 같은 기법을 사용.	순서를 무선화. 완전한 상대균형화. 불완전한 상대균형화(라틴 방격 설계)

요약

1. 제대로 변인을 선택하고 설계를 깨끗하게 구성하면, 실험은 결과로부터 정확한 결론을 도출할 수 있게 해준다. 그러한 실험은 내부타당도가 있다고 말한다.

2. 피험자간 설계에서는 상이한 피험자가 독립변인의 상이한 수준에 배정된다.

3. 피험자내 설계에서는 각 피험자는 독립변인의 모든 수준을 받는다.

4. 피험자간 설계에서는 한 처치의 효과가 다른 처치의 효과를 오염시키는 경우는 없다. 그러나 상이한 집단에 있는 사람들 사이의 차이가 독립변인의 효과와 혼입될 수 있다.

5. 피험자내 설계는 피험자간 설계보다 더 효율적이고, 피험자간 차이로 인하여 결과가 오염되는 것을 염려할 필요가 없다. 그러나 한 처치에서 다른 처치로의 이월효과는 염려해야만 한다.

6. 다양한 집단에서 선발된 참가자 간의 개인차가 피험자간 실험에 혼입되지 않았음을 확증하기 위해, 우리는 참가자를 조건들에 무선으로 배정하여야만 한다. 대안으로는 참가자의 특성을 집단에 걸쳐서 짝짓기를 할 수 있다.

7. 처치를 제시하는 순서를 변화시킴으로써 피험자내 설계에서 이월효과를 최소화시킬 수 있다. 그 순서는 무선이 되거나 완전히 상대균형화 될 수 있다. 처치의 수가 많거나 독립변인의 수준의 수가 많은 경우에는 균형 잡힌 라틴 방격을 사용함으로써 불완전 상

대균형화를 이룩할 수 있다.

8. 통제집단 또는 통제 조건은 실험에서 어떤 변인이 비교될 수 있는 기저선을 제공한다.

9. 만일 독립변인이 피험자에게 영구직 효과를 주기 쉽고, 후속의 혼입되지 않은 검사를 방해할 때, 피험자간 설계가 사용되어야 한다.

10. 만일 행동이나 사고에서 커다란 개인차가 있기 쉽다면, 피험자내 설계가 피험자간 설계에 비해 선호될 수도 있다.

11. 피험자내와 피험자간 설계를 둘 다 적용하여 같은 실험이 수행된다면, 행동에 대한 독립변인의 효과는 피험자내 설계의 통계적 가정이 만족된 경우에 피험자내 설계에서 드러나기가 더 쉽다.

⬊ 주요개념

내부타당도(internally valid)
피험자간 설계(between-subjects design)
피험자내 설계(within-subjects design)
상대균형화(counterbalancing)
짝짓기(matching)
피험자 소모(subject attrition)

무선화(randomization)
이월효과(carryover effect)
라틴 방격 설계(Latin-square design)
통제 조건(control condition)
기저선(baseline)
개인차(individual differences)

⬊ 연습문제

1. [특별연습] 다음 실험 설계에서 잘못된 것은 무엇인가? 심상을 만드는 것이 어떻게 파지에 영향을 미치는지 연구하기 위해, 한 실험자가 피험자내 설계를 사용하였다. 연관성이 없는 단어의 긴 목록이 참가자에게 제시되었는데, 한 번에 한 단어씩 제시되었다. 단어들의 절반은 검은 잉크로 인쇄했고, 나머지 반은 붉은 잉크로 인쇄했다. 참가자는 붉은 단어에 대하여 생생한 심상을 만들라고 지시를 받았고, 검은 단어에는 다음 단어가 나타날 때까지 계속해서 중얼거리라고 지시를 받았다. 모든 단어가 제시된 뒤에 참가자들은 순서에 상관없이 가능한 한 많은 단어를 써야만 했다.

2. [특별연습] 다음 피험자간 실험에서 문제점을 발견하라. 한 연구자는 현금 지불이 태도 변화에 어떻게 영향을 미치는지 결정하고자 하였다. 실험실에 나타난 처음 22명의 참가자는 대중적이지 않은 후보자에 대하여 공개적으로 지지하겠다고 하면 15달러를 받았다. 다음에 나타나는 22명은 같은 후보자에게 지지한다고 동의하면 1달러를 받았다. 각 집단에서 요구에 응한 사람의 비율이 종속변인이다.

↘ 추천 문헌 자료

- 피험자내 설계와 피험자간 설계의 장단점을 Kerlinger, F. N., and Lee, H. B.(2000). *Foundations of behavioral research*. New York: Holt, Rinehart & Winston에서 완벽하게 논의하고 있다.
- 피험자내 설계를 사용하는 경우에 발생할 수 있는 미묘한 편향에 대한 논의는 다음의 논문을 보라: Poulton, E. C.(1982). Influential companions: Effects of one strategy on another in the within-subjects designs of cognitive psychology. *Psychological Bulletin*, 91, 673–690.
- 실험 설계에서 통제 조건의 사용에 대한 흥미 있는 역사적 조망을 다음에서 찾을 수 있다: Boring, E.(1954). The nature and history of experimental control. *American Journal of Psychology*, 67, 573–589.

↘ 웹 자료

- 이 장에서 배운 내용과 주요개념을 잘 알고 있는지 용어 설명, 플래시 카드, 그리고 통계와 연구방법 워크숍과 연계해서 확인해 보라. **www.cengagebrain.com**을 방문하라.
- 내부타당도에 관한 추가정보를 다음에서 찾아보라: **http://psych.athabascau.ca/html/Validity/index.shtml**

↘ 실험실 자료

하나의 독립변인에 두 개 이상의 조건을 가진 실험들은 제5장과 제6장의 Langston, W. (2011). Research methods laboratory manual for psychology(3rd ed.). Belmont, CA: Wadsworth에서 살펴보았다. 실험 주제는 손 동작 유형이 사고방식에 미치는 영향과 방 색깔이 기분에 미치는 영향에 대한 것이다. Langston, W.(2011). *Research methods laboratory manual for psychology*(3rd ed.). Belmont, Cengage, CA: Wadsworth Group.

심 리 학 해 보 기

Stroop 효과

제1장에서 여러분이 참가했던 실험의 후속으로 흥미 있는 피험자내 실험이 있다. 이 실험은 피험자내 설계를 사용했다. 그리고 세 조건은 숫자 읽기, 더하기 표 개수 말하기, 숫자의 개수 말하기인데, 수의 명칭이 수의 개수와 불일치했다(예를 들면, '3 3'인데 '2'라고 말한다). 후속 실험은 숫자의 이름과 그 개수가 일치하는 네 번째 조건(예를 들면, 4 4 4 4)을 포함한다. 여러분은 원래 실험에서 세 개의 목록을 사용하고, 네 번째 것은 스스로 고안해 내어라. 한 시리즈에는 32개 항목이 있고 1부터 4까지의 수(또는 양)는 라틴 방격을 통해서 순서를 상대균형화시켰다. 각 시리즈를 모두 읽는 데 걸리는 시간을 결정하기 위해서 시계가 필요하다.

이 실험을 적절하게 설계하기 위해, 참가자가 각 조건을 받는 순서를 상대균형화 도식을 사용하여 결정한다. 균형 잡힌 라틴 방격이 이 목적을 위해 최상의 것인데 피험사에 걸쳐서 각 소건이 첫 번째, 두 번째, 세 번째, 네 번째로 똑같은 빈도로 나타나는데, 각 처치는 다른 처치의 전후에 동일하게 나온다(표 9.3을 보라).

읽기와 명명에 대한 추가정보는 제1장과 제13장에서 'Stroop 효과'란 제목 하에 나온다. 이 효과는 이런 과정을 연구하기 위해 읽기와 명명하기가 갈등되는 과제를 최초로 사용한 과학자의 이름을 따서 Stroop 효과라고 이름 붙였다(Stroop, 1935). 숫자와 갈등되며 그리고 조화되는 개수를 사용한다는 측면에서는 여러분의 후속 실험은 Windes(1968)가 한 것과 비슷한데, 그는 피험자간 설계를 사용하였다. 여러분의 실험은 Hintzman과 동료들(1972)이 한 것과 유사한데, 그들은 피험자내 설계를 사용하였고 조화 또는 부조화한 잉크색으로 색의 이름을 인쇄하여 참가자들에게 잉크색을 명명하도록 하였다.

여러분의 결과는 수강 동료들의 결과와 합할 수도 있다. 각 구성원들은 네 명의 참가자를 검사할 수 있다. 네 명의 참가자가 있는 각 집단은 조건의 순서를 결정하기 위해 사용된 단 하나의 균형 잡힌 라틴 방격을 구성할 것이다. 여러분은 세 이름 조건: 중립(+ +), 부조화(3 3), 조화(2 2)의 차이에 관심을 두어야 한다. 만일 여러분의 결과가 Hintzman과 동료들이 얻은 결과에 부합하려면, 조화는 통제 조건인 중립보다 더 빠르고, 부조화는 중립보다 더 느리다는 것을 발견할 것이다.

Hintzman, D. L., Carre, F. A., Eskridge, V. L., Owens, A. M., Shaff, S. S., & Sparks, M. E.(1972). 'Stroop' effect: Input or output phenomenon? *Journal of Experimental Psychology, 95*, 458-459.

Windes, J. D.(1968). Reaction time for numerical coding and naming of numerals. *Journal of Experimental Psychology, 78*, 318-322.

제 10 장 복합 설계

이 장에서는 둘 이상의 독립변인이 있는 실험의 설계와 해석을 논의한다. 그러한 다중 요인 실험은 독립변인의 상호작용을 강조한다. 다중 요인 실험은 단일 요인 실험의 확장이라고 볼 수 있다. 어떤 설계는 피험자간 변인을 변화시키고, 다른 설계는 피험자내 변인을 변화시킨다. 또한 독립변인의 피험자간 조작과 피험자내 조작을 혼합하는 것도 가능하다. 우리는 여기서 이러한 가능성 세 가지를 살펴본다.

요인 설계

왜 복합 실험을 하는가? 나중에 우리는 피험자 변인과 (외부에서 조작하는) 진짜 독립변인을 연구에 포함시키면, 유사-실험에서 통제력이 증가됨을 알게 된다. 그러나 둘 이상의 독립변인을 사용하여 실험실 실험을 하는 주된 이유가 통제력 증가에만 있지는 않다. 주된 이유는 오히려 사고와 행동의 복잡성에 있다. 실험 분석을 한 번에 하나씩 하는 변인 조작으로만 한정시킨다면 실험실 밖의 사람들에게 영향을 주는 수많은, 서로 얽혀 있는 힘들을 반영할 수 없다. 그러므로 다중 요인 실험은 단일 요인 실험보다 더 우월한 생태학적 타당도를 갖기 쉽다. 어떤 실험이 내부타당도와는 대조적으로 외부타당도를 지니는가 하는 생태학적 타당도의 주제는 이전에 논의하였다. 우리는 사고와 행동에 영향을 주는 결합되어 있는 힘들의 복잡성에 걸맞은 실험을 함으로써 우리가 얻은 결과들의 일반성을 증가시킬 수 있다. 덧붙여서, 복합적인 인과 진술이 만들어질 수 있으며, 그것은 내부타당도를 증가시킬 것이다.

이것이 뜻하는 바는 우리가 분석에 관하여 이전에 말해왔던 것이 타당하지 않다는 것인가? 어떠한 연구 문제에 있어서나 기본적인 요인들은 좀 더 복잡한 관찰을 할 수 있기 전에 결정되어야 할 필요가 있다. 자연주의적 관찰과 상관연구가 기본적인 실험보다 앞서서 수행되는 경우와 아주 유사하게, 흔히 간단한 실험들은 좀 더 복잡한 실험에 대한 기초 토대가 된다. 과학에서의 성숙은 서서히 일어난다. 데이터베이스는 천천히 증대되고, 이론들은 서서히 발달한다. 우리는 기술과 예측으로 시작해서 설명으로 끝을 맺는다. 설명 자체는 간단한 실험들에서 복잡한 실험으로 발달적 진행 과정을 거친다.

사회심리학의 2 × 2 실험: 수면자 효과

기억연구에서 아주 극심하게 공통적으로 발견되는 것은 정보가 시간에 따라 흐려진다는 것이다. 새로운 정보가 제시될 때, 당시에는 그것을 쉽게 기억할 수 있다. 그러나 시간이 흘러감에 따라 이 정보를 회상할 수 있는 능력은 감소된다. 그러나 사회심리학에 재미있는 발견이 하나 있는데, 시간의 경과가 설득적인 메시지의 효과를 향상시킨다는 것이다. 이렇게 흥미롭고도 이상한 현상을 **수면자 효과**(sleeper effect)라고 부른다. 여러분이 방금 새로운 먹거리 상품인 저지방 피자에 대한 TV 광고를 시청했다고 상상해 보자. 얼마나 많은 사

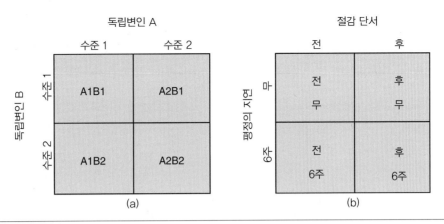

그림 10.1 (a) 2×2 요인 설계에서 네 처치 조합. 여기서는 별개의 피험자 집단이 조합조건 각각을 받는다. (b) Pratkanis와 동료들(1988)이 수행한 실험의 2×2 요인 설계

람이 근처 식품 상점에 달려가서 이 새로운 음식을 사려고 할 것인가에 대하여 여러분이 평정함으로써 이 메시지가 얼마나 설득적이었는지를 표시할 수 있다. 1점에서 10점까지의 척도에서 5점 평정을 주었다고 가정하자. 만일 이 음식에 대하여 나중에 다시 평정하라고 했을 때, 5점보다 높은 평정을 준다면, 여러분은 수면자 효과를 방금 보여준 것이다. 시간이 지남에 따라 설득적 메시지의 영향은 증가한다.

수면자 효과를 얻기 위해, 설득적 메시지는 **절감 단서**(discounting cue)를 동반해야 한다. 이것은 설득적 메시지의 정확성이나 신뢰성을 여러분이 믿지 못하게 만드는 메시지이다. 예를 들면, 여러분이 방금 GM사가 제작한 새로운 스포츠카에 대하여 찬사로 가득 찬 전면 소개기사를 읽었다고 상상해 보자. 만일 여러분이 그 개관이 *Car and Driver* 잡지로부터 나온 것이라고 듣는다면, 여러분의 반응은 그 개관이 GM의 홍보부가 쓴 것이라고 들었을 때와는 다를 것이다. *Car and Driver*는 여러분이 메시지에 대한 믿음을 향상시키는 확증 단서인 반면에 GM 홍보부는 정보의 편향된 출처라고 간주될 것이다. 수면자 효과는 절감 단서가 메시지의 출처에 대하여 의심하게 만들 때 얻기 가장 쉽다.

비록 수면자 효과에 대한 많은 설명들이 제안되었지만, 기억의 역할에 초점을 둔 것들이 가장 대중적이었다(Pratkanis, Greenwald, Leippe, & Baumgardner, 1988). 그러한 설명 중 하나가 해리 가설이다. 설득적 메시지를 제시할 때, 설득적 메시지와 절감 단서는 서로 강하게 부착되어 있다. 그러므로 설득적 메시지와 절감 단서는 서로 효과를 상쇄시켜버리고, 의견 변화는 거의 일어나지 않는다. 시간이 흐른 뒤에 메시지와 단서 사이의 연결은 점차 약해진다. 특히 메시지가 기억되는 반면에 절감 단서는 망각된다. 절감 단서는 인출되지 않는데, 왜

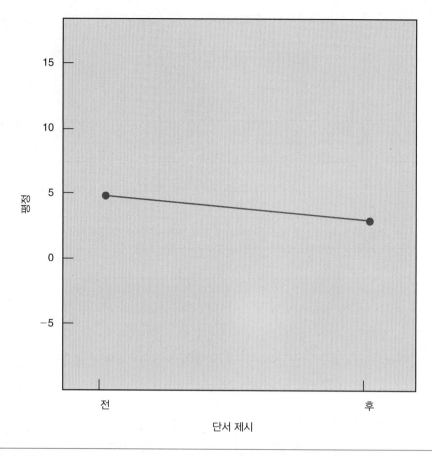

그림 10.2 수면자 효과에 대한 단서 제시의 효과(Pratkanis와 동료들, 1988에서 인용)

냐하면 메시지와 단서 사이의 연결은 시간에 따라 약해지기 때문이다. 이것이 의견에 순수하게 긍정적인 변화를 일으키고, 결국 수면자 효과를 낳는다.

이 2 × 2 실험 설계 뒤에 있는 논리를 설명하기 위해 Pratkanis와 그의 동료들(1988)이 보고한 수면자 효과에 관하여 최근에 얻은 결과의 일부를 살펴보고자 한다. **2 × 2 요인 설계**(2 × 2 factorial design)는 각각 두 개의 수준 또는 값을 지닌 두 개의 독립변인이 있다. 요인(factorial)이란 단어가 지칭하는 바는 각 독립변인의 모든 수준들의 모든 가능한 조합이 검사된다는 것이다. 그러므로 그림 10.1(a)에 보여준 바와 같이 2 × 2 요인 설계는 네 개 조합의 조건들이 포함된다. {A1B1}, {A2B2}, {A1B2}, {A2B1}. Pratkanis 실험에서 두 개의 독립변인은 (1) 절감 단서가 설득적 메시지 전에 제시되는지 후에 제시되는지, 그리고 (2) 메시지와 의견 평정 사이의 지연의 길이(0 또는 6주)이다. 그러므로 관심 있는 네 개의 조합은 {전-무}, {후-무}, {전-6주}, {후-6주}이다. 이 실험의 설계는 그림 10.1(b)에 있다.

그림 10.2는 의견 평정에 대한 단서 제시 효과를 보여준다. 직선은 거의 평평한데, 거의

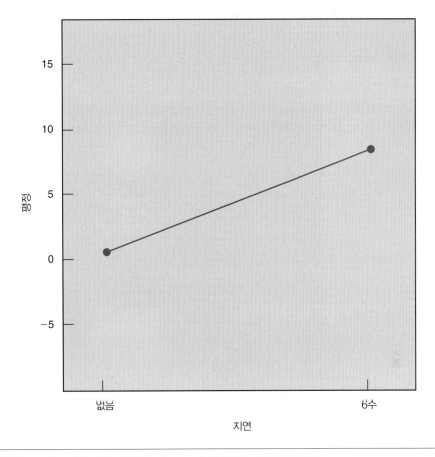

그림 10.3 수면자 효과에 대한 지연의 효과(Pratkanis와 동료들, 1988에서 인용)

효과가 없음을 나타낸다. 그림 10.2에 근거해서 우리는 단서 제시가 수면자 효과를 바꾸지 못한다고 결론지을 것이다. 요인 실험에서 단일 독립변인의 효과를 **주 효과**(main effect)라고 부른다. 그림 10.2는 단서 제시의 주 효과가 거의 영인데, 왜냐하면 단서 제시의 수준 1(전)과 수준 2(후)에 대한 평정 간의 차이가 거의 없기 때문이다.

　이제 그림 10.3을 보면, 의견 평정에 대한 지연의 효과를 보여주고 있다. 여기에는 주 효과가 있다. 지연이 6주일 때 평정이 높은데, 더 큰 설득이 있었음을 가리킨다. 물론 이 결과는 수면자 효과이다. 그러나 주 효과만을 보여주는 그림 10.2와 그림 10.3에만 근거를 두면, 수면자 효과와 단서 제시 효과가 관련이 없다고 결론 내릴 것이다. 비록 실험이 수면자 효과를 드러냈지만, 그 효과는 절감 단서가 설득적 메시지 전에 오거나 후에 오거나 하는 것과는 관련이 없는 것처럼 보인다.

　그러나 이 결론은 틀린 것이다. 그림 10.4는 2×2 요인 설계에서 네 개의 조합에 대한 결과를 보여준다. 여기서 결과에 대한 해석은 꽤나 달라진다. 메시지 전에 단서가 오면, 수

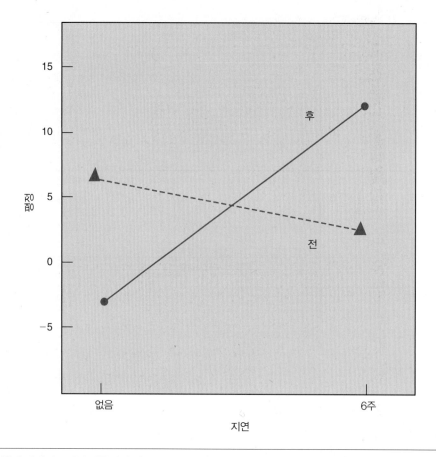

그림 10.4 수면자 효과에 대한 단서 제시와 지연의 상호작용과 그 효과(Pratkanis와 동료들, 1988에서 인용)

면자 효과는 없다. 단서가 메시지 후에 오면, 아주 큰 수면자 효과가 있다. 따라서 그림 10.2
와 그림 10.3에서 도출된 잘못된 결론과는 반대로 절감 단서가 제시되는 시점이 절대적으
로 중요하다. 이러한 결과들에 대한 정확한 해석은 독립변인들의 네 가지 조합에 대한 지식
을 필요로 한다. 이런 결과를 **상호작용**(interaction)이라 부른다. 상호작용은 한 독립변인의
효과가 다른 독립변인의 수준에 의존할 때 발생한다. 그림 10.4에서 지연의 효과는 절감 단
서 제시 시기에 달렸다. 그러므로 지연과 제시 시기의 상호작용이 있다.

　　Pratkanis와 동료들에 따르면, 그림 10.4의 결과들은 수면자 효과에 대한 해리 설명에
대하여 의심을 제기하는데, 왜냐하면 해리 설명은 단서가 제시되는 시기와는 상관없이 수
면자 효과가 있음을 예언한다. 이보다 좀 더 좋은 설명은 **차별적 소거**(differential decay)라
고 불린다. 이것은 단서의 영향이 메시지의 영향보다 더 빨리 소거된다고 말한다(Pratkanis
et al., 1988). 메시지 전에 단서를 제시하면 메시지의 설득적 효과를 약화시킴으로써 수면자
효과를 제거한다. 그러나 가장 핵심적인 실험에서 나타난 사례에서처럼, 해리 설명을 굳게

믿고 있는 사람은 이러한 두 번째 설명도 채택할지도 모르며, 수면자 효과의 부재를 설명하는 설득적 영향이라는 두 번째 요인을 가정하는 것이 똑같이 해리 가설에도 적용된다고 주장할 수도 있다. 비록 Pratkanis와 그의 동료들이 차별적 소멸(decay)에 대한 다른 주장, 특히 수면자 효과와 기억연구에서 다른 발견을 연결시키는 주장을 제안하였음에도 불구하고, 이러한 흥미 있는 기이한 현상을 꼭 집어서 지적하기 위해서는 좀 더 많은 연구가 필요하다는 것은 명백하다. 최근 연구는 또한 수면자 효과를 친숙성과 자극 특성에 관련시키고 있다. Begg, Anas와 Farinacci(1992)는 (피험자의 의도적 통제 하에 있지 않은) 친숙성과 (통제될 수 있는(회상의 두 가지 영향이 수면자 효과와 연관되어 있다고 주장하였다. Riccio, Ackil과 Burch-Vernon(1992)은 수면자 효과를 자극 일반화의 개념과 연결시켰다. 자극 일반화의 개념은 고전적 조건 형성에 대한 초기 작업으로까지 거슬러 갈 수 있는데, 그것은 한 자극이 원래의 조건 형성된 자극에서부터 달라질수록 반응을 일으키는 능력은 체계적으로 감소된다는 것이다. Pratkanis와 동료들의 말로 하면, "수면자 효과여, 영원하여라."

> **개념 요약**
>
> **상호작용**
> 다중 요인 실험에서, 상호작용은 한 독립변인의 효과가 다른 독립변인의 수준에 의존할 때 발생한다.

상호작용의 양상들

주 효과들은 통계적으로 상호작용 효과와 독립적이다. 주 효과의 양과 방향을 안다고 해서 가능한 상호작용 효과에 관한 정보를 알 수 있다고 할 수는 없다. 이번 부문에서는 모두 동일한 주 효과를 가지고 있는 세 개의 자료 세트를 가지고 논의하겠다. 그러나 상호작용의 양상들은 매우 다르다.

그림 10.5는 독립변인이 두 개 있는 실험에 대한 결과를 보여주고 있다. 변인 A는 점수가 각각 50과 70인 수준 1과 2를 가지고 있다. 이 두 점수 간의 차이는 변인 A의 주 효과인데, 20단위이다(이 단위들은 종속변인을 측정한 그 어떤 것이든 된다. 예를 들면, 종속변인이 시간이라면, 그 단위는 초가 될 수 있다. 만일 종속변인이 정확률이라면 그 단위는 백분위 점수일 것이다). 변인 B에는 수준 1과 2가 있다. 이것은 60 단위의 주 효과를 가지고 있다. 두 가지 주 효과는 여기에 제시한 설명의 모든 예에 대하여 일정하다.

그림 10.6은 독립변인 A와 B 사이에 아무런 상호작용이 없는 2×2 요인 조합을 보여주고 있다. 일단 2×2 행렬의 특정한 칸에 대하여 한 값이 선택되면, 다른 칸 값들은 주 효과에 의하여 결정된다: 이런 점을 살펴보기 위해 칸 A1B1을 택해보자. 칸 A1B1은 임의의 값 20 단위를 갖는다. 칸 A2B1의 값을 찾기 위해 독립변인 A의 주 효과를 더한다: 20+20=40, 칸 A2B1에 대한 값이다. 칸 A1B2에 해당하는 값을 찾기 위해 독립변인 B의 주 효과를 더한다. 20+60=80. 이제 네 칸 중 세 개의 값을 채웠다. 칸 A2B2의 값을 계산하는 데는 두 가지 가능한 방식이 있다. 먼저, 독립변인 A의 주 효과를 칸 A1B2에 더할 수 있다. 20(주 효과)+ 80(칸 A1B2의 값)=100. 둘째로, 독립변인 B의 주 효과를 칸 A2B1에 더할 수 있다. 60(주 효과)+40(칸 A2B1의 값)=100. 어느 방식이든지 같은 결과(100)를 얻었다. 그러므로 결과들은 가산적이다. 그리고 가산성이란 독립변인들 간에 상호작용이 일어나지 않았음을 뜻하는 또 다른 용어이다.

이러한 결과들이 그림 10.7에 있다. 그림 10.7(a)에 독립변인 B가 x축에 그려져 있고, 두 개의 상이한 직선으로 독립변인 A의 두 개의 수준을 그렸다. 그림 10.7(b)에서 독립변인 A는 x축에 그려져 있다. 그림 10.7에 있는 그래프를 그리는 두 가지 방식 모두 옳다. 두 개의 그래프에서 두 직선은 평행이다. 이것이 시각적으로 가산성을 분명하게 보여준다. 두 변

독립변인 A

1	2	2 − 1
50	70	20

독립변인 B

1	2	2 − 1
30	90	60

그림 10.5 주 효과

B \ A	1	2	평균
1	20 A1B1	40 A2B1	30
2	80 A1B2	100 A2B2	90
평균	50	70	

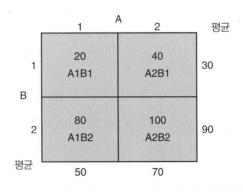

그림 10.6 가산성(상호작용 없음)

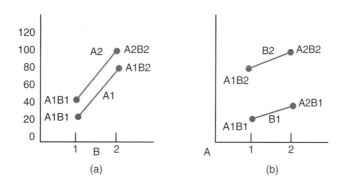

그림 10.7 가산성

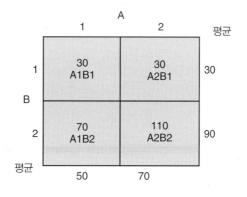

그림 10.8 상호작용

인 사이에 상호작용이 없을 때, 두 변인은 선으로 도표를 그리면 평행이 된다.

그림 10.8은 독립변인 A와 B 사이에 상호작용이 있는 2 × 2 행렬을 포함한다. 만일 우리가 그림 10.6에서 했던 것처럼 주 효과를 더해서 칸 값을 구성하려고 한다면, 우리가 얻을 수 있는 답들은 틀릴 것이다(여러분 스스로 해 보라). 상호작용이 있게 되면(그림 10.9) 선들은 평행이 아니다. 비록 그림 10.7과 10.9가 동일한 주 효과를 나타내지만, 두 도표는 상당히 다르다.

그림 10.10은 매우 중요한 종류의 상호작용을 나타내고 있는데, **교차 상호작용**(crossover interaction)이라 부르는 것이다. 이것을 그리면(그림 10.11), 두 직선은 서로 교차해서 지나간다. 교차 상호작용은 상호작용 중에 가장 신뢰할 수 있는데, 왜냐하면 이런 상호작용은 측정에서의 문제나 독립변인의 척도화로 설명할 수 없기 때문이다(다양한 종류의 측정 척도의 수학적 특성에 대해서는 제7장을 보라). 다른 예로, 그림 10.10은 그림 10.6, 그림 10.8과 같은 주 효과를 지닌다. 그러나 그림 10.11은 그림 10.7 그리고 그림 10.9와는 상당히 다

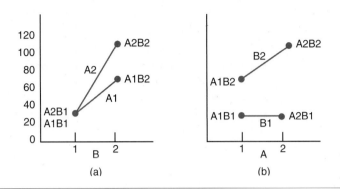

그림 10.9 상호작용

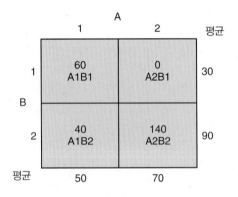

그림 10.10 교차 상호작용

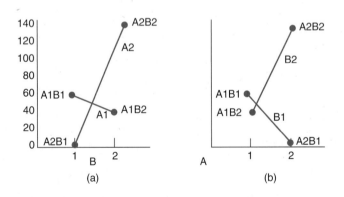

그림 10.11 교차 상호작용

르다.

여기서 설명한 원칙은 아주 분명해야만 한다. 상호작용의 양상은 두 개 이상의 독립변인을 가진 실험에서 어떤 주 효과를 해석하기 전에 신중하게 고려되어야만 한다.

피험자간 요인 설계에서의 통제

피험자간 설계에서 독립변인들의 각 조합은 구분된 집단의 피험자들에게 부여된다. 우리는 피험자의 특성이 집단 구성에 혼입되지 않았음을 확실하게 하고자 한다. 이상적인 경우에 우리는 피험자를 무선으로 선택하여, 그들을 조건들에 무선으로 배정한다. 우리는 보통은 피험자들에 대하여 완전한 무선 선택을 할 수 없는데, 왜냐하면 우리는 비편향된 방식으로, 모든 쥐를, 또는 모든 대학생들을 선택할 수 있는 가용한 절차를 가지고 있지 않기 때문이다. 그러므로 피험자 특질과 우리의 조작이 혼입될 가능성을 최소화시키는 방식으로 조건들에 피험자를 배정하는 것이 핵심이다. 요인 설계에 많은 집단들이 있을 때, 비편향된 배정이 중요하다. (제9장에서 피험자들을 무선으로 배정하는 것에 대하여 개략적으로 소개하였음을 상기하라.)

일반적으로, 무선화, 상대균형화, 그리고 다른 통제 기법들은 잠재적 혼입변인들이 독립변인들과 상호작용하는 것을 막는 데 도움을 준다. 여러분의 설계에서 여러분은 이러한 원치 않는 상호작용의 가능성을 줄이려고 노력해야 한다. 통제 기법을 선택하는 데 엄중한 규칙이 있는 것은 아니나. 사용되는 기법들은 사수 실용수의에 입각해서 선택된다. 여러분이 사용하는 특정한 통제 절차는 여러분에게 달렸다: 혼입을 최소화하고, 실행하기 쉬운 통제를 사용하도록 확실하게 해야 한다.

우리는 조건들에 피험자를 편향되지 않게 배정하는 것을 가리키는 **무선집단 설계**(random-groups design)라고 종종 불리는 피험자간 설계에 대해서만 우리의 논의를 한정시켰다. 대안적인 배정 방법이 짝짓기이다(제9장을 보라). **짝지은**(또는 대응) **집단 설계**(matched-groups design)에서는 실험자는 참가자들을 다른 변인을 중심으로 짝지음으로써 참가자 차이로 인하여 집단 간에 나타날 변동성을 줄이고자 노력한다. 그러므로 우리가 방금 기술한 바 있는 수면자 효과 실험에서 참가자들은 조건들에 무선으로 배정받기 전에 IQ에 근거하여 짝지을 수 있다. (짝지어진 참가자들의 각 하위 집단은 집단들에 무선으로 배정된다.) 이전 논의에서, 관련된 변인에 대하여 짝짓기가 어렵다는 것을 지적하였다. 성별이나 나이 같은 어떤 피험자 변인들은 집단에 걸쳐서 짝지을 수 있거나 유사 독립변인이 될 수 있다. 만일 짝짓기가 어렵다면, 다음에 논의할 복합 피험자내 설계를 사용할 수도 있다.

개념 요약

요인 설계

독립변인의 각 수준에 대한 가능한 조합이 검토된다. 예를 들면, 독립변인 A가 수준 A1, A2, A3을 가지고 있고 독립변인 B가 B1, B2, B3을 가지고 있는 3 × 3의 경우에는 아홉 개 집단이 만들어진다.

- A1B1
- A1B2
- A1B3
- A2B1
- A2B2
- A2B3
- A3B1
- A3B2
- A3B3

복합 피험자내 설계

피험자내 설계는 종종 피험자간 설계를 대신하여 사용되는데, 왜냐하면 피험자내 조작이 (적은 수의 피험자가 필요하므로) 좀 더 경제적이고 개인차를 자동적으로 통제하기 때문이다. 물론 영구적인 이월효과가 있기 쉽다면, 피험자내 설계는 부적절할지도 모른다.

피험자내 설계를 사용하면 검사에 필요한 피험자 수를 상당히 줄일 수 있다. 그러나 피험자 수를 줄이게 되면 자료의 신뢰도를 확실히 하기 위해 각 조건에서 피험자당 관찰 수를 증가시킬 필요가 있을 수도 있다. 우리는(소집단 실험에서 해야 되는 것과 같은 식으로; 제11장을 보라) 피험자 행동을 대단위로 표집해야만 한다. 그렇게 하면 어떤 외재 요인이 결과에 영향을 줄 가능성이 줄어든다. 예를 들면, 수많은 학습, 기억, 지각, 반응시간 실험에서는 사건들이 빠르게 일어나므로, 참가자에게 굉장한 부담을 안기게 된다. 만일 참가자가 부적절한 시기에 기침하거나 눈을 깜박이면, 그 시행에 대한 수행이 부정확하게 과소평가될 수도 있다.

그러므로 피험자간 설계에서 우리는 많은 피험자를 검사하는 데 반해서, 피험자내 설계에서는 적은 수의 피험자를 여러 번 관찰한다. 피험자 한 명당 많은 수의 관찰을 한다고 해도, 흔히 피험자내 설계는 피험자간 설계보다 더 효율적이다.

복합 피험자내 실험

어떤 정신과제를 수행하다가 다른 정신과제로 전환하는 행위는 일상적인 것이다. 예를 들면, 운전 중에 라디오 채널을 맞추다가 도로 신호를 찾는 데 주의를 전환한다. 사람들은 여러 다른 과제를 동시에 수행하기란 힘들다. 어떻게 여러분이 과제들 사이에서 전환하는지를 이해하는 것은 상당한 실용적인, 그리고 이론적인 흥미를 끈다. 전환에 관한 일반적인 모형이 기계에서 기어를 바꾸기라는 유추를 사용한다(Monsell, 2003). 전환에는 시간과 노력이 들어간다. 그러므로 여러 연구자가 한 과제에서 다른 과제로 전환하는 데 관련된 비용에 관해서 연구했다.

실험실 실험에서 전환 과제를 단순하게 만들고, 따라서 혼입변인을 최소화시킨 결과들이 해석될 수 있도록 하였다. 그러한 단순한 전환 과제로는 화면에 제시된 사각형의 가로 폭 또는 세로 높이가 긴지 짧은지를 파악하는 것이다. 사람들은 가로 폭 또는 세로 높이 중 어떤 질문이 나올지 미리 알고 있을 경우에는 훨씬 더 잘하고 반응도 빨랐다. 그러나 질문을 무선으로 뒤섞으면 과제가 어려워지는데, 왜냐하면 사람들이 미리 준비할 수 없기 때문이다. 과제 전환에 대한 준비 과정을 연구하는 보편적인 방법은 보는 사람에게 가로 폭 또는 세로 높이 중 어디를 처리해야 할 지를 알려주는 단서를 제시하는 것이다. 예를 들면, 세로 높이일 경우에는 철자 h(영어 height)를, 가로 폭일 경우에는 철자 w(영어 width)를 단서로 제시한다. 만일 단서와 직사각형 자극 제시 사이에 몇 초가 흐르면, 이 과제는 미리 아는 경우와 동일한 과제가 된다. 그러나 단서-자극 간격(Cue-Stimulus Interval, CSI)이라고 불리는 단서와 자극 사이의 시간이 매우 짧은 경우는 어떤가? 기어-변경 모형에 따르면, 준비하는 데 시간이 많을수록 기어-변경 과정을 활성화시킬 수 있다. 따라서 짧은 단서-자극 간격보다는 긴 단서-자극 간격에서 수행이 더 좋아야 한다.

Altman(2004)는 피험자내 실험 설계를 사용하여 이 가설을 검증하였다. 단서-자극 간격은 하나의 독립변인이었으며, 짧거나(100ms) 또는 길었다(900ms). 과제(가로 폭 대 세로 높이)가 두 번째 독립변인이었다. 과제가 이전 시행과 비교해서 전환되었거나 반복되었는지를 말하는 연속성이 세 번째 독립변인이었다. 이것은 피험자내 설계였기 때문에, 모든 참가자는 모든 조건과 조건들의 조합을 경험하였다.

세로 높이 과제에 대한 반응시간(676ms)이 가로 폭 과제에 대한 반응시간(636ms)보다 느렸으나, 이 주 효과는 어떤 다른 독립변인과도 상호작용하지 않았다. 이 결과는 실험 1과 실험 3이라고 붙여진 그림 10.12의 왼쪽 구획에 보이는 단서-자극 간격과 연속성 사이에 있는 상호작용보다는 흥미를 덜 끈다. 먼저 반복 조건을 나타내는 흰색 원을 살펴보자. 만일 동일한 과제를 반복한다면, 과제를 전환할 필요가 없다. 그러므로 긴 단서-자극 간격이 가진 이득이 거의 없어야만 한다. 이제 연이은 시행에서 과제가 바뀌게 되는 전환 조건을 나타내는 검은색 원을 보라. 여기서 우리는 기어를 바꾸는 데 더 많은 시간이 있어야 하기 때문에 긴 단서-자극 간격에서 실질적인 이득이 있을 것으로 기대하게 된다. 선들이 평행이 아닌, 상호작용이 있는 결과를 보여주고 있다. 긴 단서−자극 간격이 가진 이득은 반복 조건보다는 전환 조건에서 더 크다. 따라서 이러한 결과는 과제 전환의 기어−변경 모형을 지지하고 있다.

만일 Altman(2004)이 대부분의 과제 전환 연구에서처럼, 오직 하나의 피험자내 설계를 사용했더라면, 이것이 이야기의 끝이었을 것이다. 그러나 그는 단서−자극 간격이 피험자간 변인이었던 실험 두 개로 피험자내 설계를 반복검증하였다. 도대체 왜 어느 누가 동일한 실험을 두 번씩이나 하려고 하는가? 이 부분을 시작할 때 피험자내 설계에 존재하는 이월효

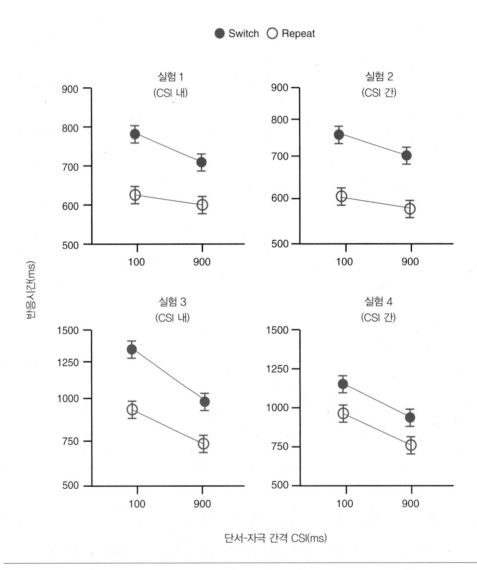

그림 10.12 단서-자극 간격과 연속성의 함수로서 반응시간. 실험 1과 실험 3이 유사하고, 실험 2와 실험 4가 유사함을 주목하라. 홀수 실험은 피험자내 설계를 사용하고 짝수 실험은 피험자간 설계를 사용하였다(Altman[2004]. American Psychological Society 저작권 2004).

과의 위험에 관해 한 우리의 경고를 상기해 보라. Altman(2004)은 기어-변경 모형의 지지자가 아니었고, 방법론적 이월효과에 의한 인위물(Poulton, 1982)이 기어-변경 모형을 지지하게 된 부정확한 결과를 이끌어 내는 전략을 유도했을 것이라고 믿었다. 이제 실험 2와 실험 4라고 붙인 그림 10.12의 오른쪽 구획을 살펴보자. 단서-자극 간격과 연속성 사이의 상호작용이 사라졌다! 선들이 평행이다. 전환 시행에 있었던 긴 단서-자극 간격의 상대적인 이득이 없었다. 이것은 피험자내 설계만을 사용하여 기어-변경 모형을 지지하는 초기 실험의 해석에 심각한 의문을 제기한다. 이제 기어-변경 모형을 선호하는 연구자들이 단서-자극 간격이 피험자간 변인이었을 때 상호작용이 없는 이유를 설명할 필요가 있다.

피험자내 실험 설계는 피험자간 설계에 비해 상대적으로 지닌 상당히 큰 효율성 때문에

개념 요약

복합 피험자내 설계

모든 참가자들이 독립변인들의 각 수준을 조합한 모든 조건을 받는다. 예를 들면, Altman(2004)의 실험에서 다음과 같은 조건들이 있었다. 두 개의 단서-자극 간격(짧다, 길다), 두 개의 직사각형 판단(가로, 세로), 그리고 두 개의 연속성 값(전환, 반복). 그러므로 피험자내 조작에서 모든 피험자는 다음과 같은 여덟 조합의 조건을 받게 되었다 {짧다, 가로, 전환}, {짧다, 가로, 반복}, {짧다, 세로, 전환}, {짧다, 세로, 반복}, {길다, 가로, 전환}, {길다, 가로, 반복}, {길다, 세로, 전환}, {길다, 세로, 반복}.

응용

외국어 어휘 학습의 향상

많은 실험실 실험은 심상과 시연의 유형이 파지를 향상시킬 수 있다고 지적한다. 이러한 종류의 결과가 좀 더 실제적인 상황에서도 일어나는가?

Atkinson(1975)은 어떤 종류의 시연 기법이 외국어 어휘 학습과 파지를 극적으로 향상시킬 수 있다고 지적하였다. 성공적이었던 한 가지 절차는 *핵심 단어법*이라고 불리는 것이다. 우리는 어떻게 이 방법이, 다른 나라 언어 학습에도 적용되지만, 러시아어 어휘를 학습하는 데 적합한가를 개략적으로 설명할 것이다. 핵심 단어법은 어휘 학습을 두 부분으로 나눈다. 첫 번째 부분에서 참가자는 발음된 외국어 단어를 핵심 단어와 결합한다. 핵심 단어 소리가 외국어 단어와 매우 유사하기 때문에 쉽게 된다. 두 번째 부분에서 참가자는 핵심 단어의 심상과 어떤 방식으로 상호작용하는 영어 번역을 만들어 내려고 노력한다. 따라서 첫 번째 외국어 단어는 핵심 단어와 연결되고 핵심 단어는 영어 번역과 연결된다.

러시아어에서는 *dym*(영어식 철자법)이란 단어는 영어 단어 *dim*이란 단어와 유사하며 뜻은 연기이다. 우리가 영어 단어 *dim*을 핵심 단어로 사용하면, *dim*과 *dym*은 같이 첫 번째로 연결된다. 그리하고 나면 우리는 연기로 자욱해진 *어둑한(dim)* 그림의 심상을 형성할 수도 있다. Atkinson의 실험에서, 참가자는 외국어 단어를 듣고, 핵심 단어와 영어 번역을 받는다. 참가자는 핵심 단어와 번역을 연결시키는 자신의 심상을 내놓는다.

학습은 핵심 단어법이 없을 때보다 있을 때 빠르다. 통제 참가자들은 핵심 단어를 사용하는 참가자와 비슷한 번역 개수에 도달하기 위해서는 약 1/3이 더 오래 걸렸다. 약 6주 후의 파지 검사에서 핵심 단어를 사용한 참가자들은 통제 참가자보다 약 65%를 더 회상하였다. 많은 상황에서 기억 기법을 사용하면 파지를 높은 수준으로 유지할 수 있다.

출처: Atkinson, R. C.(1975). Mnemotechnics and second-language learning. *American Psychologist, 30,* 821–828.

널리 사용되었다. 보통 이것은 유용하고 수용할 만한 절차이다. 그러나 만일 이월효과를 의심할 만한 이유가 있다면, 피험자간 설계가 더 나은 선택이 된다. 인지 과제에서 피험자내 설계를 선호하는 실험연구자는 피험자내 설계의 가정이 만족되고 있는지를 확인하는 의미에서 자신의 실험을 피험자간 설계로 반복검증하는 것을 고려해야만 한다.

혼합 설계

순수 피험자내 설계와 순수 피험자간 설계 모두 장단점이 있다. 많은 실험연구자들이 가능한 단점들을 최소화시키면서 두 설계의 장점을 얻고자 **혼합 설계**(mixed design)를 사용한다. 혼합 설계는 하나 이상의 피험자간 독립변인과 하나 이상의 피험자내 독립변인을 가지고 있다.

혼합 설계를 보여주기 위해 우리는 자동차 운전을 연구한 두 개의 실험을 살펴보겠다. 또한 이 실험들은 실험 통제에 최신 컴퓨터를 사용하고 있다. Intel Pentium 프로세서가 장착된 데스크톱 컴퓨터는 강력해서 아주 복잡한 전문적인 실험을 통제하는 데도 충분하고, **시뮬레이터**(simulator)를 사용하는 실험도 한다. 많은 종류의 시뮬레이터들이 있는데 데스크톱 컴퓨터를 사용하는 좀 단순한(그러면서도 상당히 강력한) 시뮬레이터로부터 100만 달러를 호가하는 랙(rack)에 장착된 그래픽 워크스테이션을 사용하는 시뮬레이터까지 다양하다. 부분-과제 시뮬레이터는 실세계에 적용되는 과제의 일부분만을 다룰 뿐이다. 예를 들면, 보잉 747 비행기를 위한 전체-과정 시뮬레이터는 수백만 달러가 드는 반면, 수천 달러가 드는 효과적인 **부분-과제 시뮬레이터**(part-task simulator)는 조종실 계기판의 일부분만을 구성하여 다룰 수 있다. 부분-과제 시뮬레이터는 조종사가 계기판 사용을 훈련할 수 있게 해주지만, 비행기의 다른 시스템은 훈련할 수 없다. 이것은 계기판 학습을 위해서 값비싼 전체-과정 시뮬레이터를 사용하는 것보다 훨씬 더 효율적으로 비용을 쓰는 것이다.

항로 안내 실험

많은 새로운 지능적인 장치들, 특히 항법 시스템들이 승객 운송수단에 적용되기 위해 개발되고 있다. 여러분은 이제 이러한 시스템이 장착된 차를 빌릴 수 있고, 여러분 자신의 차에 추가로 시스템을 구입해서 장착하거나 항법장치가 구비된 새 차를 살 수 있다. 이러한 새로운 고급 여행자 정보 체계(ATIS)는 교통 체증을 알려주고 사고 우회 경로를 제시한다. 그러나 최고의 ATIS도 지역 교통 안내소에서 제공한 교통 정보만큼만 좋다. 비록 교통공학자가 시기적질하고 100% 정확한 징보를 제공하고 싶어 한다고 하더라도, 종종 그 정보가 운전자에게 도착했을 때 그 정보는 더 이상 신뢰성이 있지 못하게 된다. 정보를 더 신뢰성 있게 만들 수도 있지만, 매우 높은 수준의 신뢰도에 도달하기 위한 비용이 지나칠 수 있다. 따라서 교통공학자는 자신들의 시스템을 신뢰성 있게 만드는 방법에 대하여 (인간-요인 심리학자로부터) 조언이 필요하다. 시스템을 완전히 신뢰성 있게 만드는 것은 비용이 너무 많이 들어서 실현 불가능하다. 그러나 시스템이 충분히 신뢰성 있지 못하다면 운전자는 그것을 사용하지 않을 것이다. ATIS에 필요한 신뢰성의 정도는 어느 정도일까?

이 질문에 대답하기 위해 혼합 설계를 사용하여 자료가 수집되었다(Kantowitz, Hanowski, & Kantowitz, 1997). 피험자간 독립변인은 교통 정보의 정확성이었다. 71% 또는 43%의 정확성. 두 가지 상이한 정확성 조건 사이에 있을 수 있는 전이효과를 피하기 위해서 정확성은 피험자간 변인이 되었다. 전이효과의 예를 들면, 만일 운전자가 43% 정확성이 있는 교통 자료를 일단 경험하게 되면, 그는 차후의 자료가 좀 더 정확하더라도 자료를 믿지 않을 수 있다. 피험자내 독립변인은 위치이다. 친숙한 도시(시애틀) 또는 지형학적으로 시애틀과 대응되는 가상의 낯선 도시(New City). 지형학적으로 대응된다는 것은 두 도시의 도로 패턴이 동일함을 의미한다. 그러므로 두 도시 사이에서 어떤 차이가 발생한다면 이는 친숙성 때문인 것이다. 만일 대응되지 않은 새로운 도시가 연구되었다면, 친숙성과 도로 패턴이 혼입되었을 것이며, 연구자는 얻어진 차이가 친숙성에 기인한 것인지, 도로 패턴의 불일치에 기인한 것인지를 알 수 없었을 것이다.

더욱이 모든 피험자는 정보가 항상 옳은 100% 정확 조건을 경험하였다. 각 피험자는 두 유형의 정보에 대하여 검사 받았기 때문에, 정확 정보 그리고 부정확 정보의 비교가 피험자내 대비였다. 그러나 부정확성의 (43% 그리고 71%) 두 수준은 피험자간 대비였다.

그림 10.13에 실험에서 사용된 부분-과제 시뮬레이터가 있다. 오른쪽에 있는 컴퓨터 화면은 운전자가 접속하면 교통 정보가 있는 지도를 제공한다. 왼쪽에 있는 컴퓨터 화면은 선택된 경로에 대한 실시간 교통 화면을 보여준다. 운전자들은 각 시행에서 만일 가장 빠른 경로를 선택하면 약속된 15달러의 보너스를 받을 수 있었다. 대신에 운전자들은 심한 교통 체증을 만나면 보너스가 반으로 깎이는 벌칙을 받았다. 이것은 운전자들이 길에서 지체될 때 느끼는 좌절을 효과적으로 모사하였다. 실제로 실험에서 많은 운전자들이 교통 체증에 걸려서 움직이지 못할 때 보이는 정서적 반응을 보였다.

그림 10.13 Battelle 경로 지도 시뮬레이터

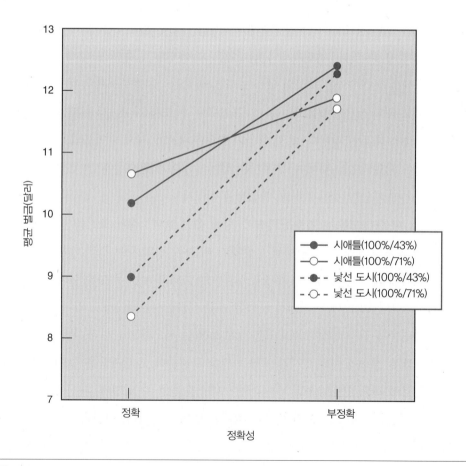

그림 10.14 정확성의 함수로서 평균 벌금

　이 실험의 결과(그림 10.14)는 두 독립변인(친숙성과 정확성) 간 상호작용을 보였다; 이 상호작용은 그림 10.14에서 실선과 점선을 비교하면 쉽게 볼 수 있다. 운전자가 부정확한 징보를 받을 때 그들의 저벌 비용은 장소와는 상관없이 높았다. 운선사가 정확한 성보를 받을 때는 친숙한 도시에서 처벌 비용이 높았다. 낮선 상황에서 운전자는 ATIS의 조언을 따르는 경향이 있다. 그러나 친숙한 도시에서는 ATIS를 믿기보다는 자신의 판단과 도시에 대한 지식을 더 믿는다. 그러므로 시애틀 상황에서는 운전자들이 낯선 도시에서처럼 교통 조언을 따르기보다 교통 조언을 더 많이 무시하였고 그래서 더 많은 벌금을 부과받았다. 이 결과(그리고 여기서 논의되지 않은 다른 결과도 고려해서)는 ATIS 시스템 생산자들이 렌터카 회사와 낯선 상황을 운전해야 하는 운전자들에게 판매하는 것이 더 성공할 수 있음을 함의한다.

ATIS 메시지에 대한 기억

　ATIS 계기판은 메시지를 제시함으로써 운전자와 의사소통한다. 어떤 종류의 아이콘이 자동차 내 계기판에 최적일까? 어떤 아이콘들은 친숙한 도로 표지판을 그대로 사용하는 반면, "타이어 압력이 낮음" 같은 특수한 자동차 내 메시지를 위해서는 다른 새로운 아이콘이 필요하다. ATIS 메시지를 위해서 문자를 사용하는 편이 나을까, 아니면 아이콘을 사용하는 편이 나을까? 메시지는 운전자의 연령에 상관없이 효과가 똑같을까? ATIS 설계사들은 효과적인 자동차 내 시스템을 구축하기 위해 많은 질문들에 대한 대답을 찾아야만 한다.

　중급의 충실도를 가진 운전 시뮬레이터(그림 10.15)를 사용하여 이런 질문에 답을 얻고자 하였다. 운전자는 진짜 차를 잘라서 만든 검사 자동차에 앉아서 실제 도로를 운전하는

그림 10.15 Battelle 자동차 시뮬레이터

것처럼 컴퓨터 화면을 본다. 운전 시뮬레이터를 통제하기 위해 데스크톱 컴퓨터가 사용된다. 비록 시뮬레이터 안에서 운전자를 검사하는 것이 더 안전하고 효율적이긴 하지만, 실제로 도로 위에서 검사를 해서 시뮬레이터 결과의 유효성을 확인하는 것이 현명하다.

혼합 설계에서 연령이 피험자간 변인으로 선택되었고, 젊은 운전자(30세 미만)와 나이 든 운전자(65세 이상)들이 검사되었다(Hanowski & Kantowitz, 1997). 연령은 피험자간 변인, 유사 독립변인으로 구성되었고 따라서 실험자는 젊은 운전자들이 나이 든 운전자가 될 때까지 30년을 기다리지 않아도 되었다. 메시지 재인 간격(0에서 50초)은 피험자내 변인이다. 메시지가 제시된 후 운전자는 두 가지 선택 질문에 즉시 또는 지연 후에 대답하여야만 한다. ATIS 설계사는 언제 메시지를 제시할지 아는 것이 중요하다. 만일 메시지가 너무 늦게 제시된다면, 운전자는 제시간에 반응하지 못할 수도 있다. 반면에 메시지가 너무 일찍 제시된다면, 운전자는 잊어버릴지도 모른다. 이 논점은 특히 젊은 운전자만큼 인지적 기술이 좋

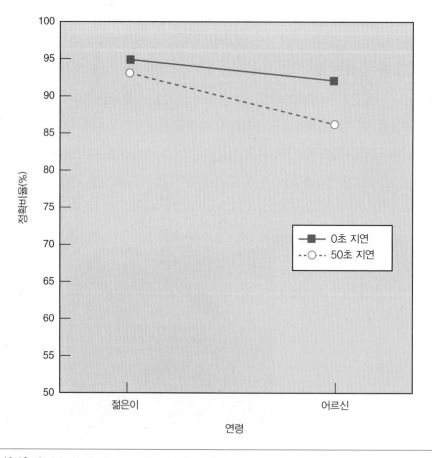

그림 10.16 운전자 연령과 질문 지연의 함수로서 정확 백분율

지 않을 수도 있는 나이 든 운전자에게 중요하다.

젊은 운전자가 두 가지 지연 모두에 대하여 자동차 내 메시지를 똑같이 잘 기억할 수 있다는 결과(그림 10.16)를 얻었다. 그러니 나이 든 운진자는 50초 지연 새인 소건에서 더 나쁜 수행을 보였다. 나이 든 운전자에게 있어서 비록 이 차이는 작았지만, 이 실험에서 자동 주행 속도 유지장치로 차가 운행 중이었고, 운전자는 지방 도로에서 다만 방향만 잡아주면 되는 쉬운 조건에서 실험이 실시되었다. 완전 수동 통제 운전과 도심 운전에서는 더 큰 차이가 예견될 것이다. 이 주제에 대한 연구가 많은 실험실과 검사용 도로에서 계속 진행되고 있다. 차량 내 시스템을 설계할 때 나이 든 운전자들의 요구에 특별한 주의를 주어야만 하는 것 같이 보인다.

요약

1. 다중 요인 실험들에는 둘 이상의 독립변인이 있고, 이들 변인들은 두 수준 이상이다.
2. 둘 이상의 독립변인이 변화할 때 독립변인의 수준들에 대한 모든 가능한 조합을 조사하는 요인 설계를 쓴다. 2×2 요인 설계에서 독립변인들의 수준에 대한 네 개의 조합이 존재한다.
3. 다중 요인 설계를 사용하는 주된 이유는 상호작용을 보려는 데 있다. 상호작용은 한 독립변인의 효과가 다른 독립변인의 수준에 의존할 때이다.
4. 두 개의 독립변인이 있을 때 두 개의 주 효과(각 변인에 연합된 효과)와 하나의 상호작용이 있을 수 있다.
5. 처치×처치×피험자는 변인들이 피험자 내에서 조작되는 요인 설계에 보통 붙이는 명칭이다.
6. 다중 요인 실험에서 사용되는 통제 절차는 복잡할 수 있지만, 원칙적으로는 오직 한 독립변인만을 가진 실험에서 사용되는 절차들(무선화, 상대균형화, 등등)과 유사하다.
7. 혼합 설계는 하나 이상의 변인들이 피험자 간으로 각 수준이 변화하면서, 동시에 하나 이상의 변인들이 피험자 내로 각 수준이 변화한다.

⭨ 주요개념

수면자 효과(sleeper effect)

절감 단서(discounting cue)

2×2 요인 설계(2×2 factorial design)

주 효과(main effect)

상호작용(interaction)

교차 상호작용(crossover interaction)

무선집단 설계(random-groups design)

짝지은(또는 대응) 집단 설계(matched-groups design)

혼합 설계(mixed design)

시뮬레이터(simulator)

부분-과제 시뮬레이터(part-task simulator)

⭨ 연습문제

1. 복합 피험자간 설계에 비해서 복합 피험자내 설계가 가진 장점을 논의하라.

2. [특별연습] 한 연구자가 직선 미로에 있는 쥐에게 주는 음식 강화의 크기(크다 또는 작다)를 변화시켰다. 쥐가 좁은 통로를 뛰어가는 데 걸렸던 시간이 종속변인이었고, 열 번의 시행이 있는 각 구획에 대하여 초로 나타낸 평균 시간은 다음과 같았다.

실험연구자는 전체 걸린 시간이 작은 보상집단에서 더 느렸기 때문에 큰 보상이 더 빠른 학습을 이끈다고 결론지었다. 표에 있는 자료로부터 어떤 다른 결론이 도출될 수 있는가? 이 결과들을 나타내는 도표를 그려라.

	구획 1	구획 2	구획 3	구획 4
큰 보상	38	30	20	15
작은 보상	52	32	16	12

3. [특별연습] 한 실험자가 파지에 대한 연습효과를 연구하는 데 흥미가 있었다. 만일 피험자내 설계가 사용되고 독립변인들이 시연의 종류(유지와 정교화), 그리고 제시 횟수(1, 2, 3, 4)라면, 제시할 단어의 네 가지 다른 순서를 어떻게 상대균형화시킬 것인지 지적하라. 제거되어야 할 또 다른 혼입변인은 무엇인가?

⭨ 추천 문헌 자료

• 복합 실험들을 여러 개 소개한 것이 다음에 있다: Elmes, D. G.(1978), *Readings in experimental psychology*. Chicago: Rand McNally. 특히 논문 14와 25를 보라.

⭨ 웹 자료

• 이 장에서 배운 내용과 주요개념을 잘 알고 있는지 용어 설명, 플래시 카드, 그리고 통계와 연구방법 워크숍과 연계해서 확인해 보라. **www.cengagebrain.com**을 방문하라.

• 교통 상황에 대한 Battelle Memorial Institute의 연구와 관련된 정보는 **http://www.battelle.org**에서 찾을 수 있다.

↘ 실험실 자료

Langston의 지침서(Langston, W.(2011). Research methods laboratory manual for psychology(3rd ed.). Belmont, CA: Wadsworth.) 제9장과 제10장에서 둘 이상의 독립변인을 사용한 실험연구에 대하여 소개하였다. 연구 주제로는 기분과 지각, 성-중립

적 대명사, 요청에 따르기를 거부하는 것을 포함한다. Langston, W.(2011). *Research methods laboratory manual for psychology*(3rd ed.). Belmont, CA: Wadsworth.

심 리 학 해 보 기

철자 탐지에 있어서 난이도

다양한 종류의 목표들에 대한 탐지(즉, 레이더 상의 비행기)는 보통은 관찰자가 스트레스 하에 있을 때나 주의산만할 때 나빠진다(Broadbent, 1971). 이 실험은 주의를 산만하게 하는 것이 탐지 과제의 난이도와 상호작용하는지를 결정한다.

참가자의 과제는 아주 빠른 속도로 신문 기사를 읽는 것인데, 읽어나가면서 특정한 철자를 지우다 탐지기간의 절반은 아주 조용한 상황이고 다른 절반은 중간 정도 크기의 음악이 연주되는 상황이다. 그러므로 여러분은 신문과 라디오(또는 다른 음악의 출처)가 필요할 것이다.

과제의 난이도는 참가자가 지우게 되는 특정한 철자에 의해서 결정된다. 절반은 발견되는 모든 u를 지워야만 하고, 절반은 모든 f를 지워야 한다. 철자 f는 사람들이 f를 탐지하려고 할 때 상당한 실수를 하기 때문에 선택되었다(Read, 1983). f는 자주 v처럼 발음되기(단어 *of*에서와 같이) 때문에, 사람들은 자주 이러한 f를 지우지 않는다. 철자 u는 철자 f와 거의 같은 빈도로 나타나고, 가끔씩 이상한 방식으로 발음되기 때문에 선택되었다(q로 시작되는 단어에서 w로 발음되는데, 이것 때문에 여러분은 철자 q

를 포함하지 않는 신문 면을 선택하고자 할지도 모른다). 이 실험에 피험자내 설계를 사용하여라. 네 조건에 대한 어떤 종류의 상대균형화 도식을 생각해 내어야만 한다.

참가자는 각 조건을 한 번씩 검사받아야 한다. 모든 참가자가 30초 동안 읽도록 해준다. 검사 후에 그 기사에 있는 f 또는 u의 전체 개수에 대한 정확 탐지(f 또는 u의 개수를 계산하여 오류율을 계산할 수 있다(여러분이 채점할 때 스스로 모든 f를 탐지해냈는지 확인하라). 여러분은 여러분 자료의 신뢰도를 증가시키기 위해 여러분의 결과를 다른 학생들의 결과와 조합하여야만 한다.

여러분 결과에서 상호작용을 찾아보아라. 보통 가장 어려운 탐지과제는 주의산만에 의해 가장 많이 영향받는 것이다.

Broadbent, D. E.(1971). *Decision and stress*. New York: Academic Press.

Read, J. D.(1983). Detection of F's in a single statement: The role of phonetic recoding. *Memory & Cognition*, 11, 390-399.

소집단 실험법

제 **11** 장

- ● **소집단 설계**
  - *AB* 설계
  - *ABA* 설계 또는 가역 설계
  - 교대-처치 설계
  - 다중-기저선 설계
  - 변동-준거 설계

- ● **임상심리학**
  - 해리성 정체감 장애에 관한 사례연구

이번 장에서 우리는 연구자가 하나 이상의 독립변인을 조작하면서, 많은 참가자로 구성된 하나 이상의 집단을 조작하는 전형적인 실험에 대응되는 대안 설계를 고려해본다. 여기서 우리는 소집단 설계를 살펴보는데, 이 설계는 적은 수의 참가자들을 대상으로 독립변인을 조심스럽게 조작해서 실험의 통제력을 행사한다. 특별한 통제 절차가 요구되는 이러한 설계는 조작적 조건화라는 행동적 접근이 대표라고 하겠다. 또한 우리는 다중 성격을 지닌 사람에게 실시한 실험도 살핀다.

가장 간단한 경우라도, 실험에는 실험 조건과 통제 조건 사이의 비교가 있다. 비록 피험자내 설계의 경우에 종종 그 수가 적기는 하더라도, 흔히 피험자간 설계와 피험자내 설계 모두가 많은 수의 피험자를 사용한다. 많은 수의 피험자가 요구되므로 어떤 한 명의 이상한 참가자로 인해 결과가 뒤죽박죽되지는 않는다. 그러한 설계는 **대집단 설계**(large-*n* design)라 불리며 심리학 연구의 전형이 되었다. 강력한 통계 기법(부록 B를 보라)을 사용하여 연구자는 조건들 간의 차이가 살펴볼 가치가 있는 것인지 결정할 수 있다. 이러한 설계의 대안 접근법으로 **소집단 설계**(small-*n* design)가 있는데, 매우 적은 수의 피험자들을 집중적으로 분석한다.

소집단 설계

실험심리학 내에 대집단 설계를 사용하기를 거부하는 두 영역이 있다. 그 하나가 정신물리학이다(제8장을 보라). 정신물리학 연구를 하는 연구자는 기억과 같은 다른 분야에 있는 연구자들보다 참가자들 사이의 개인차에 대하여 덜 염려하는데, 왜냐하면 정신물리학에서 측정하는 행동은 덜 복잡하며 조건들에 대한 통제가 기억연구에서보다 더 많이 가용하기 때문이다. 실험적 통제에 대한 강조는 도구적 조건 형성의 측면에서 행동의 실험적 분석이라는 소집단 설계를 사용하는 두 번째 연구 영역의 핵심이다. Skinner(1963)는 도구적 조건 형성 연구에서 소집단 설계를 적용할 것을 강력히 주장하였는데, 왜냐하면 행동에 대한 실험적 통제의 중요성을 강조하고 통계적 분석의 중요성을 평가절하하고자 했기 때문이다. Skinner는 통계적 분석은 연구자가 실험 결과에 대하여 결정을 내리도록 도와주는 도구라기보다는 빈번히 그 자체가 목적이 되어버린다고 믿었다. 도구적 조건 형성 연구에서 사용되는 소집단 설계의 논리는 Sidman(1960)의 책, 『Tactics of Scientific Research』에 자세하게 나와 있다.

실험적 통제는 흔히 많은 참가자를 사용하는 전통적인 연구에서 이루어지고, 소집단 연구는 아주 조심스럽게 실험 상황을 통제하고 종속변인에 대하여 수많은 반복측정을 함으로써 통계적 추론을 얻으려고 한다. 소집단 방법론은 특히 행동 수정을 위한 도구적 기법의 임상적 적용에 적합하다. 전형적으로 치료자는 한 번에 한 명의 내담자를 다루는데, 이것이 소집단 설계에 국한되는 경우이다. 비록 치료자가 유사한 방법으로 한 번에 한 명 이상의 내담자를 치료하는 경우도 있을지 모르지만, 그 수는 대부분의 대집단 연구에서 볼 수 있는 수와 비교하면 매우 적은 것이다. 우리는 아동의 행동 문제의 맥락에서, 그리고 사례연구를 바탕으로 소집단 설계를 살펴보도록 하겠다.

다음의 시나리오를 살펴보자. 어떤 아이가 하루에도 몇 번씩 분노 발작을 일으키기 때문에, 그의 부모가 걱정 끝에 아이를 위한 심리학적 도움을 구하려고 한다. 아이의 이러한 분노 발작은 매우 시끄럽고 폭력적인데, 소리를 지르고 울거나, 물건들을 차고 바닥에 머리를 부딪치기도 한다. 도구적 조건 형성 기법을 사용하는 행동 수정의 전문가인 치료자가 이 아이를 처음 보았을 때 어떤 결론을 내렸을까? 왜 이런 행동이 일어났을까? 이 행동을 제거하고 아이를 좀 더 정상적인 존재로 돌아오게 하기 위해 치료자는 무엇을 할 수 있을까? 행동주의 치료자는 아이의 학습 이력에서 그런 문제행동을 일으킨 것이 무엇인지를 발견하고자 하는데, 아이가 울고, 차고, 머리를 박는 행동을 일으키고 유지하는 강화의 수반성에 초점을 둘 것이다. 아마도 부모는 아이가 분노 발작을 일으킬 때에 아이에게 세심한 주의를 주었다. 이것이 고의는 아니지만 아이의 분노 발작 행동을 강화한 것이다. 강화의 수반성을 변화시키는 방향으로 치료법을 제안하여 설계할 것이고, 따라서 적합한 행동은 강화 받고 부적응적인 행동은 강화 받지 못한다.

AB 설계

대표적인 소집단 설계를 검토하기 전, 치료의 효과성을 평가하는 보편적이지만 타당하지 않은 방식을 살펴보자. 치료의 효과성에 관련된 연구는 가능하다면 언제나 그 처치와 통합시켜야만 한다. 이것은 꽤 단순한 일인 것 같이 보인다. 변화될 필요가 있는 행동의 빈도를 측정하고 치료를 시작하고 행동이 변화되었는지를 본다. 이것을 **AB 설계**(AB design)라고 부르는데, A는 치료 전 기저선 조건을 나타내고 B는 치료(독립변인)가 도입된 후의 조건을 나타낸다. 이 설계는 많은 의학, 교육, 그리고 다른 응용연구에 사용되는데, 이러한 분야들은 관심을 둔 문제에 대한 효과를 알아보고자 치료나 훈련 절차를 실시하는 곳이다. 그러나 AB 설계(Campbell & Stanley, 1966) 자체는 빈약하며, 사용을 피해야만 한다. B 시기에 처치 동안 발생하는 변화가 관심을 둔 요인과 혼입된 다른 요인들에 의해 야기된 것일지도 모르기 때문에 이것은 적절하지 않은 설계이다. 처치가 행동의 변화를 낳았을지도 모르지만 연구자가 의식하지 못한 또는 통제에 실패한 다른 출처에 의해서 그럴 수 있다. 결론적으로, 통제된 비교의 부족 때문에 우리는 변화가 치료에 의해 일어났다고 확정지을 수 없다. 혼입변인은 독립변인이 없을 때에도 변화를 일으킬 수 있다. 일차적으로 관심 있는 요인(우리가 든 예에서는 치료)과 우연히 다른 변인들이 변동할 때 혼입이 발생한다는 것을 기억해야 한다. 잠재적 혼입변인을 조심스럽게 통제하는 것이 핵심적인데, 그렇게 함으로써 주요 관심 변인이 효과를 낳을 수 있게 된다. 이것은 AB 설계에서는 가능하지 않은데, 치료자/연구자는 다른 변인을 의식조차 하고 있지 않을지도 모른다.

문제에 대한 표준 해법에는 대집단 설계가 포함한다. 우리는 사람들을 두 집단 중 하나에 무선 배정한다. 실험집단은 처치를 받고 다른 통제집단은 받지 않는다. 만일 실험 조건이 치료에 따라 좋아지고, 통제 조건은 그렇지 않다면 다른 외재 요인이 아닌 치료가 결과를 낳았다고 결론지을 수도 있다. 분노 발작을 하는 아이의 경우처럼 개인에 대한 치료의 경우에는 아무런 잠재적 통제집단이 없고, 오직 실험 '집단'에 한 피험자만이 존재한다. 대집단 설계는 실험 조건과 통제 조건에 상당한 수의 피험자를 확보하는 것이 중요하기 때문에 많은 치료적 상황을 평가하는 데 사용하기에는 부적합하다.

ABA 설계 또는 가역 설계

결함이 있는 *AB* 설계의 대안으로서, 실험자는 *B* 시기 후에 조건을 되돌려 **ABA 설계**(*ABA* design)를 만들 수 있는데, 이것은 **가역 설계**(reversal design)라고도 부른다. *ABA* 설계에서 두 번째 *A* 시기는 *B* 시기 동안 관찰된 행동에 다른 혼입 요인이 영향을 주었다는 가능성을 배제시킨다. 실험의 조건을 독립변인이 더 이상 적용되지 않는 원래의 기저선 수준으로 되돌림으로써, 실험자는 목표행동이 두 번째 *A* 시기에 기저선 수준으로 되돌아오는지를 알아볼 수 있게 된다. 만일 그렇다면, 연구자는 *B* 시기 동안 변화에 영향을 준 것이 독립변인이라고 결론 내릴 수 있다. 이 일반화는 혼입변인이 독립변인과 완벽하게 상관되어서 발생한다면 가능하지 못할 것이다. 그러나 그런 상황은 거의 없다.

분노 발작을 하는 아이의 예에서, 치료자는 부모에게 평소처럼 반응할 때 울기, 울화, 머리 박기의 횟수에 대하여 기저선 측정을 지시할 것이다. 그 다음에 치료자는 부모에게 아이가 좋은 행동을 하고 있을 때 관심을 줌으로써 강화를 주고 분노 발작이나 다른 행동은 전부 무시함으로써 소거시키는 방향으로 노력해서 그의 행동을 바꾸라고 지시를 줄 것이다. 만일 이것이 여러 주에 걸친 기간 동안 분노 발작의 빈도에 변화를 가져온다면, 치료자는 부모에게 아이의 행동을 진짜로 통제한 것이 적합하지 않은 시기에 아이에게 준 관심이고 그 외의 어떤 다른 것도 아님을 확증하기 위해, 옛날 패턴을 다시 시작하라고 지시할지도 모른다. (만일 물론 치료자가 연구에 흥미가 없다면, 성공적인 *B* 시기 후에 그냥 그대로 내버려둘지 모른다.) 만일 원래의 처치가 종속변인인 분노 발작의 빈도에 아무런 효과를 낳지 않았다면, 다른 것을 시도해 보는 것이 필요하다. 도구적 분석에 기초한 행동 수정 기법은 어떤 종류의 심리적 문제를 치료하는 데 큰 성공을 거두었다. 여기서 한 가지 예를 살펴보자.

Hart, Allen, Buell, Harris와 Wolf(1964)는 4살 먹은 유아원생인 Bill의 과도한 울기를 조사하였는데, Bill은 다른 면에서는 건강하고 정상적으로 보였다. 다른 아이는 좀 더 효과적인 방식으로 대처하고 있는 약한 좌절에도 자주 울기 반응을 보였다. 그의 울기 행동을 공포나 자신감 결여 혹은 어린 시기로의 퇴행과 같은 내적 변인으로 귀인시키기보다는 연구자들은 어떤 강화 수반성이 그런 행동을 낳았는지를 보는 사회학습 상황을 고려하였다. 그들은 우리가 가상했던 어린아이의 경우에서 이미 논의한 것과 비슷하게 추론한 결과, 어

응용

행동의 기능분석

대부분의 소집단 설계는 이 같은 설계에서 사용된 통제가 심리현상을 이해하는 데 강력한 방식을 제공한다고 믿는 행동주의 심리학자들이 사용한다. 소집단 설계에 대한 대부분의 예들이 과활동성과 과도한 울기 같은 응용문제에 관계된 연구로부터 나왔음을 알 수 있다. 행동주의 심리학자는 당면 문제에 처치 절차를 적용하기 전, 문제 행동을 야기한 요인들을 결정하기 위해 상세한 관찰을 실시한다. 이러한 체계적 관찰을 **기능분석**(functional analysis)이라 부르며, 일반적으로 문제 삼고 있는 행동의 선행 사건과 결과를 파악하려고 한다(Baldwin & Baldwin, 1998; Malott, Whaley, & Malott, 1997). *기능적* (functional)이란 용어는 목표행동으로 이끄는 것과 그것이 산출하는 결과 사이의 함수적 관계를 가리킨다. 체계적 관찰을 통하여 그 함수적 관계를 파악함으로써 행동주의 심리학자는 적합하고 효과적인 조정 절차를 개발시킬 기회를 눈에 띄게 증가시킨다.

어떤 종류의 것들이 파악되어야 하는가? Malott과 그 동료들은(1997) 기능분석의 단계들에 대한 목록을 제공하였는데, 그것을 여기에 요약해 보겠다. 첫째로, 행동의 특정한 사례뿐만 아니라 그것의 빈도도 포함하여 관심 있는 행동을 명백하고 상세하게 만드는 것이 필요하다. 그리하고 난 후 행동이 가서오는 결과를 상세히 서술하려고 한다. 그것이 정적인가, 부적인가? 그것이 항상 일어나는가? 즉시 발생하는가? 약간의 지연이 있는가? 이러한 두 가지 것이 파악된 후에, 심리학자는 행동과 결과 사이의 관계를 파악하고자 노력한다. 예를 들면, 행동이 결과를 낳는지 아니면 제거하는지를 분석으로 보여주어야 한다. 분석의 이 같은 부분은 행동주의 심리학자들이 강화, 처벌, 도피, 그리고 회피를 포함하는 수반성이라 부르는 것을 결정하는 것이다. 이 행동적 관계는 아무것도 없는 상태에서는 일어나지 않으며, 수반성에 선행할지도 모르는 사람과 환경의 측면들이 기록될 필요가 있다. 이 같은 요인들은 어떠한 동기화된 조건, 그 조건을 확립하는 요인들, 그리고 반응과 연합되어 있을 수도 있는 환경 자극을 포함한다. Bill의 울기 행동에 대한 기능분석은 먼저 울기에 대한 기저선 빈도를 결정하고, 또한 울기를 정의하려고 한다(예를 들면, 흐느끼는 것과 어떻게 다른가). 그리하고 난 후 울기의 결과물을 적고, 그 특징들도 또한 기록한다(교사가 Bill이 울 때 얼마나 빨리 주목해 주는지, 교사가 즐겁게 대하는지 또는 화를 내는지, 달래는 말과 어루만져 주는 행동을 포함하는지, 아니면 어느 한쪽만을 포함하는지). 수반성이 곧 강화인가? 이 경우에는 그런 것처럼 보인다. 주목을 받는 행동(울기)은 빈도가 증가한다. 왜 Bill이 우는가? 아마도 Bill은 자신이 사소한 좌절을 경험했을 때 주위에 부모가 없어 도와주지 못할 것을 염려해서, 부모가 없는 학교로 가는 것이 그 같은 걱정을 일으켰을 수 있다. 다음의 것들 중에 하나가 통제 자극(변별 자극)일 수 있다. 과제에서의 실패, 교사의 손짓, 다른 아이들의 성공 능 등. 일단 이 같이 세부 사항이 고려되면, 행동주의 심리학자는 원치 않는 울기를 줄이는 조정 프로그램을 계획할 수 있다. 성공적인 치료 프로그램에는 관찰(기능분석)과 실험법(문제 개선을 위한 소집단 설계 적용)이 포함되어 있음을 주시해야 한다.

른의 관심이 Bill의 울기 행동의 강화물이라고 결론지었다. Hart와 동료들은 이 가정을 검증하기 위해서 *ABA*(실제로는 *ABAB*) 설계를 구성하였다.

첫째로, 종속변인인 울기에 대한 좋은 측정치를 얻는 것이 필요하다. 유아원 선생님은 소형 계수기를 가지고 다니면서 우는 사건이 발생할 때마다 단추를 눌러 횟수를 측정하였다. 울기 사건의 정의는 (a) 적어도 50피트(약 15m) 밖에서도 충분히 들리게 크게 울기, (b) 5초 또는 더 긴 기간 동안 울기였다. 유아원에 있는 하루 동안 울기 사건의 총수가 기록되었다. 우리는 울기 사건에 대한 이 같은 조작적 정의에 대하여 빈정거릴 수도 있지만(매번 울 때마다 선생님이 50피트 멀리 가서 우는 소리를 들었었나?), 그것이 타당하고 신뢰성이 있다고 가정하자.

A 시기의 최초 기저선 동안, Bill이 울면 선생님이 관심을 보이는 식으로 여느 때와 마찬가지였다. 처음 기저선 기간인 열흘 동안 울기 사건의 횟수는 하루에 5~10회 사이였는

데, 세로축에 울기 사건의 빈도를, 가로축에는 날짜를 표시한 그림 11.1의 왼쪽 구획에 나타나 있다. 다음 열흘 동안(첫 B 시기) 선생님은 무시함으로써 울기 사건을 소거시키려 하고, 사소한 사고(넘어지거나 미는 것 같은)에 좀 더 적합한 방식으로 반응할 때마다 관심을 주어 강화하였다. 그림 11.1에서 보여준 바와 같이, 울기 사건 횟수는 급격하게 떨어지는데, 첫 B 시기의 마지막 6일간은 0∼2회 사이였다.

이로써 설계의 AB 시기가 끝났다. 여기서도 우리는 강화 수반성이 Bill의 행동을 개선시켰는지 확신할 수가 없다. 아마도 급우들과 더 잘 어울리게 되었든지, 또는 부모가 집에서 더 잘 대해 주었을 것이다. 이러한 것들(또는 다른 것) 중 어떤 것도 그의 기질을 개선시켰을 수 있다. Bill의 행동을 변화시켰던 것이 바로 강화 수반성이라는 더 나은 증거를 얻기 위해 조사자는 기저선 조건으로 되돌아간다. Bill은 다시금 울기에 대하여 강화받는다. 처음에는 울기에 근접한 것(흐느끼기와 뿌루퉁하기)에 관심으로 보상받는다. 울기가 다시 확립된 후에 각 울기 사건은 관심으로 유지되었다. 그림 11.1의 세 번째 구획에서 보여주듯이 울기가 확립되는 데 단지 4일이 소요되었다. 이로써 첫 B 시기의 울기 그치기는 다른 여러 요인이 아닌 강화 수반성에 의한 것이었다고 결론을 이끌 수 있다. 마지막으로, 이것은 치료적 상황이었으므로 조사자는 처음과 유사한 두 번째 B 시기를 시작하였는데, 이때 Bill의 울기는 다시 소거되었다.

이 조사에서 도출된 결론을 정당화하기 위해 어떤 추론 통계학도 적용되지 않았다. 독

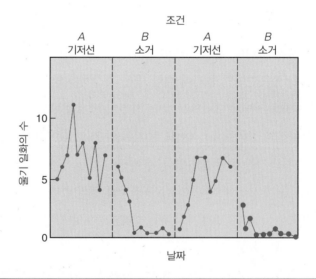

그림 11.1 Bill의 문제를 통제하기 위해 시작한 *ABAB* 설계의 네 시기 동안 유아원생인 Bill이 보인 울기 사건의 수 (Wolf & Risley, 1971, p. 316)

립변인에 대한 좋은 통제와 종속변인에 대한 반복측정이 아니라, 이 실험에서는 조건 간 차이들이 추론 통계의 필요를 감소시킬 만큼 충분히 놀라운 것이었다. *ABA* 소집단 설계를 사용하면 강력한 실험적 추론이 가능하다. 전형적으로 *ABA* 소집단 실세를 사용하기 전에, 연구자는 문제에 대한 기능분석을 수행한다. 이런 종류의 분석이 응용 부문에서 기술되었다.

> **개념 요약**
>
> **가역 설계(*ABA* or *ABAB*)**
> 독립변인 기간(*B*)을 기저선 기간들(*A*) 사이에 끼워 넣는다. 만일 행동이 기저선 수준으로 되돌아갈 수 있다면, 우리는 독립변인이 *B* 시기 동안 발생했던 변화를 일으켰다고 가정한다.

교대-처치 설계

전형적인 피험자내 실험에서와 같이, 소집단 실험에는 가역 설계를 방해하는 이월효과가 자주 포함되어 있다. 만일 *B* 시기에 도입된 처치가 종속변인에 장기간의 영향을 가져온다면, 가역 과정은 미현실적이다. 너욱이, 실험사는 같은 독립변인 노는 여러 독립변인 하에서 참가자 행동의 여러 표본을 얻고자 원할지도 모른다. 이 같은 문제들을 해결하는 데는 여러 방식이 있지만, 여기서는 두 가지만 다루고자 한다.

Rose(1978)는 *ACABCBCB* 설계라고 부를 수 있는 것을 사용하였는데, 여기서 *A* 시기는 기저선 조건, 그리고 *B*와 *C* 시기는 상이한 독립변인을 포함한다. 상이한 독립변인이 교대로 제시될 때, **교대-처치 설계**(alternating-treatments design)라고 한다. Rose는 아동의 과활동성에 대한 인공 식용 색소의 효과에 관심이 있었다. 과활동성인 8세된 여아 두 명이 참가자였다. 그들은 엄격한 다이어트인 K-P(Kaiser-Permanente) 다이어트 중이었는데(Feingold, 1975), 그것은 인공적인 맛이나 색을 포함한 음식과 자연 살리실산염을 포함한 음식(많은 종류의 과일과 고기)의 섭취를 허용하지 않는다. 통제되지 않은 사례연구(*AB* 설계)에 기초해서, Feingold는 K-P 다이어트가 과활동성을 줄인다고 보고하였다.

Rose의 *A* 시기는 일상적인 K-P 다이어트 하에서 두 여아의 행동이었다. *B* 시기는 기저선의 다른 유형이었다. 이 시기에는 아무런 인공 색소가 들어 있지 않은 오트밀 쿠키가 도입되었다. *C* 시기에는 관심 있는 독립변인(인공 노란 염료를 포함한 오트밀 쿠키)이 도입되었다. 이 인공 색소는 음식업계에서 공통적으로 사용하고, 그리고 쿠키의 맛이나 외양을 변화시키지 않는 추가적인 이점을 가지고 있기 때문에 선택되었다. (색깔에 근거하여 쿠키를 분류하라고 요구하였을 때, 평정자들은 색소의 존재와 관련시켜 체계적으로 분류할 수가 없었다.) 참가자들, 그들의 부모들, 그리고 관찰자들은 아이들이 색소가 든 쿠키를 먹을 때가 언제인지 모르게 하였다.

두 여아의 다양한 행동 측면들이 여러 다른 관찰자에 의해 학교에 있는 동안 기록되었다. Rose가 측정한 종속변인의 하나는 학교에 있는 동안 여아들이 자리를 비운 시간의 백분율이었다. Rose는 여아가 인공 색소가 든 쿠키를 먹고 있는 때인 *C* 시기 동안에 가장 활동적이었다는 것을 발견했다. Rose는 또한 위약효과가 없음을 알아냈다. 즉, 자리를 비운 시간의 백분율은 핵심적으로는 (쿠키를 먹지 않는) *A* 시기와 여아가 아무런 인공 색소가 없는 쿠키를 먹는 기간인 *B* 시기가 같았다. Rose는 인공 색소가 일부 아동에게서 과활동성을 일으킨다고 결론지었다. Rose의 조심스런 결론은 K-P 다이어트로 과활동성을 약하게 하는데, 작지만 전반적 효과 크기를 보여주는 메타분석(제8장을 보라)에 의해 지지되었다 (Hallahan, Kauffman, & Lloyd, 1999). 더욱이 Kinsbourne(1984)은 대집단 실험에서 40명 중 20명의 과활동성 아동이 노란 색소로 장식된 음식의 섭취로 인한 부정적 효과로 고생함을 발견했다.

개념 요약

교대-처치 설계
둘 이상의 변인이 사용되며 기저선 시기가 여러 번 있을 수도 있다.

다중-기저선 설계

Rose는 가역 설계를 확장하여 실험자가 두 수준 이상의 독립변인 효과를 조사할 수 있음을 보여주었다. 그러나 이러한 확장은 강력한 이월효과를 갖기 쉬운 독립변인이 포함되는 실험에서는 허용되지 않는다. 그림 11.2에 제시된 **다중-기저선 설계**(mutiple-baseline design)는 관심 있는 행동이 기저선 수준으로 되돌아가지 않을 수도 있는(즉, 영구적인 이월효과가 있는) 상황에 적합하다.

두 가지 특징이 다중-기저선 설계에서 주목할 만하다. 첫째로, 상이한 행동들(또는 상이한 참가자들)은 독립변인이 도입되기 전에 상이한 기간의 기저선 시기를 갖는다. 기저선 시기는 수직선들의 왼편에 있고, 독립변인이 도입되는 처치 시기는 수직선들의 오른편에 있

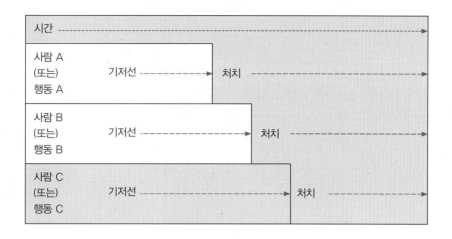

그림 11.2 다중-기저선 설계의 개요. 다른 사람(피험자간) 또는 다른 행동(피험자내)이 상이한 기저선 기간을 갖는다. 세로선은 독립변인(처치)이 제시됨을 나타낸다.

다. (이미 기술한) Bill의 사례에서 이 설계를 사용한다면 울기에 대한 소거 시기가 도입되었을 때에도, 어떤 바람직하지 않은 다른 행동(말하자면, 꼬집으며 싸우기)에 대한 계속적인 기지선 감독이 포함될 수도 있다. 그리하고 나시 아마도 며칠 후에 싸우기 행동에 대한 소거 절차가 적용될 수 있을 것이다.

이 설계와 이것을 적용한 가설적 실험의 결과가 그림 11.3에 제시되어 있다. 일반적으로 다른 행동이 처치되고 있는 동안에도 어떤 행동은 기저선 조건 하에서 일어날 수 있다는 것을 주목하라. 만일 처치 받지 않은 행동이 독립변인의 도입 전에는 일정하게 유지되고 도입 후에 변화된다면, 행동을 바꾼 것은 독립변인이고 어떤 다른 변화는 시간에 걸쳐 발생하지 않았다고 가정된다. 그러나 만일 목표행동이 독립적이지 않다면—즉, 하나에 대한 처치가 다른 것의 발생에 영향을 주면—행동의 변화를 독립변인에 귀인시킬 수가 없게 된다 (Bill의 싸우기는 울기가 없어졌을 때 감소된다). 이 문제는 그림 11.2에 설명되어 있는 다중-기저선 설계의 두 번째 중요한 특징에 주목하게 만든다. 여러분은 다중-기저선 설계를 소집단을 사용하는 피험자간 설계처럼 사용할 수 있다. 그림 11.2에서 제시된 바와 같이, 피험자내 설계에서처럼 감시되는 여러 행동들 대신에 독립변인의 도입 전 상이한 시기에 상이한 사람들을 감독할 수 있다. 보통 피험자간 설계에서 사실인 것처럼, 이런 유형의 다중-기저선 설계는 독립변인이 강력한 이월효과를 갖게 될 상황에 적합하다. Bill의 경우와 관련한 우리의 가설적 실험에서 발생할 수 있었던 것처럼, 목표행동들이 서로에게 영향을 줄 수도 있는 사례에도 피험자간 다중-기저선 절차가 적합하다.

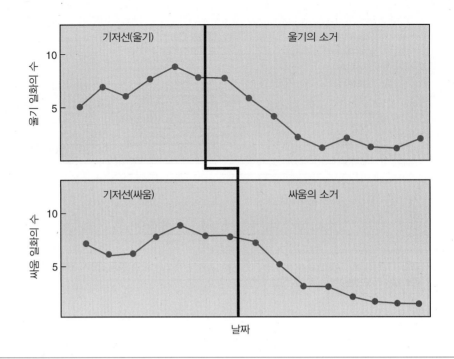

그림 11.3 Bill에 대한 다중-기저선 실험의 가상의 결과. 울기와 싸우기의 두 행동은 상이한 기저선 기간 후에 소거되었다.

McCurdy, Skinner, Watson과 Shriver(2008)는 다중-기저선의 피험자내 형태와 피험자간 형태 모두를 멋지게 예로 들어주는 실험을 수행하였다. McCurdy와 동료들은 세 개의 9학년 특별교육 교실에 있는 중학교 학생들에 대한 글쓰기 프로그램을 평가하는 데 관심이 있었다. 세 개의 교실은 피험자간 변인이다. 피험자내 구성 요인은 목표한 세 가지 글쓰기 기술이 포함된다: 완전한 문장 쓰기, 문장에서 형용사를 포함시키기, 그리고 제시된 글에 복합 문장 포함시키기. 한 교실에서 얻은 결과가 그림 11.4에 있는데, 세 개의 회기 동안 목표한 기술에 대한 평가를 보여주고 있다. 세 개 교실에서 구분해서 발달시킨 이 회기들은 기저선 회기, 특정한 목표에 도달하기 위해 쓰기 프로그램을 목표한 기술에 적용하는 개입 회기, 그리고 쓰기 프로그램이 더 이상 그 기술에 적용되지 않는 유지 회기로 구성되었다. 세 개 교실은 거의 비슷하게 수행했다. 목표한 세 가지 기술은 쓰기 프로그램의 개입 회기 동안 바라는 목표에 도달했다. 그러나 완전한 문장의 사용과 형용사 사용만이 유지 회기 동안 유지되었다.

왜냐하면 순차적이고 점진적인 적용으로 인하여 연구자는 만일 필요하다면 프로그램을 변경시킬 수 있는 기회를 가질 수 있기 때문에, Kazdin(2001)은 다중-기저선 설계를 "사용자에게 친절한" 설계라고 묘사하였다(p. 139). 예를 들어, 연구자가 어떤 프로그램이 효과적으로 작용하는지 여부를 확인할 수 있다. 만일 효과적이라고 판명이 나면, 연구자는 그 프로그램을 다른 내담자들에게 적용할 수 있다. 이렇게 만일 치료 처방 계획이 비효과적이거나 또는 다른 이유로 불만족스럽다면, 연구자는 다른 사람들에게 확대하기 전에 프로그램을 바꿀 수가 있다. 이러한 특징이 강력한 개입 설계의 융통성과 효율성을 보여주는 것이다.

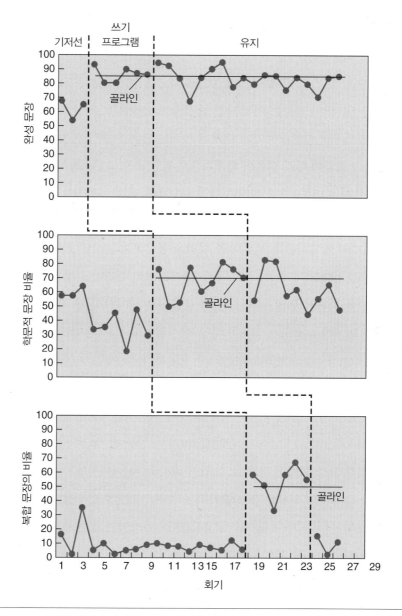

그림 11.4 McCurdy 등이 검사한 기저선, 쓰기 프로그램 개입, 그리고 유지 회기에서 세 개의 특별교육 교실에 있는 학생에 대한 완성 문장, 학문적 문장 비율, 그리고 복합 문장의 비율에 대한 자료(저작권 2008, 미국심리학회)

다중-기저선 설계
(피험자 내의 경우) 여러 행동 또는 (피험자 간의 경우) 여러 사람들에게 서로 다른 기간의 기저선이 있도록 하고, 그 후에 독립변인이 도입된다.

변동-준거 설계

변동-준거 설계(changing-criterion design)는 강화를 얻는 데 필요한 행동을 변경시키는 것이 포함된다. 예를 들면, 쥐는 음식 강화물을 위해서 몇 분 동안 막대기를 다섯 번 눌러야 할 수도 있다. 그 후에 준거 행동은 강화물을 얻기 위해 막대기를 일곱 번 누르는 것으로 바뀔 수 있다. 이 절차는 여러 다른 준거들에 반복될 수 있다. 여기서 독립변인은 결과를 얻기 위해 필요한 준거행동이고, 내재된 논리는 다른 소집단 설계의 논리와 유사하다. 만일 준거들을 변경함에 따라 행동이 체계적으로 변한다면 그 준거들이 변화를 낳았다고 가정한다.

치료자는 변동-준거 설계를 행동 치료 상황에서 사용한다. 여러분이 스스로 하는 공부의 양을 증가시키고자 행동 치료자를 만나야 한다고 가정하자. 만일 여러분이 월요일에서 목요일까지 저녁시간에 적어도 한 시간을 공부하지 않으면 10달러를 기부한다고 치료자와 계약을 맺었다고 하자. 이 주일 동안 한 시간짜리 준거를 사용한 후, 준거를 올려서 10달러의 벌금을 피하기 위해 한 시간 십오 분을 공부해야만 한다. 그 변화는 점진적으로 증가될 수 있으며 최종적으로 여러분은 매일 저녁 적어도 두 시간 공부하게 된다.

Kahng, Boscoe와 Byrne(2003)은 4살 소녀, Clara가 음식을 받아들이는 정도를 증가시키는 데 변동-준거 설계를 사용하였다. 그 소녀는 병으로만 마시고, 음식은 먹지 않았다. 치료자는 음식을 씹는 특정한 횟수에 따라 식사시간으로부터 벗어나게 하는 재치 있는 절차를 사용하였다. 더 나아가 만일 Clara가 음식을 한 입 먹으면, 칭찬을 받았고, 나중에는 치료할 때 식사 후에 가지고 놀 수 있는 Blues Clues(어린이 TV 프로그램) 동전을 받았다. 치료자는 Clara가 (그나마) 가장 좋아하는 음식―애플소스―을 이용해서, 식당을 나가기 위해서 씹어야 하는 기준 횟수를 증가시켰다. 그 소녀는 점진적으로 기준을 증가시켜도 좀더 기꺼이 애플소스를 받아들였다. 다른 음식의 수용도 역시 증가하였다. 치료가 끝날 때, Clara는 약 16분 동안 모든 음식을 15번 씹는 기준을 만족시켰다. 치료 후 6개월이 지나서 후속 식사 점검 때, 그녀는 10분 내에 50번 씹어 90% 이상 먹었다.

McDougall과 그의 동료들은 변동-준거 설계의 흥미로운 변형을 개발시켰다

(McDougall, 2006; McDougall, Hawkins, Brady, & Jenkins, 2006; McDougall & Smith, 2006). 그 중 하나가 **범위-경계 변경 준거**(range-bound changing criterion)라고 하는데, 목표행동의 상위 경계와 하위 경계를 상세하게 한 순거가 포함된다. 그러므로 에어로빅 연습이 더 필요한 아이는 각 연습기간 동안 훈련하는 최소량과 최대량을 구체화한 준거를 가지고 있다. 다른 변형으로는 **분산-준거 설계**(distributed-criterion design)라고 부르는 것인데, 다중-기저선 설계와 교대-처치 설계의 특징들을 공유하고 있다. 분산-준거 설계에서 다른 아이들과 잘 어울리지 못하는 아이는 쉬는 시간 동안 혼자 노는 데 쓰는 시간과 여럿이 노는 데 쓰는 시간 각각에 대한 준거를 가지고 있다. 이러한 비율과 준거는 둘 이상의 행동에 걸쳐서 분산되어 있으며, 바라는 행동을 증가시키는 시간에 걸쳐서 변경될 수 있는데, 이 사례에서 바라는 행동은 여럿이 같이 노는 것이다. McDougall의 연구를 폄하시키는 교훈은 다양한 설계가 행동을 변화시키는 강력한 방법들이고, 이런 설계들을 조합하면 치료적 상황이 향상된다는 것이다.

개념 요약

변동-준거 설계
결과를 얻기 위해 필요한 준거가 시간에 따라 변동된다.

이전 부분에서 서술된 도구적 조건 형성 연구 설계들은 Skinner와 그의 추종자들에 의해 개발된 강력한 대표적인 연구 기법이다. 조심스럽게 하는 통제를 통하여 심리학은 막대한 가치가 있는 데이터베이스를 제공받아 왔다. 더욱이, 우리가 보아왔듯이, 응용 상황에 사용된 이들 절차들은 실질적인 성공을 거두었다. 도구적 분석의 소집단 절차는 행동을 이해하고자 원하는 심리학자들에게 중요한 도구들이다.

임상심리학

해리성 정체감 장애에 관한 사례연구

American Psychiatric Association(APA, 2000)에 따르면, 해리성 정체감 장애(DID, 한때 다중 성격 장애로 불렸었다)로 고통 받는 사람은 둘 이상의 성격을 가지고 있다. 이 성격들은 반복해서 나타나고 주도권을 잡는다. 그리고 그 사람은 중요한 개인적인 정보를 잊는다 (Dorahy, 2001). APA(2000)는 또한 다양한 성격 각각은 "별개의 이름을 포함하여 마치 구별되는 개인 이력, 자아상, 그리고 정체성을 갖는 것처럼 경험된다"(p. 526). 그러므로 기억 기능 장애가 DID의 핵심적인 부분이다.

Nissen, Ross와 Schacter(1988)는 DID를 지닌 환자를 연구했다. 그들의 연구 책략은 한 성격이 다른 성격들에 속한 지식을 어느 정도까지 접근할 수 있는지를 파악할 수 있게 해주는 다양한 기억 검사들에 초점을 맞추었다. 비록 DID를 가진 환자에게서 환자당 평균 13개의 상이한 성격이 발견되었지만, 이 연구는 단일 피험자($n = 1$)에 근거하고 있기 때문에 소집단 실험으로 분류되는 사례연구의 일종이 된다(Putnam, Guroff, Silberman, Barban, & Post, 1986).

그들이 연구한 환자는 45세 된 오른손잡이 백인 여성이었고 다섯 번 이혼한 경력이 있었다. 그녀는 22개의 상이한 성격을 보여주었는데, 5세에서 45세까지의 범위를 가졌다. 세 개의 성격은 남성이었고, 세 개는 왼손잡이였다. 검사는 여덟 가지 성격에 초점을 두었다.

일반적인 실험 절차는 한 성격에 정보를 제시하는 것이었고, 5분에서 10분 정도의 파지 기간 후에 환자의 담당 정신과 의사에게 성격의 변화를 일으켜 달라고 요청했다. 새로운 성격에게는 보통 이전 정보에 민감한 과제를 주었다.

결과를 보면, 한 성격이 다른 성격에 제시된 정보에 의해 영향 받는 과제가 있고 그렇지 않은 과제가 있었다. 단순하고 명백한 과제들은 영향이 있음을 보여주었다. 예를 들면, 어떤 과제 중 하나는 사지 선다형 강제 선택 재인 과제를 사용했다. Alice는 오래된 고등학교 앨범에서 54개 사진을 보았고, 그것들(즉, 슬픈, 행복한, 중성적인)을 평정하도록 했다. Bonnie는 나중에 다른 집합의 54개의 사진을 보았고 그것들을 평정하라고 요청 받았다. 그리하고 나서 Bonnie는 제시되었던 네 개의 얼굴에서 사지 선다형 강제 선택 재인 과제를 받았다. Bonnie는 가장 친숙하게 보이는 얼굴이 어느 것인지 지적하거나 추측해야 했다. 보기 속에 Bonnie에게 보여준 얼굴이 포함되어 있을 때, Bonnie는 52% 정도로 그 얼굴을 선택하였다. 보기 속에 Bonnie가 아닌 Alice가 전에 본 얼굴이 포함될 때는, Bonnie는 그 얼굴을 42% 정도 선택하였다. 이것은 Bonnie가 Alice가 본 것에 의해 영향 받지 않은 경우인 우연 수준에서 기대될 수 있는 25%보다 높다. 보기 속에 Alice가 본적이 있는 얼굴과 Bonnie가 본적이 있는 얼굴이 포함되면, Bonnie는 자신이 본 얼굴을 33% 정도 골랐다. Bonnie가 자신이 보았던 얼굴을 선택하지 않았던 경우에서는, Bonnie는 Alice가 보았던 얼굴을 63% 선택하였다. 이것은 또다시 Bonnie의 선택이 Alice가 보았던 것에 영향 받았음을 보여준다. 그러므로 한 성격은 다른 성격이 경험했던 것을 기억하는 경향이 있다.

좀 더 애매한 과제인 어간 완성(stem completion)의 반복 점화는 그러한 영향을 보이지 않았다. 어간 완성 검사는 다음과 같았다. Alice는 단어를 보고 각 단어들의 즐거운 정도를 판단하였다. Bonnie는 24 단어의 목록을 받고 각각의 즐거운 정도를 판단하였다. Bonnie는 48개의 세 철자 단어 어간의 목록을 받고 그것들을 완성해야 했다. 각 어간은 10개의 가능한 답이 있었다. 단어 어간의 절반은 Alice가 보았던 단어를 만듦으로써 완성될 수 있었다. Bonnie는 그러한 단어를 만드는 데 우연 수준(10%)을 넘지 않았다. 그러므로 Alice가 본 단어에 의한 영향은 없었다. 이 절차가 Bonnie에 대해서 5일 후에 반복되었을 때, Bonnie에게 전에 제시되었던 단어들로부터 영향이 있었다. 그러므로 이것은 Bonnie 자신이 반복효과를 보이지 않는다는 가능성을 배제한 것이다. 저자들은 애매한 자극들은 성격마다 독특한 해석을 갖기 쉽고, 따라서 한 성격에서 다른 성격으로의 영향을 보이지 않는다는 것을 시사한다고 이 결과를 해석하였다. DID 환자는 종종 다른 정체성과는 공유하지 않는 경험에 대한 이러한 정체성 간의 기억상실증을 가진다는 주장이 있지만, 기억상실증이 있다고 주장된 21명의 환자가 포함된 최근의 실험에 따르면, 이러한 기억상실증에 대한 객관적 증거가 거의 없다고 나타났다(Huntjens, Postma, Peters, Woertman, & van der Hart, 2003).

DID의 개념은 논쟁의 여지가 있다고 언급되어야만 하는데, 왜냐하면 이 증상이 생기는 이유가 불분명하기 때문이다. DID는 진짜 정신병적 이상이 아니라 종종 치료 기간 중에, 다중 성격에 관한 문화적이고, 공포영화를 보는 듯한 관점에 대한 반응으로, 환자에 의해서 구성되는 것이라고 일부 사람들이 주장하고 있다(McHugh, 1992; Spanos, 1996). 비록 이렇게 구성이라는 언급이 가능하기는 하지만, 다중 성격에 대한 환자 본인의 강한 믿음은 뇌의 화학적 불균형을 포함한 일부 다른 변인들이 작용하고 있을지 모른다고 제안한다. 그럼에도 불구하고 Nissen과 그녀의 동료들(1988)이 한 연구는 흥미 있는 연구인데, 왜냐하면 심리학에서 같이 사용되는 경우가 거의 없는 두 가지 방법이 결합되었기 때문이다. 사례연구는 임상심리학에서 가장 자주 사용되는 반면, 기억연구에는 많은 수의 피험자가 종종 요구된다. 이 실험은 단일 실험 내에서 상이한 기법을 조합하여 독창적으로 연구할 수 있음을 알려준다.

> **개념 요약**
>
> **임상심리학에서의 소집단 설계**
> 사례연구는 임상심리학에서 종종 사용되는 소집단 설계이다. 많은 사례연구에서 연구 대상자가 한 명이다.

요약

1. 소집단 설계의 사용은 보통 조심스럽게 통제된 상황에서 적은 수의 피험자를 대상으로 많은 수의 관찰을 함으로써 타당한 결론에 도달할 수 있다고 가정한다.

2. 가역 설계(*ABA* 설계)는 기저선 기간(*A* 시기) 사이에 독립변인 기간(*B* 시기)을 삽입하는 일반적인 피험자내 설계이다.

3. 가역 설계를 확장한 변형 설계는 여러 개의 기저선 기간과 독립변인의 두 수준 이상을 포함한다. 이 설계는 교대-처치 설계라고 부른다.

4. 다중-기저선 설계는 독립변인을 도입하기 전에 다양한 길이의 기저선 기간 동안 (피험자 내의) 상이한 행동 또는 (피험자 간의) 상이한 사람들을 평가하는 것을 포함한다.

5. 다중-기저선 설계는 독립변인이 강한 이월효과를 가지고 있을 때 또는 변화될 행동들이 서로 독립적이 아닐 때 유용하다.

6. 변동-준거 설계는 바라는 결과를 낳는 준거행동을 변경시키는 것을 포함한다. 만일 준거가 독립변인의 수준에 따라 상이하게 분포되는 경우에 경계 범위를 준거로 삼기도 한다.

7. 사례연구는 임상심리학에서 사용되는 보편적인 소집단 설계이다.

↘ 주요개념

대집단 설계(large-*n* design)

소집단 설계(small-*n* design)

AB 설계(*AB* design)

ABA 설계(*ABA* design)

가역 설계(reversal design)

기능분석(functional analysis)

교대-처치 설계(alternating-treatments design)

다중-기저선 설계(multiple-baseline design)

변동-준거 설계(changing-criterion design)

범위-경계 변경 준거(range-bound changing criterion)

분산-준거 설계(distributed-criterion design)

↘ 연습문제

1. 가역 설계와 교대-처치 설계의 사용에 내재된 논리를 논의하라. 이것은 Mill의 일치차이 병용법과 어떻게 관련이 있는가?

2. 이 장에서 기술한 임상 사례연구가 타당한 실험 설계인가? 그렇다면 그 이유는? 그렇지 않다면 그 이유는?

↘ 추천 문헌 자료

• 학습 원리를 행동 문제에 적용하는 표준 작업이 다음에 있다: Kazdin, A. E.(2001). *Behavior modification in applied settings*(6th ed.). Belmont, CA: Wadsworth/ThomsonLearning.

↘ 웹 자료

• 이 장에서 배운 내용과 주요개념을 잘 알고 있는지 용어 설명, 플래시 카드, 그리고 통계와 연구방법 워크숍과 연계해서 확인해 보라. **www.cengagebrain.com**을 방문하라.

• 소집단 설계에 대한 응용은 웹에서 찾을 수 있는데, 동물원에서 사용한 예를 다음에서 찾을 수 있다: **http://www.memphiszoo.org/vet/opcond.htm**

↘ 실험실 자료

소집단 접근을 사용한 흥미로운 치료가 Chance, P. (1998). *First course in applied behavior analysis.* Pacific Grove, CA: Brooks/Cole에 소개되어 있다.

여러분은 스스로를 더 나은 강화 계획에 넣을 수 있을까?

우리 모두는 바꾸고 싶어 하는 습관, 발전시키고 싶어 하는 습관들을 가지고 있다. 흡연, 음주, 손톱 물어뜯기, TV 과다시청, 공부 열심히 안 하기는 대학생들이 자주 바꾸고 싶다고 말하는 일부 나쁜 습관들이다. 이러한 행동을 통제하는 데 실패하면 게으르다거나, 결함 있는 성격이라고 비난받는다. 그러나 그러한 문제들의 행동적 분석은 이들 해석에 대한 간단한 대안을 제시한다: 나쁜 습관은 강화받고 있으며, 그것을 바꾸기 위해서 우리는 우리가 살고 있는 강화 계획을 바꾸어야만 한다. 만일 모든 이 같은 나쁜 습관들이 학습되었다면, 그 또한 학습에 의해서 바꾸어질 수 있다. 일반적인 목표는 강화는 바람직한 행동 뒤에 나타나고 바람직하지 않은 행동 뒤에는 나타나지 않으므로 우리 생활에서 강화를 바꾸는 것이다.

여러분이 공부를 너무 안 하고, 영화 구경 가는 데 중독되어서 영화관에 너무 자주 가기 때문에 학교에서 퇴학당할 위기에 놓여있다고 가정하자. 여러분은 문제가 있다는 것을 알지만 틀에 박혀 있어서 어떻게 빠져 나올지를 모른다. 행동을 바꾸기 위해 어떻게 할 수 있을까?

제일 첫 번째 단계는 자신이 목표를 설정하는 것이다. 공부를 더 하고 싶다고 말하는 것으로는 충분하지 않다. 구체적이고 측정 가능한 목표를 가져야만 한다. 예를 들면, 여러분이 수업시간 외 하루 6시간을 공부하기로 결심했다고 하자. 두 번째 단계는 여러분의 학습행동을 조심스럽게 감독할 수 있는 어떤 방법을 세우는 것이 될 것이다. 여러분이 평소에 평균 얼마만큼 공부하였나? 노트를 가지고 다니면서 매일같이 공부하는 시간을 기록해야 하고, 하루가 끝나면 이 시간들을 더한다. 또한 주간 평균을 낼 수도 있다. 예를 들어, 여러분이 하루에 평균 59분 공부한다는 것을 그 주말에 알게 되었다고 하자. 명백히 하루 6시간 공부하는 목표에 도달하기에는 멀고도 험한 길이다.

다음 단계는 첫 시도로 여러분에게 현실적인 목표를 세우는 것이다. 매일 한 시간 공부에서 6시간으로 갑자기 증가시키는 것은 여러분에게는 지나친 충격이 될지도 모른다. 설상가상으로 미리포기해 버리고 불가능한 일로 결정할 수도 있다. 그러면 우선 하루에 공부하는 시간을 두 시간으로 증가시킨다고 계획해보자. 그러나 어떻게? 여러분은 상황을 분석해서 어떤 활동들이 공부하는 것을 방해하는지 알아야 한다. 주된 방해물은 영화관 가는 것인데, 다른 활동들도 확실히 방해가 되고 있다. 264쪽의 표에 나타나 있는 대로 여러분의 행동을 감독할 계획표를 설정할 수도 있다.

여러분은 공부하는 것을 더 촉진할 수 있도록 환경을 바꾸려고 노력해야만 한다. 영화 보러 가자고 부추기는 친구들을 피하려고 노력하라. 물론 그들을 완전히 피하려고 하지는 말라. 하지만 여러분이 공부하는 곳에서 더 시간을 보내려고 계획하라. 여러분의 학습 장소를 분석하라—주의를 산만하게 하는 것이 많은가? (여기에는 한방 쓰는 친구, 잡지, 라디오, TV를 포함한다.) 만일 주의를 산만하게 하는 것이 많다면, 여러분의 방을 공부하는 장소로 쓰는 것을 포기하고 오로지 여러분과 책만이 있는 조용한 은신처를 찾아라. 연구에 의하면 여러분이 특정한 장소를 공부하는 행동과 배타적으로 연합시킬 수 있다면, 그리고 이 장소에 가도록 스스로를 강요한다면, 여러분은 공부하는 것을 극적으로 증가시킬 수 있다고 하였다. 마지막으로—그리고 이것이 가장 중요한 단계 중의 하나인데—성공적으로 공부에 시간을 할당하는 자신에게 보상을 주어야 한다. 예를 들면, 첫 주에 매일 두 시간씩 공부한다면 친구와 영화 보러 갈 수 있다고 스스로에게 약속할 수 있다. 그러므로 여러분 생활의 주된 강화인 영화 보러 가는 것이 다른 행동에 수반되도록 만든다. 본질적으로는 여러분이 스스로 공부하는 것을 강화하는 것이다.

다음 주 동안, 하루에 세 시간 공부하려고 노력하고 여러분의 시간과 공부 습관을 조심스럽게 감독하는 것을 계속한다. 몇 주 내에 목표에 도달할 때까지 매주 매일의 공부하는 시간을 증가시킨다. 전문적 용어를 쓰면, 복잡한 행동에 점진적 접근을 강화함으로써 동물에게 그 행동을 가르치는 것과 같이, 목표행동에 연속적 접근을 강화함으로써 학습행동을 조성하고 있는 것이다. 만일 여러분이 장소와 강화 수반성을 유지시킬 수 있다면, 여러분은 여러분 행동을 극적으로 변화시킬 수 있을 것이다.

우리가 여기서 사용한 사례는 여러분 상황에 직접적으로 적용이 안 될 수도 있지만 여러분이 끊고 싶어 하거나 변화시키고 싶은 습관을 가진 경우에는 모두 비슷할 것이다. 여러분은 여기서 상세한 규칙들을 적용함으로써 그렇게 할 수 있다. 구체적인 목표를 세우고 각 단계마다 스스로를 강화한다. 점진적으로 그 목표에 접근하도록 여러분

행동을 바꾼다. Martin과 Pear(1999)는 다양한 상황에서 자가-통제를 개발하는 데 행동 수정 절차를 사용하는 여러 가지 방식을 개괄하고 있다. 그들이 저술한 흥미 있는 책인 『*Behavior Modification: What It Is and How to Do It*』에서 행동 수정 절차에 내재된 학습의 원리에 관한 탄탄한 배경을 제시하고 있다.

시간	월요일	화요일	수요일	목요일	금요일	토요일	일요일
7 : 00							
8 : 00							
9 : 00							
10 : 00							
11 : 00							
12 : 00							
1 : 00							
2 : 00							
3 : 00							
4 : 00							
5 : 00							
6 : 00							
7 : 00							
8 : 00							
9 : 00							
10 : 00							
11 : 00							

제 **12** 장 유사-실험법

이번 장에서는 실험자가 독립변인을 직접 조작하기보다는 선택하는 연구를 살펴본다. 현장에서 행하는 대부분의 실험과 연구실에서 행하는 많은 실험들에는 독립변인으로서 피험자 변인이 있다. 연령과 지능 같은 피험자 변인은 자연적으로 발생하며, 후속의 관찰과 분석을 위해 연구자가 선택한다. 이렇게 자연발생적으로 생성된 처치는 상관의 형태로 나타나는데, 이것은 본질적으로는 종속변인이다. 독립변인을 조작하기보다 선택 하면 어려운 통제와 해석 상의 문제가 많아진다.

유사-실험의 내부타당도

유사 실험(quasi-experiment)이란 전형적인 실험실 실험에서처럼 실험자가 직접적으로 변인들을 조작하지 못하는 실험적 상황을 가리킨다(Reichardt and Mark, 1998). 유사-실험에서는 일부 또는 모든 변인들이 선택되는데, 그것은 변인들이 실험자의 직접적인 통제 하에 있지 않다는 것을 의미한다. 특히 참가자가 처치 조건에 무선으로 배정되지 않는다(Shadish & Cook, 2009). (천재지변과 같은) 자연적 '처치'의 효과가 관찰되거나, (연령, 성별, 몸무게 같은) 특정한 피험자 변인들이 관심거리가 된다. 우리는 어떤 경우에도 내부타당도에 관해서 방심하지 말아야만 하는데, 왜냐하면 언급한 바와 같이 실험자가 변인을 통제하고 있지 않기 때문이다. 다시 말하면, 일치차이 병용법이 직접적인 통제 하에 있지 않다는 것이다. 유사-실험은 본질적으로 흥미롭다는 장점을 지니고 있으며, 연구자가 직접적으로 조작하기에는 비윤리적일 수 있는 변인들을 조사할 수 있게 해준다. 이 장에서 우리는 유사-실험이 갖고 있는 함정과 그러한 문제들을 최소화시킬 수 있는 방법들을 살펴볼 것이다.

처치 조건에 무선 배정된 피험자를 대상으로 진행되는 실험실 실험은 연구의 절대기준(gold standard)이다. 그러나 통제된 실험이 실질적이거나 윤리적이지 못한 많은 문제들이 존재한다. 예를 들면, 어떤 과학자도 허리케인 또는 화학공장 폭발 같은 참사를, 피험자를 무선으로 배정해서 만들지는 못할 것이다. 다행히도 피험자를 무선 배정할 수 없는 현장 실험에서 방법론 상의 실질적인 진보가 있었다(Shadish & Cook, 2009; West, 2009). 피험자 소모(피험자 손실)로 인하여 계획한 바대로 실험이 진행될 수 없을 때 일부 새로운 방법론이 실험실 설정에도 적용할 수 있게 된다. 피험자가 실험에서 무선으로 빠져나갈 때는 자료 수정에 가용한 여러 통계적 절차가 있다. 그러나 피험자가 실험 처치 자체로 인하여 빠져나갈 때(즉, 나이 든 피험자는 운전 시뮬레이터에서 차멀미를 더 느끼는 경향이 있다), 내부타당도에 대한 심각한 위협으로 인하여 계획된 실험의 질이 저하되고, 실험이 현장 연구처럼 되어 버린다. 이러한 상황 하에서 현장 연구에 대한 새로운 방법론이 상당히 도움이 될 수 있을 것이다(West, 2009).

자연적 처치들

천재지변이나 학교 교과과정 상의 변화와 같이 자연적으로 발생한 사상의 효과에 대한 사후 소급 분석은 보통은 흥미롭고 중요하기도 하지만, 인과적인 방식으로는 종종 해석하기 어렵다. 자연적으로 발생하는 처치를 포함하는 대부분의 유사-실험은 이전에 논의된 바 있는 일부 소규모 실험(*ABA*)과 유사한 구조를 지닌다. 예를 들면, 우리는 독서 교육에 대한 새로운 방법의 도입 이전(*A* 시기)과 이후(*B* 시기)의 3학년 학업성취를 기록할 수도 있다. 다음을 찬찬히 살펴보자. 이 예는 진정한 가역 설계는 아닌데, 왜냐하면 원래의 기저선으로 돌아갈 수 있도록 하는 처치의 제거 단계가 없기 때문이다. 실제로 **관찰-처치-관찰**(observation-treatment-observation)의 일반적 형태를 띤 대부분의 유사-실험들은 두 가지 이유로 진정한 가역 설계가 될 수 없다. (1) 처치가 실험자의 통제 하에 있지 않다. 그리고 (2) 교과목 개편 같은 대부분의 자연적 처치는 장기간의 이월효과를 가지고 있기 쉽다. 우리는 이월효과뿐만 아니라 참가자 자신의 변화 또한 염려해야 한다. 만일 우리가 3학년 학업성취에 미치는 새로운 읽기 프로그램의 효과를 조사한다면, 우리가 도입한 처치와 혼입되는 것 중 하나는 참가자들의 단령 변화이다. 비록 단령 그 자체가 어떤 것을 야기하는 것은 아니지만, 많은 중요한 변화들이 나이와 상관 있다. 그런 중요한 변화에는 학교에서 경험 축적, 시험 더 잘 치르기, 향상된 언어 기술, 더 나은 사회 적응, 생물학적 성숙 등등이 포함된다. **성숙**(maturation)이라 불리는 이러한 변화들은 자연적 처치를 포함한 연구의 결과에 거의 언제나 혼입될 수 있다. 더욱이 교실 상황에서 수많은 외부작용이 결과에 영향을 줄 수 있다. 연구자는 상황에 대한 직접 통제를 하고 있지 않기 때문에, 참가자들이 진짜 실험에 있을 때처럼 수많은 잠재적인 주의산만의 원인들을 참가자들로부터 제거할 수 없다. Cook과 Campbell(1979)은 이러한 혼입의 출처를 **역사**(history)라고 불렀다.

그러므로 참가자의 역사, 그리고 시간에 따라 참가자에게 발생하는 어떤 변화들은 자연 발생적 처치에 존재하고 있는 내부타당도에 대한 두 가지 특별한 위협이 된다. 이들 요

표 12.1 3학년 성취 점수에 대한 교과과정 변화를 살피는 가상의 유사-실험 설계

시간 ⟶		
3학년 실험집단	성취도 관찰 ⟶ 독서방법 변경 ⟶	성취도 관찰
3학년 통제집단	성취도 관찰 ⟶ (변경 없음) ⟶	성취도 관찰

참고: 이 3학년 학급들은 교과과정에서만 다르고 다른 측면에서는 매우 유사하다고 가정한다. 두 집단에 대한 무선 배정이란 없으며, 보통은 통제집단은 사후에 정해진다. 그러므로 이 설계는 비동등 통제집단을 포함하고 있다.

인들의 어느 하나 또는 둘 다 의도한 처치와 직접적으로 또는 역으로 변화하거나, 아니면 전혀 변화하지 않을 수 있다. 더욱이 역사와 변화의 효과는 여러 다양한 방식으로 상호작용할 수 있다. 이러한 난점들을 최소화하는 방법들(예를 들면, 짝짓기)에는 실험자 쪽의 좀 더 적극적인 참여가 포함된다. 독서 기법의 효과를 사후 소급 분석할 때 할 수 있는 한 가지는 이 기법을 적용하지 않은 3학년 학급을 통제집단으로 찾는 것인데, 이것은 표 12.1에 제시한 것과 비슷한 유사−실험 설계가 된다. 이것은 마치 보통 실험 설계처럼 보인다. 그러나 우리는 상황에 대하여 아무런 직접적 통제를 하지 않으며, 또한 우리가 보게 되듯이, 짝지은 통제집단의 도입으로 내부타당도에 대한 추가적 위협이 발생한다는 것을 명심해야 한다. 이러한 설계의 유형을 때때로 **비동등 통제집단 설계**(nonequivalent control group design)라고 부르는데, 왜냐하면 조건들에 대한 무선 배정이 없었으며 짝짓기는 어떤 사건 후에 도입되었기 때문이다. 또한 참가자들이 집단들에 무선 배정되지 않았기 때문에 **선택 편향**(selection bias)이라는 잠재적인 문제가 생긴다. 제7장에서 논의되었듯이, 조건들에 무선 배정을 하면 일반적으로 실험의 다양한 조건들에 걸쳐 참가자 특성들이 동일하게 된다. 이와 반대로, 자연 처치에서 우리는 참가자를 선택만 했고 배정하지 않았으며, 따라서 우리가 진정한 실험에서 사용되는 무선화 방법처럼 선택을 편향되지 않게 했다고 보장하지 못한다.

우리는 이제 심리학 문헌에 등장하는 일회−시도 사례연구와 틈입−시간−계열 설계의 두 가지 유사−실험 설계를 살펴보고자 한다.

일회−시도 사례연구

우리는 일회−시도 사례연구를 다음과 같은 방식이라고 볼 수 있다. 우리는 어떤 개인에게 장기간 처치를 하고, 그 후에 그 개인의 사고와 행위를 어떤 식으로 측정한다. 만일 우리가 가역 설계에 해당하는 동일한 표기법을 사용한다면 이것을 *AB* 설계라 부를 수 있을 것이다(여기서 *A*는 역사, 그리고 *B*는 현재 행동). 어떤 처치가 발생하고, 그리하고 나서 그 처치의 효과를 관찰한다. 이 처치는 기저선 관찰을 허용하지 않음을 보라. 일회−시도 사례연구를 *AB* 설계로 간주하게 되면 즉시 내부타당도에 위협이 된다. 여기에는 기저선 또는 통제 조건이 없다.

만일 소집단 설계가 사용될 수 없다면, 사례연구에서 통제집단을 얻을 수 있는 한 가지 방식이 이상사례분석이다. 이상사례분석(제5장을 보라)에서 우리는 우리가 가진 사례와 결정적인 처치가 빠진 것 외에는 가능한 한 아주 비슷한 사람을 택해서(술주정꾼, 불구 질환 등 등) 그 사람들이 서로 어떻게 차이가 나는지를 알아본다. 유사한 사람이란 비동등 통제일 뿐 진정한 통제는 아니다. 제5장에서 논의되었던 P. Z.의 사례를 다시 살펴보자. P. Z.는 심한 기억상실로 고통 받았던 세계적으로 유명한 고령의 과학자였다. P. Z.는 알코올 남용의 역사가 있었다(Butters & Cermak, 1986). 기억손상이 알코올 남용 때문인지를 알아보기 위해 이상사례분석이 사용되었다. P. Z. 그리고 비슷한 연배의 동료학자에게 두 사람 모두가 친숙하리라고 가정되는 사실들과 이름들을 기억해내는 검사를 실시하였다. 이 동료학자는 이상사례분석에서 비교 상대이다. P. Z.가 심한 기억상실을 보인 반면에 동료학자는 그렇지 않았다. 비교 사례에는 알코올 남용이 없었기 때문에, Butters와 Cermak은 알코올이 기억상실의 원인 요소라고 결론 내렸다.

이러한 이상사례분석에서 알코올 남용이라는 유사 독립변인은 선택되었으나 조작되지는 않았다. 더욱이 이 비교 사례는 비동등 통제인데, 왜냐하면 이 사례도 또한 선택되었으며 통제 조건에 무선 배정되지 않았다. 내부타당도에 대한 이와 같은 위협들 때문에 확고한 인과적 결론을 내리기가 어렵다. 연구자들이 가능한 한 신중하게 의심 가는 인과적 요인들을 규명하는 것이 바랄 수 있는 최선이다. 비교 사례는 단순하게 나이가 들었다 또는 과학자였다는 것 자체가 심한 기억손상을 초래하지 않는다는 잠정적인 결론을 내릴 수 있게끔 해준다. P. Z.가 새로운 정보를 기억하는 능력이 없는 것이 다른 알코올중독자(또한 비동등 통제집단)와 유사하다는 사실이 추가 비교를 통해 밝혀졌다. 알코올 남용이 유력한 후보로 남는다.

그러므로 어떤 의미로 보면 사례사를 해석하는 것은 탐정 활동과 비슷하다. 전형적인 사례연구는 많은 종속변인이 포함된다. 그러므로 사례연구에 근거하여 인과적 진술을 내리고자 하는 연구자는 중요한 단서를 찾아야만 하며, 그리하고 나서 모든 다른 관찰들의 맥락 속에서 이러한 단서들의 의미를 해석해야 한다. 이 논의를 어떻게 해석할 것인지 조심해야 한다. 실험실 연구 설계로서 본다면, 오직 하나 또는 두 개의 종속변인이 있는 일회-시도 사례연구는 적당히 얼버무려져 있고 내적으로 타당하지 않다. 이것은 한마디로 형편없는 실험 설계이다. 그러나 상당한 양의 정보가 가용되는 전형적인 사례연구에서 원인을 찾아내는 '탐정' 활동은 종종 좀더 조리에 맞고 내적으로 타당한 결론을 이끌어낼 가능성을 높인다. 연구자는 관찰의 수와 복잡성을 증가시켜 통제력을 얻는다. 사례연구에는 자주 회상된 보고들이 포함되는데, 이것이 생활사 속의 '사실들'이 망각되거나 왜곡될 수도 있음을 의미한다는 것을 기억하라. 신중한 조사자라면 이 보고들의 내적 타당성을 잠정적으로만 받아들일 것이다.

임상심리학은 기술적 자료의 주된 출처로서 사례연구들이 사용된다. 우리가 방금 살펴본 바와 같이, 사례연구들로부터 인과적 결론을 도출하는 것은 매우 어렵다. 사례연구들을 예측 목적으로 사용할 수 있을까? 이 논점은 응용 부문에서 거론된다.

유럽에서 수행된 한 연구(Hygge, Evans, & Bullinger, 2002)는 일회-시도 유사-실험을 가능하게 하는 뮌헨 공항의 동시 개장과 폐장의 기회를 이용했다. 두 실험집단을 오래된 공항에서 비행기 소음에 노출된 적이 있는 아이 또는 새로운 공항에서 비행기 소음에 노출된 적이 있는 아이로 구성하였다. 이 실험집단과 사회인구학적 변인들을 짝지어 구성한 두 통제집단은 비행기 소음에 노출된 적이 없었다. 세 시기에 걸쳐 자료를 수집하였다. 제1시기는 새로운 공항을 열기 6개월 전이었으며, 제2시기는 1년 후, 제3시기는 2년 후였다. 검사는 주변 소리와 격리된 이동용 차량에서 했으며, 따라서 현장과 이웃한 곳에서 발생하는 즉각적인 소음효과와의 혼입은 없었다.

독서 후 하루가 경과한 다음 날 아이가 정보를 회상하는 장기기억 검사에 대한 결과가 그림 12.1에 제시되었다. 오래된 공항에서 비행기 소음과 함께 한 기억은 공항이 폐쇄되기 전에는 안 좋았다(제1시기). 그러나 일단 공항을 폐쇄한 후에는 소음의 효과가 사라졌다. 우리는 새로운 공항에서는 반대의 결과가 나타날 것이라고 기대하게 된다. 제1시기에는 소음의 효과가 통계적으로 유의미하지 않았다. 그러나 제3시기의 수행을 보면 소음 없이 한 수행이 좋았다. 이러한 결과를 보면 소음은 기억에 영향을 주지만, 소음 원천이 제거될 때 이러한 효과는 원래대로 되돌아가는 가역성이 있음을 알게 된다.

이 유사-실험을 런던의 Heathrow 공항 주변의 비행기 소음에 관한 사후 소급(ex post facto) 연구와 비교하면 흥미롭다. Haines, Stansfeld, Head와 Job(2002)는 수학, 과학, 그리고 영어에 대한 표준화 검사를, 공항에서 떨어진 거리에 따라 변하는 정도를 비행기 소음 노출로 정의하여 상관조사하였다. 노출 정도는 독서와 수학 검사의 열악한 점수와 통계적으로 관계가 있었다. 그러나 다른 사회경제적 변인들을 통계적으로 통제했을 경우, 이러한 상관관계는 사라졌다. 일반적으로 유사-실험으로부터 나온 결과는 사후 소급 연구에서 나온 결과보다 더 확고한데, 왜냐하면 과학자들은 상관관계에 관한 서술보다는 인과관계에 대한 서술을 선호하기 때문이다.

다른 유사-실험은 대학교 기숙사생에 대한 건축 소음의 효과에 대한 연구이다(Ng, 2000). 외부 건물 건축으로부터 발생하는 소음 수준은 세 개의 기숙사 위치(근처, 중간, 원거리)에 따라 달랐다. 설문조사, 자기-완성 활동 일지, 거주자 재배치 기록, 그리고 창문 개폐

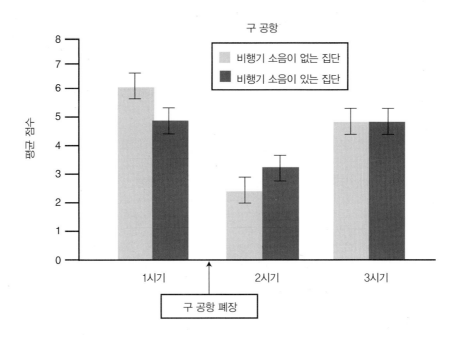

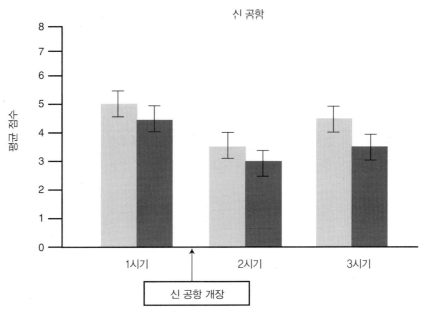

그림 12.1 공항, 소음집단, 그리고 측정 시기의 함수로서 장기기억 과제에 대한 평균 점수. 오류 막대는 평균의 표준 오차를 나타냄(Hygge et al., 2002, 허가 받음)

응용

사례연구에서 행동 예측하기

사례연구는 한 개인에 관하여 상당한 정보를 제공하고 임상심리학자들은 자주 현재 행동의 이유들을 알아보기 위해 사례연구에 의존한다. 그러나 그와 같은 노력들은 난관에 부딪힐 수도 있고, 사례연구를 통한 타당한 인과적 서술이 불가능할 수도 있다. 사례연구가 미래행동을 예측하는 데 괜찮은가? 여러분은 상관을 기초로 해서 성공적으로 예측할 수 있다고 알고 있다. 사례연구에서 얻은 정보가 같은 방식으로 사용될 수 있을까?

우리가 여러분이 연구방법을 대학교 과목으로 듣고 있는 심리학 전공생이라는 사실에서 여러분이 연구심리학자가 될 것이라고 예측할 수 있는가? 여러분의 경우에만 근거해 본다면 우리의 예측은 부정확하기 쉽다. 우리가 일부 심리학자의 사례사를 조사한다면 예측이 부정확할 수 있음을 쉽게 알게 된다.

심리학에서 행동주의 학파의 설립자였고 학습 분야에서 선구자였던 John. B. Watson(1878~1958)은 학부 때 철학 전공이었다. 그가 대학원생과의 간통사건 때문에 대학교와 심리학계에서 강제로 퇴출된 후, 큰 광고 회사의 관리직 간부가 되었다.

아마도 그의 동창생 또는 선생님들 중 어느 누구도 B. F. Skinner가 영향력 있고 유명한 심리학자가 될 것이라고 예측하지 못했을 것이다. Skinner는 학부 때 영문학 전공이었고 졸업 후에는 꿈을 품은 소설 작가로서 방랑자적인 삶으로 한때를 보냈다.

좀 더 최근의 예로서, 학습과 기억 분야의 저명한 연구가인 Gordon H. Bower를 살펴보자. 정신과의사가 되고 싶어 했던 Bower는 야구특기생 장학금으로 대학에 다녔다. 그는 프로야구 계약을 제안받기도 하였으나, 실험심리학 과목에서 얻은 좋은 경험과 더불어 군대 징집을 피하고 싶어서 야구 대신 실험심리학을 택했다.

이러한 일화들은 사례연구를 통한 정확한 예측이 어려울 수 있다고 보여준다. 이 어려움은 형법 분야에서 아주 명백한데, 여기에서는 종종 석방 후에 기결수가 범죄 행동을 계속할 지 또는 법을 준수하는 시민이 될지를 예측하는 것이 필요하다. 살인범 또는 강간범 같은 위험한 죄인의 미래 행동을 예측하려는 시도와 관련해서 심리학과 정신의학 분야에서 상당한 논란이 있다. 강간범과 살인범에 관한 정확한 예측은 중대함에도 불구하고 어려운 일이다. 보통은 애매하게 확률적으로만 서술한다. "이 강간범은 다시 강간하지 않을 가능성이 있다." 대부분의 사람들은 이것이 확고하고 충분한 예측이라고 생각하지 않는다. 좀 더 정확한 예측을 하기 위해서는 간단한 사례연구가 제공할 수 있는 것보다 좀 더 자세한 정보가 필요하다. 적어도 분별 있는 예측이 가능하기 전에 다양한 종류의 행동 패턴들 사이에 상당한 수의 상관들이 확립되어져야만 한다. 중요한 연구영역이 여러분을 기다리고 있다.

에 대한 외부 관찰의 네 가지 종류의 측정을 실시하였다. 소음이 큰 위치에 있는 거주자는 높은 비율로 전화 통화 같은 활동에서의 방해를 보고하였다. 근처에 사는 거주자들은 조용한 동에 사는 거주자에 비해 더 빈번하게 창문을 닫고 지낸다고 보고하였다. 그러나 창문 개폐에 대한 객관적인 외부 관찰로는 더 조용한 위치에서 열린 창문이 더 많았지만, 건설이 진행되거나 멈춘 상황과의 신뢰성 있는 효과나 상호작용이 없었다. 열린 창문과 가장 중요한 상관은 외부 온도였다.

단지 유사-실험이라는 이유 때문에 모든 유사-실험의 유용성이 자동적으로 똑같지는 않다. 이 부분에서 논의한 두 개의 유사-실험을 비교하자면 유럽 연구가 좀 더 정교하고 세련되게 설계되었다. 대학교 기숙사 연구에서 실시된 많은 측정들은 건축 소음이 있고 없음을 변별하지 못하였다. 이것이 소음에 대한 사후 소급 연구에 존재하는 공통된 약점이다. 대조적으로, 뮌헨 연구는 자료 수집 중의 소음 존재 같은 여러 변인들을 통제하였다.

틈입-시간-계열 설계

틈입-시간-계열 설계(interrupted-time-series design)는 유사-실험 연구에서 종종 등장하며, 이것은 일반적인 관찰-처치-관찰 설계가 논리적으로 확장된 것이다(표 12.1을 보라). 가장 단순한 시간-계열 설계의 예는 단일의 실험집단에 대하여 자연 발생한 처치의 전과 후에 여러 번 관찰을 하는 것이다. 하나 또는 두 집단의 3학년 학급을 조사하는 것 대신에 3학년 전체 학급을 여러 해에 걸쳐 관찰할 수 있다. 또는 학동들의 성취도를 전 학년에 걸쳐서 추적해 볼 수 있다. 우리는 어떤 처치가 언제 시간 계열 속에 틈입되는지를 알 필요가 있다. 그리하고 난 후 처치의 효과가 있었는지 없었는지를 보기 위해 처치의 전과 후를 관찰 비교한다. 우리가 일년 동안 수돗물에 불소를 첨가한 도시에 속해있는 공립학교의 성취도에 대한 기록을 가지고 있다고 가정하자. 우리는 시간에 따른 성취도를 도표로 나타내고 불소 첨가 후의 성취 변화를 찾아본다.

그림 12.2에 이러한 가설적 시간-계열 분석이 있다. 시간-계열 분석에서 우리가 찾는 바는 처치에 의한 틈입에 뒤따르는 변화이다. 불소 첨가 후에 뒤따른 학업 성취의 극적인 증가에 주목하라. 불소가 더 나은 학업 성취의 원인이라고 주장할 수 있는가? 그렇지는 않다—단일 상관계수를 해석하는 난점과 같은 이유이다. 아마도 불소가 간접적인 효과를 가졌다면, 이는 어떤 혼입 요인이 주된 원인임을 의미한다. 아마도 불소는 치과 진료 약속으로 인한 결석을 줄였으며, 결석이 감소함으로써 더 높은 학업 성취를 가능하게 하였다. 연구자는 이러한 간접 효과의 가능성 때문에 내적으로 타당한 결론에 도달하기가 어렵다.

우리의 예에서, 우리는 불소의 첨가 전과 후의 결석률을 조사할 수 있다. 이것은 시간에 걸쳐 학업 성취와 더불어 결석률도 도표에 나타냄으로써 가능하다. 또는 우리 실험집단과 비슷하지만 불소 처치가 없었던 통제집단을 찾아보려고 노력할 수 있다. 만족할 만한 통제집단을 찾는 것은 어려울지도 모른다(연구가 실시된 도시와 오직 한 차원만 다른 도시를 찾는다고 상상해 보라). 더욱이 그러한 통제집단은 비동등 통제집단이며 짝짓기의 문제점을 남겨 놓는다. 물론 우리의 통제집단은 실험집단의 결석률과 비슷하게 해야 할 것이지만, 무선 배정이 사용되지 않았기 때문에 통제집단은 여전히 비동등 통제집단일 것이다.

비록 무처치 통제집단이 여전히 바람직하지만, 시간-계열 분석에서 찾을 수 있는 도움이 될 만한 다른 방식들이 있다(탐정이 사용하는 단서로 돌아간다). 우리는 결석과 과외 활동의 수 같은 여러 종속변인을 사용할 수 있지만, 또한 우리는 사례연구에서 부가적 힌트를 얻는 데 사용하는 방식과 아주 유사한 방식으로 다른 처치들도 조사할 수 있다. 시간-계열

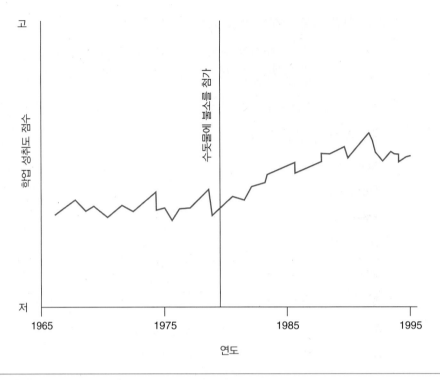

그림 12.2 학업 성취 점수에 대한 불소의 효과의 가상적인 시간-계열 분석

은 흔히 장기간에 걸쳐 연구되므로 이 연구들은 그 기간 동안 완전하고 정확한 기록들이 있는지에 의존해야만 한다. 우리의 예에서 내적으로 타당한 진술을 위해 우리는 모든 학생, 경영진, 교사들에 대한 자세한 기록을 가져야 할 필요가 있다. 이런 기록들 없이는 다른 가능한 설명을 배제할 수 없다.

기록들을 쓸 수 있더라도 여전히 어려움이 있을 수 있다. 다른 무수한 변화들이 발생할 가능성이 있다는 것은 혼입이 항상 내부타당도를 위협한다는 것을 의미한다. 30년이 넘는 기간에 걸쳐서 학교에서의 수행은 여러 가지 이유로 변화될 수 있으며, 이러한 자연 처치들은 서로 독립적이거나 또는 상호작용할 수 있다. 교사들과 경영진이 바뀌고, 교과목이 바뀌고, 경제 변화가 발생하는데, 이 모두가 내적 비타당도를 초래한다. 장기적인 시간 계열의 경우, 혼입의 주된 출처는 **사망**(mortality)이라고 불리는 것이다. 학생들은 졸업하고, 전학 가버리고, 또는 말 그대로 죽는 경우도 있을 수 있다. 참가자 집단에 생긴 이러한 변화는 특별한 형태의 선택 편향을 가져오는데(Cook & Campbell, 1979), 이는 처치의 도입 전과 후에 연구대상인 참가자가 동일하지 않기 때문이다.

틈입-시간-계열 설계의 난점들은 처치의 효과가 다른 변인들로 인해 지연되거나 방해받을 때 부각된다(Cook & Campbell, 1979). 불소의 효과는 즉각적이지 않을 가능성이 높다.

불소는 충치 같은 치아 문제를 줄인다. 만일 충치 감소로 인하여 결석이 줄어든다면 해석상의 문제가 추가된다. 충치가 진전되는 데는 시간이 걸린다. 그리고 불소는 충치들이 생기고 난 나음에 그것을 제거하지 못한다. 그러므로 불소의 효과는 지연될 수도 있고 우리는 학업 성취상의 변화를 무엇이 일으켰는지 해석할 입장이 못 된다. 더욱이 풍선껌 공장이 마을로 이전해 오는 경우와 같이, 그 효과를 상쇄시키는 어떤 변인의 침입 때문에 불소의 효과가 가려질 수 있다.

이와 같은 경고에도 불구하고 틈입-시간-계열 설계는 특히 응용연구에 유용하다. 시간-계열 분석의 좋은 예 중 하나는 전화번호 안내 도움을 받는데, 약간의 비용을 내도록 하였더니 안내 요청 전화 수가 극적으로 감소하였다고 보여준 McSweeny(1978)의 연구이다. 대부분 그런 전화들은 이미 기재된 번호와 주소를 요청하는 것이기 때문에 전화회사는 중요한 전화통화를 위해서 중요하지 않은 전화통화를 배제시키고자 했다. Cincinnati 시에서 통화당 20센트 비용을 지불케 했더니 하루 통화 수가 70,000건 정도까지 떨어졌는데, 그 전략이 효과적이었음을 보여주었다.

Phillips는 사망에 이르게 하는 몇 가지 심리적인 이유를 조사하는 데 시간-계열 분석을 사용하였다. 광범위하고 흥미로운 일련의 논문들에서 Phillips는 자연사의 일부 원인들(1972), 자살의 촉진 요인들(1977, 1978), 그리고 살인사건의 이유들(1983)을 조사하였다. 그의 일반적인 연구 책략은 특정한 사건(행사) 전후의 사망의 수를 알아보는 것이었다. 그러므로 사망률이 종속변인이고 Phillips가 관찰하는 시간 범위 내에 틈입하는 사상이 유사 독립변인이다. 그가 미국 내에서 살인률에 미치는 대중 매체 폭력의 효과를 조사하기 위해서 틈입-시간-계열 분석을 어떻게 사용했는지를 살펴보기로 하자.

Phillips는 TV 폭력과 공격에 대한 문헌을 신중하게 조사함으로써 살인에 미치는 매체 폭력의 영향에 대한 연구를 시작하였다(Eron과 그의 동료들이 한 연구에 관한 제6장의 논의를 보라). 문헌연구에서, 그는 폭력이 (1) 정당화되고, (2) 흥미진진하고, (3) 실감나고, (4) 보상되는 것처럼 묘사한 줄거리를 접한 뒤에 공격이 일어나기 쉽다는 결론을 내렸다. 이와 같은 특징들에 부합되는 자연스러운 폭력사건이 중량급 권투시합이다. 틈입-시간-계열 분석을 사용하여, Phillips는 1973~1978년 기간 동안 전국적으로 중계방송된 권투 시합 전후에 발생한 살인사건의 수를 알아보았다.

Phillips는 권투 시합이 방영된 후에 살인율이 놀랍게도 12.4% 증가한 것을 발견하였다. 그는 또한 이러한 증가를 한 해의 특정한 계절 또는 한 주일의 특정한 요일과 같은 외재변인에 귀인시킬 수 없음을 발견하였다. 만일 여기에 인과관계가 있다면, Phillips는 살인

사건 수의 증가를 일으키는 타이틀 매치의 측면들을 어떻게 알아보았는가? Phillips는 탐정이 되었다. 첫째, 그는 권투 시합이 없을 때 평소에 발생되던 살인사건이 단순히 곤두박질해서 줄어들지는 않는다고 파악하였다. 살인사건의 수가 권투 시합 전에 감소되어 있지 않는다는 것, 즉 만일 살인율이 평소에는 대충 일정하다가 경기 때면 급격히 증가된다면 살인사건의 수와 권투 시합이 관계 있는 것인데, 그는 이 사실을 보여줌으로써 이와 같은 결론에 도달하였다. 둘째로, Phillips는 권투 시합이 도박과 관련되어 있기 때문에 살인율이 증가했다는 가능성도 배제하였다. 그는 다른 주요 스포츠 사건들, 예를 들면, 미식축구 최종 결승전(Super Bowl)이나 메이저리그 결승(World Series) 같은 것들은 살인율 증가를 낳지 않는다는 것을 발견하였다.

Phillips는 권투와 살인율 간의 관계는 아마도 모델링의 결과라고 결론지었다. 즉, 중요 타이틀 매치에 뒤따르는 살인 증가는 사람이 타인을 모방하거나 따라 하는 사회학습 과정들로 설명되는 것처럼 보인다. Phillips의 추론은 다음과 같다. 만일 흉내내기 또는 모방이 중요하다면 살인사건의 피해자는 권투 경기의 피해자와 유사해야만 한다. 예를 들어, 젊은 백인이 권투 경기에서 졌다면, 젊은 백인 남자에 대한 살해가 증가해야 하고, 젊은 흑인 남자에 대한 살해는 그렇지 않다는 것을 의미한다. Phillips는 모델링이라는 자신의 견해를 지지하는 상당한 증거를 발견하였다. 권투 경기에 뒤따르는 살인율의 증가는 대부분의 그 경기에서의 패자와 매우 유사한 사람들에 대한 살해에 기인했다.

Phillips가 사용한 틈입–시간–계열 분석의 사용은 살인율에 미치는 매체 폭력의 효과를 결정하는 가치 있는 것이었다. 자신의 발견을 인과분석에까지 도달하기 위해 노력한 그의 탐정 활동은 해답을 규명하고 대안 설명을 배제시키는 데 있어서 훌륭한 예이다.

가장 효과적인 틈입–시간–계열 설계는 하나 또는 그 이상의 통제시간 계열이 있는 것이다. 통제집단은 처치가 주어지지 않는다. 그러므로 통제 자료는 처치가 없는 경우에 실험계열이 어떻게 나타났을 지에 관한 정보를 제공한다. 물론 현재 우리가 유사–실험을 논의하는 중이므로 통제집단도 무선으로 선택되지는 않았다.

미시간 주에서는 1979년에 음주 연령을 18세에서 21세로 상향조정하였다. 어떻게 이것이 교통사고에 영향을 주었는가? 그림 12.3을 보면 미시간 대학 교통연구소에서 수행한 유사–실험(Wagenaar, 1981)으로 이 질문의 답을 알 수 있다. 여기에는 음주상태에서 차량사고에 관여한 18~20세 운전자에 대한 실험시간 계열이 있다. 이 그래프에는 1979년에 교통사고의 감소가 있었다. 그러나 여기에는 알코올 소비의 감소와 연관이 없는 대안적 결과 해석이 있을 수 있다. 예를 들면, 그 해에 연료비 상승으로 인하여, 또는 평년보다 눈이 많

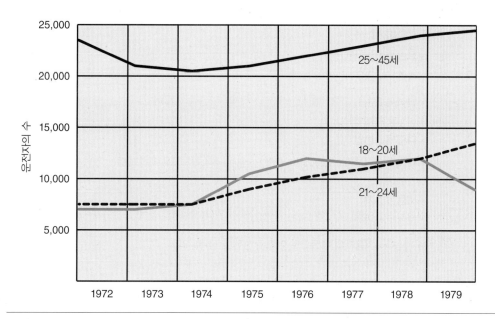

그림 12.3 미시간 주에서 음주로 보고된 충돌사고 운전자. 이 그래프는 허락을 받고 원자료에서 복사된 것이다. 기술적으로 자료가 매년 한 번씩 얻어지기 때문에 막대그래프이어야 한다. 그러나 매년 세 개의 막대를 그리면 읽기 어렵기 때문에 이런 방식으로 다시 그렸다. 1978에서 1979로 감소는 연속적이기보다는 불연속적임을 주목하라(Wagenaar, 1981에서 인용).

이 와서 운전량이 감소하게 되었고, 교통사고가 감소하게 되었다. 21~24세 운전자와 25~45세 운전자에 대한 두 개의 통제 계열이 이러한 대안 설명을 일축해 버리는데, 왜냐하면 이들 두 집단이 관여된 사고는 감소하지 않았기 때문이다. 그러므로 통제 계열을 동시에 고려한다면 알코올 소비 감소가 사고의 감소를 설명한다는 말을 우리가 더 확신하게 된다. 하나 이상의 통제 계열을 추가하면, 틈입-시간-계열 분석은 실질적으로 향상된다.

　　그러나 일부 통제 또는 비교 계열이 다른 것들보다 더 유용하다. 가장 좋은 비동등 비교 집단 설계는 **초점 지역 통제**(focal local control)를 사용한다(Shadish & Cook, 2009). 지역 통제집단은 처치집단과 동일한 위치나 공동체에서 얻는다. 흔히 있는 오류는 지역집단과 전국적 표본에서 얻은 통제집단과 비교하는 것이다. 미시간 운전 예(그림 12.3)에서 두 통제 집단은 지역적이라고 보이는데, 왜냐하면 동일한 주(state, 州)에서 뽑았기 때문이다. 초점 지역 통제(focal local control)는 선발과 가장 상관이 높은 특징을 강조하면서 처치집단과 유사한 특징을 지닌 사람들을 사용한다. 미시간 운전 예에서 두 집단은 초점적은 아닌데, 왜냐하면 그들은 처치집단보다 더 나이를 먹었으며, 따라서 운전경험이 더 많기 때문이다. 더 좋은 유사-실험은 더 많은 초점 통제집단을 가져야 한다. 이 경우 한 가지 가능성은 21~24세 집단에서 새로 운전자를 선택하여 처치집단과 운전경험을 대응시켜야 한다.

> **개념 요약**
>
> **내부타당도 증가시키기**
> 사례연구의 경우에는
>
> - 이상사례분석
> - 비동등 통제
> - 다중 종속변인
>
> 을 사용하라. 틈입-시간-계열 연구의 경우에는
>
> - 비동등 통제
> - 다중 종속변인
>
> 을 사용하라. (통제의 부족으로 야기된 혼입을 경계하라.)

피험자 변인을 채용한 설계

심리학의 많은 연구가 다양한 집단의 사람들이 행동하는 방식의 차이에 관여한다. **피험자 변인**(subject variable)이란 일부 측정 가능한 사람들의 특성이다. 예를 들자면 한도 끝도 없는데, 지능(IQ), 체중, 불안, 성별, 연령, 성취 욕구, 매력적임, 인종, 꿈 회상 능력, 그리고 많은 유형의 병리학적 조건들(정신분열증, 알코올중독, 뇌 손상 등등)이 포함된다. 피험자 변인들은 심리학 연구에서 자주 사용되지만, 이것들을 사용하려면 특별히 고려해야 할 사항이 있는데, 왜냐하면 변인들의 조사나 선택이 사후에 이루어지기 때문이다. 그러므로 피험자 변인은 직접적으로 조작되지 않기 때문에, 피험자 변인을 사용한 설계들은 유사–실험 연구의 한 유형이 된다.

연구자는 실험에서 독립변인의 조작에 관한 통제력이 있다. 다른 것들은 일정하게 하고, 독립변인을 조작할 수 있다. 만일 우리가 생리적인 각성과 차후의 성적 흥분에 영향을 주는 성인 영화의 효과에 관심이 있다면, 우리는 통계적으로 동등한 두 집단의 사람들(또는 다른 시기의 같은 사람들)을 선택해서 야한 장면이 있는 영화 또는 그 장면이 없는 영화를 보여주고(다른 변인들은 일정하게 유지) 그들의 반응을 측정할 수 있다. 우리는 영화 간의 차이가 각성에서 어떤 관찰된 차별적 효과를 가져왔다고 자신할 수 있게(그러나 결코 확신할 수 없게) 된다. 그러나 이 사례는 피험자 변인의 경우와는 매우 다르다. 실험자는 다른 변인들을 일정하게 유지하면서 피험자 변인을 조작할 수 없다. 실험자는 이미 어느 정도의 피험자 변인을 가지고 있는 참가자들을 선택하고, 관심 있는 행동에 대하여 참가자들을 비교할 수 있을 뿐이다. 상이한 집단(IQ 높음, 중간, 낮음)에 속한 피험자들이 행동 차이를 보인다고 해도 우리는 피험자 변인의 차이가 행동의 차이를 낳거나 또는 원인이 된다고 결론 내릴 수 없다. 그 이유는 다른 요인들이 피험자 변인과 함께 변동하고 따라서 혼입되어 있을지도 모르기 때문이다. 따라서 IQ가 높은 참가자가 IQ가 낮은 참가자보다 어떤 과제를 더 잘 수행하였다고 해서, 우리는 IQ가 차이를 낳았다 또는 야기했다고 결론 내릴 수 없는데, 왜냐하면 참가자 집단의 차이가 동기, 교육 등의 다른 관련 차원과 같이 변동하기 쉽기 때문이다. 피험자 변인들이 연구될 때, 진짜 실험변인들에 기인할 수 있듯이 행동에서의 차이를 안심하고 그 변인에 기인시킬 수 없다. 그러므로 이러한 설계들은 본질적으로 변인들 간의 상관관계를 낳고, 우리는 상관연구에서 발생하는 같은 유형의 혼입에 대하여 방심하지 않아야 한다. 우리는 변인들이 관련되어 있다고 말할 수는 있어도 한 변인이 다른 변인에서 효과를 낳거나 일으켰다고 말할 수는 없다.

이것은 매우 중요한 지적이므로 한 가지 예를 살펴보도록 하자. 연구자가 정신분열증으로 고통 받는 사람들의 지적인 기능에 관심이 있다고 가정하자. 이 집단에 속한다고 진단된 사람들을 대상으로 다양한 정신 능력을 측정한다고 하는 수많은 검사를 실시한다. 또한 연구자는 소위 정상인 다른 집단의 사람들에게 이러한 검사들을 통제 측정으로써 제시한다. 연구자는 단어의 의미 이해나 산문 이해 같은 언어의 의미적 측면을 포함하는 검사들을 (정상 집단과 비교해서) 정신분열증 집단이 특히 서툴게 수행함을 발견한다. 연구자는 정신분열증 환자들이 검사를 더 서툴게 수행하는 것은 정신분열증 때문이고, 의사소통에서 언어 사용 능력의 부족은 정신분열증의 주 원인이라고 결론 내린다.

이 같은 연구는 심리학의 일부 영역에서는 보편적이다. 방금 소개한 것과 유사한 결론들이 빈번히 도출되지만, 그것들은 완전히 정당하다고 인정할 수 없는 것이다. 두 결론 모두 상관에 근거하고 있고, 다른 요인들도 결정적인 것일 수 있다. 정신분열증을 가진 사람들은 정신분열증을 가지고 있지 않은 사람들보다 여러 가지 이유로 인해 수행이 더 서투를지도 모른다. 그들은 검사를 받는데, 다른 집단 사람만큼 똑똑하지도, 동기부여되어 있지도, 교육받지도, 현명하지도 않을 수 있다. 아마도 사회적, 지적 교류를 빈약하게 만든 장기간 동안의 입원 생활이 있었다는 사실이 차이를 설명할 수 있을 것이다. 두 집단이 언어 검사에서 다른 이유가 두 집단 중 한 집단은 정신분열증이고, 다른 집단은 아니기 때문이라고 결론지을 수는 없다. 만일 우리가 그렇게 결론 내릴 수 있다고 하더라도, 이것이 언어 문제가 정신분열증의 원인으로 포함되어 있다는 다른 결론을 함축하는 것은 결코 아니다. 다시 한 번 상기시키면 우리가 가지고 있는 것은 단지 이들 두 변인 간의 상관이고, 이 두 변인들이 인과적으로 연관되어 있는지 아닌지, 어떻게 두 변인이 인과적으로 연관되었는지에 대해서는 모른다.

피험자 변인의 사용은 모든 심리학 연구에서 아주 보편적이고, 임상심리학 그리고 발달심리학 같은 분야에서는 절대적으로 중대한 것이지만, 그러한 연구로부터 추론을 해나가는 과정 중에 산재해 있는 문제들은 신중하게 고려되어야만 한다. 발달심리학에서 일차적인 변인은 피험자 변인인 연령인데, 이것은 이 분야에서의 많은 연구가 본질적으로 상관적임을 뜻한다. 비록 참가자들 사이의 개인차 문제를 중대한 것으로 보아야 한다는 주장이 심심찮게 있었지만(예를 들면, Underwood, 1975), 일반적으로는 심리학에서 개인차의 문제는 흔히 무시되었다. 피험자 변인을 사용하는 실험에서 좀 더 확실한 추론을 가능하게 해주는 일부 방식들을 살펴보도록 하자.

짝짓기

피험자 변인에 대한 조사, 그리고 다른 유사−실험 연구에서의 기본적인 문제는 행동상 관찰된 차이가 무엇이든 간에 다른 혼입변인에 의해 야기될 수도 있다는 것이다. 이 문제를 피하고자 사용되는 한 가지 방식이 다른 관련된 변인을 중심으로 참가자들을 **짝짓기**(matching, 옮긴이 주: 대응, 대응 설계라고도 함)하는 것이다. 정신분열증 환자와 정상인을 비교할 때 우리는 두 집단이 IQ, 교육 수준, 동기, 수용된 것, 약물 치료, 그리고 연령과 같은 다른 특성들에서 차이가 존재하기 쉽다는 것을 언급하였다. 단순히 정신분열증 환자와 정상인을 비교하기보다는 차라리 두 집단 간의 주된 차이가 정신분열증이 있고 없음에 있도록, 다른 차원들은 좀 더 유사하게 짝지은 집단과 정신분열증 집단을 비교하고자 시도할 수도 있다. 예를 들면, 연령, IQ, 정신병원에 수용된 기간, 성별, 동기에 대한 측정의 측면에서 정신분열증 환자와 평균적으로 유사한 신경증 집단을 비교집단으로 사용할 수도 있다. 두 집단이 이러한 모든 특성들에 대하여 짝짓기 되었을 때, 우리는 집단 간에 보이는 어떤 수행의 차이를 우리가 관심 있어 하는 요인, 즉 정신분열증에 좀 더 자신 있게 원인을 돌릴 수 있다. 짝짓기를 통하여 우리는 외재변인들을 일정하게 하고 혼입을 피하려는 실험법의 중대한 특성을 본질적으로는 상관관계의 관찰인 연구에 도입하려고 한다. 우리의 목표는 관심 있는 변인(정신분열증)이 관찰된 효과를 낳았는지를 추론할 수 있게 하는 것이다.

짝짓기와 연관해서 다소 심각한 문제가 여러 개 있다. 그 중 한 가지는 관련된 변인들을 측정하기 어려울 수도 있기 때문에 빈번히 짝짓기 자체에 상당한 노력이 요구된다. 우리가 추가적으로 요구된 측정을 해야만 하는 고생을 끝내고도 여전히 집단들을 짝지을 수 없을 경우도 있는데, 특히 짝짓기가 시도되기도 전에 피험자들이 적을 때 그렇다(예를 들면, 이상한 유형의 뇌 손상 또는 다른 의학적 이상에 대한 연구). 짝짓기가 성공적일 경우에서도 종종 관찰되는 표본의 크기가 엄청나게 줄어든다. 그러므로 우리의 관찰이 신뢰싱이 있는지(안정되고 반복 가능한지)에 대하여 확신이 덜 서게 된다.

참가자들 사이의 결정적인 차이들이 미묘한 효과를 지니고 있을 수도 있기 때문에 짝짓기는 종종 쉽지 않다. 더군다나 어떤 차이의 효과는 다른 것과 상호작용할 수도 있다. 그러므로 짝지은 변인들 사이의 **상호작용들**(interactions)이 결과에 혼입될 수도 있다. 이러한 어려움들을 예시하기 위해서 제5장에서 소개된 신생아 행동을 대상으로 Brazelton과 동료들이 수행한 연구의 일부를 재검토해보도록 하자(Lester & Brazelton, 1982).

Brazelton은 Brazelton Neonatal Behavioral Assessment Scale로 측정하면서, 신생아 행동의 문화적 차이에 일차적 관심이 있었다. 다양한 문화와 인종 집단에서 온 신생아와 미국 신생아를 비교하는 일반적인 책략을 사용하였다. 이 유사–실험에서 피험자 변인인 문화 또는 인종 집단이 유사 독립변인이다. 상이한 문화들에서 온 신생아들에 대한 짝짓기는 출생 시 체중, 출생 시 신장, 그리고 (산모가 출산 중에 약물 투여를 받았는지, 아기가 조산하였는지 등등을 포함한) 조산의 위험과 같은 다양한 차원에 걸쳐 시도되었다. Lester와 Brazelton은 이러한 요소들 사이에 상승적인 관계가 존재함을 보였다. 의학적 맥락에서 **상승효과**(synergism)란 둘 이상의 변인들이 조합된 효과에 가산성이 없음—조합된 효과가 개별 요소의 합보다 크다—을 의미하는데, 즉 이것은 변인들이 상호작용함을 뜻한다. 신생아 특성과 조산의 위험은 다음과 같이 상호작용한다. 연구들은 (Brazelton 척도가 측정한) 약간 저체중아의 행동은 체중이 평균에 더 근접한 신생아의 행동보다도 산모가 먹은 약의 양에 더 강하게 (부정적으로) 영향을 받는다. 그러므로 저체중이 아이의 행동에 영향을 갖는 약물 복용과 상호작용하기 때문에 참가자들을 적절하게 짝짓는 것이 매우 어렵다. 신중하게 신생아들을 선택한다 하더라도 짝지은 변인들 사이의 상승관계 때문에 결과가 영향을 받을 수 있다. 이것이 Brazelton의 연구에서 특히 어려운 문제인데, 왜냐하면 그의 많은 연구들이 신생아 체중이 낮고 조산 위험이 높은 가난한 문화에서 나온 신생아들을 조사하였기 때문이다. 일반적으로 짝지은 변인들이 직접 통제 하에 놓이는 경우가 적은데, 이는 혼입의 가능성이 상주하는 것을 의미함을 기억해야 한다.

짝짓기와 연관된 다른 문제는 악명 높은 **회귀 인위물**(regression artifact)의 개입이다. 많은 유형의 측정에서 어떤 조건들 하에서는 **평균으로의 회귀**(regression to the mean)라고 알려진 통계적 현상이 발생한다. 한 집단의 평균 점수는 대부분의 사람들이 산술평균이라고 간주하는 것이다―모든 관찰의 합을 총 관찰 수로 나눈 것. 예를 들면, 60명의 표본에서 평균 지능은 모든 지능검사 점수의 합을 60으로 나눈 것이다(부록 A를 보라). 일반적으로, 만일 어떤 특성에 대하여 극단적인 점수(매우 높거나 낮은)를 받은 사람을 재검사하면, 두 번째 점수는 원래 점수보다 전체 집단의 평균에 가까워질 것이다.

극단적인 점수들은 측정 오류에 연유한 것이기 쉽다. 만일 오류가 무선이며 정상분포되어 있다면(부록 A를 보라), 후속 측정은 오류가 더 적을 것이다. 즉 덜 극단적일 것이다. 예를 하나 살펴보자. 우리가 두 가지 동등한 형태 또는 동등한 검사의 두 가지 변형이 있는 수학적 추론의 표준검사를 200명에게 준다. 이 검사의 평균 점수는 100점 만점 중 60점이었다. 점수가 가장 높은 15명과 가장 낮은 15명을 택한다. 이들 집단의 평균은 각각 95점과 30점이다. 다른 형태의 검사로 다시 검사한다. 두 집단의 평균이 87점과 35점이라고 알게 되었다고 하자. 두 번째 검사에서 두 집단의 극단 점수는 평균을 향해 회귀하였다. 높은 점수를 딴 집단은 더 낮은 점수를 따는 반면에 낮은 점수 딴 집단은 좀 더 나은 점수를 땄다. 그림 12.4에 이 사건들을 순서대로 나열하였다. 높은 점수 집단에 속한 사람 중에서 자신의 진짜 점수가 자신이 검사에서 받았던 점수보다 낮은 사람은 첫 번째 검사에서 운이 좋아서 자신이 받아야 하는 점수보다 높은 점수를 받았다. 재검사했을 때 이들 참가자들은 자신의 진짜 점수에 더 가까운, 즉 낮은 점수를 받는 경향이 있었다. 이 상황은 낮은 점수 집단에서는 반대가 된다.

평균으로의 이러한 회귀는 두 측정 사이의 상관이 완벽하지 않을 때 항상 관찰된다. 극단적인 점수를 선택할수록, 평균에 대한 회귀는 더 크다. 또한 이것은 모든 유형의 측정 상황에서 발생한다. 만일 비정상적으로 키가 크거나 작은 부모가 아이를 낳게 되면, 그 아이가 성인이 되었을 때의 키는 아마도 부모의 키를 향하기보다는 모집단의 키에 가까워질 것이다. 대부분의 통계 현상과 유사하게 평균으로의 회귀는 관찰된 집단에서 사실이며 확률적이다(즉, 매번 일어나지 않을 수도 있다). 예를 들면, 수학적 추론의 두 번째 검사에서 일부

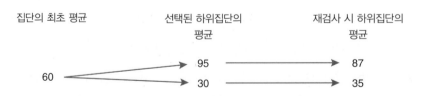

그림 12.4 평균으로의 회귀로 비롯된 IQ 점수의 가상의 변화. 높은 점수 집단과 낮은 점수 집단이 재검사를 받았을 때 전체 평균으로 회귀한다.

개별 참가자들이 전보다 더 높거나 낮은 점수를 받을 수도 있지만, 집단 경향은 평균을 향할 것이다. 어떤 사상이든, 만일 우리가 참가자들의 추론 점수에 근거하여 참가자를 선택하였고, 그들을 짝짓기하여 두 집단을 나누었다면, 후속의 차이는 어떤 처치에 의해 야기되었을 수도 있거나 또는 평균으로의 회귀의 결과일 수도 있다. 만일 우리가 진짜 점수를 알고 있지 못하고, 그리고 무선 할당을 사용하지 않으면, 평균으로의 회귀는 행동상의 변화를 야기하는 혼입 요인일 수도 있다.

종종 교육 프로그램을 평가하기 위해 사후 소급 연구와 피험자 변인이 있는 유사–실험을 사용하는데, 그러한 연구를 수행하는 사람들은 그것과 관련된 많은 고통스러운 문제들을 자각할 필요가 있다. 짝짓기를 사용하지 않고는 연구자가 결과에 대해서 그리 할 말이 많이 없을지도 모른다. 짝짓기가 혼입의 문제를 경감시키는 데 도움이 되지만 회귀 인위물이란 가능성이 발생하게 된다. 그리고 많은 연구자들이 이 문제를 자각하고 있지 못하는 듯하다.

짝짓기가 빠져 있을 경우 어떤 식으로 결론이 형성되지 않아야 하는지에 관한 훌륭한 예로서 SAT 수험지도에 관한 연구를 보자(Powers & Rock, 1998). 수험지도 서비스를 제공하는 회사는 학생들이 자신들이 제공하는 교육 과정을 들으면 SAT 점수가 실질적으로 향상할 것이라고 주장한다. 이러한 주장의 근거로는 수험지도 받는 학생의 수험지도 전의 점수와 수험지도 후의 점수를 비교하는 것이다. 그러나 이러한 결론은 의문시되고 또한 되어야만 하는데, 왜냐하면 수험지도를 받은 학생만을 조사하면 유사–실험 설계가 부적절하게 된다. 수험지도의 효과에 대한 편향된 추정이 되기 쉬운데, 왜냐하면 수험지도를 받은 학생과 받지 않은 학생이 많은 요인에 대하여 다를지 모르며, 이것이 결과를 설명할지도 모르기 때문이다. 예를 들면, 수험지도를 받은 학생은 부모가 수입과 교육이 높을지도 모르고, 따라서 이러한 잠재적으로 혼입될 가능성이 있는 변인 일부에 대하여 짝짓기를 하고, 수험지도를 받은 학생과 받지 않은 학생 사이에 비교가 되어야 더 나은 유사–실험 설계가 될 것이다.

그림 12.5에 수험지도를 받은 학생과 받지 않은 학생에 대한 사전검사 점수와 사후검사 점수가 있다(Powers & Rock, 1998). 수험지도를 받은 학생의 검사 점수에 향상이 있지만 또한 수험지도를 받지 않은 학생도 향상이 있다. 수험지도를 받은 경우와 받지 않은 경우의 차이인 수험지도를 받은 학생의 순수 이득은 겨우 언어 점수에서 8점 그리고 수학 점수에서 22점뿐이다. 이러한 이득은 수험지도 회사에서 주장했던 것보다 훨씬 낮은 것이다. 그러나 이러한 조그만 이득도 전체 과정을 설명하지는 못하는데, 왜냐하면 수험지도를 받은 학생과 받지 않은 학생이 짝짓지 않았기 때문이다.

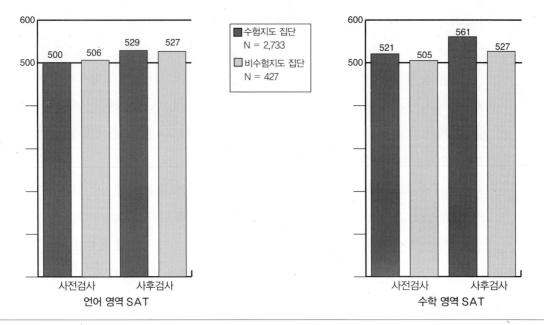

그림 12.5 사전검사 SAT 점수와 사후검사 SAT 점수(Powers & Rock, 1998 자료에서 인용)

　　표 12.2에 수험지도를 받은 학생과 받지 않은 학생이 서로 다른 방식의 일부를 제시하고 있다. 이런 차이의 어떤 것도 수험지도를 받는 효과성에 대한 편향된 추정치일 수 있다. 짝지은 자료를 바탕으로 적합한 통계분석을 하면, 수험지도의 효과는 작다(Power & Rock, 1998). 언어 점수에서는 약 7점, 그리고 수학 점수에서는 약 16점. 따라서 짝짓지 않은 집단에 대한 사전검사 결과와 사후검사 결과를 비교하는 관찰연구의 결과에 대해서 조심해야 한다. SAT 점수에 대하여 수험지도를 받은 학생 집단에서 대단한 향상이 있다는 주장은 미심쩍다.

　　짝짓기가 실질적인 가능성으로 등장할 때, 그리고 회귀 인위물이 평가될 때, 우리는 결과들에서 얻어진 결론들에 대하여 조금은 더 자신할 수 있다. 그러나 아주 신중하게 통제했다고 하더라도 우리가 가진 것은 여전히 상관관계일 뿐이다. 짝짓기가 유용하지만 만병통치약은 아니다. 정신분열증을 다룬 예에서, 만일 정신분열증 환자가 새로 짝지은 신경증 집단보다 못하다면, 정신분열증이 언어 사용 능력의 저하를 초래한다고 결론 내릴 수 있을까? 그렇게 할 수는 없다. 거기에는 다른 어떤 것, 집단 간의 어떤 다른 차이가 있을 수 있다. 우리는 관련된 변인을 짝지었다고 결코 자신할 수 없다. (아마도 언어 사용 능력에서 신경증 환자가 우세하다!)

표 12.2 수험지도 받은 수험생과 수험지도 받지 않은 수험생의 몇몇 특성

	수험지도 집단(%)	비수험지도 집단(%)
아빠의 교육 수준		
고등학교 혹은 그 이하	13	26
대학교	40	49
학교 졸업	47	25
부모님의 수입		
4만 달러 이하	23	39
4만~8만 달러	34	43
8만 달러 이상	43	18
인종		
아시안계 미국인	21	8
백인	58	72
아프리카계 미국인	11	9
멕시칸 미국인	3	4
다른 히스패닉	3	3
미국 인디언	1	1
그 외	4	3

출처: Powers and Rock(1998).

개념 요약

짝짓기

• 상승효과
• 회귀 인위물

을 경계하라.

변인으로서 연령

연령이란 피험자 변인은 두 가지 이유로 별도의 논의 대상이 될 자격이 있다. 첫째로, 발달심리학은 과학적 심리학의 인기 있고 중요한 부분이기 때문이다. 둘째로, 변인으로서 연령은 일부 흥미 있고 강력한 연구 설계를 만들도록 해왔던 아주 어려운 혼입 문제를 제기하고 있기 때문이다.

우리가 두 유형의 언어 책략을 사용하는 능력에 미치는 연령의 효과를 알아보는 데 흥미가 있다고 가정하자. 책략의 한 유형은 회상을 향상시킬 수도 있는데(Tversky & Teiffer, 1976), 왜냐하면 참가자가 이 책략을 올바르게 사용할 경우, 한 가지 사물과 다른 사물을 연

합시킬 수가 있기 때문이다. 참가자는 간단한 사물들의 이름(예를 들면, 칼, 나무, 고양이)을 기억할 때, 다른 사물을 회상하는 데 도움이 되는 어떤 대상을 회상한다(예를 들면, 고양이를 회상하면 나무를 회상하는 데 도움이 되는데, 왜냐하면 고양이는 나무에 오르기 때문이고, 나무는 칼을 생각나게 하는데, 왜냐하면 칼을 써서 나무에 이름을 새기기 때문이다). 우리는 이것을 회상 책략이라 부를 것이다. 다른 책략은 참가자들이 사물들을 재인하는 것(사지 선다형 시험에서처럼)에 도움이 될 수도 있다. 이 재인 책략에서 참가자는 사물들 간의 미세한 차이를 찾게 되고 나중에 자신들이 실제로 보게 되는 여러 유사한 사물들을 명기할 수 있다.

우리가 상이한 연령의 아이들이 이 두 책략을 어떻게 사용하는지 알아보기로 결정했다고 가정하자. 우리의 계획을 어떻게 설계할 것인가? 가장 단도직입적인 (그리고 가장 가망성 있는) 설계가 횡단 방법(cross-sectional method)이다. 이 방법을 사용하면, 우리는 다양한 연령의 아이들(예를 들면, 5, 8, 12세 연령)을 선택하고, 절반을 각 책략 조건에 무선으로 배정한다. 또한 좀 더 시간을 요하는 종단 방법(longitudinal method)을 사용할 수 있다. 그렇게 되면 우리는 한 참가자를 5세, 8세, 12세가 되었을 때 검사한다. 횡단 방법에서는 비유적으로 말하자면 우리가 연령 차원을 관통해서 자르고, 종단 방법에서는 한 특정한 개인을 연령 차원에 따라 쫓아간다. 연령이 변인인 연구에서 이 두 가지 발달적 방법이 빈번히 사용되지만, 둘 다 연구의 내부타당도를 아주 의심스럽게 만드는 심각한 혼입이 포함되어 버린다.

심각한 혼입의 일부란 어떤 것인가? 그것들을 논의하기 전에 우리는 연령 그 자체를 논의할 필요가 있다. 연령은 피험자 변인이다. 따라서 그것은 진짜 독립변인으로 간주될 수 없다. 연령은 차원이다. 특히 그것은 우리가 행동을 연구할 때 따르게 되는 시간 차원이다. 일부 발달심리학자들은 연령이 출생부터 죽음까지 다른 참가자 특성들과 함께 변하는 변인이기 때문에 우리는 연령을 종속변인으로 간주해야 한다고 주장해왔다(Wohwill, 1970).

어느 경우에나 우리는 직접 연령을 변화시킬 수 없고, 따라서 우리는 연령과 연합된 병존하는 변인들을 방심하지 않아야만 한다. 연구 설계에 따라 혼입이 달라진다. 횡단 방법에서 연령은 출생 세대와 혼입되어 있다. 이 책의 저자 중 한 명은 그의 아들보다 22살 더 나이 먹었을 뿐만 아니라, 그들이 태어난 세대의 측면에서도 다르며, 세대 그 자체도 복잡한 변인이다. 이러한 의미에서 세대차는 실재한다—1942년생인 어떤 사람이 1964년생인 어떤 이보다 단순히 22살 많은 것이 아니다. 나이 든 이는 젊은이와 어떤 대응하는 부분(발달심리학자들은 이것을 시대효과(cohorts)라 부른다)에서 다른 태도를 지니고 교육을 받은 사람들로 구성된 다른 세상에서 태어났다.

종단 방법을 사용할 때, 우리는 같은 시대효과를 유지하는 특정한 개인을 추적한다. 그러므로 우리는 이 방법에서 세대/연령의 혼입을 걱정하지 않아도 된다. 그러나 종단 방법은 연령과 처치나 검사의 시기를 혼입시킨다. 만일 5세 때 기억 검사를 하고, 12세 때 재검사하면, 두 번째 검사 때 그 사람은 7살 더 나이 먹었을 뿐 아니라 그 사이에 세상도 바뀌었다. 종단 방법을 사용하여, 우리는 2006년에 에너지 절약에 대한 대학생의 태도가 1992년도에 아이가 5세였을 때 이후 달라졌다는 것을 발견할지도 모른다. 이것이 연령 변화로 인한 태도 변화인가, 아니면 세상 변화로 인한 것인가?

그림 12.6은 연령이 변인일 때 사용될 수 있는 연구 설계를 보여준다. **시간-지연 설계** (time-lag design)(대각선을 따라 표시된 설계)는 연령을 일정하게 유지시키면서 시간의 효과를 알아보려는 목적을 가지고 있다(이 예에서는 19세인 사람이 검사되었다). 횡단 설계에서와 마찬가지로, 시간-지연 설계는 목표 변인과 참가자의 시대효과가 혼입되어 있다.

Schaie(1977)는 우리가 방금 기술한 바 있는 혼입을 극복할 수 있는 많은 정교한 설계를 개괄적으로 설명하였다. 그러한 설계 중 하나가 그림 12.6에 있다. 중앙 네모 칸에 표시된 **교차-순서 설계**(cross-sequential design)는 둘 이상의 연령집단을 둘 이상의 시기에 검사한다. 이 설계는 우리가 언급해 온 다른 세 종류의 설계 특징을 가지고 있다. 횡단 방법에서는 상이한 연령의 참가자들이 같은 시기에 검사 받는다. 종단 방법에서는 한 개인이 연속적으로 검사 받는다. 그리고 시간-지연 설계에서는 상이한 참가자들이 같은 연령이 되는 상이한 시기에 검사 받는다. 그러므로 교차-순서 설계에서 연구자는 대부분의 잠재적인 혼입의 효과를 알아볼 수 있다. 그림 12.6에서 1987년생의 20세인 사람의 예를 하나만 살펴보자. 연령의 효과는 종적 방향과 횡적 방향으로 둘 다 검사된다(2007년에 20세인 사람은 다른 연령의 참

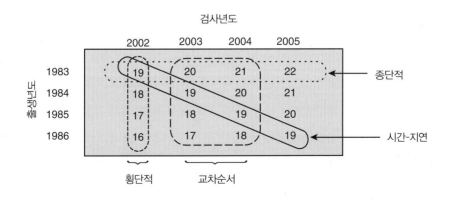

그림 12.6 검사시기에 연령이 변인인 경우에 사용된 어떤 유사-실험 설계

가자와 비교되고 이 사람은 2008년에 다시 검사 받는다). 만일 연령의 효과가 두 비교에서 같다면, 중요한 혼입으로서 시대효과와 검사시기를 배제시킬 수 있다.

교차−순서 설계는 귀찮은 것이다. 많은 참가자들을 한 번 이상의 기간 동안 검사해야 하며, 이것은 연구 계획을 실현성 없게 만든다. 그러므로 이 설계는 사용되어야 하는 당위성만큼 쓰이지 않는다. 대부분의 발달심리학자들은 좀 더 다루기 쉬운 횡단적 설계를 사용한다.

전형적인 횡단 실험은 유사−독립 변인으로 연령을 포함할 뿐만 아니라 다른 진짜 독립변인도 포함한다. 앞에서 개략적으로 설명한 Tversky와 Teiffer(1976) 연구에서 세 연령집단은 회상 책략과 재인 책략을 사용하는 능력에 대하여 검사 받았다. 회상 책략은 모든 연령(5세, 8세, 12세)에서 파지를 향상시켰지만 재인 책략은 가장 나이 든 아동에게만 이득이 있는 것으로 판명되었다. 이러한 결과들은 **상호작용**(interaction)의 한 예인데(제10장을 보라), 이것은 한 변인의 효과들이 다른 변인의 수준에 의존함—책략의 유형 효과가 참가자의 연령에 따라 다르다—을 의미한다.

발달연구에서 연령과 진짜 독립변인을 사용하는 연구법은 연구자가 상호작용을 기대한다는 것을 의미한다. 연령과 혼입되는 것이 어떤 변인이든지 간에 (Tversky와 Teiffer 연구에서는 횡단 설계에 존재하는 일상적인 혼입에 더불어, 연령은 학교 성적과 혼입되었다) 진짜 독립변인에 의하여 차별적으로 영향 받을 수도 있다. 능숙한 심리학자는 연령의 어떤 부분이 사고와 행동을 결정짓는지, 특정한 상호작용에 대한 탐색이 도움이 될지를 정확히 집어내려고 노력한다. 횡단 설계와 상호작용에 대한 탐색의 목적은 발달연구의 내부타당도를 향상시키는 것이다. 연령이란 복합적인 변인이고 타당한 분석을 하기 위해서는 그것을 단순화시켜야만 한다.

피험자 변인이 있는 연구의 내부타당도를 높이는 마지막 방법은 수렴 조작의 형식으로 구성타당도를 사용하는 것이다(제8장을 보라). 피험자 변인과 상관된 변인들에 기인하는 효과들로부터 피험자 변인의 진짜 효과를 분리시키는 상호작용에 대한 탐색 대신에, 우리는 이러한 결과들을 특정한 이론과 조화시킬 수 있다. 고도로 세련된 성격과 아동 발달의 이론들은 이 기법을 사용한다. 예를 들면, Piaget는 인지 발달의 상이한 단계에서 아동들이 보여주는 행동의 종류들에 관한 특정한 예측을 하는 아동 발달의 포괄적인 이론을 발달시켰다(Piaget & Inhelder, 1969). 비록 이들 단계들이 연대기적 연령과 부분적으로 연합되어 있지만, 각 단계들은 성숙과 경험의 함수인 것으로 가정된다. 그러므로 연령이 아닌 어떤 종류의 행동 속에서 보이는 발달의 단계는 인과적 요인으로 간주된다. Piaget의 이론은 이들 단계들이 어떻게 그리고 언제 발생할지를 상세히 하고, 따라서 연령과 관련된 행동적 차이들은 이론의 그물망 속에 어우러져야만 한다. 예언된 변화가 일어날 때, 즉 그 변화들이 Piaget의 이론과 일치하고 있을 때 우리는 이론이 구성타당도가 있다고 말한다. 이 이론을 통하여 우리는 상관된 변인(이 경우에는 연령)의 효과를 배제하고, 특정 행동이 관찰된 이유에 대한 설명에 집중할 수 있게 된다.

개념 요약

유사-실험 연구에서 어떤 해결책이 있는 내부타당도에 대한 위협들

연구 절차	내부타당도에 대한 위협	내부타당도를 향상시키는 방법들
사례연구	인과관계의 출처; 기저선 '조건'; 성숙; 역사; 선택 편향	이상사례분석(비동등 통제); 탐정 활동
틈입-시간-계열	참가자와 환경에서의 변화; 지연된 효과	비동등 통제집단; 탐정 활동
피험자 변인	어떤 것을 짝지어야 하는지의 차원들; 회귀 인위물	짝짓기; 진짜 독립변인을 포함시키고 상호작용을 찾는다.
변인요소서 연령	검사의 시기; 출생 세대와의 흔입	교차 순서 설계; 진짜 독립변인을 포함시키고 상호작용을 찾는다; 수렴 조작들

요약

1. 내부적으로 타당한 연구에서 원인과 효과에 관해서 단도직입적인 진술이 가능하다. 독립변인에 대한 직접 통제가 없는(독립변인들은 사후에 검토한다) 유사−실험 연구에서 인과적 진술은 혼입 때문에 가능하지 않을 수도 있다.

2. 유사−실험들에는 하나 이상의 사후 소급된 구성 성분들이 있다: 자연 발생하는 변인들 또는 피험자 변인들(또는 둘 다).

3. 자연적 처치가 있을 때, 역사, 성숙, 선택 편향, 그리고 비동등 통제집단 같은 문제들이 결과들과 혼입할 수도 있다.

4. 일회−시도 사례연구와 틈입−시간−계열 설계는 낮은 내부타당도를 지닌 유사−실험 절차들이다. 연구자는 이들 절차에서 인과적 동인(動因)을 결정하기 위해 훌륭한 탐정이 되

어야만 하는데, 왜냐하면 사망과 지연된 효과들이 내부타당도를 위협하기 때문이다.

5. 또한 연구자는 특정한 특성에 근거하여 참가자들을 짝짓기함으로써 피험자 변인들을 다루고자 할 때도 훌륭한 탐정이 될 필요가 있다. 어떤 특성이 짝짓기되어야 하는가에도 자주 어려운 문제가 있으며, 이러한 특성들은 많은 사례에서 평균을 향해 회귀할 수도 있으며, 짝지은 변인들 간의 상호작용이 발생할 수도 있다.

6. 피험자 변인으로서 연령은 이것 자체가 수많은 다른 요인들과 혼입되기 때문에 내부타당도에 대한 많은 실재적 위협을 제공한다.

7. 발달연구의 내부타당도를 향상시키는 두 가지 방식은 횡단 설계를 사용하는 것과 진짜 독립변인과 연령과의 상호작용을 찾는 것이다.

주요개념

유사-실험(quasi-experiment)

관찰-처치-관찰(observation-treatment-observation)

성숙(maturation)

역사(history)

비동등 통제집단 설계(nonequivalent control group design)

선택 편향(selection bias)

일회-시도 사례연구(one-shot case study)

틈입-시간-계열 설계(interrupted-time-series design)

사망(mortality)

초점 지역 통제(focal local control)

피험자 변인(subject variable)

짝짓기(matching)

상호작용(interaction)

상승효과(synergism)

회귀 인위물(regression artifact)

평균으로의 회귀(regression to the mean)

횡단 방법(cross-sectional method)

종단 방법(longitudinal method)

시간-지연 설계(time-lag design)

교차-순서 설계(cross-sequential design)

연습문제

1. [특별연습] 출생 순위와 지능 간에 역관계가 있다고 상당한 양의 증거가 지지하고 있다(Zajonc & Marcus, 1975). 출생 순위란 아이들이 가족에 들어간 순서를 가리킨다(첫 번째 출생, 두 번째 출생 등등). 지능은 먼저 태어난 아이보다 나중에 태어난 아이들이 낮은 경향이 있다. 출생 순위와 혼입될 수도 있는 요인들을 가능한 많이 나열하라. 이들 요인들 중 어떤 것이 지능에 영향을 주는 데 중요하다고 어떻게 결정할 수 있는가? 환언하면, 출생 순위가 변인일 때 어떻게 내부타당도를 향상시키는가?

어떤 유사-실험들이 행해질 수 있는가?

2. *Journal of Applied Psychology*에는 종종 틈입-시간-계열 설계를 사용한 연구들이 보고된다. 여러 최근 논점들을 조사하고, 특히 포함된 통제 조건이 어떤 것인지를 살펴보아라.

3. 노인 연구(노년기에 대한 연구)에서 변인으로서 연령은 종종 아동 발달 연구에서 보다 분석하기가 더 어렵다. 그 이유는?

4. 사망, 선택 편향, 역사, 성숙이 유사-실험의 내부타당도를 위협할 수 있는 방식들을 논의하라.

↘ 추천 문헌 자료

- Donald T. Campbell은 유사-실험 연구에 관한 많은 집필을 했다. 처음 시작하려면 첫 번째 소개된 책이 좋다. 두 번째 소개된 책에는 좀 더 자세한 설명이 있다. Campbell, D. T., & Stanley, J. C.(1966). *Experimental and quasi-experimental designs for research*. Chicago: Rand McNally. Cook, T. D., & Campbell, D. T.(1979). *Quasi-experimentation: Design and analysis for field settings*. Chicago: Rand McNally.

- 좀 더 최근에 발간된 책이 Rosenbaum, P. R.(1995). *Observational studies*. New York: Springer Verlag이다. 이 책은 유사-실험에 관해 상당히 자세하게 소개하고 있는 고급 통계 교재이다. Shadish & Cook(2009)은 현장 실험연구에 대한 최신 발전을 조사하는 최근의 연례 보고서 챕터를 썼다.

↘ 웹 자료

- 이 장에서 배운 내용과 주요개념을 잘 알고 있는지 용어 설명, 플래시 카드, 그리고 통계와 연구방법 워크숍과 연계해서 확인해 보라. **www.cengagebrain.com**을 방문하라.

- 동물을 생포했다가 다시 생포하여 조사하는 현장연구에 적용한 유사-실험을 다음에서 찾을 수 있다: **http://www.stat.sfu.ca/~cschwarz/papers/2000/euring/quasi.experiment.pdf**

심 리 학 해 보 기

유사-실험

이 유사-실험들을 제5장의 심리학 해보기에서 기술된 상관연구의 후속 연구로서 시도해 보라. 거기 연구 계획에서는 잠의 양과 긴장 또는 편두통 사이의 관계를 다루었다.

만일 여러분이 잠/두통 연구에서 참가자들 각각에 대한 인구통계학적 자료(연령, 성별, 학년)를 기록했었다면, 여러분의 인구통계학적 자료 중의 하나를 독립변인으로 정의한 유사-실험을 할 수 있다. 예를 들면, 남자와 여자들이 보고한 두통의 수를 비교할 수 있다. 다른 유사-실험은 대학 신입생, 2학년, 3학년, 4학년생에게서 얻은 수면의 양을 조사할 수 있다. 다른 가능성들도 있는데, 여러분이 스스로 밝혀내 보라.

비록 이들 유사-실험들이 일반적인 피험자간 설계와 비슷하게 보일 수도 있지만 여러분이 독립변인을 조작하지 않았음—여기서 여러분의 집단은 조작이 아닌 선택으로 결정되었음—을 잊어서는 안 된다. 그러므로 인과적 서술을 할 때 조심할 필요가 있다.

제4부 과학적 심리학의 실천

제13장   연구 결과의 해석

제14장   연구 결과의 제시

이 부분에는 심리과학의 실천에서 최초와 최종 국면에 관한 중요한 자료가 포함되어 있다. 여기에 제시된 장들은 강의 도중 어떤 순서로, 어떤 시기에 읽어도 좋도록 정보를 제시하고 있다. 이런 유연함의 목적은 여러분과 강의담당자가 과목의 목적에 부합하게 이러한 정보를 사용할 수 있도록 한 것이다. 마지막 두 장은 자료를 해석하고, 서술 형식이나 구두 형식으로 자료를 제시하는 것과 관련된 것인데, 이로써 연구 프로젝트 하나가 완성된다.

제 13 장

연구 결과의 해석

◯ **특정 결과의 해석**
   척도 희석화 문제
   회귀 인위물

◯ **결과 패턴의 해석**
   신뢰도와 반복검증
   수렴 조작

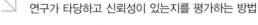

연구가 타당하고 신뢰성이 있는지를 평가하는 방법

답변해야 할 질문들

• *척도-희석화 문제가 있는가? 천장효과 또는 바닥효과가 있는가?*

• *회귀 인위물이 존재하는가? 자료가 행동에 대한 '진짜' 측정을 제공하는가?*

• *실험 결과가 신뢰성이 있는가? 실험이 직접적으로 반복검증되는가? 개념적 또는 체계적 반복검증을 착수했는가?*

• *결과와 개념이 수렴 조작으로 입증되었는가? 여러 수렴 조작의 결과로 인해 결과에 대한 대안 설명이 제거되었는가?*

자료를 수집하고 분석한 후, 여러분은 그것들을 해석할 위치에 있게 된다. 이 장에서 자료의 옳은 해석을 저해하는 함정들을 여러분이 이해할 수 있게 될 것이다. 우리는 특정한 결과들 그리고 연관된 일련의 연구에서 얻은 결과들을 해석하는 문제를 고려할 것이다. 여러분이 자료를 비록 올바르게 수집하고 통계적으로 옳게 분석했다고 하더라도, 만일 수행이 극단적으로 좋거나 또는 극단적으로 나쁘다(척도 희석화 문제)면 해석이 어려워진다. 종종 참가자의 진짜 점수 또는 진짜 수행이 여러분이 수집한 자료와 다르다면, 이는 회귀 인위물이 생겼음을 의미한다. 신뢰성이 있는 결과를 얻었는가? 자료가 타당한가? 만일 이 연구를 반복해도 같은 효과가 얻어지겠는가? 여러 결과들이 한 개념을 이해하도록 수렴하는가? 이러한 문제에 대한 해결책을 제시한다.

특정 결과의 해석

척도 희석화 문제

우리가 여기서 살펴보고자 하는 첫 번째 주제는 문제가 지닌 중요성에도 불구하고 심리학 연구에서 자주 간과되는 것이다. 일반적인 문제는 실험에서 수행이 측정척도의 한계를 넘어설 때 종속변인에 대한 수행을 해석하는 방법이다. 수행이 척도의 상한에 있을 때 **천장효과**(ceiling effect)가 있다고 말한다. 천장효과의 한 예는 문제가 너무 쉬워서 학급에 있는 거의 모든 사람이 모든 문제의 답을 맞추는 수학 시험의 경우일 것이다. 수행이 척도의 하한에 있을 때 **바닥효과**(floor effect)가 있다고 말한다. 바닥효과의 한 예는 문제가 너무 어려워서 학급에 있는 거의 모든 학생이 아무 문제도 풀지 못하는 수학 시험일 수 있다. 천장효과와 바닥효과를 합쳐서 **척도 희석화 효과**(scale-attenuation effects) 문제라고 한다.

척도 희석화 효과를 가장 잘 보여주기 위해, 심리학 척도보다는 물리적 척도를 예로 사용하려고 한다. 물리적 척도는 정확성이 객관적으로 결정되는 장점이 있다. 그러므로 우리는 어떻게 천장효과가 체중이라는 물리적 특성을 측정하는 상황에서 문제를 일으키는지 보고자 한다. 그리고 나서 우리는 어떻게 척도 희석화가 심리적 측정의 해석을 어렵게 하는지를 보여줄 것이다. 뚱뚱한 두 사람이 누가 일정한 시간 내에 최대의 체중을 뺄 수 있는지 내기를 했다고 가정하자. 한 사람은 다른 사람에 비해 훨씬 무거워 보였으나, 둘 다 체중 재기를 피했기 때문에 얼마나 무게가 나가는지를 아무도 몰랐다. 그들이 내기에 사용하려고 결정한 체중계는 0~300파운드까지 재는 일반적인 목욕탕 체중계였다. 체중 감량 프로그램을 시작하는 바로 그날 두 사람은 서로가 지켜보는 앞에서 몸무게를 쟀는데, 놀랍게도 둘 다 300파운드(= 136.08kg, 1lb = 453.6g)씩 나갔다. 체격이 다름에도 불구하고, 두 사람은 동일 체중에서 내기를 시작하기로 결정하였다.

여기서 문제는 측정척도 상의 천장효과이다. 목욕탕 체중계의 중량 한도는 이 사람들의 진짜 체중을 기록할 만큼 충분하게 크지 않았다. 만일 더 큰 범위의 체중계로 체중을 쟀다면 한 사람은 진짜로 300파운드 나가고, 다른 사람은 350파운드 나갔을 것이라고 가정하자. 체중 감량 프로그램에서 6개월 후에 각각 실제로 100파운드씩 감량했다고 가정해 보자. 이 시점에서 체중을 다시 쟀고 한 사람은 이제 200파운드, 다른 사람은 250파운드 체중

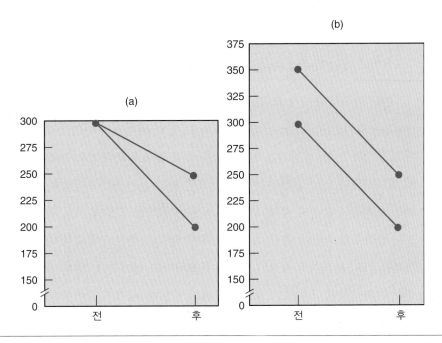

그림 13.1 왼쪽 그래프 (a)는 뚱뚱한 사람이 같은 체중으로 시작했으며, 한 사람은 다른 사람의 두 배를 체중 감소했다고 믿는 상황을 묘사한다. 오른쪽 그래프 (b)는 측정척도에서 천장효과가 제거된 실제 경우를 보여준다. 사실상 두 사람 모두 100파운드를 감소했다. 척도 희석화(천장효과와 바닥효과)는 실험에서 조건 사이에 존재할 수도 있는 실제 차이를 감출 수 있다.

이 나가는 것으로 나왔다. 그들은 둘 다 같은 체중(300파운드)에서 시작했다고 생각하였기 때문에 현재 200파운드 나가는 사람이 내기에서 이겼다는 잘못된 결론을 내렸다(그림 13.1을 보라).

  불행히도, 연구에서 관찰되는 척도 희석화 효과는 우리가 고안한 이 예에서 보여준 천장효과만큼 분명하지 않다. 그러나 척도 희석화는 정확하지 않은 결론에 이르게 하므로 여러분이 자신의 연구에서 그리고 다른 사람의 연구에서 찾고자 하는 것이 무엇인지를 아는 것이 중요하다. 여러분은 행동을 측정하는 데 사용되는 척도를 무심코 지나쳐서도 안 될 뿐만 아니라 연구 프로젝트에 참여하는 사람들이 실시하는 과제 또한 살펴야만 한다. 예를 들면, 여러분이 전화번호를 회상하는 기억 실험을 고안하였다고 가정하자. 여러분의 실험에서 사람들은 일분 동안 전형적 7자리 전화번호를 외우고, 그리고 나서 그 번호로 전화를 걸어야 했다. 여러분은 아마도 모든 참가자들이 잘 해냈다는 것을 발견할 것이다. 사실상 그들은 모두 번호를 완벽하게 기억하였다. 이것이 말해주는 바는 무엇인가? 만일 과제가 너무 쉽다면(또는 너무 어렵다면), 행동에서 차이가 보이지 않을 것이다. 여러분이 연구 결과를 검토할 때마다, 여러분은 스스로에게 질문해야만 한다. 내가 지금 관찰한, 수행에 있는 한계가 적당한 것인가 또는 행동 평가 시 사용된 측정척도 또는 과제에 의해 부과된 것인가?

기억에 대한 측두엽 손상의 효과

척도 희석화 문제가 포함된 어떤 실험의 결과를 살펴보도록 하자. Yonelinas와 동료들 (2002)은 장기간의 저산소증(산소 결핍)으로 인해 뇌의 중측두엽에 손상이 지속적이었던 사람의 수행과 연령-짝짓기를 한 통제집단의 수행을 비교하는 어떤 실험에 관한 논문을 최근에 발표하였다. 중측두엽에 손상이 있으면 과거 사건들을 회상하는 능력에 결함을 가져온다고 오랫동안 알려져 왔다. Yonelinas 등은 특정한 종류의 기억 검사가 다른 종류의 검사보다 중측두엽 손상에 훨씬 더 많이 해로운 영향을 받는지에 대한 의문을 조사하였다. 중측두엽은 과거 사건의 의식적인 인출에 중요하다고 믿어진다. 일부 기억 검사는 다른 검사에 비해서 의식적인 인출에 더 많이 의존하고 있으며, 따라서 상이한 유형의 기억 검사를 비교하면, 중측두엽 손상으로 인해 과거 사건의 의식적인 인출이 영향을 받는지와 관련된 정보를 매우 많이 얻을 수 있다. 이를 살펴보기 위해 연구자들은 재인 검사의 수행과 회상 검사의 수행을 비교하였다. 재인 검사 조건에서 사람들은 15개의 무관련 단어들을 먼저 보았고, 15분 후에 이전에 본 적이 있는 단어와 실험에 새로 등장한 단어 사이를 구분하라고 하였다. 대조적으로, 회상 검사 조건에는 15개 단어를 먼저 보고, 재인 검사 조건과 동일하게 15분 지연이 있었지만 이전에 보았던 사물의 이름이나 단어를 단순히 회상하라고 요청 받았다. 많은 연구자들이 재인 검사는 과거 사건을 의식적으로 회상하는 능력에 덜 의존한다고 주장하는데, 왜냐하면 기억해야 할 정보가 참가자에게 주어지고, 참가자는 단순히 기존 항목과 새로운 항목을 구분하기만 하면 되기 때문이다. 대조적으로, 회상 검사는 과거 사건을 회상하는 능력이 가장 중요한데, 왜냐하면 어떤 외부 지원 없이 과거 사건을 인출하기 위해 기억을 탐색해야만 하기 때문이다. 그러므로 만일 중측두엽 손상이 의식적 인출을 붕괴시킨다면, 통제집단과 비교해서 손상집단에서 회상이 재인 수행보다 더 많이 나빠져야만 한다.

사실상 Yonelinas 등(2002)은 중측두엽에 손상이 있는 사람들이 통제 참가자보다 수행이 훨씬 나쁘며, 이러한 결함은 재인보다는 회상에서 더 컸다. 이 결과들이 그림 13.2에 제시되어 있다. 두 집단 사이의 회상에서의 차이가 15%였으나, 재인에서의 차이는 겨우 7%였다. 이는 중측두엽 손상이 과거 사건의 의식적인 인출을 붕괴한다는 생각과 일치한다. 그러나 그림 13.2에서 보는 바와 같이, 재인 수행은 회상보다 상당히 높으며, 이는 척도 희석화(본 사례에서는 천장효과)가 자료에 영향을 주었을 가능성이 있음을 제안한다. 사실상 (Wixted & Squire, 2004에서 발견된) 원 자료에 대한 한 조사는 본 연구에 참여한 통제집단의 절반이 재인 수행을 완벽하게 했으며, 많은 뇌 손상 환자도 그랬다. 그러므로 사용된 재인 검사는 앞에서 나온 뚱뚱한 사람에 대한 척도의 사례와 상당히 유사하게, 높은 수준의 수행에 민감하지 않았다. 뇌 손상 연구에서 있있던 이러한 천장효과로 인하여 회상과 재인에 대한 측정이 중측두엽에 의해서 차별적으로 영향을 받는지 어떤지를 결론 내릴 수 없게 만들었다.

척도 희석화에 대한 해결책

천장효과 또는 바닥효과가 존재할 때는 자료에 관한 어떤 강력한 결론을 내리지 않는 것이 중요하다. 신중한 연구자는 그림 13.2의 자료에서 회상과 재인에 미치는 뇌 손상의 차별적인 효과에 관한 어떤 결론을 내리는 데 주저하게 된다.

불행히도, 척도 희석화 문제를 회피하는 확정된 규칙은 없다. 연구자들은 보통 수행이 극단적이 되지 않게 실험을 설계하려고 노력하며, 종종 소규모 예비 참가자 집단으로 검사한다(예비 연구에 관한 논의는 제1장을 보라). 만일 이 참가자들이 척도의 천장 또는 바닥에 가까이 수행하면, 실험 과제를 수정할 필요가 종종 있다. 예를 들면, 기억 실험에서 수행이 Yonelinas 연구에서처럼 너무 좋으면, 제시되는 재료의 양을 증가시켜 수행이 낮아지도록 만든다. 유사하게, 만일 과제가 너무 어려워서 사람들이 거의 아무것도 기억하지 못한다면, 재료의 양을 줄이거나, 좀더 천천히 제시하는 등의 방법을 사용하여 과제를 쉽게 만든다. 연구자가 조심스러우면, 보통 천장효과나 바닥효과로 인하여 나중에 결함이 있는 것으로 판명될 실험을 실시하기 전에 예비 참가자들을 검사하는 노력을 한다. 제1장에서 지적한

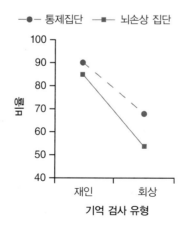

그림 13.2 통제집단과 중측두엽에서 뇌 손상을 입은 사람들에 대한 재인 검사 또는 화성 검사로 정확하게 단어를 기억한 확률. 두 집단의 차이는 회상보다는 재인에서 더 작음을 보라. 또한 재인 결과는 회상 결과보다 완벽한 수행 (100%)에 훨씬 가깝다(Wixted & Squire, 2004에 포함된 Yonelinas et al., 2002에 수집된 자료로부터 만듦).

바와 같이, 예비 참가자의 검사는 또한 연구자로 하여금 실험의 절차나 설계에 있는 다른 문제에 관해서도 배우게 해준다.

예비 연구 실시는 피험자 모집단에서 변화가 있을 경우에 특별히 중요하다. 예를 들면, 자신의 연구 패러다임을 대학생에게 적합하도록 만든 연구자는 대학생의 수행을 나이 든 사람들의 수행과 비교할 때 어려움이 생길 수 있다. 만일 나이 든 어른의 수행이 시작부터 훨씬 낮았다면, (바닥효과로 인하여) 수행이 저하되는 데 목적을 둔 조작이 효과를 보는 데 매우 어려울 수 있게 된다. 이 문제를 다루기 위해, 때때로 연구자는 나이 든 어른의 실험 조건을 변경해서 이들의 수행이 젊은이들의 수준으로까지 올리고, 그 수정된 수행 수준에서 조작의 효과를 살핀다(예를 들면, Jacoby, Bishara, Toth, & Hessels, 2005).

개념 요약

천장효과와 바닥효과를 조심하라.
척도 민감도와 과제 난이도를 결정하기 위해 예비 실험 작업을 수행하라.

회귀 인위물

많은 분야의 연구에서 심각한 문제 중 하나는 통계적인 **평균으로의 회귀**(regression to the mean) 또는 **회귀 인위물**(regression artifact)이라고 알려진 것이다. 이 맥락에서 인위물(artifact)이란 단어는 연구 중에 발생하는 원치 않는 효과를 의미하며(그러므로 혼입 요인과 동의어이다), 그리고 회귀란 평균 또는 본래의 점수로 돌아가는 것을 뜻한다(이 문제는 제12장에서 개략 설명되었으나, 여기서는 자세히 살핀다).

여러분이 이 원치 않는 현상의 피해자가 되면, 이 현상을 가장 잘 이해할 수 있게 된다. 다음 연습을 제시된 각 단계에 따라 진행해 보라.

1. 탁자 위에 여섯 개의 주사위를 굴려라.
2. 가장 낮은 숫자를 보인 주사위 세 개를 왼편에, 높은 숫자를 보인 주사위 세 개를 오른편에 놓아라. 동점일 경우는 그 주사위를 무선으로 어느 집단에 배정하라.
3. 세 개씩 배정된 주사위의 집단 각각에 대하여 집단별 평균 숫자를 계산하고 기록하라.
4. 두 손을 머리 높이 쳐들고 "향상하라, 과학의 이름으로!"라고 크게 외쳐라.
5. 낮은 점수 집단의 주사위 세 개를 굴려서 낮은 집단의 평균 숫자를 계산하라.

6. 높은 점수 집단의 주사위 세 개를 굴려서 높은 집단의 평균 숫자를 계산하라.

7. 두 집단의 주사위에 대한 처치 전, 후의 점수를 비교하라. 가능하다면 학급 동료와 자료를 결합하라.

평균적으로, 이 실험에서 낮은 집단은 수행의 향상이, 높은 집단은 수행의 감소가 있을 것이다. 과학의 이름을 외치면 성취가 낮은 주사위에 유익한 영향이 생긴다는 결론과 더불어, 성취가 높은 주사위가 높은 수행이 유지되려면 좀더 개별적 관심이 요구된다는 결론을 내리고 싶을지도 모른다. 그러나 그러한 결론들은 평균으로의 회귀효과를 고려하지 않은 것이다. 이 회귀 인위물은 많은 측정 유형들이 평균에 가까운 값들을 내는 경향성을 반영한다. 여러분은 주사위를 굴리면 1에서 6까지의 값이 나오고, 많이 굴리면 산술 평균값은 3.5 정도 될 것이라고 알고 있다. 세 주사위가 평균 3.5에 가깝게 될 가능성은 평균이 1 또는 6에 가깝게 될 가능성보다 높다. 그러므로 낮은 평균을 낸 세 주사위를 선택해서 다시 굴린다면 그보다는 높은 평균값이 나올 경향이 클 것이다(평균 3.5에 더 가까운 값). 같은 방식으로 높은 집단에 속한 세 주사위를 다시 굴리면 그보다는 작은 평균값이 나올 것이다.

이 모든 것이 심리학 연구와 무슨 관련이 있는가? 이제 여러분은 정확한 측정이 한 변인의 효과를 평가하는 과정의 핵심이라는 사실을 잘 자각하고 있다. 회귀 인위물과 같은 측정 오류가 있을 때마다, 어떤 종류의 변화가 일어났다 또는 일어나지 않았다고 잘못 결론 내릴 수 있는 가능성이 있다. 비록 이 말이 여러분에게는 별거 아닌 것처럼 보일지 모르지만, 이 사실을 적합하게 고려하지 않아 수많은 심리학 연구들이 스스로 오점을 남겼다.

주사위 실습 같은 유사–실험 설계(제12장을 보라)는 회귀 인위물 때문에 편향으로 인한 영향을 특히 받기 쉽다. 여러분들이 기억하겠지만 그러한 연구들에서 참가자들은 처치와 통제 집단에 무선으로 배정되는 것이 아니라 어떤 요인 또는 실험 통제 하에 있지 않은 IQ 점수나 SAT 점수 같은 요인들에 근거해서 배정된다. 참가자가 높은 점수나 낮은 점수 때문에 특정한 집단에 배정될 때마다 회귀 인위물은 위험 요소가 된다. 어떤 측정치 상의 낮은 값들을 기준으로 선발된 집단에서, 평균으로의 회귀는 겉으로 드러난 어떤 처치의 효과를 과장시킬 수도 있다(예를 들면, "향상하라, 과학의 이름으로!"). 역으로, 한 집단이 어떤 측정에서 높은 값을 기준으로 선발되었을 때, 처치의 효과는 두 번째 검사에서 평균에 더 가까운 (그러므로 더 낮은) 점수를 받으려는 경향으로 인해 가려질 수가 있다.

평균으로의 회귀가 자주 일어나는 이유는 모든 심리측정이 어느 정도의 비신뢰성 또는 측정 오류에 영향 받기 쉽기 때문이다. 측정 오류가 없다면 회귀 인위물도 없다. 예를 들면,

여러분이 동료의 키를 측정하고, 그들 중 가장 큰 키와 작은 키를 다시 측정해도, 어떠한 평균으로의 회귀도 관찰되지 않을 것인데, 왜냐하면 전반적으로 물리적 차원의 측정들은 거의 완벽하기 때문이다. 그러나 완전히 신뢰할 수 없는 어떤 측정도구를 사용했을 때 가장 높은 점수를 얻은 참가자 집단에는 진짜 이 범주에 속해 있는 사람들뿐만 아니라 측정의 우연적 오류에 기인해서 이 범주에 어쩌다가 속하게 된 사람들도 있다. 재검사에서 점수가 부풀어지는 우연으로 인한 측정 오류들이 그 정도로 크게 될 가능성은 적고, 따라서 관찰된 점수는 그렇게 높지 않게 된다. 회귀 인위물은 참가자의 점수가 진짜 변화되었음을 함의하지는 않는다. 평균에로의 회귀는 단지 최초의 측정에 오류가 있었음을 함의한다.

이 점을 좀 더 명확하게 예시하기 위해, 물리적 척도를 인용한 평균으로의 회귀에 대한 예가 유용하겠다. 여러분이 신뢰성이 없는 저울로 동료들의 체중을 잰다고 가정하자. 어떤 체중 측정에서도 양쪽 방향으로 25파운드의 오류가 있을 수 있다. 결론적으로, 평균 체중을 가진 어떤 사람이 매우 무겁다고, 다른 사람은 매우 가볍다고 기록된다. 만일 여러분이 같은 저울로 모든 사람의 체중을 다시 잰다면 극단적인 체중이라고 판정 받은 평균 체중의 사람이 두 번째에도 같은 체중으로 판정 받게 되는 경우는 드물다. 아주 무겁거나 가벼운 체중을 기록한 사람은 두 번째 재었을 때는 평균으로의 회귀가 있게 된다. 그러나 아무도 실제 체중 변화가 있었다고 주장하지는 않을 것이다.

보수 교육에서의 회귀

교육학 분야의 유사–실험 연구에서 회귀 인위물의 중요성은 많은 논란거리의 대상이다. 1960년대에 Head Start 프로그램의 효과에 대한 한 영향력 있는 연구(Cicirelli & Granger, 1969)가 특별한 관심을 받았다. Westinghouse-Ohio 연구라 불리는 이 연구에서 Head Start 교육을 마친 아이들이 평가를 위해 무선 선발되었다. 프로그램에 참여 자격은 있었지만 실제로는 참가하지 않은 같은 지역의 아이들을 뽑아 통제 모집단으로 정의하였다. 통제집단 아이들은 성별, 인종집단, 유치원 교육 등에 근거하여 실험집단 아이들과 대응이 되도록 선발되었다. 실험 참가자와 통제 참가자가 다른 관련된 특성에서 다르지 않다고 분명하게 확인하기 위해, 두 집단에 대한 사회경제적 지위, 인구통계학적 상태, 그리고 태도에 대한 측정들이 수집되고 비교되었다. 그 결과 차이는 미미하다고 보고되었다. 이 연구에서 핵심 분석은 실험(Head Start)과 통제(Head Start 아님) 집단 아이들의 학업 성취와 잠재력에 대한 측정을 계산하고 비교하는 것이었다. 이 광범한 연구에서 얻은 일반적인 결론은 Head Start 프로그램은 빈곤과 사회적 불이익의 효과를 제거하는 데 효과적이지 않다는 것이었다.

다른 심리학자들(Campbell & Erlebacher, 1970a)은 여러 근거에서 이 연구를 비판하였다. 먼저, 그들은 연구의 결과가 의심할 바 없이 부분적으로 회귀 인위물에 의해 야기되었다고 지적하였다. 설상가상으로, 인위물의 크기를 추정할 수가 없었으며, 전체 결과가 의심이 갈 정도였다.

근본적인 문제가 무엇인가? 참가자들의 짝짓기가 효과적이 아닐 수 있었던 이유를 알아낼 수 있는가? Cicirelli와 Granger는 Head Start 프로그램에 있었던 혜택 받지 못한 아동들과 프로그램에 들지 않았던 같은 지역에 있는 아이들을 짝짓는 대단히 훌륭한 노력을 하였다. 프로그램 수행 후에 나타난 두 집단 간의 차이는 프로그램의 결과이어야만 한다. 그렇지 않은가? 꼭 그렇지는 않다. 그 결론은 두 집단이 같은 모집단에서 나올 때에만 옳은데, 이 연구에서는 그럴 것 같지 않다.

더 가능성 있는 것은, 열악한 환경이라는 이유로 처치(Head Start)를 받은 아이들은 통제(Head Start 아님)집단 아이들보다 더 능력이 빈약한 모집단을 대표하기 때문에, 두 집단이 동등하지 않다는 것이다. 처치집단 아이들은 보통 열악한 배경을 가진 집단에서 미리 선발된다. 그 때문에 프로그램에 포함된 것이다. 다른 한편으로는 통제 참가자들은 훨씬 나은 능력을 가진 다른 모집단(비동등 통제집단)에서 왔을 가능성이 높다. (실험 조건의) 참가자들이 조건들에 무선으로 배정되지 않았으며, 그런 방식으로 연구자는 통제 참가자들을 실험 참가자들과 짝짓고자 노력했었다는 것이 바로 기본적 문제이다. 이런 상이한 모집단으로부터 얻은 표본을 짝짓기 위해 연구자들은 모집단 평균보다 높은 아이를 처치집단으로, 모집단 평균 이하의 아이들을 통제집단으로 뽑아야만 했다. 그러나 바로 이때 회귀 인위물이 도입되었다. 각 집단을 재검사하였을 때 참가자들의 수행이 집단의 평균으로 회귀하는 경향이 있었다. 환언하면, 열악한 환경집단은 재검사에서 더 낮은 수행을, 통제집단은 더 높은 수행을 하는 경향이 있었다.

평균으로의 회귀는 무처치 상황에서도 발생하며 심지어 짝짓기를 적용한 경우에도 발생할 수 있다. Head Start 프로그램 연구에서 우리는 이미 집단 간의 차이를 예측했기 때문에(통제집단을 선호함), 평균으로의 회귀는 연구의 결과를 평가하기 어렵게 만든다. Cicirelli와 Granger는 집단 간에 아무런 차이를 발견하지 못했다. 처치(Head Start)집단이 아마도 시작할 때부터 더 나빴으므로, 이것이 곧 Head Start로 인해 집단이 실제로 향상되었음을 의미하는가?

이 질문에 대한 답변은 불가능한데, 그 이유는 Head Start에 대한 Westinghouse-Ohio

연구에서 회귀 인위물의 크기나 방향이 평가될 수 없었기 때문이다. 앞 절에서 우리는 이런 유형의 연구에서 회귀 인위물과 연관된 합당한 가정을 하였다. 그러나 엄밀히 말한다면 Head Start가 아무런 효과가 없다고 결론지을 수는 없는데, 어떻게 회귀 인위물이 결과에 영향을 주었는지 알 수 없기 때문이다.

일반적으로 이런 유형의 연구에서 측정하기 어려운 크기로 회귀 인위물이 존재할 확률이 높으며, 대부분의 연구자들이 이 사실을 인식하고 있다. 그렇다면 왜 이런 연구들이 수행되고, 그러한 결과에 근거해서, 중요한 정치적, 경제적, 사회적 결정을 내릴 때 특히 그렇게 하는가? 이 문제는 Campbell과 Erlebacher(1970a, 1970b), Cicirelli와 그의 지지자들(Cicirelli, 1970; Evans & Schiller, 1970)이 동시에 제기하였다. 그들의 답변은 서로 상당히 달랐으며, 과학자들이 자주 직면하는, 하지만 과학이 결코 풀 수 없는 유형의 논쟁점을 드러냈다. Campbell과 Erlebacher(1970a)는 나쁜 정보는 정보가 전혀 없는 것보다 더 나쁘다고 제안하였다; 즉, 만일 적절하게 통제된 실험이 수행되지 못한다면, 아무런 자료도 수집되어서는 안 된다고 제안하였다. 이 논쟁의 다른 입장에서 Evans와 Schiller는 답변하기를, "이 입장은 가장 임의적인, 뒷말이 무성한, 당파적, 그리고 주관적인 방식으로 모든 프로그램을 평가하고 있다는 것을 모르는 것이다"(p. 220). Campbell과 Erlebacher는 이 의견에는 동의하면서도, "우리는 아무런 과학적 평가가 가능하지 않는 상황에서 과학의 명성을 어떤 보고서에 빌려주는 것은 근본적으로 잘못이라고 판단한다"고 진술하였다(1970b, p. 224). 마지막 해결책으로써 그들은 "문제를 결정하기 위해 이 논쟁에서 편파적이지 않은 전문가로 구성된" 위원회가 소집되어야 한다고 제안하였다.

가능한 해결책

우리는 이 논쟁에 대하여 철저하게 이성적인 근거로 결정할 수 없을지 모른다. 그러나 우리 모두는 연구를 가능한 최선의 과학적 절차에 따라서 수행해야 한다는 것에 동의한다. 물론 연구가 수행된 후에는, 있었지만 우리가 알지 못한 회귀 인위물이 있는 유사–실험 연구 결과를 우리는 해석할 수 없다. 다음과 같은 질문이 되겠다. Westinghouse-Ohio 연구가 어떻게 하면 제대로 수행될 수 있었을까? 가장 좋은 방식은 참가자를 무처치 조건과 처치 조건에 무선으로 배정하는 것일 것이다.

혼입 요인들을 제거할 때 무선 배정에 버금가는 것은 없다(즉, 진짜 실험을 대신할 만한 것은 없다). 그러나 치료 프로그램의 도움이 필요한 아이들 절반을 아무런 훈련도 없는 조건에 배정하는 것은 공정하지 않은 것 같다. 물론 시작부터 프로그램이 아이들에게 도움이 되리라는 보장은 없다. 그것을 찾아내고자 연구가 설계된 것이다. 같은 논쟁이 의학 연구에서 질병이 있는 통제집단에게 치료약이 아닌 위약을 줄 때 발생한다. 궁극적으로 처치가 유보되었기 때문에 해를 입었을지 모르는 사람들이 있을 수 있다. 하지만 장기적으로 처치의 효과성에 대한 조심스러운 연구에 의해 더 많은 사람들이 도움을 받을 것이라는 반박이 두 경우 모두 적용될 수 있다. 불행히도 이 논쟁은 그리 간단하지는 않다.

의학 연구 경우의 예를 들면, 뇌염 치료약의 예비검사에서 치료약을 받은 환자의 72%가 질병에서 생존하여 정상 생활로 되돌아갔으나 위약을 받은 통제집단의 경우는 30%만이 생존하였다(Katz, 1979). 다시 말하면, 통제집단의 참가자는 실험집단의 참가자에 비해서 두 배 이상 사망할 가능성이 더 높았다는 것이다. 이러한 희생이 치료약 개발의 효과적인 연구 설계를 위해 필요한 것인가? 반복하면, 이 논쟁들은 이성적인 또는 과학적인 근거에서만은 해소되기 힘들다.

Westinghouse-Ohio 연구에서 회귀 문제에 대하여 무선 배정 이외의 다른 해결책들이 있다. 하나는 아이들을 상이한 집단에 무선 배정하고, 상이한 프로그램을 적용시켜서, 그 프로그램들의 효과를 상호간에 겨루게 하는 것이다. 여기서의 난점은 무처치 기저선이 없기 때문에, 만일 프로그램이 똑같이 효과적이라고 하면, 우리는 프로그램이 있는 것이 프로그램이 없는 것보다 나은지를 알지 못할 것이다.

개념 요약

- 회귀 인위물은 짝짓기가 포함된 연구들과 유사-실험이 포함된 연구들에서 진짜 행동(효과)을 가린다.
- 가능하다면 언제나 처치에 무선 배정을 사용하라.

결과 패턴의 해석

척도 희석화와 회귀 인위물 문제들은 연구의 특정한 부분인 결과에 초점이 맞춰져 있다. 우리가 지금 검토하고자 하는 문제는 연구의 패턴들을 해석하는 것과 관련이 있다. 단일의 관찰로는 오래갈 수 없다. 심리학 연구의 결과를 대할 때 우리는 항상 그 결과들이 신뢰성이 있고 타당한지를 물어보아야 한다. 제8장에서 우리는 자료의 신뢰도와 타당도에 관해서 논의하였다. 여기서 우리는 논의의 일부를 확장해서, 특정한 결과가 규칙성을 보이는

지, 그리고 특정한 자료가 다른 관찰들과 잘 부합하는지를 파악하는 것의 중요성을 여러분
이 이해할 수 있도록 하고자 한다.

신뢰도와 반복검증

우리가 미국 대통령 후보 선호도를 평가하는 일에 고용되었다고 가정하자. 우리가 해
야 할 일은 다가오는 선거에서 사람들이 대통령으로 누구를 선호하는지 파악하는 것이다.
설문지를 개발해 낸 후, 미국 시민을 대상으로 응답자들을 무선 표집하였다. 어떤 것들이
우리의 결과를 확신하게 해주는가? 첫째로, 우리의 표본이 겨우 100명이라기보다는
100,000명으로 구성되어 있을 때, 결과가 정확하게 모집단의 태도를 반영한다고 더 확신할
수 있다. 둘째로, 두 번째 무선 표집이 유사한 결과를 내리라고 예상해야 한다(주요 후보들
중 한 사람이 두 번의 설문 기간 동안 중대한 도덕적 또는 법률적 위반을 하지 않은 것을 가정한
다). 신뢰도를 확신시켜주는 주요 요인들로는 대단위의 관찰, 그리고 반복될 수 있는 결과
가 있다. 우리는 관찰 수를 최대로 하고, 그리고 시간이 지나도 우리의 결과가 일관성이 있
는지를 알 수 있게 해주는 방식으로 연구를 고안하도록 항상 노력한다.

검사 신뢰도

제8장에서 우리는 **검사 신뢰도**(testing reliability)가 평가되는 방식들을 논의하였다. 신
뢰성이 있는 검사는 일관된 결과를 내는 검사라는 것을 기억하라. 측정이 신뢰가 있게 하려
면 실험에서 각 참가자로부터 가능한 한 많은 관찰을 할 수 있도록 하는 것이 좋은 원칙이
다. 만일 검사가 빈약하게 설계되었기 때문에(그리고 검사를 치르는 사람들 내의 변화 때문이
아니라) 일관성이 없다면, 우리는 검사가 측정하려고 하는 것을 측정하고 있는지를 알 수 없
게 될 것이다. 그러므로 신뢰할 수 없는 검사는 또한 타당하지 않은 검사이다. 이것은 실험
의 경우에도 적용되는데, 다음에 논의하려 한다.

실험적 신뢰도: 반복검증

실험 결과의 신뢰도와 관련된 기본적인 논쟁은 간단히 하면 다음과 같다. 실험을 반복
했을 때, 그 결과는 처음에 발견된 것과 동일한 것일까? 명백하게, 반복 가능성은 심리학 연
구에서 중대한 주제인데, 만일 우리에게 결과가 신뢰성이 있다는 확신이 없다면 실험 결과
는 아무짝에 쓸모 없을지도 모른다. 우리는 보통 같은 피험자를 두 번 사용하여 같은 연구

를 수행할 수 없기 때문에(어떤 소집단 연구를 제외하고) 보통 다른 표본의 참가자들을 써서 실험을 반복한다. 만일 두 실험 결과가 유사하면, 우리는 신뢰성을 입증했다고 확신할 수 있다.

많은 심리학자들이 통계적 신뢰도보다 **실험적 신뢰도**(experimental reliability)가 더 확신을 준다고 보는데, 왜냐하면 단일 실험에서 얻어진 통계적으로 신뢰성이 있는 발견이란 한 조건이 다른 조건보다 선호된 우연적인 상황의 결과일 수 있기 때문이다. 우리는 특정한 실험 결과들을 같은 논점을 지닌 다른 실험 결과와 비교해야 한다고 강조한다(단일 논점에 관한 많은 연구들을 요약하는 유용한 통계적 방법인 메타분석에 대한 개관은 제8장에 있다). 만일 한 현상이 반복될 수 없다면, 우리는 오히려 빨리 알아낼 수 있을 것이다. 복사 또는 재생산과 동의어인 **반복검증**(replication)은 결과가 신뢰가 있는지를 검사하려고 연구를 반복하는 관행이다. 이는 실험적 신뢰도를 형성하는 목적으로 사용되는 가장 일반적이고 가장 평판이 좋은 방법이다.

실험의 신뢰도를 검사하는 다른 방법은 효과와 관련된 신뢰 구간을 보는 것이다(효과 크기에 관한 논의는 부록 B를 보라). 신뢰 구간은 우리가 공정하게 신뢰할 수 있는, 실험효과의 진정한 크기가 포함되는 효과 크기의 범위를 제공한다. 효과 크기가 제공하는 한 점에 대한 추정치(예를 들면, 상관계수)와는 대조적으로, 연구를 반복해도 비슷한 효과 크기가 얻어진다고 얼마나 확신할 수 있는지에 대한 아이디어를 연구자는 신뢰 구간에서 얻는다. 예를 들면, 효과 크기가 .30이지만, 신뢰 구간이 .02~.58인 실험은 아주 신뢰가 가는 실험은 아닌데, 왜냐하면 효과의 진정한 크기가 아주 작을지(.02) 또는 매우 클지(.58) 확신할 수 없기 때문이다. 대조적으로, 효과 크기가 .30이고 신뢰 구간이 .28~.32인 실험은 실험적 신뢰도가 매우 높은데, 왜냐하면 만일 우리가 실험을 반복한다면 .30에 상당히 가까운 효과 크기를 얻을 것이라고 확신할 수가 있기 때문이다. 그러나 비록 신뢰 구간이 실험이 얼마나 신뢰가 있는가에 대한 아이디어를 우리에게 줄 수 있지만, 실험을 실제로 반복하는 것을 대체할 수는 없다.

비록 반복검증이 매우 중요하다고 하더라도, 여러분은 논문으로서 반복검증을 기고한 별개의 논문을 찾아보기는 힘들 것이다(본 장의 끝에 있는 연습 4를 보라). 우리는 여기서 이러한 것들 중 극단적인 예를 서술하겠다. 심리학에서 가장 유명한 연구가 문화적으로 기초하고 있는 도식이 어떻게 사람들의 이야기 재구성을 유도하는지에 관한 Bartlett(1932)의 입증이다. 인디언 설화를 읽은 피험자는 대상들(예를 들면, '통나무 배')을 자신들에게 친숙한 것(예를 들면, '카누')으로 잘못 기억한다. 우리는 여러분이 가진 심리학개론 교재에도 이 연구가 인용되고 있다고 내기를 해도 좋은데, 이 연구가 제시한 유일한 결과는 일화에 관한 것이다. 이 고전적이고 유난히 많이 인용된 연구의 직접적 반복검증은 원 논문이 기고된 지 70년이 지나도록 기고되지 않았다(Bergman & Roediger, 1999).

우리는 Luchins(1942)가 수행한 유명한 일련의 실험 맥락에서 반복검증의 예를 살펴보겠다.

Luchins의 갖춤새 실험

Abraham S. Luchins(1942)는 다음과 같은 것에 관심이 있었다. "어떠한 복잡한 절차를 통해 모두 풀 수 있는 여러 문제들을 연속해서 제시한다. 만일 향후에 좀더 직접적이고 단순한 방법으로 풀 수 있는 유사한 과제들을 제시한다면, 사람들이 좀 더 직접적인 가능성에 대하여 알아볼 수 있을까?" 참가자들은 유사한 문제들에 대한 특정한 접근을 개발시킬지도 모른다. 문제가 달라져서 이 갖춤새(정신적 집합)가 더 이상 가장 효율적인 해결 방법이 아닌 상황이 되었어도 사람들은 그 갖춤새를 고수할까, 아니면 좀 더 직접적인 방법을 인지할까? 갖춤새(set)에 대한 독일어 단어는 **Einstellung**이다. 우리의 일상적인 문제해결은 자주 갖춤새에 의존한다. 우리는 좀 더 효율적인 절차가 가용해도 특정한 문제를 공략할 때 습관적인 방식들을 시도한다.

Luchins는 실험에서 물병 문제를 사용하였다. 사람들은 다양한 용량의 물병을 두 세 개 받았고 물병 용량들을 계산하여 필요한 양의 물을 얻는 방법을 알아내는 것이었다. 예를 들

표 13.1 Luchins가 자신의 갖춤새 실험에서 사용한 물병 문제

문제	각 물병의 용량			얻고자 하는 물의 양
	A	B	C	
1	29	3		20
2	21	127	3	100
3	14	163	25	99
4	18	43	10	5
5	9	42	6	21
6	20	59	4	31
7	23	49	3	20
8	15	39	3	18
9	28	76	3	25
10	18	48	4	22
11	14	36	8	6

면, 물병 A가 6리터이고, 물병 B가 15리터이고, 물병 C가 2리터일 때 어떻게 7리터를 정확하게 얻을 수 있을까? 이 예에서 물병 B(15)를 가득 채워서 그 병으로 물병 A(6)와 물병 C(2)를 채우면, 물병 B에 7리터가 남게 된다. 표 13.1에 기본적인 11문제가 있다. 갖춤새 효과에 익숙해지기 위해서, 더 이상 읽지 말고 먼저 11문제 모두를 풀어보자.

Luchins의 첫 번째 연구에서, 첫 번째 문제는 과제의 예시로 사용되었다. 적절한 해결 방법은 큰 물병(29)을 가지고 작은 물병(3)으로 세 번 빼면 원하는 양(20)을 얻게 된다. 다음에 참가자들은 문제 2에서 6까지 풀었는데, 이 문제들은 같은 해결방식을 사용해야 가장 쉽게 풀리기 때문에 갖춤새 확립 문제라고 간주할 수도 있다. 각 경우에서 해결책은 가장 큰 물병을 택해서(항상 가운데 것) 첫 번째 물병으로 한 번 빼고, 마지막 물병으로 두 번 빼는 것이다. 만일 우리가 물병을 A, B, C로 왼쪽에서 오른쪽으로 이름 붙이면, 피험자가 문제 2에서 6까지 문제를 푸는 동안 발전시킨 갖춤새는 $B - A - 2C$로 나타낼 수 있다.

실험집단 또는 갖춤새 집단 이외에 두 개의 다른 집단이 있었다. 하나는 통제집단의 일종인데, 실험자는 그 집단이 유도된 갖춤새 해결책 없이 어떻게 문제들을 푸는지 알 수 있도록 문제 7과 8부터 시작했다. 다른 집단은 갖춤새 집단과 같은 방식으로 처치를 받았지만, 문제 7을 풀기 전에 "맹목적으로 풀지 말라"고 참가자들이 답안지에 쓰도록 했다. Luchins는 참가자들이 이 문구를 쓰도록 해서 후속 문제를 풀 때 조심하고 바보처럼 되지 않도록 했다. 그러므로 문제 7과 8에 더 효율적이고 직접적인 해결책이 있음에도 불구하고(7번은 $A - C$이고 8번은 $A + C$이다), 그 문제들에 대하여 갖춤새 해결법($B - A - 2C$)을 적용한 참가자의 수가 일차적인 종속변인이다. 통제 참가자는 아무도 문제 7과 8에 대하여 비효율적인 해결법을 쓰지 않은 반면, 갖춤새 참가자의 81%가 비효율적인 해결법을 사용했으며, "맹목적이 되지 말라"고 경고 받은 사람들은 갖춤새 해결법의 사용이 55% 정도로 감소하는 결과가 얻어졌다. 더욱이 갖춤새 유도 방법으로는 풀 수 없는 문제 9를 푼 후에는 갖춤새 참가자의 63%가 문제 10과 11에 대하여 옛날 (갖춤새) 방법을 계속해서 사용했으며, 반면에 "맹목적이 되지 말라"는 지시가 있었던 참가자는 30%만이 갖춤새 해결법으로 되돌아갔다.

이 실험의 결과는 얼마나 신뢰가 있는가? Luchins의 작업은 심리학 연구에서 통계 검증이 일반적으로 사용되기 전에 출간되었으며, 신뢰도를 확립하기 위한 통계적 검증은 수행되지 않았다. 그러나 이런 검증은 여기에서 크게는 불필요한 것인데, 왜냐하면 Luchins는 자신의 결과가 다른 실험에서 반복될 수 있다는 증거를 제시하였기 때문이다. 원래 보고서에 많은 실험들이 포함되었고, 그 결과들은 방금 간략히 설명한 갖춤새 연구 결과와 일반적으로 일치하고 있다. 전체적으로 볼 때, Luchins는 원 연구들에서 9,000명이 넘는 참가자들을 검사하였다. 전에 언급한 대로 실험적 신뢰도 또는 반복검증은 한 현상의 신뢰도를 증명하는 설득력 있는 방식이고, 갖춤새 효과는 신뢰성이 있는 효과이다.

반복검증에는 (a) 직접적, (b) 체계적, (c) 개념적 반복검증의 세 가지 유형이 있다. **직접적 반복검증**(direct replication)은 가능한 한 원래 방법을 바꾸지 않고, 가장 비슷하게 어떤 실험을 단순히 반복하는 것이다. Luchins는 검사되는 참가자 모집단에서 약간씩 바꾸어 원래 실험을 여러 번 반복하였다. 그러한 실험들이 직접적 반복검증의 사례들이다.

체계적 반복검증(systematic replication)에서, 실험자가 관심 있는 현상과 무관하다고 생각하는 모든 종류의 요인들은 변화된다. 만일 그 현상이 허상이 아니라면, 그것은 이런 변화들 속에서도 계속 나타날 것이다. 예를 들면, Luchins의 실험의 체계적 반복검증에서, 우리는 갖춤새가 상이한 규칙(또는 여러 상이한 규칙들)을 포함하도록 문제의 본질을 바꾸거나, 지시문을 바꾸거나, 사용된 참가자 유형을 바꾸거나 하는 등등을 사용할 수도 있다. 갖춤새 효과는 이런 모든 조작에도 불구하고 나타나야만 한다. 만일 그렇지 않다면, 우리는 이전에 관련이 없다고 생각된 변인들이 실제로는 중요하다는 것을 발견한 것이며, 이것은 중대한 지식이 된다.

개념적 반복검증(conceptual replication)에서, 우리는 완전히 다른 방식으로 어떤 현상이나 개념을 반복하려고 시도한다. 제1장에서 소개한 용어를 쓰면, 단순히 우리는 개념에 대한 상이한 조작적 정의를 사용하는 것이다. Luchins는 다양한 상황에서 갖춤새 현상이 나타나는 것을 보이기 위해 물병 문제 이외에 다른 과제들을 검토하였다. 그는 일련의 기하학 문제들, 철자 속에 숨은 단어, 종이 미로를 사용하였다. 비록 문제와 해결책에 대한 조작적 정의가 실험마다 달랐지만, 각 경우에서 참가자들은 갖춤새 해결책으로 풀리거나, 또는 훨씬 더 단순하고 직접적인 해결책으로도 풀리는 결정적인 문제가 나오기 전까지는 유일한 해결책만을 가진 여러 가지 문제를 풀었다. 물병 실험과 마찬가지로 참가자들은 보통 구태의연한 해결책만을 사용하고, 좀 더 효율적인 해결책을 무시하였다. 이러한 실험들은 갖춤새란 개념에 대한 개념적 반복검증을 구성한다. 비록 Luchins의 고전적 실험이 반세기나 넘게 오래된 것이지만 현대에서도 여전히 반복검증되고 있으며(Schooler, Ohlsson, & Brooks, 1993), 최근 문헌에서도 여전히 인용되고 있다(Bilalić, McLeod, & Gobet, 2004).

여러분은 다음과 같은 사항을 유념해야 한다. 결과들의 신뢰도 문제는 일반성과 타당도의 문제와 얽혀 있다(응용 부문을 보라). 일반적으로 연구자는 얻은 결과가 다른 피험자 모집단에 일반화된다는 가정을 조심해야 할 필요가 있다. 대부분의 심리학 실험은 (미국의 경우) 백인의, 중산층의 학생을 피험자로 사용하여 수행되고 있다―대표성이 있는 집단이라고 하기에는 어렵다! 대학생은 실험을 위해 모집하기 쉽기 때문에 종종 피험자 선택의 대상이 된다(아마도 수강 과목 요구의 일부로서 실험에 참가하는 요청이 있다). 실로 대학생을 사용하는 많은 연구가 반복검증의 필요가 있는 반면, 우리는 반복검증을 가정하는 데 조심해야만 한다. 예를 들면, 심리학자는 비서구적인 문화가 전통적으로 심리학에서 연구된 문화와 어떻게 다른지를 연구해 왔다. 동양 문화에서는 자기개념이 다양할 뿐만 아니라(예를 들면, Markus & Kitayama, 1991), 사람들이 전형적으로 문제를 접근하고 해결하는 방식도 다양하다(예를 들면, Nisbett, Peng, Choi, & Norenzayan, 2001). 차이는 문화에 걸쳐서뿐만 아니라, 연령에 걸쳐서도 나타난다. 예를 들면, 나이 든 어른의 수행은 연구에서 사용된 재료의 유형에 따라 종종 달라진다. 주제에 벗어난 화법에 관한 어떤 연구에서 나이 든 어른은 젊은이보다 더 많은 주제에서 벗어난 말을 하는데, 오직 나이 든 어른이 자신의 생에 관해 논할 때만 그렇고, 그림을 묘사하고 있을 때는 그렇지 않음이 밝혀졌다(James, Burke, Austin, & Hulme, 1998). 유사하게, 나이 든 어른의 동조에 대한 결과는 그 자극이 정서적으로 의미가 있는지 없는지에 달려 있다(Pasupathi, 1999).

심리학자들은 종종 노화의 영향을 줄이는 데 목적을 둔 개입 절차를 몹시 만들고 싶어한다. 그러나 그렇게 하기 전에 심리학자들은 나이 든 어른을 대상으로 유사한 결과를 얻는데 실패했다고 해서, 이것이 실험에 사용된 재료에 단순히 기인한 것이 아님을 유념해야만 한다. 우리가 직접적 반복검증에서 체계적 반복검증으로 그리고 개념적 반복검증으로 진행해감에 따라 신뢰도뿐만 아니라 타당도가 증가된다. 우리는 다른 심리적 현상을 우리가 알고 있는 것과 관련지어 합당한 방식으로 연구하고 있는가? 개념적 반복검증은 수렴 조작과 밀접하게 관련되어 있는데, 이것은 대안 설명을 제거함으로써 행동을 설명하는 데 사용된 가설적 구성개념을 타당하게 하는 절차이다.

개념 요약

실험적 타당도를 보장하기 위해,

- 가능한 한 변화가 없는 직접적 반복검증
- 어떤 변인들이 진짜로 관련되어 있는지 결정하기 위해 많은 것들을 변화시키는 체계적 반복검증
- 일반성을 예시하기 위해 상이한 변인들을 사용하여 같은 문제를 다루는 개념적 반복검증

을 수행하라.

수렴 조작

Luchins가 표 13.1에서 소개한 하나의 실험만을 수행했다고 가정하자. 어떤 종류의 결론이 그의 결과들에서 도출될 수 있었을까(그의 결과가 신뢰성이 있는지 알기 위해 연구를 직접적으로 반복검증했다고 가정하자)? 그는 갖춤새에 의해 결과가 야기되었다고 결론을 내리는 것이 적합한가? 추가적인 독립적 증거 없이는 결과는 갖춤새 효과라기보다는 '물병 효과' 또는 '$B - A - 2C$ 효과'에 기인한 것이라고 말할 수 있었을 것이다. 이것은 이들 각 개념들은 한 실험의 부분이었고, 각각은 결과를 가져온 합당한 원인이 되기 때문이다. Luchins는 체계적·개념적 반복검증을 함으로써 효과가 특정한 변인들에만 제한되었다는 대안 가설을 배제하고, 많은 문제해결 상황에서 나타나는 경직성에 대한 적합한 설명으로 갖춤새라는 개념을 만들었다.

환언하면, 상이한 규칙들과 상이한 문제들을 지니는 실험들의 결과가 대안 가설들을 체계적으로 제거하면서 갖춤새 가설에 수렴되었다. 따라서 **수렴 조작**(converging operations)은 한 집합의 실험 결과들을 설명할 수도 있는 대안개념을 제거하는 둘 이상의 조작의 집합이다. 심리학 연구에서 수렴 조작의 중요성은 최초에 Garner, Hake와 Eriksen (1956)의 획기적인 논문에서 강조되었다. 그들은 수렴 조작이 조작적 정의라는 개념(제1장을 보라)과 더불어 실험 결과들을 타당하게 하는 데 필요하다고 특별히 언급하였다. 예를 들어, 갖춤새 같은 추상적 개념이 하나의 조작적 정의에 제한되면, 그 개념의 의미는 사실상 관련된 조작을 기술하는 데만 한정된다. 그러나 그 개념이 여러 상이한 방식으로 조작적으로 정의될 수 있을 때, 그것은 그 조작 이상의 의미를 가질 수 있게 된다. 그러므로 갖춤새는 좀 어려운 해결책을 지닌 유사한 문제들에 대한 이전 경험의 결과로서 어떤 문제에 대하여 쉬운 해결책을 사용하는 안목을 지니지 못하는 것을 지칭한다. 그 용어의 의미는 그 조작적 정의를 초월하여 구성타당도를 지닌다(제3장을 보라). 왜냐하면 수렴 조작은 심리학 연구의 이해나 심리학적 이론화에 결정적이기 때문인데, 잘 구성된 수렴 조작의 두 가지 예를 더 살펴보겠다.

기억 탐색: 동기 또는 점화?

논의를 계속하기 전에, 여러분이 다음 문장에 관하여 생각해보길 바란다. 외향적인 사람은 내향적인 사람보다 학문적으로나 전문가적으로 더 성공하기 쉽다. 왜 이러한 사례가 성립될 수 있다고 생각하는가? 가능한 이유에 대하여 목록을 작성하고, 여러분이 작성한 목록을 옆으로 치워 놓아라.

이제 여러분 자신의 삶을 생각해 보자. 일련의 성격 차원 각각에 대하여 각 차원에서 여러분의 위치를 반영한다고 생각하는 여러분 자신의 과거 행동을 생각해 보고 써내려 가보라. 성격 차원은 다음과 같다. (a) 게으른-부지런한, (b) 침착한-불안한, (c) 인내심이 있는-참을 수 없는, 그리고 (d) 수줍은-사교적인. 각 차원에 대하여 마음에 떠오르는 대로 되도록 많은 기억을 기록하라.

여러분이 수줍은-사교적인 차원에 대하여 무엇을 적었는지가 무척 흥미롭다. 이 차원의 두 부분의 연결이 여러분에게 분명한 것처럼 보일 수도 있는 반면, 실제 연구에서 (Sanitioso, Kunda, & Fong, 1990) 피험자들은 이것들이 진짜로 두 개의 상이한 실험이라고 믿었다. 첫 번째 시기에서 절반의 피험자들이 외향성이 성공으로 이끄는 이유에 대하여 생각한 반면, 다른 절반은 내향성이 성공으로 이끄는 이유에 대하여 생각하였다. 그리하고 나서 모든 피험자들이 일련의 성격 차원 각각에 대하여 (자신이 전에 적었던) 자서전적 기억을 인출하였다. 중요한 발견은 피험자의 첫 번째 기억은 성공과 연합된 특질과 일관되는 경향이 있었다는 것이다. 실험자는 피험자가 바람직한 특질과 일관적인 증거를 찾으려 기억을 탐색하려는 동기가 생긴다고 주장하고자 했다. 이러한 설명에 대하여 어떻게 생각하는가? 이 결과에 대한 다른 가능한 설명을 생각해 낼 수 있는가?

우리가 이미 제안한 바 있는 한 가지 가능성은 피험자는 어떤 식으로든 실험자의 전제(前提)를 꿰뚫어보고, 실험 회기 사이의 연결을 깨닫는다. 그러므로 그들은 자신들이 시기 I에서 제시된 특질과 맞는 사건들을 노력해서 기억해야 한다고 깨달을 수도 있다. 이것은 요구 특성의 한 예이다(제5장을 보라). 후속 연구에서, Sanitioso와 동료들은 요구 특성에 덜 좌지우지된다고 생각한 수렴 방법으로 반응시간을 사용하기로 하였다. 동일한 실험을 실시했지만, 한 가지 중요한 변형이 있었다. 각 조건에서 기억을 생각해 내는 데 얼마나 시간이 오래 걸리는지에 흥미가 있었다. 피험자들이 외향성-성공 조건에 있을 때 내향적 기억보다 외향적 기억에 더 빠르게 반응하였다. 반대의 결과 패턴이 내향성-성공 조건에서 유지되었다.

중요한 질문이 남아 있다. 동기가 결과에 얼마나 중요한가? 이것은 결과가 기억에 대한 동기화된 탐색에 기인할 수도 있다는 반면에 다른 설명 또한 가능하다. 즉, 점화이다. 피험자들은 종종 어떤 동기 요인과 상관없이 자신들이 방금 접한 영역에서 더 빠르게 반응한다. 따라서 Sanitioso와 동료들(1990)은 점화와 동기를 찢어놓는 다른 실험을 하였다. 그들은 동일한 종류의 실험을 했는데, 대신에 여기서는 피험자가 시기 I에서 성공의 이유를 만들고, 시기 II에서 자서전적 기억을 적었다. 그러나 핵심적으로 그들은 시기 I에서 성공 영역

반복검증 실패의 한 사례

다양한 행동-수정 기법들(제9장을 보라)이 공포증, 불안, 그 밖의 여러 가지를 포함하는 특정한 종류의 심리장애를 치료하는 데 매우 성공적이다. 그러나 이러한 기법들은 흡연과 과식행동을 치료하는 경우에는 놀라울 정도로 성공적이지 못했다. 현재 추정하는 바로는 흡연과 비만 때문에 치료 받은 사람들의 경우 10%에서 20% 정도만이 행동치료의 효과를 보고 있다 (Schachter, 1982). 환언하면, 80%에서 90%의 흡연가들이 치료 후에 다시 흡연하며, 비만한 사람들의 경우에도 비슷한 비율이 치료 후 체중이 증가한다.

왜 다른 장애행동을 치료할 때 보인 성공을 반복하는 데 현격하게 실패할까? 이것에 대한 표준적인 해석은 흡연과 과식이 중독인데, 이것은 이러한 습관들이 뱀 공포증 같이 재수없이 연합된 다른 습관들보다 그 연결 고리를 끊기가 더 어렵다는 것을 의미한다. 최근에 Schachter는 이 같은 해석이 잘못되었다고 주장했다. Schachter는 뉴욕 주의 두 지역에서 상당히 많은 사람들을 면접하였다. 광범위한 범위에 걸쳐 있는 사람들을 대표한다는 이 사람들에게 건강과 관련된 몇 개의 질문을 하였다. Schachter의 발견은 놀라웠다. 담배를 끊으려고 시도한 흡연가들이 성공한 비율은 거의 64%이었고, 흡연을 멀리해서 지낸 평균 기간은 약 7년이었다. 체중 감량을 시도한 비만한 사람들의 경우 상응하는 수치를 보면 성공적 체중 감량이 63%와 11년 이상이었다. 이런 결과는 흡연가와 과식가가 정식 치료를 마친 후, 관찰된 낮은 성공률과는 현격히 다르다. 왜 그럴까?

Schachter가 높은 성공률을 발견한 데는 최소한 두 가지 이유가 있다. 첫째, 일반 모집단에 속한 사람들은 담배를 끊거나 체중을 감량하려는 시도를 여러 번 해보았을 가능성이 높다. 대조적으로, 치료 결과들은 일반적으로 한 번의 치료에서 나온 것이다. 그러므로 자기 치료를 반복 시도하여 성공적 결과의 횟수가 증가되었을 수도 있다. 둘째, 전문가의 도움을 구하는 사람들은 자기 치료가 성공적이지 못했기 때문에 도움을 구할지도 모른다. 어떤 이유에서든지 치료를 받는 사람들은 유난히 쉽게 떨어지지 않는 문제를 가지고 있을지도 모르며, 그것이 결과를 성공적이지 못한 방향으로 편향시킬 것이다.

Schachter는 자신의 발견을 체중 감량과 금연을 시도했지만 실패한 사람들에 대한 격려로써 제시하였다. "맨 처음 성공적이지 못했더라도, 시도하고 계속 시도하라."

Schachter, S.(1982). Don't sell habit-breakers short. *Psychology Today, 16*, 27-33.

을 학문적이고 전문가적 성공에서 경찰관으로서의 성공으로 바꾸었다. 만일 점화가 이 효과를 설명한다면, 점화효과는 성공이 자신과의 관련 여부와는 상관없이 일어나야만 한다. 그러나 만일 동기가 관건이라면, 이 효과는 피험자가 자신 안에서 바람직한 특질을 보고자 하는 동기를 가진 성공 영역에서만 일어나야 한다. 후자의 가능성이 지지되었다. Princeton 대학생들은 오직 학문적 영역에서만 성공 조작에 영향을 받았으며, 경찰관 영역에서는 영향 받지 않았다.

Sanitioso와 동료들(1990)은 피험자들이 실제로 바람직한 자기-지각을 지지하는 증거 (기억들)를 찾기 위해 동기화된 기억 탐색을 수행했다고 결론지었다. 그들은 요구 특성과 점화라는 대안 설명을 제거하기 위한 수렴 조작을 사용했다. (Baleetis, 2008; Klein & Kunda, 1993; Kunda, 1990; Kunda & Sanitioso, 1989를 관련된 연구와 이론적 배경을 위해서 참고하라.)

개인 공간: 어떻게 측정할 것인가?

개인 공간(personal space)의 개념은 사람들이 넓고 다양한 사회적 침해로부터 자신들을 보호하기 위해 만든, 보이지 않는 막에 둘러싸여 있음을 시사한다. 심리학자들이 그러한 막이 존재한다는 것을 어떻게 아는가? 보거나 냄새 맡거나 만지거나 다른 감각들로 직접 느낄 수는 없다. 따라서 그 개념은 간접적으로 평가되어야 한다. 다음의 두 실험은 개인 공간 막이 있다는 것을 증명한다. 두 실험은 두 가지 상이한 종류의 공간적 침입을 적용하였으며 유사한 결과를 내었다.

역설적으로, 개인이 사생활을 유지하도록 도와주는 개인 공간 막은 그것이 제공한 사생활을 침해하는 침입을 통해서 가장 잘 연구된다. Kinzel(1970)은 간단한 실험을 수행하면서 개인 공간을 정의하는 한 가지 조작을 하였다. Kinzel은 난폭한 수감자와 난폭하지 않은 수감자를 둘러싸고 있는 개인 공간 막에 흥미가 있었다. 그래서 한 독립변인—직접 조작되지는 않기 때문에 더 정확히는 피험자 변인(제12장을 보라)—은 수감자를 난폭함(다른 구치소에서 신체적 상해사건을 일으켰는지) 또는 난폭하지 않음으로 구분하는 것이었다. 각 수감자는 폭과 넓이가 20피트인 방의 가운데에 섰다. 그리고 실험자는 여덟 방향 중 한 방향에서 (두 번째 독립변인) 접근하는데, 실험자가 너무 가까워졌기 때문에 수감자가 "멈춰"라고 말할 때까지 다가갔다. 종속변인은 수감자가 "멈춰"라고 말했을 때 수감자와 실험자 사이의 거리였다. 만일 개인 공간 막이란 것이 없다면, 실험자는 수감자에게 바싹 다가갈 수 있어야만 한다(거리 0피트). 통제변인은 방과 실험 진행자인데, 실험 동안 동일했다. 이 실험의 결과는 그림 13.3에 제시되었다. 폭력적 수감자는 비폭력적인 수감자보다 더 큰 개인 공간 막을 지니고 있음이 명백하다.

이 실험은 개인 공간 막의 존재를 여러분에게 완전히 확신시킬 수 없을지도 모른다. Kinzel의 실험에서 개인 공간 막은 참가자가 "멈춰"라고 말하는 지점으로 조작적 정의되었다. 오직 한 가지 실험에 근거해서 만들어진 어떤 개념은 특정한 실험적 발견을 단지 고쳐 말하는 것이다. 여러분은 아무 말도 없이 다른 사람에게 바싹 다가가는 사람에 대해서 이상하다고 생각할 수도 있다. 만일 길거리에서 이런 일이 발생한다면, 여러분은 아무리 좋게 말하더라도 별나다고 생각할 것이다. 다음 실험이 이러한 잠재적 어려움을 피하였다.

어떤 사람의 개인 공간 막을 적극적으로 침입하는 경우를 피하기 위해, Barefoot, Hoople과 McClay(1972)는 실험자의 (공간) 막을 침범할 수 있는 기회를 피험자에게 주었다. 실험자는 식수대 옆에 앉아서 책을 읽는 척 하였다. 누구든지 물을 마시고 싶으면 실험자의 개인 공간을 침범해야 했다. 독립변인은 실험자와 식수대 사이의 거리였다. 이것은 1피트, 5피트, 10피트가 될 수 있다. 10피트 거리는 충분히 커서 실험자의 개인 공간의 경계를 넘어서는 것이고, 따라서 통제 조건이 된다. 실험 보조자가 세 실험 조건에서 식수대 옆을 지나는 사람들의 수를 계속 세었다. 종속변인은 지나치는 사람 수에 대한 그 식수대에서

물을 마시는 사람 수의 비율이었다. 실험자가 1피트 떨어져 있을 때는 10%만이 마셨고, 5
피트의 경우에는 18%가 마셨으며, 마지막으로 10피트의 경우에는 22%가 식수대에서 물을
마셨다. 좀 더 최근에는 Ruback과 Snow(1993)가 백인 참가자들과 흑인 참가자들이 침입에
대하여 상이하게 반응하는 것으로 밝혀져서, 식수대 옆에서의 영역 행동이 인종에 따라서
또한 영향 받음을 발견하였다. 좀더 최근에 Kennedy와 그의 동료들(2009)은 편도체—위
협적인 자극에 대한 정서적 반응과 연계되어 있는 뇌 영역—에 손상이 있는 사람은 개인
공간에 대한 아무런 감이 없으며 다른 사람들이 보통의 개인 공간 경계를 침해할 때 정서적
반응을 보이지 않는다고 보여줌으로써 정서적 반응이 개인 거리를 규제하는 데 중요한 역
할을 할 것이라고 밝혔다.

개인 공간의 아주 상이한 조작적 정의를 사용함으로써, 이러한 결과들은 Kinzel(1970)
이 사용한 적극적 침입 패러다임의 결과와 일치하였다. 개인 공간 막이라는 단일 개념이 두
실험에서의 발견을 공통으로 설명한다. 그러므로 이 실험들은 개인 공간이란 개념을 지지
하는 수렴 조작을 제공하였다.

우리가 방금 상세히 설명한 수렴 조작의 예들은 실제로는 간단한데, 왜냐하면 아주 작
은 수의 실험들이나 조건들이 타당도와 일반성을 제공하기 위해 필요했기 때문이다. 실제
로는 많은 개념들과 현상들이 타당하다고 간주되기 전까지 서로 독립적인 상당한 양의 증

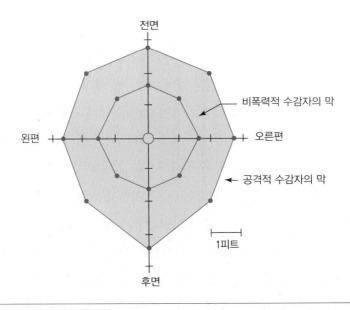

그림 13.3 폭력적 수감자와 비폭력적 수감자의 개인 공간 막을 위에서 내려다 본 것(Kinzel, 1970에서 인용.
Copyright 1970 by the American Psychiatric Association. 허락 하에 게재.)

거가 필요하다.

　　수렴 조작의 측면에서 정의된 개념들은 유동적이다. 우리가 그 개념과 관련된 추가 증거들을 수집하면 그 개념들도 바뀐다. 예를 들면, 동기화된 기억 탐색의 개념은 외향성-내향성을 넘어선 다른 성격 영역으로 일반화될 수 있다. 유사한 방식으로, 최근 연구는 개인적 공간 막의 크기가 문화에 따라 다르다고 하였다. 공간 막은 히스패닉(옮긴이 주. 미국 사회에서 스페인어를 사용하는 중남미 이민자의 통칭)보다 백인에게 더 큰 것처럼 보인다 (Beaulieu, 2004). 우리의 지식은 결코 완전하지 않기 때문에, 어떤 개념의 의미는 항상 개선의 여지가 있다. 그러므로 우리가 연구 결과를 해석할 때, 우리는 그 해석과 결론이 항상 잠정적임을 마음 속에 간직해야 한다. 어떤 논점에 관한 우리의 해석이 최종적이지 않을 것 같다(제2장을 보라).

　　우리는 다음과 같은 최근의 예를 하나 여러분에게 주고자 한다. Schmolck, Buffalo와 Squire(2000)는 O. J. Simpson의 살인사건 형사 재판(민사 재판과 구분함)에서 배심원 평결을 들은 것에 대한 대학생들의 기억을 연구하였다. 평결이 끝난 후 15개월 뒤, 그리고 32개월 뒤 얻은 피험자들의 설명은 재판의 판결 후 바로 3일 뒤에 했던 자기 자신들의 설명과 종종 달랐다. 15개월 후보다 32개월에서 더 많은 오류가 발생하였다. 연구자들은 시간의 흐름에 기인한다고 결론을 내렸다. 그러나 Horn(2001)은 대안 설명을 기고하였는데, 간섭(그리고 시간의 흐름이 아님)으로 인해 32개월 집단에서 오류가 증가하게 되었다는 것이다. 이 주장은 Simpson의 민사 재판의 평결이 32개월 검사보다는 전에 있었으나, 15개월 검사보다는 나중에 발생했다는 사실에 전적으로 달렸다. 그러므로 32개월 조건에 있는 피험자는 오랜 지연 후에 검사 받았을 뿐만 아니라 잠재적으로 간섭하는 사건인 민사 재판 평결 후에 검사 받았다. 원래의 연구자는 두 재판에 대한 방송 규모가 극도로 차이가 있었던 것과, 회상된 기억의 상세함 같은, 간섭 설명에 반하는 새로운 주장으로 대응했다(Schmolck, Buffalo, & Squire, 2001). 흥미롭게도, Conway와 그의 동료들(2009)은, 비록 자신들의 연구와 Schmolck와 그녀의 동료들이 수행한 원 연구 사이에 몇 가지 중요한 차이점을 강조했지만, 2001년 9월 11일의 사건에 대한 사람들 기억의 정확성이 시간이 지남에 따라 감소한다는 증거가 거의 없다고 보고하였다. 우리의 요점은 여러분에게 어떤 대답이 옳은 것을 말하려는 것이 아니고, 우리의 해석과 결론에 다른 사람들은 동의하지 않을 수도 있으며, 그러한 의견 불일치로 인하여 새로운 연구와 이론화 과정이 종종 촉발된다는 것을 보여주려는 것이다.

> **개념 요약**
>
> 수렴 조작은
>
> • 개념들과 가설들에 대한 타당도를 제공한다.
> • 둘 이상의 조작들에 의하여 대안 설명들을 제거한다.

↘ 요약

1. 몇 가지 함정 때문에 실험자가 자신들의 결과를 해석하는 데 어려울 수도 있다.

2. 이런 함정들의 일부는 특정 연구 계획에 문제점을 포함시키며, 다른 것들은 연구의 패턴을 해석하는 데 어렵게 만든다. 척도 희석화와 회귀 인위물은 특정한 계획의 결과들을 잘못 해석하도록 한다. 반복검증(신뢰도)과 수렴 조작(타당도)이 연구의 패턴을 해석하는 데 중요하다.

3. 척도 희석화는 수행이 너무 좋거나(천장효과) 너무 나쁘기(바닥효과) 때문에 사고와 행동상의 차이가 관찰될 수 없음을 가리킨다.

4. 희석화 문제를 다루기 위해 척도를 위아래로 퍼지게 하거나, 아니면 과제를 변경해야만 한다.

5. 평균으로의 회귀는 참가자를 어떤 종속적인 측정에서 받은 높거나 낮은 점수에 근거하여 선택했을 때에는 항상 발생하기 쉽다. 이 회귀 인위물은 첫 번째 검사에서 극단적인 점수를 받은 피험자가 두 번째 검사에서는 좀 더 평균에 가까운 점수를 받게 되는 경향성을 가리킨다.

6. 회귀 인위물을 방지하는 가장 좋은 방법은 무선 배정이다.

7. 반복될 수 있는 실험은 결과가 일관된 검사처럼 신뢰성 있는 실험이다.

8. 세 가지 유형의 반복검증이 있는데, 직접적, 체계적, 개념적 반복검증이다.

9. 수렴 조작은 한 추상적 개념의 의미를 뒷받침하는 여러 독립적인 절차들이다.

10. 수렴 조작이 가능하기 위해서는 한 문제에 대한 과학적 연구의 다양함과 광범위함이 요구된다.

⬎ 주요개념

천장효과(ceiling effect)

바닥효과(floor effect)

척도 희석화 효과(scale-attenuation effect)

평균으로의 회귀(regression to the mean)

회귀 인위물(regression artifact)

검사 신뢰도(test reliability)

실험적 신뢰도(experimental reliability)

반복검증(replication)

갖춤새(Einstellung)

직접적 반복검증(direct replication)

체계적 반복검증(systematic replication)

개념적 반복검증(conceptual replication)

수렴 조작(converging operations)

개인 공간(personal space)

⬎ 연습문제

1. [특별연습] 여러분을 위한 또 다른 설계 문제가 있다. 표 13.1에 있는 Luchins의 실험에 대한 설명을 다시 읽어라. 거기에는 여러 문제들이 있는 것처럼 보인다. 두세 가지 문제를 지적할 수 있는지 보라. 힌트로서, 다음과 같은 질문을 고려해 보라: Luchins가 적합한 통제집단을 사용하였는가? 만일 그렇지 않았다면, 통제 조건으로는 어떤 것이 있어야 했는가? 상대균형화를 필요로 하는 측면들이 그 연구에 있는가? 어떤 종속변인들을 추가함으로써 정보가 풍부해질 수도 있었겠는가?

2. 최근의 여러 논문들에 있는 그림과 표들을 검토하라. 천장효과와 바닥효과가 발견되는지를 확인하라. 만일 여러분이 그런 것을 찾아냈다면—그리고 그것은 시간이 좀 걸릴 것이다—연구자가 척도 희석화 문제를 의식하고 있었는지를 결정하기 위해 그 논문을 읽어라. 그 문제가 교정될 수 있는가?

3. 회귀 인위물을 꼭 집어내기는 어려울지도 모른다. 그러나 회귀 문제를 발견하고자 하는 시도에서, 여러분은 피험자 변인을 사용한 여러 평가연구들을 검토하는 것이 가치 있음을 알게 된다. 만일 여러분이 회귀 인위물에 대한 증거를 발견했다면, 왜 그 연구가 출판되었는지를 알아보고자 노력하라. 의학 연구와 무선 배정의 어려움에 대한 우리의 논의를 기억하라. 다음 두 학술지 *Journal of Educational Psychology*와 *Journal of Applied Psychology*를 살펴보라.

4. 최근 학술지에서 반복검증의 각 유형의 예를 발견하고자 노력하라. 직접적 반복검증에 대한 어떤 예도 찾아내기 힘들지도 모른다. 그럼에도 불구하고 Barber(1976)는 직접적 반복검증이 심리학의 진보에 핵심적임을 주장해 왔다. 왜 직접적 반복검증이 문헌에 등장하는 경우가 드문가?

5. 아주 없지는 않지만, 수렴 조작의 좋은 예들이 단일 학술 논문에서 발견될 수 있다. 추천문헌에 열거한 Mayer, Paivio, 그리고 Thios와 D'Agostino의 논문에서 수렴 조작 증거를 볼 수 있다. 이들 논문들을 한 번 살펴볼 수도 있겠다.

6. 아동기 사건을 상상할수록 사건이 실제로 일어났다고 본인이 평정하는 믿음이 증가된다. 이것은 상상 증폭효과라고 명명되어 있다. 이 연구들은 일반적으로 세 시기로 되어 있다. 제1시기는 모든 사건들이 발생 가능성에 따라 평정되는 동안이다. 제2시기는 사건의 하위집합을 상상한다. 제3시기는 가능성을 다시 평정한다. 세부적인 내용은 다음 논문을 보라. Garry, M., Manning, C. G., Loftus, E. F., & Sherman, S. J.(1996). Imagination inflation: Imagining a childhood event inflates confidence that it occurred. *Psychonomic Bulletin & Review, 3*, 208–214. Heaps, C., & Nash, M.(1999). Individual differences in imagination inflation. *Psychonomic Bulletin & Review, 6*, 313–318. 일부 연구자들은 회귀 인위물이 이 효과를 추진한다고 주장한다. 이 효과를 연구하라, 회귀 주장을 설명하라, 그리고 평가하라.

힌트: 사건들이 고 사전 가능성 대 저 사전 가능성 조건에 무선으로 배정되지 않았다는 사실을 고려하라.

↘ 추천 문헌 자료

• 다음 세 논문이 신뢰도와 수렴 조작을 예시하고 있다. 그것들을 찬찬히 읽어 보라. 그것들은 또 Elems의 책 *Readings in Experimental Psychology* (Chicago: Rand McNally, 1978)에 수록되어 있다. Mayer, R. E.(1977). Problem-solving performance with task overload: Effects of self-pacing and trait anxiety. *Bulletin of the Psychonomic Society, 9,* 283–286; Paivio, A.(1975). Perceptual comparisons through the mind's eye. *Memory and Cognition, 3,* 635–647; Thios, S. J., & D'Agostino, P. R.(1976). Effects of repetition as a function of study-phase retrieval. *Journal of Verbal Learning and Verbal Behavior, 15,* 529–536.

↘ 웹 자료

• 이 장에서 배운 내용과 주요개념을 잘 알고 있는지 용어 설명, 플래시 카드, 그리고 통계와 연구방법 워크숍과 연계해서 확인해 보라. www.cengagebrain.com을 방문하라.

• 연구 과정에 관한 다양한 정보를 담고 있는 아주 뛰어난 일반적인 목적의 웹사이트를 다음에서 찾을 수 있다: http://www.socialpsychology.org와 http://psych.hanover.edu/research/exponnet.html

심 리 학 해 보 기

정신 구획의 연구

- *Folk*는 *foke*처럼 발음되는데, *l*이 묵음이다.
  *Polk*는 *poke*처럼 발음되는데, 여전히 *l*이 묵음이다.
- 계란의 흰 부분에 대한 명칭이 어떻게 발음되는가?

만일 여러분이 이 질문에 대답을 하는데 *yolk*라고 방금 발음하였다면, 이 부분은 바로 여러분을 위한 것이다. *yolk*는 잘못된 답이다; 계란의 흰 부위는 *albumen*이다. 아마도 알고 있었겠지만 *yolk*는 노란 부위이다. 이 질문에 앞서 제시된 문장들은 *yolk*와 같은 음률의 단어들로 특징 지워져서 *yolk* 단어를 점화시켰다. 계란에 대한 질문을 받았을 때 *yolk*가 곧바로 답으로 떠오르게 되었다. 만일 여러분이 두 문장으로 점화되지 않았다면, 아마도 *yolk*라고 대답하지 않았을 것이다. 그 문장들을 읽은 최근 경험 때문에 여러분은 정답을 내는 데 방해받았다. 비록 이제는 여러분이 좀 더 방심하지 않겠지만, 여기 두 가지 예가 있다: 철자 T-O-P-S로 만들어지는 단어를 발음하라. 파란 신호등에서 차가 하는 것은?

*tin*을 열 번 크게 말하라. Aluminum can은 무엇으로 만드는가? 비록 여러분은 이들 질문에 옳게 대답했다 하더라도, 만일 여러분이 친구에게 이 질문을 시도하였다면, 여러분은 *stop*과 *tin*이라는 오답을 효과적으로 얻어냄을 발견할 것이다. 여러분 친구에게 질문들을 읽어주기보다는 큰소리로 질문해야만 한다. 기억 인출에서 그러한 구획들은 창조적인 사고를 제한시키는 역할을 할 수도 있다 (Roediger & Neely, 1982). 사람들이 문제를 풀려고 시도하다가 실패했을 때, "마음이 판에 박혀 있다"고 말한다. 보통 그들은 자신이 이전에 시도해 본적이 있는 틀린 해결

책들 모두를 반복적으로 생각함으로써 새로운 해결책을 끄집어내는 것을 방해받았음을 의미한다. 이것은 Luchins 의 참가자들이 보여준 갖춤새 효과와 같은 것이다.

여러분들은 친구들에게 목표 문장을 보여주기 전에 점화 문장들을 읽게 해서 같은 효과를 연구할 수 있다. 친구들의 반응과 점화 문장을 읽지 않은 다른 사람들의 반응을 비교하라. 여러분은 참가자들이 가진 정신적 작업의 양을 통제하기 위해 후자의 통제집단이 어떤 비점화 문장들을 읽게(또는 듣게) 하는 것을 고려하여야 한다.

만일 정신적 구획을 연구하는 또 다른 방식에 관심이 있다면, 다음에 소개하는 참고문헌이 흥미 있을 수도 있다.

Marsh, R. L., Landau, J. D., & Hicks, J. L.(1996). How examples may (and may not) constrain creativity. *Memory & Cognition, 24*, 669–680.

Marsh, R. L., Ward, T. B., & Landau, J. P.(1999). The inadvertent use of prior knowledge in a generative cognition test. *Memory & Cognition, 27*, 94–105.

Roediger, H. L., & Neely, J. H.(1982). Retrieval blocks in episodic and semantic memory. *Canadian Journal of Psychology, 36*, 213–242.

Smith, S. M.(1995). Getting into and out of mental ruts: A theory of fixation, incubation, and insight. In R., J. Sternberg & J. E. Davidson(Eds.), *The nature of insight*(pp. 229–251). Cambridge, MA: MIT Press.

제 14 장 연구 결과의 제시

- ● **연구 보고서를 작성하는 방법**
  - 형식
  - 원고 예
  - 문체
- ● **논문을 기고하는 방법**
- ● **구두 발표를 하는 방법**
  - 내용
  - 표현방법
- ● **포스터 발표를 하는 방법**

결과의 제시는 연구에서 중요한 단계이다. 이번 장은 연구 보고서 작성의 과정을 통해서 원고 제출 과정, 그리고 연구를 설명하는 구두 발표를 위한 조언을 제시한다.

연구 보고서를 작성하는 방법

여러분은 이제까지 실험을 위한 아이디어를 명확하게 구체화하고, 문헌을 개관하고, 절차를 설계하고, 자료를 수집하고, 결과를 분석하는 방법을 배워왔다. 만일 여러분이 프로젝트를 신중하게 수행하였고 흥미 있는 결과를 얻었다면, 이제 그 결과들을 공표할 의무가 있다. 우리는 과학의 자기교정적 본질을 유지하기 위해 좋은 자료를 널리 알리는 것이 중요하다고 믿는다. 그러나 그렇다고 해서 학술지가 모든 학부 실습에서 얻어진 정보로 무질서하게 채워져야 한다는 것은 아니다. 만일 여러분의 연구가 전망이 있다면, 지도교수는 여러분을 격려할 것이다. 여러분이 실험 결과를 공표하든 안 하든 상관없이, 수강 과목에서 결과를 글로 써서 보고서를 제출하라는 요구가 있기 쉽다.

다음 부분에서, 우리는 전형적인 보고서 형식을 개관하고 좋고 읽을 만한 논문을 쓸 때, 문체의 측면에서 고려할 사항 일부를 논의할 것이다. 만일 여러분이 논문을 읽을 때 우리의 제안을 따랐다면(제3장을 보라), 여러분은 아마도 연구 보고서 형식에 관한 상당히 좋은 아이디어를 가졌을 것이며, 전문적인 문체에 대한 훌륭한 감을 가지고 있을 것이다. 전문적인 작문의 어떤 측면은 그리 명백하지 않기 때문에, 여기에서 그것들을 논의하려고 한다. 우리가 제시하려는 것은 일반적인 지침들이다. 만일 추가정보가 필요하다면 다음 문서들을 참고하라. R. J. Sternberg(1993)의 책 『*The Psychologist's Companion*』과 그의 논문(1992) "How to Win Acceptances by Psychology Journals. 21 Tips for Better Writing"; D. J. Bem(2003)이 쓴"Writing the Empirical Journal Article," *The Compleat Academic*, a guide to a career in psychology; 그리고 H. L. Roediger의 논문(2007), "Twelve Tips for Authors." *Publication Manual of the American Psychological Association*의 2010년 개정판(APA, 2010) 또한 도움이 되는데, 왜냐하면 심리학과 교육학 분야의 거의 모든 학술지에서 요구하는 형식을 공식적으로 결정하고 이 출판 지침서(Publication Manual)에 싣기 때문이다. 제3장에 있는 논문의 예 또한 정보의 유용한 출처이다.

형식

그림 14.1에 있는 전형적인 보고서의 개요에는 여러분이 APA 형식의 원고에 함께 넣어야 할 쪽들의 순서와 형식이 강조되어 있다. 논문의 이러한 형태는 **사본 원고**(copy manuscript)라고 알려져 있으며 편집과 출간 과정을 용이하게 해주는 특정한 형식에 맞춰져 있다. 이 순서를 전부 따라 해보면 무엇이 포함되어야 하는지에 대한 아이디어가 생길 것이다.

표지에는 여러분 연구의 **제목**(title), 자신의 이름, 소속(기관 또는 사업장), 그리고 **난외 표제**(running head)가 포함된다. 난외 표제는 출간된 논문의 맨 윗부분에 나타나는 표제이고, 사본 원고 표지의 거의 윗부분에 대문자로 인쇄된다. 난외 표제는 또한 머리부(header)로 만들어(왼쪽 정렬시킴) 제목이 있는 쪽을 제외하고 원고의 각 쪽 상단에 있어야 한다. 표지와 사본 원고는 한 장에 한 면씩 사용하고 행간은 두 배로 만든다. 만일 어떤 식으로든 연구에 도움을 준 사람 또는 연구에 재정지원을 해준 기관에 감사의 표시를 하고 싶으면, 제목이 있는 쪽 맨 아래 해당 문구를 포함시킨다.

다음 쪽인 2쪽에서는 '초록'이란 표제와 **초록**(abstract) 자체가 포함된다. 초록의 첫 줄은 들여쓰기를 하지 않는다. 이 쪽과 차후의 모든 쪽(그림은 제외)에, 여러분은 단축 제목과 쪽 번호를 각 쪽의 우측 상단에 포함시킨다.

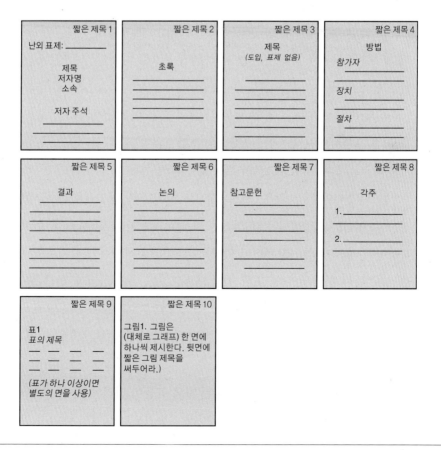

그림 14.1 APA 형식에 있는 단일-실험 보고서의 페이지 순서

표 14.1 참고문헌 목록의 일반적인 형식

출처 유형	형식
정기 간행물(예를 들면, 학술지)	Author, A. A., Author, B. B., & Author, C. C.(1999). Title of article. *Title of Periodical*, xx, xxx – xxx.
비정기 간행물(예를 들면, 책)	Author, A. A., Author, B. B., & Author, C. C.(2000). *Title of work*. Location: Publisher.
비정기 간행물의 일부(예를 들면, 책의 장)	Author, A. A., Author, B. B., & Author, C. C.(2001). Title of chapter. In A. Editor, B. Editor, & C. Editor (Eds.), *Title of book*(pp. xxx – xxx). Location: Publisher.
온라인 문서	Author, A. A.(2001). *Title of work*. Retrieved month, day, year, from source.

3쪽 맨 위에는 완전한 제목이 있으며, 바로 다음에 **도입**(introduction)이 뒤따른다. 보통은 도입이란 표제는 사용하지 않는다. 도입이 끝난 후에 **방법**(method) 부분이 시작된다. 단일 실험에 대한 논문에서는 일반적으로 방법 부분이 시작되는 줄의 가운데에 '방법'이란 단어를 넣는다. 방법 부분은 도입 바로 다음에 곧바로 시작해야 한다. 새로운 쪽으로의 이동은 하지 않는다. 그림 14.1의 4쪽의 표제에 대한 구성을 보라. 복수 실험이 포함된 논문의 표제는 약간 다른데, 자세한 내용은 APA(2001b) 매뉴얼에 있다. '참가자,' '장치,' 그리고 '절차' 같은 부제는 방법 부분을 세 하위 부분으로 나누어서 독자들을 안내하는 도우미 역할을 한다.

결과(results) 부분은 방법 부분 다음에 있다. 이 부분에 **그림들**(figures)과 **표들**(tables)을 직접 포함시키지 않는다. 그것들은 보고서의 맨 끝에 둔다. 그 다음에 **논의**(discussion)가 뒤따르는데 이로써 보고서의 주요 본문이 끝난다.

참고문헌(references)은 새로운 쪽으로 시작한다. 참고문헌을 제시하는 형식은 매우 복잡하며, 여러분은 준비하는 데 심혈을 기울여야만 한다. 이 장의 후반부에 제시된 논문에는 다양한 형식의 많은 참고문헌이 있다. 그것들을 조심스럽게 살펴보고, 만약에 의문이 생기면, 교수님에게 질문하라. 또한 *APA Publication Manual*과 최신 학술지 논문을 연구할 수도 있다(공통적인 참고문헌의 일반적 형식에 대한 요약은 표 14.1을 보라). 저자의 주석이나 각주는 참고문헌 다음 부분에 별도의 쪽에 포함된다. 대부분의 학부 보고서에서 각주는 필요하지 않다.

각주 다음에는 결과 부분에 소개된 자료 표들이 따라온다. 각 표는 별도의 쪽에 있어야만 하고, 결과 부분에 나타난 순서에 따라 연속적으로 번호가 매겨져 있어야 한다. 표의 제목을 짧지만 내용이 잘 드러나도록 만든다. 마지막으로, 그림은 별도의 쪽에 하나씩 **그림 설**

명(figure caption)을 붙여서 넣는다. 조판 과정을 빠르게 하기 위해 표와 그림은 한쪽에 하나씩 포함시켜 본문과 분리시킨다.

원고 예

다음에 원고 예를 제시하였다. 이 논문은 여러 가지 방식으로 전형적인 논문과는 다르다. 첫째, 복수의 연구가 포함되었고, 저자들은 연구 1을 위한 방법, 결과, 그리고 논의의 하위 부분을 제시하지 않았다. 덧붙여, 저자들은 연구 2와 연구 3의 방법 부분을 이 장의 전반부에 기술한 하위 부분들로 구분하지 않았다. 마지막으로, 여러분은 익숙하지 않은 통계치를 보게 되더라도, 논문의 핵심은 이해할 수 있을 것이다. 논문의 순서, 어디서 문장이 새 쪽으로 시작하는지, 그리고 각 부분에 어떤 정보가 주어지는지를 확인하면 된다. 참고문헌 부분에서 참고문헌들이 어떻게 인용되고 있는지를 조심해서 살펴보라.

인용된 논문은 다음과 같다: Wood, J. V., Perunovic, W. Q. E., & Lee, J. W.(2009). Positive self-statements: Power for some, peril for others. *Psychological Science, 20*, 860-866. (저작권은 Association for Psychological Science, 2009가 가지고 있음. 저자들과 출판사의 허가를 얻은 후 재출판함.)

긍정적 자기-서술문 1

긍정적 자기-서술문: 어떤 이에게는 힘을, 다른 이에게는 위험을

Joanne V. Wood[1], W. Q. Elaine Perunovic[2], John W. Lee[1]

[1]University of Waterloo, [2]University of New Brunswick

저자 주석

Joanne V. Wood, Department of Psychology, University of Waterloo; W. Q. Elaine Perunovic, Department of Psychology, University of New Brunswick; John W. Lee, Department of Psychology, University of Waterloo.

재정적 지원을 한 인문사회과학 연구 심의회에 감사를 드린다; 연구를 도와준 Amanda DeSouza, Mary Jo DuCharme, Sandra Gregory, Sandy Hoy, Pamela Stager, 그리고 Anne Tomlinson에게 감사를 드린다; 초고를 읽고 논평을 해준 John Holmes, Aaron Kay, Mike Ross, Steve Spenser, 그리고 Mark Zanna에게 감사를 드린다.

교신은 Joanne V. Wood에게 하기 바람.

Department of Psychology, University of Waterloo,

200 University Ave., Waterloo, Ontario, Canada N2L 3G1,

jwood@uwaterloo.ca

긍정적 자기-서술문 2

초록

긍정적인 자기-서술문은 기분과 자존심을 고양시킨다고 많은 이들이 믿고 있지만, 그 효과성은 실증되지 않았다. 우리는 긍정적인 자기-서술문이 비효과적이거나 해를 끼칠 수 있기까지 하다는 정반대의 예측을 검증했다. 설문조사 연구에 따르면 사람들은 자주 긍정적인 자기-서술문을 사용하고 이것이 효과적이라고 믿는다고 확인되었다. 두 개의 실험을 통해 낮은 자존심을 가진 참가자 가운데, 긍정적인 자기-서술문("난 사람들이 좋아한다")을 반복하거나, 또는 이 문장이 얼마나 사실인지에 초점을 둔 사람들은 이 문장을 반복하지 않거나 또는 이 문장이 어떻게 사실이고 사실이 아닌지에 초점을 둔 사람들보다 더 나쁘게 느꼈다는 것이 밝혀졌다. 높은 자존심을 가진 참가자 가운데, 긍정적인 자기-서술문을 반복하거나, 또는 이 문장이 얼마나 사실인지에 초점을 둔 사람들이 그렇지 않은 사람들보다 더 좋게 느끼기는 했지만, 한계가 있었다. 긍정적인 자기-서술문을 반복하면 어떤 사람들은 혜택이 있지만, 그것이 절대적으로 '필요한' 바로 그 사람들은 역효과가 있다.

긍정적 자기-서술문: 어떤 이에게는 힘을, 다른 이에게는 위험을

이 순간에도 북미 전역에 사는 수천의 사람들이 자신들에게 긍정적인 말들을 속으로 되뇌이고 있을 것이다. 시험을 앞둔 학생들, 암 환자들, 강단에 올라서는 연사, 그리고 낮은 자존심을 끌어 올리려고 노력하는 사람들은 "난 사람들이 좋아한다" 같은 문구를 반복하고 있다(Johnson, 1991, p. 31). 거슬러 올라가보면 적어도 Norman Vincent Peale(1952)이 『긍정적 사고의 힘 (The Power of Positive Thinking)』을 저술한 시절부터 대중매체는 자기 자신에게 호의적인 말을 하는 것을 옹호해왔다. 예를 들면, Self 잡지는 "난 힘이 있다, 강하다, 세상 어느 것도 나를 막을 수 없다"고 주문을 걸라고 조언한다(Gordon, 2001). 그리고 수많은 자기-조력 서적에서 "매일같이 나는 실수, 실패, 약점을 인정하지만, 죄의식, 죄책감, 자기-질책을 느낄 필요는 없다"는 식의 '시인하기'를 권장하고 있다(McQuaig, 1986, p. 56).

긍정적 자기-서술문이 효과적인가? 우리가 아는 바에 따르면 (a) 이완 훈련 같은 기법과 협력하여 경험 많은 임상의 포괄적인 처치의 맥락에서(예를 들면, Treadwell & Kendall, 1996), 또는 (b) 치료자의 배려 또는 요구 특성 같은 혼입이 있을 가능성은 아주 높지만 통제가 안 된 연구에서 검증되었다.

우리는 대중의 믿음과는 달리 긍정적 자기-서술문이 어떤 사람들에게는 소용이 없을 수 있다고 제안한다. 오히려 좋게 느끼기는커녕 나쁘게 느끼도록 만드는 반대의 영향이 있기도 하다. 우리는 예측의 근거를 태도 변화, 자기-비교, 그리고 자기-확인을 포함한 연구에 두고 있다. '수용의 허용 범위'라는 아이디어에 따르면(Sherif & Hovland, 1961), 자기 자신의 태도와 가까운 입장을 받아들이는 메시지가 자신의 태도와 동떨어진 입장을 받아들이는 메시지보다 더 설득적이다(Eagly & Chaiken, 1993). 개인이 가진 수용의 허용 범위 밖에 떨어진 메시지는 저항에 직면하고, 자신이 가진 원래 입장을 더욱 고수하도록 만드는 반격의 잠재력을 가진 것으로 생각된다(Zanna, 1993). 긍정적인 자기-서술문은 태도 변화—이 경우에는 자신에 대한 태도 변화—를 시도하는 메시지로 해석될 수 있다. 그러므로 긍정적인 자기-서술문이 자신의 수용의 허용 범위 밖에 떨어지는 메시지를 담고 있다면, 거부될 수도 있다. 예를 들면, 남들이 자신을 마음에 들어 하지 않는다고 믿는 사람이 "난 사람들이 좋아한다"는 말을 반복한다면, 그들은 이 문장을 얼른 잊어버리고 아마도 남들이 자신을 마음에 들어 하지 않는다는 자신의 가책을 더욱 강화할 수도 있다.

자기-비교 이론은 다른 사람으로부터 자기관련 피드백을 받는 맥락에 유사한 아이디어를 적용한다. 사람들은 자신이 받는 피드백을 기존의 자기개념과 자동적으로 비교하고, 그리고 자기개념과 합리적으로 잘 들어맞을 때만 피드백을 받아들인다고 생각된다(예를 들면, Eisenstadt & Leippe, 1994). 긍정적인 자기-서술문도 유사하게 작용할 것이다. 비록 이 문장들이 타인이 준 것이 아닌 스스로 만들어낸 것이라고 하더라도 자기-서술문을 자신의 관점과 비교하고, 서로 맞지 않으면 거부할 수도 있다.

태도 연구자들처럼 자기-비교 연구자들을 자기-관점과 아주 많이 모순된 피드백은 부메랑으로 되돌아온다고 제안한다. Eisenstadt와 Leippe(1994)는 있었으면 하고 바라지만 본인에게 결여된 특질을 확인해 달라고 참가자에게 요청하였다. Eisenstadt와 Leippe가 나중에 참가자에게 실제로 그런 이상적인 특질을 가지고 있다고 이야기 해줄 때, 참가자들은 더 좋게 느끼기는커녕 더 나쁘게 느꼈다. 이는 '이상적인' 피드백이 그 피드백과 상충되는 행동의 예를 생각하도록 이끈다는 증거이다.

그러나 부정적인 반대 사례를 생각하는 것이 자기-모순적 피드백의 주된 문제는 아닐 것이다. 그러한 피드백은 또한 하나가 중요한 기준들을 위반했음을 강조하는 것이다. Eisenstadt와 Leippe(1994)는 사람들이 피드백이 너무 긍정적이어서 자기개념과 맞지 않는다고 믿을 때 실제 자기와 이상적 자기 사이의 모순이 부각되고, 따라서 자신들을 더 나쁘게 느끼도록 만든다고 제안했다. 이 과정은 장애 학생들을 위한 모금 봉사를 반대하는 수필을 쓰라고 참가자를 설득하는 연구에서 일어났을 것으로 보인다(Blanton, Cooper, Skurnik, & Aronson, 1997). 이 참가자들은 자신들이 인정과 배려심이 많다는 피드백을 받았을 때, 더 좋게 느끼기는커녕 더 나쁘게 느꼈다. Blanton 등이 설명한 바와 같이, "참가자의 동정심을 재차 확인시키면 자신이 위반한 개인적인 기준과 직면하게 된다"(p. 690).

우리는 긍정적 자기-서술문이 과도하게 긍정적인 피드백의 효과와 비슷한 효과를 가지고 있다고 추론했다. 사람들이 어떤 특질이 결여되어 있다고 느낄 때, 긍정적 자기-서술문은 자신의 결여와 사람들이 맞추고 싶어 하는 기준 사이의 불일치를 강조할 지도 모른다. 그러므로 어떤 사람들에게는 "난 사람들이 좋아한다"는 문장을 반복하면, 이는 아마도 (의식적으로는 아니지만) "그러나 나는 내가 사랑 받을 만큼 또는 Chris 만큼 사랑 받는 사람이 아니라는 것을 알아"라고 자신에게 말하는 것일 수도 있다.

자기-확인 동기는 그런 과정에 기름을 붓는다. 자기-확인 이론에 따르면(예를 들면, Swann & Schroeder, 1995), 사람들은 자기개념을 유지하려는 동기가 있다. 좋아하지 않는 자기-관점이라고 해도, 고통스럽기는 하지만, 명료성과 예측가능성을 가지고 있다. 그러므로 아첨하지 않는 자기-관점을 지닌 사람들은 자신에 관한 과도하게 긍정적인 정보(Swann & Schroeder, 1995), 그리고 긍정적인 자기-서술문을 포함하고 있을 지도 모르는 그런 정보에 저항할 수도 있다.

그러므로 우리는 긍정적인 자기-서술문이 개인 수용의 허용 범위 밖에 있고, 자기-모순적이고, 그러므로 자신이 기준에 못 미침을 강조하면, 그로 인해 사람이 더 나쁘게 느끼게 될 잠재성이 있다고 제안한다. 더 나아가 우리는 긍정적인 자기-서술문은 그런 혜택이 필요한 낮은 자신감을 가진 사람들에게 반대 효과를 가져오기 쉽다고 제안한다. 정의에 따르면, 그런 사람은 높은 자신감을 가진 사람들보다 더 많은 영역, 또는 더 중요한 영역에서 기준에 못 미친다고 스스로를 평가하는 사람들이다. 더욱이 자기-확인 동기는 낮은 자신감을 가진 사람들에게는 긍정적인 자기-서술문을 거부하게, 높은 자신감을 가진 사람들에게는 그것들을 수용하게 편향시킬 것이다.

긍정적인 자기-서술문과 그것의 잠재적인 부정적 효과에 대한 연구가 부족한 상황에서 이런 효과들을 경험적으로 살펴보는 것이 중요하다. 우리의 첫 번째 연구는 사람들이 긍정적인 자기-서술문을 사용하는 것에 대한 설문조사로 이루어져 있다. 연구 2와 3에서는 긍정적인 자기-서술문을 실험적으로 조작하고, 기분과 상태 자기-자신감(자신에 대한 순간의 느낌)에 미치는 효과를 검증했다.

연구 1

연구 1에서, (47명의 남자, 202명의 여자)[1] 대학생들이 Rosenberg(1965) 자신감 척도(Self-Esteem Scale)와 긍정적인 자기-서술문에 관한 온라인 질문지를 작성했다. 참가자들은 긍정적인 자기-서술문(예를 들면, "내가 해낼 거야!" 그리고 "내가 이 병을 이겨낼 것이다")의 예를 읽고 다음과 같은 항목에 반응했다: "나는 긍정적인 자기-서술문을 사용했다"(1점, 결코 아니다, 8점, 거의 매일 사이의 척도). 52%가 6점 이상의 평정을 했고, 8%가 "거의 매일," 그리고 3%만이 "결코 아니다"로 평정을 했다($M = 5.20$, $SD = 1.73$). 응답에서 남녀 차이는 없었다. 높은 자존심을 가진 사람들은 낮은 자존심을 가진 사람보다 긍정적인 자기-서술문을 더 자주 사용한다고 보고했다, $b = 0.42$, $SE = 0.07$, $\beta = .36$, $t(246) = 5.96$, $p < .001$, $p_{rep} > .99$. (비록 우리가 자기-자신감을 연속적으로 측정했지만, 여러 종속 측정에 대해서 자기-자신감 분포의 상위 3분의 1, 하위 3분의 1에 있는 참가자에 대해서만 평균을 제시했다. "나는 긍정적인 자기-서술문을 사용했다"는 질문에 대하여, 각각 $M = 5.71$, $SD = 1.74$, 그리고 $M = 4.34$, $SD = 1.78$이었다.)

긍정적인 자기-서술문을 시험 전(85%), 발표 전(78%), 부정적 사건을 다룰 때(74%), 그리고 매일 일상의 일부(23%)로 사용한다고 응답자들이 보고했다.

참가자들은 긍정적인 자기-서술문이 도움이 된다고 판단했다($M = 5.36$, $SD = 1.68$; 1 = 강력히 동의하지 않는다, 8 = 강력히 동의한다 척도). 자기-자신감이 높을수록, 그런 서술문이 도움이 된다고 더 많이 이야기했다, $b = 0.40$, $SE = 0.07$, $\beta = .35$, $t(246) = 5.92$, $p < .001$, $p_{rep} > .99$(높은 자기-자신감: $M = 5.93$, $SD = 1.55$; 낮은 자기-자신감: $M = 4.48$, $SD = 1.77$). 응답자의 자기-자신감이 더 낮을수록, 긍정적인 자기-서술문이 "때때로 더 좋게 느끼게 하기보다는 더 나쁘게 한다"고 더 많이 이야기했다, $b = -0.37$, $SE = 0.06$, $\beta = -.35$, $t(246) = 5.84$, $p < .001$, $p_{rep} > .99$(높은 자기-자신감: $M = 2.23$, $SD = 1.24$; 낮은 자기-자신감: $M = 3.64$, $SD = 1.74$). 그러나 전체적으로 이 결과들은 긍정적인 자기-서술문이 (서구인들에 의해) 보편적으로 사용되고 있으며, 효과적이라고 광범위하게 믿고 있다고 확인해주었다.

연구 2

연구 2에서, 우리는 긍정적인 자기-서술문의 반복이 기분과 상태 자기-자신감에 미치는 효과를 실험적으로 검증했다. 우리가 참가자에게 반복하라고 요구한 문장은 "난 사람들이 좋아한다"였다. 우리는 이 특정한 문장을 자기-조력 서적에서 골랐는데, 왜냐하면 다른 사람이 자신을 사랑하는지 여부에 관심을 두는 것이 자기-자신감의 핵심에 있기 때문이다(Leary, 2005). 우리는 높은 자기-자신감이 있는 사람은 긍정적인 자기-서술문을 반복함으로써 혜택을 받지만, 문장을 반복함으로써 낮은 자기-자신감이 있는 사람은 더 나쁘게 만든다고 예측했다. 우리는 자기-보고 측정보다는 위장된 측정에 초점을 두었는데, 왜냐하면 우리는 참가자들이 자신의 반응을 완전히 자각하고 있지 못할 수도 있고, 그리고 요구 특성과 자기-서술문의 혜택에 관한 믿음이 자기-보고를 오염시킬 수도 있음을 염려했기 때문이다.

방법

68명(32명의 남학생, 36명의 여학생)의 심리학개론 학생들을 자기-서술문 조건과 서술문 없는 조건에 무선으로 배정했는데, 각 조건에 남녀가 비슷한 수가 배정되도록, 그리고 높은 자기-자신감과 낮은 자기-자신감을 가진 사람이 비슷한 수가 배정되도록 제약을 두었다. 높은 자기-자신감(HSE)과 낮은 자기-자신감(LSE) 집단은 Fleming과 Courtney(1984)의 자기-자신감 척도에서 점수의 분포가 각각 상위 3분의 1과 하위 3분의 1 내에 드는 사람들로 정의했다.[2]

실험 진행자는 참가자의 자기-자신감에 대하여 맹목 통제가 되었다. 두 조건에서 참가자들에게 4분 동안 가졌던 생각과 느낌을 어떤 것이든 적어달라고 했다. 추가적으로, 자기-서술문 조건에서 참가자는 초인종 소리 같은 것이 들릴 때마다 "난 사람들이 좋아한다"고 자신에게 반복해야 한다는 말을 들었다. 이 단서는 15초 간격으로 제시되었다(즉, 16번 반복). 글쓰기 과제를 마친 후, 참가자는 세 가지 측정을 마쳤다.

기분

우리는 기분에 대하여 위장한 두 가지 측정을 사용했다. 첫 번째는 Mayer와 Hanson(1995)의 연합과 추론 척도(Association and Reasoning Scale)인데, 여기에는 "30세에 행복하고 사랑스런 로맨스에 빠질 확률은 얼마인가?"와 같은 질문들이 포함되어 있다. 판단은 기분과 일치하는 경향이 있는데, 따라서 낙관적인 답변은 행복한 기분을 암시한다. 우리의 두 번째 기분 측정은 Clark(1983)의 '유인가 평정'에 대한 단축형이다; 참가자는 즐거운 활동들에 얼마나 관여하고 싶은지의 희망을 평정한다(예를 들면, 파티 참가하기; 5.84). 슬픈 사람은 유인가의 상실을 경험한다(예를 들면, Wood, Saltzberg, & Goldsamt, 1990).

상태 자기-자신감

상태 자기-자신감에 대한 측정으로 참가자가 '지금 당장' 어떻게 자기자신을 바라보는지를 평정했다. 평정은 상반된 형용사 여섯 개 짝으로 이루어졌다(즐거운, 즐겁지 않은; 가치 있는, 쓸모 없는; 훌륭한, 끔찍한; 고양된, 저조한; 좋은, 나쁜; 성공적인, 성공적이지 않은; McGuire & McGuire, 1996; α = .93).

결과와 논의

우리는 LSE 집단과 HSE 집단이 서술문 없는 조건에서 다소간 차이가 있을 것으로 예측했는데, 왜냐하면 일반적으로 높은 자기-자신감을 지닌 사람들은 낮은 자기-자신감을 지닌 사람들보다 더 행복하기 때문이다(예를 들면, Leary & MacDonald, 2003). 우리는 또한 집단 간의 차이는 자기-서술문 조건에서 더 커질 것으로 예측했다: LSE 집단은 긍정적인 자기-서술문을 반복한 후에 더 나쁘게 느낄 것이고, 반면에 HSE 집단은 더 좋게 느낄 것이다. 변량분석(ANOVA)을 실시한 결과, 세 종속 측정치 중 두 개에서 자기-자신감 X 조건 상호작용을 얻었다—ARS: $F(1, 60) = 8.86, p < .005$; 유인가 평정: $F(1, 60) = 6.84, p < .012$; 상태 자기-자신감: $F(1, 60) = 2.73, p < .104$. 그러나 예측된 결과 패턴은 ANOVA로 잡아낼 수 없기 때문에 초점 대비를 시행했다(Rosenthal, Rosnow, & Rubin, 2000). 첫째로, 서술문 없는 조건에서 HSE 집단에 +1의 대비 가중치를, LSE 집단에 −1의 가중치를 부여하고, 자기-서술문이 있는 조건에서는 HSE 집단에 +3의 대비 가중치를, LSE 집단에 −3의 가중치를 부여함으로써 예측된 패턴을 검증하였다. 다음에, 각 자기-자신감 집단별로 분리해서 서술문 없는 조건에 −1의 가중치를 부여하고, 자기-서술문이 있는 조건에 +1의 가중치를 부여함으로써 자기-서술문 효과를 검증하였다. 오류 항은 대응하는 (자기-자신감, 성별, 그리고 조건에 대한) 전반적 ANOVA에서 얻었다.[3] 우리는 Rosenthal 등이 권장한 대로 효과 크기(res)를 계산했다.

세 개의 독립 측정에 대한 평균 점수가 표 1에 있다. 위장된 기분의 ARS 측정에 대한 결과는 가설과 일치하였다. 전반적인 패턴 대비는 강력하게 유의미했다, $F(1, 60) = 56.87, p < .001, p_{rep} > .99, r_{es} = .67$. 그림 1에서 있듯이, (서술문 없는 조건으로 나타난) 기저선에서 HSE 집단은 LSE 집단에 비해서 좀더 호의적인 기분을 가졌다, $F(1, 60) = 7.84, p < .007, p_{rep} > .97, r_{es} = .25$. LSE 집단이 긍정적인 자기-서술문을 반복해도 HSE 수준까지 기분이 오르지 않았다. 대신에 집단 간의 차이만 늘려 놓았다, $F(1, 60) = 49.22, p < .001, p_{rep} > .99, r_{es} = .62$: LSE 집단에 속한 참가자는 서술문 없는 조건에 속한 참가자보다 더 나쁘게 느꼈고, $F(1, 60) = 4.63, p < .034, p_{rep} > .93, r_{es} = .19$, 반면에 HSE 집단에 속한 참가자들은 더 좋게 느꼈다, $F(1, 60) = 4.26, p < .041, p_{rep} > .93, r_{es} = .18$.

동일한 전반적 패턴이 유인가 평정에서, $F(1, 60) = 32.74, p < .001, p_{rep} > .99, r_{es} = .57$, 상태 자기-자신감에서, $F(1, 60) = 44.62, p < .001, p_{rep} > .99, r_{es} = .63$, 얻어졌다. 서술문 없는 조건에서, HSE 집단은 LSE 집단에 비해서 자기 자신에 대하여 좀더 좋게 느꼈고(상태 자

긍정적 자기-서술문 8

가-자신감: $p < .002$, $p_{rep} > .99$, $r_{es} = .33$; 유인가 평정: $p < .083$, $p_{rep} > .89$, $r_{es} = .18$), 긍정적인 자기-서술문 반복은 집단 간의 차이만 확대했다(둘 다 $p < .001$, $p_{rep} > .99$, $r_{es} = .55$). 이러한 차이 확대가 긍정적인 자기-서술문의 반복으로 인해 LSE 집단은 좀더 나쁘게 느끼고, HSE 집단은 좀더 좋게 느껴서, 또는 동시에 그렇게 되어서(ARS의 경우에는 사실인 것처럼) 그런 것인가? 서술문 없는 조건과 자기-서술문 조건을 비교하면, LSE 집단에서 긍정적인 자기-서술문의 반복은 유인가 평정을 낮게 만들고, $F(1, 60) = 5.84$, $p < .018$, $p_{rep} > .95$, $r_{es} = .24$, 상태 자기-자신감을 한계에 가깝게 낮게 만든다, $F(1, 60) = 2.75$, $p < .099$, $p_{rep} > .88$, $r_{es} = .16$. HSE 집단에 대한 분석은 유인가 평정이나, $F(1, 60) = 1.66$, $n.s.$, 상태 자기-자신감에서, $F < 1$, 아무런 효과가 없었다. 요약하면, LSE 집단에서 "난 사람들이 좋아한다"고 반복하는 것의 나쁜 효과는 HSE 집단에서 이 문장을 반복하는 것의 좋은 효과보다 훨씬 더 심각하다.

긍정적인 자기-서술문을 반복하는 동안 사람들은 무슨 생각을 할까? 자기-자신감에 대하여 맹목 통제가 된 두 명의 채점자가 자기-서술문 조건의 참가자가 쓴 생각 목록을 자신이 사랑 받을 가능성을 긍정하는 생각 그리고 그 가능성을 부정하는 생각으로 채점했다($K = .86$). HSE 집단의 참가자는 LSE 집단의 참가자보다 자신이 사랑 받을 사람이라고 말하는 것이 더 많았다 ($M = 0.94$, $SD = 1.25$, vs. $M = 0.47$, $SD = 0.72$), $F(1, 60) = 7.92$, $p < .007$, $p_{rep} > .97$, $r_{es} = .21$. 추가적으로, HSE 집단의 참가자는 자신이 사랑 받을 사람이라고 긍정하는 것이 부정하는 것보다 더 많았으며($M = 0.06$, $SD = 0.24$), $F(1, 15) = 7.60$, $p < .016$, $p_{rep} > .96$, $r_{es} = .43$, 반면에 LSE 집단의 참가자는 자신이 사랑 받지 못할 사람이라고 말하는 것 만큼이나 ($M = 0.24$, $SD = 0.44$) 자신이 사랑 받을 사람이라고 말하기 쉬웠다, $F < 1$.

그러나 우리는 단순하게 부정적인 생각의 존재가 긍정적인 자기-서술문의 반복에서 생기는 유일한 문제는 아니다. 이런 아이디어를 연구 3에서 검증했다.

연구 3

긍정적인 생각에만 초점을 두는 압력을 제거하면 낮은 자기-자신감을 지닌 사람들에게서 긍정적인 자기-서술문의 해로운 효과가 경감되는지 여부를 연구 3에서 검증하였다. 우리는 앞서 긍정적인 자기-서술문이 사람들에게 자신들이 중요한 기준대로 될 수 없음을 상기시킬 수도 있다고 주장했다. 아마도 긍정적인 자기-서술문은 어떤 사람이 오직 긍정적인 사고를 생각해야만 하는 기준을 불러일으킨다. 만일 어떤 사람이 부정적인 사고를 떼어놓기 어렵다면, 그는 긍정적인 사고를 생각하는 기준을 맞출 수 없다고 짐작할 지도 모른다—그리고 이런 짐작은 부정적인 사고 그 자체보다도 더 문제가 될 수도 있다.

실제로, 기존의 증거에 따르면, 사람들은 자신들이 어떤 사고를 생각하는 데 어려움 또는 쉬움으로부터 추론을 이끌어낸다고 한다. 어떤 연구에서, 참가자들은 자신들의 주장의 예를 12개 또는 6개 회상하라고 요청을 받았다. 역설적으로, 12개-예 조건의 참가자들은 6개-예 조건의

긍정적 자기-서술문 9

참가자보다 자신을 덜 주장적인 사람이라고 평정했다(Schwarz et al, 1991). 참가자들은 명백하게도 예를 12개씩이나 열거하기 힘들기 때문에 결국은 자신들이 그렇게 주장적이지 않음에 틀림없다고 추론했다. 다른 연구에서, 자기-의심이 높은 참가자들이 자기-자신감의 예를 제시할 때, 그들의 자기-자신감은 예를 2개 들라고 할 때보다 12개를 들라고 했을 때 더 떨어졌다(Hermann, Leonardelli, & Arkin, 2002).

유사하게, 만일 어떤 사람이 긍정적인 자기-서술문을 반복하고 우호적인 자기와 관련된 사고에만 오로지 초점을 두려고 노력하고, 그리고 비우호적인 사고가 침습하면, 그 사람은 긍정적인 자기-서술문이 함의한 기준에 자신이 맞지 않는다고 추론할 수도 있다. 이 문제는 특히 낮은 자기-자신감을 지닌 사람들에게 심각한데, 낮은 자기-자신감을 지닌 사람들은 정의에 따르면 높은 자기-자신감을 지닌 사람들보다 부정적인 자기-사고가 더 많고 뿌리 깊게 가지고 있다. 그들은 "만일 내가 나 자신이 사랑 받는 사람이라고 생각해야 하는데, 내가 얼마나 사랑 받지 못하는 사람인지를 계속 생각한다면, 내가 사랑 받지 못하는 방식들이 중요함에 틀림없다. 나는 아주 사랑 받지 못하는 사람임에 틀림없다…"고 (의식적이든 아니든) 자신에게 이야기할 지도 모른다.

그러면 긍정적인 자기-서술문은 오직 우호적인 자기-사고만을 암묵적으로 요구하며, 따라서 떠오르는 어떤 비우호적인 사고도 비우호적인 추론으로 이끌 수도 있다. 이런 논리에 의해서, 만일 우호적인 사고만을 생각하라는 요구가 제거될 수 있다면, 비우호적인 사고는 덜 문제가 되어야 한다. 만일 사람들이 자신들이 반복하고 있는 긍정적인 자기-서술문이 사실이 아니라는 방식의 생각을 허용한다면, 그런 부정적 사고는 예상되는 것이고, 기준을 위반하는 것이 아니라고 믿어야만 할 것이다. 연구 3에서, 우리는 절반의 참가자에게 "난 사람들이 좋아한다"는 문장이 사실일 수도 있고 사실이 아닐 수도 있다는 방식에 초점을 두어야 한다고 이야기함으로써 그러한 허용을 시도했다. 우리는 낮은 자기-자신감을 지닌 참가자들은 그 문장이 어떻게 사실인가에 초점을 맞추라고 요구했을 때보다 어떻게 사실이 아닌지에 초점을 두라고 허용했을 때 역설적으로 더 좋을 것이라고 예측했다.

연구 3의 두 번째 목적은 연구 2에서보다 좀 더 비밀유지가 되는 맥락에서 자기-서술문을 검증하는 것이었다.

방법

Rosenberg(1965) 자기-자신감 척도(Self-Esteem Scale)를 마친 대학생들에게($M = 6.59$, $SD = 1.44$) 온라인 연구에 접근할 수 있었고, 따라서 언제 어디서나 원할 경우 참가할 수 있었다. 중립적 초점 조건(17명의 남자, 48명의 여자) 그리고 긍정적 초점 조건(12명의 남자, 39명의 여자) 각각에 참가자들이 무선으로 배정되었다. 웹사이트에서 참가자들은 두 개의 자기-서술문 중 하나를 고르도록 요청 받았다: "난 사람들이 좋아한다" 그리고 "난 사람들이 좋아하지 않는다." 참가자들은 "비록 어느 문장을 고려하는지 선택은 여러분에게 달려 있지만, 우리는 긍정적인 문

긍정적 자기-서술문 10

장을 생각해보라고 권장합니다"라고 들었다. ("좋아하지 않는다" 문장을 선택한 세 명의 참가자는 제외시켰다.) 긍정적 초점 조건에서, 참가자들은 "문장이 사실인 방식과 시기에만 초점을 두라"고 요청 받았고, 반면에 중립적 초점 조건의 참가자들은 문장이 '당신에게 사실일 수도 있고/또는 당신에게 사실이 아닐 수도 있는 방식'에 초점을 두라고 요청 받았다.

이 연구에서 우리는 자기-보고 기분 측정을 실시했는데(Mayer & Gaschke, 1988에서 얻었음; $\alpha = .83$), 이는 위장된 측정과 동일한 결과를 얻는지 여부를 알아보기 위해서였다. (요구 특성에 의한 어떠한 오염도 낮은 자기-자신감을 지닌 참가자에 대한 우리의 예측과는 반대로 작용했을 것이다.) 참가자들은 또한 McGuire와 McGuire(1996)의 상태 자기-자신감 측정($\alpha = .91$)을 마쳤다; "나 자신에 대하여 행복하다/나 자신에 대하여 불행하다"는 단일 항목에 반응했음(7점 반응척도); 그리고 실험 2와 동일한 유인가 평정을 마쳤다($\alpha = .72$).

결과

우리는 조건, 평균-중심의 자기-자신감, 그리고 상호작용을 예언 변인으로 중다 회귀분석을 했다. 결과를 표 2에 제시했다. 조건의 주효과는 없었다(모두 $ps > .093$, $p_{rep}s < .88$). 자기-자신감은 주효과가 있었다; 참가자의 Rosenberg 점수가 높을수록, 참가자는 기분, 상태 자기-자신감, 자신에 대하여 행복함, 그리고 유인가에 대하여 좋게 보고했다(모두 $ps < .03$, $p_{rep}s > .94$).

좀 더 중요하게, 자기-자신감 X 조건의 상호작용이 세 가지 측정 모두에서 유의미하였다— 기분: $b = 0.15$, $SE = 0.06$, $\beta = .30$, $t(112) = 2.60$, $p < .012$, $p_{rep} > .96$; 상태 자기-자신감: $b = 0.26$, $SE = 0.12$, $\beta = .23$, $t(112) = 2.15$, $p < .035$, $p_{rep} > .93$; 자신에 대하여 행복함: $b = 0.41$, $SE = 0.17$, $\beta = .26$, $t(112) = 2.45$, $p < .017$, $p_{rep} > .95$. 자기-자신감이 낮은 응답자들에게(평균에서 1 표준편차 이하), 긍정적 초점은 중립적 초점보다 더 나쁜 기분, 낮은 상태 자기-자신감, 그리고 자신에 대한 낮은 행복감과 연합이 있었다—각각 $b = -0.28$, $SE = 0.12$, $\beta = -.27$, $t(112) = -2.34$, $p < .022$, $p_{rep} > .95$; $b = -0.48$, $SE = 0.25$, $\beta = -.21$, $t(112) = -1.94$, $p < .057$, $p_{rep} > .91$; $b = -0.82$, $SE = 0.34$, $\beta = -.26$, $t(112) = -2.45$, $p < .017$, $p_{rep} > .95$. 자기-자신감이 높은 응답자들에게(평균에서 1 표준편차 이상) 이런 종속 측정은 조건간 차이가 없었다, $bs < 0.35$, $\beta s < .16$, $t(112)s < 1.40$, $ps = .183 - .307$, $p_{rep}s = .76 - .83$.

자기-자신감 X 조건의 상호작용은 유인가 측정에서 유의미하였다, $b = 0.25$, $SE = 0.20$, $\beta = .16$, $t(112) = 1.26$, $p < .210$, $p_{rep} > .81$. 그러나 자기-자신감이 높은 응답자 중(평균에서 1 표준편차 이상), 긍정적 초점 조건에 있는 응답자들은 중립적 초점 조건에 있는 응답자들보다 더 높은 유인가를 보고했다, $b = 0.86$, $SE = 0.41$, $\beta = .27$, $t(112) = 2.08$, $p < .041$, $p_{rep} > .93$. 자기-자신감이 낮은 응답자 중(평균에서 1 표준편차 이하), 유인가는 두 조건에서 차이가 없었다, $b = 0.13$, $SE = 0.41$, $\beta = .04$, $t(112) = 0.31$, $p < .760$, $p_{rep} > .59$.

자기-자신감이 높은 사람들에 대한 이점

연구 2와 3은 긍정적인 자기-서술문은 자기-자신감이 높은 사람들보다는 자기-자신감이 낮은 사람들에게 더 큰 영향이 있음을, 그리고 자기-자신감이 낮은 사람들에게 미치는 영향이 부정적임을 보여주었다. 긍정적인 자기-서술문이 어떤 이점이 있는지 여부를 가장 강력하게 가능한 방식에서 검증하기 위해, 각 연구 내에 다양한 측정을 복합적으로 만들었다. 양쪽 연구는 긍정적인 자기-서술문(또는 그것이 어떻게 사실인지에 초점을 두는 것)이 자기-자신감이 낮은 사람들에게 해롭다고 지적했다—연구 2: $F(1, 60) = 6.77, p < .012, p_{rep} = .96, r_{es} = .22$; 연구 3: $b = -1.39, SE = 0.68, \beta = -.22, t(112) = -2.05, p < .044, p_{rep} > .92$. 자기-자신감이 높은 사람들에 대한 이점은 양쪽 연구 모두에서 유의미성에 근접은 했으나 미치지는 못했다—연구 2: $F(1, 60) = 2.76, p < .098, p_{rep} = .88, r_{es} = .14$; 연구 3: $b = 1.31, SE = 0.69, \beta = .21, t(112) = 1.91, p < .060, p_{rep} > .91$. 그러나 연구들을 종합한 메타분석에 따르면, 자기-자신감이 높은 사람들이 약간의 이점을 받았다고 한다, $Z = 2.51, p < .013, d = 0.66$(자기-자신감이 낮은 사람들의 경우, $Z = -3.21, p < .002, d = 0.72$).

종합논의

"긍정적으로 생각하라"는 지시는 북미 전역에 퍼져 있다. 어떤 이가 위기에 직면하거나 행복하지 않을 때, 자기-조력 서적들, TV 쇼, 그리고 그를 사랑하는 사람들이 긍정적으로 생각하라고 조언한다. 지금으로서는 현재 결과에 따르면 특정한 사람들에게는 긍정적인 자기-서술문이 비효과적일 뿐만 아니라, 실제로 해롭기까지 하다고 밝혀졌다. 자기-자신감이 낮은 사람들이 "난 사람들이 좋아한다"는 문장을 반복하거나(연구 2), 또는 이 문장이 사실인 방식에 초점을 두었을 때, 자기 자신에 대한 기분도, 느낌도 모두 향상되지 않았다—더 나빠졌다. 긍정적인 자기-서술문은 평소에도 이미 자기 자신에 대하여 좋게 느끼는 자기-자신감이 높은 사람들에게만 고취시켜 주고, 그리고 그 고취의 양은 작았다.

긍정적인 자기-서술문이 역효과를 내는 이유를 정확하게 밝히는 후속 연구가 필요하다. 한 가지 가능성은 과도한 긍정적 칭찬처럼 상반된 사고를 낳을 수 있다는 것이다(Eisenstadt & Leippe, 1994). 그러나 연구 3은 상반된 사고 혼자서는 이런 사고가 함의한 바만큼 중요하지는 않을지도 모른다고 지적한다. 참가자가 긍정적인 사고와 더불어 상반된 사고에 초점을 두도록 허락되었을 경우, 긍정적인 사고에만 초점을 두라고 요구 받았을 때보다 더 좋았다. 상반된 사고에 초점을 두라는 지시는 그런 사고가 기대된다는 사실을 전하는 것일 수 있다. 대조적으로, 부정적 사고를 피하는 일이 잘 안되어 발버둥치는 참가자의 경우에 그런 사고는 긍정적인 자기-서술문이 자신에게는 사실이 아님을 뜻하는 것일지도 모른다.

긍정적인 자기-서술문은 어떤 자기-자신감이 낮은 사람들에게 혜택을 줄 수도 있는 것이 다음과 같은 상황 하에서 가능한데, 예컨대 위태로운 자기-관점이 중요하지 않을 때(예를 들면,

긍정적 자기-서술문 12

Swann & Schroeder, 1995), 자기-서술문에 대한 세심한 고려가 불가능할 때(Eisenstadt & Leippe, 1994), 그 문장이 개인 수용의 허용 범위 내에 있을 때(Eagly & Chaiken, 1993)이다. 특정한 속성을 포함한 중간 정도로 긍정적인 자기-서술문(예를 들면, "사람들을 위해 좋은 선물을 고른다")은 포괄적인 문장(예를 들면, "나는 관대한 사람이다") 또는 극단적으로 긍정적인 자기-서술문보다 부정적인 사고 또는 자기-확인 동기를 자기-자신감이 낮은 사람들 사이에서 덜 불러일으킬 수도 있다. 그러나 "나는 나 자신을 완전히 수용한다" 같은 기이하고, 이유 없이 긍정적인 자기-서술문들을 자기-조력 서적에서 종종 권장하고 있다. 우리의 결과는 그러한 자기-서술문은 의도한 바로 그런 사람들, 자기-자신감이 낮은 사람들에게 해를 끼칠 수도 있음을 제안하고 있다.

참고문헌

Blanton, H., Cooper, J., Skurnik, I., & Aronson, J. (1997). When bad things happen to good feedback: Exacerbating the need for self-justification through self-affirmations. *Personality and Social Psychology Bulletin, 23,* 684–692.

Clark, D.M. (1983). On the induction of depressed mood in the laboratory: Evaluation and comparison of the Velten and musical procedures. *Advances in Behaviour, Research and Therapy, 5,* 27–49.

Eagly, A.H., & Chaiken, S. (1993). *The psychology of attitudes.* New York: Harcourt Brace Jovanovich.

Eisenstadt, D., & Leippe, M.R. (1994). The self-comparison process and self-discrepant feedback: Consequences of learning you are what you thought you were not. *Journal of Personality and Social Psychology, 67,* 611–626.

Fleming, J.S., & Courtney, B.E. (1984). The dimensionality of self-esteem: II. Hierarchical facet model for revised measurement scales. *Journal of Personality and Social Psychology, 46,* 404–421.

Gordon, S. (2001, August). Pump up your motivation muscle! *Self,* p. 79.

Heine, S.J., Lehman, D.R., Markus, H.R., & Kitayama, S. (1999). Is there a universal need for positive self-regard? *Psychological Review, 106,* 766–794.

Hermann, A.D., Leonardelli, G.J., & Arkin, R.M. (2002). Self-doubt and self-esteem: A threat from within. *Personality and Social Psychology Bulletin, 28,* 395–408.

Johnson, J.T. (1991). *Celebrate You! Building your Self-Esteem.* Minneapolis, MI: Lerner.

Leary, M.R. (2005). Sociometer theory and the pursuit of relational value: Getting to the root of selfesteem. *European Review of Social Psychology, 16,* 75–111.

Leary, M.R., & MacDonald, G. (2003). Individual differences in self-esteem: A review and theoretical integration. In M.R. Leary & J.P. Tangney (Eds.), *Handbook of Self and Identity* (pp. 401–418). New York: Guilford Press.

Mayer, J.D., & Gaschke, Y.N. (1988). The experience and meta-experience of mood. *Journal of Personality and Social Psychology, 55,* 102–111.

Mayer, J.D., & Hanson, E. (1995). Mood-congruent judgment over time. *Personality and Social Psychology Bulletin, 21,* 237–244.

McGuire, W.J., & McGuire, C.V. (1996). Enhancing self-esteem by directed-thinking tasks: Cognitive and affective positivity asymmetries. *Journal of Personality and Social*

긍정적 자기-서술문 14

Psychology, 70, 1117–1125.

McQuaig, J.H. (1986). *Like yourself and live.* Toronto, Ontario, Canada: Rexdale, Hunter Carlyle.

Peale, N.V. (1952). *The power of positive thinking.* New York: Prentice-Hall.

Preacher, K.J., Rucker, D.D., MacCallum, R.C., & Nicewander, W.A. (2005). Use of the extreme groups approach: A critical reexamination and new recommendations. *Psychological Methods, 10*, 178–192.

Rosenberg, M. (1965). *Society and the adolescent self-image.* Princeton, NJ: Princeton University Press.

Rosenthal, R., Rosnow, R.L., & Rubin, D.B. (2000). *Contrasts and effect sizes in behavioral research: A correlational approach.* New York: Cambridge University Press.

Schwarz, N., Bless, H., Strack, F., Klumpp, G., Rittenauer-Schatka, H., & Simons, A. (1991). Ease of retrieval as information: Another look at the availability heuristic. *Journal of Personality and Social Psychology, 61*, 195–202.

Sherif, M., & Hovland, C.I. (1961). *Social judgment: Assimilation and contrast effects in communication and attitude change.* New Haven, CT: Yale University Press.

Swann, W.B., Jr., & Schroeder, D.G. (1995). The search for beauty and truth: A framework for understanding reactions to evaluations. *Personality and Social Psychology Bulletin, 21*, 1307–1318.

Treadwell, K.R.H., & Kendall, P.C. (1996). Self-talk in youth with anxiety disorders: States of mind, content specificity, and treatment outcome. *Journal of Consulting and Clinical Psychology, 64*, 941–950.

Wood, J.V., Saltzberg, J.A., & Goldsamt, L.A. (1990). Does affect induce self-focused attention? *Journal of Personality and Social Psychology, 58*, 899–908.

Zanna, M.P. (1993). Message receptivity: A new look at the old problem of open-versus closedmindedness. In A. Mitchell (Ed.), *Advertising exposure, memory and choice* (pp. 141–162). Hillsdale, NJ: Erlbaum.

미주

[1]세 연구 모두에서, 동아시아 후손의 참가자는 제외했는데, 왜냐하면 이들은 서구인보다 자기-서술문을 덜 추천하기 때문이다(Heine, Lehman, Markus, & Kitayama, 1999).

[2]표본 크기가 정해진 경우, 극단적인 집단을 채용하는 것이 전체 분포를 채용하는 것보다 더 큰 통계적 검증력을 제공한다(Preacher, Rucker, MacCallum, & Nicewander, 2005). 그러나 이런 접근은(실험에서 변인 조작이 그런 것처럼) 효과 크기를 과대추정할 수 있다.

[3]ANOVA 분석을 통해서 성별 효과는 보고할 만큼 효과가 있지 않은 것으로 드러났다: 여성은 남성보다 ARS에서 점수가 높았고, 남자의 유인가 평정은 여성의 평정보다 조건 사이에 더 차이가 있었다.

긍정적 자기-서술문 16

표 1 연구 2에서 특질 자기-자신감과 조건의 함수로서 평균 기분과 상태 자기-자신감

측정	높은 자가-자신감		낮은 자가-자신감	
	서술문 없는 조건	자가-서술문 조건	서술문 없는 조건	자가-서술문 조건
ARS	24.59 (7.24)	30.47 (7.88)	16.94 (8.44)	11.18 (10.08)
유인가	44.24 (7.37)	47.88 (7.19)	39.47 (7.86)	33.24 (9.54)
평정상태	36.35 (5.78)	37.82 (2.94)	28.76 (6.42)	25.47 (8.19)

주: 모든 측정에서, 높은 점수는 더 긍정적인 느낌을 의미한다. 표준편차는 괄호 안에 제시하였다. 연합과 추론 척도 (ARS)는 반응척도가 달라지는 12 항목이 포함된다; 점수는 −16에서 49까지 범위가 된다. 유인가 평정 점수는 6개 항목에 대한 평정의 합이다; 모든 평정척도는 1~9이다. 상태 자기-자신감 점수는 6개 항목에 대한 평정의 합이다; 모든 평정척도는 1~7이다. '높은 자기-자신감'과 '낮은 자기-자신감'은 자기-자신감 점수 분포에서 각각 상위 3분의 1과 하위 3분의 1에서 뽑은 참가자를 지칭한다.

표 2 연구 3에서 특질 자가-자신감과 조건의 함수로서 예측된 기분, 유인가, 상태 자가-자신감, 그리고 자신에 대한 행복감

측정	높은 자가-자신감		낮은 자가-자신감	
	중립적 초점	긍정적 초점	중립적 초점	긍정적 초점
자기-보고된 기분	3.13	3.29	2.85	2.58
유인가	6.42	7.28	6.14	6.27
평정상태	6.03	6.31	5.11	4.64
자신에 대한 행복함	6.15	6.51	4.98	4.16

주: 모든 측정에서, 높은 점수는 더 긍정적인 느낌을 의미한다. 표준편차는 괄호 안에 제시하였다. 높은 자기-자신감과 낮은 자기-자신감은 평균에서 각각 표준편차 1 이상과 이하의 점수로 정의된다.

그림 1 연구 2에서 자가-자신감과 조건의 함수로서 연합과 추론 척도에서 얻은 평균 점수― 높은 점수는 더 좋은 기분을 의미한다.

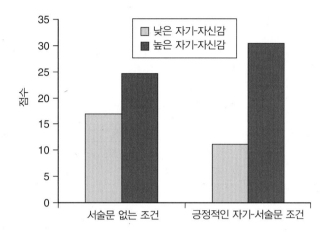

문체

　　형식에 대한 약간의 아이디어를 갖게 되었으므로, 다음은 문체를 살펴보자. 불명확하게 쓴 논문들을 읽느라 시달리고 나면, 여러분은 의심할 여지없이 명백하고 애매모호하지 않은 글쓰기가 주는 혜택을 깨닫게 된다. **APA 형식**(APA format)은 논문의 순서와 일반적 내용을 표준화한다. 그러나 여러분이 말하는 것을 독자가 확실하게 이해하도록 만드는 것은 여러분에게 달렸다. 우리는 강의 준비를 위해서 많은 연구 보고서를 읽는데, 보고서의 가장 큰 문제가 한 부분에서 다음 부분으로 넘어가는 흐름이라는 것을 발견하였다. 많은 학생들이 자신들의 보고서가 가능한 한 단도직입적이어야 함에도 불구하고, 의외의 결말을 가진 짧은 이야기를 작성하고 있는 것처럼 쓴다. 여기서 기술한 각 부분에 대한 정보는 표 14.2에 요약했다.

　　제목은 짧고(12단어까지) 간결해야 한다. 제목은 그 자체로 의미가 있어야 한다. 그것은 독립적으로도 존재할 수 있어야만 한다. '～의 한 연구' 같은 어떤 관련 없는 단어를 포함해서는 안 된다. 흔히 제목에 연구의 독립변인과 종속변인이 언급된다.

　　초록은 변인들(독립변인, 종속변인, 그리고 중요한 통제변인)과 참가자의 수와 유형, 주요 결과들, 그리고 중요한 결론을 담아야 한다. 학생들은 종종 너무 상세한 내용들을 초록에

표 14.2 연구 보고서 각 부분에 있는 정보 요약

부분	정보
제목	실험: 독립변인과 종속변인을 진술하라— 'X와 Y의 효과' 다른 연구들: 조사된 관계를 진술하라— 'X와 Y의 관계'
초록	120자 이내로(한글 600자 이내), 무엇을 누구에게 행했는지를 진술하고 가장 중요한 결과들을 요약하라.
도입	무엇을 하려고 하는지, 그리고 왜 하려고 하는지를 진술하라(관련된 연구의 결과들을 개관해야 한다). 예측된 결과를 포함시킬 수도 있다.
방법	누군가 당신이 했던 방식과 똑같이 연구를 반복하기에 충분한 정보를 제시하라. 명료성을 위해 하위제목(참가자, 장치, 기타 등등)을 사용하고 종속, 독립, 참가자, 통제변인들을 분명하게 상술하라.
결과	표와 그림에 중요한 결과들을 요약하라. 연구의 목적과 가장 관련 있는 듯한 자료로 독자들을 이끌어라.
논의	결과들이 도입에서 제시된 가설이나 예언들과 어떻게 관련되어 있는지 진술하라. 추론과 이론적 진술들이 이 부분에 적절하다.
참고문헌	보고서에 인용된 참고문헌들만을 APA 형식에 따라 열거하라.

포함시킨다. 기억해야 할 것은 적은 수의 단어(영문 150~250단어 이내: 국문 150단어, 600자 이내)만 사용할 수 있으므로, 미래의 독자가 무엇이 수행되었고, 무엇을 얻었는지에 관한 일 반적이지만 명백한 아이디어를 가질 수 있도록 그 연구의 가장 핵심적인 측면들만을 서술 해야 한다는 것이다. 보고서의 본문은 초록을 근간으로 확장된 것이어야 한다(비록 보고서 에서 초록이 연구의 주요 부분에 대한 개요로 먼저 쓰인다면 보고서가 명백해질지도 모르지만, 대 부분의 초록이 맨 나중에 쓰이는 이유가 여기에 있다).

도입에서는 왜 이 특정한 논점에 흥미를 갖게 되었는지, 다른 연구자들이 발견한 것은 무엇인지, 어떤 변인들을 조사하고자 하는지가 서술되어야 한다. 논점을 폭넓은 관점으로 서술하고, 흥미가 있게 된 특정한 질문으로 재빠르게 범위를 좁힌다. 여러분은 연구 문제를 세우고 있다는 사람이 자신임을 마음에 항상 새기면서, 관련된 연구를 인용하여 독자를 자 신의 연구 질문으로 인도한다. 그러므로 거의 관계가 없는 논점들에 대한 논의는 피해야 한 다. 도입의 끝부분쯤에서는 독자가 실험에 대한 전체적인 개관을 갖도록 해주고, 여러분이 세운 가설을 명확하게 구체화시키고, 도입 부분에서 지금까지 논의되어 왔던 이론들로부터 도출된 예언을 개략적으로 설명한다. 도입의 맨 마지막에서는, 독자가 여러분의 실험이 우 리 지식의 중요한 공백을 메워줄 것으로 예상해야 한다.

방법 부분에는 도입의 끝부분에 묘사한 변인들을 어떻게 조사했는지를 서술한다. 여기 에서 서술의 명료함과 완전함이 중요하다. 방법 부분을 쓸 시기쯤 되면 여러분 실험의 세부 사항과 복잡성에 무척 친숙하게 된다. 이 같은 친숙성 때문에 여러분은 보고서를 읽는 독자 가 이런 상세한 사항을 처음 배우고 있다는 사실을 깨닫기 어렵게 된다. 여러분은 쓰면서, 독자가 실험을 반복할 수 있게 하기 위해 알아야 할 필요가 있는 모든 것들을 말해주려고 노력하라, 하지만 어떤 과외 변인들을 포함시키는지는 말라. 종종 방법 부분은 참가자, 재 료(또는 장치), 절차의 세 하위 부분으로 나뉜다. 참가자 항목은 참가자 수, 어디에서 선발했 는지(예를 들면, 여러분이 다니는 대학의 심리학개론 수업), 참가에 대한 유인가(예를 들면, 강의 보너스 점수) 등을 상세히 밝힌다. 만일 일부 참가자들이 어떤 이유로 제외되었다면, 이 항 목에서 언급되어야 한다. **재료**(materials, 또는 장치) 항목에는 실험에 사용된 재료들의 모든 관련된 측면들을 기술하여야 한다. 다음 항목인 절차 항목에서는 흔히 실험 설계에 관한 기 술로 시작하고, (참가자가 사람이면) 제시된 지시문을 서술하고, 일반적으로 독자가 실험의 다양한 단계들을 하나하나 볼 수 있게 한다.

결과 부분에, 변인들이 검사될 때 무엇이 발생하였는지 서술하라. 명료성이 여기에서 특히 중요하다. 설명은 조금 하면서 통계적 분석을 단순히 열거하는 것은 피하라. 대신에 각 발견들을 평범한 언어로 먼저 서술하고, 통계치를 써서 그 발견들을 지지한다. 결과 부분은 실험의 목적과 결과들에 대한 요약으로 끝을 맺는다.

논의에서는 당면한 쟁점에 대하여 변인의 효과가 무엇을 의미하고 있는지를 서술하라. 논문의 논의 항목에서 가장 큰 문제는 조직되어 있지 않다는 것이다. 글을 쓰기 전에 지적하고자 하는 사항들이 무엇인지를 알고 있어야만 한다. 그것들을 간결하고 이해하기 쉽게 제시해 주어야 한다. 논의는 도입에서 지적한 쟁점들을 추적하여야 한다. 또한 도입에서와 마찬가지로 논점에서 벗어나 있는 것을 피해야 한다. 독자가 여러분의 보고서를 다 읽었을 때, 한두 문장으로 주된 결론을 서술할 수 있을 정도가 되어야 한다. 그러나 결론을 내리는 데 조심하라. 과장된 서술을 피하라. 과학은 아주 작은 발걸음으로 진보한다. 여러분의 실험이 과학적으로 중요해지기 위해서 세상을 떠들썩하게 만들 필요는 없다.

마지막으로, 여러분 보고서는 본문이 각각 독립적인 것처럼 보이는 부분들로 합쳐진, 뿔뿔이 흩어진 수필이 아니라, 아주 꽉 짜인 형태이어야 한다. 여러분은 노력했던 것이 무엇인지를 독자에게 한 번 이상 전달해야만 한다. 이전 부분에 바탕을 두고 각 부분들이 구성되는 데 중복된다고 두려워하지 마라. 만일 여러분이 연구의 목적을 충분히 반복 설명했다면, 독자가 참고문헌 목록을 볼 때쯤 되면 보고서에서 그 어떤 것을 얻어 낼 수 있게 될 것이다. 표 14.2에는 보고서의 각 부분에 포함되어야 하는 정보가 요약되어 있다.

APA *Publication Manual*(2010)은 다음과 같이 문체에 관하여 고려할 사항들을 대략적으로 기술하고 있다: 아이디어에 대한 정렬된 표현, 표현의 매끄러움, 경제적인 표현, 정확함과 명료성. 이것들은 또한 글쓰기 스타일을 향상시키는 전략을 제공한다. 이러한 지침 방안을 따르면, 일부 논의가 당연히 뒤따라오는데, 이제 문체에 대하여 살펴보자.

과학 분야의 글쓰기는 명료성을 요구하며, 따라서 각 단어는 신중하게 선택되어야 한다. 학부 연구 보고서에 통상 보이는 다음 문장들을 살펴보자. "나는 피험자들을 개별적으로 돌렸다." "하얀 흰둥이 쥐가 Skinner 상자에 소개되었다." 실제로 첫 번째 문장이 인용된 연구에서 프로젝트 과정 동안 돌려진 피험자는 아무도 없다. 저자가 말하려고 한 것은 "나는 피험자들을 한 명씩 검사하였다"이다. Skinner 상자에 넣어진 쥐들에 관한 문장에서는 연구자가 매우 똑똑한 쥐들을 취급하고 있다고 결론 내릴지도 모른다. 쥐는 (소개받으면서) 상자와 악수하지 않았다. 쥐가 조작적 조건화 공간 속에 넣어졌다는 상황이 발생한 것이다. 더욱이, '하얀 흰둥이'는 동의어 반복이다. 모든 흰둥이 쥐들은 하얗다. 여기서의 교훈은 과학 분야의 글쓰기에서 여러분은 옳은 단어 또는 문구를 선택하는 데 조심해야 하며, 다의성을 피해야 한다는 것이다. 또한 어느 것, 이것, 저것, 그것 같은 대명사를 사용할 때는 조심해야 한다. 많은 학생들이 문단을 시작할 때 이들 대명사 중 하나를 써서 시작하지 않을 수 없다고 호소하는데, 자주 그 대명사가 무엇을 가리키고 있는지를 결정하기란 쉽지 않다. 여러분은 자주 대명사가 쓰일 때마다 대명사의 지시 대상을 포함시켜서 다의성을 피해야 한다.

　단어와 구에 대하여 결정한 후에는, 조심스럽게 구성하라. 일부 작가들이 공통적으로 가지고 있는 문제는 동사 시제를 갑자기 바꾸는 것이다. 일반적으로, 도입에서, 다른 연구들에 대한 개관에서(갑은 … 발견했다), 그리고 방법 부분에서(피험자들은 … 였다)는 과거형을 쓴다. 자료를 기술하고, 논의할 때는 현재형이 적합하다(자료에서 … 를 보게 된다. 이 자료는 … 을 의미한다). 집합 명사와 복수 명사가 동사와 대명사와 일치하는지를 확인하라. *data*, *criteria*, *phenomena* 같이 a로 끝나는 명사가 골칫거리이다. 이들 명사는 복수형인데, 따라서 복수형 동사와 대명사를 필요로 한다. "These data *are*"가 옳고, "this phenomena is"는 옳지 않다. 이들 명사의 단수형은 각각 *datum*, *criterion*, *phenomenon*이며, "this phenomenon is"가 옳다.

　많은 과학 저술가들은 보고서에서 수동태를 과다하게 사용하고 있다. 다음 문장을 살펴보자. "It is thought that forgetting is caused by interference"(망각은 간섭에 의해 야기되었다고 생각된다). 비록 이 문장이 상당히 간결(그리고 정확)하지만, 진정 의미하고자 하는 문장 "We think that interference causes forgetting"(우리는 간섭이 망각을 야기한다고 생각한다)보다는 어딘가 꽉 막히고 덜 직접적이다. 능동태나 수동태를 너무 많이 사용하는 것에 대하여 조심하라. 만일 수동태를 너무 많이 사용한다면, 여러분의 보고서는 꽉 막힌 것처럼 보인다. 능동태를 너무 많이 사용한다면, 여러분이 했던 것에 대한 흥미는 뒷전이 되고, 여러분 자신에게 너무 많은 강조를 두게 된다(내가 생각하기에, 내가 한 등등). 만일 여러분이 무엇이 수행되었는지에 강조를 두고, 누가 그것을 했으며, 왜 했는지에 강조를 두지 않으려면, 수동태를 사용하라. 다른 한편으로, 만일 행동의 행위자나 행동의 이유가 중요하다고 생각한다면, 능동태를 사용하라.

　신중한 저술가는 성차별주의자적인 언어를 피한다. APA는 일반 대명사로서의 *be*(그리고 *his*와 *him*)의 사용을 복수형으로 바꾸어서 사용하고 가능하면 대명사를 피하라고 권장하고 있다. 일반적으로 글쓴이는 정확하고, 편향되지 않은 의사소통을 위해 애써야 한다. APA *Publication Manual*은 편파적인 언어 사용을 줄이기 위한 방법에 관하여 일정 부분을 할애하고 있다.

　과학 분야의 글쓰기는 용어의 일관된 사용을 요구한다. 만일 여러분이 어떤 것에 명칭을 붙이면(예를 들면, 참가자 집단을 이름 붙이기: **정보를 알려준**, 그리고 **정보를 알려주지 않은**), 이 명칭을 전체 논문에 걸쳐서 사용하라. 여러분은 독자를 지루하게 만드는 것을 피하기 위해 반복적인 것을 다르게 기술하는 법을 국어시간에 배웠다. 그러나 과학 분야의 글쓰기에서는 용어를 바꾸면 혼동이 생긴다. 여러분이 새로운 용어를 도입하였을 때, 그 용어가 이전에 논의된 것들과는 다른 개념이라는 것을 독자가 아는 것이 중요하다.

설득력 있고, 잘 짜인 연구 논문을 쓴다는 것은 상당한 노력과 연습이 필요한 기술이다. 정보를 올바른 부분에다 놓는 것 이상이 포함된다. 불분명하고 비비꼬인 논문과 명쾌하고 잘 쓰여진 논문을 구분시켜주는 많은 미묘한 점들이 문체, 용법, 주제 제시 상에 존재한다. 보고서를 쓰면서, 문체와 문법의 요점들에 관한 표준 참고서를 자주 사용해야만 한다. 덧붙여, 조직화, 각 항의 내용, 아이디어 표현에서의 간결성과 정확성, 자료와 통계치의 제시 등을 포함하는, 특히 심리학 학술지 논문에 관련된 기술적인 측면은 APA *Publication Manual*을 참고하라. 우리가 이미 소개한 바 있는 심리학 논문에서 좋고 나쁜 문체, 어법, 조직화에 대한 훌륭한 조언과 구체적인 예를 위해서, Sternberg(1993)의 책과 Sternberg(1992)의 최근 논문, Roediger(2007), 그리고 Bem(2003)의 장(chapter) 하나를 볼 것을 적극적으로 권장한다. 마지막으로 그리고 가장 중요할 듯 싶은데, 앞서 언급한 바 있는 문체에 관한 설명을 염두에 두고, 여러분 원고를 고치고 다시 쓰는 데 시간을 할애하여야 한다. 어느 누구도 출간될 만한 원고를 한 번에 쓸 수는 없다. 퇴고는 쓰는 과정에서 중요한 부분이다.

논문을 기고하는 방법

여러분이 논문을 다 써서, 윤독도 하고, 교정도 했고, 드디어 마지막 쪽을 프린터에서 뽑았다고 가정하자. 이제 무엇을 할 것인가? 비록 학생으로서 여러분의 첫 번째 노력의 결과가 전문가 뺨치는 고급 수준의 논문이 될 것 같지는 않지만, 그럼에도 불구하고 전문 심리학자가 학술지에 논문을 낼 때 어떤 일들이 일어나는지 알아보는 것도 흥미로울 수 있다.

첫 번째 단계는 원고의 사본(미 출간된 연구에 대한 기술적인 용어)이 명백한 또는 기본적인 흠이 없는지, 그리고 깔끔하게 쓰였는지를 확실하게 검토해 줄 수 있는 믿을 만한 몇몇 동료 연구자들에게 사본을 보내는 것이다. 일단 논평이 도착하면, 지시 받은 곳을 교정하고, 떨리는 심정으로 저자는 가장 적합한 학술지의 편집장 주소로 원고를 우편으로 보낸다.

이 일을 한 후에, 다음 몇 달 동안은 굉장한 인내심을 보이는 것이 필요하다. 논문 심사 과정은 느리다(원고를 받은 편집장은 전형적으로 많은 업무—교육, 연구 수행, 학부/대학원생 논문 지도 등등—를 조정하느라 대단히 바쁘다). 원고를 제출한 지 얼마 후, 저자는 감사의 편지와 원고를 받았다는 영수증을 받게 된다. 원고는 번호가 배정되며(예를 들면, 12-145), 만약 부 편집장이 원고심사를 관리하게 되면 저자는 차후의 모든 관련된 것들에 관해 직접 그 사람에게 연락하라고 지시 받는다.

그리고 편집장은 이 논문이 동료 심사를 받을 만한지를 결정한다. 어떤 경우에는 편집장이 동료 심사위원으로부터 논평을 얻지도 않고 논문을 거부하기도 한다. 만일 논문 사본이 심사 받을 만하면, 편집장은 원고의 사본들을 두 세 명의 심사위원에게 보낸다. 일부 학술지는 익명의 심사를 하는데, 이 경우 저자의 신원을 감춘다. 이것은 심사위원들의 공명정대함을 믿지 않는 사람을 위한 것이다. 여러 다른 학술지도 논문 심사를 할지도 모르는 심사위원은 하루나 이틀에 걸쳐 원고를 세심하게 읽은 다음 평가한다. 그 후에 요약 논평을 편집장에게 보낸다. 심사위원 간에 동의가 있으면, 편집장의 결정은 쉬워진다. 만일 심사위원들 사이에 의견 불일치가 있으면, 편집장은 원고를 조심스럽게 읽고, 때때로 제3자의 의견을 구하기도 한다. 마지막으로, 편집 상의 결론이 내려지면, 저자는 다음 중 하나로 시작되는 편지를 받게 된다: (a) 왜 원고가 출간될 수 없는지, (b) 원고를 받아들이기 위해 어떤 수정을 해야 하는지, (c) 학술지에 논문을 싣겠다. 원고에 대한 거부율이 대부분의 학술지에서 상당히 높기 때문에(70% 이상), 편집장은 완곡한 표현의 거절 편지를 고안하는 데 상당한 시간을 소비한다.

논문이 받아들여졌든 아니든 간에, 심사위원들의 논평은 매우 중요하다. 그 분야에서 최고의 심리학자가 연구에 대한 신중한 의견을 무료로 제공하였다. 물론 심사위원 또한 실수를 할 수 있다. 심사 결과에 동의하지 않는 저자는 누구나 편집장에게 편지를 쓸 권리가 있다. 비록 이러한 행동을 한다고 해서 보통 그 논문을 채택하도록 하지는 않지만, 거절당한 저자가 항의나 시위를 할 권리를 가지고 있다는 것은 중요하다. 어찌되었든 항상 기고할 다른 학술지도 있다.

만일 논문이 채택되었다면, 저자에게는 아직 할 일이 있다. 약간의 원고 수정을 요구했을 수도 있다. 원고의 저작권은 발행인에게 넘어간다. 몇 달 뒤에 저자는 발행인으로부터 교정본을 받게 된다. 인쇄된 단어들과 표들이 원래 원고와 일치하는지 확인하기 위해 조심스럽게 검토해야만 한다. 교정을 한 후, 저자는 논문을 발행인에게 보낸다. 몇 달 뒤 논문은 학술지에 그 모습을 드러낸다. 원고 제출에서 최종 출간까지 이 모든 과정은 일년 이상 걸린다. 저자는 학술지에 낸 논문에 대한 고료를 받지는 않지만, 다른 한편으로는 출판되어 나오는 특권에 대한 대가를 요구하지 않는다. 학술지에 연구 보고서를 출판하는 것은 그 결과를 관심 있는 어떤 과학자든 볼 수 있게 해주는 것이다. 더욱이 그것은 향후 수년 동안 연구자들에게 그 결과를 가용하게 해준다.

여러분이 예측했다시피, 인쇄된 여러분의 이름을 본다, 그것도 처음으로 본다는 것은 굉장한 전율을 안긴다. 그러나 더 큰 전율을 안기는 것은 사람과 동물이 그들의 방식으로 행동하고 사고하는 이유를 아주 작은 양이지만 우리가 이해하는 데 보탠 지식이다.

구두 발표를 하는 방법

결과를 공유하는 다른 수단이 심리학 학술 대회이다. 비록 대부분의 연구가 궁극적으로 과학 학술지에 제출되지만, 학술 대회는 연구가 보고되는 최초의 장소이다. 심리학자들은 다양한 크기의 집단으로 회합하여 자신들의 가장 최신의 연구를 발표한다. 어떤 학술 대회는 특정 유형의 연구만을 보고하기도 하는 반면(예를 들어, 신경심리학 연구만 발표), 다른 학술 대회는 훨씬 더 포괄적인 모든 심리학 영역을 포함한다. 이러한 학술 대회에서 연구자들은 서로 만나 최근 연구와 진행중인 연구—아직 출간되지 않은 작업—에 대하여 논의한다. 때때로 그러한 학술 대회에서 학생 연구의 결과들이 제시된다. 연구를 수행한 후, 만일 과학계와 그 결과를 공유할 가치가 있다고 생각되면, 여러분이 발표하기에 적합한 학술 대회에 관하여 교수에게 물어볼 수도 있다. 만일 여러분의 교수가 그러한 학술 대회에서 발표할 만큼 그 연구 결과가 좋다고 동의하면, 교수는 연구를 제출하는 방법을 설명해 줄 것이다.

구두 발표는 또한 많은 다른 상황—학급, 비공식적인 연구자 모임, 심리학 시간이나 심리학 장학생 동아리에서 발표—에서 중요하다. 아래에 있는 요령들은 다른 종류의 강연에서도 도움을 줄 것이다.

내용

만일 여러분의 논문이 채택되면, 결과를 제시하고 마지막에 질문에 답할 약 2~3분을 포함한 대략 15분의 시간이 주어진다. 일반적으로 여러분의 발표는 여러분이 쓰려고 하는 것의 일부만을 제시할 수 있다는 점에서 문자로 된 보고서와는 다를 것이다. 그러므로 여러분은 그것이 연구와 관련되어 있든 아니든, 상세한 세부 내용, 절차의 세부 사항, 통계치, 또는 부수적인 발견 등이 누락되면 안 된다. 여러분에게는 오직 기본적인 문제와 그것에 관심을 가졌던 이유, 그 문제를 파고든 방법, 그리고 발견한 것만을 제시할 시간밖에 없다.

여러분의 발표는 보고서의 간략한 도입처럼 시작해야 한다: 연구 문제를 제기하고, 왜 그것이 흥미 있는가를 말한다. 용어를 정의할 때 그리고 청중들이 여러분이 사용하려고 하는 기술적인 용어를 알고 있다고 가정할 때를 구분하는 것은 까다로운 문제이다. 그러나 여러분의 청중들은 어느 정도 다양한 사람들로 구성될 가능성이 높기 때문에, 모든 심리학자들에게 잘 알려지지 않은 용어는 무엇이든 정의하는 것이 좋은 규칙이다. 여러분은 여러분 실험과 가장 직접적으로 관련된 문헌들의 연구를 간략히 개관하고, 여러분의 연구 문제와 더불어 연구 가설을 표명한다.

문제를 설정한 후, 그 답을 얻기 위해 어떻게 노력했는지에 대한 기술을 한다. 독립변인과 종속변인을 정의하라. 여기서 이해할 수 있을 만큼 충분하고도 상세하게 설명하지만, 절차적인 세부 내용에 빠져서 헤어나지 못하는 일이 없도록 조심하여야 한다. 그런 다음 결과를 제시한다. 자료를 가능한 한 명쾌한 방식으로 제시하라. 통상적으로, 평균이나 다른 기술적인 자료를 담고 있는 그림이나 표를 사용하는 것을 의미한다. 문자로 된 보고서에서처럼 수행한 통계적 검증과 유의도 수준을 단순히 기술하지 마라. 대신에 청중에게 여러분의 결과가 무엇이었는지 일반적 용어로 말하라(예를 들면, 사람들은 청각 조건보다 시각 조건에서 더 잘 수행하였다). 그리고 유의미한 검증을 가지고 원래의 서술문으로 되돌아가거나, 적합한 검증 방법으로 결과들이 통계적으로 유의미하였다고 간단히 말하라.

여러분은 원래 가설을 상기시키고 그것이 지지되었는지 아닌지에 대하여 발표를 요약해야 한다. 그리고 연구에서 도출한 결론에 관해서 진술해야 한다. 만일 여러분이 이 분야에서 연구를 계속할 계획이라면, 여러분 연구가 제기할 다음 문제들을 간략히 기술할 수도 있다.

표현방법

우리는 여러분의 결과를 제시하는 데 대한 여러 표현방법에 대한 제안들을 가지고 있다. 첫째로, 비록 여러분 발표의 처음과 마지막 문장만은 기억하라고 조언하고 싶지만, 여러분은 발표문을 읽어서는 안 된다. 대신에 여러분이 하고자 하는 요점들의 간략한 개요를 만들고, 그 개요로부터 연설한다. 이 접근은 처음에는 매우 어렵게 보일 수도 있지만 연습을 해나가면 개요를 근거로 연설하는 것을 배울 수 있다. 이 방법으로 여러분은 청중과 눈을 맞추게 되고, 청중들이 여러분의 강연을 더 흥미롭고 따라오기 쉽게 만들어 준다.

가능하다면 언제나 파워포인트 같은 시각 보조 교재를 사용하라고 조언할 만하다. 이러한 것들은 청중으로 하여금 도입, 방법에서 여러분의 논리를 따라오게 하고, 결과를 제시할 때 중요하다. 한 가지 흔한 접근은 도입에서 간략한 개요, 실험 방법의 개요, 결과에 대한 그림이나 표, 결과를 글로 쓴 요약과, 마지막으로 결론에 대한 것을 담은 슬라이드를 만드는 것이다. 시각 보조 교재는 너무 지나치게 상세한 내용으로 난잡하게 되지 않도록 조심하고, 발표장의 뒤에 있는 사람들이 화면에 비친 슬라이드를 분명히 볼 수 있도록 글자 크기를 충분히 크게 하라.

마지막으로, 발표를 연습하라. 여러분 자신이 개요를 근거로 하여 편안하게 발표한다고 느끼고 적당한 시간 동안 발표가 지속되도록 스스로 연습하라. 어떤 사람들은 거울 앞에서 발표해 봄으로써 자신들이 피해야 하는 산만한 동작들이 무엇인지 알아내기도 한다. 쓸데없는 소리('음~'과 '어~')를 발견하는 데 녹음기가 도움이 된다. 녹음을 들으면 끊임없이 이야기하는 것 같은 다른 나쁜 습관이 발견될 수 있다. 자신의 발표에 편안해진 후, 친구에게 들어보고 건설적인 비판을 해달라고 한다. 마지막으로, 여러분은 여러분의 교수에게 여러분의 발표를 들어봐 달라고 요구할 수도 있다. 그는 여러분의 발표를 효과적으로 만드는 제안을 가지고 있을 것이다. 연구 발표에 대한 추가적인 조언을 Darley와 Zanna(1987)의 글에서 발견할 수 있다.

연구의 구두 발표는 자신의 연구에 흥미를 가진 연구집단 사람들에게 자신의 연구를 제시하기 위해 과학자들이 사용하는 중요한 방법이다. 학술지에 원고를 제출하고 실제로 출간될 때까지 적어도 1년 이상의 간격이 있기 때문에, 학술 대회에서 제시된 연구는 거의 항상 학술지에 출간된 연구보다 더 최신의 것이다. 그러므로 과학자들은 학술 대회 발표에 참여함으로써 혜택을 받게 된다. 또한 학술 대회에서 과학자들이 자신의 연구를 발표하는 것은 과학자들의 최고의 관심인데, 왜냐하면 이 회합에서 자신들은 관심을 공유한 전문가로부터 자신의 연구에 대한 즉각적인 피드백을 받을 수 있기 때문이다. 그러므로 효과적인 구두 발표를 할 수 있는 능력은 연구 심리학자의 경력에서 중심 부분을 차지한다.

포스터 발표를 하는 방법

비록 구두 발표가 심리학 대회에서 연구를 발표하는 효율적인 방식이기는 하지만, 다른 선택으로는 포스터 발표가 있다. 또한 만일 여러분이 국제학회에서 발표한다면 젊은 연구자에게는 유일한 선택이기도 하다. 포스터 개회 중에는 수십 명의 참가자가 큰 방에서 같이 있으면서, 주위에 몰려있는 소규모 집단의 사람들에게 각자의 포스터를 동시에 발표한다. 포스터는 사전에 준비하여, 대회에 가져오며, 커다란 포스터 판에 붙인다. 여러분은 또한 청중들이 집어가지고 갈 수 있도록 작은 크기의 포스터를 따로 준비한다. 만일 여러분이 소속한 심리학과에 포스터 전용 프린터가 있으면, 포스터를 파워포인터 또는 유사한 발표용 프로그램을 사용해서 준비할 수 있으며, 직접 커다란 포스터용 인쇄용지에 인쇄할 수 있다. 만일 여러분이 소속한 심리학과에 이런 종류의 포스터 전용 프린터가 없으면, 대안으로서 포스터의 각 부분들을 낱장 크기로 번호를 붙여서 인쇄한 후 적합한 순서로 포스터 판에 붙인다. 어떤 방식이든지 포스터를 준비하는 과정에는 이전 부분에서 언급한 효과적인 구두 발표를 준비하는 데 요구되는 동일한 원칙이 적용된다. 하지만 여기에는 고려해야 할 약간의 중요한 차이가 있다.

구두 발표와 포스터 발표 사이의 일차적인 차이는 포스터를 발표할 경우 전형적으로 청중들에게 여러분의 프로젝트를 설명할 시간이 훨씬 적다는 것이다. 상식과 경험에 따른 좋은 방식은 여러분의 포스터를 최초의 의문점, 근본 원리, 그리고 결과를 거쳐 결론에 이르기까지 2분 이내로 설명할 수 있도록 준비하는 것이다. 그러므로 방법 또는 2차 가설의 부차적인 상세한 설명의 많은 부분은 당연히 빠지게 될 것이다. 여러분은 요청 받거나 또는 어떤 청중이 특히 흥미를 보이는 경우에는 이런 쟁점들을 설명할 준비는 되어 있어야 하지만, 간단명료함을 최우선으로 해야 한다. 발표는 짧게 유지해야 하는데, 왜냐하면 포스터 세션에 포스터가 수십 개가 있으며, 겨우 1~2시간 열린다. 그러므로 여러분의 청중은 보통은 포스터 개회 중에 여러 다른 포스터를 보길 원하며, 각 포스터를 방문하는 데 제한된 시간밖에 없다. 여러분은 청중을 붙잡아두지 말아야 한다. 만일 여러분의 서술과 설명이 10분을 넘기면, 청중들은 예의를 지키고, 흥미 있는 척 하지만(그냥 가버리는 것은 무례한 행동이다), 화가 나 있을 수 있으며, 여러분이 설명을 마치기도 전에 주의를 더 이상 주지 않는다. 많은 대회 참가자들은 포스터 세션장소를 그냥 구경 삼아 지나치면서, 배포 인쇄물이나 집어가며, 짧은 설명이나 듣기 좋아하지만, 여러분의 프로젝트에 대한 상세한 설명을 듣고자 시간을 반드시 할애하지는 않는다. 만일 어떤 청중이 여러분의 연구 프로젝트에 특히 흥미를 보인다면, 그는 구체적인 질문을 하거나, 자신의 관련된 연구에 관한 정보를 공유하려 할 것이다. 이것이 포스터 발표가 가진 장점 중의 하나이다. 의사소통에서 친밀함이 증가되고, 여러분의 프로젝트에 대한 피드백을 바로 얻을 수 있다. 그러므로 비록 대회장의 구두 발표가 더 많은 청중들에게 전달될 수 있지만, 포스터 발표는 좀 더 상호작용을 한다는 장점이 있다.

↘ 요약

1. APA 형식은 보고서를 쓰는 데 대한 골격을 제공한다. 보고서는 애매모호하지 않고 명백한 문체로 쓰여야 한다.

2. 논문을 쓰고 동료들이 심사한 후, 출간을 위해 학술지에 제출할 수 있다. 출간 과정은 때때로 일년이 걸린다.

3. 연구의 구두 발표는 학술 대회에서 이루어질 수 있다. 이러한 학술 대회에서 발표된 연구는 학술지에서 발견되는 것보다 거의 항상 최신의 것이다.

4. 심리 과학이 발전하기 위해서, 보고서는 발표되고 출간되어야 하며, 실력 있는 소비자들이 비판적으로 그것들을 평가해야 한다.

↘ 주요개념

사본 원고(copy manuscript)
제목(title)
난외 표제(running head)
소제목(short title)
초록(abstract)
도입(introduction)
방법(method)
결과(results)

그림들(figures)
표들(tables)
논의(discussion)
참고문헌(references)
그림 설명(figure caption)
APA 형식(APA format)
재료(materials)

↘ 연습문제

1. 어떤 특정한 학술지에 원고를 제출하는 절차를 조사하라. 정상적인 경우 학술지의 앞표지 안쪽에서 찾을 수 있다. 그 학술지가 어떤 특별한 요구가 있는가? 또한 모든 학술지가 정확한 APA 유형을 따르라고 요구하지 않음을 유념하라. 예를 들면, Psychonomic Society가 출간하는 유형의 학술지는 APA 형식과 사소한 방식에서 다르다. Psychonomic Society의 웹사이트(**http://www.psychonomic.org**)를 방문해서 원고 제출과 기고에 관한 지침서를 읽어라.

↘ 웹 자료

- 이 장에서 배운 내용과 주요개념을 잘 알고 있는지 용어 설명, 플래시 카드, 그리고 통계와 연구방법 워크숍과 연계해서 확인해 보라. **www.cengagebrain.com**을 방문하라.
- 대학생이 연구를 기고할 수 있는 여러 출구가 웹에 있다. 여기에는 다음과 같은 것들이 포함된다. 심리학의 국립 학술원이 출간하는 *Psi Chi Journal of Undergraduate Research*, 홈페이지 **http://www.psichi.org/pubs/journal/submissions.asp**, 그리고 *Undergraduate Journal of Psychology*, 홈페이지 **http://www.psych.uncc.edu/Journal.htm**

통계 부록

부록 **A** 기술 통계

↘ **기술 통계**

조직화하고 요약하기

유용한 계산 공식

집중 경향성의 측정	변산성의 측정
최빈치	변량
빈도가 가장 높은 점수	$s^2 = \dfrac{\sum X^2}{n} - \overline{X}^2$
중앙치	표준편차
중앙에 놓인 점수	$s = \sqrt{\dfrac{\sum X^2}{n} - \overline{X}^2}$
평균	
$\overline{X} = \sum X/n$	

정상분포에 관한 사실들

- 평균의 ±1 표준편차 내에 점수의 68%가 있다.
- 평균의 ±2 표준편차 내에 점수의 96%가 있다.
- 평균의 ±3 표준편차 내에 점수의 99.74%가 있다.
- 표준 점수(z 점수)는 개별 점수와 평균 사이의 차이를 표준편차의 단위로서 표현한 것이다.

기호에 대한 설명

- X와 Y는 개별 점수(자료)이다.
- X^2은 개별 점수를 제곱한 점수이다.
- n은 관찰된 횟수 또는 피험자 수이다.
- $\sum X^2$는 개별 점수를 제곱한 후 모두 더한 것을 말한다.
- $\sum$는 더하기를 뜻한다.
- $(\sum X)^2$는 원 점수 합의 제곱을 뜻한다.

기술 통계: 있는 그대로 말하기

우리는 심리학 주제에 관한 자료를 수집하기 위해 연구를 수행해 왔다. 그 숫자들을 가지고 우리는 무엇을 할 것인가? 우리는 먼저 그것들을 체계화하고 조직화할 필요가 있다. 우리는 실험의 상이한 조건들에 있는 참가자들로부터 얻은 모든 숫자들을 볼 필요는 없다. 대신에 좀 더 간략한 형태를 볼 수 있다. 기술 통계는 자료를 요약하고 체계화하는 기능이 있다. 기술 통계의 두 가지 주된 유형이 **집중 경향성의 측정과 분산(변산)의 측정**이다.

가상의 실험을 하나 살펴보도록 하자. 한 약품회사가 쥐들의 행동에 미치는 LSD의 효과를 검증하는 연구를 후원하기로 하였고, 우리는 그 약물이 쥐의 달리기 속도에 얼마나 영향을 미치는지를 알아보기로 결정하였다. 먹이를 받지 않은 40마리의 쥐들이 먹이 보상을 받기 위해 직선 미로를 달리도록 훈련 받았다. 우리는 쥐들을 두 집단에 무선으로 배정하였다. 한 집단은 LSD 주사를 맞고, 30분 후에 쥐가 먹이를 얻기 위해 좁은 미로를 달리는 속도에 미친 약물의 영향을 관찰하였다. 다른 집단은 효과 없는 물질을 주사 받은 30분 후에 유사한 방식으로 검사 받았다. 다음은 20마리의 통제 조건의 피험 쥐의 달리기 시간(초)이다: 13, 11, 14, 18, 12, 14, 10, 13, 13, 16, 15, 9, 12, 20, 11, 13, 12, 17, 15, 14. LSD 주사를 맞은 피험 쥐의 달리기 시간은 17, 15, 16, 20, 14, 19, 14, 13, 18, 18, 26, 17, 19, 13, 16, 22, 18, 16, 18, 9이다. 이제 달리기 시간을 얻었는데, 그것들로 무엇을 할까? 우리는 그 숫자들을 어떤 종류의 그래프로 제시하길 원할 수도 있다. 한 유형의 그래프는 그림 A.1의 두 구획에 제시된 **막대그래프**

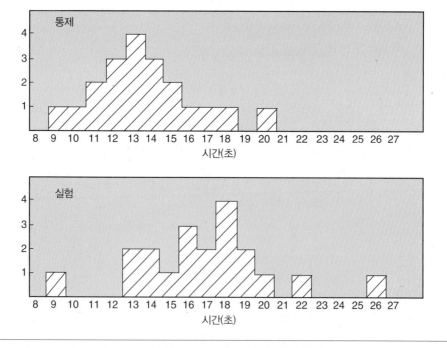

그림 A.1 가상의 LSD 실험의 통제 조건과 실험 조건에 있는 20마리의 점수를 나타내는 막대그래프

(histogram)인데, 횡좌표(x축)에는 달리기 속도가 초단위로 나타나 있고, 종좌표(y축)에는 두 조건에서 각 경우가 발생하는 빈도가 있다. 통제 피험 쥐에 대한 달리기 시간이 위쪽 막대그래프에 제시되어 있고, 실험 피험 쥐에 대한 달리기 시간은 아래쪽 막대그래프에 제시되어 있고, 동일한 정보를 제시하는 다른 방식은 **빈도 다각형**(frequency polygon)이다. 이 구성은 막대그래프의 구성과 동일한데, 막대그래프에서 상단 막대의 중간 지점을 연결해서 이 유형의 그래프를 그릴 수 있다.

그림 A.1의 두 조건에서, 가장 많은 점수가 중간에 있고 달리기 시간이 빨라지거나 느려짐에 따라 점수 빈도의 감소 경향이 있다. 막대그래프와 빈도 다각형은 **빈도 분포**(frequency distributions)를 나타내는 유형들이다. 이것들은 자료를 체계화하는 데 도움이 되지만, 좀 더 효과적인 요약 기술 방법이 있다.

집중 경향성

자료를 요약하는 가장 일반적인 기술 방법은 **집중 경향성**(central tendency)의 측정인데, 그것은 점수 분포의 중앙을 가리킨다. 지금까지 심리학 연구에서 가장 일반적으로 사용되는, 집중 경향성에 대한 가장 보편적인 측정값은 **산술평균**(mean)이다. 산술평균($\overline{X}$)은 모든 점수의 합($\sum X$)을 점수의 수(n)로 나눈 것으로, $\overline{X} = \sum X/n$이다. 비록 **평균**(average)이란 용어는 기술적으로 집중 경향성에 대한 어떠한 측정에도 적용할 수 있지만, 대부분의 사람들이 한 묶음의 수에 대한 평균(average)으로 간주하는 것이 바로 산술평균(mean)이다. 우리의 가설적 실험에서 실험 조건과 통제 조건에 대한 달리기 시간의 합은 각각 338초와 272초이다. 각 조건에서 20회의 관찰이 있었기 때문에, 평균은 실험 조건에서 16.9초이고 통제 조건에서 13.6초이다.

평균은 집중 경향성에 대한 가장 유용한 측정값이며, 나중에 보겠지만, 거의 모든 추론 통계가 평균(mean)에 기초하고 있다. 그러므로 이 통계치는 가능하다면 언제나 사용된다. 그러나 때때로 집중 경향성에 대한 다른 두 개의 측정값이 사용된다. 두 번째 가장 일반적인 측정치가 **중앙값**(median)이다. 이것은 분포의 절반은 상위에, 다른 절반은 하위에 있게 하는 점수이다. 따라서 중앙값은 분포의 중간 지점이다. 분포의 점수 개수가 27개처럼 홀수일 경우에 중앙값은 위나 아래로부터 14번째 점수인데, 왜냐하면 그 점수가 13개 점수로 두 집단을 나누기 때문이다. 점수의 개수(n)가 짝수이면서, 중앙에 있는 두 점수가 같지 않으면, 중앙값은 두 점수의 산술평균이다. 따라서 66, 70, 72, 76, 80, 96의 중앙값은 (72 + 76)/2로 74이다. 가설적 LSD 실험의 점수 분포에서처럼, 두 중앙 점수가 동점이면 그 특정한 점수의 한계 사이에서, 여기서 그 한계는 같은 점수의 위와 아래에 놓인 점수 간격의 절반인데, 거리가 적합한 비율이 되도록 중앙값을 정하는 것이 관례이다. 우리 실험의 점수 분포를 살펴보자. 만일 20개의 달리기 시간 점수를 가장 낮은 것에서 높은 것까지 순서로 나열하면, 8, 9, 10, 11번째 점수가 모두 13으로 같다. 이 조건 하에서 10번째 점수가 중앙값으로 간주되는데, 그것은 12.5와 13.5의 한계 사이 거리의 3/4인 지점에 놓여 있다. 따라서 중앙값은 통제 조건의 피험 쥐에서 12.5 + .75로 13.25가 된다(옮긴이 주: .125 단위씩 하면 12.5에서 13.5까지 8칸이 있고, 10번째와 11번째 사이가 중앙값인데, 그 지점이 6/8, 즉 3/4이고, 계산식의 .75가 나온다). 같은 논리로 실험 조건의 피험 쥐의 경우에는 17이 된다(여러분 자신이 해보라).

왜 중앙값이 사용되는가? 가장 주된 이유는 극단 점수에 민감하지 않다는 바람직한 속성을 지니고 있다는 것이다. 66, 70, 72, 76, 80, 96의 점수 분포에서 분포의 중앙값은 가장 낮은 점수가 66 대신 1이거나 또는 가장 높은 점수가 96 대신 1,223이라 하더라도 변하지 않고 그대로 남아 있다. 다른 한편으로, 평균값은 다른 점수들로 대치될 경우 엄청나게 달라진다. 흔히 결과를 요약할 때 중앙값의 이러한 점은 대단히 유용할 수 있다. LSD 실험에서, LSD를 받은 쥐 한 마리가 좁은 통로에서 목표 상자를 향해 계속 가는 도중에 특별히 흥미를 끄는 특징을 조사하느라 길 중간에 멈춰버려서 미로를 끝마치는 데 45분, 즉 2,700초나 걸렸다고 가정하자. 만일 이 점수가 원 분포의 26초와 대치되었다고 하면, 평균값은 16.9초에서 150.6초로, 다시 말하면, 통제 평균값보다 3.30초 느렸던 것이 137.0초 느린 것으로 바뀌게 되는데, 극단적인 점수 하나 때문이다. 이런 경우에 연구자들은 종종 집중 경향성을 나타내는 값으로 평균값보다는 중앙값 점수를 사용한다. 극단적인 점수 하나가 큰 영향을 주기 때문에 평균값은 집중 경향성에 대한 대표성이 없는 추정치로서 사용되는 것처럼 보인다. 그러나 중앙값을 사용하면 자료에 적용할 수 있는 통계적 검증의 종류가 빈번히 심하게 제한 받는다.

집중 경향성에 대한 마지막 측정치는 심리학 연구에서 거의 보고된 바 없는 **최빈값**(mode) 또는 분포에서 가장 빈도가 높은 점수이다. 우리 실험에서 통제 점수의 분포에서 최빈값은 13이고 실험 점수 분포에서는 18이다.

분산의 측정: 자료에서의 변산

집중 경향성의 측정들은 점수들의 중심을 가리키는 반면, 변산성의 측정은 점수들이 중심에서 얼마나 퍼져 있는지를 가리킨다. 변산성의 가장 간단한 측정은 **범위**(range)인데, 분포에서 가장 높은 점수와 가장 낮은 점수 간의 차이이다. LSD 실험에서, 통제집단 쥐의 경우에 범위는 11(20 − 9)이고, 실험집단 쥐의 경우에는 17(26 − 9)이다. 범위는 극단 점수들만을 가리키기 때문에 거의 사용되지 않는다.

가장 유용한 변산성의 측정은 분포의 **표준편차**(standard deviation)와 **변량**(variance)이다. 표준편차는 기술 통계치로서 가장 유용한 반면, 분포의 변량은 추리 통계에서 쓰인다. 이 둘은 아주 가깝게 관련되어 있다.

어떤 집중 경향 측정치, 보통은 평균치 주위에 점수들이 퍼져 있는 정도를 나타내는 숫자 중 하나가 **평균편차**(mean deviation)이다. 이것은 평균과 분포되어 있는 모든 점수와의 차이를 계산한 다음, 차이들을 더하고, 그 합을 점수들의 개수로 나누어 계산된다. 그러나 평균과의 절대 차이를 택할 필요가 있다(즉, 차이의 부호를 무시하거나 또는 점수가 평균보다 크든 작든 상관하지 않는다). 그 이유는 평균에 대한 점수들의 편차의 합은 항상 영이 되는데, 그것이 평균값을 정의한 특징이다(표 A.1을 보라). 그러므로 평균편차는 절대(absolute) 평균편차이어야만 한다. LSD 실험에서, 가설적인 실험 조건에 대한 평균편차는 표 A.1에 계산되어 있다. 기호 ||는 어떤 숫

표 A.1 두 벌의 점수에서 평균편차와 절대 평균편차의 계산. 평균편차를 계산하면 편차(차이)의 합은 0인데, 이것이 절대 평균편차의 사용이 필요한 이유이다.

	통제집단			실험집단	
X	$(X - \overline{X})$	$|X - \overline{X}|$	X	$(X - \overline{X})$	$|X - \overline{X}|$
9	-4.60	4.60	9	-7.90	7.90
10	-3.60	3.60	13	-3.90	3.90
11	-2.60	2.60	13	-3.90	3.90
11	-2.60	2.60	14	-2.90	2.90
12	-1.60	1.60	14	-2.90	2.90
12	-1.60	1.60	15	-1.90	1.90
12	-1.60	1.60	16	$-.90$	.90
13	$-.60$	.60	16	$-.90$	.90
13	$-.60$	.60	16	$-.90$	.90
13	$-.60$	.60	17	$+.10$	.10
13	$-.60$	.60	17	$+.10$	.10
14	$+.40$	.40	18	$+1.10$	.10
14	$+.40$	.40	18	$+1.10$	1.10
14	$+.40$	.40	18	$+1.10$	1.10
15	$+1.40$	1.40	18	$+1.10$	1.10
15	$+1.40$	1.40	19	$+2.10$	2.10
16	$+2.40$	2.40	19	$+2.10$	2.10
17	$+3.40$	3.40	20	$+3.10$	3.10
18	$+4.40$	4.40	22	$+5.10$	5.10
20	$+6.40$	6.40	26	$+9.10$	9.10
$\sum X = 272$	합 $= 0.00$	합 $= 41.20$	$\sum X = 338$	합 $= 0.00$	합 $= 52.20$
$\overline{X} = 13.60$			$\overline{X} = 16.90$		

$$\text{절대 평균편차} = \frac{41.20}{20} = 2.06 \qquad\qquad \text{절대 평균편차} = \frac{52.20}{20} = 2.62$$

자의 절대값을 가리키는데, 즉 |−6| = 6이다.

어떤 점수의 집합에 대한 절대 평균편차는 변산성에 대한 적합한 측정치이고, 분포평균을 찾을 때 사용된 것과 같은 논리에 바탕을 두고 있다. 그러나 표준편차와 변량이 평균편차보다 선호되는데, 왜냐하면 고급 통계 계산에 훨씬 더 유용하게 사용될 수 있는 수학적 특징들을 지니고 있기 때문이다. 이 계산의 배경에 있는 논리는 평균편차의 논리와 매우 유사한데, 이 때문에 우리가 평균편차를 먼저 살펴보았다. 평균편차를 계산하는 데 있어서, 평균으로부터 각 점수의 차이를 더해서 영이 되지 않도록 절대값을 사용해야 했다. 절대 차이를 사용하는 대신, 차이를 제곱해서 문제가 되는 음수를 제거해 버릴 수 있다. 이것이 분포의 변량과 표준편차를 계산할 때 이루어지는 것이다.

분포의 **변량**(variance)은 평균으로부터의 편차를 제곱하여 합한 것을 점수 개수로 나눈 것으로 정의된다. 다시 말하면, 각 점수에서 평균을 빼서 제곱한다. 그 다음에 이 모든 값들을 더해서 점

표 A.2 평균편차 방법으로 통제 조건과 실험 조건에 대한 표준편차 s의 계산

통제집단			실험집단		
X	$(X-\overline{X})$	$(X-\overline{X})^2$	X	$(X-\overline{X})$	$(X-\overline{X})^2$
9	−4.60	21.16	9	−7.90	62.41
10	−3.60	12.96	13	−3.90	15.21
11	−2.60	6.76	13	−3.90	15.21
11	−2.60	6.76	14	−2.90	8.41
12	−1.60	2.56	14	−2.90	8.41
12	−1.60	2.56	15	−1.90	3.61
12	−1.60	2.56	16	− .90	.81
13	− .60	.36	16	− .90	.81
13	− .60	.36	16	− .90	.81
13	− .60	.36	17	+ .10	.01
13	− .60	.36	17	+ .10	.01
14	+ .40	.16	18	+1.10	1.21
14	+ .40	.16	18	+1.10	1.21
14	+ .40	.16	18	+1.10	1.21
15	1.40	1.96	18	+1.10	1.21
15	1.40	1.96	19	+2.10	4.41
16	2.40	5.76	19	+2.10	4.41
17	3.40	11.56	20	+3.10	9.61
18	4.40	19.36	22	+5.10	26.01
20	6.40	40.96	26	+9.10	82.81
$\sum X = 272$	합 $= 0.00$	$\sum(X-\overline{X})^2 = 138.80$	$\sum X = 338$	합 $= 0.00$	$\sum(X-\overline{X})^2 = 247.80$
$\overline{X} = 13.60$			$\overline{X} = 16.90$		

$$s = \sqrt{\frac{\sum(X-\overline{X})^2}{n}} \qquad\qquad s = \sqrt{\frac{\sum(X-\overline{X})^2}{n}}$$

$$s = \sqrt{\frac{138.80}{20}} \qquad\qquad s = \sqrt{\frac{247.80}{20}}$$

$$s = 2.63 \qquad\qquad\qquad s = 3.52$$

수의 개수로 나눈다. 변량을 구하는 공식은

$$s^2 = \frac{\sum(X-\overline{X})^2}{n} \tag{A.1}$$

인데, s^2은 변량, X는 각 점수, $\overline{X}$은 평균, n은 점수나 관찰 개수를 나타낸다. 표준편차는 단순히 변량의 제곱근이다. 그러므로 s로 나타낸다. 즉,

표 A.3 계산 공식(원 점수 방법)을 사용하여 통제 조건과 실험 조건의 표준편차 s의 계산. 정의된 공식을 사용해서 얻은 값(표 A.2를 보라)과 같은 값이 얻어졌지만 계산은 훨씬 쉽다.

X	X^2	X	X^2
9	81	9	81
10	100	13	169
11	121	13	169
11	121	14	196
12	144	14	196
12	144	15	225
12	144	16	256
13	169	16	256
13	169	16	256
13	169	17	289
13	169	17	289
14	196	18	324
14	196	18	324
14	196	18	324
15	225	18	324
15	225	19	361
16	256	19	361
17	289	20	400
18	324	22	484
20	400	26	676

$$\sum X = 272 \qquad \sum X^2 = 3,838 \qquad \sum X = 338 \qquad \sum X^2 = 5,960$$

$$\overline{X} = 13.60 \qquad\qquad\qquad\qquad \overline{X} = 16.90$$

$$\overline{X}^2 = 184.96 \qquad\qquad \overline{X}^2 = 285.61$$

$$s = \sqrt{\frac{X^2}{n} - \overline{X}^2} \qquad\qquad s = \sqrt{\frac{X^2}{n} - \overline{X}^2}$$

$$s = \sqrt{\frac{3,838}{20} - 184.96} \qquad\qquad s = \sqrt{\frac{5,960}{20} - 285.6}$$

$$s = 2.63 \qquad\qquad\qquad s = 3.52$$

$$s = \sqrt{\frac{\sum(X - \overline{X})^2}{n}} \tag{A.2}$$

이다. LSD 실험에서 통제 조건과 실험 조건에 대한 표준편차를 평균편차 방식을 써서 구하는 계산이 표 A.2에 있다.

공식 A.1과 A.2에 있는 분포의 변량과 표준편차 공식은 쓰기 약간 귀찮으므로, 실제로는 동등한 계산 공식이 사용된다. 표준편차 공식은

$$s = \sqrt{\frac{\sum X^2}{n} - \overline{X}^2} \tag{A.3}$$

인데, 여기서 $\sum X^2$은 모든 점수의 제곱의 합이고, $\overline{X}$는 분포의 평균이고, n은 점수의 개수이다. 유사하게, 변량의 공식은

$$s^2 = \frac{\sum X^2}{n} - \overline{X}^2 \tag{A.4}$$

이다. 실험 점수들과 통제 점수들의 표준편차는 표 A.3에 보여준 계산 공식으로 계산되었다. 각 경우에 얻어진 값은 정의 공식이 사용되었을 때와 같다.

자료 열을 기술하기 위해서 심리학자들은 흔히 평균편차와 표준편차의 두 기술 통계치를 제시한다. 비록 집중 경향성과 변산성에 대한 다른 측정이 있지만, 이 두 가지가 기술적인 목적에 가장 유용하다. 변량은 추론 통계에서 광범위하게 사용된다(부록 B를 보라).

정상분포

그림 A.1의 막대그래프에서 가설적인 실험의 두 조건에서 쥐들의 달리기 시간을 나타내는데, 대부분의 점수들이 분포의 중앙에 모여 있고 끝 쪽(꼬리 쪽)으로 갈수록 적어지고 있으며, 이것은 특히 통제 조건의 피험 쥐들의 자료에서 그렇다. 대부분의 심리학 자료들이 그래프로 제시될 때 이러한 모습을 하고 있다. 이것들은 자주 **정상곡선**(normal curve)이나 **표준 정상분포**(stan-

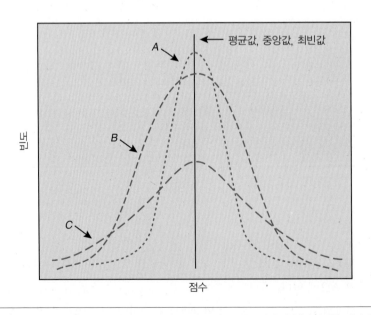

그림 A.2 변산성에서 다른 세 가지 정상곡선의 예. C가 가장 큰, A가 가장 작은 변산성을 지닌다. 정상곡선은 평균값, 중앙값, 최빈값이 모두 동일한 대칭 분포이다.

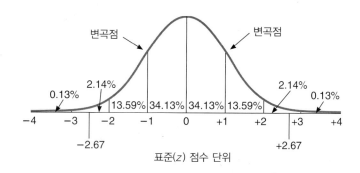

그림 A.3 정상곡선의 아래에 있는 특정한 영역에서 점수들의 비율. 변곡점은 평균으로부터 표준편차가 한 단위 떨어진 지점에 있다.

dard normal distribution)에 근접하는데, 이 분포에서 점수들은 중간에서 가장 수가 많고, 중간에서 멀어지면 그 빈도가 감소하며 상당히 대칭적인 방식으로 감소한다. 중간에서 10점 위의 점수는 10점 아래의 점수만큼 있다. 정상곡선의 여러 예가 그림 A.2에 있다. 세 개의 분포에서 평균(값), 중앙값, 최빈값이 모두 같다는 점이 첫 번째 주목할 부분이다. 분포들에서 주된 차이는 변산성에 있다. 높고 좁은 곡선 A는 다른 두 분포보다 좀 더 작은 변량(그리고 말할 나위 없이 작은 표준편차)을 갖는 반면, 평평하고 넓은 곡선 C는 다른 것들보다 큰 변량을 가진다. 하지만 세 곡선 모두 정상곡선이다.

정상곡선의 각 방향에서 곡선이 방향을 약간 역으로 꺾은 점을 지나고 있는데, 그 점에서 바깥쪽으로 더 구부러진다. 이것을 **변곡점**(inflection point)이라고 부르며 그림 A.3에 보인 정상곡선에서 표시되어 있다. 변곡점은 항상 평균치에서 한 단위의 표준편차만큼 떨어져 있는 지점이며, 정상곡선은 자신이 나타내는 점수들 분포의 특정한 비율을 곡선의 특정한 영역 안에 포함시킨다. 모든 점수들의 약 68%가 평균으로부터 한 단위 표준편차 안에 포함된다(각 방향으로 34%씩). 마찬가지로, 점수들의 거의 96%가 평균의 두 단위 표준편차 안에 포함되어 있으며, 점수들의 99.74%가 세 단위 표준편차 안에 있다. 각 영역의 백분율이 그림 A.3에 표시되어 있다. 이것은 모든 정상곡선에 적용되는 사실인데, 그것들이 얼마나 좁든지, 평평하든지 상관이 없다.

만일 개인점수와 점수들의 분포에서 평균치와 표준편차를 안다면, 그 사람의 상대적인 순위를 알 수 있기 때문에 정상곡선의 이 같은 속성은 극히 유용하다. 예를 들면, 대부분의 IQ 검사는 모집단 평균치가 100이고 표준편차가 15가 되도록 고안되었다. 만일 한 사람의 IQ가 115이면, 그 사람이 그 검사에서 모든 사람들의 84%보다 높은 점수라는 것을 안다(50%가 평균 아래에 있으며 34%는 그 위에 있다). 유사하게, IQ가 130인 사람은 98%의 사람들보다 높은 점수를 받은 것이다. 그리고 IQ가 145인 사람은 모집단의 99.87%보다 높은 점수를 받은 것이다. 그림 A.3에서 적절한 영역을 더해서 이런 백분율에 도달할 수 있는지 확인해 보라.

심리학 자료에서 점수들의 분포들의 대부분은 정상이거나, 아니면 적어도 정상인 것으로 가정된다(그림 A.1의 가설적인 자료와 같은 작은 표본에서는 흔히 그 분포가 정상인지 아닌지를 말하기는 어렵다). 상이한 평균과 변량을 가진 정상분포들을 교차 비교할 경우에는 점수들이 **표준 점수**(standard scores) 또는 z 점수에 의해서 비교된다. 이 점수는 단순히 표준편차라는 단위에서 표현된 개별 점수와 평균의 차이이다. 따라서 IQ 115는 z 점수에서는 1.00으로 변환되는데, 즉 (115 − 100)/15이다. 그리고 IQ 78은 z 점수 −1.47로 변환되는데, 즉 (78 −100)/15이다. 표준 점수는 평균과 표준편차가 크게 변화하는 분포들에 걸쳐서 한 개인에 대한 점수들의 상대적 순위들을 비교해 주기 때문에 유용하다. 교과목에서 학점은 점수들의 평균과 표준편차가 한 시험과 다른 시험에서 크게 변동한다면 z 점수에 의해서 계산되어야만 한다. 그러므로 한 개인의 최종적인 학급에서의 순위는 시험의 원 점수의 평균을 구하는 것보다 z 점수의 평균을 구하면 좀 더 신뢰성 있게 계산된다.

실험에서 자료가 정상적으로 분포되어 있다고 하면, 그래프로 그렸을 때 그림 A.3처럼 정상분포를 이루는 것을 뜻한다. 그러므로 심리학 연구에서 쓰이는 것처럼 정상적이란 것은 흔히 분포의 유형을 가리키며(분포의 많은 다른 유형이 존재한다), 점수의 좋음과 나쁨에 관한 가치판단이 아니다.

상관계수

제6장에서 상관연구가 서술되었다. 상관연구의 목적은 유기체의 둘 또는 그 이상의 속성이 어떻게 함께 변하는지를 살피는 것이다. 상관의 강도와 방향은 상관계수의 계산으로 결정된다. 우리는 단지 Pearson의 적률 상관계수(Pearson's product moment correlation coefficient) 또는 r 하나만 살펴볼 것이다. 제6장에서 논의된 기억 수행과 머리 크기를 관련시키는 가설적 자료를 사용하여 r에 대한 공식이 상자 A.1에 있다. 상자 A.2는 이 분석을 다시 하였는데, SPSS라고 부르는 컴퓨터 통계 패키지를 사용하였다.

상자 A.1 Pearson r을 계산하기

표 A.4의 한 집합의 수를 X 점수로 다른 집합을 Y 점수라고 부르자. 예를 들면, 머리 크기가 X 점수, 회상된 단어가 Y 점수일 수 있다. 표 6.3의 구획 (a), (b), 또는 (c)에 있는 원 점수에서 Pearson r을 계산하는 공식은 다음과 같다.

$$r = \frac{n\sum XY - (\sum X)(\sum Y)}{\sqrt{\left[n\sum X^2 - (\sum X)^2\right]\left[n\sum Y^2 - (\sum Y)^2\right]}} \tag{A.5}$$

n은 관찰이 된 참가자의 수를 가리키고(여기서는 10), $\sum X$와 $\sum Y$는 각각 X와 Y 점수들의 합들이고, $\sum X^2$과 $\sum Y^2$은 X(또는 Y)값이 제곱된 후 더해진 합이고, $(\sum X)^2$과 $(\sum Y)^2$은 모든 X 또는 Y 값의 합을 한 후 그 합을 제곱한 것이다. 마지막으로, $\sum XY$값 또는 교차 곱의 합이 남는다. 이것은 각 X값과 그에 대응하는 Y값을 곱하고 그 결과들을 더한다. 공식 A.5의 원 점수 공식 이외에 Pearson r의 다른 계산 공식을 볼 수 있지만, 여기서 제시된 것과 (일반적으로) 동등할 것이다. 원 점

표 A.4 표 6.3의 첫 번째 열에 있는 자료를 원 점수 공식(공식 A.5)에 의거하여 Pearson r의 계산

피험자 번호	X 머리 크기 (cm)	X^2	Y 회상한 단어 수	Y^2	$X \cdot Y$
1	50.8	2,580.64	17	289	863.60
2	63.5	4,032.25	21	441	1,330.50
3	45.7	2,088.49	16	256	731.20
4	25.4	645.16	11	121	279.40
5	29.2	852.64	9	81	262.80
6	49.5	2,450.25	15	225	742.50
7	38.1	1,451.61	13	169	495.30
8	30.5	930.25	12	144	366.00
9	35.6	1,267.36	14	196	498.40
10	58.4	3,410.56	23	529	1,343.20
$n = 10$	$\sum X = 426.70$	$\sum X^2 = 19{,}709.21$	$\sum Y = 151$	$\sum Y^2 = 2451$	$\sum XY = 6915.90$

$$r = \frac{n\sum XY - (\sum X)(\sum Y)}{\sqrt{\left[n\sum X^2 - (\sum X)^2\right]\left[n\sum Y^2 - (\sum Y)^2\right]}}$$

$$r = \frac{10(6{,}915.90) - (426.70)(151)}{\sqrt{\left[(10)(19{,}709.21) - (426.70)^2\right]\left[(10)(2{,}451) - (151)^2\right]}}$$

$$r = \frac{69{,}159.00 - 64{,}431.70}{\sqrt{\left[197{,}092.10 - 182{,}072.89\right]\left[24{,}510 - 22{,}801\right]}}$$

$$r = \frac{4{,}727.30}{\sqrt{[15{,}019.12][1{,}709]}} = \frac{4{,}727.30}{\sqrt{25{,}667{,}829.89}}$$

$$r = \frac{4{,}727.30}{5{,}066.34}$$

$$r = +.93$$

수 공식을 사용하여 Pearson r이 계산되는 방법에 대한 예가 표 A.4에 제시되어 있는데, 표 6.3의 (a)에서 자료를 사용하였다(제6장). 상관개념에 대한 직관적 감을 얻고 값이 계산되는 방법을 이해했는지를 확실히 하기 위해서 구획 (b)와 (c)에 대한 Pearson r 값은 스스로 계산해 보라. r값은 표 6.3에 해당되는 난에 제시되어 있다.

r을 계산하는 방식에 상관없이 상관계수의 사용과 해석에 대하여 논의한 제6장의 부분을 읽어 보아야 한다.

상자 A.2 SPSS 소프트웨어와 Excel에 의한 r의 계산

SPSS 통계 패키지는 개인용 컴퓨터에 가용한 많은 패키지 중의 하나이다. 다른 패키지로는 MINITAB

과 STATISTICA가 있다. 웹에는 *Statlets*(http://www.statpoint.com)라고 불리는 프로그램이 가용한데, 교육적인 목적으로는 무료로 사용할 수 있다. SPSS는 심리학을 포함한 많은 분야에서 양적 자료 분석을 위해서 설계되었다. 360−361쪽에 있는 출력된 SPSS 결과는 Windows XP용이다.

보는 바와 같이, 여러분은 표 A.4에 머리 크기와 회상된 단어가 상관이 있다는 SPSS 출력을 볼 수 있다. 먼저, 자료는 스프레드시트 형식으로 된 입력창에서 SPSS에 자료 입력이 된다. 그리고 나서 Analyze 풀-다운 메뉴를 선택해서, Correlation 기능을 선택하고, bivariate를 선택한다. 이렇게 하면 *var00001*과 *var00002*이란 제목 하에 나타난 *r* = .933의 계산이 얻어지는데, 두 변인이 상관됨을 나타낸다. 컴퓨터 섹션의 처음에 지적한 바와 같이, *var00001*은 머리 크기이고 *var00002*는 기억 점수임을 기억하라.

SPSS와 방금 소개한 다른 통계 패키지는 부록 A와 부록 B에서 다루고 있는 어떤 통계분석도 계산할 수 있다. 더욱이 이러한 프로그램은 사용 방법을 배울 만한 가치가 있는 다양한 추가 분석 절차를 수행할 수 있다.

널리 보급되어 있는 스프레드시트 프로그램 Excel은 Microsoft Office의 일부인데, 상관계수를 계산하는 데 사용될 수 있다. 시작하려면, 상관시킬 관찰 점수를 별도의 열에 입력시킨다. 360쪽에 있는 머리 크기와 기억 자료를 입력한다. 상관함수는 상관계수를 계산하는 데 사용한다. 상관함수를 사용하기 위해서 빈 칸을 선택하고, = 표시를 입력하는데, 이는 페이지의 맨 위에 있는 도구모음에 있는 함수 메뉴를 연다. 함수 도구모음에 있는 아래 화살표를 클릭하여 사용 가능한 함수의 메뉴(계산)를 본다. 만일 *correl* 함수가 목록에 없으면, *More functions*를 선택하고, *correl* 함수에 마우스를 위치시킨다(함수는 알파벳 순서로 되어 있다). *correl*을 선택하면 두 개의 별도로 된 열을 입력하라는 창이 나타난다. 상관을 내려는 열을 그 위에 하나씩 클릭하고 드래그하여 각 열을 선택한다. 즉, 머리 크기 열을 *Array 1*에, 기억 열을 *Array 2*에 선택하고 *OK*를 클릭한다. 두 열에 대한 Pearson 적률 상관이 칸에 나타날 것이다. 신뢰도 *p*값은 Excel에서는 제공되지 않지만, 표 C.7에서 찾아보면 된다(부록 C).

```
Head Size (VAR00001)   Memory (VAR00002)
         VAR00001              VAR00002
  1.       50.8                   17
  2.       63.5                   21
  3.       45.7                   16
  4.       25.4                   11
  5.       29.2                    9
  6.       49.5                   15
  7.       38.1                   13
  8.       30.5                   12
  9.       35.6                   14
 10.       58.4                   23
```

```
                               Correlations
                         VAR00001        VAR00002
VAR00001  Pearson
          Correlation        1              .933
          Sig. (2-tailed)     .             .000
          N                  10             10
```

```
VAR00002  Pearson
          Correlation            .933          1
          Sig. (2-tailed)        .000          .
          N                     10            10
SPSS Inc. Headquarters
233 S. Wacker Drive, 11th floor
Chicago, Illinois 60606
312.651.3000
www.spss.com
```

↘ 웹 자료

• *http://psychology.wadsworth.com/workshops /workshops.html*에 있는 Wadsworth Psychology Resource Center, Statistics and Research Methods activities를 방문하여 중앙 집중 경향, 변산, z 점수, 그리고 상관에 대한 단계별 제시를 훑어보라.

• 분석과 예제 패키지가 포함된 완전한 통계 교재는 다음에서 찾을 수 있다: *http://davidmlane.com /hyperstat/index.html*

부록 B 추리 통계

↘ 추리 통계

어떤 통계 검증을 사용해야 하나...

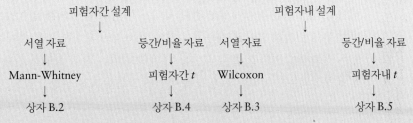

두 수준이 있는 독립변인이 하나 있을 때

피험자간 설계		피험자내 설계	
서열 자료	등간/비율 자료	서열 자료	등간/비율 자료
↓	↓	↓	↓
Mann-Whitney	피험자간 t	Wilcoxon	피험자내 t
↓	↓	↓	↓
상자 B.2	상자 B.4	상자 B.3	상자 B.5

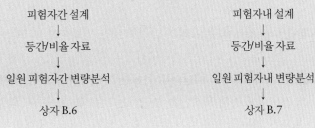

세 수준 이상인 독립변인이 하나 있을 때

피험자간 설계	피험자내 설계
등간/비율 자료	등간/비율 자료
↓	↓
일원 피험자간 변량분석	일원 피험자내 변량분석
↓	↓
상자 B.6	상자 B.7

적어도 두 수준 이상을 가진 독립변인이 둘 있을 때

피험자간 설계	피험자내 설계
등간/비율 자료	등간/비율 자료
↓	↓
$n \times n$ 요인 변량분석	피험자내 요인 변량분석
↓	↓
상자 B.8	상자 B.9

분할표가 있을 때

빈도 자료

↓

χ^2

↓

상자 B.10

통계적 추론

기술 통계는 자료를 기술하거나 요약하는 것과 관계가 있다. LSD 실험(부록 A에 있음)의 결과들에서 보면, 통제집단의 경우 평균 달리기 시간이 13.60초였으며 표준편차가 2.63인 데 반해, LSD를 주사 맞은 실험 조건의 피험 쥐들의 경우 평균 달리기 시간이 16.90초, 그리고 표준편차가 3.52였다. 평균만 가지고 본다면, 실험집단 쥐들은 통제집단 쥐들보다 3.30초 더 느리게 달렸다고 요약할 수 있지만 그 차이가 진짜라고 받아들여야 할까? 아마도 측정 오류나 통제집단의 몇몇 쥐들이 특히 그날 기분이 좋아서 좀 더 빨리 뛰고 싶은 마음을 가졌다는 우연적인 요인들에 의해서 얻어진 것일 수 있다. 두 조건 사이의 차이가 진짜인(믿을 만한)가 아니면 요행인가를 어떻게 판단할 수 있을까? 이 질문에 답하기 위해 추리 통계가 사용된다.

실제로, 이 문제에 답하기는 너무 복잡하지는 않다. 실험 조건에 대한 적합한 통계 검증을 선택하고 계산기(또는 컴퓨터)로 몇 개의 계산을 기계적으로 하고, 특정한 표를 참조한다. 표를 통해서 우리가 조건 사이에서 발견한 차이가 우연 요인에 의해 일어났는지의 확률을 알 수 있다. 만일 우연에 의해 일어날 가능성이 거의 없는 것이 확실하다면, 차이는 통계적으로 유의미하다 또는 신뢰성이 있다고 결론짓는다. 이 계산 절차는 사실 상당히 간단하지만, 통계적 추리가 어떻게 구성되는지 이해할 수 있도록 이면에 깔린 논리를 설명할 필요가 있다.

표집

모집단(population)은 우리가 발견한 것을 일반화시키고자 하는 측정의 집합(또는 사람 또는 대상)을 말한다(상자 B.1을 보라). 모집단의 예들로는 선거 연령이 된 미국 시민, LSD 주사를 맞은 모든 흰 쥐들, 그리고 50단어의 목록을 기억하라고 요청 받은 모든 사람이다. 물론 이들 사례의 어느 경우에도 전체 모집단을 연구하는 것은 불가능하다. 만일 우리가 LSD나 화학적으로 아무런 효과가 없는 물질을 주사 맞은 후의 달리기 시간에 대하여 전체 모집단의 쥐를 측정하는 것이 가능하다면, 우리는 LSD 효과에 대한 좀 더 나은 아이디어를 가질 것이다(물론 어떤 차이라도 여전히 측정 오류에 귀인시킬 수도 있을 것이다). 그러나 전체 모집단을 측정한다는 것은 실현 가능하지 않기 때문에, 우리는 모집단에서 **표본**(sample)을 구해야 한다. 표본은 모집단의 부분집합이고, 실험 조건을 비교할 때 우리가 흔히 검사하는 것이다. 그러므로 우리는 관찰된 표본에만 근거하여 전체 모집단에 대한 결론을 도출하려 할 때 통계적 추론을 한다. 우리는 일반적으로 쥐에 대한 LSD 효과와 불활성 물질의 효과에 대하여 알기를 진정으로 원하지만, 각 조건에 배정된 쥐의 20마리 표본으로부터 이러한 결론을 도출하기를 희망한다.

기술적(技術的)으로, 우리는 표집한 모집단에 대해서만 **일반화**할 수 있지만, 만일 우리가 이 말을 문자 그대로 받아들이면, 실험연구는 할 만한 가치가 없게 된다. 만일 우리가 공급처에서 쥐 50마리를 받고 40마리를 표집하여, 우리 실험의 두 조건에 무선 배정을 하였다면, 우리가 얻은 결론은 50마리 쥐라는 모집단에서만 사실일까? 아마도 기술적(技術的)으로는 그럴 수 있지만, 이것이 사실이라면 이 결과에 대해서 아무도 관심을 가지지 않을 것이고, 우리도 실험하는 데 시간 낭비하고 싶지 않을 것이다. 적어도 우리는 얻은 결과가 그 혈통의 쥐의 특징이고, 아마도 이 결과가 인간을 포함해서 다른 종에까지도 일반화된다고 가정하고자 할 것이다. 이러한 문제는 인간을 가지고 연구할 때도 마찬가지이다. 여러분이 사회행동의 어떤 측면에 관심 있는 토론토 대학의 연구자라고 가정하자. 여러분은 실험을 준비하는데, 여기에는 세 실험 조건이 있고, 심리학개론 과목 학생들을 참가자로 사용하려고 계획한다. 흔한 일이다. 여러분은 등록 명부를 펼쳐서, 지원자들이 나타나면 세 실험 조건에 그들을 무선 배정하고, 자료를 수집한다. 여러분의 결론을 누구에게 일반화시키는가? 여러분 실험에 자원한 토론토 대학에 다니는 심리학 학생들에게 하는가? 만일 그렇다면, 당신이 발견한 것에 대하여 누가 상관하겠는가? 실제적으로 심리학자들은 자신들의 결과가 실험을 위해서 표본을 선발한 바로 그 한정된 모집단을 뛰어 넘어서 좀 더 광범위하게 일반화된다고 가정한다.

상자 B.1 통계 표기법

점수들의 모집단의 특징들을 **모수치**(parameters)라고 부르며, 커다란 모집단에서 얻은 표본의 점수들의 특징들을 **통계치**(statistics)라 부른다. 전체 모집단의 점수들의 평균이 모수치이고 표본의 평균이 통계치이다. 상이한 기호들이 모집단 모수와 표본 통계치에 사용된다. 가장 공통적인 것의 일부가 여기에 있다. 개념들 중 여러 개는 이미 설명되었고, 다른 것들은 다음 몇 쪽 내에서 논의될 것이다.

N = 모집단에서 점수들의 수

n = 표본에서 점수들의 수

μ = 모집단 평균(μ은 뮤(mu)라고 읽는다)

$\overline{X}$ = 표본 평균

σ^2 = 모집단 변량(σ는 시그마(sigma)라고 읽는다)

s^2 = 표본 변량 $\dfrac{\sum(X-\overline{X})^2}{n}$

$\hat{s}^2$ = 모집단 변량의 편향되지 않은 추정치 $\dfrac{\sum(X-\overline{X})^2}{n-1}$

σ = 모집단 표준편차

s = 표본 표준편차

$\hat{s}$ = 편향되지 않은 변량 추정치에 근거한 표본 표준편차

$\sigma_{\overline{X}}$ = 평균의 추정된 표준오차 $\dfrac{\sigma}{\sqrt{N}}$

$S_{\overline{X}}$ = 평균의 표준오차 $\dfrac{s}{\sqrt{n}}$ 또는 $\dfrac{s}{\sqrt{n-1}}$

표본 평균들의 분포

우리의 가설적인 LSD 실험의 신뢰도에 대한 검사를 할 수 있는 한 가지 방식은 새로운 집단의 쥐들을 사용하여 반복해서 실험을 수행하는 것일 것이다. 물론 이 반복검증에서 실험 조건과 통제 조건에 대하여 아주 똑같은 평균 달리기 시간을 얻을 수는 없을 것이다. 네 번의 반복검증에서 실험 조건과 통제 조건에 대한 평균치는 초 단위로 나타내서, 17.9와 12.5, 16.0과 13.4, 16.6과 14.5, 15.4와 15.1이라고 하자. LSD를 주사 맞은 실험 쥐들이 통제 쥐들보다 항상 천천히 달렸기 때문에, 우리는 비록 마지막 반복검증에서는 차이가 꽤 작다고 하더라도, 원래 우리의 발견에 좀 더 확신을 하게 된다. 만일 우리가 이 같은 실험을 반복하고 두 조건에서 얻은 표본 평균치의 분포를 도표로 그린다면, 곡선의 특정한 부분 아래에 점수들의 특정한 비율로 채워지게 되는 정상분포의 모든 특징들을 가지게 될 것이다. 각 실험에서 표본 평균치의 차이의 도표는 또한 정상분포가 될 것이다.

표본 평균치의 **분포**(distribution)라는 개념에 대하여 더 나은 아이디어를 갖기 위해 Horowitz (1974, pp. 179~182)가 수업 중에 행한 실습의 예를 들어보도록 하자. Horowitz는 전체 모집단의 평균과 표준편차를 알 수 있도록 1,000개의 점수로 정상분포하는 모집단을 만들었는데, 실제 연구 상황에서는 결코 이런 일은 일어나지 않는다. 1,000개의 점수는 범위가 0에서 100까지이며, 평균치는 50, 표준편차는 15.8이었다. 점수들을 1,000장의 종이쪽지에 써서 용기에 담았다. Horowitz는 96명의 학생에게 용기에서 종이쪽지 10장을 뽑게 해서 평균을 계산하였다. 매번 학생들은 쪽지를 뽑아, 숫자를 적고, 다시 용기에 넣었다(복원 추출). 쪽지를 용기에 담아 섞은 다음, 다른 쪽지를 뽑는 절차를 계속하였다. 각 학생이 자신의 표본에서 10개 점수의 평균을 계산한 후에, Horowitz는 96개 표본 평균을 모두 모아서 그 분포를 도표에 그렸는데 표 B.1에 있다. 평균들이 떨어지게 되는 간격들은 왼쪽에 있고, 각 간격에 떨어진 평균의 수가 오른쪽에 있다. 분포가 거의 완벽하게 대칭이며, 어떤 간격에서나 평균과 특정한 거리의 아래에 있는 점수 수는 그 위의 있는 점수 수가 유사하다. 또한 96개의 표집 평균들의 평균(49.99)은 모집단의 실제 평균치(50)에 상당히 근접해 있다. 표 B.1에서 알아야 할 것은 표집 평균치들 사이에 있는 커다란 변산이다. 비록 열 개라는 각 표본은 아마도 무선이고, 어떤 방식으로든지 편향되지 않고, 같은 모집단에서 왔지만, 한 표본은 37.8의 평균을 가진 반면에 다른 표본은 62.3의 평균을 가지고 있다. 만일 여러분이 실험을 해서 두 개의 매우 다른 표본 평균치를 발견하고 이것들이 같은 분포에서 왔는지, 아니면 두 개의 상이한 분포에서 왔는지 결정하고자 한다면, 여러분은 그러한 커다란 차이는 그것들이 상이한 분포에서 왔음을 가리키는 것이라고 생각할 수도 있다. 다시 말하면, 여러분은 실험 처치가 통제 점수보다 신뢰성 있게 다른(상이한 분포에서) 점수들을 낳았다고 생각할 것이다. 흔히 이것은 좋은 규칙—조건들의 평균치 사이의 차이가 클수록 평균들이 신뢰할 정도로 다를 가능성은 높다—이지만, 우리가 보는 바와 같이 알려진 분포로부터의 무선 표집에서 조차도, 진짜 모집단 평균, 그리고 다른 표집 평균과 무척 다른 표본 평균을 낼 수 있다는 것이다. 평균치 사이의 작은 차이를 곰곰이 생각해 보면서, 이 교훈을 가슴 속에 새기자. 우리의 가설적 LSD 실험에서 실험집단과 통제집단 사이의 3.30초의 차이가 진짜로 신뢰성이 있는 것인가?

표 B.1 Horowitz 학급 학생들이 얻은 96 표본의 표본 평균 분포. 각 표본은 10개의 관찰에 근거하고 있다.

간격	빈도	
62.0–63.9	1	
60.0–61.9	1	
58.0–59.9	3	
56.0–57.9	7	
54.0–55.9	9	
52.0–53.9	12	
50.0–51.9	15	표본 평균의 평균 = 49.99
48.0–49.9	15	표본 평균의 표준편차(s) = 5.01
46.0–47.9	13	
44.0–45.9	9	
42.0–43.9	6	
40.0–41.9	3	
38.0–39.9	1	
36.0–37.9	1	
	96 샘플	

출처: Horowitz, 1974, *Elements of statistics for psychology and education*, 표 8.1. McGraw-Hill이 저작권 1974년 소유. 허락 하에 재인쇄

평균의 표준오차

평균의 표준오차(standard error of the mean)는 표본 평균치 분포의 표준편차이다. 표 B.1의 자료에서, 평균의 표준오차는 5.01이다. 평균의 표준오차는 표본 평균치의 분포에서 변산의 정도 또는 특정한 표본 평균의 값이 오차 내에 있을 가능성이 어느 정도인지에 대한 아이디어를 제공한다. 큰 표준오차는 커다란 변산을 가리키고, 반면에 작은 표준오차는 특정한 표본 평균이 실제 모집단의 평균치에 매우 근접해 있음을 알려준다. 그러므로 평균의 표준오차는 매우 유용한 숫자이다.

만일 여러분이 평균의 표준오차를 계산하고자 표본 평균의 분포를 얻는 수많은 실험을 반복해야만 하고, 이것을 근거로 표준편차를 계산해야 한다면, 여러분은 왜 우리가 평균의 표준오차를 언급하는 수고를 하는지 의아해 할 수도 있다. 다행히도, 여러분이 그렇게 하지 않아도 된다. 평균의 표준오차($\sigma_{\bar{x}}$로 표시함)를 찾아내는 공식은 단순히 관찰 횟수의 제곱근($\sqrt{n}$)으로 모집단의 표준편차(σ)를 나누는 것이다. 또는

$$\sigma_{\bar{x}} = \frac{\sigma}{\sqrt{n}} \tag{B.1}$$

이다. 이제 만일 여러분이 여태까지 우리의 설명을 잘 따라왔다면, "굉장해 보이긴 해. 하지만 공식 B.1의 분자인 모집단의 표준편차를 모른다면, 우리가 이것으로 무엇을 할 수 있지?"라고 생각할 수 있다. 그러한 질문은 통계학자에게도 예외는 아니어서, 그들은 표본의 표준편차로부

표 B.2 표본 크기가 50일 경우, 학생들이 얻은 96 표본의 표본 평균 분포. 표 B.1과 동일하게 분포는 또다시 정상 분포이나, 각 표본은 더 큰 표본 크기에 근거하였고, (평균의 표본오차로 나타나는) 분포의 변산성은 훨씬 작다.

간격	빈도	
55.0–55.9	1	
54.0–54.9	3	
53.0–53.9	5	
52.0–52.9	9	
51.0–51.9	13	
50.0–50.9	17	표본 평균의 평균 = 49.95
49.0–49.9	16	표본 평균의 표준편차(s) = 2.23
48.0–48.9	14	
47.0–47.9	9	
46.0–46.9	6	
45.0–45.9	2	
44.0–44.9	1	
	96 샘플	

출처: Horowitz, 1974, *Elements of statistics for psychology and education*, 표 8.2. McGraw-Hill이 저작권 1974년 소유. 허락 하에 재인쇄

터 모집단의 표준편차를 추정하는 방법을 고안하였다. 만일 부록 A의 공식 A.2를 다시 보면, 거기에는 표본의 표준편차(s)를 내는 공식이 있는데, 분모의 n을 단순히 $n-1$로 바꾸면, 여러 분은 모집단의 표준편차인 σ에 대한 비편향 추정치를 얻는 공식을 갖게 된다. 표본 평균치 분포의 표준편차(평균의 표준오차 또는 $s_{\bar{x}}$ 라 부름)를 구하는 공식은 다음과 같다.

$$\text{추정된 } \sigma_{\bar{x}} = s_{\bar{x}} = \frac{s}{\sqrt{n-1}} \tag{B.2}$$

우리의 표본 평균이 모집단 평균을 나타낸다는 가정 하에서 평균의 표준오차가 모집단 오차를 가리키기 때문에, 우리는 그 표준오차가 가능한 한 작기를 원한다. 이 방법이 공식 B.1과 B.2에 있다: 표본 크기 n을 증가시켜라. 그것은 공식에서 분모를 크게 한다. 표본 크기 n이 크면 클수록, 평균치의 표준오차 $s_{\bar{x}}$ 는 작아진다. 1,000개의 점수로 구성된 모집단에서 표본이 겨우 10개인 경우보다 500개인 경우에 표본 평균은 모집단 평균치에 가까워져야만 한다.

Horowitz는 이 점을 강조하여 다시 자신의 수강생 96명에게 숙제를 내서 1,000개 점수의 모집단으로부터 쪽지를 꺼내는 연습을 반복하여 평균을 다시 계산하게 했는데, 이번에는 쪽지를 10번이 아니라 50번 표집하게 하였다. 얻은 표본 평균치의 분포가 표 B.2에 있다. 이 경우 실제 모집단 평균치인 50에 훨씬 더 근접해 있다. 표본 평균치의 분포의 표준편차 또는 평균치의 표준오차는 2.23인데, 표본 크기가 겨우 10일 경우에 5.01과 대조적이다. 만일 1,000개의 점수에서 표본을 $n=100$으로 하면, 평균의 표준오차는 1.59가 되고 500개의 표본으로는 .71이 될 것이고 표본을 1,000개 점수로 하면 겨우 .50이 될 것이다. (이것들은 공식 B.1에서 계산될

수 있는데, 표준편차 σ가 전체 모집단에 대하여 알려져 있기 때문이다.) 표본 크기를 1,000으로 해도 모집단 평균을 얻지 못할 수도 있는 이유는 복원 추출을 하기 때문인데, 즉 쪽지는 뽑힌 후 용기에 다시 넣어지고, 그 쪽지가 계속해서 뽑힐 수도 있으며, 어떤 쪽지는 결코 뽑히지 않을 수도 있다.

　여기서의 교훈은 얻은 통계치가 모집단 모수에 가능한 한 가깝도록, 우리는 실험 조건들에서 관찰의 수—표본 크기—를 최대로 하려고 항상 노력해야 한다는 것이다.

가설 검증하기

과학자들은 가설을 검증하기 위해 실험을 준비한다. 가설 검증에 대한 관례적인 통계적 논리는 다음과 같다: 한 실험자가 **실험적 가설**(experimental hypothesis)을 검증하기 위해 쥐들을 가지고 한 우리의 실험에서 실험(LSD)과 통제(위약)와 같은 조건들을 준비한다. 이 경우에서 실험적 가설은 LSD는 달리기 속도에 어떤 영향을 미친다는 것이다. 이 가설은 두 조건이 달리기 시간에서 효과의 차이가 없다는 **영가설**(null hypothesis)에 대응해 검증된다. 환언하면, 실험적 가설은 달리기 속도의 표본들이 두 개의 상이한 모집단에서 왔다(즉, 상이한 분포의 모집단)고 하고, 영가설은 두 표본이 같은 분포에서 왔다고 한다. 통계적 검증은 영가설이 기각될 수 있는 가능성을 밝힐 수 있게 한다. 영가설이 기각되려면 얼마나 그 가능성이 작아야 하는가? 만일 실험 결과가 영가설에 의해 기대된 것과 다르다면(100번 중 겨우 5번 우연히 기대될 정도로 차이가 클 때), 우리는 영가설이 기각되었다고 결론짓는다. 이 .05 **유의도 수준**(level of significance)은 단지 관례이다; 많은 심리학자들이 좀 더 보수적인 .01 기각 수준을 선호하는데, 따라서 실험 결과가 100번 중 한 번만 우연히 일어날 가능성이 있을 경우에만 영가설을 기각한다. 어찌되었든, 실험 가설은 어떤 의미에서 간접적으로 검증된다. 실험 가설을 확증하는 것이 아니라, 영가설이 기각된다.

　영가설에 대비시켜 실험 가설을 경쟁시키는 논리는 여러 가지 이유로 최근에 공격을 받고 있다. 어떤 이는 이 논지가 과학자의 조작방식에 관한 잘못된 아이디어를 준다고 주장한다. 그 중 한 가지는 영가설에 대하여 아무런 생각도 하지 않고, 잠도 못 자고 고심하면서 세계에 대하여 의아해 하는 과학자가 많지 않다는 것이다. 일반적으로 실험은 우리의 이론을 검증하기 위해 준비되고, 일차적인 관심이 되는 것은 우리의 이론들이 결과들을 해석하고 설명할 수 있는 방법이다. 특히 흥미 있는 것은 중요한 실험적 결과가 현상에 대한 주요 이론들과 조화될 수 없는 경우이다. 실험은 영가설 기각에 대해서가 아니라 우리의 이론과 아이디어에 대하여 말해주는 것 때문에 중요하며, 이것이 맨 처음에 실험을 설계하는 이유이다. 그렇다고 하더라도 영가설에 대응하여 가설을 검증하는 논리는 과학적 추론이 진행되는 방식에 대하여 지나치게 과잉단순화되어 도입 과정에 널리 사용되었다. 따라서 여기서 그 논리를 제시하고자 한다.

가설 검증하기: 모수가 알려졌을 때

영가설에 대하여 가설을 검증하는 논리는 모집단의 모수가 알려져 있고, 특정한 표본이 그 모집단에서 왔는지를 파악하고자 하는 경우에는 쉽게 설명될 수 있다. 물론 모집단 모수가 알려진 경우는 드물기 때문에 이런 경우는 실제 실험에서는 상당히 흔치 않은 일이다. 여러분이 실험심리학 수강 학생들의 IQ 검사로 측정된 지능이 신뢰성 있게 전국 평균 이상인지(또는 신뢰성 있게 이하인지)에 관심이 있다고 가정하자. 우리는 이 경우에 모집단 모수를 알고 있다. 즉, 평균이 100이고 표준편차는 15이다. 여러분은 집단 검사용으로 개발된 Otis 같은 짧은 형식의 지능 검사를 수강 학생들에게 실시하여 손쉽게 여러분 학급을 검사할 수 있다.

여러분이 100명의 학급 인원에서 25명을 무선으로 표집해서 표본의 평균 IQ가 108이고 표준편차가 5임을 발견하였다고 가정하자. 이 학급이 전체 모집단보다 신뢰성 있게 더 똑똑하다는 실험 가설을 검증하려면 어떻게 해야 하는가? 첫째로 가설을 살펴보자. 실험 가설은 학생들이 전국의 전체 국민보다 더 똑똑하다, 또는 표집된 학생들의 IQ 점수가 무선으로 선택된 사람들과는 다른 모집단에서 얻어졌다는 것이다. 영가설은 우리의 표본과 전국 평균에 신뢰성 있는 차이가 존재하지 않는다, 또는 학급의 학생들은 전국 모집단에서 얻은 표본이라는 것이다. 만일 영가설이 사실이라면, 표집 평균 108과 모집단 모수 평균(μ) 100 사이의 차이는 무선 요인에서 기인한 것이다. 우리는 표본 평균의 분포에 대한 논의에서 편향되지 않은 방식으로 표본을 뽑더라도 모집단 모수와 표본 평균이 얼마나 많이 다를 수 있는지를 보았기 때문에, 분명히 이러한 경우가 있을 수 있다. 표 B.1과 B.2에 결과가 제시된 Horowitz의 학급 시범 실험을 기억하라.

표본 평균의 분포인 정상곡선과 z 점수가 영가설이 거짓일 가능성이 얼마나 되는지를 결정할 수 있게 도움을 준다. 커다란 모집단에서 편향되지 않은 표본들이 얻어졌을 때, 이러한 표본들의 평균치는 정상분포된다. 정상분포를 가지고, 우리는 곡선의 각 부분 아래에 해당하는 분포의 비율이 얼마만큼인지 상세히 서술할 수 있다(부록 A의 그림 A.3에 있다). 또한 z 점수가 정상분포 상의 평균으로부터 표준편차 단위로 계산된 어떤 점수란 것도 기억하라.

이로써 모든 개관이 끝났다. 이제 어떻게 이것들을 활용할까? 표본이 실제로 전체 모집단보다 평균 IQ가 높은 모집단에서 얻어졌다는 가설을 검증하는 데 우리가 해야 할 것은 표본 평균을 (우리가 먼저 번 논의의 견지에서) 개별 점수로 간주하고, 모집단 평균에서 표본 평균의 편차에 근거해서 z 점수를 계산하는 것이다. 우리의 사례에서 우리는 모집단 평균이 100이고 무선으로 표집한 학생들의 학급 평균이 108임을 알고 있다. z 점수를 계산하기 위해 우리는 또한 평균의 표준오차, 즉 표본 평균 분포의 표준편차를 알 필요가 있다. z 점수에 대한 공식은

$$z = \frac{\overline{X} - \mu}{\sigma_{\overline{x}}} \qquad \text{(B.3)}$$

이다. 평균의 표준오차($\sigma_{\overline{x}}$)는 모집단의 표준편차(σ)를 $\sqrt{n}$으로 나누면 되는데(공식 B.1을 보라), 따라서 $\sigma_{\overline{x}}$는 $15/\sqrt{25}$, 즉 3이다. 그러므로 z 점수는 (108 − 100)/3, 즉 2.67이다. 2.67이란 결과는 확신을 가지고 영가설을 기각하고, 학급이 전체적으로 모집단보다 IQ가 실제로 높다는 대립가설을 택한다는 결론을 내린다. 우리는 이것을 다음과 같은 질문을 해서 확정하게 된다: 평균이 실제로 100인 모집단에서 표본 평균이 얻어졌을 때, 2.67이란 z 점수가 얻어질

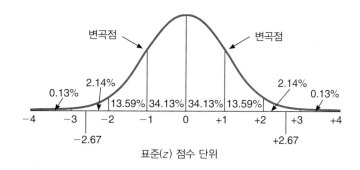

그림 B.1 정상곡선의 아래에 있는 특정한 영역에서 점수들의 비율. 변곡점은 평균으로부터 표준편차가 한 단위 떨어진 지점에 있다.

　　여기에는 정적 그리고 부적인 양쪽 끝이 있다. 만일 실험자가 단순히 실험 조건과 통제 조건 사이에 차이가 있어야만 한다고 주장하였고 차이의 방향을 상세하게 밝히지 않았다면, 이것을 '비방향성 가설'이라고 부른다. 만일 $z = 2.67$임이 발견되었다면, 분포의 정적 부분과 부적 부분의 양쪽에서 발생할 확률을 찾아서 둘을 더해야 하는데, 왜냐하면 실험자가 차이가 정적일지, 부적일지를 상세히 밝히지 않았기 때문이다. 실험자가 차이의 방향을 밝혔을 경우에는 한쪽방향에서만 확률을 찾아보면 된다. 왜냐하면 분포가 대칭이기 때문에, 영가설이 기각되는 확률은 양방 검증보다 일방 검증에서 절반이면 된다. 실험의 결과에 관하여 덜 확신이 갈수록, 우연에 의해서가 아님을 파악하려면 조건 간의 차이가 커야만 한다.

가능성은 얼마나 되는가? 그 답은 .0038, 또는 10,000번 중 38번 일어나게 됨이다. (다음 절에서 어떻게 이것이 계산되는지를 논의할 것이다.) 영가설을 기각하는 관례는 만일 그것이 20번 중 한 번 우연히 발생한다면, 우리는 그것을 기각하는 것이다. 따라서 학급 표본 평균에서 차이는 신뢰성 있게 다르다 또는 모집단의 평균과 **유의미하게 다르다.**

　　어떻게 이 같이 놀라운 결론에 도달하게 되는지를 설명하기 위해, 우리는 사례의 특정 비율이 곡선의 각 부분 아래로 떨어지게 되는 정상곡선의 특별한 속성을 다시 주목할 필요가 있다. 그림 B.1을 보면, ±2.00의 z 점수를 갖는다는 것이 상당히 있을 법하지 않음을 알게 된다. 환언하면, 그런 발생 확률은 .0215이다. 이것은 또한 5%아래, 또는 .05의 유의도 수준 이하이고, 따라서 우리가 여기에 개설한 논리를 사용하여 모집단 평균으로부터 둘 또는 그 이상의 표준편차를 지니는 어떤 평균 점수도 모집단 평균과 유의미하게 다른 것으로 간주된다. 사실상 .05의 유의도 수준에서 영가설을 기각하는(부록 C에 있음) 임계 z값은 ±1.96이다. 표 C.1(부록 C에 있는)은 (1) 0에서 4까지 z 점수와 (2) 평균과 그 z 점수 사이의 면적, 그리고 가장 중요한 (3) z 점수 이상의 면적을 나타내 주고 있다. z 점수 이상의 면적은 우연히 평균으로부터 떨어진 점수를 발견할 확률이다. 다시 한 번 설명하자면, z 점수가 ±1.96(또는 그 이상)일 때처럼, 이 확률이 .05이하일 때, 우리는 영가설을 기각한다. IQ 예에서처럼, z 점수 2.67과 같이 그런 드문 경우가 나올 확률은 겨우 .0038이다(그림 B.1을 보라).

　　표본이 어떤 모집단에서 얻어졌는지를 보기 위해 표본 평균과 모집단 모수를 비교하는, 우리가 방금 고려했던 통계적인 문제는 다소간 인위성을 띠는데, 왜냐하면 모집단의 모수가 알려진 경우가 드물기 때문이다. 그러나 이 예는 대부분의 공통적인 통계 검증의 특징들을 보여주고 있다. 모든 검증들에서, 어떤 계산은 자료나 원 점수에 대하여 수행되고, 방금 계산된 z 점수 같이 한 값이 얻어지고, 이 값을 값의 분포와 비교하고, 우리가 영가설이 사실은 진실일 때 그러한

표 B.3 1종 오류와 2종 오류의 본질. 1종 오류는 실험자가 사실인 영가설을 잘못 기각할 때 발생한다. 이러한 발생 확률은 수준에 의해 파악된다. 2종 오류는 실험자가 거짓인 영가설을 기각하지 못할 때 발생한다. 영가설이 거짓이고 기각되면 실험자는 옳은 결정을 한 것이고, 실험의 검증력에 의해 파악된다.

	모집단에서 사건의 실제 상태	
실험자의 결정	독립변인은 효과가 없다; 영가설은 사실이다.	독립변인은 효과가 있다; 영가설은 거짓이다.
영가설의 기각	1종 오류—효과가 존재한다는 잘못된 결정, 이는 확률 α만큼 발생한다.	옳은 결정—이는 실험의 검증력에 의해 파악된다.
영가설을 기각 못함	옳은 결정	2종 오류—처치가 효과가 있음을 탐지하는 데 실패

값을 얻게 될 수 있는 가능성을 결정할 수 있다. 그러면 이 분포는 우리의 결과가 무선 변동성에 귀인될 수 있는 확률이 어떤지를 말해준다. 만일 확률이 100 사례 중 5 사례보다 작다면($p <$ .05), 우리는 영가설이 기각될 수 있다고 말한다. 이 확률은 때때로 **알파**(α) **수준**이라 부르고, 이미 언급한 바와 같이, 어떤 심리학자들은 영가설이 기각되어야만 한다는 사실을 더 확신할 수 있도록 이 값이나 그보다 더 작은 값을 선호한다.

z 점수 검증은 또한 다른 중요한 통계적 개념들을 간략히 도입하는 역할을 한다. 첫째로, 통계적 검증을 실험 자료에 적용함으로써 생길 수 있는 두 가지 유형의 오류를 살펴보도록 하자. **1종 오류**(type I error)는 영가설이 진짜로 사실일 때 영가설을 기각하는 것이며, 이 오류가 발생하게 되는 확률은 알파 수준으로 나타내는데, 이 수준은 실험자가 선택한다. 만일 알파 수준이 $p =$ .05이면, 영가설이 실제로 사실인 경우의 5%는 우리가 실수로 영가설을 기각하게 된다(그러나 영가설이 종종 거짓이기 때문에 이렇게 될 경우는 모든 실험에서 5% 훨씬 미만으로 발생한다). 이것은 추리 통계의 확률적인 본질을 예시한다. 우리는 영가설이 기각될 수 있음을 절대적으로 확신하지 못하고, 어느 정도에서만 확신한다. 그러므로 통계적 유의도를 결정하는 데 사용하는 α 수준 또는 p 수준이 낮을수록, 우리가 1종 오류를 범할 기회는 적어진다. 그러나 이것은 영가설이 진짜로 거짓일 때 영가설을 기각하는 데 실패하게 되는 **2종 오류**(type II error)의 확률을 증가시킨다. 그러므로 우리는 α 수준을 조정함으로써 두 유형의 오류를 체계적으로 감소, 증가시킨다.

과학자들은 일반적으로 그러한 문제들에 있어서 보수적인데, 따라서 이 수준을 흔히 .05나 .01 같이(.10 또는 .15라기보다는) 상당히 작게 유지한다. 그러므로 영가설이 사실일 때 영가설을 기각시키는, 또는 차이가 존재하지 않을 때 결과에 차이가 존재한다고 주장하는 오류를 최소화한다. 그러나 그 결과로 우리는 2종 오류의 확률을 증가시킨다. 보수적인 통계 검증은 1종 오류를 최소화하는 반면, 좀 더 **자유로운** 통계 검증은 1종 오류의 확률을 증가시키지만 2종 오류의 확률을 감소시킨다.

불행히도 우리는 실험 상황에서 우리가 1종 또는 2종 오류를 범하고 있는지를 결코 알 수 없다. 우리는 이것을 우리 결과를 실험적 반복검증을 함으로써 일차적으로 파악해 내지만, 통계 검증력을 계산함으로써 할 수도 있다. 검증력은 영가설이 실제로 거짓일 때 영가설을 기각하는 확률이다. 그러므로 우리는 항상 통계 검증력을 최대화하길 원한다. 여기서 검증력이 어떻게 계산되는지를 기술하는 것은 적합하지 않지만, 검증력에 영향을 주는 두 가지 주된 요인들을 지적하고자 한다. 공식 B.3의 z 점수 공식으로 돌아가 보자. z 점수를 크게 만드는 것은 무엇이든지 영가설을 기각시킬 가능성 또는 통계 검증력을 증가시킨다. 모집단 평균값은 고정되어 있다. 그러므로 공식 B.3의 값들에 오직 두 가지 변화가 z 점수에 영향을 준다. 하나가 표본 평균과 모집단 평균 사이의 차이($\overline{X} - \mu$)이고, 다른 하나는 표본의 크기 n이다. 만일 μ과 $\overline{X}$의 불일치가 증가되면(또는 다른 경우로서, 실험 비교에서 표본 평균 간 차이가 증가되면), 영가설을 기각할 확률이 또한 증가한다.

그러나 평균 간 차이의 크기에 대해서 우리가 할 수 있는 것은 아무것도 없다; 그것은 고정되어 있다. 우리는 믿을 수 있는 측정을 사용해서 평균들을 정밀하게 측정했다고 바랄 수밖에 없다(여러분의 실험에서 측정이 더 믿을 수 있을수록, 여러분이 가진 검증력은 더 커진다). 우리가 할 수 있는 다른 방법으로는 표본 크기를 증가시킴으로써 통계 검증력을 증가시킬 수 있다. 그 이유는 더 큰 표본에서는 우리의 표본 평균이 우리가 표집한 모집단의 평균을 대표한다고 좀 더 확신을 가질 수 있게 되고, 따라서 표본 평균과 모집단 평균 사이의(두 표본 평균치 사이의) 어떤 차이가 신뢰성이 있다고 좀 더 확신을 가질 수 있기 때문이다. 표 B.4에 보인 바와 같이, 표본 크기는 검증력에 엄청난 영향력을 지닌다. 여기에는 표본 크기가 변함에 따라 IQ 점수 108인 표본 평균과 모집단 평균 100의 차이에 대한 z 점수와 p값이 제시되어 있다. 표본 크기가 변함에 따라, 표본이 전국 모집단에서 왔는지 좀 더 제한된 높은 IQ 모집단에서 왔는지에 대한 우리의 결론도 변한다. 만일 우리가 영가설이 진짜로 거짓이었다고 가정한다면, 표본 크기를 늘림으로써 2종 오류의 확률을 줄이거나, 우리가 사용하는 검증력을 늘일 수 있다.

마지막으로 고려해야 할 한 가지 논점은 통계 검증의 **방향성**이다. 영가설에 대응하는 대립가설을 검증하는 데 포함된 관례적인 논리에 따르면, 대립가설은 방향성이 있을 수도 또는 없을 수도 있다. 만일 한 실험 내에 실험집단과 통제집단이 있을 때, **무방향성**(nondirectional) 대립가설은 종속변인에 대한 수행이 두 집단에서 다르다가 될 것이다. 추가적으로, **방향적**(directional) 가설은 차이의 예측된 방향을 진술한다; 예를 들면, 실험집단은 통제집단보다 더 잘하는 것으로 예측될 수 있다.

이러한 구분은 중요한데, 왜냐하면 만일 대립가설이 방향성이 있으면 **일방**(one-tailed, one-sided) 통계 검증이 사용되지만, 만일 대립가설이 방향성이 없다면 **양방**(two-tailed, two-sided) 통계 검증이 사용되기 때문이다. 일방 대 양방은 우리가 통계 검증의 결과와 관련된 p 수준을 찾아볼 때(말하자면, $z = 1.69$) 분포의 한쪽 또는 양쪽을 고려해야 하는지를 가리킨다.

그림 B.1을 다시 한 번 살펴보자. 우리는 ($n = 25$) 학생 표본을 취해서 표본의 평균 IQ가 108임을 알아내고, 이것이 IQ 100인 평균 모집단과 차이가 있는지를 보기 위한 검증에서 $z = \pm2.67$을 계산하였다. 만일 우리가 사전에 어떻게 표본 IQ가 정상 모집단에서 벗어났는지에 관한 기대가 없었다면—만일 우리가 그것이 높을 수도 낮을 수도 있다고 생각했다면—이것은 비방향성 가설이 되었을 것이다. 사실상 우리는 표본 IQ가 100보다 크다고 기대하였고, 따라서 방향성 있는 가설을 검증하여, 일방 검증을 사용하였다. 이것은 우리가 정상분포의 오직 한

표 B.4 표본 크기(n)이 통계 검사의 검증력에 영향을 주는 방법, 또는 영가설이 그러한 검증이 사용되었을 때 기각되는 가능성

이 예는 표본 IQ의 표본 평균이 108인 경우 다음 공식을 사용하여 나온 (본문에서 계산된) z 점수에 근거한 것이다.

$$z = \frac{\overline{X} - \mu}{\sigma_{\overline{x}}}$$

만일 평균 차이는 일정하게 남아 있지만 n이 증가되면, z도 증가하는데, 왜냐하면 다음 공식 때문이다.

$$\sigma_{\overline{x}} = \frac{\sigma}{\sqrt{n}}$$

n	$\overline{X} - \mu$	$\sigma_{\overline{x}}$	z	$p^{\dagger}$
2	8	13.14	.61	.2709
5	8	6.70	1.19	.1170
7	8	5.67	1.41	.0793
10	8	4.74	1.69	.0455*
12	8	4.33	1.85	.0322*
15	8	3.88	2.06	.0197*
17	8	3.64	2.20	.0139*
20	8	3.35	2.38	.0087*
25	8	3.00	2.67	.0038*
50	8	2.12	3.77	.0001*
75	8	1.73	4.62	<.00003*
100	8	1.50	5.33	<.00003*

* 이 모든 값들은 통계적 유의도의 관습적인 수준($p < .05$(일방 검증))에 부합한다.
† p값은 일방 검증용이다.

쪽에서만, 즉 0보다 큰 쪽에서만 얻어진 z 점수를 찾음을 뜻한다. $z = \pm 2.67$은 일방향 p값 .0038을 도출한다. 만일 가설이 방향성이 없었다면, 우리는 결과로 얻은 z 점수가 0 이하라기보다 0 이상이라고 사전에 기대할 권리가 없다. z 점수는 양의 방향 끝 쪽이나 음의 방향 끝 쪽에 있을 수 있다. 차이는 어느 방향에서든 일어나기 때문에, 우리는 양방 검증을 사용한다. 실제로 분포의 양쪽 끝은 대칭이므로, 우리는 일방 검증의 p 수준을 단순히 두 배 한다. 우리의 예에서 만일 가설이 방향성이 없다면, p는 $2 \times .0038$로 .0076이 되는데, 여전히 .05 아래이다.

양방 검증은 일방 검증에 비해 좀 더 보수적이고, 검증력이 떨어진다. 즉, 영가설을 기각하기가 더 어렵다. 만일 우리가 실험의 결과를 확신할 수 없다면, 차이가 있다고 하기 위해서는 통계치가 클 필요가 있다. 실제적으로 대부분의 조사자들이 상당히 큰 표본 크기를 사용함으로써 충분한 검증력이 보장되는 좀 더 보수적인 양방 검증을 선호한다.

이 부록의 나머지 부분에서는 여러 통계적 검증을 계산하는 방식들을 보여줄 것이다. 우리는 여러분이 이들 계산의 일부를 손으로 또는 계산기를 써서 해 보는 것이 중요하다고 믿는다. 여

러분들이 이 계산들을 조심스럽게 따라 하면, 여러분들은 통계적 검증의 논리와 구성 요소에 대하여 친숙하게 될 것이다. 그러나 부록 A에서 언급한 바와 같이(상자 A.2를 보라), 많은 통계 검증들이 공학용 계산기나 컴퓨터로 자동적으로 수행된다. 여러분이 해야 할 것은 특정한 통계 프로그램을 사용하여 자료를 입력하는 것이다.

이 부록에서 개설한 통계 검증의 대부분은 MINITAB 통계 패키지로 할 수 있다. 우리는 여러분이 여러분에게 가용한 계산 기구의 통계 기능에 익숙해지길 권장한다. 컴퓨터는 여러분이 할 수 있는 것보다 통계 검증을 더 빠르고 정확하게 수행하고, 여러분은 컴퓨터로 인해 수많은 복잡한 계산을 필요로 하는 좀 더 복합적인 통계 검증에 연계된 지루함에서 해방된다.

두 집단 간 차이에 대한 검증

거의 모든 목적에 적합한 다양한 종류의 통계적 검증이 존재한다. 현재 우리는 두 집단 또는 조건 사이의 차이에 대한 신뢰도를 평가하는 검증을 논의하는 데 흥미가 있다. 이 모든 가용한 것들 중에서 어떻게 적합한 검증 방법을 선택할 수 있을까? 엄격한 규칙은 없다. 검증들이 요구하는 가정, 검증력, 그리고 그것들이 적합한 상황에 따라 검증들이 달라진다. 아마도 심리학 연구에서 두 평균 사이의 차이에 대하여 가장 일반적으로 사용하는 검증은 *t* 검증(*t* test)이다. 왜냐하면 *t* 검증은 (다음에 논의할) 단순 변량분석이 하는 것과 같은 신뢰도에 대한 똑같은 추정치를 제공하기 때문에, 먼저 우리는 다른 두 검증, Mann-Whitney *U* 검증과 Wilcoxon 부호 순위 검증에 집중하려고 한다. 이들 검증은 또한 다른 유형의 통계 검증을 도입하는 데 유용하다.

Mann-Whitney와 Wilcoxon 검증은 **모수 통계**(parametric statistics)에 대응되는 **비모수 통계**(nonparametric statistics)이다. 변량분석이나 *t* 검증 같은 모수 통계 검증은 검증이 수행되는 표본의 내재된 모집단 모수에 관한 가정을 한다. 모수 검증에 대한 공통된 가정은 비교되고 있는 내재된 모집단의 변량이 동일하다는 것이고, 내재된 분포는 정상적이고, 측정의 수준은 적어도 등간척도라는 것이다. 만일 이 가정이 맞지 않으면, 이들 검증은 부적합할지도 모른다. 그러나 우리가 모집단 모수를 모른다면, 검사에 내재된 가정이 부합되는지를 어떻게 알 수가 있겠는가? 보통 표본 통계에서 모집단 모수를 추정하는 것 이외에는 우리는 알 수가 없다. 그러나 만일 우리가 비모수 통계 검증으로 돌아가면, 이 문제는 발생하지 않는데, 왜냐하면 이 검증은 내재된 모집단 모수에 대한 아무런 가정을 하지 않기 때문이다. 이것이 이 검증이 흔히 분포에 구속 받지 않는 (자유로운) 통계라고 불리는 이유이다. 어쨌든 모수들을 알 수 없으므로, 이것은 비모수 검증을 사용하는 중요한 이유가 된다. 다른 이유는 이러한 검증들이 일반적으로 계산하기 매우 쉽고, 종종 손으로 하기까지 한다는 것이다. 그러나 자주 비모수 검증은 같은 상황에서 사용되는 모수 검증보다 검증력이 약하다. 즉, 영가설의 기각을 허용하는 경우가 적다.

Mann-Whitney *U* 검증(Mann-Whitney *U* test)은 우리가 두 표본을 비교해서 그것들이 같은 또는 다른 모집단에서 왔는지를 결정하고 싶을 때 사용된다. 이것은 두 표본이 상이한 피험자로 구성되었을 때 사용된다—피험자간 설계. Mann-Whitney *U* 검증에 내재되어 있는 원리에 대하여 여기서 논의하지는 않는다. 그 논리는 검증에서 한 값이 계산되고, 영가설이 기각되

상자 B.2 Mann-Whitney U 검증의 계산법

LSD가 쥐의 달리기 속도에 미치는 영향과 관련된 가설적인 실험에서 나온 자료이다. 두 표본 간의 차이의 신뢰도를 검증하기 위해 Mann-Whitney U 검증을 사용하는데, 다음의 단계들을 따른다.

• 단계 1 두 집단에 대한 모든 숫자들을 집단에 상관없이 가장 낮은 것부터 시작해서 순위를 매긴다. 그리고 가장 낮은 순위를 배정한다.

통제(위약)		실행(LSD)	
잠재기(초)	순위	잠재기(초)	순위
9	1.5	9	1.5
10	3	13	11.5
11	4.5	13	11.5
11	4.5	14	17
12	7	14	17
12	7	15	21
12	7	16	24.5
13	11.5	16	24.5
13	11.5	16	24.5
13	11.5	17	28
13	11.5	17	28
14	17	18	32
14	17	18	32
14	17	18	32
15	21	18	32
15	21	19	35.5
16	24.5	19	35.5
17	28	20	37.5
18	32	22	39
20	37.5	26	40
	$\sum$rank$_1$ 295.5		$\sum$rank$_2$ 524.5

참고: 동점일 경우 동일 순위를 각 점수에 배정한다. 그러므로 이 예에서 9초인 경우가 두 개 있는데 순위 1.5를 배정했다 (1과 2의 평균).

• 단계 2 U와 U'를 찾는 공식은 다음과 같은데, 여기서 n_1은 더 작은 표본의 크기이고, n_2는 좀 더 큰 표본의 크기이며, $\sum R_1$은 더 작은 표본의 순위의 합이고, $\sum R_2$는 좀 더 큰 표본의 순위의 합이다. 아래 첨자는 집단 크기가 같지 않을 경우에만 중요한데, 여기서는 해당사항이 아니다.

$$U = n_1 n_2 + \frac{n_1(n_1 + 1)}{2} - \sum R_1$$

$$U = (20)(20) + \frac{(20)(21)}{2} - 295.5$$

$$U = 400 + 210 - 295.5$$

$$U = 314.5$$

$$U' = n_1 n_2 + \frac{n_2(n_2 + 1)}{2} - \sum R_2$$

$$U = (20)(20) + \frac{(20)(21)}{2} - 524.5$$

$$U' = 85.5$$

실제로 U 또는 U' 하나만 계산해도 되는데, 왜냐하면 다른 하나는 공식에 의해서 얻어질 수 있다.

$$U = n_1 n_2 - U'$$

또는

$$U' = n_1 n_2 - U$$

- 단계 3 U 또는 U' 중에서 어느 쪽이나 값이 작은 것을 취해서 두 집단 간의 차이가 신뢰로운지 알아보기 위해 표 C.2를 살펴본다(부록 C). 표의 값들은 상이한 표본 크기에 따라 기록되어 있다. 이 경우 두 표본 크기가 20이고, 따라서 표에서 얻은 임계치는 88이다. 두 집단 사이의 차이가 신뢰롭다고 판단되기 위해서는 실험에서 얻은 U 또는 U'는 표 C.2에 제시된 값보다 작아야만 한다. 85.5는 88보다 작기 때문에 두 집단 간의 차이가 유의도 .001 수준에서 신뢰롭다고 결정내릴 수 있다.

참고: 표 C.2는 두 표본 크기가 8에서 21 사이일 때에만 적절하다. 그밖의 경우에는 전문서적을 살펴보자.

어야 하는지 결정하기 위해 값들의 분포 안에서 그 값을 비교한다는 점에서 다른 통계적 검증 논리와 같다. Mann-Whitney 검증을 자료에 적용하는 방식은 상자 B.2에 개괄적으로 설명되어 있는데, 가설적 LSD 실험에서 얻은 두 표본 간 차이의 신뢰도가 검증되고 있다.

Wilcoxon 부호 순위 검증(Wilcoxon signed-ranks test)은 역시 두 표본의 차이에 대한 검증에 사용되지만, 이 경우에 설계는 관련된 측정 설계이어야만 한다. 환언하면, 같은 피험자가 실험집단과 통제집단 둘 다에 참여하거나(피험자내 설계) 피험자들이 어떤 방식으로 짝지어야만 한다는 것이다. 물론 연습이나 피로 같은 변인이 관심을 두고 있는 변인에 혼입되지 않았다는 것을 확실히 하기 위해 피험자내 설계에서 조심해야 할 것을 반드시 지킨다.

부호 순위 검증을 살펴보기 전에, 같은 상황에서 적합한 좀 더 간단한 형태인 부호 검증을 살펴보자. 부호 검증은 간결함의 진수이다. 우리가 한 실험의 두 조건에 참여한 26명의 참가자가 있고, 통제 조건에 있을 때보다 참가자가 실험 조건에 있을 때 더 잘 수행할 것을 예측하였다고 가정하자. 이제 19명의 참가자가 실제로 통제 조건보다 실험 조건에서 더 잘했고 그 반대의 경우는 오직 7명뿐이었다고 가정하자. 이 차이가 신뢰성이 있는가? 부호 검증은 실제 점수가 어떤지를 알 필요 없이 이 질문에 대한 해답을 제공한다. 영가설 하에서, 우리는 13명의 참가자가

상자 B.3 Wilcoxon 부호 순위 검증

Widget 교수의 기억 강좌가 진짜로 효과가 있는지 검증하기 위해 설계된 한 실험을 가정해 보자. 30명의 참가자 집단이 기억할 50개 단어를 제시받는다. 그리고 난 후 참가자들은 두 집단에 무선적으로 배정되고, 두 집단은 회상한 단어의 수 측면에서 상이하지 않다고 확인되었다. 실험집단은 Widget 교수의 3주 강좌에 참가하였고, 통제집단은 그렇지 않았다. 그리고 난 후 30명 모두에게 다른 50개 단어 목록에 대하여 검사가 실시되었다. 실험 참가자들의 기억이 신뢰롭게 향상되었는지 아닌지가 문제이다. (참고: 우리는 두 번째 검사에서 실험 참가자들의 수행과 통제 참가자들의 수행을 비교할 수 있다—그리고 해야만 한다. Mann-Whitney 검증은 이 비교에 적합하다. 그 이유를 아는가?) 우리는 실험 참가자들이 첫 번째 검사에서 두 번째 검사로 신뢰롭게 향상되었는지를 평가하기 위해 Wilcoxon 부호 순위 검증을 사용한다.

- 단계 1 (다음에 보는 것과 같이) 각 참가자의 두 점수가 같이 짝이 되도록 (기억 과목 전과 후) 표에 자료들을 놓아라. 짝들 간의 차이를 찾아서 기록하라.

	회상된 단어의 평균 수			
피험자	전	후	차이	순위
1	11	17	+ 6	14
2	18	16	− 2	5.5
3	9	21	+12	15
4	15	16	+ 1	2.5
5	14	17	+ 3	8.5
6	12	15	+ 3	8.5
7	17	16	− 1	2.5
8	16	17	+ 1	2.5
9	15	20	+ 5	13
10	19	16	− 3	8.5
11	12	13	+ 1	2.5
12	16	14	− 2	5.5
13	10	14	+ 4	11.5
14	17	20	+ 3	8.5
15	6	10	+ 4	11.5
	$\overline{X} = 13.80$	$\overline{X} = 16.07$		

- 단계 2 크기에 따라 차이의 값들이 가장 작은 것부터 순위를 매겨라. 부호는 무시하라. 수의 절대값을 사용하라. 동 순위인 경우는 순위의 평균값을 각각 배정하라. (이 표의 오른쪽 열을 보라.)

- 단계 3 차이값이 음수인 순위를 더하고(5.5 + 2.5 + 8.5 + 5.5 = 22.0) 양수인 순위도 더한다 (14 + 15 + 2.5 + 8.5 + 8.5 + 2.5 + 13 + 2.5 + 11.5 + 8.5 + 11.5 = 98.0). 이것들이 부호

순위 값이다.

- 단계 4　가장 작은 부호 순위 값(22)을 취해서 부록 C의 표 C.4로 간다. 짝이 된 관찰횟수를 찾는 다. 이 경우에는 15이다(왼쪽에 n이라고 나열된). 그 다음에 원하는 수준의 유의도 아래의 값을 본 다. 결과의 방향이 예측되었으므로(우리는 기억 강좌가 단어 회상을 해치기보다는 도움이 되리라 기대하였다), 일방 검증의 유의도 .025 수준 아래의 값을 택하도록 하자. 그 값은 25이다. 만일 실 험에서 얻은 두 값 중 작은 것이 표에서 찾은 값보다 작다면, 결과는 신뢰로운 것이다. 22는 25보 다 작으므로, Widget 교수의 강좌는 참가자의 단어 회상을 진짜로 향상시켰다고 결론지을 수 있다.

참고: 통제집단은 한 검사에서 다른 검사로의 수행에서 향상이 보이지 않았다는 것을 기억하라. 이것은 아주 중요한 정 보인데, 그렇지 않다면 두 가지 있을 법한 가설을 제외시킬 수가 없다―하나는 두 번째 목록에서의 향상이 단순히 첫 번째 목록에서 한 연습에 기인한다는 것이고, 두 번째는 두 번째 목록이 첫 번째보다 쉬웠다는 것이다.

실험집단에서 수행을 더 잘하고 다른 13명이 통제집단에서 수행을 더 잘할 것이라고 예상할 수 있다. 부호 검증은 19 사례가 예측된 방향에 있고 7 사례가 그 반대일 때, 영가설이 거짓일 정확한 확률을 계산할 수 있게 해준다. 영가설은 이 경우에 .014의 유의도 수준(일방 검증)에서 기각되고, 비방향적 예측을 한 경우에는 .028의 수준(양방향)에서 기각된다. 표 C.3(부록 C)에 서 예측된 가설에 대한 예외의 수가 x일 때 표본 크기 3에서 42까지에 대한 상황에서의 수준 (일방향)이다. 따라서 예를 들면, 실험에서 16명의 참가자가 있고(두 조건이 있음을 기억하라), 13 명이 예측된 결과 패턴을 보이고, 반면에 3명이 역의 결과를 보인다면, 우리는 영가설을 .011 의 유의도 수준에서 (일방향) 기각할 수 있다.

부호 검증은 단지 참가자들이 한 조건에서 다른 조건보다 잘했느냐 못했느냐 하는 실험의 아 주 적은 일부 자료를 사용한다. 부호 검증에서는 그 크기가 아닌 차이의 방향이 문제시된다. 그 러므로 부호 검증은 실험에서 얻어진 많은 정보가 버려지게 되고, 그러므로 아주 강력한 통계 검증은 아니다. Wilcoxon 부호 순위 검증은 동일한(또는 짝지은) 참가자들이 두 조건에 있고, 차이의 방향도 고려되는 상황에서 부호 검증으로 사용된다. 이러한 이유 때문에, 이것은 크기 있는 부호 검증이라고 불린다. Wilcoxon 검증은 부호 검증보다 좀 더 강력하다. 상자 B.3은 Wilcoxon 부호 순위 검증이 사용되는 방법을 보여주고 있다.

상자 B.4와 상자 B.5에서 우리는 이전의 두 상자에서 제시된 분석에 대응하는 t 검증을 제시 하고 있다. t 검증은 모수 검증인데, 이것은 우리가 내재된 분포가 그 모양이 대충 정상분포라 는 가정을 함을 뜻한다. 더욱이 t 검증과 다른 모수 검증은 본질적으로 적어도 등간척도인 자료 에 대하여 사용되게 고안되었다. U 검증과 부호 검증은 서열척도 자료이면 된다. t 검증은 본질 적으로 평균 간 차이의 표준오차를 사용한 z 점수들에 근거한 것이다. 그러므로 만일 계산 공식 이 처음에 유별나게 보일지라도, 내재된 논리는 이 장의 이전에 논의한 논리와 같다.

효과의 크기

요약하면, z나 t 같은 통계치를 계산함으로써 결과가 우연 요인에 기인한 것인지를 결정할 수 있다. 상자 B.4에서처럼 차이의 α 수준을 결정하는 것은 차이가 통계적으로 유의미하다고 말해주고, 우리가 영가설을 기각할 수 있게 해준다. t 검증(그리고 나중에 논의할 F 검증)의 흥미로운 특징은 영가설을 기각하는 데 필요한 t의 값이 자유도가 증가함에 따라 감소된다는 것이다. 이것은 t의 검증력이 z 점수에서처럼 표본 크기와 함께 증가함을 뜻한다(표 C.5를 보라). 상자 B.4의 독립집단 t에 대한 공식이 보여주는 바와 같이, 우리가 평균 간 차이를 일정하게 유지하면서 표본 크기(n)을 증가시키는 것은 분모를 좀 더 작게 만들어서 t의 값을 증가시키는 경우이다. 또한 이것은 검증력을 높이고 영가설을 좀더 많이 기각하게 해준다. 그러면 어떤 사례에서는 평균 간의 아주 작은 차이도 통계적으로는 유의미하게 되는 것이 가능하다. 흔히 실험을 할 때, 우리는 평균 간의 상당한 차이—독립변인의 커다란 효과—를 원한다. 그러나 예외적으로 작은 평균 간의 차이도 아주 강력한 실험으로 탐지할 수 있다. 후자의 경우에 그 차이가 강력한 독립변인 때문인지, 강력한 통계 검증 때문인지를 우리는 모를 수도 있다.

우리가 강력한 독립변인을 가졌다는 것을 어떻게 알 수 있는가? 일반적인 절차는 **효과의 크기**(magnitude of effect)를 알아보는 것인데, 효과의 크기는 종종 독립변인의 **효과 크기**(effect size)라고 불린다. 이제는 많은 학술지 발행인들이 모든 실험을 대상으로 효과 크기를 보고하도록 요구하거나, 또는 강력히 권장하고 있다. 우리가 수행한 실험의 효과 크기를 알아보기 위해, 특정한 집단에 소속된 것이 행동을 예측하는 정도를 알려주는 방법이 필요하다. 상자 B.4의 예에서, 우리는 어떤 쥐가 LSD를 받았는지 위약을 받았는지를 알 수 있게 해주는 계산식을 가지고 싶다. 우리가 필요한 정보는 상관계수인데, 왜냐하면 상자 A.1에 있는 것처럼 우리는 머리 크기에 근거하여 기억 점수를 예측하기를 원하는 것과 똑같은 방식으로 쥐에게 무슨 일이 발생했는지를 예측하길 원하기 때문이다. t 검증을 실시한 후, 우리는 효과 크기를 평가하기 위해 상관을 계산할 수 있다. 여기에 적합한 상관계수는 r_{pb}인데, 이것은 **점이연**(point biserial) **상관**이라 불린다. 그 공식은

$$r_{pb} = \sqrt{t^2/(t^2 + df)} \tag{B.4}$$

이다. r_{pb}의 값은 0과 +1.00 사이에 있다. 관례적으로 .3까지의 값은 작은 것으로, .31에서 .5까지는 중간, .5 이상은 상당한 것으로 간주된다(Thompson & Buchanan, 1979). 상자 B.4에 있는 자료는 $t = 3.27$ 그리고 $df = 38$, 공식 B.4를 적용하면 $r_{pb} = .47$이다. 이것은 중간 정도의 효과로 간주된다. r_{pb}에 대한 똑같은 공식이 상자 B.5의 결과에 대하여 사용될 수 있다. 그 값이 무엇인지 직접 해보지 않겠는가?

여러분이 알아야 할 효과의 크기에 대한 가장 중요한 추가적인 측정치가 η(eta, 에타)인데, 이 것은 F 검증을 수행한 후에 영가설이 얼마나 틀렸는지를 결정하는 데 사용된다. 다음 부분에서 논의를 기대하기로 하고, 가장 단순한 형태의 F 검증은 t 검증과 같은데, 단지 독립변인의 수준이 둘 이상이란 것이 다르다(예를 들면, LSD의 여러 수준의 투약). 둘 또는 그 이상의 독립변인에, 각각은 여러 수준을 가지고 있는 좀 더 복잡한 실험이 F 검증으로 분석될 수 있다. r_{pb}와 더불

상자 B.4 **피험자간 *t* 검증 계산법**

이것들은 이전에 논의된 가설적인 실험 자료(상자 B.2를 보라)이다. 계산 공식은 다음과 같다.

$$t = \frac{\overline{X}_1 - \overline{X}_2}{\sqrt{\left[\dfrac{\sum X_1^2 - \dfrac{\left(\sum X_1\right)^2}{n_1} + \sum X_2^2 - \dfrac{\left(\sum X_2\right)^2}{n_2}}{n_1 + n_2 - 2}\right]\left[\dfrac{1}{n_1} + \dfrac{1}{n_2}\right]}}$$

$\overline{X}_1$ = 집단 1의 평균

$\overline{X}_2$ = 집단 2의 평균

n_1 = 집단 1의 점수의 수

n_2 = 집단 2의 점수의 수

$\sum X_1^2$ = 집단 1의 제곱합

$\sum X_2^2$ = 집단 2의 제곱합

$\left(\sum X_1\right)^2$ = 집단 1의 합의 제곱

$\left(\sum X_2\right)^2$ = 집단 2의 합의 제곱

통제(위약)				실행(LSD)			
X	X^2	X	X^2	X	X^2	X	X^2
9	81	13	169	9	81	17	289
10	100	14	196	13	169	18	324
11	121	14	196	13	169	18	324
11	121	14	196	14	196	18	324
12	144	15	225	14	196	18	324
12	144	15	225	15	225	19	361
12	144	16	256	16	256	19	361
13	169	17	289	16	356	20	400
13	169	18	324	16	356	22	484
13	169	20	400	17	289	26	676
$\sum X = 272$		$\sum X^2 = 3,838$		$\sum X = 338$		$\sum X^2 = 5,960$	
$\overline{X} = 13.60$				$\overline{X} = 16.90$			

- 단계 1 각 집단에 대한 $\sum X$, $\sum X^2$, $\overline{X}$를 계산한 후(우리 자료를 순서 매길 필요는 없다), 각 집단에 대하여 $(\sum X)^2/n$을 계산할 필요가 있다: $(272)^2/20 = 3{,}699.20$과 $(338)^2/20 = 5{,}712.20$. 그리하고 나서 각 집단에 대하여 $\sum X^2 - (\sum X)^2/n$을 결정할 필요가 있다: $3{,}838 - 3{,}699.2 = 138.8$ 그리고 $5{,}960 - 5{,}712.2 = 247.8$.

- 단계 2 이제 윗 단계에서 우리가 얻은 두 집단의 숫자를 더한다: $247.8 + 138.8$, 그리고 이 합을 $n_1 + n_2 - 2$로 나눈다: $386.6/38 = 10.17$.

- 단계 3 단계 2에서 얻은 몫을 $\left[\dfrac{1}{n_1} + \dfrac{1}{n_2}\right]$으로 곱한다: $(10.17)(2/20) = 1.02$.

- 단계 4 이제 단계 3에서 얻은 값에 제곱근을 취한다: $\sqrt{1.02} = 1.01$.

- 단계 5 두 집단의 평균 점수 간의 차이의 절대값을 찾는다(부호를 무시하고 하나에서 다른 하나를 뺀다): $16.90 - 13.60 = 3.30$.

- 단계 6 t = 나눈 평균 간의 차이(단계 5) 단계 4에서 얻은 결과로: $3.30/1.01 = 3.27$. 따라서 우리의 t = 3.27, 이것을 평가하기 위해 우리는 부록 C의 표 C.5에서 t의 표 값을 찾는다. 우리는 우리의 실험에서 자유도의 수를 가지고 표에 찾아 들어가는데, 자유도란 자유롭게 변동할 수 있는 점수의 개수를 의미한다. 피험자간 t에서는 자유도는 $n_1 + n_2 - 2$이고, 우리의 경우에는 $df = 38$이다. $p = .05$와 $df = 38$인 경우에 t의 임계치는 표에서 2.04이다(임계치를 구하기 위해서는 항상 그 다음 작은 값을 택한다). 우리가 얻은 t는 임계치를 넘고, 따라서 두 집단이 같은 달리기 점수를 갖는다는 가설을 기각할 수 있다. 즉, LSD는 우리 피험자의 행동에 영향을 미친다.

어, η는 종속변인과 집단 성원성 점수 사이의 상관이다. η의 값이 클수록, 참가자 점수에 근거한 집단 성원성을 더 좋게 예측할 수 있는데, 그것은 더 큰 효과 크기를 의미한다.

변량분석에서, 우리는 두 변량의 비율을 계산하고(이것은 곧 분명해질 것이다), 유의도는 두 개의 자유도에 연관되어 있다: F 비율에서 한 df는 분자(n)에, 다른 df는 분모(d)에 연관되어 있다. 따라서 η에 대한 공식은 다음과 같다.

$$\eta = \sqrt{df_n \times F / (df_n \times F + df_d)} \tag{B.5}$$

효과의 크기에 대한 측정은 다른 중요한 사용처가 있는데, 그것은 또한 영가설을 기각하는 것이 표본 크기에 의존한다는 사실과 연관되어 있다. 우리가 한 실험을 수행하고, 비록 평균 간 차이가 0이 아니다(즉, 둘이 다르다) 하더라도 t의 값이 영가설을 기각할 만큼 충분히 크지 않음을 발견했다고 가정하자. t값이 작은 한 가지 이유는 표본의 크기가 너무 작아서 통계적으로 유의미한 평균 간 차이를 탐지해내지 못할 수 있다. 이 경우에 신중한 연구자는 r_{pb} 같은 적절한 효과의 크기에 대한 측정을 계산할 것이다. 만일 상관이 중간의 또는 상당한 값을 내면, 영가설을 기각하기 위해 실험에서 표본 크기를 증가시키는 것이 현명할 것이다. 통계적으로 유의미한 결과를 얻는 것은 중요하지만, 그것은 진짜 '싸움의 절반'일 뿐이다. 매우 작은 유의미한 결과는 별로 흥미롭지 않다. 오히려 통계적으로 유의미하지 않은, 하지만 상당히 큰 효과는 여러분에게 그 무엇인가에 다가왔으니 통계적 검증력을 증가시키라고 말한다.

상자 B.5 **피험자내 _t_ 검증 계산법**

Widget 교수의 실험에서 나온 가설적 자료이다(상자 B.3을 보라). 피험자내 _t_ 검증에 대한 계산 공식은 다음과 같다.

$$t = \sqrt{\dfrac{n-1}{\left[n \sum D^2 \middle/ \left(\sum D\right)^2\right] - 1}}$$

여기서 n = 참가자 수, D = 두 조건에서 한 피험자의(또는 짝지어진 참가자 쌍) 점수 차이

참가자	전	후	차이(_D_)	D^2
		회상된 단어의 평균 수		
1	11	17	+ 6	36
2	18	16	− 2	4
3	9	21	+12	144
4	15	16	+ 1	1
5	14	17	+ 3	9
6	12	15	+ 3	9
7	17	16	− 1	1
8	16	17	+ 1	1
9	15	20	+ 5	25
10	19	16	− 3	9
11	12	13	+ 1	1
12	16	14	− 2	4
13	10	14	+ 4	16
14	17	20	+ 3	9
15	6	10	+ 4	16
	$\overline{X} = 13.80$	$\overline{X} = 16.07$	$\sum D = 35$	$\sum D^2 = 285$
			$\left(\sum D\right)^2 = 1,225$	

• **단계 1** 이 표에서 보인 바와 같이 각 참가자의 점수들을 짝지어 배열한 후에 각 쌍의 차이를 기록하고 이 차이 점수를 제곱하라.

• **단계 2** 참가자에 걸쳐서 차이 점수를 더하면 $\sum D$가 되고, 이 합을 제곱하면 $\left(\sum D\right)^2$를 얻는다: $\sum D = 35, \left(\sum D\right)^2 = 1,225$.

• **단계 3** 차이 점수의 제곱합을 계산하여 $\sum D^2 = 285$를 얻는다.

• **단계 4** $\sum D^2$(단계 3)을 참가자 수로 곱한다: $285 \times 15 = 4,275$.

- 단계 5 단계 4에서 얻은 결과를 $\left(\sum D\right)^2$로 나눈다: 4,275/1,225 = 3.49, 그리고 그 결과에서 1을 뺀다: 3.49 − 1 = 2.49.

- 단계 6 참가자 수보다 하나 적은 수($n − 1$)를 단계 5의 결과로 나눈다: 14/2.49 = 5.62.

- 단계 7 $t = \sqrt{5.62} = 2.37$

- 단계 8 t를 평가하기 위해 부록 C에 있는 표 C.5에 보인 임계치와 비교한다. $n − 1$ df를 가지고 표를 찾는데, 이 연구에서 $df = 14$이다. $df = 14$에서 t의 임계치는 $p = .05$일 때 2.145이다. 얻은 t값은 임계치를 넘었고, 따라서 Widget 교수의 강좌는 단어 회상에 영향을 주었다고 결론 내릴 수 있다.

변량분석

대부분의 심리학 연구는 (서로 비교되는 통제 조건과 실험 조건의) 단 두 조건만이 있는 단계를 뛰어 넘는다. 연구자들은 전형적으로 심리학 연구에서 두 조건 이상을 사용한다. 쥐의 달리기 속도에 대한 LSD의 효과를 보는 우리의 예에서 쥐에게 투여되는 LSD의 양을 다양하게 하는 것이 상당히 유용할 수도 있다. 아마도 낮은 투여량과 높은 투여량이 상이한 효과가 있을 것이다. 한 집단은 LSD를 어느 정도 양을 받고 다른 집단은 받지 않는 두 집단 설계에서는 이것을 결정할 수 없다. 다중 집단을 사용한 실험의 결과를 평가하기 위해, 우리는 변량분석을 사용해야만 한다. 단순 변량분석은 하나의 요인 또는 독립변인(LSD의 양 같은)이 체계적으로 변하는 상황에서 사용되고, 그러므로 일원 변량분석이라 불린다.

종종 실험자는 하나 이상의 요인을 변화시키는 데 관심이 있다. 실험자는 둘 이상의 요인들을 동시에 변화시키기를 원한다. 그러한 복합 또는 다요인 실험 설계에서 여전히 **변량분석**(analysis of variance)이 적합하지만, 좀 더 복잡해진다. 이 부분에서는 단순 변량분석 그리고 다원 변량분석(ANOVA라고 약자로 쓴다)의 논리에 대하여 소개한다.

단순 변량분석

변량분석 절차의 핵심은 변량 추정치의 비교에 있다. 우리는 이미 변량의 개념과 어떻게 이것이 관찰의 특정한 표본으로부터 추정되는지를 논의하였다. 여러분은 변량의 개념이 명확하지 않으면 분산의 측정에 대한 부분으로 되돌아가서 짚어보아야 한다. 모집단 변량의 편향되지 않은 추정치에 대한 공식이

$$\hat{s}^2 = \frac{\sum (X - \overline{X})^2}{n - 1} \tag{B.6}$$

라는 것과 평균으로부터 점수의 편차가 클 때 변량도 커진다는 것을 기억하라. 마찬가지로, 평균으로부터 편차가 작을 때 변량도 작게 된다.

변량분석에서 변량에 대한 두 독립적인 추정치가 얻어진다. 하나는 상이한 실험집단 사이의 변산성에 근거한다—상이한 집단들의 평균이 서로 다른 정도. 실제로 변량은 개별집단 평균이 실험에서 모든 점수들의 전체 평균에서 얼마나 다른가를 계산한다. 집단들의 평균치 간 차이가 클수록, **집단간 변량**(between-group variance)이 커지게 된다.

변량의 다른 추정치는 **집단내 변량**(within-group variance)이다. 이것은 개별 표본으로부터 오는 변량의 추정치를 살필 때 논의한 개념이다. 이제 우리는 모든 개별 집단을 대표하는 집단내 변량의 추정치를 찾아내는 것에 관심이 있으므로, 이들 집단들의 변량의 평균을 취한다. 집단내 변량은 집단 내의 참가자들이 서로 얼마나 다른가(또는 집단의 평균)에 대한 추정치를 제공한다. 하나는 집단내 변량에 대한, 그리고 다른 하나는 집단간 변량에 대한 두 변량 추정치가 얻어진다. 이제 이것을 어디에 쓸 것인가?

상이한 집단 또는 조건의 점수가 신뢰할 만하게 다른지를 보기 위한 검증의 기본 논리는 다음과 같다. 영가설은 다양한 조건들 하에 있는 모든 참가자들이 같은 모집단에서 얻어졌다는 것이다. 즉 "실험변인은 효과가 없다"이다. 만일 영가설이 사실이고 상이한 집단에서의 모든 점수들이 같은 모집단에서 나왔다면, 집단간 변량은 집단내 변량과 같아야만 한다. 상이한 집단 간의 평균은 집단 내의 점수가 상이한 만큼 서로 달라야 한다. 따라서 우리가 영가설을 기각하기 위해서는 상이한 집단의 평균들은 집단 내에서 점수들이 변하는 것 이상으로 서로 변해야 한다. 실험의 집단간 변량(차이)이 크면 클수록, 독립변인이 효과를 가질 가능성이 높으며, 특히 집단내 변량이 작을 경우 그렇다. 이 논리를 세운 사람이 저명한 영국의 통계학자인 R. A. Fisher 이고, 그의 업적을 기리면서 이 검증을 F 검증이라고 지칭하였다. F 검증은 간단히 집단내 변량 추정치에 대한 집단간 변량 추정치의 비율이고, 따라서 다음과 같다:

$$F = \frac{\text{집단간 변량}}{\text{집단내 변량}} \tag{B.7}$$

방금 설명한 논리에 따르면, 영가설 하에서 F 비율은 1.00이 되어야만 하는데, 왜냐하면 집단간 변량이 집단내 변량과 같아야 하기 때문이다. 집단간 변량이 집단내 변량보다 크면 클수록, 결과적으로 F 비율이 1.00보다 커지게 되고, 영가설을 기각하는 데 우리는 더 확신하게 된다. F 비율이 정확하게 얼마만큼 1.00보다 커야 하는 것은 실험에서의 **자유도**(degree of freedom), 또는 얼마나 측정치가 자유롭게 변할 수 있는가에 달려 있다. 이것은 실험에서 집단이나 조건의 수와 각 집단에 대한 관찰의 수 둘 다에 의존한다. 부록 C의 표 C.6을 살펴보면 알게 되듯이, 자유도의 수가 클수록 신뢰성이 있는 효과로 판단되기 위해 필요한 F 비율의 값이 작아진다. 상자 B.6에 있는 계산 예를 피험자간 실험의 변량분석에 대한 감을 얻기 위해 신중하게 따라 해보라. 상자 B.7은 피험자내 실험에 대한 변량분석의 예를 들고 있다.

만일 단순 변량분석이 유의미한 F 비율을 낳는다면, 거기에는 여전히 우리가 알고 싶어 하는 것은, 특히 개별 조건들 중 어느 것의 F 비율이 다른 F 비율들과 달라졌는지에 대한 것이다. 이것은 독립변인의 조작이 본질적으로 양적인 경우에 특히 중요하다. 독립변인의 양적 변동은 한 독립변인의 양이 조작될 때이고(예를 들면, LSD의 양), 반면에 질적 변동은 조건들이 변하지만 수량적 방식으로 쉽게 상세히 기술되지 않을 때이다. 질적 변동의 한 예는 실험의 초기에 주어

상자 B.6 단순 변량분석 계산하기: 피험자간 변인 하나

이 변량분석은 흔히 일원 변량분석(one-way ANOVA)이라 부르는데, 오직 하나의 변인만이 있기 때문이다. 여러분이 방금 LSD가 쥐의 달리기 속도에 미치는 영향을 검사하는 실험을 하였다고 가정하는데, 먼저의 예에서처럼 두 수준의 LSD가 아닌 세 수준을 처치하였다. 10마리 쥐가 LSD를 받지 않았고, 다른 10마리는 작은 양을 받고, 세 번째 집단은 많은 양을 받았다. 따라서 실험에는 LSD의 양(없음, 적은 양, 많은 양)이 독립변인이고 달리기 시간이 종속변인인 피험자간 설계가 사용되었다. 먼저 점수의 합($\sum X$)을 계산하고 점수의 제곱합($\sum X^2$)을 계산한다.

	LSD의 양	
무처치	적은 양	많은 양
13	17	26
11	15	20
14	16	29
18	20	31
12	13	17
14	19	25
10	18	26
13	17	23
16	19	25
12	21	27
$\sum X = 133$	175	249
$\overline{X} = 13.30$	17.50	24.90
$\sum X^2 = 1,819$	3,115	6,351
$\sum\sum X = 557$	$\sum\sum X^2 = 11,285$	

변량분석을 계산하는 데 기본적인 수치는 제곱합인데, 제곱합이란 평균으로부터의 편차의 제곱의 합의 약자이다. 여러분이 공식 A.1(부록 A에서)을 보면 표본의 변량을 정의하였는데, 제곱합이 분자가 된다. 세 가지 제곱합이 관심을 끈다. 첫째로, 총 제곱합(SS Total)이 있는데, 이것은 모든 집단에 있는 모든 점수의 평균 또는 전체 평균에서 개별 점수를 뺀 점수의 제곱의 합이다. 둘째로, 집단간 제곱합(SS Between)인데, 이것은 전체 평균에서 집단 평균을 뺀 점수의 제곱의 합이다. 셋째로, 집단내 제곱합(SS Within)인데, 이것은 집단 평균에서 집단 또는 조건 내 개개 점수들을 뺀 점수의 제곱의 합이다. 이것은 총 제곱합 = 집단간 제곱합 + 집단내 제곱합이 되는데, 따라서 실제로는 두 개의 제곱합만을 계산하면 되고, 나머지는 빼면 된다.

이러한 제곱합은 해당되는 평균에서의 편차를 구해서 그것을 제곱하고 합계를 구함으로써 계산된다. 그러나 그러한 방법은 많은 시간과 노력을 허비한다. 다행히도 계산을 좀 더 쉽게 하도록 해주는 계산 공식이 있는데, 지금 자료에서처럼 각 집단의 $\sum X$와 $\sum X^2$의 값이 알려진 경우에 그렇다. 총 제곱합을 구하는 공식은

$$\text{총 제곱합} = \sum\sum X^2 - \frac{T^2}{N} \tag{B.8}$$

인데, 여기서 $\sum\sum X^2$은 각 집단 내에서 각 점수들을 제곱하고, 이 제곱된 값 모두를 더하는 것을 의미하므로, 따라서 $\sum X^2$이다. 여기에는 총합 기호(S)가 두 개 있는데, 하나는 집단내 제곱값의 합계를, 다른 하나는 상이한 집단에 걸쳐 이들 $\sum X^2$을 합하는 것에 쓰인다. T는 모든 점수들의 총계이고, N은 실험에서 점수들의 총수이다. 따라서 우리의 예에서 총 제곱합은 다음과 같은 방식으로 계산된다:

$$SS \text{ 전체} = \sum\sum X^2 - \frac{T^2}{N}$$
$$SS \text{ 전체} = 1,819 + 3,115 + 6,351 - \frac{(133 + 175 + 249)^2}{30}$$
$$SS \text{ 전체} = 11,285 - \frac{310,249}{30}$$
$$SS \text{ 전체} = 11,285 - 10,341.63$$
$$SS \text{ 전체} = 943.37$$

집단간 제곱합은 다음 공식으로 계산된다:

$$SS \text{ 집단간} = \sum \frac{(\sum X)^2}{n} - \frac{T^2}{N} \tag{B.9}$$

이 공식의 첫 번째 부분은 각 집단에 대한 값들의 합을 제곱한 후, 그 값을 집단 내의 관찰의 수로 나누는 것(또는 $(\sum X)^2/n$)을 뜻한다). 그리고 난 후 이 값들은 집단에 걸쳐 합해진다. 따라서 $(\sum X)^2/n$이다. 공식의 두 번째 부분은 SS 전체와 같다:

$$SS \text{ 집단간} = \sum \frac{(\sum X)^2}{n} - \frac{T^2}{N}$$
$$SS \text{ 집단간} = \frac{17,689}{10} + \frac{30,625}{10} + \frac{62,001}{10} - 10,341.63$$
$$SS \text{ 집단간} = 11,031.50 - 10,341.63$$
$$SS \text{ 집단간} = 689.87$$

집단내 제곱합은 SS 전체에서 SS 집단간을 빼서 얻는다. 따라서 SS 집단내 $= 943.37 - 689.87 = 253.50$이다. 검산으로써 직접 계산할 수 있다. 이것은 각 집단에 대한 SS 전체(공식 B.8에서처럼)를 계산하고 개개 집단의 제곱합을 모두 더해서 계산한다. 오류가 발생하지 않았다면, 이 수치는 빼서 얻은 집단내 제곱합과 같아야만 한다.

$$\frac{(\sum\sum X)^2}{N} \quad \text{또는} \quad \frac{T^2}{N}$$

이것을 교정항이라 부르는데, 왜냐하면 대부분 SS에 포함되어 있기 때문이다.

다양한 제곱합을 얻은 후에 다음에 나오는 것과 같은 변량분석표를 작성하는 것이 편리하다. 가장 왼쪽 열에는 변량원이 있다. 우리가 계산에서 관심 있어 하는 두 가지 기본적인 변량원—집단간과 집단내—이 있음을 기억하자. 다음 열은 자유도의 수(df)이다. 이것은 합이 고정되어 있을 경우에 자유로이 변할 수 있는 점수의 개수라고 생각할 수 있다. 집단간 자유도는 만일 전체 합이 고정되었으면, 하나를 제외하고는 모든 집단이 자유로이 변할 수 있다. 따라서 집단간 df는 집단 수에서 1을 뺀 것이다. 우리의 예에서는 3 − 1 = 2이다. 집단내 df는 점수의 전체 수에서 집단 수를 빼게 되는데, 만일 집단 합이 고정되어 있다면, 각 집단에서 오직 한 점수만이 변할 수 없다. 따라서 집단내 df는 30 − 3 = 27이다. 전체 df = 집단간 df + 집단내 df이다.

세 번째 열은 **제곱합**(SS)을 담고 있는데, 제곱합은 이미 계산되었다. 네 번째 열은 **평균 제곱합**(MS)을 나타내는데, 그것은 각 행에서 SS를 df로 나누면 된다. 각 평균 제곱합은 영가설이 사실일 경우 모집단 변량의 추정치이다. 그러나 독립변인이 효과가 있다면 집단간 평균 제곱합은 집단내 평균 제곱합보다 커야만 한다.

본문에서 논의된 바와 같이, 이들 두 값은 F 비율을 계산할 때 비교되는데, MS 집단 간을 MS 집단 내로 나누면 된다. 일단 F값이 계산되면, 그 값이 수용할 만한 통계적 유의도 수준에 도달하는지를 결정하는 것이 필요하다. 부록 C의 표 C.6을 보면 자유도 2와 26에 대하여(2와 27의 가장 가까운 것) .001의 유의도 수준에 도달하기 위해 F값이 9.12는 되어야 한다. 우리의 F값은 9.12보다 크므로 독립변인의 변산성—주사된 LSD의 양—때문에 집단간 달리기 속도가 신뢰롭게 달라졌다고 결론 내릴 수 있다.

변량원	df	SS	MS	F	p
집단간	2	689.87	344.94	36.73	<.001
집단내	27	253.50	9.39		
전체	29	943.37			

참고: 만일 계산기를 사용하여 변량분석을 계산한다면 실수에 유의하라. 집단내 제곱합이 음수가 된다면(SS 전체에서 SS 집단간을 뺀 것), 실수를 했다는 것이다. 음수가 되는 제곱합은 있을 수 없다. 검사로써 SS 집단 내를 직접 그리고 간접적으로 계산하여야만 한다. 한 가지 공통적인 오류는 $\sum X^2$(각 점수를 제곱한 후, 그 제곱들을 더함)과 점수의 합의 제곱인 $\left(\sum X\right)^2$을 혼동하는 것이다.

상자 B.7 **피험자내(처치 × 피험자) 변량분석 — 변인 하나(일원 변량분석)**

우리는 위의 세 수준 LSD 연구를 집단간 설계보다는 집단내 설계로 수행할 수 있다. 물론 피험자에 걸쳐 투여량의 순서를 상대균형화하였다. 우리의 피험자내 LSD 연구에서 9마리의 피험 쥐를 사용한다고 가정하자. 세 마리 피험 쥐는 무-다-소(無-多-少)의 투여량 순서로, 세 마리는 소-무-다 순서로, 마지막 세 마리는 다-소-무의 순서로 투약된다. LSD의 각 투여량 후에 직선 주로에서 쥐의 달리기 시간이 기록되었다. 우리는 이 원인, 피험자내 변량 분석으로 순서의 효과를 분석할 수 있지만(상자 B.9를 보라), 이 예의 목적상 처치순서의 효과를 무시할 것이다.

피험자내 ANOVA에서 다음과 같은 종류의 변산성을 계산할 필요가 있다.

SS 전체—모든 점수의 평균에 관한 변화량. SS 전체는 남아 있는 제곱합의 합이다.

SS 처치—처치 조건 간의 차이이고 이전 ANOVA에서 SS 집단간처럼 계산된다.

SS 피험자—우리 실험에서 개인 간 차이를 추정하고 다음의 SS를 계산하기 위해 사용된다.

SS 오차 또는 SS 처치 × 피험자—이것은 같은 조건에서 같은 개인의 점수에서 발생하게 되는 무선

변화량을 나타낸다. 이 상호작용 때문에 이 ANOVA가 처치 × 피험자란 이름을 얻었다. 흔히 이 SS는 오류 변량이라 불리고, 처치 효과의 F 비율에서 분모가 된다.

우리는 상자 B.6에 보여준 LSD 연구의 첫 아홉 피험 쥐로부터 얻은 가설적인 자료를 사용할 것이다. 먼저 소개한 대로 처치의 순서를 가정할 것이다. 여러분은 다음과 같이 자료표를 만들어야 한다. 따라서 각 피험 쥐 점수가 같은 행에 있어야 한다. 처치간 합해진 어떤 피험 쥐의 총 점수가 표에 나타날 수 있도록 여유를 두어라. 여러분은 점수의 제곱과 피험자 총합의 제곱을 쓸 공간을 남기려고 할 수도 있다.

	달리기 시간				
	LSD의 양			피험자 합	피험자 합의 제곱
피험자	무	소량	대량		
1	13	17	26	56	3,136
2	11	15	20	46	2,116
3	14	16	29	59	3,481
4	18	20	31	69	4,761
5	12	13	17	42	1,764
6	14	19	25	58	3,364
7	10	18	26	54	2,916
8	13	17	23	53	2,809
9	16	19	25	60	3,600
	$\sum X = 121$	154	222	497	
	$\sum X^2 = 1,675$	2,674	5,622		27,497
	$\sum\sum X = 497$	$\sum\sum X^2 = 9,971\ (1,675 + 2,674 + 5,622)$			

- 단계 1 세 처치 합을 더해서(121 + 154 + 222) $\sum\sum X$를 계산할 때 피험자 총합을 더해서 정확한지를 검산할 수 있는데, 그것은 $\sum\sum X$와 같아야만 한다. 각 처치에 대한 $\sum X^2$와 $\sum\sum X^2$을 계산하고, 피험자 합의 제곱의 합을 계산하라(마지막 열).

- 단계 2 교정항 C를 계산

  $C = (\sum\sum X)^2/N$, 여기서 N = 표에 있는 점수의 총수

  (9마리의 피험 쥐 × 각 피험 쥐당 3개의 점수)

  $= 497^2/27$

  $= 247,009/27$

  $= 9,148.48$

- 단계 3 $\sum\sum$ 전체 $= \sum\sum X^2 -$ 단계 2

$$= 9,971 - 9,148.48$$

$$= 822.52$$

- 단계 4 SS 처치 $= SS$ 투여량. SS 투여량은 처치 총합을 제곱해서 더하고, 그 합을 각 처치에서의 점수의 수로 나누고, C(단계 2)를 뺀다.

$$SS \text{ 투여량} = \frac{121^2 + 154^2 + 222^2}{9} - \text{단계 2}$$

$$= 87,419/9 - \text{단계 2}$$

$$= 9,737.89 - 9,148.48$$

$$= 589.41$$

- 단계 5 SS 피험자 $=$ 피험 쥐 합의 제곱의 합(표의 마지막 열)을 피험 쥐당 점수의 수(3)로 나눈 후 C를 뺀다.

$$= 27,947/3 - \text{단계 2}$$

$$= 9,315.67 - 9,148.48$$

$$= 167.19$$

- 단계 6 SS 오차 $= SS$ 전체 $- SS$ 투여량 $- SS$ 피험자

$$= \text{단계 3} - \text{단계 4} - \text{단계 5}$$

$$= 822.51 - 589.41 - 167.19$$

$$= 65.92$$

- 단계 7 df의 결정

$$df \text{ 전체} = \text{점수의 총} - 1 = 26$$

$$df \text{ 투여량} = \text{처치의 수} - 1 = 2$$

$$df \text{ 피험자} = \text{피험자의 수} - 1 = 8$$

$$df \text{ 오차} = (df \text{ 투여량})(df \text{ 피험자}) = 16$$

- 단계 8 MS의 결정

$$MS \text{ 투여량} = SS \text{ 투여량} / df \text{ 투여량} = 589.41/2 = 294.71$$

$$MS \text{ 오차} = SS \text{ 오차} / df \text{ 오차} = 65.92/16 = 4.12$$

- 단계 9 $F = MS \text{ 투여량} / MS \text{ 오차} = 294.71/4.12 = 71.53$

• 단계 10 요약표

변량원	SS	df	MS	F
피험자	167.19	8		
투여량	589.41	2	294.71	71.53
오차	65.92	16	4.12	
전체	822.52	26		

우리는 자유도 2와 16을 가지고 부록 C의 표 C.6에 가서 F 비율의 유의도를 결정한다. 우리가 얻은 F값은 2와 16 df에 대응되는 유의도에 필요한 F 비율을 훨씬 넘으므로 LSD의 투약 수준이 쥐들의 달리기 시간에 영향을 주었다고 결론지을 수 있다.

지는 지시의 측면에서 조건들이 달라지는 지시적 조작이다. 그런 상황에서는 한 조건에서 다른 조건으로 신뢰성 있게 변동한다고 단순히 말하는 것만으로는 충분하지 않다. 어떤 특정 조건이 다른지를 아는 것이 중요하다. 이 질문에 답하기 위해 우리는 단순 변량분석 후에 검증들을 수행할 필요가 있다. (일반적으로 사후검증이라 불리는) 이러한 후속 검증들에서 실험의 조건들을 한 번에 두 개씩 택해서 어떤 짝들이 신뢰성 있는 차이를 보이는지 알 수 있도록 비교한다. 이런 목적에 부합되는 여러 통계 검증들이 있다. 우리는 짝으로 만든 집단들에 대하여 변량분석을 수행할 수 있는데, 이 변량분석은 t 검증을 수행하는 것과 동등하다. 그러나 다른 검증들이 사용된다. 여기에는 Newman-Keuls 검증, Scheffé 검증, Duncan의 다중 범위 검증, Tukey의 HSD(honestly significant differences) 검증, Dunnett 검증 등이 포함된다. 이 검증들은 그 가정과 검증력에서 다르다. 여러분은 후속 검증을 사용할 필요가 있을 때, 통계 교재를 참고해 보아야 한다. 또한 후속 검증은 독립변인의 조작이 본질적으로 양적일 때 사용된다. 이것들은 경향성 검증이라 부른다(이것을 여기서 논의하지는 않겠다).

다원 변량분석

행동의 다중 결정자와 그것들이 상호작용하는 방식을 발견하기 위해서, 우리는 한 요인 이상이 동시에 변화하는 실험을 수행하여야만 한다. 그러한 실험의 결과들을 분석하는 데 적합한 절차가 다원 변량분석이다. 실험에 사용되는 요인의 수는 얼마가 되든 상관이 없을 수도 있지만, 동시에 조작되는 관심이 있는 변인의 수가 네 개 이상 되는 실험을 발견하기란 드물다. 두 요인이 있을 때, 그 분석은 이원 변량분석(two-way ANOVA)이라 하고, 세 요인이 있을 때는 삼원 변량분석(three-way ANOVA)이라고 하는 등등이다.

두 요인 이상을 포함하는 복합 설계의 중요성은 개별 요인들이 한 결과를 낳는 데 **상호작용**하는 방식을 실험자가 평가할 수 있게 해준다는 것이다. 상호작용은 한 실험변인의 효과가 다른 실험변인의 수준에 의해 영향 받을 때 발생함을 상기하라. 복합 변량분석을 수행할 때, 실험에

상자 B.8 **2 × 2 ANOVA의 계산법**

이것은 피험자간 설계이다. 참가자가 높은 심상(여송연) 또는 낮은 심상(민주주의)의 단어를 기억해야 했던 기억 실험에서 얻은 자료이다. 일부 참가자는 제시되는 대로 단어들을 자신에게 말했고(기계적 시연), 다른 참가자는 단어의 심상을 얻으려고 노력하였다(정교화 시연).

고심상 단어		저심상 단어	
기계적 시연	정교화 시연	기계적 시연	정교화 시연
5	8	4	7
7	8	1	6
6	9	5	3
4	7	6	3
4	10	4	5
9	10	3	6
7	8	4	2
5	9	4	4
5	8	5	5
6	9	3	4
$\sum X = 58$	86	39	45
$\sum X^2 = 358$	748	169	225
$\sum\sum X^2 = (358 + \cdots + 225) = 1,500$		$\sum\sum X = 228$	

- 단계 1 전체 합($\sum\sum X = 228$)을 제곱하고 그 점수의 총수(40)로 나눈다. $(\sum\sum X)^2/N = (228)^2/40 = 1,299.6$. 이것이 교정항이다.

- 단계 2 SS 전체 $= \sum\sum X^2 - (\sum\sum X)^2/N$. 단계 1의 결과를 1500에서 뺀다. SS 전체 $= 200.4$.

- 단계 3 SS 심상. 각 심상 조건의 모든 점수들의 합을 얻고 각 합을 제곱한 후, 각 합을 낸 점수의 개수로 각 합을 나눈다. 그리고 두 몫을 더한다. 그리고 마지막 합에서 단계 1의 결과를 뺀다.

$$
\begin{aligned}
SS \text{ 심상} &= (58 + 86)^2/20 + (39 + 45)^2/20 - \text{단계 1}\\
&= \frac{144^2 + 84^2}{20} - 1,299.6\\
&= 1,389.6 - 1,299.6\\
&= 90
\end{aligned}
$$

- 단계 4 SS 시연. 단계 3과 같은 방식으로 계산되는데, 각 유형의 시연의 총합에 대하여 계산을 실시하는 것만 다르다.

$$
\begin{aligned}
SS \text{ 시연} &= \frac{(86 + 45)^2 + (58 + 39)^2}{20} - \text{단계 1}\\
&= 1,328.5 - 1,299.6\\
&= 28.9
\end{aligned}
$$

- 단계 5 *SS* 심상 × 시연. 각 집단 합을 제곱하고, 그 결과를 더하라. 각 합계에서 점수의 수로 각 합계를 나누어라. 마지막 결과에서 *SS* 심상(단계 3), *SS* 시연(단계 4), 그리고 단계 1을 빼라.

$$SS \text{ 심상} \times \text{시연} = \frac{58^2 + 86^2 + 39^2 + 45^2}{10} - \text{단계 1} - \text{단계 3} - \text{단계 4}$$
$$= 14,306/10 - 1,299.6 - 90 - 28.9$$
$$= 12.1$$

- 단계 6 *SS* 오차. *SS* 전체에서 *SS* 처치들(단계 3, 단계 4, 단계 5)을 빼라.

$$SS \text{ 오차} = 200.4 - 90 - 28.9 - 12.1$$
$$= 69.4$$

- 단계 7 자유도를 결정하라.

$$df \text{ 전체} = \text{측정의 개수에서 하나 적은 것}(40 - 1) = 39$$
$$df \text{ 심상} = \text{심상 수준 수에서 하나 적은 것}(2 - 1) = 1$$
$$df \text{ 시연} = \text{시연 수준 수에서 하나 적은 것}(2 - 1) = 1$$
$$df \text{ 심상} \times \text{시연} = df \text{ 심상} \times df \text{ 시연} (1 \times 1) = 1$$
$$df \text{ 오차} = df \text{ 전체} - df \text{ 심상} - df \text{ 시연} - df \text{ 심상} \times \text{시연}(39 - 1 - 1 - 1)$$
$$= 36$$

- 단계 8 요약표. 평균 제곱합(*MS*)은 *SS*를 *df*의 수로 나누어서 얻는다. 그 다음에 *MS* 처치를 *MS* 오차로 나누어 *F* 비율을 계산한다.

변량원	SS	df	MS	F	p
심상	90.0	1	90.0	46.6	<.05
시연	28.9	1	28.9	15.0	<.05
심상×시연	12.1	1	12.1	6.3	<.05
오차	69.4	36	1.9		

- 단계 9 흥미 있는 효과에 대하여 *F* 비율의 유의도를 결정하기 위해 분자의 *df*(이 경우에는 항상 1)와 36인 분모의 *df*(*df* 오차)를 가지고 통계표 C.6을 찾아 들어가라.

우리는 단어의 유형과 시연의 유형이 둘 다 회상에 영향을 준다고 결론 내릴 수 있다. 그러나 단어 유형의 효과가 회상의 유형에 의존한다는 것(즉, 우리는 상호작용을 얻었다)에 유의하여야 한다.

상자 B.9 반복측정(피험자내)에 있는 요인 ANOVA: 처치 × 처치 × 피험자 설계

피험자	유지형 시연 파지기간		정교형 시연 파지기간		피험자 합	시연 합		파지합	
	2초	12초	2초	12초		유지형	정교형	2초	12초
1	15	3	11	11	40	18	22	26	14
2	20	15	19	18	72	35	37	39	33
3	18	2	18	19	57	20	37	36	21
4	15	13	16	15	59	28	31	31	28
5	10	1	17	12	40	11	29	27	13
6	14	5	16	13	48	19	29	30	18
7	17	6	19	18	60	23	37	36	24
8	19	12	16	19	66	31	35	35	31
9	11	4	9	12	36	15	21	20	16
10	17	10	14	7	48	27	21	31	17
11	18	11	18	10	57	29	28	36	21
12	18	4	20	19	61	22	39	38	23
13	16	9	19	18	62	25	37	35	27
14	18	6	19	17	60	24	36	37	23
15	10	5	10	7	32	15	17	20	12
16	16	5	19	18	58	21	37	35	23
$\sum X =$	252	111	260	233	856	363	493	512	344
$\sum X^2 =$	4,114	1,033	4,408	3,669	47,776	24,820		24,910	
			$\sum\sum X = 856$		$\sum\sum X^2 = 13,224$				

피험자내 ANOVA에서 우리는 열(처치)과 행(피험자)의 합을 계산할 필요가 있는데, 왜냐하면 참가자들이 자신들의 통제 조건으로 역할을 해주기 때문이다. 사실상 우리의 오류 변량은 처치 내 피험자들의 상호작용에 의해서 추정된다(상자 B.7을 보라). 단일 참가자가 같은 행에 있도록 자료표를 나열하라. 단일 참가자의 처치 총합이 표에 쓸 수 있도록 공간을 남기는 것이 좋은 생각이다. 우리는 Elmes와 Bjork(1975)의 실험 1에서 나온 자료를 분석할 것이다. 그들의 연구에서 참가자들은 단어들을 유지형 또는 정교화 시연하였고 그 단어를 회상하려고 시도하기 전에 2 또는 12초 동안 방해가 되는 산수 과제를 수행하였다. 따라서 이것은 2 × 2 피험자내 설계이다. 개별 참가자의 총 회상 점수는 (위의) 표에 나타나 있다.

• **단계 1** 총 점수/참가자(행)와 총 점수/처치 조합(열)을 결정하라. 모든 독립변인에 대하여 각 참가자의 총 점수를 찾아라. 특정한 독립변인(예를 들면, 참가자 1번의 시연 총합이 18과 22이다)에 대한 참가자 총합은 합해서 그 참가자의 총합이 된다(이 경우 40). 적합한 열의 합을 더해서 각 처치 총합을 결정하라. 독립변인의 그 수준에 대한 참가자 총합을 더해서 그 답을 검산하라. 예를 들면, 기계적 시연 총합 = 252 + 111 = 363(열 1과 2의 합, 이것은 열 6의 합과 같다).

- 단계 2 교정항(C)을 결정하라. $C = (\sum\sum X)^2/N$인데, 여기서 N은 표에서 측정의 수이다. $N =$ 16명의 피험자 $\times$ 4개의 점수 = 64.

$$C = 856^2/64$$
$$= 732,736/64$$
$$= 11,449$$

- 단계 3 SS 전체 $= \sum\sum X^2 -$ 단계 2
$$= 13,224 - 11,449$$
$$= 1,775$$

- 단계 4 SS 피험자. 각 참가자의 총 점수(열 5)를 제곱하고 그 제곱값을 더하고, 그 총합을 각 피험자의 점수의 수(4)로 나눈 후 단계 2의 결과를 빼준다.

$$SS \text{ 피험자} = 47,776/4 -$$ 단계 2
$$= 11,944 - 11,449$$
$$= 495$$

- 단계 5 SS 시연 $= (363^2 + 493^2)/32 -$ 단계 2
$$SS \text{ 시연} = 374,818/32 -$$ 단계 2
$$= 11,713.06 - 11,449$$
$$= 264.06$$

- 단계 6 MS 시연. SS 시연을 시연의 df로 나누어라. df 시연 = 시연의 수준 수 $-$ 1.

$$df \text{ 시연} = 2 - 1$$
$$MS \text{ 시연} = 264.06/1$$
$$= 264.06$$

- 단계 7 SS 시연 오차. 시연에 대한 오류항은 참가자와 시연 간의 상호작용이다. 시연의 각 수준에 대한 피험자 총합(열 6과 7)을 제곱하고, 그 제곱값을 더하고 각 합을 얻는 데 필요한 점수의 수(이 경우에는 2)로 나눈 다음, C(단계 2), SS 피험자(단계 4), SS 시연(단계 5)을 뺀다.

$$SS \text{ 시연 오차} = \frac{18^2 + 22^2 + \cdots + 21^2 + 37^2}{2} -$$ 단계 2, 4와 5
$$= 24,820/2 -$$ 단계 2, 4와 5
$$= 12,410 - 11,449 - 495 - 264.06$$
$$= 201.94$$

- 단계 8 MS 시연 오차. SS 시연 오차를 df 오차로 나눈다.

$$df = ($$피험자 수 $- 1)(df$ 시연$) = (15)(1)$
$$SS \text{ 시연 오차} = 201.94/15$$
$$= 13.46$$

- 단계 9 F 시연 = MS 시연/MS 시연 오차
$$= \text{단계 6/단계 8}$$
$$= 264.06/13.46$$
$$= 19.62$$

- 단계 10 파지기간(RI)에 대한 F를 찾기 위해 단계 5~9를 반복한다.

$$\begin{aligned}
SS\ RI &= (512^2 + 344^2)/32 - 단계\ 2 \\
&= 441.00 \\
MS\ RI &= 441.00/(2-1) \\
&= 441.00
\end{aligned}$$

$$\begin{aligned}
SS\ RI\ 오차 &= \frac{26^2 + 14^2 + \cdots + 35^2 + 23^2}{2} - 단계\ 2,\ 4와\ SS\ RI \\
&= 24,910/2 - C - SS\ 피험자 - SS\ RI \\
&= 12,455 - 11,499 - 495 - 441 \\
&= 70
\end{aligned}$$

$$\begin{aligned}
MS\ RI\ 오차 &= SS\ RI\ 오차/(16-1)(2-1) \\
&= 70/15 \\
&= 4.67
\end{aligned}$$

$$\begin{aligned}
F\ RI &= 441.00/4.67 \\
&= 94.43
\end{aligned}$$

- 단계 11 $SS\ 시연 \times RI = \dfrac{252^2 + 111^2 + 260^2 + 233^2}{16} - C - SS\ 시연 - SS\ RI$

$$\begin{aligned}
&= 12,357.13 - 11,449 - 264.06 - 441.00 \\
&= 203.07
\end{aligned}$$

- 단계 12 $MS\ 시연 \times RI = 203.07/(df\ 시연)(df\ RI)$

$$\begin{aligned}
&= 203.07/1 \\
&= 203.07
\end{aligned}$$

- 단계 13 $SS\ 시연\ 오차 \times RI$. 여태까지 계산해 온 모든 SS를 SS 전체에서 빼서 삼원상호작용을 계산한다.

$$\begin{aligned}
SS\ 시연 \times RI &= SS\ 전체 - SS\ 피험자 - SS\ 시연 - SS\ RI \\
&\quad - SS\ 시연 \times RI - SS\ 시연\ 오차 - SS\ RI\ 오차 \\
&= 1775 - 495 - 264.06 - 441 - 203.07 - 204.94 - 70 \\
&= 99.93
\end{aligned}$$

- 단계 14 $MS\ 시연\ 오차 \times RI = 99.93/(피험자\ 수 - 1)(df\ 시연)(df\ RI)$

$$\begin{aligned}
&= 99.93/15 \\
&= 6.66
\end{aligned}$$

- 단계 15 $F\ 시연 \times RI = MS\ 시연 \times RI/MS\ 시연\ 오차 \times RI$

$$\begin{aligned}
&= 203.07/6.66 \\
&= 30.49
\end{aligned}$$

• 단계 16 2 × 2 피험자내 ANOVA의 요약표

변량원	SS	df	MS	F
피험자	495.00	15		
시연	264.06	1	264.06	19.62
시연오차	201.94	15	13.46	
파지기간(RI)	441.00	1	441.00	94.43
RI 오차	70.00	15	4.67	
시연×RI	203.07	1	203.07	30.49
시연×RI 오차	99.93	15	6.66	
전체	1,775.00	63		

유의도를 결정하기 위해 각 F 비율에 해당하는 자유도를 가지고 표 C.6을 찾아 들어간다(이 경우 df = 1과 15). 시연과 파지 기간 둘 다 회상에 유의미한 효과가 있었고 시연의 유형은 파지기간의 길이에 종속적임을 주목하라.

서 각 요인의 별개의 효과(**주 효과**(main effect)라 부름)를 찾아내고, 또한 그 변인들이 서로 영향 주는 방식(**상호작용 효과**(interaction effect) 또는 단순히 상호작용이라 부름)을 찾아낸다. 다음에 제시되는 두 개의 상자 B.8, B.9에서 우리는 복합 변량분석을 계산하는 법을 제시한다. 지면관계로 우리는 이들 검증들의 배후에 깔린 논리에 대하여 너무 많이 설명하는 것을 자제해야겠다. 그러나 여러분은 비록 정식으로 통계학 과목을 듣지 않았더라도 여러분 자신의 결과를 분석하는 데 이 예들이 유용하다는 것을 발견하게 될 것이다.

독립성에 대한 χ^2 검증

표 B.5는 표 6.2를 그대로 옮긴 것이며, 어떠한 종류의 연구가 동물에게 더 고통을 유발하느냐에 대한 동물행동주의자와 비행동주의자가 답한 빈도를 보여준다. 영가설은 행동주의 수준은

표 B.5 Plous(1991)가 제시한 자료에서 응용한 2 × 3 분할표

집단	어떤 연구가 동물에게 더 고통을 주는가?			
	심리학	의학	같다	전체
행동가	64	56	281	401
	16.0%	14.0%	70.0%	100.0%
비행동가	8	20	25	53
	15.1%	37.7%	47.2%	100.0%
전체	72	76	306	454
	15.9%	16.7%	67.4%	100.0%

'가장 잔인한' 연구라고 선택한 것과는 독립적일(수반성이 없을) 것이라고 한다. 즉, 표 B.5의 각 칸에 대충 동일한 빈도를 보게 될 것이다. 명백하게 칸들의 빈도는 다르다. 우리는 행동주의자가 되는 것이 그가 어떻게 반응하는가를 결정짓는지 아닌지를 결정하기 위해 χ^2을 사용할 수 있다.

χ^2을 계산하는 공식은

$$\chi^2 = \sum (O - E)^2/E \tag{B.10}$$

인데, 여기서 O는 관찰된 빈도(표 B.5의 각 칸에 보인 빈도)를 가리키고, E는 각 칸에서 기대된 빈도를 가리킨다. χ^2이 계산된 상자 B.10에서 보듯이, 기대된 빈도는 특정한 칸의 행의 합과 열의 합을 곱하고, 곱한 값을 표의 빈도의 총합으로 나누어서 계산된다. 따라서 심리학 연구가 가장 고통을 주게 한다고 생각한 동물행동주의자들에게서 기대된 빈도는 $(72 \times 401)/454 = 63.59$가 된다. 완전한 계산은 상자 B.10에 있다.

상자 B.10 **표 B.5에 있는 자료에 대한 χ^2 계산법**

- 단계 1 각각의 주 자료 칸에 대한 기대 빈도를 계산한다.

행동가(A) × 심리학(P)	$(72 \times 401)/454 = 63.59$
A × 의학(M)	$(76 \times 401)/454 = 67.13$
A × 같다(E)	$(306 \times 401)/454 = 270.28$
비행동가(NA) × P	$(72 \times 53)/454 = 8.41$
NA × M	$(76 \times 53)/454 = 8.90$
NA × E	$(306 \times 53)/454 = 35.72$

- 단계 2 관찰값에서 기대 빈도를 빼고, 각 차이를 제곱하고, 그 값을 그 칸의 기대 빈도로 나눈다.

A × P	$(64 - 63.59)^2 = .17/63.69 = .003$
A × M	$(67 - 56)^2 = 121/56 = 2.16$
A × E	$(281 - 270.28)^2 = 114.92/270.28 = .43$
NA × P	$(8 - 8.41)^2 = .17/8.41 = .02$
NA × M	$(20 - 8.9)^2 = 123.21/8.9 = 13.8$
NA × E	$(25 - 35.7)^2 = 114.91/35.7 = 3.22$

- 단계 3 단계 2에서 얻은 숫자들을 합해서 χ^2을 얻는다.

$$\chi^2 = .003 + 2.16 + .43 + .02 + 13.8 + 3.22 + 19.63$$

- 단계 4 부록 C의 표 C.7에서 χ^2의 유의도를 검토한다. χ^2에 대한 자유도는 하나 적은 행의 수에서 하나 적은 열의 수를 곱한 것이다$(2 - 1)(3 - 1) = 2$. $p < .05$에서 유의미하기 위해서 자유도 2인 χ^2은 5.99보다 크거나 같아야 한다. χ^2값은 임계치를 넘기 때문에, χ^2 검증은 유의미하다.

↘ 웹 자료

• *http://psychology.wadsworth.com/workshops/workshops.html*에 있는 Wadsworth Psychology Resource Center, Statistics and Research Methods activities를 방문하여 표준오차, 가설 검증, 단일 표본 *t* 검증, 집단간 *t* 검증, 그리고 집단내 *t* 검증에 대한 단계별 제시를 훑어보라.

부록 **C** 통계표

통계표

표 C.1 정상곡선 하의 면적 비율

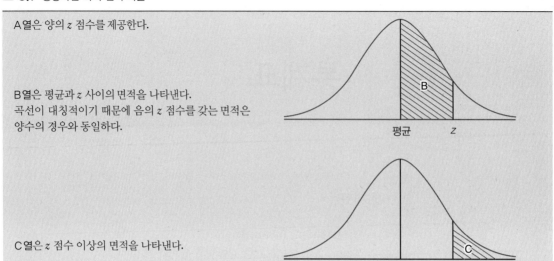

A열은 양의 z 점수를 제공한다.

B열은 평균과 z 사이의 면적을 나타낸다.
곡선이 대칭적이기 때문에 음의 z 점수를 갖는 면적은
양수의 경우와 동일하다.

C열은 z 점수 이상의 면적을 나타낸다.

표 C.1을 사용하는 방법: 이 표에 제시된 값들은 표준정상곡선에서 영역의 비율을 나타낸다. 표준정상곡선은 평균이 0, 표준편차가 1.00, 영역의 합계는 1.00이다. 원 점수는 먼저 z 점수로 변환되어야 한다. A열은 이 z 점수를, B열은 표준 정상분포의 평균(0)과 z 점수 사이의 면적을, C열은 제시된 z 점수 이상의 면적을 나타내고 있다.

표 C.1 정상곡선 하의 면적 비율(계속)

(A) z	(B) 평균과 z 점수 사이의 면적	(C) z 점수 이상의 면적	(A) z	(B) 평균과 z 점수 사이의 면적	(C) z 점수 이상의 면적	(A) z	(B) 평균과 z 점수 사이의 면적	(C) z 점수 이상의 면적
0.00	.0000	.5000	0.30	.1179	.3821	0.60	.2257	.2743
0.01	.0040	.4960	0.31	.1217	.3783	0.61	.2291	.2709
0.02	.0080	.4920	0.32	.1255	.3745	0.62	.2324	.2676
0.03	.0120	.4880	0.33	.1293	.3707	0.63	.2357	.2643
0.04	.0160	.4840	0.34	.1331	.3669	0.64	.2389	.2611
0.05	.0199	.4801	0.35	.1368	.3632	0.65	.2422	.2578
0.06	.0239	.4761	0.36	.1406	.3594	0.66	.2454	.2546
0.07	.0279	.4721	0.37	.1443	.3557	0.67	.2486	.2514
0.08	.0319	.4681	0.38	.1480	.3520	0.68	.2517	.2483
0.09	.0359	.4641	0.39	.1517	.3483	0.69	.2549	.2451
0.10	.0398	.4602	0.40	.1554	.3446	0.70	.2580	.2420
0.11	.0438	.4562	0.41	.1591	.3409	0.71	.2611	.2389
0.12	.0478	.4522	0.42	.1628	.3372	0.72	.2642	.2358
0.13	.0517	.4483	0.43	.1664	.3336	0.73	.2673	.2327
0.14	.0557	.4443	0.44	.1700	.3300	0.74	.2704	.2296
0.15	.0596	.4404	0.45	.1736	.3264	0.75	.2734	.2266
0.16	.0636	.4364	0.46	.1772	.3228	0.76	.2764	.2236
0.17	.0675	.4325	0.47	.1808	.3192	0.77	.2794	.2206
0.18	.0714	.4286	0.48	.1844	.3156	0.78	.2823	.2177
0.19	.0753	.4247	0.49	.1879	.3121	0.79	.2852	.2148
0.20	.0793	.4207	0.50	.1915	.3085	0.80	.2881	.2119
0.21	.0832	.4168	0.51	.1950	.3050	0.81	.2910	.2090
0.22	.0871	.4129	0.52	.1985	.3015	0.82	.2939	.2061
0.23	.0910	.4090	0.53	.2019	.2981	0.83	.2967	.2033
0.24	.0948	.4052	0.54	.2054	.2946	0.84	.2995	.2005
0.25	.0987	.4013	0.55	.2088	.2912	0.85	.3023	.1977
0.26	.1026	.3974	0.56	.2123	.2877	0.86	.3051	.1949
0.27	.1064	.3936	0.57	.2157	.2843	0.87	.3078	.1922
0.28	.1103	.3897	0.58	.2190	.2810	0.88	.3106	.1894
0.29	.1141	.3859	0.59	.2224	.2776	0.89	.3133	.1867

표 C.1 정상곡선 하의 면적 비율(계속)

(A) z	(B) 평균과 z 점수 사이의 면적	(C) z 점수 이상의 면적	(A) z	(B) 평균과 z 점수 사이의 면적	(C) z 점수 이상의 면적	(A) z	(B) 평균과 z 점수 사이의 면적	(C) z 점수 이상의 면적
0.90	.3159	.1841	1.20	.3849	.1151	1.50	.4332	.0668
0.91	.3186	.1814	1.21	.3869	.1131	1.51	.4345	.0655
0.92	.3212	.1788	1.22	.3888	.1112	1.52	.4357	.0643
0.93	.3238	.1762	1.23	.3907	.1093	1.53	.4370	.0630
0.94	.3264	.1736	1.24	.3925	.1075	1.54	.4382	.0618
0.95	.3289	.1711	1.25	.3944	.1056	1.55	.4394	.0606
0.96	.3315	.1685	1.26	.3962	.1038	1.56	.4406	.0594
0.97	.3340	.1660	1.27	.3980	.1020	1.57	.4418	.0582
0.98	.3365	.1635	1.28	.3997	.1003	1.58	.4429	.0571
0.99	.3389	.1611	1.29	.4015	.0985	1.59	.4441	.0559
1.00	.3413	.1587	1.30	.4032	.0968	1.60	.4452	.0548
1.01	.3438	.1562	1.31	.4049	.0951	1.61	.4463	.0537
1.02	.3461	.1539	1.32	.4066	.0934	1.62	.4474	.0526
1.03	.3485	.1515	1.33	.4082	.0918	1.63	.4484	.0516
1.04	.3508	.1492	1.34	.4099	.0901	1.64	.4495	.0505
1.05	.3531	.1469	1.35	.4115	.0885	1.65	.4505	.0495
1.06	.3554	.1446	1.36	.4131	.0869	1.66	.4515	.0485
1.07	.3577	.1423	1.37	.4147	.0853	1.67	.4525	.0475
1.08	.3599	.1401	1.38	.4162	.0838	1.68	.4535	.0465
1.09	.3621	.1379	1.39	.4177	.0823	1.69	.4545	.0455
1.10	.3643	.1357	1.40	.4192	.0808	1.70	.4554	.0446
1.11	.3665	.1335	1.41	.4207	.0793	1.71	.4564	.0436
1.12	.3686	.1314	1.42	.4222	.0778	1.72	.4573	.0427
1.13	.3708	.1292	1.43	.4236	.0764	1.73	.4582	.0418
1.14	.3729	.1271	1.44	.4251	.0749	1.74	.4591	.0409
1.15	.3749	.1251	1.45	.4265	.0735	1.75	.4599	.0401
1.16	.3770	.1230	1.46	.4279	.0721	1.76	.4608	.0392
1.17	.3790	.1210	1.47	.4292	.0708	1.77	.4616	.0384
1.18	.3810	.1190	1.48	.4306	.0694	1.78	.4625	.0375
1.19	.3830	.1170	1.49	.4319	.0681	1.79	.4633	.0367

표 C.1 정상곡선 하의 면적 비율(계속)

(A) z	(B) 평균과 z 점수 사이 의 면적	(C) z 점수 이상의 면적	(A) z	(B) 평균과 z 점수 사이 의 면적	(C) z 점수 이상의 면적	(A) z	(B) 평균과 z 점수 사이 의 면적	(C) z 점수 이상의 면적
1.80	.4641	.0359	2.10	.4821	.0179	2.40	.4918	.0082
1.81	.4649	.0351	2.11	.4826	.0174	2.41	.4920	.0080
1.82	.4656	.0344	2.12	.4830	.0170	2.42	.4922	.0078
1.83	.4664	.0336	2.13	.4834	.0166	2.43	.4925	.0075
1.84	.4671	.0329	2.14	.4838	.0162	2.44	.4927	.0073
1.85	.4678	.0322	2.15	.4842	.0158	2.45	.4929	.0071
1.86	.4686	.0314	2.16	.4846	.0154	2.46	.4931	.0069
1.87	.4693	.0307	2.17	.4850	.0150	2.47	.4932	.0068
1.88	.4699	.0301	2.18	.4854	.0146	2.48	.4934	.0066
1.89	.4706	.0294	2.19	.4857	.0143	2.49	.4936	.0064
1.90	.4713	.0287	2.20	.4861	.0139	2.50	.4938	.0062
1.91	.4719	.0281	2.21	.4864	.0136	2.51	.4940	.0060
1.92	.4726	.0274	2.22	.4868	.0132	2.52	.4941	.0059
1.93	.4732	.0268	2.23	.4871	.0129	2.53	.4943	.0057
1.94	.4738	.0262	2.24	.4875	.0125	2.54	.4945	.0055
1.95	.4744	.0256	2.25	.4878	.0122	2.55	.4946	.0054
1.96	.4750	.0250	2.26	.4881	.0119	2.56	.4948	.0052
1.97	.4756	.0244	2.27	.4884	.0116	2.57	.4949	.0051
1.98	.4761	.0239	2.28	.4887	.0113	2.58	.4951	.0049
1.99	.4767	.0233	2.29	.4890	.0110	2.59	.4952	.0048
2.00	.4772	.0228	2.30	.4893	.0107	2.60	.4953	.0047
2.01	.4778	.0222	2.31	.4896	.0104	2.61	.4955	.0045
2.02	.4783	.0217	2.32	.4898	.0102	2.62	.4956	.0044
2.03	.4788	.0212	2.33	.4901	.0099	2.63	.4957	.0043
2.04	.4793	.0207	2.34	.4904	.0096	2.64	.4959	.0041
2.05	.4798	.0202	2.35	.4906	.0094	2.65	.4960	.0040
2.06	.4803	.0197	2.36	.4909	.0091	2.66	.4961	.0039
2.07	.4808	.0192	2.37	.4911	.0089	2.67	.4962	.0038
2.08	.4812	.0188	2.38	.4913	.0087	2.68	.4963	.0037
2.09	.4817	.0183	2.39	.4916	.0084	2.69	.4964	.0036

표 C.1 정상곡선 하의 면적 비율(계속)

(A) z	(B) 평균과 z 점수 사이의 면적	(C) z 점수 이상의 면적	(A) z	(B) 평균과 z 점수 사이의 면적	(C) z 점수 이상의 면적	(A) z	(B) 평균과 z 점수 사이의 면적	(C) z 점수 이상의 면적
2.70	.4965	.0035	2.92	.4982	.0018	3.14	.4992	.0008
2.71	.4966	.0034	2.93	.4983	.0017	3.15	.4992	.0008
2.72	.4967	.0033	2.94	.4984	.0016	3.16	.4992	.0008
2.73	.4968	.0032	2.95	.4984	.0016	3.17	.4992	.0008
2.74	.4969	.0031	2.96	.4985	.0015	3.18	.4993	.0007
2.75	.4970	.0030	2.97	.4985	.0015	3.19	.4993	.0007
2.76	.4971	.0029	2.98	.4986	.0014	3.20	.4993	.0007
2.77	.4972	.0028	2.99	.4986	.0014	3.21	.4993	.0007
2.78	.4973	.0027	3.00	.4987	.0013	3.22	.4994	.0006
2.79	.4974	.0026	3.01	.4987	.0013	3.23	.4994	.0006
2.80	.4974	.0026	3.02	.4987	.0013	3.24	.4994	.0006
2.81	.4975	.0025	3.03	.4988	.0012	3.25	.4994	.0006
2.82	.4976	.0024	3.04	.4988	.0012	3.30	.4995	.0005
2.83	.4977	.0023	3.05	.4989	.0011	3.35	.4996	.0004
2.84	.4977	.0023	3.06	.4989	.0011	3.40	.4997	.0003
2.85	.4978	.0022	3.07	.4989	.0011	3.45	.4997	.0003
2.86	.4979	.0021	3.08	.4990	.0010	3.50	.4998	.0002
2.87	.4979	.0021	3.09	.4990	.0010	3.60	.4998	.0002
2.88	.4980	.0020	3.10	.4990	.0010	3.70	.4999	.0001
2.89	.4981	.0019	3.11	.4991	.0009	3.80	.4999	.0001
2.90	.4981	.0019	3.12	.4991	.0009	3.90	.49995	.00005
2.91	.4982	.0018	3.13	.4991	.0009	4.00	.49997	.00003

표 C.2 Mann-Whitney U 검증 상에서 U 통계의 임계치

다음의 네 개의 하위표를 사용하기 위해서 먼저 일방 검증 또는 양방 검증 둘 중의 하나에서 유의도 수준을 정한다. 예를 들어, p = .05의 양방 검증을 원하면, 하위표로 c를 사용하라. 그리고 선택한 하위표에서 두 집단의 사례나 측정의 수(n)를 찾아본다. 여러분이 계산한 U값은 표에서 찾은 값보다 반드시 작아야 한다. 예를 들면, 각 실험집단에 18명의 피험자가 있고, U = 90을 계산하였다면, 이런 크기의 집단에서의 임계 U값이 99이므로, 당신은 영가설이 기각될 수 있다고 결론지을 수 있다.

$n_1\backslash n_2$	9	10	11	12	13	14	15	16	17	18	19	20
1												
2												
3									0	0	0	0
4		0	0	0	1	1	1	2	2	3	3	3
5	1	1	2	2	3	3	4	5	5	6	7	7
6	2	3	4	4	5	6	7	8	9	10	11	12
7	3	5	6	7	8	9	10	11	13	14	15	16
8	5	6	8	9	11	12	14	15	17	18	20	21
9	7	8	10	12	14	15	17	19	21	23	25	26
10	8	10	12	14	17	19	21	23	25	27	29	32
11	10	12	15	17	20	22	24	27	29	32	34	37
12	12	14	17	20	23	25	28	31	34	37	40	42
13	14	17	20	23	26	29	32	35	38	42	45	48
14	15	19	22	25	29	32	36	39	43	46	50	54
15	17	21	24	28	32	36	40	43	47	51	55	59
16	19	23	27	31	35	39	43	48	52	56	60	65
17	21	25	29	34	38	43	47	52	57	61	66	70
18	23	27	32	37	42	46	51	56	61	66	71	76
19	25	29	34	40	45	50	55	60	66	71	77	82
20	26	32	37	42	48	54	59	65	70	76	82	88

(a) .001 수준에서의 일방 검증 또는 .002 수준에서의 양방 검증에 대한 U의 임계치

표 C.2 Mann-Whitney U 검증 상에서 U 통계의 임계치(계속)

$n_1\backslash n_2$	9	10	11	12	13	14	15	16	17	18	19	20
				(b) .01 수준에서의 일방 검증 또는 .02 수준에서의 양방 검증에 대한 U의 임계치							
1												
2					0	0	0	0	0	0	1	1
3	1	1	1	2	2	2	3	3	4	4	4	5
4	3	3	4	5	5	6	7	7	8	9	9	10
5	5	6	7	8	9	10	11	12	13	14	15	16
6	7	8	9	11	12	13	15	16	18	19	20	22
7	9	11	12	14	16	17	19	21	23	24	26	28
8	11	13	15	17	20	22	24	26	28	30	32	34
9	14	16	18	21	23	26	28	31	33	36	38	40
10	16	19	22	24	27	30	33	36	38	41	44	47
11	18	22	25	28	31	34	37	41	44	47	50	53
12	21	24	28	31	35	38	42	46	49	53	56	60
13	23	27	31	35	39	43	47	51	55	59	63	67
14	26	30	34	38	43	47	51	56	60	65	69	73
15	28	33	37	42	47	51	56	61	66	70	75	80
16	31	36	41	46	51	56	61	66	71	76	82	87
17	33	38	44	49	55	60	66	71	77	82	88	93
18	36	41	47	53	59	65	70	76	82	88	94	100
19	38	44	50	56	63	69	75	82	88	94	101	107
20	40	47	53	60	67	73	80	87	93	100	107	114

표 C.2 Mann-Whitney U 검증 상에서 U 통계의 임계치(계속)

| | (c) .025 수준에서의 일방 검증 또는 .05 수준에서의 양방 검증에 대한 U의 임계치 | | | | | | | | | | | |
$n_1 \backslash n_2$	9	10	11	12	13	14	15	16	17	18	19	20
1												
2	0	0	1	1	1	1	1	1	2	2	2	2
3	2	3	3	4	4	5	5	6	6	7	7	8
4	4	5	6	7	8	9	10	11	11	12	13	13
5	7	8	9	11	12	13	14	15	17	18	19	20
6	10	11	13	14	16	17	19	21	22	24	25	27
7	12	14	16	18	20	22	24	26	28	30	32	34
8	15	17	19	22	24	26	29	31	34	36	38	41
9	17	20	23	26	28	31	34	37	39	42	45	48
10	20	23	26	29	33	36	39	42	45	48	52	55
11	23	26	30	33	37	40	44	47	51	55	58	62
12	26	29	33	37	41	45	49	53	57	61	65	69
13	28	33	37	41	45	50	54	59	63	67	72	76
14	31	36	40	45	50	55	59	64	67	74	78	83
15	34	39	44	49	54	59	64	70	75	80	85	90
16	37	42	47	53	59	64	70	75	81	86	92	98
17	39	45	51	57	63	67	75	81	87	93	99	105
18	42	48	55	61	67	74	80	86	93	99	106	112
19	45	52	58	65	72	78	85	92	99	106	113	119
20	48	55	62	69	76	83	90	98	105	112	119	127

표 C.2 Mann-Whitney U 검증 상에서 U 통계의 임계치(계속)

n_1＼n_2	9	10	11	12	13	14	15	16	17	18	19	20
	(d) .05 수준에서의 일방 검증 또는 .10 수준에서의 양방 검증에 대한 U의 임계치											
1											0	0
2	1	1	1	2	2	2	3	3	3	4	4	4
3	3	4	5	5	6	7	7	8	9	9	10	11
4	6	7	8	9	10	11	12	14	15	16	17	18
5	9	11	12	13	15	16	18	19	20	22	23	25
6	12	14	16	17	19	21	23	25	26	28	30	32
7	15	17	19	21	24	26	28	30	33	35	37	39
8	18	20	23	26	28	31	33	36	39	41	44	47
9	21	24	27	30	33	36	39	42	45	48	51	54
10	24	27	31	34	37	41	44	48	51	55	58	62
11	27	31	34	38	42	46	50	54	57	61	65	69
12	30	34	38	42	47	51	55	60	64	68	72	77
13	33	37	42	47	51	56	61	65	70	75	80	84
14	36	41	46	51	56	61	66	71	77	82	87	92
15	39	44	50	55	61	66	72	77	83	88	94	100
16	42	48	54	60	65	71	77	83	89	95	101	107
17	45	51	57	64	70	77	83	89	96	102	109	115
18	48	55	61	68	75	82	88	95	102	109	116	123
19	51	58	65	72	80	87	94	101	109	116	123	130
20	54	62	69	77	84	92	100	107	115	123	130	138

출처: Aube, D.(1953). Extended tables for the Mann-Whitney statistic. *Bulletin of the Institute of Educational Research at Indiana University*, 1(2)에서 표 1, 3, 5, 7을 인용함. Siegel, S.(1956). *Nonparametric statistics for the behavioral sciences*. New York: McGraw-Hill에서 인용함. Institute of Educational Research와 McGraw-Hill Book Company의 허락 하에 재인쇄.

표 C.3 부호 검증에 대한 분포

이 표는 3에서 42에 이르는 관찰 쌍에 대한 부호 검증의 수준을 제시하고 있다. 기호 x는 예외의 수(조건 간의 차이가 예상되지 않은 방향에 속하는 경우의 수)를 표시하고, 수준 p는 예외의 수가 우연에 의해 발생할 확률을 가리킨다. 만일 28번의 관찰 쌍에서 20번이 예상된 방향으로 나왔고 8번이 예외였다면, 우연에 의해 이것이 일어날 확률은 .018이다.

x	p	x	p	x	p	x	p	x	p	x	p
$n = 3$		$n = 10$		$n = 15$		6	.084	$n = 24$		$n = 28$	
0	.125	0	.001	1	.000	7	.180	5	.008	6	.002
$n = 4$		1	.011	2	.004	$n = 20$		6	.011	7	.006
0	.062	2	.055	3	.018	3	.001	7	.032	8	.018
1	.312	3	.172	4	.059	4	.006	8	.076	9	.044
$n = 5$		$n = 11$		5	.151	5	.021	9	.154	10	.092
0	.031	0	.000	$n = 16$		6	.058	$n = 25$		11	.172
1	.188	1	.006	2	.002	7	.132	5	.002	$n = 29$	
$n = 6$		2	.033	3	.011	$n = 21$		6	.007	7	.004
0	.016	3	.113	4	.038	4	.004	7	.022	8	.012
1	.109	4	.274	5	.105	5	.013	8	.051	9	.031
2	.344	$n = 12$		6	.227	6	.039	9	.115	10	.068
$n = 7$		1	.003	$n = 17$		7	.095	10	.212	11	.132
0	.008	2	.019	2	.001	8	.192	$n = 26$		$n = 30$	
1	.062	3	.073	3	.006	$n = 22$		6	.005	7	.003
2	.227	4	.194	4	.025	4	.002	7	.014	8	.008
$n = 8$		$n = 13$		5	.072	5	.008	8	.038	9	.021
0	.004	1	.002	6	.166	6	.026	9	.084	10	.049
1	.035	2	.011	$n = 18$		7	.067	10	.163	11	.100
2	.145	3	.016	3	.004	8	.143	$n = 27$		12	.181
$n = 9$		4	.133	4	.015	$n = 23$		6	.003	$n = 31$	
0	.002	$n = 14$		5	.048	4	.001	7	.010	7	.002
1	.020	1	.001	6	.119	5	.005	8	.026	8	.005
2	.090	2	.006	7	.240	6	.017	9	.061	9	.015
3	.254	3	.029	$n = 19$		7	.047	10	.124	10	.035
		4	.090	3	.002	8	.105	11	.221	11	.075
		5	.212	4	.010	9	.202			12	.141
				5	.032						

표 C.3 부호 검증에 대한 분포(계속)

x	p	x	p	x	p	x	p	x	p	x	p
n = 32		**n = 34**		**n = 36**		**n = 38**		**n = 40**		**n = 42**	
8	.004	9	.005	9	.002	10	.003	11	.003	12	.004
9	.010	10	.012	10	.006	11	.007	12	.008	13	.010
10	.025	11	.029	11	.014	12	.017	13	.019	14	.022
11	.055	12	.061	12	.033	13	.036	14	.040	15	.044
12	.108	13	.115	13	.066	14	.072	15	.077	16	.082
13	.189	14	.196	14	.121	15	.128	16	.134	17	.140
				15	.203						
n = 33		**n = 35**				**n = 39**		**n = 41**			
8	.002	9	.003	**n = 37**		11	.005	11	.002		
9	.007	10	.008	10	.004	12	.012	12	.006		
10	.018	11	.020	11	.010	13	.027	13	.014		
11	.040	12	.045	12	.024	14	.054	14	.030		
12	.081	13	.088	13	.049	15	.100	15	.059		
13	.148	14	.155	14	.094	16	.168	16	.106		
				15	.162			17	.174		

표 C.4 짝지은 쌍의 부호 순위 검증을 위한 Wilcoxon의 *T* 통계의 임계치

이 표를 이용하기 위해 먼저 *n*열에서 점수 쌍의 수의 위치를 찾는다. 여러 유의도 수준에서의 값들은 오른편에 나열되어 있다. 예를 들어, *n*이 15이었고, 계산된 값이 19라면, 19는 25 미만이기 때문이 양방 검증에서 유의도 수준 .02에서 두 조건 간의 차이가 유의미하다고 결론내릴 수 있다.

	일방 검증을 위한 유의도 수준		
	.025	.01	.005
	양방 검증을 위한 유의도 수준		
	.05	.02	.01
6	1	—	—
7	2	0	—
8	4	2	0
9	6	3	2
10	8	5	3
11	11	7	5
12	14	10	7
13	17	13	10
14	21	16	13
15	25	20	16
16	30	24	19
17	35	28	23
18	40	33	28
19	46	38	32
20	52	43	37
21	59	49	43
22	66	56	49
23	73	62	55
24	81	69	61
25	90	77	68

출처: Wilcoxon, F.(1964). *Some Rapid Approximate Statistical Procedures*(Rev. ed.). New York: American Cyanamed Company. 표 1에서 인용함. Siegel. S.(1956). *Nonparametric Statistics for the Behavioral Sciences*. New York: McGraw-Hill 에서 인용함. American Cyanamid Company와 McGraw-Hill Book Company의 허락 하에 재인쇄.

표 C.5 *t*의 임계치

적합한 *t*값을 찾기 위해 여러분 실험에서 자유도(*df*)의 수를 포함하고 있는 행을 따라 읽어라. 여러분이 선택한 유의도 수준에 따라 적당한 열을 결정하라. 여러분이 얻은 *t*의 값은 표에 있는 값보다는 커야 유의미하다. 예를 들면, *df* = 15이고 *p* = .05(양방 검증)인 경우, 여러분의 *t*값은 2.131보다 커야 한다.

	일방 검증을 위한 유의도 수준					
	.10	.05	.025	.01	.005	.0005
	양방 검증을 위한 유의도 수준					
df	.20	.10	.05	.02	.01	.001
1	3.078	6.314	12.706	31.821	63.657	636.619
2	1.886	2.920	4.303	6.965	9.925	31.598
3	1.638	2.353	3.182	4.541	5.841	12.941
4	1.533	2.132	2.776	3.747	4.604	8.610
5	1.476	2.015	2.571	3.365	4.032	6.859
6	1.440	1.943	2.447	3.143	3.707	5.959
7	1.415	1.895	2.365	2.998	3.449	5.405
8	1.397	1.860	2.306	2.896	3.355	5.041
9	1.383	1.833	2.262	2.821	3.250	4.781
10	1.372	1.812	2.228	2.764	3.169	4.587
11	1.363	1.796	2.201	2.718	3.106	4.437
12	1.356	1.782	2.179	2.681	3.055	4.318
13	1.350	1.771	2.160	2.650	3.012	4.221
14	1.345	1.761	2.145	2.624	2.977	4.140
15	1.341	1.753	2.131	2.602	2.947	4.073
16	1.337	1.746	2.120	2.583	2.921	4.015
17	1.333	1.740	2.110	2.567	2.898	3.965
18	1.330	1.734	2.101	2.552	2.878	3.922
19	1.328	1.729	2.093	2.539	2.861	3.883
20	1.325	1.725	2.086	2.528	2.845	3.850
21	1.323	1.721	2.080	2.518	2.831	3.819
22	1.321	1.717	2.074	2.508	2.819	3.792
23	1.319	1.714	2.069	2.500	2.807	3.767
24	1.318	1.711	2.064	2.492	2.797	3.745
25	1.316	1.708	2.060	2.485	2.787	3.725
26	1.315	1.706	2.056	2.479	2.779	3.707
27	1.314	1.703	2.052	2.473	2.771	3.690

표 C.5 *t*의 임계치(계속)

	일방 검증을 위한 유의도 수준					
	.10	.05	.025	.01	.005	.0005
	양방 검증을 위한 유의도 수준					
df	.20	.10	.05	.02	.01	.001
28	1.313	1.701	2.048	2.467	2.763	3.674
29	1.311	1.699	2.045	2.462	2.756	3.659
30	1.310	1.697	2.042	2.457	2.750	3.646
40	1.303	1.684	2.021	2.423	2.704	3.551
60	1.296	1.671	2.000	2.390	2.660	3.460
120	1.289	1.658	1.980	2.358	2.617	3.373
∞	1.282	1.645	1.960	2.326	2.576	3.291

출처: Federighi, E. T.(1959). Extended tables of the percentage points of Student's *t* distribution. *Journal of the American Statistical Association, 54*, 683–688에서 인용. American Statistical Association의 허락 하에 재인용.

표 C.6 *F* 분포의 임계치

이 표에서 적합한 값을 찾으려면 분모와 분자에 있는 자유도를 참고해서 *F* 비율을 찾는다. 원하는 유의도 수준에 대한 결정을 한 후, 얻어진 *F* 비율은 표에 있는 *F* 비율보다 커야 한다. 예를 들면, $p = .05$이고 분자 *df*가 9, 분모 *df*가 28일 때, *F*값은 2.24보다 커야만 신뢰롭다.

분모의 df	α	분자의 df								
		1	2	3	4	5	6	7	8	9
3	.25	2.02	2.28	2.36	2.39	2.41	2.42	2.43	2.44	2.44
	.10	5.54	5.46	5.39	5.34	5.31	5.28	5.27	5.25	5.24
	.05	10.1	9.55	9.28	9.12	9.01	8.94	8.89	8.85	8.81
	.025	17.4	16.0	15.4	15.1	14.9	14.7	14.6	14.5	14.5
	.01	34.1	30.8	29.5	28.7	28.2	27.9	27.7	27.5	27.4
	.001	167	148	141	137	135	133	132	131	130
4	.25	1.81	2.00	2.05	2.06	2.07	2.08	2.08	2.08	2.08
	.10	4.54	4.32	4.19	4.11	4.05	4.01	3.98	3.95	3.94
	.05	7.71	6.94	6.59	6.39	6.26	6.16	6.09	6.04	6.00
	.025	12.2	10.6	9.98	9.60	9.36	9.20	9.07	8.98	8.90
	.01	21.2	18.0	16.7	16.0	15.5	15.2	15.0	14.8	14.7
	.001	74.1	61.2	56.2	53.4	51.7	50.5	49.7	49.0	48.5
5	.25	1.69	1.85	1.88	1.89	1.89	1.89	1.89	1.89	1.89
	.10	4.06	3.78	3.62	3.52	3.45	3.40	3.37	3.34	3.32
	.05	6.61	5.79	5.41	5.19	5.05	4.95	4.88	4.82	4.77
	.025	10.0	8.43	7.76	7.39	7.15	6.98	6.85	6.76	6.68
	.01	16.3	13.3	12.1	11.4	11.0	10.7	10.5	10.3	10.2
	.001	47.2	37.1	33.2	31.1	29.8	28.8	28.2	27.6	27.2
6	.25	1.62	1.76	1.78	1.79	1.79	1.78	1.78	1.78	1.77
	.10	3.78	3.46	3.29	3.18	3.11	3.05	3.01	2.98	2.96
	.05	5.99	5.14	4.76	4.53	4.39	4.28	4.21	4.15	4.10
	.025	8.81	7.26	6.60	6.23	5.99	5.82	5.70	5.60	5.52
	.01	13.8	10.9	9.78	9.15	8.75	8.47	8.26	8.10	7.98
	.001	35.5	27.0	23.7	21.9	20.8	20.0	19.5	19.0	18.7
7	.25	1.57	1.70	1.72	1.72	1.71	1.71	1.70	1.70	1.69
	.10	3.59	3.26	3.07	2.96	2.88	2.83	2.78	2.75	2.72
	.05	5.59	4.74	4.35	4.12	3.97	3.87	3.79	3.73	3.68
	.025	8.07	6.54	5.89	5.52	5.29	5.12	4.99	4.90	4.82
	.01	12.2	9.55	8.45	7.85	7.46	7.19	6.99	6.84	6.72

표 C.6 *F* 분포의 임계치(계속)

분모의 df	α	분자의 df								
		1	2	3	4	5	6	7	8	9
8	.001	29.2	21.7	18.8	17.2	16.2	15.5	15.0	14.6	14.3
	.25	1.54	1.66	1.67	1.66	1.66	1.65	1.64	1.64	1.63
	.10	3.46	3.11	2.92	2.81	2.73	2.67	2.62	2.59	2.56
	.05	5.32	4.46	4.07	3.84	3.69	3.58	3.50	3.44	3.39
	.025	7.57	6.06	5.42	5.05	4.82	4.65	4.53	4.43	4.36
	.01	11.3	8.65	7.59	7.01	6.63	6.37	6.18	6.03	5.91
9	.001	25.4	18.5	15.8	14.4	13.5	12.9	12.4	12.0	11.8
	.25	1.51	1.62	1.63	1.63	1.62	1.61	1.60	1.60	1.59
	.10	3.36	3.01	2.81	2.69	2.61	2.55	2.51	2.47	2.44
	.05	5.12	4.26	3.86	3.63	3.48	3.37	3.29	3.23	3.18
	.025	7.21	5.71	5.08	4.72	4.48	4.32	4.20	4.10	4.03
	.01	10.6	8.02	6.99	6.42	6.06	5.80	5.61	5.47	5.35
10	.001	22.9	16.4	13.9	12.6	11.7	11.1	10.7	10.4	10.1
	.25	1.49	1.60	1.60	1.59	1.59	1.58	1.57	1.56	1.56
	.10	3.29	2.92	2.73	2.61	2.52	2.46	2.41	2.38	2.35
	.05	4.96	4.10	3.71	3.48	3.33	3.22	3.14	3.07	3.02
	.025	6.94	5.46	4.83	4.47	4.24	4.07	3.95	3.85	3.78
	.01	10.0	7.56	6.55	5.99	5.64	5.39	5.20	5.06	4.94
11	.001	21.0	14.9	12.6	11.3	10.5	9.92	9.52	9.20	8.96
	.25	1.47	1.58	1.58	1.57	1.56	1.55	1.54	1.53	1.53
	.10	3.23	2.86	2.66	2.54	2.45	2.39	2.34	2.30	2.27
	.05	4.84	3.98	3.59	3.36	3.20	3.09	3.01	2.95	2.90
	.025	6.72	5.26	4.63	4.28	4.04	3.88	3.76	3.66	3.59
	.01	9.65	7.21	6.22	5.67	5.32	5.07	4.89	4.74	4.63
12	.001	19.7	13.8	11.6	10.4	9.58	9.05	8.66	8.35	8.12
	.25	1.46	1.56	1.56	1.55	1.54	1.53	1.52	1.51	1.51
	.10	3.18	2.81	2.61	2.48	2.39	2.33	2.28	2.24	2.21
	.05	4.75	3.89	3.49	3.26	3.11	3.00	2.91	2.85	2.80
	.025	6.55	5.10	4.47	4.12	3.89	3.73	3.61	3.51	3.44
	.01	9.33	6.93	5.95	5.41	5.06	4.82	4.64	4.50	4.39
	.001	18.6	13.0	10.8	9.63	8.89	8.38	8.00	7.71	7.48
	.25	1.45	1.55	1.55	1.53	1.52	1.51	1.50	1.49	1.49
	.10	3.14	2.76	2.56	2.43	2.35	2.28	2.23	2.20	2.16

표 C.6 *F* 분포의 임계치(계속)

분모의 df	α	분자의 df 1	2	3	4	5	6	7	8	9
13	.05	4.67	3.81	3.41	3.18	3.03	2.92	2.83	2.77	2.71
	.025	6.41	4.97	4.35	4.00	3.77	3.60	3.48	3.39	3.31
	.01	9.07	6.70	5.74	5.21	4.86	4.62	4.44	4.30	4.19
	.001	17.8	12.3	10.2	9.07	8.35	7.86	7.49	7.21	6.98
14	.25	1.44	1.53	1.53	1.52	1.51	1.50	1.49	1.48	1.47
	.10	3.10	2.73	2.52	2.39	2.31	2.24	2.19	2.15	2.12
	.05	4.60	3.74	3.34	3.11	2.96	2.85	2.76	2.70	2.65
	.025	6.30	4.86	4.24	3.89	3.66	3.50	3.38	3.29	3.21
	.01	8.86	6.51	5.56	5.04	4.69	4.46	4.28	4.14	4.03
	.001	17.1	11.8	9.73	8.62	7.92	7.43	7.08	6.80	6.58
15	.25	1.43	1.52	1.52	1.51	1.49	1.48	1.47	1.46	1.46
	.10	3.07	2.70	2.49	2.36	2.27	2.21	2.16	2.12	2.09
	.05	4.54	3.68	3.29	3.06	2.90	2.79	2.71	2.64	2.59
	.025	6.20	4.77	4.15	3.80	3.58	3.41	3.29	3.20	3.12
	.01	8.68	6.36	5.42	4.89	4.56	4.32	4.14	4.00	3.89
	.001	16.6	11.3	9.34	8.25	7.57	7.09	6.74	6.47	6.26
16	.25	1.42	1.51	1.51	1.50	1.48	1.47	1.46	1.45	1.44
	.10	3.05	2.67	2.46	2.33	2.24	2.18	2.13	2.09	2.06
	.05	4.49	3.63	3.24	3.01	2.85	2.74	2.66	2.59	2.54
	.025	6.12	4.69	4.08	3.73	3.50	3.34	3.22	3.12	3.05
	.01	8.53	6.23	5.29	4.77	4.44	4.20	4.03	3.89	3.78
	.001	16.1	11.0	9.00	7.94	7.27	6.81	6.46	6.19	5.98
17	.25	1.42	1.51	1.50	1.49	1.47	1.46	1.45	1.44	1.43
	.10	3.03	2.64	2.44	2.31	2.22	2.15	2.10	2.06	2.03
	.05	4.45	3.59	3.20	2.96	2.81	2.70	2.61	2.55	2.49
	.025	6.04	4.62	4.01	3.66	3.44	3.28	3.16	3.06	2.98
	.01	8.40	6.11	5.18	4.67	4.34	4.10	3.93	3.79	3.68
	.001	15.7	10.7	8.73	7.68	7.02	6.56	6.22	5.96	5.75
18	.25	1.41	1.50	1.49	1.48	1.46	1.45	1.44	1.43	1.42
	.10	3.01	2.62	2.42	2.29	2.20	2.13	2.08	2.04	2.00
	.05	4.41	3.55	3.16	2.93	2.77	2.66	2.58	2.51	2.46
	.025	5.98	4.56	3.95	3.61	3.38	3.22	3.10	3.01	2.93

표 C.6 *F* 분포의 임계치(계속)

분모의 df	α	분자의 df								
		1	2	3	4	5	6	7	8	9
	.01	8.29	6.01	5.09	4.58	4.25	4.01	3.84	3.71	3.60
	.001	15.4	10.4	8.49	7.46	6.81	6.35	6.02	5.76	5.56
	.25	1.41	1.49	1.49	1.47	1.46	1.44	1.43	1.42	1.41
	.10	2.99	2.61	2.40	2.27	2.18	2.11	2.06	2.02	1.98
19	.05	4.38	3.52	3.13	2.90	2.74	2.63	2.54	2.48	2.42
	.025	5.92	4.51	3.90	3.56	3.33	3.17	3.05	2.96	2.88
	.01	8.18	5.93	5.01	4.50	4.17	3.94	3.77	3.63	3.52
	.001	15.1	10.2	8.28	7.26	6.62	6.18	5.85	5.59	5.39
	.25	1.40	1.49	1.48	1.47	1.45	1.44	1.43	1.42	1.41
	.10	2.97	2.59	2.38	2.25	2.16	2.09	2.04	2.00	1.96
20	.05	4.35	3.49	3.10	2.87	2.71	2.60	2.51	2.45	2.39
	.025	5.87	4.46	3.86	3.51	3.29	3.13	3.01	2.91	2.84
	.01	8.10	5.85	4.94	4.43	4.10	3.87	3.70	3.56	3.46
	.001	14.8	9.95	8.10	7.10	6.46	6.02	5.69	5.44	5.24
	.25	1.40	1.48	1.47	1.45	1.44	1.42	1.41	1.40	1.39
	.10	2.95	2.56	2.35	2.22	2.13	2.06	2.01	1.97	1.93
22	.05	4.30	3.44	3.05	2.82	2.66	2.55	2.46	2.40	2.34
	.025	5.79	4.38	3.78	3.44	3.22	3.05	2.93	2.84	2.76
	.01	7.95	5.72	4.82	4.31	3.99	3.76	3.59	3.45	3.35
	.001	14.4	9.61	7.80	6.81	6.19	5.76	5.44	5.19	4.99
	.25	1.39	1.47	1.46	1.44	1.43	1.41	1.40	1.39	1.38
	.10	2.93	2.54	2.33	2.19	2.10	2.04	1.98	1.94	1.91
24	.05	4.26	3.40	3.01	2.78	2.62	2.51	2.42	2.36	2.30
	.025	5.72	4.32	3.72	3.38	3.15	2.99	2.87	2.78	2.70
	.01	7.82	5.61	4.72	4.22	3.90	3.67	3.50	3.36	3.26
	.001	14.0	9.34	7.55	6.59	5.98	5.55	5.23	4.99	4.80
	.25	1.38	1.46	1.45	1.44	1.42	1.41	1.39	1.38	1.37
	.10	2.91	2.52	2.31	2.17	2.08	2.01	1.96	1.92	1.88
26	.05	4.23	3.37	2.98	2.74	2.59	2.47	2.39	2.32	2.27
	.025	5.66	4.27	3.67	3.33	3.10	2.94	2.82	2.73	2.65
	.01	7.72	5.53	4.64	4.14	3.82	3.59	3.42	3.29	3.18
	.001	13.7	9.12	7.36	6.41	5.80	5.38	5.07	4.83	4.64

표 C.6 *F* 분포의 임계치(계속)

분모의 df	α	\multicolumn{9}{c}{분자의 df}								
		1	2	3	4	5	6	7	8	9
28	.25	1.38	1.46	1.45	1.43	1.41	1.40	1.39	1.38	1.37
	.10	2.89	2.50	2.29	2.16	2.06	2.00	1.94	1.90	1.87
	.05	4.20	3.34	2.95	2.71	2.56	2.45	2.36	2.29	2.24
	.025	5.61	4.22	3.63	3.29	3.06	2.90	2.78	2.69	2.61
	.01	7.64	5.45	4.57	4.07	3.75	3.53	3.36	3.23	3.12
	.001	13.5	8.93	7.19	6.25	5.66	5.24	4.93	4.69	4.50
30	.25	1.38	1.45	1.44	1.42	1.41	1.39	1.38	1.37	1.36
	.10	2.88	2.49	2.28	2.14	2.05	1.98	1.93	1.88	1.85
	.05	4.17	3.32	2.92	2.69	2.53	2.42	2.33	2.27	2.21
	.025	5.57	4.18	3.59	3.25	3.03	2.87	2.75	2.65	2.57
	.01	7.56	5.39	4.51	4.02	3.70	3.47	3.30	3.17	3.07
	.001	13.3	8.77	7.05	6.12	5.53	5.12	4.82	4.58	4.39
40	.25	1.36	1.44	1.42	1.40	1.39	1.37	1.36	1.35	1.34
	.10	2.84	2.44	2.23	2.09	2.00	1.93	1.87	1.83	1.79
	.05	4.08	3.23	2.84	2.61	2.45	2.34	2.25	2.18	2.12
	.025	5.42	4.05	3.46	3.13	2.90	2.74	2.62	2.53	2.45
	.01	7.31	5.18	4.31	3.83	3.51	3.29	3.12	2.99	2.89
	.001	12.6	8.25	6.60	5.70	5.13	4.73	4.44	4.21	4.02
60	.25	1.35	1.42	1.41	1.38	1.37	1.35	1.33	1.32	1.31
	.10	2.79	2.39	2.18	2.04	1.95	1.87	1.82	1.77	1.74
	.05	4.00	3.15	2.76	2.53	2.37	2.25	2.17	2.10	2.04
	.025	5.29	3.93	3.34	3.01	2.79	2.63	2.51	2.41	2.33
	.01	7.08	4.98	4.13	3.65	3.34	3.12	2.95	2.82	2.72
	.001	12.0	7.76	6.17	5.31	4.76	4.37	4.09	3.87	3.69
120	.25	1.34	1.40	1.39	1.37	1.35	1.33	1.31	1.30	1.29
	.10	2.75	2.35	2.13	1.99	1.90	1.82	1.77	1.72	1.68
	.05	3.92	3.07	2.68	2.45	2.29	2.17	2.09	2.02	1.96
	.025	5.15	3.80	3.23	2.89	2.67	2.52	2.39	2.30	2.22
	.01	6.85	4.79	3.95	3.48	3.17	2.96	2.79	2.66	2.56
	.001	11.4	7.32	5.79	4.95	4.42	4.04	3.77	3.55	3.38

표 C.6 *F* 분포의 임계치(계속)

분모의 df	α	분자의 df								
		1	2	3	4	5	6	7	8	9
∞	.25	1.32	1.39	1.37	1.35	1.33	1.31	1.29	1.28	1.27
	.10	2.71	2.30	2.08	1.94	1.85	1.77	1.72	1.67	1.63
	.05	3.84	3.00	2.60	2.37	2.21	2.10	2.01	1.94	1.88
	.025	5.02	3.69	3.12	2.79	2.57	2.41	2.29	2.19	2.11
	.01	6.63	4.61	3.78	3.32	3.02	2.80	2.64	2.51	2.41
	.001	10.8	.91	5.42	4.62	4.10	3.74	3.47	3.27	3.10

표 C.7 Pearson 적률 상관계수의 임계치

표에서 적합한 값을 찾으려면, 자유도를 먼저 찾아야 한다. 자유도는 피험자의 수 2($df = N = 2$)이다. 유의도 수준을 결정한 후, 얻은 상관계수는 표에 있는 값보다는 커야 한다. 예를 들어, 유의도 $p = .01$이면서 자유도가 19일 때, 상관계수는 양방 검증의 경우 .5487을 넘어야 한다.

	일방 검증을 위한 유의도 수준		
	.05	.025	.005
	양방 검증을 위한 유의도 수준		
df	.10	.05	.01
1	.9877	.9969	.9999
2	.9000	.9500	.9900
3	.8054	.8783	.9587
4	.7293	.8114	.9172
5	.6694	.7545	.8745
6	.6215	.7067	.8343
7	.5822	.6664	.7977
8	.5494	.6319	.7646
9	.5214	.6021	.7348
10	.4973	.5760	.7079
11	.4762	.5529	.6835
12	.4575	.5324	.6614
13	.4409	.5139	.6411
14	.4259	.4973	.6226
15	.4124	.4821	.6055
16	.4000	.4683	.5897
17	.3887	.4555	.5751
18	.3783	.4438	.5614
19	.3687	.4329	.5487
20	.3598	.4227	.5368
25	.3233	.3809	.4869
30	.2960	.3494	.4487
35	.2746	.3246	.4182
40	.2573	.3044	.3932
45	.2428	.2875	.3721
50	.2306	.2732	.3541

표 C.7 Pearson 적률 상관계수의 임계치(계속)

df	일방 검증을 위한 유의도 수준		
	.05	.025	.005
	양방 검증을 위한 유의도 수준		
	.10	.05	.01
60	.2108	.2500	.3248
70	.1954	.2319	.3017
80	.1829	.2172	.2830
90	.1726	.2050	.2673
100	.1638	.1946	.2540

출처: Diekhoff, G.(1992). *Statistics for the Social and Behavioral Sciences: Univariate, Bivariate, and Multivariate*. Belmont, CA: Duxbury의 표에서 축약함.

표 C.8 χ^2 분포의 임계치

자유도 값([행의 수 − 1][열의 수 − 1])을 표에서 찾아 임계치를 찾는다. 유의미한 χ^2는 제시된 유의미 수준의 값보다 같거나 커야 한다. 예를 들어, $p = .05$, $df = 9$인 경우, χ^2는 16.92와 같거나 커야 한다.

df	$p = .10$	$p = .05$	$p = .01$
1	2.71	3.84	6.63
2	4.61	5.99	9.21
3	6.25	7.82	11.35
4	7.78	9.49	13.28
5	9.24	11.07	15.09
6	10.64	12.59	16.81
7	12.02	14.07	18.48
8	13.36	15.51	20.09
9	14.68	16.92	21.66
10	15.99	18.31	23.21
11	17.28	19.68	24.72
12	18.55	21.03	26.21
13	19.81	22.36	27.69
14	21.06	23.69	29.14
15	22.31	25.00	30.58
16	23.54	26.30	32.00
17	24.77	27.59	33.41
18	25.99	28.87	34.81
19	27.20	30.14	36.19
20	28.41	31.41	37.56
21	29.62	32.67	38.93
22	30.81	33.93	40.29
23	32.01	35.17	41.64
24	33.20	36.42	42.98
25	34.38	37.65	44.32

출처: Howell, D. C.(1995). *Fundamental Statistics for the Behavioral Sciences*(3rd ed.). Belmont, CA: Duxbury의 표에서 축약함.

표 C.9 난수

	1	2	3	4	5	6	7	8	9
1	32942	95416	42339	59045	26693	49057	87496	20624	14819
2	07410	99859	83828	21409	29094	65114	36701	25762	12827
3	59981	68155	45673	76210	58219	45738	29550	24736	09574
4	46251	25437	69654	99716	11563	08803	86027	51867	12116
5	65558	51904	93123	27887	53138	21488	09095	78777	71240
6	99187	19258	86421	16401	19397	83297	40111	49326	81686
7	35641	00301	16096	34775	21562	97983	45040	19200	16383
8	14031	00936	81518	48440	02218	04756	19506	60695	88494
9	60677	15076	92554	26042	23472	69869	62877	19584	39576
10	66314	05212	67859	89356	20056	30648	87349	20389	53805
11	20416	87410	75646	64176	82752	63606	37011	57346	69512
12	28701	56992	70423	62415	40807	98086	58850	28968	45297
13	74579	33844	33426	07570	00728	07079	19322	56325	84819
14	62615	52342	82968	75540	80045	53069	20665	21282	07768
15	93945	06293	22879	08161	01442	75071	21427	94842	26210
16	75689	76131	96837	67450	44511	50424	82848	41975	71663
17	02921	16919	35424	93209	52133	87327	95897	65171	20376
18	14295	34969	14216	03191	61647	30296	66667	10101	63203
19	05303	91109	82403	40312	62191	67023	90073	83205	71344
20	57071	90357	12901	08899	91039	67251	28701	03846	94589
21	78471	57741	13599	84390	32146	00871	09354	22745	65806
22	89242	79337	59293	47481	07740	43345	25716	70020	54005
23	14955	59592	97035	80430	87220	06392	79028	57123	52872
24	42446	41880	37415	47472	04513	49494	08860	08038	43624
25	18534	22346	54556	17558	73689	14894	05030	19561	56517
26	39284	33737	42512	86411	23753	29690	26096	81361	93099
27	33922	37329	89911	55876	28379	81031	22058	21487	54613
28	78355	54013	50774	30666	61205	42574	47773	36027	27174
29	08845	99145	94316	88974	29828	97069	90327	61842	29604
30	01769	71825	55957	98271	02784	66731	40311	88495	18821
31	17639	38284	59478	90409	21997	56199	30068	82800	69692
32	05851	58653	99949	63505	40409	85551	90729	64938	52403

표 C.9 난수(계속)

	1	2	3	4	5	6	7	8	9
33	42396	40112	11469	03476	03328	84238	26570	51790	42122
34	13318	14192	98167	75631	74141	22369	36757	89117	54998
35	60571	54786	26281	01855	30706	66578	32019	65884	58485
36	09531	81853	59334	70929	03544	18510	89541	13555	21168
37	72865	16829	86542	00396	20363	13010	69645	49608	54738
38	56324	31093	77924	28622	83543	28912	15059	80192	83964
39	78192	21626	91399	07235	07104	73652	64425	85149	75409
40	64666	34767	97298	92708	01994	53188	78476	07804	62404
41	82201	75694	02808	65983	74373	66693	13094	74183	73020
42	15360	73776	40914	85190	54278	99054	62944	47351	89098
43	68142	67957	70896	37983	20487	95350	16371	03426	13895
44	19138	31200	30616	14639	44406	44236	57360	81644	94761
45	28155	03521	36415	78452	92359	81091	56513	88321	97910
46	87971	29031	51780	27376	81056	86155	55488	50590	74514
47	58147	68841	53625	02059	75223	16783	19272	61994	71090
48	18875	52809	70594	41649	32935	26430	82096	01605	65846
49	75109	56474	74111	31966	29969	70093	98901	84550	25769

참고문헌

Adams, J. A. (1972). Research and the future of engineering psychology. *American Psychologist, 27,* 615–622.

Altman, E. (2004). Advance preparation in task switching. *Psychological Science, 15,* 616–622.

American Psychiatric Association. (2000). *Diagnostic and statistical manual of mental disorders* (4th ed., revised). Washington, DC: Author.

American Psychological Association. (1982). *Ethical principles in the conduct of research with human behavior.* Washington, DC: Author.

———. (2002). Ethical principles of psychologists and code of conduct. *American Psychologist, 57,* 1060–1073.

———. (2003). Committee on Animal Research and Ethics. *Guidelines for ethical conduct in the care and use of animals.* Retrieved February 11, 2005, from http://www.apa.org/science/anguide.html

———. (2005). *Ethics in plain English: An illustrative casebook for psychologists* (2nd ed.). Washington, DC: Author.

———. (2009). *Non-academic careers for scientific psychologists.* Washington, DC: American Psychological Association. Retrieved from http://www.apa.org/science/nonacad_careers.html

———. (2010). *The publication manual of the American psychological association* (6th ed.). Washington, DC: Author.

———. (2009). Report of the ethics committee, 2008. *American Psychologist, 64,* 464–473.

———. (2010). *The publication manual of the American psychological association* (6th ed.). Washington, DC: Author.

Anderson, C. A., & Bushman, B. J. (1997). External validity of "trivial" experiments: The case of laboratory aggression. *Review of General Psychology, 1,* 19–41.

Anderson, N. H. (1981). *Foundations of information integration theory.* New York: Academic Press.

Atkinson, R. C. (1975). Mnemotechnics and second language learning. *American Psychologist, 30,* 821–828.

Bachman, J. D., & Johnston, L. D. (1979). The freshman. *Psychology Today, 13,* 78–87.

Baker, S. R., & Stephenson, D. (2000). Prediction and control as determinants of behavioral uncertainty: Effect on task performance and heart rate reactivity. *Integrative Physiological and Behavioral Science, 35,* 235–250.

Balcetis, E. (2008). Where the motivation resides and self-deception hides: How motivated cognition accomplishes self-deception. *Social and Personality Psychology Compass, 2,* 361–381.

Baldwin, J. D., & Baldwin, J. I. (1998). *Behavior principles in everyday life* (3rd ed.). Upper Saddle River, NJ: Prentice Hall.

Banaji, M. R., & Crowder, R. G. (1989). The bankruptcy of everyday memory. *American Psychologist, 44,* 1185–1193.

Barber, T. X. (1976). *Pitfalls in human research: Ten pivotal points.* New York: Pergamon.

Barefoot, J. C., Hoople, H., & McClay, D. (1972). Avoidance of an act which would violate personal space. *Psychonomic Science, 28,* 205–206.

Barker, R. G. (1968). *Ecological psychology.* Palo Alto, CA: Stanford University Press.

Barker, R. G., & Wright, H. F. (1951). *One boy's day.* New York: Harper and Row.

Bartlett, F. C. (1932). *Remembering: A study in experimental and social psychology.* Cambridge: Cambridge University Press.

Beaulieu, C. M. J. (2004). Intercultural study of personal space: A case study. *Journal of Applied Social Psychology, 34,* 794–805.

Begg, I. M., Anas, A., & Farinacci, S. (1992). Dissociation of process in belief: Source recollection, statement familiarity, and the illusion of truth. *Journal of Experimental Psychology: General, 121,* 446–458.

Bem, D. J. (2004). Writing the empirical journal article. In J. M., Darley, M. P., Zanna, & H. L., Roediger, III (Eds.), *The compleat academic: A career guide* (2nd ed., pp. 185–219).

Bem (2003). Writing the empirical journal article. In J. M. Darley, M. P. Zanna, & H. L. Roediger, III (Eds.), *The Compleat*

Academic: A Career Guide (2nd ed., pp. 185–219).

Bergman, E. T., & Roediger, H. L., III. (1999). Can Bartlett's repeated reproduction experiments be replicated? *Memory & Cognition, 27,* 937–947.

Berkowitz, L., & Donnerstein, E. (1982). External validity is more than skin deep. *American Psychologist, 37,* 245–257.

Best, J. B. (1999). *Cognitive psychology* (5th ed.). Belmont, CA: Wadsworth/ Thompson Learning.

Bilalić, M., McLeod, P., & Gobet, F. (2008). Why good thoughts block better ones: The mechanism of the pernicious Einstellung (set) effect. *Cognition, 108,* 652–661.

Blaney, R. H. (1986). Affect and memory: A review. *Psychological Bulletin, 99,* 229–246.

Blum, D. (2002). *Love at Goon Park: Harry Harlow and the science of affection.* New York: Basic Books.

Boice, R. (1983). Observational skills. *Psychological Bulletin, 93,* 3–29.

Boring, E. G. (1950). *A history of experimental psychology.* New York: Appleton Century-Crofts.

———. (1954). The nature and history of experimental control. *American Journal of Psychology, 67,* 573–589.

———. (1961). The beginning and growth of measurement in psychology. *Isis, 52,* 238–257.

Bowd, A. D. (1980). Ethical reservations about psychological research with animals. *Psychological Record, 30,* 201–210.

Bowd, A. D., & Shapiro, K. J. (1993). The case against laboratory animal research in psychology. *Journal of Social Issues, 49,* 133–142.

Bower, G. H. (1972). Mental imagery and associative learning. In L. Gregg (Ed.), *Cognition in learning and memory.* New York: Wiley.

Bower, G. H., & Forgas, J. P. (2000). Affect, memory, and social cognition. In E. Eich & J. F. Kilhstrom (Eds.), *Cognition and emotion.* New York: Oxford University Press.

Brady, J. V. (1958). Ulcers in "executive" monkeys. *Scientific American, 199,* 92–100.

Brady, J. V., Porter, R. W., Conrad, D. G., & Mason, J. W. (1958). Avoidance behavior and the development of gastroduodenal ulcers. *Journal of the Experimental Analysis of Behavior, 1,* 69–72.

Brazelton, T. B., & Nugent, J. K. (1995). *Neonatal behavioral assessment scale* (3rd ed.). London: McKeith Press.

Brennen, T., Baguley, T., Bright, J., & Bruce, V. (1990). Resolving semantically induced tip-of-the-tongue states. *Memory & Cognition, 18,* 339–347.

Brewer, C. L., Hopkins, J. R., Kimble, G. A., Matlin, M. W., McCann, L. I., McNeil, O. V., et al. (1993). Curriculum. In T. V. McGovern (Ed.), *Handbook for enhancing undergraduate education in psychology* (pp. 161–182). Washington, DC: American Psychological Association.

Bridgeman, B., McCamley-Jenkins, L., & Ervin, N. (2000). *Predictions of freshman grade-point average from the revised and recentered SAT®1: Reasoning test* (College Board Research Report No. 2000–1). New York: College Entrance Examination Board.

Broad, W., & Wade, N. (1982). *Betrayers of the truth.* New York: Simon and Schuster.

Broadbent, D. E. (1971). *Decision and stress.* London: Academic Press.

———. (1973). *In defence of empirical psychology.* London: Methuen.

Bröder, A. (1998). Deception can be acceptable. *American Psychologist, 53,* 805–806.

Brown, R., & Kulick, J. (1977). Flashbulb memories. *Cognition, 5,* 73–79.

Brown, R., & McNeill, D. (1966). The "tip-of-the-tongue" phenomenon. *Journal of Verbal Learning and Verbal Behavior, 5,* 325–327.

Butters, N., & Cermak, L. S. (1986). A case study of the forgetting of autobiographical knowledge: Implications for the study of retrograde amnesia. In D. Rubin (Ed.), *Autobiographical memory* (pp. 253–272). New York: Cambridge University Press.

Campbell, D. T., & Erlebacher, A. (1970a). How regression artifacts can mistakenly make compensatory education look harmful. In J. Helmuth (Ed.), *Compensatory education: A national debate: Vol. 3. Disadvantaged child.* New York: Brunner/Mazel.

———. (1970b). Reply to the replies. In J. Helmuth (Ed.), *Compensatory education: A national debate:* *Vol. 3. Disadvantaged child.* New York: Brunner/Mazel.

Campbell, D. T., & Stanley, J. C. (1966). *Experimental and quasi-experimental designs for research.* Chicago: Rand McNally.

Capaldi, E. J., & Proctor, R. W. (2008). Are theories to be evaluated in isolation or relative to alternatives? An abductive view. *American Journal of Psychology, 121,* 617–641.

Capitanio, J. P., Mendoza, S. P., & Baroncelli, S. (1999). The relationship of personality dimensions in adult male rhesus macaques to progression of simian immunodeficiency virus disease. *Brain, Behavior, and Immunity, 13*(2), 138–154.

Carver, C. S., Coleman, A. E., & Glass, D. C. (1976). The coronary-prone behavior pattern and the suppression of fatigue on a treadmill test. *Journal of Personality and Social Psychology, 33,* 460–466.

Ceci, S. J., & Bruck, M. (2009). Do IRBs pass the minimal harm test? *Perspectives on Psychological Science, 4,* 28–29.

Chaplin, J. P. (1968). *Dictionary of psychology.* New York: Dell.

Cicirelli, V. (1970). The relevance of the regression artifact problem to the Westinghouse-Ohio evaluation of Head Start: A reply to Campbell and Erlebacher. In J. Helmuth (Ed.), *Compensatory education: A national debate: Vol. 3. Disadvantaged child.* New York: Brunner/ Mazel.

Cicirelli, V., & Granger, R. (1969, June). *The impact of Head Start: An evaluation of the effects of Head Start on children's cognitive and affective development.* A report presented to the Office of Economic Opportunity pursuant to Contract B89–4356. Westinghouse Learning Corporation, Ohio University. (Distributed by Clearinghouse for Federal Scientific and Technical Information, U.S. Department of Commerce, National Bureau of Standards, Institute for Applied Technology, PB 184–328.)

Cohen, C. F., & Cohen, M. S. (1993). Defending your life: When women complain about sexual harassment. *Employee Responsibilities and Rights Journal, 7,* 235–242.

Cohen, F., Solomon, S., Maxfield, M., Pyszczynski, T., & Greenberg, J. (2004). Fatal attraction: The effects of mortality salience on evaluations of charismatic, task-oriented, and relationship-oriented leaders. *Psychological Science, 15*, 846–851.

Cohen, J. D., Dunbar, K., & McClelland, J. L. (1990). On the control of automatic processes: A parallel distributed processing account of the Stroop effect. *Psychological Review, 97*, 332–361.

Cole, M., Gay, J., Glick, J. A., & Sharp, D. W. (1971). *The cultural context of learning and thinking*. New York: Basic Books.

Collins, R., Elliott, M., Berry, S., Kanouse, D., Kunkel, D., Hunter, S., et al. (2004). Watching sex on television predicts adolescent initiation of sexual behavior [Electronic version]. *Pediatrics, 114*, e280–e290. Retrieved October 12, 2004, from http://www.pediatrics.org/cgi/content/full/114/3/e280

Conway, A. R. A., Skitka, L. J., Hemmerich, J. A., & Kershaw, T. C. (2009). Flashbulb memory for 11 September 2001. *Applied Cognitive Psychology, 23*, 605–623.

Cook, T. D., & Campbell, D. T. (1979). *Quasi-experimentation: Design and analysis for field settings*. Chicago: Rand McNally.

Corsini, R. J. (1984). *Encyclopedia of psychology*. New York: Wiley.

Craik, F. I. M., & Lockhart, R. S. (1972). Levels of processing: A framework for memory research. *Journal of Verbal Learning and Verbal Behavior, 11*, 671–684.

Dalton, P. (2002). Olfaction. In H. Pashler & S. Yantis (Eds.), *Stevens' handbook of experimental psychology: Vol. 1. Sensation and perception* (3rd ed., pp. 691–756). New York: Wiley.

Dalton, P., Doolittle, N., Nagata, H., & Breslin, P. A. S. (2000). The merging of the senses: Integration of subthreshold taste and smell. *Nature Neuroscience, 3*, 431–432.

Darley, J. M., & Zanna, M. P. (2004). The hiring process in academia. In M. P. Zanna, J. M. Darley, & H. L. Roediger (Eds.), *The compleat academic: A career guide* (2nd ed., pp. 31–56). Washington, DC: American Psychological Association.

Dickerson, S. S., & Kemeny, M. E. (2004). Acute stressors and cortisol responses: A theoretical integration and synthesis of laboratory research. *Psychological Bulletin, 130*, 355–391.

Diener, E., & Seligman, M. E. P. (2002). Very happy people. *Psychological Science, 13*, 80–83.

Dipboye, R. L., & Flanagan, M. F. (1979). Research settings in industrial and organizational psychology. *American Psychologist, 34*, 141–150.

Dollard, J., & Miller, N. E. (1950). *Personality and psychotherapy*. New York: McGraw-Hill.

Dolphin Communication Project. (2009, March). *Dolphin ethogram*. Retrieved from http://www.dolphincommunicationproject.org/main/index.php?option=com_content&view=article&id=25&Itemid=43

Dorahy, M. J. (2001). Dissociative identity disorder and memory dysfunction: The current state of experimental research and its future directions. *Clinical Psychology Review, 21*, 771–795.

Edwards, A. L. (1953). The relationship between the judged desirability of a trait and the probability that the trait will be endorsed. *Journal of Applied Psychology, 37*, 90–93.

———. (1957). *The social desirability variable in personality research*. New York: Dryden.

Eibl-Eibesfeldt, I. (1970). *Ethology: The biology of behavior*. New York: Holt, Rinehart & Winston.

———. (1972). Similarities and differences between cultures in expressive movements. In R. A. Hinde (Ed.), *Non-verbal communication*. Cambridge: Cambridge University Press.

Elmes, D. G. (1978). *Readings in experimental psychology*. Chicago: Rand McNally.

———. (1988, May 8). Cheap-shot prize goes to Proxmire. *Roanoke Times & World News*, p. F3.

Elmes, D. G., & Bjork, R. A. (1975). The interaction of encoding and rehearsal processes in the recall of repeated and non-repeated items. *Journal of Verbal Learning and Verbal Behavior, 14*, 30–42.

Elmes, D. G., Chapman, P. F., & Selig, C. W. (1984). Role of mood and connotation in the spacing effect.

Bulletin of the Psychonomic Society, 22, 186–188.

Elmes, D. G., & Lorig, T. S. (2008). Adequacy of control comparisons in olfactory experiments. *Chemosensory Perception, 1*, 247–252. doi: 10.1007/s12078-008-9032-2.

Eron, L. D. (1982). Parent-child interaction, television violence, and aggression of children. *American Psychologist, 37*, 197–211.

Eron, L. D., Huesmann, L. R., Lefkowitz, M. M., & Walder, L. O. (1972). Does television violence cause aggression? *American Psychologist, 27*, 253–263.

Evans, J. W., & Schiller, J. (1970). How preoccupation with possible regression artifacts can lead to a faulty strategy for the evaluation of social action programs: A reply to Campbell and Erlebacher. In J. Helmuth (Ed.), *Compensatory education: A national debate: Vol. 3. Disadvantaged child*. New York: Brunner/Mazel.

Eysenck, H. J., & Eaves, L. J. (1981). *The cause and effects of smoking*. New York: Gage.

Fanelli, D. (2009). How many scientists fabricate and falsify research? A systematic review and meta-analysis of survey data. *PLoS ONE 4*(5): e5738. doi:10.1371/journal.pone.0005738.

Fechner, G. (1860/1966). *Elements of psychophysics* (Vol. 1). (H. E. Adler, D. H. Howes, and E. G. Boring, Eds. and Trans.). New York: Holt, Rinehart & Winston.

Feingold, B. F. (1975). Hyperkinesis and learning disabilities linked to artificial food flavors and colors. *American Journal of Nursing, 75*, 797–803.

Festinger, L. (1957). *A theory of cognitive dissonance*. Palo Alto, CA: Stanford University Press.

Festinger, L., Riecken, H. W., & Schachter, S. (1956). *When prophecy fails*. Minneapolis: University of Minnesota Press.

Ficken, M. S., Rusch, K. M., Taylor, S. J., & Powers, D. R. (2000). Blue-throated hummingbird song: A pinnacle of nonoscine vocalizations. *Auk, 117*, 120–128.

Fossey, D. (1972). Living with mountain gorillas. In T. B. Allen (Ed.), *The marvels of animal behavior*. Washington, DC: National Geographic Society.

Freedle, R., & Kostin, I. (1994). Can multiple-choice reading tests be construct-valid? A reply to Katz, Lautenschlager, Blackburn, and Harris. *Psychological Science, 5,* 107–110.

Gabrenya, W. K., Latané, B., & Wang, Y. (1983). Social loafing in cross-cultural perspective: Chinese on Taiwan. *Journal of Cross-Cultural Psychology, 14,* 368–384.

Gallup, G. G., & Suarez, S. D. (1985). Alternatives to the use of animals in psychological research. *American Psychologist, 40,* 1104–1111.

Garner, W. R., Hake, H., & Eriksen, C. W. (1956). Operationism and the concept of perception. *Psychological Review, 63,* 149–159.

Garry, M., Manning, C. G., Loftus, E. F., & Sherman, S. J. (1996). Imagination inflation: Imagining a childhood event inflates confidence that it occurred. *Psychonomic Bulletin & Review, 3,* 208–214.

Glenberg, A. M. (1988). *Learning from data.* San Diego: Harcourt Brace Jovanovich.

Goldstein, G., & Hersen, M. (Eds.). (1990). *Handbook of psychological assessment* (2nd ed.). New York: Pergamon.

Gosling, S. D. (2008). Personality in non-human animals. *Social and Personality Psychology Compass, 2,* 985–1002.

Gosling, S. D., Kwan, V. S. Y., & John, O. P. (2003). A dog's got personality: A cross-species comparative approach to evaluating personality judgments. *Journal of Personality and Social Psychology, 85,* 1161–1169.

Graessle, O. A., Ahbel, K., & Porges, S. W. (1978). Effects of mild prenatal decompressions on growth and behavior in the rat. *Bulletin of the Psychonomic Society, 12,* 329–331.

Greene, R. L. (1996). The influence of experimental design: The example of the Brown-Peterson paradigm. *Canadian Journal of Experimental Psychology, 50,* 240–242.

Greenough, W. T. (1992). Animal rights replies distort(ed) and misinform(ed). *Psychological Science, 3,* 142.

Gregory, R. (1970). *The intelligent eye.* New York: McGraw-Hill.

Grice, G. R., & Hunter, J. J. (1964). Stimulus intensity effects dependent upon the type of experimental design. *Psychological Review, 71,* 247–256.

Guilford, J. P. (1967). *The nature of human intelligence.* New York: McGraw-Hill.

Haines, M. M., Stansfeld, S. A., Head, J., & Job, R. F. S. (2002). Multilevel modelling of aircraft noise on performance tests in schools around Heathrow Airport London. *Journal of Epidemiology and Community Health, 56,* 139–144.

Hallahan, D. P., Kauffman, J. M., & Lloyd, J. W. (1999). *Introduction to learning disabilities* (rev ed.). Needham Heights, MA: Allyn & Bacon.

Hanowski, R. J., & Kantowitz, B. H. (1997). Driver memory retention of in-vehicle information system messages. *Transportation Research Record, 1573,* 8–16. Washington, DC: Transportation Research Board.

Hanson, N. R. (1958). *Patterns of discovery.* Cambridge: Cambridge University Press.

Harkins, S. G., Latané, B., & Williams, K. (1980). Social loafing: Allocating effort or taking it easy? *Journal of Experimental Social Psychology, 16,* 457–465.

Harlow, H. F. (1959, June). Love in infant monkeys. *Scientific American, 200,* 68–74.

Harlow, H. F., Gluck, J. P., & Suomi, S. J. (1972). Generalization of behavioral data between nonhuman and human animals. *American Psychologist, 27,* 709–716.

Harré, R. (1983). *Great scientific experiments.* Oxford: Oxford University Press.

Hart, B. M., Allen, K. E., Buell, J. S., Harris, F. R., & Wolf, M. M. (1964). Effects of social reinforcement on operant crying. *Journal of Experimental Child Psychology, 1,* 145–153.

Heaps, C., & Nash, M. (1999). Individual differences in imagination inflation. *Psychonomic Bulletin & Review, 6,* 313–318.

Hicks, R. A., & Kilcourse, J. (1983). Habitual sleep duration and the incidence of headaches in college students. *Bulletin of the Psychonomic Society, 21,* 119.

Hintzman, D. L., Carre, F., Eskridge, V. L., Owens, A. M., Shaff, S. S., & Sparks, M. E. (1972). "Stroop" effect: Input or output phenomenon? *Journal of Experimental Psychology, 95,* 458–459.

Hoff, C. (1980). Immoral and moral uses of animals. *New England Journal of Medicine, 302,* 115–118.

Homans, G. C. (1965). Group factors in worker productivity. In H. Proshansky & L. Seidenberg (Eds.), *Basic studies in social psychology.* New York: Holt.

Horn, D. B. (2001). Confounding the effects of delay and interference on memory distortion: Commentary on Schmolck, Buffalo, and Squire. *Psychological Science, 12,* 180–181.

Horowitz, L. M. (1974). *Elements of statistics for psychology and education.* New York: McGraw-Hill.

Howard, D. V., & Wiggs, C. L. (1993). Aging and learning: Insights from implicit and explicit tests. In J. Cerella, W. J. Hoyer, J. Rybash, & M. Commons (Eds.), *Adult age differences: Limits on loss.* New York: Academic Press.

Huesmann, L. R., Eron, L., Leftkowitz, M., & Walder, L. (1973). Television violence and aggression: The causal effect remains. *American Psychologist, 28,* 617–620.

Huesmann, L. R., Moise-Titus, J., Podolski, C., & Eron, L. (2003). Longitudinal relations between children's exposure to TV violence and their aggressive and violent behavior in young adulthood: 1977–1992. *Developmental Psychology, 39,* 201–221.

Huff, D. (1954). *How to lie with statistics.* New York: Norton.

Huntjens, R. J. C., Postma, A., Peters, M. L., Woertman, L., & van der Hart, O. (2003). Interidentity amnesia for neutral, episodic information in dissociative identity disorder. *Journal of Abnormal Psychology, 112,* 290–297.

Hurlburt, R. L. (1994). *Comprehending behavioral statistics.* Pacific Grove, CA: Brooks/Cole.

Hygge, S., Evans, G., & Bullinger, M. (2002). A prospective study of some effects of aircraft noise on cognitive performance in school children. *Psychological Science, 13,* 469–474.

Hyman, R. (1964). *The nature of psychological inquiry*. Englewood Cliffs, NJ: Prentice-Hall.

Imber, S. D., Glanz, L., Elkin, I., Sotsky, S., Boyer, J., & Leber, W. (1986). Ethical issues in psychotherapy research: Problems in a collaborative clinical study. *American Psychologist, 41,* 137–146.

Jacoby, L. L., Bishara, A. J., Toth, J. P., & Hessels, S. (2005). Aging, subjective experience, and cognitive control: Dramatic false remembering by older adults. *Journal of Experiment Psychology: General, 34,* 131–148.

James, L. E., Burke, D. M., Austin, A., & Hulme, E. (1998). Production and perception of "verbosity" in younger and older adults. *Psychology and Aging, 13,* 355–367.

James, W. (1890). *The principles of psychology*. New York: Henry Holt.

Jarrard, L. E. (1963). Effects of d-lysergic acid diethylamide on operant behavior in the rat. *Psychopharmacologia, 5,* 39–46.

Jensen, A. R. (1969). How much can we boost I.Q. and scholastic achievement? *Harvard Educational Review, 39,* 1–123.

Johnson-Laird, P. N. (1988). *The computer and the mind: An introduction to cognitive science*. Cambridge: Harvard University Press.

Jones, R. F. (1982). *Ancients and moderns*. New York: Dover.

Judd, C. M., Smith, E. R., & Kidder, L. H. (1991). *Research methods in social relations* (6th ed.). Fort Worth, TX: Holt, Rinehart & Winston.

Kahng, S. W., Boscoe, J. H., & Byrne, S. (2003). The use of an escape contingency and a token economy to increase food acceptance. *Journal of Applied Behavior Analysis, 36,* 349–353.

Kantowitz, B. H. (1990). Can cognitive theory guide human factors measurement? *Proceedings of the Human Factors Society, 34,* 1258–1262.

———. (1992a). Selecting measures for human factors research. *Human Factors, 34,* 387–398.

———. (1992b). Heavy vehicle driver workload assessment: Lessons from aviation. *Proceedings of the Human Factors Society, 36,* 1113–1117.

———. (1994, January). *Evaluating driver workload in a heavy vehicle simulator*. Paper presented at INEL Workload Transition Workshop.

———. (2001). In-vehicle information systems: Premises, promises, and pitfalls. *Transportation Human Factors*.

Kantowitz, B. H., & Casper, P. A. (1988). Human workload in aviation. In E. Weiner & D. Nagel (Eds.), *Human factors in aviation* (pp. 157–187). New York: Academic Press.

Kantowitz, B. H., Hanowski, R. J., & Kantowitz, S. C. (1997). Driver acceptance of unreliable traffic information in familiar and unfamiliar settings. *Human Factors, 39,* 164–176.

Kantowitz, B. H., & Nathan-Roberts, D. (2009). Sources of stimulus-response compatibility: Frames, rules, and response tendencies. *Journal of Open Ergonomics, 2,* in press.

Karkowski, A. M., & Alyesh, J. R. (Eds.). (2007). Animal cognition and behavior [Special issue]. *Journal of General Psychology, 134*(2).

Katz, D. (1979, February 7). Paying the price for drug development. *Roanoke Times & World News*.

Katz, S., Lautenschlager, G., Blackburn, A., & Harris, F. (1990). Answering reading comprehension items without passages on the SAT. *Psychological Science, 1,* 122–127.

Kawai, N., & Imada, H. (1996). Between- and within-subject effects of US duration on conditioned suppression in rats: Contrast makes otherwise unnoticed duration dimension stand out. *Learning and Motivation, 27,* 92–111.

Kazdin, A. E. (2001). *Behavior modification in applied settings* (6th ed.). Belmont, CA: Wadsworth/Thomson Learning.

Keith-Spiegel, P., & Koocher, G. P. (2005). The IRB paradox: Could the protectors also encourage deceit? *Ethics & Behavior, 15,* 339–349.

Kendler, H. H. (1981). *Psychology: A science in conflict*. New York: Oxford University Press.

Kennedy, D. P., Gläscher, J., Tyszka, J. M., & Adolphs, R. (2009). Personal space regulation by the human amygdala. *Nature Neuroscience, 12,* 1226–1227.

Kerlinger, F. N., & Lee, H. B. (2000). *Foundations of behavioral research* (4th ed.). Fort Worth, TX: Harcourt College Publishers.

Kernsmith, P., & Craun, S. W. (2008). Predictors of weapon use in domestic violence incidents reported to law enforcement. *Journal of Family Violence, 23,* 589–596.

Kim, S., Ubel, P., & De Vries, R. (2009). Pruning the regulatory tree. *Nature, 457,* 534–535.

Kimmel, A. J. (1998). In defense of deception. *American Psychologist, 53,* 803–805.

Kinsbourne, M. (1984). Hyperactivity management: The impact of special diets. In M. Levine & P. Satz (Eds.), *Middle childhood: Development and dysfunction* (pp. 487–500). Baltimore: University Park Press.

Kinsey, A. C., Pomeroy, W. B., & Martin, C. E. (1953). *Sexual behavior in the human female*. Philadelphia: Saunders.

Kinzel, A. F. (1970). Body-buffer zone in violent prisoners. *American Journal of Psychiatry, 127,* 59–64.

Kirk, R. R. (1982). *Experimental design: Procedures for the behavioral sciences* (2nd ed.). Pacific Grove, CA: Brooks/Cole.

Klein, W. M., & Kunda, Z. (1993). Maintaining self-serving social comparisons: Biased reconstruction of one's past behaviors. *Personality & Social Psychology Bulletin, 19,* 732–739.

Kluger, A. N., & Tikochinsky, J. (2001). The error of accepting the "theoretical" null hypothesis: The rise, fall, and resurrection of commonsense hypotheses in psychology. *Psychological Bulletin, 127,* 408–423.

Koch, C. (1997). Learning the research process on the world wide web. *Council on Undergraduate Research Quarterly, 18,* 27–29, 48–49.

Kohn, A. (1986). *False prophets*. New York: Basil Blackwell.

Korn, J. H. (1997). *Illusions of reality: A history of deception in social psychology*. Albany, NY: State University of New York Press.

Korn, J. H. (1998). The reality of deception. *American Psychologist, 53,* 805.

Kravitz, D. A., & Martin, B. (1986). Ringelmann rediscovered: The original article. *Journal of Personality and Social Psychology, 50,* 936–941.

Kuhn, T. S. (1962). *The structure of scientific revolutions*. Chicago: University of Chicago Press.

Kunda, Z. (1990). The case for motivated reasoning. *Psychological Bulletin, 108*, 480–498.

Kunda, Z., & Sanitioso, R. (1989). Motivated changes in the self-concept. *Journal of Experimental Social Psychology, 25*, 272–285.

Kunert, J., & Stufken, J. (2002). Optimal crossover designs in a model with self and mixed carryover effects. *Journal of the American Statistical Association, 97*, 898–906.

Langston, W. (2011). *Research methods laboratory manual for psychology* (2nd ed.). Pacific Grove, CA: Wadsworth Group.

Latané, B. (1981). The psychology of social impact. *American Psychologist, 36*, 343–356.

Latané, B., & Darley, J. M. (1970). *The unresponsive bystander: Why doesn't he help?* New York: Appleton Century-Crofts.

Latané, B., Williams, K., & Harkins, S. (1979). Many hands make light the work: Causes and consequences of social loafing. *Journal of Personality and Social Psychology, 37*, 822–832.

Lester, B. M., & Brazelton, T. B. (1982). Cross-cultural assessment of neonatal behavior. In D. A. Wagner & H. W. Stevenson (Eds.), *Cultural perspectives on child development*. San Francisco: Freeman.

Levin, I. P., Louviere, J. J., & Schepanski, A. A. (1983). External validity tests of laboratory studies of information integration. *Organizational Behavior and Human Performance, 31*, 173–193.

Likert, R. (1932). A technique for the measurement of attitudes. *Archives of Psychology, 140*, 44–53.

Lloyd, M. A. (1997, August). *Entry-level jobs for psychology majors*. Retrieved December 4, 2009, from http://www.psywww.com/careers/jobs.htm

Locke, E. A. (2007). The case for inductive theory building. *Journal of Management, 33*, 867–890.

Lorig, B. T. (1996). Undergraduate research in psychology: Skills to take to work. *Council on Undergraduate Research Quarterly, 16*, 145–149.

Lovelace, E. A., & Twohig, P. T. (1990). Healthy older adult's perception of their memory function and use of mnemonics. *Bulletin of the Psychonomic Society, 28*, 115–118.

Lucas, R. E., & Schimmack, U. (2009). Income and well-being: How big is the gap between the rich and the poor? *Journal of Research in Personality, 43*, 75–78.

Luchins, A. S. (1942). Mechanization in problem solving: The effect of Einstellung. *Psychological Monographs, 54* (6, Whole No. 181).

MacLeod, C. M. (1991). Half a century of research on the Stroop effect: An integrative review. *Psychological Bulletin, 109*, 163–203.

Malott, R. W., Whaley, D. L., & Malott, M. E. (1997). *Elementary principles of behavior* (3rd ed.). Upper Saddle River, NJ: Prentice Hall.

Mann, T. (1994). Informed consent for psychological research: Do subjects comprehend consent forms and understand their legal rights? *Psychological Science, 5*, 140–143.

Markus, H. R., & Kitayama, S. (1991). Culture and the self: Implications for cognition, emotion, and motivation. *Psychological Review, 98*, 224–253.

Marriot, P. (1949). Size of working groups and output. *Occupational Psychology, 23*, 47–57.

Marsh, R. L., Landau, J. D., & Hicks, J. L. (1996). How examples may (and may not) constrain creativity. *Memory & Cognition, 24*, 669–680.

———. (1997). Contributions of inadequate source monitoring to unconscious plagiarism during idea generation. *Journal of Experimental Psychology: Learning, Memory, & Cognition, 23*, 866–897.

Marsh, R. L., Ward, T. B., & Landau, J. P. (1999). The inadvertent use of prior knowledge in a generative cognitive test. *Memory & Cognition, 27*, 94–105.

Martin, G., & Pear, J. (1999). *Behavior modification: What it is and how to do it* (6th ed.). Upper Saddle River, NJ: Prentice Hall.

Martin, P., & Bateson, P. (1993). *Measuring behaviour: An introductory guide* (2nd ed.). Cambridge: Cambridge University Press.

Masling, J. (1966). Role-related behavior of the subject and psychologist and its effects upon psychological data. *Nebraska symposium on motivation* (Vol. 14). Lincoln, NE: University of Nebraska Press.

Mayer, R. E. (1977). Problem-solving performance with task overload: Effects of self-pacing and trait anxiety. *Bulletin of the Psychonomic Society, 9*, 283–286.

Mayr, E. (1982). *The growth of biological thought*. Cambridge, MA: Belknap Press.

McCall, R. B. (1990). *Fundamental statistics for the behavioral sciences* (5th ed.). San Diego: Harcourt Brace.

McCurdy, M., Skinner, C., Watson, S., & Shriver, M. (2008). Examining the effects of a comprehensive writing program on the writing performance of middle school students with learning disabilities in written expression. *School Psychology Quarterly, 23*, 571–586.

McDougall, D. (2006). The distributed criterion design. *Journal of Behavioral Education, 15*, 237–247.

McDougall, D., Hawkins, J., Brady, M., & Jenkins, A. (2006). Recent innovations in the changing—criterion design: Implications for research and practice in special education. *The Journal of Special Education, 40*, 2–15.

McDougall, D., & Smith, D. (2006). Recent innovation in small-*n* designs for research and practice in professional school counseling. *Professional School Counseling, 9*, 392–400.

McGovern, T. V. (1993). *Handbook for enhancing undergraduate education in psychology*. Washington, DC: American Psychological Association.

McHugh, P. R. (1992). Psychiatric misadventures. *American Scholar, 61*, 497–510.

McSweeny, A. J. (1978). The effects of response cost on the behavior of a million persons: Charging for directory assistance in Cincinnati. *Journal of Applied Behavior Analysis, 11*, 47–51.

Mehl, M. R., Vazire, S., Holleran, S. E., & Clark, C. S. (2010). Eavesdropping on happiness: Well-being is related to having less small-talk and more substantive conversations. *Psychological Science, 21*, 539–541.

Melton, G., & Gray, J. (1988). Ethical dilemmas in AIDS research: Individual privacy and public health. *American Psychologist, 43*, 60–64.

Milgram, S. (1963). Behavioral study of obedience. *Journal of Abnormal and Social Psychology, 67*, 371–378.

———. (1977). Ethical issues in the study of obedience. In B. Milgram (Ed.), *The individual in a social world* (pp. 188–199). Reading, MA: Addison-Wesley.

Mill, J. S. (1843/1930). *A system of logic.* London: Longmans Green.

Miller, D. B. (1977). Roles of naturalistic observation in comparative psychology. *American Psychologist, 32,* 211–219.

Miller, N. E. (1985). The value of behavioral research on animals. *American Psychologist, 40,* 423–440.

Monsell, S. (2003). Task switching. *Trends in Cognitive Science, 7,* 134–140.

Mook, D. G. (1983). In defense of external invalidity. *American Psychologist, 38,* 379–387.

Moscovitch, M. (1982). Multiple dissociations of functions in the amnesiac syndrome. In L. Cermak (Ed.), *Human memory and amnesia.* Hillsdale, NJ: Erlbaum.

Neisser, U. (1976). *Cognition and reality: Principles and implications of cognitive psychology.* San Francisco: Freeman.

———. (1978). Memory: What are the important questions? In M. M. Gruneberg, P. E. Morris, & R. N. Sykes (Eds.), *Practical aspects of memory* (pp. 3–24). London: Academic Press.

———. (1981). John Dean's memory. *Cognition, 9,* 1–22.

———. (1982). *Memory observed: Remembering in natural contexts.* San Francisco: Freeman.

Ng, C. F. (2000). Effects of building construction noise on residents: A quasi-experiment. *Journal of Environmental Psychology, 20,* 375–385.

Nisbett, R. E., Peng, K., Choi, E., & Norenzayan, A. (2001). Culture and systems of thought: Holistic versus analytical cognition. *Psychological Review, 108,* 291–310.

Nissen, M. J., Ross, J. L., & Schacter, D. L. (1988). Memory and awareness in a patient with multiple personality disorder. *Brain and Cognition, 8,* 117–134.

Norcross, J. C., Hanych, J. M., & Terranova, R. D. (1996). Graduate study in psychology: 1992–1993. *American Psychologist, 51,* 631–643.

Notterman, J. M., & Mintz, D. E. (1965). *Dynamics of response.* New York: Wiley.

Oltmanns, T. F., Martin, D. F., Neale, J. M., & Davison, G. C. (2006). *Case studies in abnormal psychology* (7th ed.), pp. 1–14. New York: Wiley.

Orne, M. T. (1962). On the social psychology of the psychological experiment: With particular reference to demand characteristics and their implications. *American Psychologist, 17,* 776–783.

———. (1969). Demand characteristics and the concept of quasi-controls. In R. Rosenthal & R. L. Rosnow (Eds.), *Artifact in behavioral research.* New York: Academic Press.

Orne, M. T., & Evans, T. J. (1965). Social control in the psychological experiment: Antisocial behavior and hypnosis. *Journal of Personality and Social Psychology, 1,* 189–200.

Ortmann, A., & Hertwig, R. (1997). Is deception acceptable? *American Psychologist, 52,* 746–747.

———. (1998). The question remains: Is deception acceptable? *American Psychologist, 53,* 806–807.

Orzech, K. (2005). Sample ethogram. Tree of Life Web Project. Retrieved from http://www.tolweb.org/onlinecontributors/app?page=TeacherResourceViewSupportMaterial &service=external&sp=l3090&sp=4

Overmier, B., & Carroll, M. E. (2001). Basic issues in the use of animals in health research. In M. E. Carroll & B. Overmier (Eds.), *Animal research in human health: Advancing human welfare through behavioral science* (pp. 3–13). Washington, DC: American Psychological Association.

Paik, H., & Comstock, G. (1994). The effects of television violence on antisocial behavior: A meta-analysis. *Communication Research, 21,* 516–546.

Paivio, A. (1975). Perceptual comparisons through the mind's eye. *Memory & Cognition, 3,* 635–647.

Parsons, H. M. (1974). What happened at Hawthorne? *Science, 183,* 922–931.

Pasupathi, M. (1999). Age differences in response to conformity pressure for emotional and nonemotional material. *Psychology & Aging, 14,* 170–174.

Patokorpi, E. (2009). What could abductive reasoning contribute to human–computer interaction? A technology domestication view. *Psychology Journal, 7,* 113–131.

Pavlov, I. P. (1963). *Lectures on conditioned reflexes.* New York: International Publishers.

Payne, K. T., & Marcus, D. K. (2008). The efficacy of group psychotherapy for older adult clients: A meta-analysis. *Group Dynamics: Theory, Research, and Practice, 12,* 268–278.

Peirce, C. S. (1877). The fixation of belief. *Popular Science Monthly, 12,* 1–15. Reprinted in E. C. Moore (Ed.) (1972), *Charles S. Peirce: The essential writings.* New York: Harper & Row.

Perlmutter, M., & Myers, N. A. (1979). Development of recall in two- to four-year-old children. *Developmental Psychology, 15,* 73–83.

Phillips, D. P. (1972). Deathday and birthday: An unexpected connection. In J. Tanur, F. Mosteller, W. H. Kruskal, R. F. Link, R. S. Peters, & G. R. Rising (Eds.), *Statistics: A guide to the unknown.* San Francisco: Holden Day.

———. (1977). Motor vehicle fatalities increase just after publicized suicide stories. *Science, 196,* 1464–1465.

———. (1978). Airplane accident fatalities increase just after stories about murder and suicide. *Science, 201,* 148–150.

———. (1983). The impact of mass media violence on U. S. homicides. *American Sociological Review, 48,* 560–568.

Piaget, J., & Inhelder, B. (1969). *The psychology of the child.* London: Routledge & Kegan Paul.

Piliavin, I. M., Piliavin, J. A., & Rodin, J. (1975). Costs, diffusion and the stigmatized victim. *Journal of Personality and Social Psychology, 32,* 429–438.

Pittenger, D. J. (2002). Deception in research: Distinctions and solutions from the perspective of utilitarianism. *Ethics and Behavior, 12,* 117–142.

Platt, J. R. (1964). Strong inference. *Science, 146,* 347–353.

Plous, S. (1991). An attitude survey of animal rights activists. *Psychological Science, 2,* 194–196.

———. (1996a). Attitudes towards the use of animals in psychological research and education. *American Psychologist, 51,* 1167–1180.

———. (1996b). Attitudes towards the use of animals in psychological research and education: Results from a national survey of psychology majors. *Psychological Science, 7,* 352–358.

———. (1998). Signs of change within the animal rights movement: Results from a follow-up survey of activists. *Journal of Comparative Psychology, 112,* 48–54.

Popper, K. R. (1961). *The logic of scientific discovery.* New York: Basic Books.

Poulton, E. C. (1982). Influential companions: Effects of one strategy on another in the within-subjects designs of cognitive psychology. *Psychological Bulletin, 9,* 673–690.

Powers, D. E., & Rock, D. A. (1998). *Effects of coaching on SAT 1: Reasoning scores.* New York: College Board Publications.

Pratkanis, A. R., Greenwald, A. G., Leippe, M. R., & Baumgardner, M. H. (1988). In search of reliable persuasion effects: The sleeper effect is dead. Long live the sleeper effect. *Journal of Personality and Social Psychology, 54,* 203–218.

Prescott, J., & Wilkie, J. (2007). Pain tolerance selectively increased by a sweet-smelling odor. *Psychological Science, 18,* 308–311.

Putnam, F. W., Guroff, J. J., Silberman, E. K., Barban, L., & Post, R. M. (1986). The clinical phenomenology of multiple personality disorder: 100 recent cases. *Journal of Clinical Psychiatry, 47,* 285–293.

Ramirez-Esparza, N., Mehl, M. R., Alvarez-Bermudez, J., & Pennebaker, J. W. (2009). Are Mexicans more or less sociable than Americans? Insights from a naturalistic observation study. *Journal of Research in Personality, 43,* 1–7.

Rayner, K., & Pollatsek, A. (1995) *The psychology of reading.* Hillsdale, NJ: Erlbaum.

Read, J. D. (1983). Detection of *F*s in a single statement: The role of phonetic recoding. *Memory & Cognition, 11,* 390–399.

Reichardt, C. S., & Mark, M. M. (1998). Quasiexperimentation. In L. Bickman & D. J. Rigg (Eds.), *Handbook of applied social research methods.* Thousand Oaks, CA: Sage.

Responsible Science. (1992). *Ensuring the integrity of the research process* (Vol. 1). Washington, DC: National Academy Press.

Riccio, D. C., Ackil, J., & Burch-Vernon, A. (1992). Forgetting of stimulus attributes: Methodological implications for assessing associative phenomena. *Psychological Bulletin, 112,* 433–445.

Richman, C. L., Mitchell, D. B., & Reznick, J. S. (1979). Mental travel: Some reservations. *Journal of Experimental Psychology: Human Perception and Performance, 5,* 13–18.

Ringelmann, M. (1913). Recherches sur les moteurs animes: Travail de l'homme. *Annales de l'Institut National Agronomique,* 2e series-tome XII, 1–40.

Roberts, C. (1971). Debate I. Animal experimentation and evolution. *American Scholar, 40,* 497–503.

Roebers, C. M., & Schneider, W. (2000). The impact of misleading questions on eyewitness memory in children and adults. *Applied Cognitive Psychology, 14,* 509–526.

Roediger, H. L., III. (2007). Twelve tips for authors. *Observer, 20,* 39–41.

Roediger, H. L., & Neely, J. H. (1982). Retrieval blocks in episodic and semantic memory. *Canadian Journal of Psychology, 36,* 213–242.

Rollin, B. E. (1985). The moral status of research animals in psychology. *American Psychologist, 40,* 920–926.

Rose, T. L. (1978). The functional relationship between artificial food colors and hyperactivity. *Journal of Applied Behavior Analysis, 11,* 439–446.

Rosenbaum, P. R. (1995). *Observational studies.* New York: Springer-Verlag.

Rosenberg, M. J. (1969). The conditions and consequences of evaluation apprehension. In R. Rosenthal & R. L. Rosnow (Eds.), *Artifact in behavioral research.* New York: Academic Press.

Rosnow, R. L., & Rosenthal, R. (1970). Volunteer effects in behavioral research. In *New directions in psychology 4.* New York: Holt, Rinehart & Winston.

Rotton, J., & Kelly, I. W. (1985). Much ado about the full moon: A meta-analysis of lunar-lunacy research. *Psychological Bulletin, 97,* 286–306.

Rowan, A. N., & Loew, F. M. (1995). *The animal research controversy: Protest, process, and public policy.* North Grafton, MA: Tufts University, Center for Animals and Public Policy.

Rowland, L. W. (1939). Will hypnotized persons try to harm themselves or others? *Journal of Abnormal and Social Psychology, 34,* 114–117.

Ruback, R. B., & Snow, J. N. (1993). Territoriality and nonconscious racism at water fountains: Intruders and drinkers (blacks and whites) are affected by race. *Environment and Behavior, 25,* 250–267.

Rucston, J. P., & Ankney, C. D. (2009). Whole brain size and general mental ability: A review. *International Journal of Neuroscience, 119,* 691–731.

Rushton, J. P. (1997). Cranial size and IQ in Asian Americans from birth to age seven. *Intelligence, 25,* 7–20.

Rushton, J. P., & Ankney, C. D. (1996). Brain size and cognitive ability. Correlations with age, sex, social class, and race. *Psychonomic Bulletin & Review, 3,* 21–36.

Saari, L. M., & Latham, G. P. (1982). Employee reactions to continuous and variable ratio reinforcement schedules involving a monetary incentive. *Journal of Applied Psychology, 67,* 506–508.

Sagiv, S. K., Nugent, K., Brazelton, T. B., Choi, A. L., Tolbert, P. E., Altshul, L. M., & Korrik, S. A. (2008). Prenatal organochlorine exposure and measures of behavior in infancy using the neonatal behavioral assessment scale (NBAS). *Environmental Health Perspectives, 116,* 666–673. doi: 10.1289/ehp.10553

Sanitioso, R., Kunda, Z., & Fong, G. T. (1990). Motivated recruitment of autobiographical memories. *Journal of Personality Social Psychology, 59,* 229–241.

Scarr, S. (1988). Race and gender as psychological variables: Social and ethical issues. *American Psychologist, 43,* 56–59.

Schachter, S. (1982). Don't sell habit-breakers short. *Psychology Today, 16,* 27–33.

Schaie, K. W. (1977). Quasi-experimental designs in the psychology of aging. In J. E. Birren & K. W. Schaie (Eds.), *Handbook of the psychology of aging.* New York: Van Nostrand.

Schmolck, H., Buffalo, E., & Squire, L. R. (2000). Memory distortions develop over time: Recollections of the O. J. Simpson trial verdict after 15 and 32 months. *Psychological Science, 11,* 39–45.

Schneider, D. J. (1988). *Introduction to social psychology.* New York: Harcourt Brace Jovanovich.

Schooler, J. W., Ohlsson, S., & Brooks, K. (1993). Thoughts beyond words: When language overshadows insight. *Journal of*

Experimental Psychology: General, 122, 166–183.

Schwarz, N. (1999). Self-reports: How the questions shape the answers. American Psychologist, 54, 93–105.

Schwarz, N., Knäuper, B., Hippler, H. J., Noelle-Neumann, E., & Clark, F. (1991). Rating scales: Numeric values may change the meaning of scale labels. Public Opinion Quarterly, 55, 570–582.

Shadish, W. R., & Cook, T. D. (2009). The renaissance of field experimentation in evaluating interventions. Annual Review of Psychology, 60, 607–629.

Sidman, M. (1960). Tactics of scientific research. New York: Basic Books.

Sieber, J. E., & Stanley, B. (1988). Ethical and professional dimensions of socially sensitive research. American Psychologist, 43, 49–55.

Simmons, W. W. (2000, December). One in six Americans admit to drinking too much. The Gallup Poll Monthly, 423, 42–45.

Singer, P. (1978). Animal experimentation: Philosophical perspectives. In W. T. Reich (Ed.), Encyclopedia of bioethics. New York: Free Press.

Skinner, B. F. (1963). The flight from the laboratory. In M. Marx (Ed.), Theories in contemporary psychology. New York: Macmillan.

Slife, B. D., & Williams, R. N. (1995). What's behind the research? Thousand Oaks, CA: Sage.

Smith, S. M. (1995). Getting into and out of mental ruts: A theory of fixation, incubation, and insight. In R. J. Sternberg & J. E. Davidson (Eds.), The nature of insight (pp. 229–251). Cambridge, MA: MIT Press.

Spanos, N. P. (1996). Multiple identities and false memories: A sociocognitive perspective. Washington, DC: American Psychological Association.

Squire, L. R., Schmolck, H., & Buffalo, E. A. (2001). Memory distortions develop over time: A reply to Horn. Psychological Science, 12, 182.

Sternberg, R. J. (1992). How to win acceptances by psychology journals: 21 Tips for better writing. APS Observer, 5, 12–14.

———. (2000). Article writing 101: A crib sheet of 50 tips for the final exam. In R. J. Sternberg (Ed.), Guide to publishing in psychology journals (pp. 199–206). New York: Cambridge University Press.

———. (2003). The psychologist's companion (4th ed.). New York: Cambridge University Press.

Strayer, D. L., & Johnston, W. A. (2001). Driven to distraction: Dual-task studies of simulated driving and conversing on a cellular phone. Psychological Science, 12, 462–466.

Stroop, J. R. (1935). Studies of interference in serial verbal reactions. Journal of Experimental Psychology, 18, 643–662.

Talarico, J. M., & Rubin, D. C. (2003). Confidence, not consistency, characterizes flashbulb memories. Psychological Science, 14, 455–461.

Thios, S. J., & D'Agostino, P. R. (1976). Effects of repetition as a function of study-phase retrieval. Journal of Verbal Learning and Verbal Behavior, 15, 529–536.

Thompson, J. B., & Buchanan, W. (1979). Analyzing psychological data. New York: Scribner's.

Timberlake, W., & Silva, F. J. (1994). Observation of behavior, inference of function, and the study of learning. Psychonomic Bulletin & Review, 1, 73–88.

Todd, C. M., & Perlmutter, M. (1980). Reality recalled by school children. In M. Perlmutter (Ed.), Children's memory: New directions for child development, 10 (pp. 69–85). San Francisco: Jossey-Bass.

Tsang, P. S., & Vidulich, M. A. (2003). Principles and practices of aviation psychology. Mahwah, NJ: Erlbaum.

Tversky, B., & Teiffer, E. (1976). Development of strategies for recall and recognition. Developmental Psychology, 12, 406–410.

Underwood, B. (1957). Psychological research. New York: Appleton.

———. (1975). Individual differences as a crucible in theory construction. American Psychologist, 30, 128–134.

Uttal, W. R. (1978). The psychology of mind. Hillsdale, NJ: Erlbaum.

Vazire, S., & Gosling, S. D. (2003). Bridging psychology and biology with animal research. American Psychologist, 58, 407–408.

Velten, E. A. (1968). A laboratory task for the induction of mood states. Behavior Research and Therapy, 6, 473–478.

Wagenaar, A. C. (1981). Effects of the raised legal drinking age on motor vehicle accidents in Michigan. HSRI Research Review, 11, 1–8.

Walsh, L. (2008). Welcome to the pursuing psychology career page. Retrieved from http://www.uni.edu/walsh/linda1.html

Walters, C., Shurley, J. T., & Parsons, O. A. (1962). Differences in male and female responses to underwater sensory deprivation: An exploratory study. Journal of Nervous and Mental Disease, 135, 302–310.

Wason, P. C. (1977). On the failure to eliminate hypotheses—a second look. In P. N. Johnson-Laird & P. C. Wason (Eds.), Thinking: Readings in cognitive science. Cambridge: Cambridge University Press.

Watson, D., Clark, L. A., & Tellegen, A. (1988). Development and validation of brief measures of positive and negative affect: The PANAS scales. Journal of Personality and Social Psychology, 54, 1063–1070.

Webb, E. J., Campbell, D. T., Schwartz, R. D., & Sechrist, L. (1981). Unobtrusive measures: Nonreactive research in the social sciences. Chicago: Rand McNally.

Weber, E. H. (1846/1948). The sense of touch and common feeling. In W. Dennis (Ed.), Readings in the history of psychology. New York: Appleton Century-Crofts.

Weber, S. J., & Cook, T. D. (1972). Subject effects in laboratory research: An examination of subject roles, demand characteristics, and valid inference. Psychological Bulletin, 77, 273–295.

Weisberg, H. F., Krosnick, J. A., & Bowen, B. D. (1989). An introduction to survey research and data analysis (2nd ed.). Glenview, IL: Scott, Foresman.

Weiss, J. M. (1968). Effects of coping responses on stress. Journal of Comparative and Physiological Psychology, 65, 251–260.

———. (1971). Effects of coping behavior in different warning signal conditions on stress pathology in rats. Journal of Comparative and Physiological Psychology, 77, 1–13.

West, S. G. (2009). Alternatives to randomized experiments. Current Directions in Psychological Science, 18, 299–304.

White, R. J. (1971). Debate II. Antivivisection: The reluctant hydra. American Scholar, 40, 503–512.

Wildman, B. G., & Erickson, M. T. (1977). Methodological problems in behavioral observation.

In J. D. Cone & R. P. Hawkins (Eds.), *Behavioral assessment*. New York: Brunner/Mazel.

Willerman, L., Schultz, R., Rutledge, J. N., & Bigler, E. D. (1991). *In vivo* brain size and intelligence. *Intelligence, 15*, 223–228.

Williams, K., Harkins, S., & Latané, B. (1981). Identifiability as a deterrent to social loafing: Two cheering experiments. *Journal of Personality and Social Psychology, 40*, 303–311.

Windes, J. D. (1968). Reaction time for numerical coding and naming of numerals. *Journal of Experimental Psychology, 78*, 318–322.

Wixted, J. T., & Squire, L. R. (2004). Recall and recognition are equally impaired in patients with selective hippocampal damage. *Cognitive, Affective and Behavioral Neuroscience, 4*, 58–66.

Wohwill, J. F. (1970). Methodology and research strategy in the study of developmental change. In L. R. Goulet & P. B. Baltes (Eds.), *Lifespan developmental psychology: Research and theory*. New York: Academic Press.

Wolf, M. M., & Risley, T. R. (1971). Reinforcement: Applied research.

In R. Glaser (Ed.), *The nature of reinforcement*. New York: Academic Press.

Wood, W., Wong, F. Y., & Chachere, J. G. (1991). Effects of media violence on viewers' aggression in unconstrained social interaction. *Psychological Bulletin, 109*, 371–383.

Woodzicka, J. A., & LaFrance, M. (2001). Real versus imagined gender harassment. *Journal of Social Issues, 57*, 15–30.

Woolfolk, M. E. (1981). The eye of the beholder: Methodological considerations when observers assess nonverbal communication. *Journal of Nonverbal Behavior, 5*, 199–204.

Woolfolk, M. E., Castellan, W., & Brooks, C. I. (1983). Pepsi versus Coke: Labels, not tastes, prevail. *Psychological Reports, 52*, 185–186.

Wright, L. (1988). The Type A behavior pattern and coronary artery disease. *American Psychologist, 43*, 2–14.

Wu, P., & Campbell, D. T. (1996). Extending latent variable LISREL analyses of the 1969 Westinghouse Head Start evaluation to Blacks and full year Whites. *Evaluation and Program Planning, 19*, 183–191.

Yonelinas, A. P., Kroll, N. E., Quamme, J. R., Lazzara, M. M., Sauve, M. J., Widamean, K. F., et al. (2002). Effects of extensive temporal lobe damage or mild hypoxia on recollection and familiarity. *Nature Neuroscience, 5*, 1236–1241.

Young, P. C. (1952). Antisocial uses of hypnosis. In L. M. LeCron (Ed.), *Experimental hypnosis*. New York: Macmillan.

Young, P. T. (1928). Precautions in animal experimentation. *Psychological Bulletin, 25*, 487–489.

Zajonc, R. B., & Marcus, N. (1975). Birth order and intellectual development. *Psychological Review, 82*, 74–88.

Zimbardo, P. (2001). *Discovering psychology: Updated edition (tape 19): The power of the situation* [VHS videotape]. Available from: Annenberg/CPB Collection at: http://www.learner.org/resources/series138.html#program_des. Retrieved February 11, 2005.

Zuckerman, M. (1996). Notes and shorter communications: Item revisions in the Sensation Seeking Scale Form V (SSS-V). *Personality and Individual Differences, 20*, 515.

용어해설

가설(hypothesis) 관찰 가능한 자료로부터 평가될 수 있는, 이론으로부터 유도된 아주 구체적인 검증 가능한 서술.

가역 (ABA) 설계(reversal (ABA) design) 소집단 설계의 일종으로 한 참가자의 행동이 기저선(A) 조건에서 측정되고, 실험 처치가 B국면 동안 적용된 조건 하에서 행동의 어떤 변화가 관찰되는데, 마지막으로, B국면 동안 관찰된 변화는 실험 처치에 책임소재가 있음을 확인하기 위해 최초의 기저선(A) 조건이 재투입된다.

가역성(reversibility) 상이한 모집단의 특성들과 피험자의 종(species)이 같은 내재된 과정을 지니고 있다는 연구에서부터 만들어진 가정; 관찰된 행동에서 행동적 '공식'이 결정되어질 수 있다.

강제 선택 검사(forced-choice test) 참가자가 둘 이상의 서술문 사이에서 반드시 선택해야만 하는 검사; 반응 유형을 통제하기 위해 흔히 사용된다.

강 추론(strong inference) 과학의 진보는 대안적인 이론적 결과물에 대한 일련의 검증을 통해서 온다는 Platt의 견해.

갖춤새(einstellung) 인지에 대한 기대효과; 예를 들면, 사람이 특정한 방식으로 문제를 푼다면, 원래 책략이 더 이상 효과적이 아닌 상황에서도 새로운 문제를 똑같은 방식으로 자주 접근할 것이다.

개념적 반복검증(conceptual replication) 완전히 새로운 실험의 패러다임 또는 집합을 가지고 한 실험 현상을 보이려는 시도; 수렴 조작을 보라.

개인 공간(personal space) 한 개인을 둘러싸고 있는 보이지 않는 막.

개인차이(individual difference) 피험자간 실험의 결과에 혼입될 수도 있는 문제.

검사 신뢰도(test reliability) 검사-재검사 신뢰도와 반분 신뢰도를 보라.

검사-재검사 신뢰도(test-retest reliability) 검사 점수가 안정되어 있는지 또는 신뢰성이 있는지를 보기 위해 짧은 시간 간격에 걸쳐 같은 검사를 두 번 연속적으로 실시함; 일반적으로 검사 점수 사이의 상관으로서 표현된다.

검증가능성(testability) 좋은 이론은 반증될 수 있을 필요가 있다.

검증 가능한 가설(testable hypothesis) 이론을 검증하는 데 무엇이 측정되고 조작될 수 있는지를 상세히 기술한 가설.

결과(results) 연구에서 무엇이 일어났는지 말해주는 기술적인 논문의 한 부분.

경험적(empirical) 관찰이나 실험에 의존하거나 거기에서 도출되는 것.

고집의 방법(method of tenacity) 반대되는 주장에 관계없이 특정한 믿음을 고집해서 신념을 확정시키는 방법(경험적을 보라).

공변인(covariate) 회귀분석과 같이 목표 변인의 분석을 설명하는 통계분석에서, 목표 변인과 같이 변하는 변인.

과학적 방법(scientific method) Peirce에 의하면, 경험에 근거해서 신념을 정착시키는 방법이다(경험적을 보라).

관계 관찰(relational observation) 관계연구를 보라.

관계연구(relational research) 둘 또는 그 이상의 변인이 어떻게 관련되어 있는지를 알아보려는 연구.

관찰자간 신뢰도(interobsever reliability) 둘 이상의 관찰자가 자연주의적 관찰들을 정확하게 범주화할 수 있는 정도.

관찰-처치-관찰(observation-treatment-observation) 유사-실험 설계; 흔히 비동등 통제집단을 포함함.

교대-처치 설계(alternating-treatments design) 둘 또는 그 이상의 독립변인이 교대되는 소집단 설계.

교차 상호작용(crossover interaction) 한 종속변인에 대한 한 독립변인의 효과가 두 번째 독립변인의 상이한 수준에서 역전될 때.

교차-순서 설계(cross-sequential design) 시대효과와 검사시기 효과를 통제하기 위해 연령이 피험자 변인일 때 사용되는 유사-실험 설계; 여러 상이한 시기에 여러 상이한 연령집단을 검사하는 것을 포함한다(종단적 방법과 횡단적 방법을 보라).

교차지연패널 상관(cross-lagged-panel correlation) 상관연구의 내부타당도를 증가시키기 위해 같은 참가자에 대하여 시간에 걸쳐 여러 상관계수를 계산함.

구성타당도(construct validity) 여러 측정들이 다른 결과와 의미 있게 부합될 때 우리는 내재된 심리적 개념을 측정하고 있다.

구획 무선화(block randomization) 처치 순서들이 그 조건들을 제시하고 있는 연속적인 구획 내에서 무선화되는 상대균형화 기법.

궁극적 원인(ultimate cause) '빅뱅'이나 진화와 같은 한 사상의 가장 기본적인 또는 최종 원인(근접한 원인에 대비됨).

권위의 방법(method of authority) 권위자의 말에 믿음을 두어 신념을 확정시키는 방법(경험과 대비됨).

귀납(induction) 특정한 것에서 일반적인 것으로 가는 추론.

귀추(abduction) 세 가지 기본적인 논리 형태의 일종. 귀납, 연역을 보라. 다른 두 형태에서 도출된 결론과는 달리, 귀추법을 이용한 추론은 반드시 타당하지는 않다.

규약(protocol) 연구 기획을 수행할 때 정확히 따라야 하는 절차.

균형 잡힌 라틴 방격(balanced Latin square) 각 조건이 모든 다른 조건에 똑같게 선행하거나 후속되는 상대균형화 도식.

그림(figure) 연구 보고서의 결과 부분에 있는 자료의 그림 제시.

그림 설명(figure caption) 사본 원고에서 그림과 별도로 어떤 페이지에 제시된 그림에 대한 기술.

그만둘 자유(freedom to withdraw) 실험연구자는 피험자가 연구 참여를 그만둘 수 있게 허용할 윤리적인 의무가 있다.

근심 많은 피험자 역할(apprehensive-subject role) 평가 받는 것을 싫어하는 연구 피험자가 취하리라 추정되는 역할; 평가 근심과 반응성을 보라.

근접한 원인(proximate cause) 실험에서의 독립변인 같은 한 사상의 즉각적인 원인(궁극적 원인을 보라).

기관 심의위원회(Institutional Review Board, IRB) 인간 참가자의 보호를 감시하는, 연구를 수행하는 모든 미국 연구기관(대학 포함)에 있는 위원회.

기능분석(functional analysis) 특정 행동의 선행 사건과 결과에 대한 분석; 흔히 행동 치료의 시행 전에 실시한다.

기술적 관찰(descriptive observation) 관찰, 사례연구, 조사, 검사 방법에서 초래되는 행동의 양(빈도, 크기)의 측정(법).

기술 통계(descriptive statistic) 자료를 조직하고 요약하는 방법.

기저선(baseline) 실험에서 비교의 수준으로 사용되는 '정상적' 또는 전형적 행동.

기초 연구(basic research) 문제에 대한 당장의 해결보다는 이해에 초점을 두는 연구.

난외 표제(running head) 학술지 논문에서 페이지의 맨 위에 보이는 제목.

내부타당도(internal validity) 인과관계에 대한 단도 직입적인 진술을 허용한다; 실험은 흔히 일치차이 병용법이 채택되기 때문에 내적으로 타당하다.

논의(discussion) 기술적인 논문에서 저자가 결과를 파악하고, 해석하고, 제한함으로써 이론적인 결론을 이끌어내는 부분.

다중-기저선 설계(multiple-baseline design) 독립변인의 도입 전에 상이한 행동들(또는 상이한 참가자들)이 변동하는 길이의 기저선 기간을 받는 소집단 설계.

단일-시도 사례연구(one-shot case study) (사례연구를 보라) 삶의 사상들의 측면에서 단일 개인의 행동이 연구되고 설명되는 유사-실험(이상사례분석도 보라).

대집단 설계(large-n design) 둘 또는 그 이상의 집단의 차이에 신뢰가 있는지를 결정하기 위해 추론 통계가 사용되는 설계.

도구(apparatus) 연구에서 참가자를 검사하는 데 사용된 어떠한 특별한 장비를 기술하는 기술적인 논문 방법 부분의 한 하위 부분.

도입(introduction) 연구될 문제를 상세히 하고 왜 그것이 중요한지를 말하는 기술적 논문의 부분.

독립변인(independent variable) 실험자가 조작하는 변인.

독립성에 대한 χ^2 검증(χ^2 test for independence) 분할표에서 변인 간 관계의 통계적 유의도를 결정하기 위해 자주 사용되는 검증.

동기화된 망각(motivated forgetting) 과거 사상들의 정서적인 본질 때문에 회상보고 시 나타나는 과거 사상들의 왜곡.

동물행동도(ethogram) 자연주의적 관찰을 하는 데 범주들을 제공하는 자료 양식지.

동물행동학(ethology) 행동에 대한 체계적 연구; 흔히 자연적 상황에서의 동물행동.

동의서(informed consent) 잠재적 피험자는 실험에 참여할 것인지의 여부를 결정할 수 있는 위치에 있어야만 한다.

동형 형태(parallel forms) 검사의 두 가지 대안적인 형식.

드러나지 않는 관찰(unobtrusive observation) 반응성을 낳지 않는 관찰.

드러나지 않는 측정(unobtrusive measure) 행동 그 자체가 아닌 행동의 결과로부터 얻은 측정.

등간격(equal interval) 한 단위 변화가 척도의 전 범위에 걸쳐서 동등한 측정척도의 한 가지 특성.

등간척도(interval scale) 같은 간격을 가지나 진정한 영점이 없는 척도(예: 온도).

라틴 방격 설계(Latin-square design) 각 조건이 실험의 각 시간 기간 동안 동등하게 발생하는 상대균형화 절차.

막대그래프(histogram) 그래프에서 막대의 높이가 점수 계급의 빈도를 가리키는 빈도 분포.

매개변인(intervening variable) 독립변인을 종속변인에 연결시키는 추상적 개념.

메타분석(meta-analysis) 단일 주제를 조사한 많은 연구들에 걸쳐서 요약하는 비교적 객관적인 기법.

명명척도(nominal scale) 대상에 명칭을 부여하거나 범주화시키는 척도―가장 약한 측정척도.

모사 실험(simulated experiment) 한 특정 실험에서 실제 피험자를 모사하라고 지시를 들은 참가자가 있는 위조 실험.

모수 통계(parametric statistics) 점수 분포에 관한 가정(즉, 정상분포)을 만드는 통계 검증; 등간 또는 비율 자료를 요구.

모집단(population) 표본이 얻어지는 잠재적 관찰의 전체 집합.

무선집단 설계(random-groups design) 피험자들이 피험자간 설계에서 조건들에 무선으로 배정될 때.

무선 표본(random sample) 편향되지 않은 방식으로 모집단에서 선택된 표본.

무선 표집(random sampling) 무선 표본을 보라.

무선화(randomization) 피험자를 조건들에 편향되지 않게 배정 또는 조건순서와 편향되지 않은 변동의 과정.

무위 결과(null result) 종속변인이 독립변인에 영향을 받지 않는다는 실험 결과.

바닥효과(floor effect) 척도 희석화 효과를 보라.

반복검증(replication) 이전 연구 발견을 반복하기 위해서(그리고 아마도 확정하기 위해서) 그 실험을 반복.

반복측정 설계(repeated-measures design) 여러 학습 시행이나 수많은 정신물리학적 판단 같이 동일한 참가자에게서 여러 번의 측정을 얻음; 피험자내 실험의 한 유형.

반분 신뢰도(split-half reliability) 검사 항목을 임의의 두 집단으로 나누어, 각 절반에서 얻은 점수들을 상관냄으로써 검사의 신뢰도를 측정.

반응묵인(response acquiescence) 빈번히 '예'라고 반응하는 것을 포함하는 검사에 대한 반응의 습관적 방식(반응 유형을 보라).

반응성(reactivity) 조사자의 존재가 탐지됨으로써 (부분적으로는 그에 대한 반응으로) 영향 받는 관찰을 기술하는 용어.

반응유형(response style) 특정한 검사 항목과는 독립적으로, 검사에 대한 반응의 습관적 방식(반응 일탈, 반응묵인, 사회적 바람직함을 보라).

반응일탈(response deviation) 빈번히 '아니오'라고 반응하는 것을 포함하는 검사에 대한 반응의 습관적 방식(반응유형을 보라).

반증가능성(falsifiability view) 부정적 결과가 긍정적인 결과보다 훨씬 더 정보를 많이 담고 있다는 Popper의 주장.

방법(method) 실험자가 수행한 조작을 자세히 서술하는 기술적인 논문의 한 부분.

방향성/비방향성 통계 검증(directional/nondirectional statistical test) 일방 검증과 양방 검증을 보라.

범위(range) 분산의 기술적 측정; 분포에서 최대 점수와 최소 점수 사이의 차이.

범위-경계 변동 준거(range-bound changing criteria) 변동-준거 설계의 변형으로 결과물에 대한 준거를 상한선과 하한선으로 범위를 구체적으로 설정한다.

변동-준거 설계(changing-criterion design) 결과 출력을 내는 데 필요한 행동의 기준이 변하는 소집단 설계.

변량(variance) 분산의 측정; 표준편차의 제곱.

변량분석(analysis of variance) 하나 이상의 독립변인에서 수준 수에 상관없이 실험의 신뢰도를 분석하는 데 적합한 통계 검증.

변인 대표성(variable representativeness) 한 독립변인이나 상이한 종속변인에 대한 상이한 조작에 걸쳐서 결과의 일반성을 결정.

부분-과제 시뮬레이터(part-task simulator) 한 체계의 한 부분만을 모사하는 기구(시뮬레이터를 보라).

부정적 피험자 역할(negativistic-subject role) 한 참가자가 실험을 고의로 방해하려고 시도할 때.

부주의한 실험자 편향(inadvertent researcher bias) 연구자의 정치적 신념, 훈련, 그리고 개인차의 다른 원천을 포함한 연구자의 특성에 기인하는 무계획적인 편향.

분산(dispersion) 점수들의 분포에서 퍼진 양(정도).

분산-준거 설계(distributed-criterion design) 둘 이상의 행동 사이에 결과물에 대한 준거가 퍼져 있는 소집단 설계.

분포(distribution) 한 변인이 갖는 값들의 한 집합.

분할표(contingency table) 두 변인의 모든 조합에 대한 빈도가 변인 간의 관계를 결정하기 위해서 평가되는 관계적 연구 설계.

비동등 통제집단(nonequivalent control group) 유사-실험에서 무선 배정으로 결정되지 않고 사건 후에 흔히 선택되며 자연적으로 처치된 집단과 동등하리라 가정되는 집단.

비모수 통계(nonparametric statistic) 내재된 점수 분포에 대한 어떤 가정도 만들지 않는 통계 검증; 대개 서열 수준의 자료만을 요구한다(모수 통계를 보라).

비밀유지(confidentiality) 피험자에 관해서 얻어진 정보는 다른 방식으로 동의하지 않는 한 기밀이 유지된 채 있어야 한다.

비율척도(ratio scale) 속성들 사이의 배수의 차이가 고려되며, 영점이 존재하는 가장 높은 형태의 척도.

비판적 사고가(critical thinker) 비판적인 태도를 가지고 과학적인 절차나 결과들에 접근하는 사람.

비평가(critic) 정보에 입각하여 평가를 내리는 사람.

빈도 다각형(frequency polygon)　곡선의 높이가 점수의 빈도를 가리키는 빈도 분포(막대그래프를 보라).

빈도 분포(frequency distribution)　분포에 따라서 순서로 배열한, 각 점수가 발생한 수를 가리키는 한 집합의 점수들.

사기(fraud)　자료의 짜깁기와 표절을 포함한 연구 과정에서의 계획적인 편향.

사례연구(case study)　어떤 행동의 특정한 경우 또는 사례에 대한 집중적인 조사; 원인과 효과에 대한 추론을 허용하지 않고 단지 기술에 그친다.

사망(mortality)　참가자들이 참가하지 않기 때문에 또는 참가할 수 없기 때문에 탈락하는 참가자들에 기인하는 연구에서의 혼입의 가능한 출처.

사본 원고(copy manuscript)　연구 보고서의 인쇄 전 형식; 즉, 기술적인 학술지에 출판되지 않은 원고.

사회적 바람직함(social desirability)　사회적으로 바람직한 반응을 하는 것을 포함하는 검사에 대한 반응의 습관적 방식(반응 양식을 보라).

사회적 태만(social loafing)　다른 사람이 있거나 집단 수행이 측정될 경우 때때로 발생하는 개인 노력의 감소.

사후 소급(ex post facto)　말 그대로 '사실 후'; 실험에서 실험 전에 결정되어지지 않고 어떤 조작이 자연적으로 발생된 후에만 정해지는 조건들을 가리킴.

산포도(scatter diagram)　두 변인에 대한 개인들의 점수를 도표화해서 두 변인 간 관계의 정도를 나타내주는 그림.

상관(correlation)　두 변인 사이의 반드시 인과적이 아닌 관계된 정도에 대한 측정.

상관계수(correlation coefficient)　−1.00에서 +1.00까지 변할 수 있는 수로 두 변인 사이의 관계 정도를 가리킨다.

상관연구(correlational research)　두 변인의 관계의 정도와 방향성을 보여주는 관계 연구.

상대균형화(counterbalancing)　실험에서 검사시간의 효과를 골고루 분포시키기 위해 조건들의 순서를 체계적으로 변화시키는 데 사용되는 모든 기법들을 지칭함.

상승작용(synergism)　상호작용을 기술하는 의학연구에서 사용된 용어(상호작용을 보라).

상호작용(interaction)　한 독립변인의 효과가 다른 독립변인의 수준에 의존할 때 발생하는 실험 결과.

상황 대표성(setting representativeness)　생태학적 타당도를 보라.

생태학적 기능(ecological function)　어떤 유기체가 환경에 적응하는 데 행동의 역할.

생태학적 타당도(ecological validity)　한 실험 상황이 조사된 문제의 환경과 결합된 정도; 실험의 외부 타당도에 위협.

서열척도(ordinal scale)　대상이나 속성이 순서되지만 점수들 간의 간격이 같지 않은 측정척도.

선택 편향(selection bias)　피험자들이 무선으로 선택되지 않았을 때 발생한다(피험자 소모와 짝짓기를 보라).

선험적 방법(priori method)　Peirce에 따르면, (특정) 사상이 이치에 맞는가에 대한 판단에 근거하여 신념을 정착시키는 한 방법(고집의 방법, 권위의 방법, 경험적 방법을 보라).

설명(explanation)　특정한 사상이 왜, 그리고 언제 발생하는가에 대하여, 실험적 방법으로부터 얻은 인과관계적 진술(일치차이 병용법을 보라).

설문조사연구(survey research)　흔히 무선 표집을 통해 많은 사람들로부터 한정된 양의 정보를 얻는 기법.

성숙(maturation)　성장과 다른 역사적 요인 때문에 시간에 따라 사람들에게 일어나는 변화; 유사-실험에서 혼입의 출처가 될 수도 있다.

성실한 피험자 역할(faithful-subject role)　참가자가 실험자의 요구를 최대한으로 따를 때(반응성을 보라).

소제목(short title)　학술지 논문에서 사본 원고의 각 페이지 맨 위에 보이는 제목의 처음 몇 단어.

소집단 설계(small-n design)　작은 수의 피험자를 사용하는 연구 설계.

속임수(deception)　참가자가 계획의 어떤 측면에 관해서 잘못 알게 하는 연구 기법; 비윤리적일 수도 있음(이중-은폐 설계를 보라).

수렴 조작(converging operation) 모두 공통된 결론을 보강하는 관련된 조사들의 일련의 집합.

수면자 효과(sleeper effect) 시간이 경과함에 따라 설득적 메시지의 효과에서 향상이 발생.

스트룹 효과(Stroop effect) 색상이 대상의 이름과 갈등될 때 대상의 색을 명명하기 어려움(빨간 잉크로 인쇄된 blue라는 단어).

시간 지연 설계(time-lag design) 검사시간 효과를 통제하기 위해 연령이 피험자 변인일 때 사용되는 유사-실험 설계; 특정한 연령(예: 19세)의 피험자들이 상이한 기간에 걸쳐 검사된다.

시뮬레이터(simulator) 통제된 실험이 수행되도록 해주는 실제 체계의 기능을 복제해주는 기구.

신뢰도(reliability) 실험 결과의 반복가능성을 지칭한다; 추론 통계는 한 발견이 반복될 가능성이 어느 정도인지에 대한 추정치를 제공한다; 또한 검사를 두 번 치른 참가자에게서 얻은 점수(검사-재검사 신뢰도), 두 같은 유형의 검사를 실시해서 얻은, 또는 검사의 각 절반에서 얻어진 점수(반분 검사 신뢰도) 사이의 상관을 계산하여 결정된 검사나, 측정 도구의 일관성을 지칭한다.

신뢰도 수준(confidence level) 유의도 수준을 보라.

실재론(realism) 연구 절차가 실세계의 특성들과 필적되는지의 정도(일반화 가능성과 대비).

실험(experiment) 행동에 대한 환경의 조작의 효과를 관찰하기 위해 어떤 환경을 체계적으로 조작; 특정한 비교를 생성한다.

실험 가설(experimental hypothesis) 종속변인에 효과를 가지게 될 독립변인 또는 독립변인의 특정한 수준.

실험적 신뢰도(experimental reliability) 실험 결과가 반복검증될 수 있는 정도.

실험적 통제(experimental control) 종속변인에 대한 어떤 효과가 독립변인의 조작으로 인한 것이라고 설명할 수 있도록 실험에서 과외변인을 일정하게 유지시킴.

실험집단(experimental group) 실험에서 독립변인의 관심 있는 수준을 받는 집단.

심리측정 척도(psychometric scaling) 입력이 분명하게 상세히 기술되지 않은 심리학적 개념의 측정.

알파 수준(alpha(α) level) 유의도 수준을 보라.

양방 검증(two-tailed test) 분포의 양끝으로 기각 영역을 두는 검증.

역사(history) 연구에서 참가자의 역사적인 변화 때문에 측정 사이에 의도하지 않게 발생되는 가능한 혼입.

연구자 편향(researcher bias) 자료가 잘못 분석되거나 참가자를 어떤 계획된 처치의 차이를 넘어서서 차별되게 다루는 의도적인 또는 비의도적인 편향.

연역(deduction) 일반적인 것에서 특수한 것으로의 추론.

영가설(null hypothesis) 독립변인이 종속변인에 대하여 아무런 효과가 없음을 진술.

예비연구(pilot research) 후속의 전체 연구 계획을 위해서 방법과 설계의 문제점을 발견하기 위해 수행되는 기초 연구.

예언(prediction) 상관 방법에서 결과된 관계성의 상세화; 이론의 한 목적임.

예언타당도(predictive validity) 한 검사가 특정한 결과를 예측할 때.

외부타당도(external validity) 연구의 일반성을 가리킴; 외적으로 타당한 연구는 실생활을 대표하고 조사되는 질문을 왜곡하지 않는다.

요구 특성(demand characteristic) 실험에서 참가자가 실험의 목적을 알게 해주거나 실험자가 원하는 것이 무엇인지를 알게 해주는, 참가자에게 가용한 단서들.

요인 설계(factorial design) 모든 독립변인의 각 수준이 다른 독립변인의 모든 수준에서 발생하는 실험 설계.

위약(placebo) 비활성인 내복용 약 또는 주사제.

위약효과(placebo effect) 환자가 자신은 실제로 아무런 효과가 없는 불활성 물질을 받는 데도 약을 받고 있다고 믿게 하는 약물 효능성 연구에서 흔히 보여지는 향상.

유사-실험(quasi-experiment)　독립변인이 자연적으로 발생하고 실험자의 직접 통제 하에 있지 않은 실험(사후 소급을 보라).

유의도 수준(significance level)　실험적 발견이 우연, 무선적 변동성, 자료에 대한 조작에 기인하는지에 대한 확률.

유의미한 차이(significantly different)　20번에 오직 1번만 우연에 의해 발생할 수 있는 조건 간 차이.

윤리적 쟁점(ethical issue)　연구에서 참가자의 안녕을 강조—신체적 정신적 해를 피함.

은폐 실험(blind experiment)　피험자들이 자신이 처치 조건에 속해 있는지 아닌지를 알지 못하는 실험(이중-은폐 설계를 보라).

응용연구(applied research)　실용적 문제를 해결하는 데 초점이 맞추어진 연구.

의인화(anthropomorphizing)　행복 같은 인간의 특징이나 감정을 동물에게 부여함.

이론(theory)　그 목적이 기술하고 예측하는 것인 아이디어들의 집합.

이론적 구성개념(theoretical constructs)　매개변인을 보라.

이상사례분석(deviant-case analysis)　상이한 결과에 대한 이유를 상세히 알기 위한 시도의 일환으로 결과에서 차이가 나는 유사한 사례에 대한 조사.

이월효과(carryover effect)　한 조건에서 피험자를 검사한 것이 다른 조건에서 나중의 행동에 미치는 비교적 영속적인 효과.

이중-은폐 설계(double-blind design)　참가자나 실험자 모두 어느 참가자가 어느 처치 조건에 있는지 모르게 하는 실험 기법.

일반화(generalization)　직접적으로 검증될 수 없는 이론으로부터 유도된 광범위한 서술.

일반화 가능성(generalizability)　특정한 실험 결과가 상이한 피험자 모집단 또는 상이한 실험적 상황 같이 상이한 환경 하에서 얻어질 것인가의 논점.

일방 검증(one-tailed test)　분포의 한쪽 끝에 기각 영역을 놓는 검증.

일치차이 병용법(joint method of agreement and difference)　Mill의 체계에서 X는 항상 A에 뒤따르고 A가 없을 때는 결코 X가 발생하지 않는 실험과 같은 상황.

자기교정(self-correcting)　과학은 공개적 경험적 관찰에 의존하기 때문에 자기교정한다; 구 믿음은 경험적 자료에 부합되지 않으면 제거된다.

자기-보고 방법(self-report method)　대부분의 심리측정 척도와 많은 정신물리학적 척도는 연구자가 직접적으로 만드는 관찰 측정이 아닌 반응자의 개인적 보고에 근거하여 자료를 만든다.

자료(data)　종속변인에 대하여 얻어진 점수들.

자연주의적 관찰(naturalistic observation)　조사자 측의 개입 없이 자연적으로 발생하는 사상을 기술.

자유도(degrees of freedom)　값들의 총 개수와 그 합이 고정되어 있을 때 자유로이 변할 수 있는 값들의 수.

작업부하(workload)　한 개인에게 부가되는 주의를 요하는 노력의 양.

잘려진 범위(truncated range)　낮은 상관을 해석하는 데의 문제점; 한 변인에서의 점수의 분산(또는 범위)의 양이 작을 수 있고 따라서 낮은 상관을 발견하게 된다.

재료(materials)　참가자를 검사하는 데 사용된 도구 이외의 요소, 설문조사, 비디오, 기억을 위해 제시된 단어 등등이 기술되는 방법 부문의 한 부분.

저자(author)　기술적인 논문의 책임자의 위치에 있는 사람 또는 사람들; 저자의 이름을 통한 문헌 탐색이 유익하다.

전자 문헌 검색(computerized literature search)　컴퓨터를 사용하여 도서관에서 데이터베이스를 탐색하는 방법.

절감 단서(discounting cue)　설득 메시지의 신뢰도나 정확성을 의심하게 만드는 메시지, 신호, 또는 관련된 사실.

절대역(absolute threshold)　감각 연속선(예를 들면, 빛 강도) 상에서 관찰자가 자극을 탐지하는 평균점.

절대 영(true zero)　섭씨 0°와 같은 임의적인 영점에 대응하는(무게에서 0g) 물리적 속성의 부재.

절약성(parsimony)　훌륭하고 강력한 이론은 많은 사

상들을 적은 서술문 또는 설명 개념으로 설명해야
만 한다. 그러므로 단순성을 지칭한다.

절차(procedure) 학술지 논문에서 참가자/피험자에게 어떤 일이 일어났는지를 설명하며 다른 사람이 연구에서 정확하게 어떻게 수행되었는지를 반복할 수 있는 충분한 정보를 포함하는 방법 부분의 하위 부분.

점이연 r(point biserial r) 독립변인의 효과 크기를 결정하기 위해 두 집단 실험에서 자주 사용되는 상관계수.

정밀성(precision) 훌륭한 이론은 그 예측에서 정밀해야 한다.

정상곡선(normal curve) 도표로 그렸을 때 종 모양의 곡선을 낳는 사상들의 분포; 정상곡선에서는 평균치, 중앙치, 최빈치가 모두 동일하다.

정상분포(normal distribution) 대칭적인 종 모양의 곡선을 낳는 분포.

정신물리학(psychophysics) 알려진 물리적 차원에 따른 자극의 판단(즉, 상이한 강도의 빛에 대한 밝기 판단).

정신물리학적 방법(psychophysical methods) 절대역과 차이역을 결정하는 데 사용되는 한계법과 같은 절차.

정신물리학 척도(psychophysical scaling) 잘 구체화된 입력과 출력을 가진 척도.

제곱합(sum of squares: SS) 변량분석을 통해 효과를 계산하는 데 사용되는 점수 제곱의 합.

제목(title) 논문이나 기술적인 보고서의 내용에 대한 아이디어를 제공하고 보통은 종속변인과 독립변인을 서술한다.

조작적 정의(operational definition) 개념을 보여주기 위해 수행되어야 하는 조작이라는 입장에서 개념을 정의.

조직화(organization) 알려진 것을 부합되는 진술 속에 수집하거나 조직하는 이론의 한 기능.

종단적 방법(longitudinal method) 한 집단의 사람들을 나이듦에 따라 반복적으로 검사(횡단적 방법과 대조된다).

종속변인(dependent variable) 실험자가 측정하고 기록하는 변인.

종좌표(ordinate) 그래프에서 세로축(또는 y축).

종 편견주의(speciesism) 동물의 삶은 인간의 삶과 질적으로 다르다는 견해를 기술하는 용어로 편협한 견해의 한 형태임.

좋은 피험자 역할(good-subject role) 한 피험자가 실험의 목적을 알아보려고 시도하고 그에 따라서 반응할 때(요구 특성과 반응성을 보라).

주 효과(main effect) 한 독립변인의 효과가 다른 독립변인의 모든 수준에서 동일할 때.

준거(criterion) 관찰, 실험, 또는 평가의 타당도를 결정하는 독립적인 수; 그리고 신호탐지 실험에서 관찰자가 예 또는 아니오를 결정하는 결정점.

중다 회귀(multiple regression) 둘 이상의 예측변인을 사용하는 회귀분석의 한 유형.

중앙치(median) 집중 경향성의 측정치; 분포의 중간 점수 또는 분포를 절반으로 나누는 점수.

지원자 문제(volunteer problem) 자원한 피험자는 참가하고 싶지 않았던 사람들과는 상이하다; 연구에서 편향의 한 출처일 수도 있다.

직접적 반복검증(direct replication) 똑같은 결과가 얻어질 것인지 결정하기 위해 가능한 한 비슷하게 실험을 반복함.

집단간 변량(between-groups variance) 실험에서 집단간 분산의 측정치.

집단내 변량(within-groups variance) 한 실험에서 같은 집단 내에 있는 피험자들 간의 분산의 측정.

집중 경향성(central tendency) 점수들 분포에서 중앙을 가리키는 기술 통계치; 평균치, 중앙치, 최빈치를 보라.

짝지은 집단 설계(matched-groups design) 종속변인과 상관된다고 가정된 어떤 변인에 대하여 피험자를 짝지은 후 조건들에 무선 배정시키는 실험 설계.

짝짓기(matching) 피험자 변인과 짝지은 집단 설계를 보라.

차이(difference) 대상이나 그 속성들이 서로 상이한 것으로 분류될 수 있게 하는 모든 측정척도의 기본

속성.

차이역(difference threshold) 두 자극이 다르다고 판단되는 평균점(불확실성 구간의 절반).

참가자/피험자(participant/subject) 학술지 논문에서 연구에서 (사용된) 참가자(사람) 또는 피험자(사람 아닌 동물) 선택의 방법과 수를 나타내는 방법 부분의 하위 부분.

참가자 또는 피험자 대표성(participant or subject representativeness) 상이한 피험자 모집단에 걸쳐서 결과를 일반화하는 것에 대한 결정.

참고문헌(reference) 기술적인 논문의 끝에서 발견됨; 논문의 본문에서 인용된 논문만이 참고문헌 부분에 포함된다.

참여자 관찰(participant observation) 관찰자가 관찰되는 대상 속에 참가하는 관찰 절차(즉, 야생의 고릴라와 같이 생활).

책임감의 분산(diffusion of responsibility) 개인이 집단 상황에서 행동할 때 책임감을 덜 가진 것으로 가정하게 하는 경향성.

처치 × 처치 × 피험자 설계(treatment × treatment × subjects design) 두 개의 독립변인이 있는 피험자내 요인 설계.

척도 희석화 효과(scale-attenuation effect) 독립변인에 대한 수행이 거의 완벽하거나(천장효과) 거의 결여되어 있을 경우(바닥효과) 결과에 대한 해석의 어려움.

천장효과(ceiling effect) 척도 희석화 효과를 보라.

체계적 반복검증(systematic replication) 다양한 요인들이 변함에도 실험의 효과가 살아남을 수 있는지를 보기 위해 현상과 무관하다고 고려되는 수많은 요인들을 변동시키면서 실험을 반복함.

초록(abstract) 학술지 논문의 맨 처음 부분에 있는, 독자에게 결과에 관해서 알려주는 짧은 요약문.

초점 지역 통제(focal local control) (a) 비동등 처치집단에 있는 참가자와 동일한 특성을 지닌 참가자를 포함하고, (b) 처치집단과 동일한 지역에서 선발된 참가자를 포함한 비교집단 실험 설계의 통제집단.

최빈치(mode) 집중 경향성 측정치; 가장 빈도 높은

점수.

추리 통계(inferential statistic) 특정한 실험 발견의 신뢰성과 일반성을 결정하는 절차.

측정(measurement) 수를 대상이나 대상의 속성에 체계적으로 배정.

측정척도(measurement scales) 검증력을 증가시키는 순서로 명명, 서열, 등간, 비율.

층화 표집(stratified sample) 모집단을 작은 단위로 나누어 그 단위 안에서 무선 표집을 하는 무선 표집에 대응하는 대안.

칸(cell) 특정한 행/열의 조합에 의해 정의된 자료표의 한 기재 장소.

크기(magnitude) 만일 $A < B$이고 $B < C$이면, $A > C$라는 방식으로, 크기에 근거해서 척도값이 순서지어질 수 있다는 사실과 관련된 측정척도의 속성.

타당도(validity) 한 관찰 또는 절차가 결함이 없거나 참된 것인지를 지칭함.

통계 검증력(power of a statistical test) 통계 검증에서 영가설이 틀렸을 때 영가설을 기각하는 확률.

통계적 신뢰도(statistical reliability) .05보다 작은 알파 수준을 낳는 통계 검증에 근거하여 영가설을 기각함.

통제(control) 다른 변인들을 일정하게 유지하면서 비교를 낮게 하는 기법.

통제변인(control variable) 실험에서 일정하게 유지시키는 잠재적인 독립변인.

통제 조건(control condition) 피험자내 설계에서 비교 조건(통제집단과 비교하라).

통제집단(control group) 피험자간 실험에서 독립변인의 비교 수준을 받는 집단.

틈입-시간-계열 설계(interrupted-time-series design) 많은 수의 피험자의 행동에 대하여 자연적으로 발생하는 처치의 조사를 포함하는 유사-실험.

평가 근심(evaluation apprehension) 참가자가 실험에서 평가되는 것에 관해 거북스러워하는 반응성의 한 출처.

평균(mean) 집중 경향성의 측정치; 모든 점수들의 합을 점수들의 수로 나눔.

평균으로의 회귀(regression to the mean) 측정의 비신뢰성에 기인하여 어떤 변인에 대하여 재측정하였을 때 집단의 평균에 더 가까워지는 경향성.

평균의 표준오차(standard error of the mean) 표본 평균 분포의 표준편차.

표(table) 기술적인 논문에서 자료를 요약하는 그림이 아닌 방식. 종속변인의 요약값이 독립변인의 수준을 기술하는 제목 아래에 제시된다.

표본(sample) 모집단에서 선택된 관찰들.

표절(plagiarism) 다른 사람의 말이나 생각을 공을 돌리지 않고 사용.

표준 점수(standard scores) z 점수라고도 불림. 평균 점수와 개별 점수 사이의 차이가 표준편차의 단위로 표현됨.

표준 정상분포(standard normal distribution) 도표로 그렸을 때, 종 모양의 곡선이 되는 사상들의 분포; 표준 정상분포에서는 평균치, 중앙치, 최빈치가 모두 같다.

표준편차(standard deviation) 분산의 기술적 측정치; 각 점수를 평균의 편차의 제곱의 합을 점수의 수로 나눈 것의 제곱근.

피해로부터 보호(protection from harm) 윤리적인 연구자는 자신의 참가자들을 어떤 해로부터 보호한다.

피험자간 설계(between-subjects design) 각 피험자가 각 독립변인의 오직 한 수준에서 검사되는 실험 설계.

피험자내 설계(within-subjects design) 각 피험자가 독립변인의 하나 이상의 수준 하에서 검사되는 실험 설계.

피험자 변인(subject variable) 실험적으로 변동될 수는 없지만 측정되거나 기술될 수 있는 사람의 어떤 특징.

피험자 소모(subject attrition) 한 피험자가 실험을 끝마치는 데 실패할 때, 이것은 집단에 걸쳐 피험자를 짝짓기한 근거를 파괴할 수도 있다.

피험자 역할(subject roles) 참가자가 실험에서 반응하는 방식(근심 많은 피험자 역할, 성실한 피험자 역할, 좋은 피험자 역할, 부정적 피험자 역할을 보라).

합산 평정(리커트)척도(summated rating (Likert) scale) 태도 서술문에 준 평정의 합인데, 전형적으로 사람들은 긍정적, 그리고 부정적으로 묘사된 서술문을 5점 척도로 반응한다.

해로운 결과를 제거하기(removing harmful consequences) 윤리적인 연구자는 참가자가 갖게 될 지도 모르는 어떤 해로운 결과를 제거한다.

해명(debriefing) 피험자에게 참여한 후에 실험에 대한 모든 상세한 내용을 알려줌; 연구자의 윤리 상의 의무이다.

행동(behavior) 심리학의 기본적인 종속변인.

현장연구(field research) 전형적으로 피험자가 자신이 실험에 있음을 알지 못하는 자연 상황에서 행해진 연구.

호오돈 효과(Hawthorne effect) 실험에서 피험자들이 자신이 실험에 참여하고 있다는 의식에 의해 수행이 영향 받는 상황을 지칭.

혼입(confounding) 종속변인에 대한 어떠한 효과도 독립변인에 의해 기인되었다고 확신할 수 없게, 관심 있는 독립변인과 부차적 변인이 동시에 변동함; 상관연구에는 내재되어 있다.

혼합 설계(mixed design) 독립변인의 피험자 간과 피험자 내의 조작을 둘 다 포함하는 실험 설계.

회귀(regression) 한 변인으로 다른 변인을 예측하는 데 상관계수를 사용.

회귀 인위물(regression artifacts) 한 변인에 대하여 극단적인 점수를 받은 피험자 집단이 다시 검사 받을 때 그 변인에 대한 변화가 측정되는 인위물(평균으로의 회귀를 보라).

회상적(retrospective) 사례연구에서 한 개인이 먼 과거에 발생한 사상에 대한 보고를 해야할 때; 일상의 그리고 동기적 망각에 영향 받기 쉽다.

횡단적 방법(cross-sectional method) 한 시기에 다양한 연령의 모집단에서 큰 표본을 취해서 검사한다(종단적 방법과 대비됨).

횡좌표(abscissa) 그래프에서 수평축(또는 x축).

효과의 크기(magnitude of effect) 독립변인의 효과의 크기—영가설이 얼마나 틀렸나—를 드러내주는

r_{pb} 같은 계산.

효과 크기(effect size) 효과의 크기를 보라.

1종 오류(type 1 error) 영가설이 사실일 때 그것을 기각하는 확률; 유의도 수준과 같다.

2 × 2 요인 설계(two by two (2 × 2) factorial design) 두 독립변인이 각각 두 수준을 가지게 되며, 결론적으로 네 개의 조건을 낳는 설계.

2종 오류(type 2 error) 영가설이 거짓일 때 그것을 기각하는 데 실패.

***ABA* 설계와 *ABAB* 설계**(*ABA* and *ABAB* design) 가역(*ABA*) 설계를 보라.

***AB* 설계**(*AB* design) 특정한 행동(*A*)을 측정한 후 치료(*B*)가 주어지는 치료 상황에서 빈번히 사용되는 설계; 빈약한 연구 설계.

APA(American Psychological Association) 미국심리학회.

APA 형식(APA format) 미국심리학회가 구체적으로 규정한 학술지 논문 형식.

***F* 비율**(*F* ratio) 집단간 변량 대 집단내 변량의 비율; 변량 분석의 근간을 이룬다.

η(eta: 에타) F 검증의 효과 크기 측정치.

Mann-Whitney *U* 검증(Mann-Whitney *U* test) 두 독립집단의 행동이 통계적으로 다른지를 결정하기 위한 비모수 검증.

Pearson *r* 상관계수의 한 형태.

Pearson의 적률 상관계수(Pearson's product moment correlation coefficient) Pearson *r*을 보라.

Psychological Abstracts 심리학 주제와 연관되어 있는 거의 모든 학술지 논문의 초록을 등재한 APA가 발행하는 학술지.

PsycINFO 대부분의 심리학 학술지의 초록을 담고 있는 전자 데이터베이스.

Social Science Citation Index 특정한 저자나 연구를 인용한 논문의 목록을 담고 있는 학술지.

Stroop 효과 스트룹 효과를 보라.

***t* 검증**(*t* test) 두 집단의 차이를 검증하는 모수 검증.

Weber의 법칙(Weber's law) $\Delta I / I = K$ 최소 가지 차(JND)는 기저 강도의 일정 비율이다.

Wilcoxon 부호 순위 검증(Wilcoxon signed-ranks test) 두 연관집단의 비모수 검증.

주제색인

ㅈ

저자색인

S

T